JN192874

視能学エキスパート

視能検査学 第2版

シリーズ監修
公益社団法人 日本視能訓練士協会

編集
和田直子 厚木市立病院眼科・視能訓練士
小林昭子 新潟医療福祉大学医療技術学部視機能科学科・視能訓練士
中川真紀 帝京大学医学部附属病院眼科・視能訓練士
若山曉美 近畿大学病院眼科・技術科長（視能訓練士）

医学書院

〈視能学エキスパート〉
視能検査学
発　行　2018年 3月 1日　第1版第1刷
　　　　2021年11月 1日　第1版第2刷
　　　　2023年 3月 1日　第2版第1刷©
シリーズ監修　公益社団法人 日本視能訓練士協会
編　集　和田直子・小林昭子・中川真紀・若山曉美
発行者　株式会社　医学書院
　　　　代表取締役　金原　俊
　　　　〒113-8719　東京都文京区本郷1-28-23
　　　　電話　03-3817-5600(社内案内)
印刷・製本　大日本法令印刷

ISBN978-4-260-05043-2

執筆者一覧（執筆順）

中川　真紀	帝京大学医学部附属病院眼科・視能訓練士
東　範行	前 国立成育医療研究センター病院・眼科診療部長/同研究所・視覚科学研究室長 現 東京医科歯科大学難治疾患研究所
島﨑　潤	東京歯科大学市川総合病院教授・眼科
齊藤　千真	群馬大学大学院助教・眼科学分野
秋山　英雄	群馬大学大学院教授・眼科学分野
長谷川泰司	東京女子医科大学講師・眼科学
飯田　知弘	東京女子医科大学教授・眼科学
中馬　秀樹	宮崎大学准教授・眼科学
勝山　成美	京都大学ヒト行動進化研究センター特定助教・高次脳機能分野
臼井　信男	東京工業大学科学技術創成研究院特任助教・バイオインタフェース研究ユニット
田代　信久	帝京平成大学准教授・人文社会学部
海渡　健	東京慈恵会医科大学教授・中央検査部
魚里　博	東京眼鏡専門学校・校長
桝田　浩三	大阪人間科学大学准教授・医療福祉学科
和田　直子	厚木市立病院眼科・視能訓練士
仲村　永江	関西医科大学附属病院眼科・主任視能訓練士
渡部　維	帝京大学医療技術学部准教授・視能矯正学科
所　敬	東京医科歯科大学名誉教授・眼科学
佐々木　翔	帝京大学医療技術学部講師・視能矯正学科
小林　克彦	帝京大学客員教授・医療技術学部視能矯正学科
内海　隆	内海眼科医院・院長
渡辺　真矢	医療法人社団聖約会佐藤眼科医院・副院長
前田　直之	湖崎眼科・副院長
広田　雅和	帝京大学医療技術学部講師・視能矯正学科
不二門　尚	大阪大学大学院特任教授・生命機能研究科
梶田　雅義	梶田眼科・院長
中山奈々美	大阪人間科学大学講師・医療福祉学科
二宮　欣彦	行岡病院・副院長
小林　昭子	新潟医療福祉大学医療技術学部視機能科学科・視能訓練士
可児　一孝	滋賀医科大学名誉教授
高田　園子	たかだ眼科・院長
松本　長太	近畿大学教授・眼科学
野本　裕貴	近畿大学講師・眼科学

小池　英子　小池眼科・院長
萱澤　朋泰　近畿大学病院眼科・非常勤医師
中尾　雄三　近畿大学客員教授・眼科学
松井　孝子　国立障害者リハビリテーションセンター病院リハビリテーション部・視能訓練士長
吉冨　健志　福岡国際医療福祉大学・視能訓練学科長
國吉　一樹　近畿大学准教授・眼科学
内川　惠二　東京工業大学名誉教授・視覚心理物理学
田中　芳樹　中京眼科視覚研究所・研究員
白鳥　　宙　日本医科大学助教・眼科学
中元　兼二　日本医科大学准教授・眼科学
永嶋竜之介　三重大学医学部附属病院眼科・視能訓練士
近藤　峰生　三重大学大学院教授・眼科学
新井田孝裕　国際医療福祉大学教授・保健医療学部
寺内　　岳　帝京大学助教・眼科学
鈴木　康夫　手稲渓仁会病院眼窩・神経眼科センター・センター長
金子　博行　帝京大学医療技術学部准教授・視能矯正学科
戸田良太郎　広島大学大学院診療講師・視覚病態学
井上　吐州　オリンピア眼科病院・理事長
田邊　宗子　愛知淑徳大学教授・健康医療科学部
湯澤美都子　日本大学名誉教授・視覚科学系眼科学分野
杉山　哲也　かつらぎ眼科クリニック近鉄生駒院・院長
山切　啓太　鹿児島市立病院眼科・科長
玉置　明野　独立行政法人地域医療機能推進機構中京病院眼科・主任視能訓練士
吉田　正樹　東京慈恵会医科大学柏病院眼科・医長
若倉　雅登　井上眼科病院・名誉院長
山口　昌大　順天堂大学准教授・眼科学
海老原伸行　順天堂大学医学部附属浦安病院教授・眼科
大江　雅子　多根記念眼科病院・診療部長
井上　智之　いのうえ眼科・院長
山田　昌和　杏林大学教授・眼科学
植田　喜一　ウエダ眼科・理事長
河野　清美　下関市立市民病院眼科・視能訓練士
西　　恭代　慶應義塾大学助教・眼科学
根岸　一乃　慶應義塾大学教授・眼科学
大黒　伸行　独立行政法人地域医療機能推進機構大阪病院眼科・部長
渡邉　友之　東京慈恵会医科大学眼科学
中野　　匡　東京慈恵会医科大学主任教授・眼科学
大本　美紀　慶應義塾大学助教・眼科学
野田　実香　野田実香まぶたのクリニック・院長
今川　幸宏　大阪回生病院眼形成手術センター・部長

視能学エキスパートシリーズ
第2版刊行にあたって

このたび，《視能学エキスパート》シリーズは第2版を刊行することになりました．本シリーズは，視能訓練士に必要とされる視能検査学，視能訓練学，光学・眼鏡に関するさまざまな知識を集積し，すでに臨床で活躍している方々が日常業務を行ううえで熟思する際の参考に，またこれから視能訓練士を目指す学生の卒前教育にも広く役立てていただいています．

初版が刊行されてから約5年が経ち，この間，2021(令和3)年には厚生労働省で視能訓練士学校養成所カリキュラム等改善検討会が実施されました．指定規則および教育ガイドラインの一部改正について検討が行われ，視能訓練士のさらなる資質の向上が求められています．年々，医療技術や検査機器は高度化しており，また加速する人口減少による社会構造の変化および国民のための医療，保健，福祉等へのニーズの高まりに対応できる視能訓練士であるためには，日々努力し専門性を向上させる必要があることは言うまでもありません．

第2版では，可能な限り基礎から最新情報までを網羅し「具体的症例を取り入れた臨床に応用できる内容」「常に手元に置きたい教本」というコンセプトを踏襲し，各シリーズの内容のさらなる充実や，最新知識のアップデートを中心に企画し，臨床・研究の第一線でご活躍の先生方に改訂のご執筆のお願いをいたしました．

この《視能学エキスパート》シリーズ第2版のすべての巻が研鑽を続ける視能訓練士の皆様の一助となること，また日本の国民がその長寿な人生においてできる限り快適な視能を保持するために貢献できることを心より願っております．

2023年1月

公益社団法人　日本視能訓練士協会
会長　南雲　幹

視能学エキスパートシリーズ
刊行にあたって

1971年に視能訓練士法が制定され，視能訓練士は視能矯正分野を専門とする医療職として誕生しました．その後，医療の変遷と眼科診療の目覚しい進歩により，現在では視能矯正のほか，多岐にわたる眼科一般視機能検査，ロービジョンケア，健診と業務範囲は広がっています．

視機能を評価し管理するわれわれ視能訓練士は，多様化・専門分化する眼科領域や国民の高まるニーズに対応するため基礎知識の習得に加え，自らの能力を向上させるため自己研鑽し続けることは必須です．そこで日本視能訓練士協会では，今後もさらに進歩するであろう眼科領域や社会からの要請に応え，歩んでいくために道しるべとなる必携の専門書を企画いたしました．

《視能学エキスパート》シリーズでは，視能訓練士に必要とされる視能検査学，視能訓練学，光学・眼鏡に関する様々な知識を集積するだけでなく，エビデンスを踏まえた視能訓練や多岐にわたる視機能検査の方法，留意点，結果の評価などをわかりやすく系統立ててまとめています．すでに臨床で活躍している方々が日常業務を行ううえで熟思する際の参考に，またこれから視能訓練士を目指す学生のための教育にもぜひ，役立てていただければ幸いです．

本シリーズでは，臨床・研究の一線で活躍されている方々に執筆していただきました．日々ご多忙の中，ご執筆を引き受けていただいた多くの先生，視能訓練士の方々，また企画から刊行まで親身にお力添えくださった編集担当の方々に心より御礼申し上げます．

日本の医療は国民の健康寿命延伸に取り組んでおり，眼科医療には生活の質(quality of life)とともに視覚の質(quality of vision)を高めることが求められています．この《視能学エキスパート》シリーズのすべての巻が視能の専門職である視能訓練士の皆様の道標となること，また日本の国民がその長寿な人生においてできる限り快適な視生活を送るため貢献できることを念願いたします．

2018年1月

公益社団法人　日本視能訓練士協会
会長　南雲　幹

第 2 版の序

《視能学エキスパート》シリーズは，2006 年 4 月から開始された公益社団法人日本視能訓練士協会の生涯教育制度の教育内容に対応できる，視能訓練士に必要な専門性の高い専門書として作成されました．本書『視能検査学』は，生涯教育におけるすべての領域の基本となるものです．

2018 年の本書刊行から 5 年が経過しました．この間にも医療機器の開発や検査技術の進歩はありましたが，それと同時に私たちを取り巻く環境も大きく変化してきました．

昨今視能訓練士が検査に携わることの多い光干渉断層計，光学式眼軸長測定の機器の開発には目覚ましいものがあります．新しい医療機器が開発されることは疾患の理解を深めるよい機会になります．しかし，正確に検査を行うためには機器を使いこなせることが必要であり，日々勉強し続けることが求められます．またこれからは AI 化が進み，検査も簡便・簡素化し，器械がすべてを行ってくれる時代が来るかもしれません．その成果を上げるためにも今検査に携わる視能訓練士が責任をもって検査結果を見極めていく姿勢が求められます．本書はその一助となるべく解剖をはじめ視能訓練士がかかわる検査を網羅できるよう努めました．そして，患者さんは不安をもって検査を受けています．検者が患者心理を理解して上手にコミュニケーションをとることがより正確な検査につながっていきます．初版とは少し内容が変更された「臨床心理学」の項をぜひお読みいただきたいと思います．

また，本書の特徴でもある第 3 部「疾患別検査の進め方」は，臨床で行われている検査を具体的症例により解説することで理解を深められるものです．第 2 版では今注目されている pachychoroid 関連疾患，視神経疾患の抗 AQP4 抗体陽性視神経炎や抗 MOG 抗体陽性視神経炎も採り上げました．

2019 年冬以降，COVID-19 の影響で「安心して生活できる世の中になるのか？」という不安な状態が続いております．長期化する中で感染対策の検討も行われてきておりますが，今回は一般社団法人日本眼科医療機器協会のご協力のもと，眼科機器の感染対策一覧を巻末に掲載しましたので臨床の場で生かしていただければ幸いです．

最後に第 2 版を出版するにあたり原稿の執筆をご快諾くださいました執筆者の先生方に厚く御礼申し上げます．

2023 年 2 月

編集者一同

初版の序

《視能学エキスパート》シリーズは，2006年4月から開始された公益社団法人　日本視能訓練士協会の生涯教育制度の教育内容に対応できる，視能訓練士に必要な専門性の高い専門書として作成されました．本書『視能検査学』は，生涯教育におけるすべての領域の基本となるものです．

昨今の医療の進歩にともない検査機器の進歩もめざましく，私たち視能訓練士がなかなか見ることのできなかった細胞レベルまで見ることができるようになってきました．同時に，こうした機器の精度の向上は操作性の簡便化にもつながり，専門の知識がなくても検査を行うことが可能という状況を作り出しています．しかしながら，視能訓練士は検査結果の精度を判断し責任をもつ必要があります．つまり，より信頼性の高い結果を得るためには専門知識が不可欠であり，眼および脳の解剖から各器官の機能について十分な知識をもつこと，機器の原理の理解を深めることが必須であると考えます．

それとともに，すべての眼科一般検査においては患者さんとのコミュニケーションスキルが必要です．自覚的検査ではもちろんのことですが，症状や眼鏡処方時などの要望を正しく聞き出すこと，検査についてわかりやすく説明することなどが検査をスムーズに進めるうえでも大切です．そして，患者さんから得た情報を眼科スタッフが共有する「医療はチーム」であることを理解する必要があります．

そこで，本書では諸先生方に基礎として「眼にかかわる解剖」と「医療における心理・コミュニケーション」を，各論では「各検査の原理とコツ」を中心に今までにない切り口からご執筆いただきました．また，本書の特徴として「疾患別検査の進め方」という項目を設けております．「こんなときはどうしたらいい？」というときに本書を開いてもらいたいと思います．実際の臨床で検査がどのように行われているのかを具体的な症例とともにご解説いただきましたので，即日臨床に役立つことと思います．視能訓練士を目指す学生，新人視能訓練士からさらに知識を深めたい視能訓練士まで，視能検査学の専門書として大いにご活用いただけると幸いに存じます．また眼科医の先生方にも「視能検査学」を理解していただけるものになっております．

最後になりましたが，執筆者の先生方には編集者の無理なお願いにもご理解とご協力をいただき深く感謝申し上げます．

2018年1月

編集者一同

目次

第1部

視能検査学を学ぶための基礎知識

序章

視能検査学とは

1 視能学

眼科学のうち機能面を専門的に取り扱う医療分野としてスタートした視能矯正(orthoptics)であったが，眼科医療の高度化，細分化，専門化が進み，視能矯正に携わる視能訓練士の業務も眼科検査領域が多くなっていった．2001 年に厚生労働省視能訓練士教育カリキュラムの見直しが実施されると，カリキュラムの専門分野には「視能」という用語が使われた(表)．視能とは visual ability「視る能力」の意で，生活，暮らしに密着した「みる」ことから「みえている」ことまでの能力，すなわち視覚，視機能のすべてを包括している[1]．

視能訓練士は「視能学」を学び，「視能」のエキスパートとしてその責務を果たす必要がある．

2 「視能」の評価

さて，科学的根拠に基づく医療(EBM：evidence-based medicine)を実践するには，まず，患者のもつ問題点を引き出し特定する必要がある．臨床神経学では病巣の位置を入力，統合，出力の 3 系に分類して考察する習慣があり[2]，これを「視能」の評価に当てはめて考えてみると，視覚の受容器である眼球から脳までの入力系，脳における統合機能(統合系)，脳から眼球を動かすための指令である出力系に分類することができる．入力系・統合系・出力系に分けて病気を構成する問題因子を整理することはその患者の病態把握に有用である．

具体的に眼科にかかわる検査を 3 系に分類すると，入力系は視力・屈折検査をはじめとする眼科一般検査，統合系は両眼視機能・網膜対応検査，出力系は眼位・眼球運動検査となる．本書『視能検査学』では主に入力系を解説する(統合系，出力系の詳細については《視能学エキスパート》シリーズの『視能訓練学』を参照のこと)．

視能検査領域では，近年，医用工学の進歩により眼の構造をあらゆる角度から精密に検査することが可能になった．検査機器の操作自体は比較的容易であるが，検査内容を理解し，正確に判断できる能力を培う必要性が生じている．古くから行われている検査に精通することは新しい機器の理解につながると考える．

表　教育内容と教育目標(専門分野)

教育内容	教育目標
基礎視能矯正学	視能矯正の枠組みと理論を理解し，系統的な視能矯正を構築できる能力を養う．
視能検査学	視能検査の専門的知識と技術を習得し，評価について学習するとともに，職業倫理を高める．
視能障害学	視能障害の予防と治療の観点から，種々の障害を理解する．
視能訓練学	視覚発達の促進や種々の視能障害に対する矯正，訓練，指導及び管理の立場から必要な知識と技術を習得する． また，感染症に対する対応と救急対応についても学ぶ．

3 心理的要素の関与

一方，入力系の検査は，視力検査や視野検査のように自覚的検査も多く，心理的要素が関与する．心理物理学(＝精神物理学)では Fechner GT

が物理的世界に属する刺激強度と心理的世界に属する感覚の強さとの数学的関数関係を究明し，感覚が刺激の物理量の対数に比例するという Weber-Fechner の法則を導いた[3]．眼科の検査において，等差級数的に視標サイズが変わる視力表はこの法則に合致したものである[4]．

しかし，患者の心理状態が検査結果に影響を与えることは自覚的検査を行う際にしばしば経験することである．例えば，小児の視力が検者によっては期待通りに得られなかったり，自動視野計による検査では検者から受ける影響で検査の信頼性が変化したりすることがある．また，検査協力の得難い小児や高齢者などに対するコミュニケーションの良否が自覚的検査のみでなく他覚的検査においても検査実施の可否や検査結果に影響することもある．

視能検査の「エキスパート」である視能訓練士には検査の原理や目的を理解したうえで検査機器を正しく操作できること，患者の心理を理解した対応と検査結果に対する正しい判断ができることが求められる．

4 今後の展望

さて，近年 AI（人工知能）や機械の進化により眼科検査機器も急速に発達してきている．検査機器操作の簡易化に加え，機械一つでできることも増えてきた．また，眼科領域の診断においても AI を活用した診断システムが開発されている．しかし，AI に必要なデータはどんなに機器が発達しても被検者の協力なしには得られない．視能訓練士は検査の可否を含めた判断力と，被検者の協力が得られやすい手技を習得しておく必要がある．

また，自覚的な検査においては今後も機器にのみに頼ることは不可能である．したがって，視能訓練士が担う検査はなくならないと考える．ただし，これらの検査は検者によって検査結果が変化する可能性があるため，視能訓練士は日々研鑽を重ねて「エキスパート」を目指さなければならない．

▶文献

1) 深井小久子：視能矯正を考える．日視会誌 33：21-29, 2004
2) 筒井 純：斜視弱視と脳．丸尾敏夫（編）：眼科 Mook 10 斜視・弱視．pp12-27，金原出版，1979
3) 大山 正，今井省吾，和氣典二，他（編）：1-3 心理物理学：新編感覚・知覚心理学ハンドブック．pp6-8，誠信書房，1994
4) 長谷部 聡：1 屈折・調節の異常，白内障－検査 視力・屈折検査．臨眼 65（増刊号）：12-17，2011

（中川真紀）

第1章 視器の解剖学

I 視覚器の発生

【本項は，すでに『標準眼科学』第 14 版(2018，医学書院)の第 13 章「視覚器の発生と先天異常」として掲載された内容を一部抜粋して再掲載したものである】

視覚器は，① 透光組織(角膜，水晶体，硝子体)，② 神経組織(網膜，視神経，中枢)，③ 外壁(強膜，角膜)，④ ぶどう膜(虹彩，毛様体，脈絡膜)，⑤ 眼球付属器(眼瞼，涙器，外眼筋，眼窩組織)からなる，複雑な構造をもつ臓器である．その発生においては，形態形成遺伝子の制御のもとに，各組織が相互に影響を及ぼしながら，整然と形づくりが進行する．発生は，一般に，胎生第 3 週までが胚形成(embryogenesis)，第 4〜8 週に器官原基形成(organogenesis)，第 3 か月以降に組織分化(differentiation)が行われる．

1 組織の由来

各組織の胚葉による由来はいまだ明らかでない点も残されている，従来の説は表 1-1 のとおりである．大部分が外胚葉(ectoderm)から由来し，① 神経外胚葉(neuroectoderm)，② 表面外胚葉(surface ectoderm)，③ 背側の神経溝(神経外胚葉)から派生した神経堤細胞(neural crest cell)が移動とともに中胚葉の性格を帯びる間葉(mesenchyme)から発生する．中胚葉(mesoderm)の関与は極めて少なく，主に外眼筋(横紋筋)と血管内皮と考えられている．

2 眼球の初期発生(表 1-2)

胎生第 3 週に，中枢神経の原基である神経溝の両側に溝が出現し，眼溝になる．これが最も初期の視器の原基である．眼原基は両外側に向かって陥凹し，眼小窩が形成される(図 1-1)．

胎生第 4 週になると神経溝は閉鎖して神経管となり，さらに前脳となるが，眼小窩は外方に突出して眼胞(第 1 次眼胞)となり，膨大して表面外胚葉と接するようになる(図 1-2)．眼胞と前脳の間はくびれて視茎(眼胞茎)となる．眼胞の外側は中枢側に向かって陥凹して杯状となり，眼杯(第 2 次眼胞)となる(図 1-3，図 1-6⇒7 頁)．眼杯の壁は接して二重となり，表面外胚葉側を内板，中枢側を外板と呼ぶ．将来，内板は神経網膜に，外板は網膜色素上皮になる．

眼杯の内板の陥入は腹側から始まるので，発育差に伴って，眼杯腹側には胎生 5 週までに深い切れ込みが形成され，視茎までに及ぶ．前方を眼杯裂，後方を視茎(眼胞茎)裂と呼び，合わせて胎生裂という(図 1-4，図 1-6b⇒7 頁)．

表面外胚葉は胎生第 4 週に第 1 次眼胞と接すると，この部位が肥厚して水晶体原基である水晶体板となり，眼杯の形成とともに陥凹して水晶体窩となる．次いで，眼杯に向かって陥入し，胞状となって水晶体胞となり，やがて表面外胚葉から

表 1-1 眼組織の発生起源

起源	組織
神経外胚葉(neuroectoderm)	神経網膜と神経線維，グリア 網膜色素上皮 視神経(神経線維，グリア) 毛様体色素上皮および無色素上皮，虹彩上皮 虹彩括約筋と散大筋 第 2 次硝子体の成分を産生
表面外胚葉(surface ectoderm)	眼瞼表皮，睫毛 角膜上皮，結膜上皮 水晶体 外眼部分泌腺(マイボーム腺，Moll 腺，Zeis 腺) 涙器(涙腺，涙道上皮)
神経堤細胞(neural crest cell)由来の間葉(mesenchyme)	眼瞼皮下および結膜下の脂肪組織と結合組織 角膜実質および内皮 強膜，視神経鞘 隅角線維柱帯 ぶどう膜(虹彩実質，毛様体実質，脈絡膜) 第 1 次硝子体，第 2 次硝子体の成分を産生 眼窩の骨，脂肪，結合組織 血管周囲細胞 Schwann 細胞 軟骨および骨組織
中胚葉(mesoderm)	外眼筋(内・外・上・下直筋，上・下斜筋) 上眼瞼挙筋 眼輪筋 血管内皮

表 1-2 眼組織の発生と分化

胎生第 3 週
- 中枢神経の原基の発生(神経溝)
- 眼の原基の発生(眼溝から眼小窩へ)

胎生第 4 週
- 中枢神経の原基(神経管から前脳へ)
- 眼胞(第 1 次眼胞)と視茎(眼胞茎)の形成
- 眼杯(第 2 次眼胞)の形成〔網膜原基(眼杯内板)と網膜色素上皮原基(眼杯外板)〕
- 水晶体原基の形成(水晶体板から水晶体窩へ)

胎生第 5 週
- 胎生裂の形成
- 間葉と硝子体動脈が眼杯内へ侵入
- 水晶体胞が形成され，表面外胚葉から分離
- 脈絡膜血管網の形成開始

胎生第 6 週
- 胎生裂の閉鎖
- 網膜神経節細胞の出現
- 第 1 次硝子体と硝子体血管系，水晶体血管膜の形成
- 第 1 次水晶体線維の形成
- 角膜実質と内皮の形成開始

胎生第 7 週
- 虹彩の形成開始
- 眼瞼の形成開始

胎生第 8 週
- 視交叉の形成
- 第 2 次水晶体線維の形成
- Bergmeister 乳頭の形成開始
- 強膜の形成開始

胎生第 3 か月
- 上下眼瞼の癒着
- 毛様体の形成開始
- 第 2 次硝子体の形成

胎生第 4 か月
- 網膜血管の成長開始

胎生第 5 か月
- 網膜の層構造がほぼ完成，視細胞形成開始

胎生第 5〜6 か月
- 上下眼瞼の分離

胎生第 7〜9 か月
- 硝子体血管系，水晶体血管膜の退縮進行
- Bergmeister 乳頭の退縮進行
- 黄斑の形成開始

胎生第 10 か月
- 網膜血管の成長終了

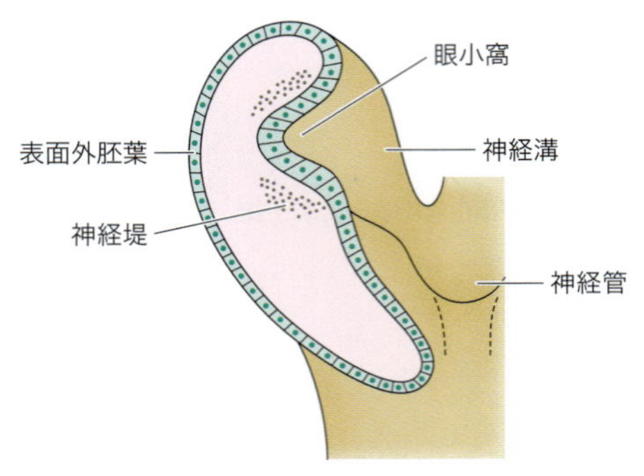

図 1-1 眼小窩の発生(胎生第 3 週)

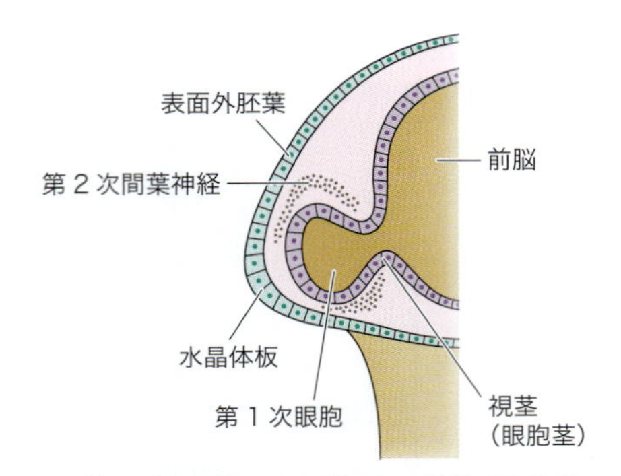

図 1-2 第 1 次眼胞と水晶体板の発生(胎生第 4 週)

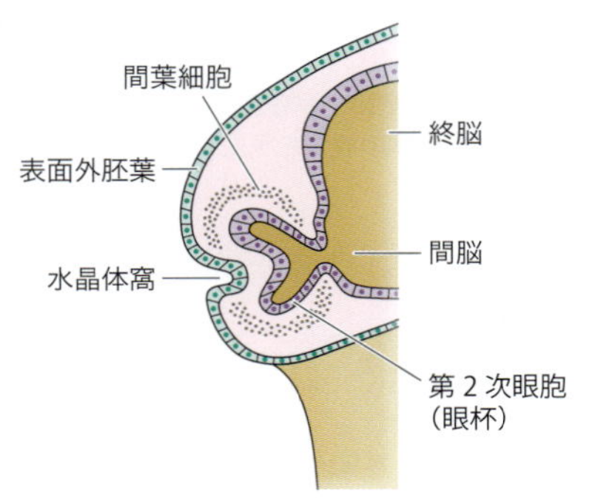

図 1-3 第 2 次眼胞(眼杯)と水晶体窩の発生(胎生第 4 週)

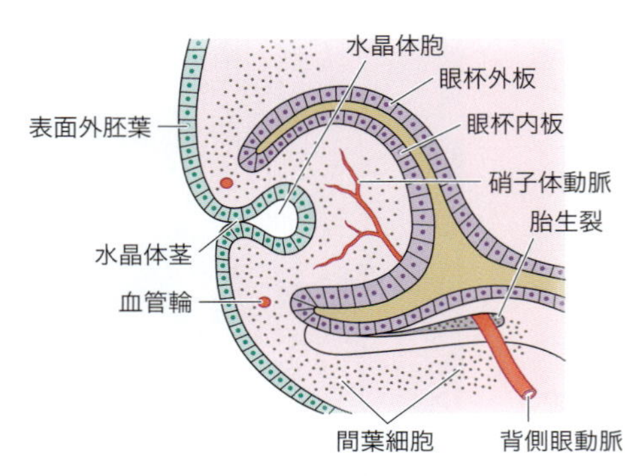

図 1-4 眼杯，水晶体胞と胎生裂(胎生第 5 週)

分離する(図 1-4，図 1-6)．

頭頸部では真の中胚葉(第 1 次間葉細胞)を形成する体節がないが，これに相当する組織は，大部分が神経堤細胞由来である．神経堤は，表面外胚葉との境で，背側の神経溝から発生する．やがて移動し増殖して眼胞を覆うとともに，中胚葉の性格を帯びて間葉細胞(第 2 次間葉細胞)となり，中外胚葉あるいは外間葉組織とも呼ばれる．眼杯が形成されると，間葉細胞は胎生裂あるいは眼杯前縁から眼杯内や水晶体胞周囲に侵入する(図 1-1～4，図 1-6)．

胎生裂は胎生第 6 週までに閉鎖し，以後各眼組織の発達は急速に進行する(図 1-5)．

3 各組織の分化

a. 角膜(図 1-7⇒8 頁)

初期の表面外胚葉から水晶体胞が分離する時期に，両者の間に間葉細胞が侵入する．表面外胚葉は上皮に分化し，間葉細胞は実質と内皮に分化する．

b. 強膜

眼杯周囲の間葉細胞から発生し，コラーゲン構築は眼球の前方から後方に向かって発達し，胎生第 5 か月で後部の視神経鞘との接続が完成する．

c. 隅角

初期は，水晶体の前方は間葉細胞が占めているが，胎生第 3 か月より角膜や虹彩の発生が始まると，前房が形成される．隅角の形成もこの時期より開始し，胎生第 5 か月に Schlemm 管が形成され，引き続いて，隅角線維柱帯が完成する．

d. 水晶体(図 1-7⇒8 頁)

胎生第 4～5 週に表面外胚葉より眼杯に向かって陥入，分離した水晶体胞は，最初 1 層の上皮から構成されているが，後方の上皮が線維となっ

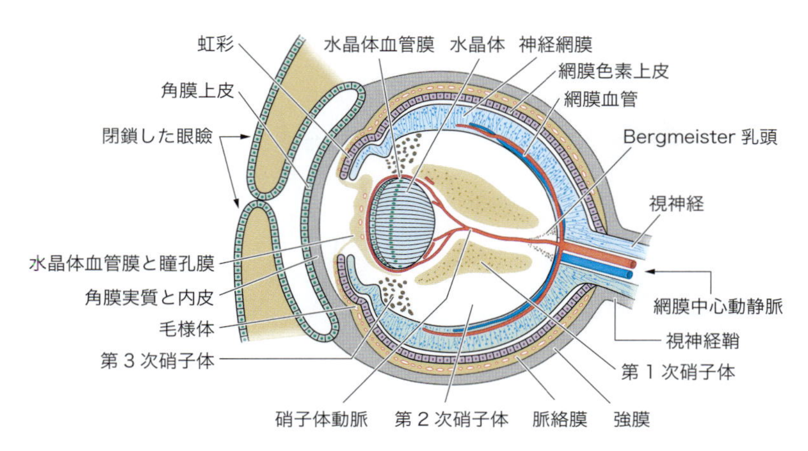

図 1-5　胎生第 4 か月の眼球

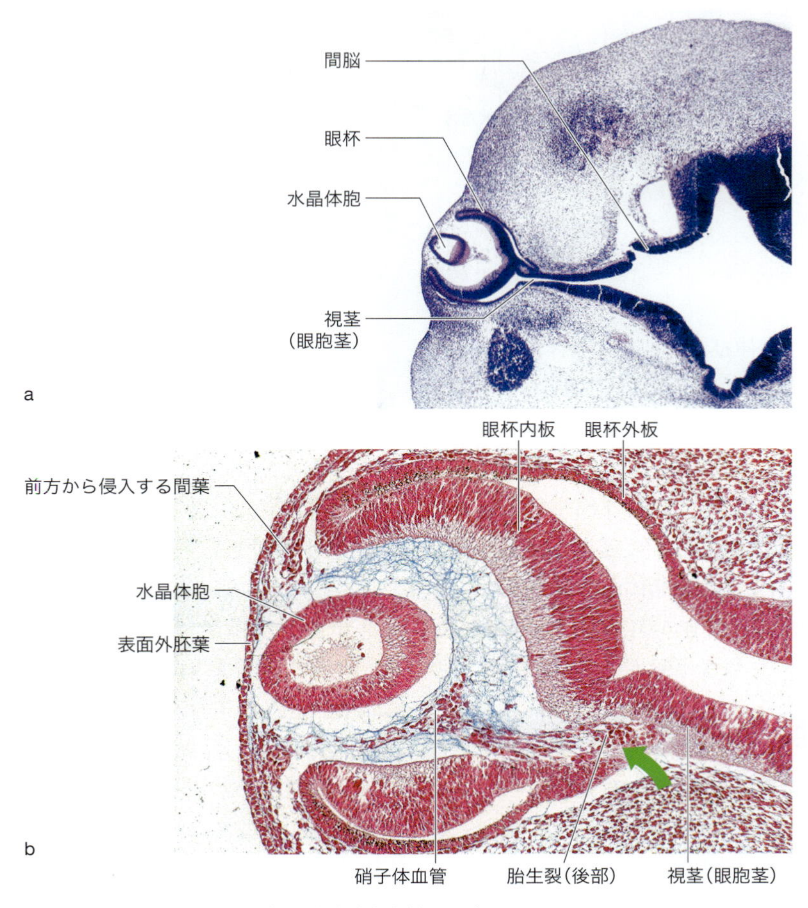

図 1-6　第 2 次眼胞（眼杯）の発生（胎生第 5 週）

a．中枢とつながる全体像．

b．初期眼球の形式．表面外胚葉から水晶体胞が分離，眼杯は内板（将来の神経網膜）と外板（将来の網膜色素上皮）からなり，胎生裂後部から硝子体腔に血管が侵入（緑の矢印），前方からも間葉細胞が侵入（将来の虹彩）．

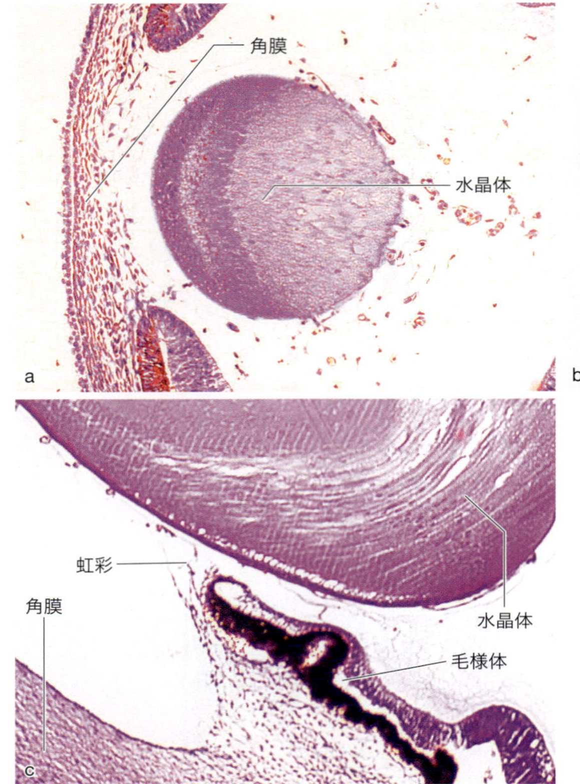

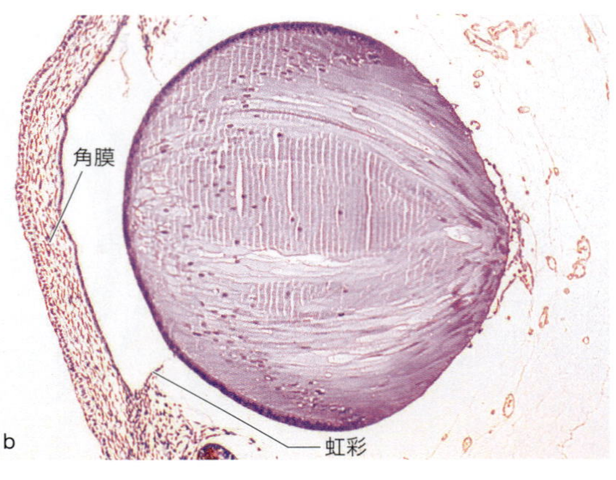

図 1-7　前眼部と水晶体の分化
a. 胎生第 7 週．間葉細胞の侵入による角膜の分化開始，第 1 次水晶体線維の成長．
b. 胎生第 8 週．角膜の分化の進行，虹彩の分化開始，第 2 次水晶体線維の形成．
c. 胎生第 12 週．虹彩と毛様体の分化．

て前方に向かって伸び(第 1 次水晶体線維)，胎生第 6〜7 週には腔がこの水晶体線維で占められ胎生核となる．以後は赤道部の細胞が分裂し，胎生核を囲んで，第 2 次水晶体線維を形成する．この第 2 次水晶体線維の分裂は出生後も続き，20 歳頃に至って停止する．発達期の水晶体は，硝子体血管系に由来する水晶体血管膜で覆われているが，これは胎生第 6 か月頃までに退縮し，以後は房水によって酸素や栄養の供給を受ける．

e. 虹彩(図 1-7)

水晶体と角膜の間に侵入する間葉細胞と，眼杯前縁の神経外胚葉から形成される．胎生第 9〜10 週頃，間葉細胞が眼杯前縁に沿って水晶体前面を覆うように発達し，後に虹彩実質となる．一方，胎生第 12 週頃より眼杯前縁が前方に伸びて虹彩上皮層となり，間葉細胞から分化した虹彩実質の裏面を覆う．虹彩上皮から瞳孔括約筋と瞳孔散大筋が発生する．

f. 毛様体(図 1-7)

胎生第 3 か月より虹彩の後方に皺が形成され，無色素上皮は眼杯内板より，色素上皮は外板より発生する．これと並行して，水晶体との間には，Zinn 小帯が発生する．

g. 硝子体血管系

発達期の眼球内は硝子体血管系によって栄養される．胎生第 5 週頃に胎生裂から内頸動脈由来の背側眼動脈の分枝が間葉細胞とともに眼杯内に侵入する．胎生裂の閉鎖以後，この動脈は硝子体腔内で発達し，視神経乳頭から水晶体後部に向かう動脈本幹と硝子体内の周辺部にまで至る分枝(硝子体固有血管)が形成される．さらにこの血管系は前方の水晶体血管膜に続く(図 1-7a, b)．硝子体血管系は胎生第 3 か月に最も発達し，以後は末梢から退縮する(図 1-8d)．硝子体固有血管は胎生第 5 か月までに，水晶体血管膜は胎生第 6 か月

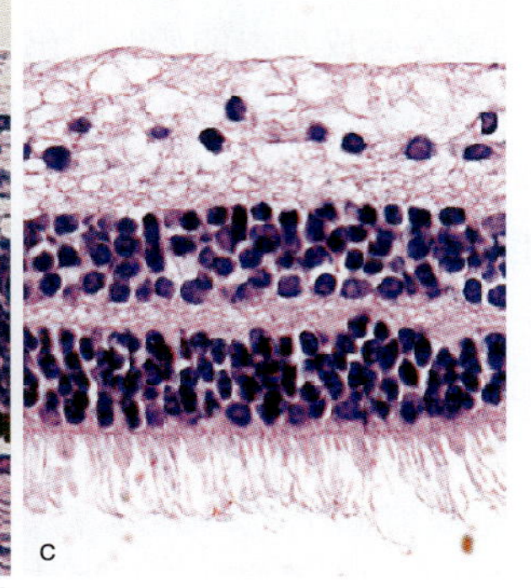

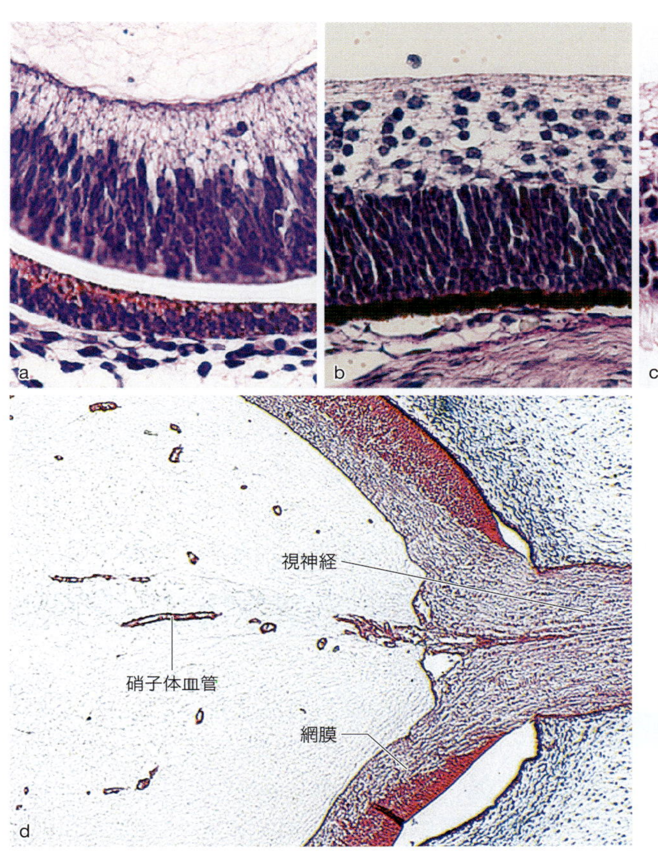

図 1-8 網膜と視神経の分化
a. 胎生第 5 週．原始神経上皮．
b. 胎生第 12 週．神経節細胞の分化開始．
c. 胎生第 28 週．網膜の層構造がかなり完成．
d. 胎生第 9 週の視神経入口部．神経線維の投射が進行．

までに，硝子体血管本幹は周産期までに消失する．

h. 硝子体

硝子体の発生は 3 期に分かれる．眼杯が形成される初期には，胎生裂あるいは眼杯前縁と水晶体胞の間隙から硝子体腔内に間葉細胞と血管が侵入し，初期の第 1 次硝子体が発生する(図 1-6b)．次いで第 1 次硝子体を囲むように，血管を含まない第 2 次硝子体が網膜側より発達する(図 1-5)．これによって第 1 次硝子体は漸次中央へ向かって萎縮し，周産期に至って消失する．萎縮した第 1 次硝子体と硝子体動脈本幹の痕跡は，硝子体管(Cloquet 管)となる．前方周辺部で硝子体基底部や Zinn 小帯の原基である第 3 次硝子体が発生する．第 1 次硝子体は間葉と硝子体血管から，第 2 次硝子体は網膜と一部は硝子体血管から，第 3 次硝子体は毛様体から産生されると考えられている．

i. 網膜(図 1-8)

神経(感覚)網膜は眼杯内板から発生する．原始神経上皮(primitive neuroblast)は胎生第 6 週に内神経母細胞層(inner neuroblastic layer)と外神経母細胞層(outer neuroblastic layer)に分かれ，胎生第 4 か月に神経節細胞層と内網状層が形成される．神経節細胞の分化は早く胎生第 6 週から始まり，神経線維は胎生第 7〜8 週に視神経に向かって投射を開始する．神経節細胞層が形成された後，網膜外層は内顆粒層と外顆粒層に分かれ，視細胞外節は胎生第 3 か月から発生し第 5 か月に形態が明確となる．網膜細胞の分化は，神経節細胞，水平細胞，錐体，アマクリン細胞，杆体，Müller 細胞と双極細胞の順に進む．各層の発達は，後極部側では早く，周辺側では遅い．胎生第 5 か月で層構造はおおむね完成し，第 9 か月で視細胞も外節を含めて成熟する．

網膜血管は胎生第4か月(第14週)より，網膜中心動静脈が乳頭部から成長を開始し，出生前(第30週頃)に最周辺部まで達するが，伸展すべき距離は耳側のほうが長いため，鼻側のほうが早期に完成する．毛細血管網の発達は内層のほうが早く(胎生第8か月)，外層は遅い(胎生第10か月)．

黄斑の形成は胎生第7か月から開始するが，この部位における網膜細胞の密度亢進はすでに胎生第5週頃にみられる．中心窩は成長に伴う網膜内層細胞の移動によって形成されるが，出生時には明瞭でなく，完成するのは生後4か月である．

網膜色素上皮層は眼杯外板から発生し，胎生第5週の外板細胞内に色素顆粒が出現する．初期は2〜3層であるが，胎生第7〜8週で1層となり，色素顆粒が成熟し，貪食にかかわるライソソーム顆粒は視細胞外節の発達とともに出現する．

j.　脈絡膜

脈絡膜では，網膜血管の発生と異なり，毛細血管網が早期に発生する．胎生第5週に眼杯外板周囲に1層の毛細血管網が形成され，胎生第2か月は眼動脈由来の長短毛様動脈，渦静脈原基と吻合する．胎生第4か月に，太い血管網が形成され，脈絡膜色素細胞も出現する．

k.　視神経

胎生第7〜8週に網膜神経節細胞の神経線維が視茎内へ侵入し，中枢へ投射することによって発達が開始する(図1-8d)．胎生第8週には，視交叉が形成され，最初はすべて交叉線維で，後に非交叉線維が出現する．胎生裂後部から侵入した血管と間葉細胞はその閉鎖によって，視神経入口部やや後方から侵入する形となって，後の網膜中心動静脈となる．視茎を形成していた細胞は一部消失し，一部は視神経内の星状グリア細胞に分化する．

視神経乳頭では，胎生第8週頃に，網膜神経節細胞から伸びる神経線維が視茎内に侵入すると，硝子体に面する本来の組織(原始上皮性乳頭)はこれによって分離される．これをBergmeister乳頭と呼ぶ．ここは一部が退縮するが，そこに星状グリア細胞が増殖して胎生第4〜5か月の一時期に硝子体血管の周囲を覆い，以後は硝子体血管本幹とともに退縮し，乳頭に生理的陥凹を残す．

l.　眼瞼，結膜

眼瞼は胎生第5〜6週に，間葉細胞と表層外胚葉が突出し発生する．胎生第3か月に上下眼瞼は上皮が癒合して閉鎖し，胎生第5〜6か月に解離する．この時期に角膜と結膜は急速に発達し，一過性の瞼裂閉鎖の意義として，角膜，結膜の角化防止，眼球の保護などが考えられる．睫毛は胎生第3か月よりみられ，胎生第4か月には瞼板腺，Zeis腺，Moll腺も出現する．

m.　涙器

涙腺は胎生第7週に上外側の結膜上皮より発生し，胎生第3か月に分泌腺ができるが，発達は出生後も続き，乳幼児期に終了する．涙道は同じく胎生第7週に鼻側の表面外胚葉由来の上皮から溝として発生し，胎生後期までに次第に管となる．胎生第3か月に一部が膨隆し将来の涙嚢となる．

n.　外眼筋

胎生第4週に眼杯周囲の間葉細胞の集塊として発生し，胎生第5週に筋紡錘が認められ，この時期までに各脳神経が筋に到達する．上眼瞼挙筋は胎生第7週に上直筋より分離し，滑車は胎生第8〜9週に形成される．

4 視覚器の形成にかかわる遺伝子

複雑な構造をもつ視覚器の形成にかかわる遺伝子のシステムが解明されてきている．多くは発生にかかわる転写因子をコードする遺伝子であり，ほかの動物の視覚器形成でも共通に働いている．眼の初期形成をつかさどる*PAX6*，胎生裂にかかわる*PAX2*，網膜発生にかかわる*RX*，視細胞発生にかかわる*CRX*などがある．

(東　範行)

II 眼球組織構造

A. 角膜

角膜は，眼球の前面を覆う半球状の透明な組織で，その機能は，① 外界との隔壁(バリア)の構築，② 外界の光を眼内に通す，③ 光を屈折させる，の3つである．角膜の屈折力は大体40 D程度あり，眼球全体の屈折力の2/3程度を担っている．

角膜の直径はおおむね横径11～12 mm，縦径10～11 mmとされるが個人差がある．角膜厚は部位によって異なり，中央部で500～550 μm程度，周辺部で800～900 μm程度で幾何学的な中心部よりやや下鼻側に最も薄い部分があることが多い．

解剖学的に角膜は，表層側から角膜上皮，角膜実質，角膜内皮に大きく分けられる(図1-9)．上皮と実質の間にはBowman膜，実質と内皮の間には内皮細胞の基底膜であるDescemet膜があり，これらを含めて5層構造をもつ．角膜の最表層を構成する角膜上皮は，5～6層の扁平上皮細胞であり角膜全体の厚みの約10%を占める．角膜上皮は新陳代謝が活発な組織であり，正常者では約1週間で基底細胞から表層まで移動し，その後脱落する．角膜上皮ではタイトジャンクションが発達して角膜のバリア機能の大半を担っている．また，上皮下には神経叢が発達しており，そのため角膜は知覚が鋭敏な組織として知られる．

角膜実質は，角膜の約90%の厚みを占めている．主要な構成蛋白であるコラーゲンが，角膜表面に平行に規則正しい薄葉構造をとることが透明性維持に必要であり，コラーゲン線維間に存在する細胞外基質が線維間の距離を適切に保つのに働いている．また，コラーゲン線維間には扁平な形の実質細胞があり，コラーゲンの産生や免疫応答などを行っている．

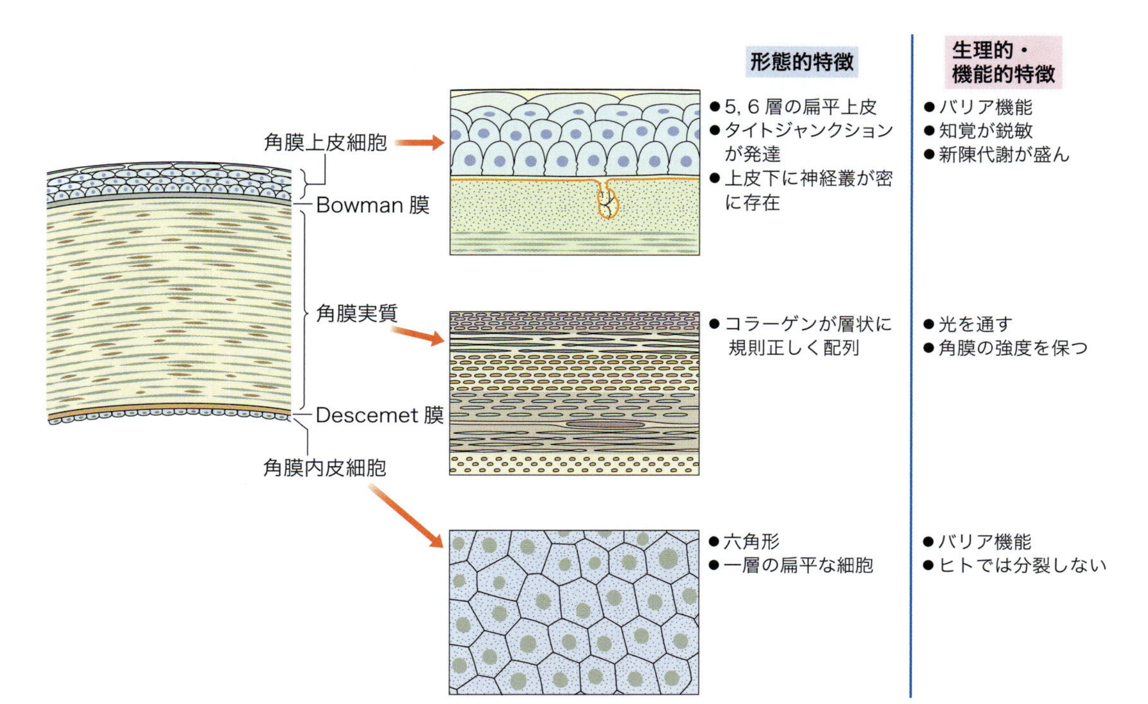

図1-9　角膜の構造

角膜の最内層には，六角形の一層の角膜内皮細胞が前房水に接している．角膜内皮細胞は，角膜実質から前房側に水分を掻き出す「ポンプ」の役割を果たしており，角膜の含水率(約78%)を一定に保つ役割を果たしている．ポンプ機能は，細胞間にあるNa/K ATPaseがその機能を担っている．角膜内皮細胞はヒトでは分裂せず，細胞が死滅すると隣接する細胞が拡大してその機能を代償する．そのため角膜内皮の機能は密度に依存しており，正常では1 mm^2 あたり2,500〜3,000個ある細胞密度が400〜500個程度まで減ると機能不全が生じて角膜浮腫(水疱性角膜症)となる．

B. 水晶体

水晶体は，虹彩の後方に位置する無血管組織で，前後径4〜5 mm，赤道径9.0〜9.5 mmである．水晶体の前面は楕円面でその曲率は放物面の後面よりも扁平で，全体として非対称で後方に凸なレンズ型をしている．

組織学的に水晶体は，表面から水晶体嚢，水晶体上皮，水晶体線維(皮質)，水晶体核からなる．水晶体嚢は水晶体全体を包む基底膜であり，Ⅳ型コラーゲンが主な構成成分である．水晶体赤道部を境に前方を前嚢，後方を後嚢と呼ぶ．また前嚢，後嚢の中心を各々前極，後極と呼び，この部位では嚢の厚みは約0.2 μmと最も薄い．水晶体上皮は前嚢側にのみ認められ後嚢側にはない．水晶体上皮は生涯にわたり細胞分裂を続けて水晶体線維を産生する．水晶体皮質は水晶体上皮の分裂に伴って形成され，約2,200層という厚い線維構造を形成する．細胞分裂とともに古い水晶体線維は，水晶体縫合(前嚢側はY字縫合，後嚢側は人字縫合)から徐々に中心部へ押し込められて水晶体核を形成する．水晶体の構成成分の特徴は，蛋白質の比率が約1/3と高いことで，特にα，β，γクリスタリンが大部分を占めている．水晶体の構成成分の屈折率の差が少ないことで，散乱をあまり生じさせることなく光を透過させることができる．

水晶体の機能は，角膜を経由して眼内に入射した光を屈折させて透過させることにある．その機能からカメラのレンズに例えられるが，水晶体の屈折力は約20 Dで，角膜の約半分にすぎない．水晶体の機能の一つに調節機能があり，自らの厚みを変えることでその機能を果たしている．水晶体は，赤道部〜前嚢側に毛様体から伸びるZinn小帯によって支えられている．毛様体が収縮するとZinn小帯が弛緩し，その結果水晶体の前後径が増大して屈折力が増す．この調節力が低下した状態が老視である．水晶体の透明性が低下した状態が白内障であり，加齢が最大の要因である．白内障の発生には，水晶体構成蛋白の変性が関与しているが，その機序は複合的因子がかかわっていると考えられている．

(島﨑　潤)

C. 網膜

網膜は厚さ0.1〜0.3 mmの膜組織で，内面は硝子体に，外面は脈絡膜に接する[1]．視神経乳頭では欠落してMariotte盲点が存在する理由となっている．前方は鋸状縁毛様体上皮に移行する．網膜は10層であり，硝子体側から内境界膜，神経線維層，神経節細胞層，内網状層，内顆粒層，外網状層，外顆粒層，外境界膜，視細胞層，そして網膜色素上皮層である．そのうち内境界膜から視細胞層までの9層は感覚網膜と呼ばれる．発生学的に感覚網膜と網膜色素細胞層の間にはスペースがあり，これは脳室に相当する．感覚網膜と網膜色素上皮の接着は，① 視細胞外節と色素上皮微絨毛のかみ合わせ，② ムコ多糖類，③ 色素上皮のポンプ作用，④ 眼圧，によって支持されている．

網膜を構成する細胞には，神経細胞，グリア細胞，血管系の細胞の3種類の細胞群がある．神経細胞は視細胞，双極細胞，水平細胞，アマクリン細胞，神経節細胞の5種類からなる(図1-10)．感覚網膜を通過した光が視細胞を刺激し，受容器電位が発生される．生じた電気信号は双極細胞と

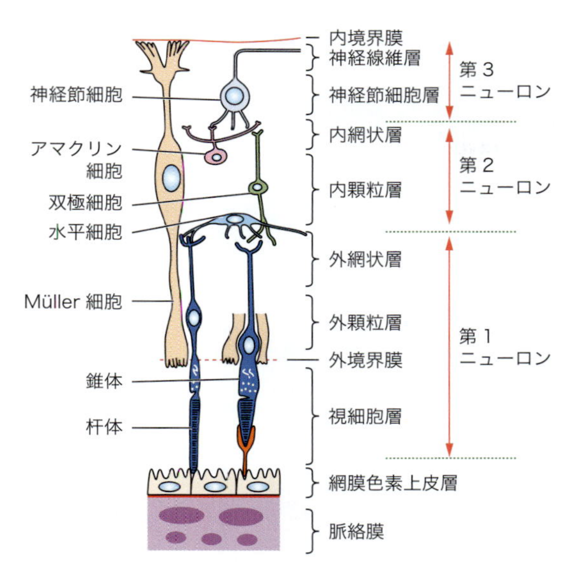

図 1-10　網膜の構造
(大谷倫裕：身につく OCT の撮り方と所見の読み方．p2，金原出版，2013 より)

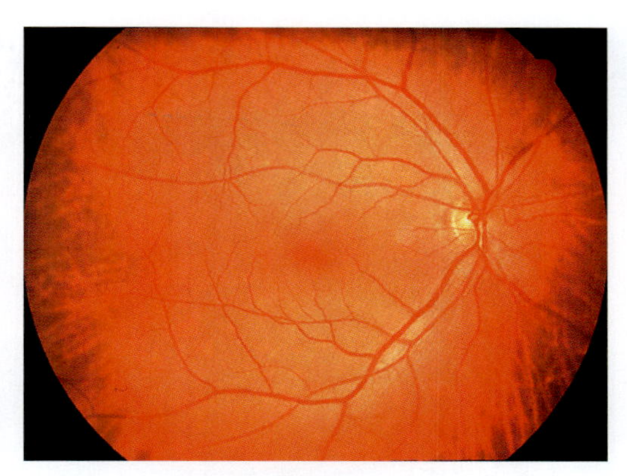

図 1-11　正常眼の眼底写真

水平細胞に伝達される．水平細胞やアマクリン細胞は視覚におけるコントラストの強調を行う．神経節細胞は軸索を外側膝状体まで伸ばしており，視神経乳頭を介している．グリア細胞には Müller 細胞と星状膠細胞がある．Müller 細胞は内顆粒層に核をもち，視細胞層から内境界膜まで突起を伸ばす大きな細胞である．星状膠細胞は神経節細胞層あるいは神経線維層に核をもち，血管周囲によく局在している．網膜の血管は内顆粒層より硝子体側にあり，内皮細胞，周皮細胞，平滑筋細胞から構成されている．

黄斑は臨床的には輪状反射に囲まれた直径 1.5～2.0 mm の領域であり，中心窩は黄斑の中央の赤みを帯びた直径 0.35 mm の陥凹である(図 1-11)．中心窩は視神経乳頭の中心から 4 mm 耳側，0.8 mm 下方に位置している．人間は中心窩を有するために，コントラスト感度が高い中心視野での視覚を備えている．黄斑の前方には後部硝子体皮質前ポケット(以下ポケットと略す)が存在し，坐位では扁平な舟形の液化腔である[2]．ポケットの幅は平均 6.4 mm で中心窩での高さは平均 0.7 mm である．ポケットと Cloquet 管は連絡路がある．このポケットの存在が黄斑疾患を説明するのに重要である．ポケットの存在意義はまだはっきりしないが，Cloquet 管を通して循環してくると思われる房水が高度な酸化ストレスにさらされる黄斑を守る働きを有している可能性がある．

▶文献
1) Hogan MJ, Alvarado JA, Weddell JE: Histology of the human eye; an atlas and textbook. Saunders, Philadelphia, 1971
2) Itakura H, Kishi S, Li D, et al: Observation of posterior precortical vitreous pocket using swept-source optical coherence tomography. Invest Ophthalmol Vis Sci 54: 3102-3107, 2013

(齊藤千真，秋山英雄)

D. 脈絡膜

脈絡膜は網膜と強膜の間に位置する色素と血管に富んだ組織である．ぶどう膜の後方を構成しており，前方は鋸状縁で毛様体実質に移行し，後方は視神経乳頭で欠損する．色素細胞を多く含むため褐色を呈しており，瞳孔以外から眼球内に入ろうとする光を遮断している．また血管に富む組織であり，網膜外層は脈絡膜血管系によって栄養されている．そのため網膜の病態生理，疾患を正確に理解するためには脈絡膜の解剖と機能を十分に把握しておく必要がある．脈絡膜動脈の大半は 15～20 本の短後毛様体動脈として視神経乳頭周囲で強膜を貫通して脈絡膜実質の動脈に移行する．放射状に分岐を重ね後極部では灌流単位であ

図 1-12 後極部脈絡膜の矢状断の光学顕微鏡写真(アズールII染色×350)
(猪俣 猛:眼の組織・病理アトラス. p126, 医学書院, 2001 より)

る小葉構造を呈して脈絡膜毛細血管板に注ぎ，その後，渦静脈となって赤道部近くから強膜を貫通し，眼外へ出る[1,2].

脈絡膜は，組織学的に網膜側から順に Bruch 膜，脈絡膜毛細血管板，血管層，上脈絡膜の 4 層からなり[3]，強膜に移行する(図 1-12).

近年注目されている“pachychoroid”という用語は，“厚い”という意味の接頭語である pachy に由来し，脈絡膜厚が拡大している状態を意味する[4]. pachychoroid 関連疾患では，Haller 層の脈絡膜血管拡張と同部位の脈絡膜毛細血管板の圧排がみられ，その結果として直上の網膜色素上皮障害や脈絡膜新生血管が生じると考えられている.

1 Bruch 膜

電子顕微鏡でみると Bruch 膜は 5 層からなる. 網膜色素上皮細胞側からその基底膜，内側膠原線維層，弾性線維層，外側膠原線維層，および脈絡膜毛細血管板の基底膜である. 両基底膜および内外側膠原線維層は主にコラーゲンで，弾性線維層は主にエラスチンで構成されている. 網膜色素上皮細胞とともに脈絡膜側から網膜側への通過物質の移動を制御する外側血液網膜関門の役割を果たしている.

2 脈絡膜毛細血管板

網膜血管は網膜内層 2/3 までしか栄養しておらず，網膜外層 1/3 は脈絡膜側から栄養されている. 脈絡膜毛細血管板は厚さ数 μm の扁平な有窓型の毛細血管が密集した血管網である. 有窓構造であるため，血管内の蛋白質，アミノ酸，グルコースなどが血中から容易に漏出し，網膜色素上皮細胞を介して視細胞に供給される.

3 血管層

大血管層(Haller 層)と中血管層(Sattler 層)に分けられる. 脈絡膜動脈・静脈は外層では太く，内層に向かうほど細く分枝し，最終的には前毛細血管動脈・静脈として脈絡膜毛細血管板に接続している. 動脈・静脈の構成や走行は眼球の部位によって異なる.

4 上脈絡膜

上脈絡膜は脈絡膜と強膜の移行部を指し，膠原

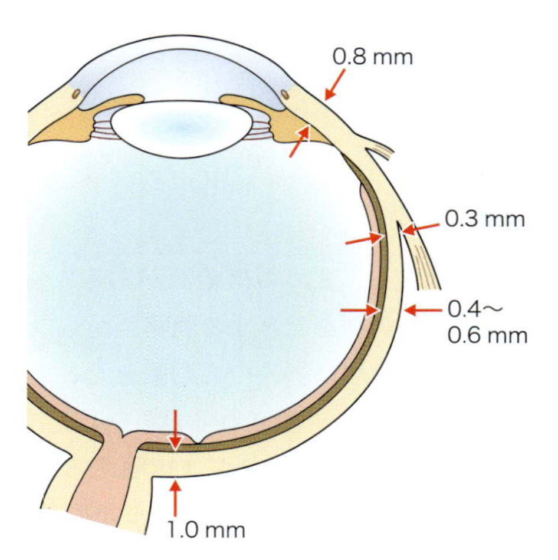

図 1-13　強膜の厚さ

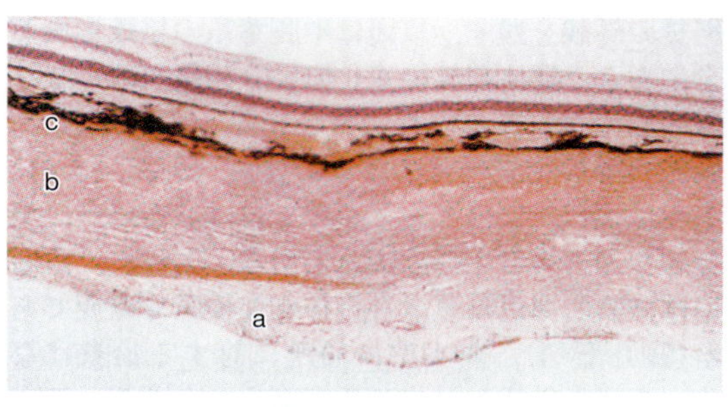

図 1-14　強膜の組織像

a．上強膜，b．固有層，c．褐色層．

〔草刈匡世：強膜の組成と成長因子．丸尾敏夫，本田孔士，臼井正彦，他（編）：眼科診療プラクティス〈22〉やさしい眼の細胞・分子生物学．p176，文光堂，1996 より〕

線維や弾性線維などの基質成分と細胞成分としては多数の色素細胞がみられる．実質に散在する色素細胞や上脈絡膜に集まっている色素細胞は，眼内を暗くする暗幕の役割を果たしている．

E. 強膜

強膜は，眼球の後方 4/5 を占める外膜組織であり，角膜とともに眼球壁を構成している．強膜の主な機能は，① 眼内圧のもとで眼球の形状を維持し，内部組織を保護すること，② 外眼筋が強膜に付着しているため，眼球運動の際に外力の作用部位となること，③ 眼内への神経や血管の通路となることである．強膜の厚さは部位によって異なり，後極部で約 1.2 mm，赤道部でやや薄くなり 0.6 mm，角膜移行部で約 0.8 mm，直近付着部で最も薄く 0.3〜0.4 mm である[4]（図 1-13）．そのため，鈍的外力が眼球に加わる場合には外直筋付着部付近で眼球破裂を生じやすい．視神経乳頭部で内側 1/3 の強膜は篩状板となり，多孔性の膜として視神経線維を通過させる．外側 2/3 はそのまま視神経鞘に移行する．篩状板の周囲で短毛様神経・動脈が強膜を貫き，長後毛様神経・動脈は水平方向から強膜に侵入する．短毛様神経は強膜後部を支配し，長後毛様神経は前部を支配する．強膜は知覚神経が豊富に分布しており，強膜の炎症によって鈍痛を生じる．角膜と強膜の移行部は輪部と呼ばれ，外直筋が強膜へ付着する部位は，内直筋では輪部から 5.5 mm，下直筋は 6.5 mm，外直筋は 7.0 mm，上直筋は 7.7 mm である[5]．

強膜は，組織学的に外側から上強膜，固有層，褐色層の 3 層からなる[6]（図 1-14）．上強膜は血管が豊富で，前方は Tenon 囊と連続しながら眼球を覆っている．固有層は強膜の本体であり最も厚い．主に膠原線維で構成され，線維芽細胞が散在する．眼球支持組織としては，この固有層の存在が重要である．膠原線維は主に I 型コラーゲンからなり，角膜と異なり，コラーゲン線維の大きさや走行，配列が不規則で，そのために不透明となる．ぶどう膜と接する褐色層は薄く，弾性線維が多い．線維間には色素細胞が存在し，後極部でその存在が明瞭である．

▶文献

1）清水弘一（監），米谷　新，森　圭介（著）：脈絡膜循環と眼底疾患．医学書院，2004
2）Yoneya S, Tso MO: Angioarchitecture of the human choroid. Arch Ophthalmol 105: 681-687, 1987
3）猪俣　孟：眼の組織・病理アトラス．医学書院，2001
4）Warrow DJ, Hoang QV, Freund KB: Pachychoroid pigment epitheliopathy. Retina 33: 1659-1672, 2013
5）Sainz de la Maza M, Tauber J, Foster CS: The Sclera. 2nd ed. Springer, 2012
6）草刈匡世：強膜の組成と成長因子．丸尾敏夫，本田孔士，臼井正彦，他（編）：眼科診療プラクティス〈22〉やさしい眼の細胞・分子生物学．p176，文光堂，1996

（長谷川泰司，飯田知弘）

III 眼球の血管系

1 眼球への血流供給の概要

眼球への血流はすべて内頸動脈の分枝の眼動脈から供給されている(図 1-15). 眼動脈は網膜中心動脈と毛様体動脈に分かれて血液を供給する. 網膜中心動脈は眼動脈から分かれ, 前方に進み, 眼球の後方約 10 mm 後方で視神経に入り, 乳頭部で分かれて網膜の内層に血流を供給する. これらは眼底鏡で観察することができる. 後毛様体動脈は眼動脈から分かれ, 2つに分かれる. 2本の長後毛様体動脈は強膜の中を前方に進み, 毛様体筋と虹彩に血液を供給する. 約 20 本の短後毛様体動脈は視神経乳頭と脈絡膜を栄養する. 前毛様体動脈は眼動脈から分かれ, 外眼筋に血液を供給する. 前毛様体動脈は, 外眼筋の付着部付近から強膜内に入り, 後毛様体動脈血流群と合流する. 他の眼動脈の小さな枝は硬膜を貫通し, 視神経を栄養する(図 1-16).

2 網膜

網膜への血流は, 2つの供給源がある[1]. 網膜外層は後毛様体動脈を元とする脈絡膜から供給されており, 網膜内層は網膜中心動脈を元とする網膜血管システムから供給される(図 1-17). 正常ではこれらの2つのシステムは接触することはない. 網膜中心動脈は眼球内に入った直後4つの分枝に分かれる. 鼻側枝は上枝と下枝に分かれる. 2本の耳側枝は上方と下方から黄斑部をアーケード上に囲みこむ. 周辺部に進むにつれてさらに分枝していく. 網膜内方先端では毛細血管となり灌流して静脈となる. それらは網膜中心静脈として乳頭から出て頭蓋内へ入る. 網膜動脈は脳の血管と同様に終動脈である. 血管吻合はない. また, 窓構造もない. したがって, 正常では蛍光眼底造影検査で血管からの漏出はない. 脈絡膜の血管は窓構造が豊富である. 脈絡網膜動脈は, 存在すれば, 脈絡膜から視神経の縁で網膜に入る. したがって, それらは網膜の循環系ではなく, 脈絡

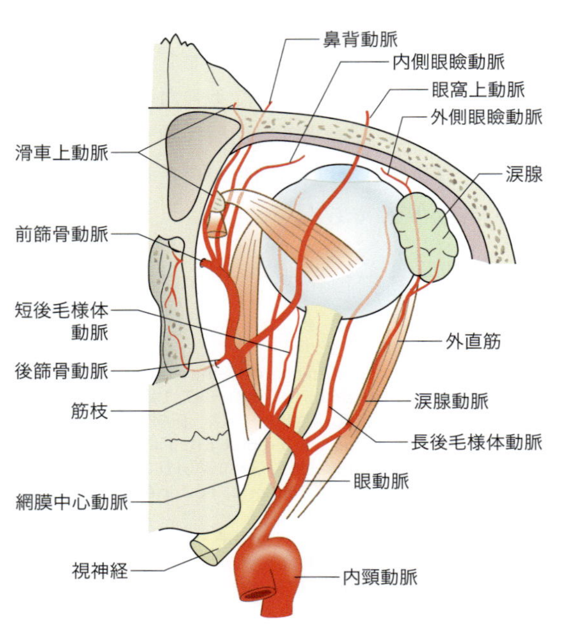

図 1-15 内頸動脈から眼動脈, 眼動脈から網膜中心動脈と毛様体動脈に分かれて血液を供給している様子

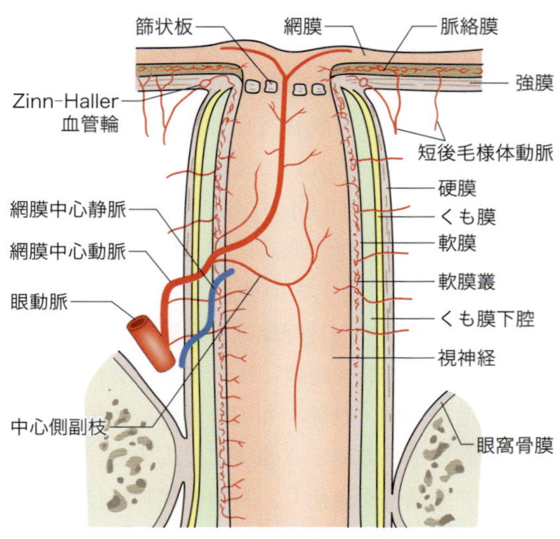

図 1-16 視神経を中心に網膜中心動脈と毛様体動脈から眼球後部に血液を供給している様子

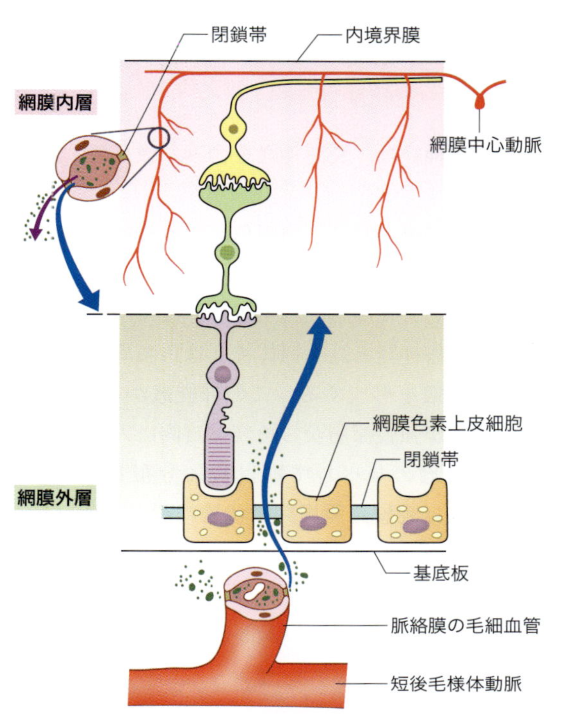

図 1-17　網膜外層と網膜内層の分離した血流支配

膜の血管系である．脈絡網膜動脈はすべての人に存在するわけではなく，また黄斑部を灌流する領域も狭い人から広い人まで様々である．

3 脈絡膜

15〜20 本の短後毛様体動脈は視神経乳頭周囲から強膜を貫通し，後極部の脈絡膜に分布する．それらは上強膜腔，脈絡膜と強膜の間を走行し，広がりながら赤道部まで走行する(図 1-18)．

2 本の長後毛様体動脈は赤道部で強膜を貫通し，強膜と毛様体の中を前方に走行する．それらは網膜鋸状縁のところで分枝し，前方の毛様体，虹彩に分布する(図 1-19)．脈絡膜の大きな血管は強膜側に存在し，小さな血管は網膜側にある．毛細血管は最内層で一層である．窓構造が豊富で，網膜色素上皮や網膜内層を栄養している．脈絡膜の血流は渦静脈から流出する．

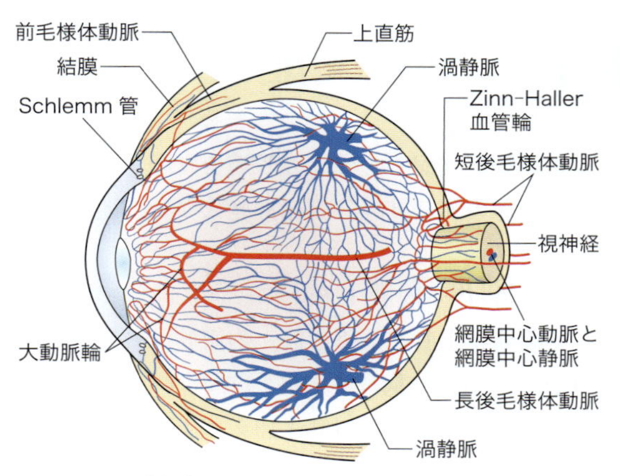

図 1-18　脈絡膜の血流分布

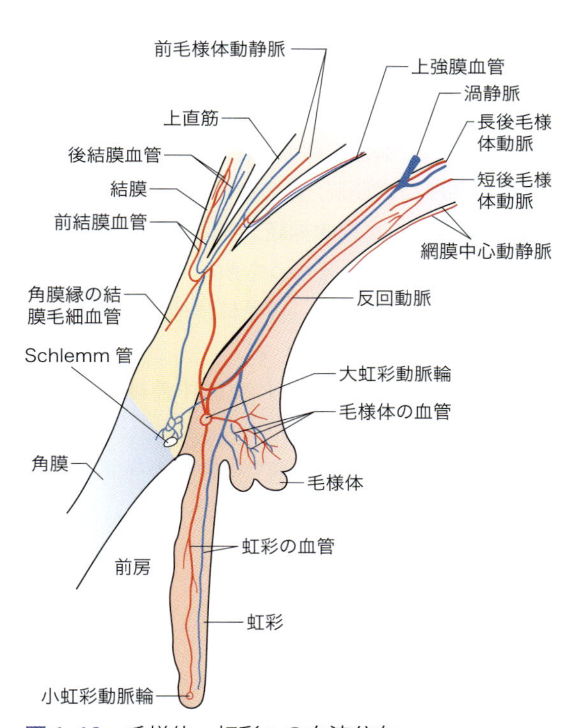

図 1-19　毛様体，虹彩への血流分布

▶文献

1) Smith ME, Kincaid MC, West CE: Basic science, refraction, and pathology. The Requisites in Ophthalmology. p72, Mosby, 2002

IV 神経支配

眼の神経支配として，外眼筋を支配する運動神経，眼球の知覚神経と自律神経について述べる．

1 運動神経(図 1-20)[1]

外眼筋は上直筋，下直筋，内直筋，外直筋，上斜筋，下斜筋で構成される．このうち，上直筋，下直筋，内直筋，下斜筋，加えて上眼瞼挙筋，瞳孔括約筋は動眼神経支配である．外直筋は外転神経支配である．上斜筋は滑車神経支配である．

2 知覚神経

眼球への知覚神経は三叉神経第 1 枝である眼神経の枝によって支配されている．眼神経は純粋な感覚神経である．眼球全体のほか，前頭，涙腺，涙丘，涙囊，上眼瞼，前頭洞，鼻の側面を支配している．

眼神経はさらに涙腺神経，前頭神経，鼻毛様体神経に分かれるが，そのうち眼球と関係が深いのは鼻毛様体神経である．鼻毛様体神経の枝は次のように眼に分布する(図 1-21)．

眼窩に入る直前か直後に毛様体神経節を通過し，短毛様体神経となる．

長毛様体神経は 2，3 本で視神経の周囲を前方へ走行し，虹彩，毛様体，角膜へと至る．また，これらの神経は，交感神経を含み，瞳孔散大筋へと至る．

滑車下神経として，内眼角，上眼瞼結膜，鼻基部，涙丘，涙囊へと至る．

鼻分枝として鼻の先へ至る．

短毛様体神経と長毛様体神経は角膜周囲全周に輪状神経叢を形成する．この神経叢から 70〜80 本の神経が強膜深層から角膜実質内に入り，角膜実質 2/3 層のレベルで網目状に分布している．結膜からは表層角膜周囲輪状神経叢が形成され，角膜表層に入り，分布している(図 1-22)．角膜内では無髄となる．その結果，1,000 本もの細い(0.5〜5.0 μm)軸索の終末部位が角膜内に存在している[2]．

3 自律神経

副交感神経の核は，中脳の Edinger-Westphal 核に存在し，動眼神経とともに前方へ走行し，毛様体神経節でシナプスを変え，短毛様体神経として瞳孔括約筋と毛様体筋へ至る(図 1-23)．交感神経は視床下部から脳幹部，脊髄を下行し，毛様体脊髄中枢でシナプスを変え，節前ニューロンと

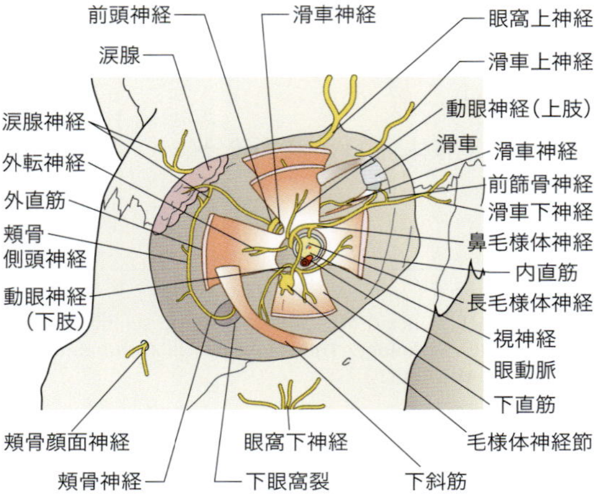

図 1-20 外眼筋の神経支配

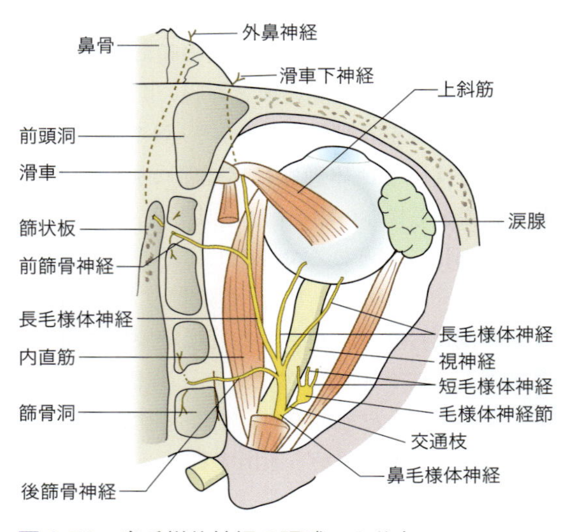

図 1-21 鼻毛様体神経の眼球への分布

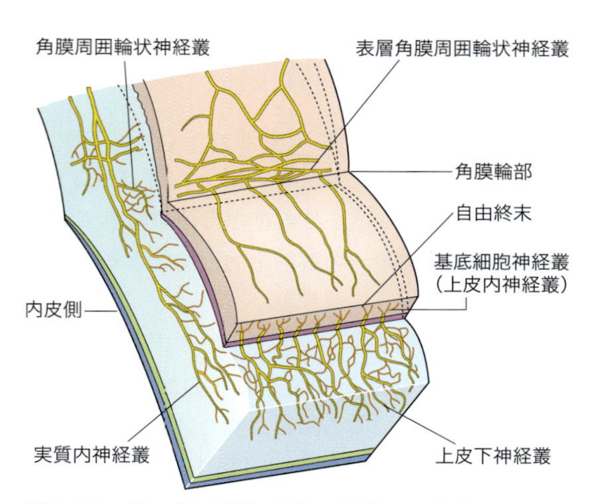

図 1-22　長・短毛様体神経の角膜への分布
〔眞鍋禮三，木下　茂，大橋裕一(監)：角膜の神経．角膜クリニック 第3版．p42，医学書院，2021 より〕

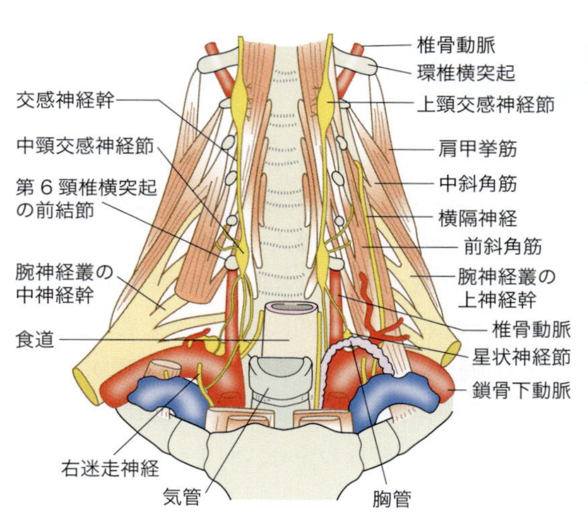

図 1-24　交感神経の頸動脈に沿った走行の様子

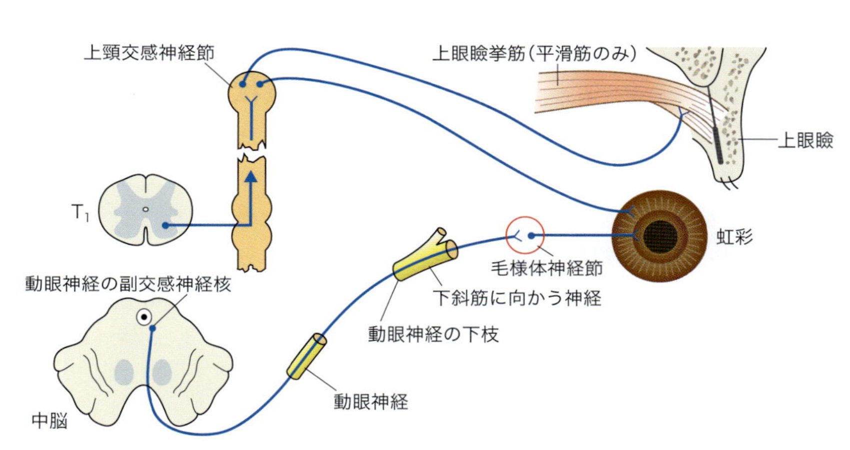

図 1-23　交感神経，副交感神経の眼球への分布

して上行し，星状神経節でもう一度シナプスを形成する．その後節後ニューロンとして内頸動脈に沿って上行し(図 1-24)，海綿静脈洞では外転神経とともに，その後は前述したように鼻毛様体神経，長毛様体神経とともに前方へ走行し，瞳孔散大筋を支配する(図 1-23)．

毛様体神経節は 1〜2 mm の大きさの神経節で，眼球より 1.5〜2 cm 後方の視神経の外側に位置する．ほとんどが副交感神経の細胞体で，瞳孔括約筋へ至るものが 3%，毛様体筋へ至るものが 94% とされる．毛様神経節から出る神経は，瞳孔括約筋と毛様体筋へ至るもの，節後性交感神経として瞳孔散大筋に至るもの(毛様神経節でシナプスは形成しない)，三叉神経の三種類である．

▶文献

1) Smith ME, Kincaid MC, West CE: Basic science, refraction, and pathology. The Requisites in Ophthalmology. pp78-79, Mosby, 2002
2) 眞鍋禮三，木下　茂，大橋裕一(監)：角膜の神経．角膜クリニック 第3版．pp41-46，医学書院，2021

V　視神経，視路

視神経(optic nerve)は，網膜神経節細胞の軸索，円柱状の白質の束である(図 1-25)．網膜神経節細胞の軸索は，網膜内は無髄であるが，視神経内では有髄である．周囲には髄膜の 1 つであるくも膜があり，その間に脳脊髄液を満たしている．視神経への血流は，乳頭部は眼動脈の枝である短後毛様体動脈が Zinn-Haller 血管輪を形成し，そこから視神経の中心に向かって流入している(図 1-26)．

視路(visual pathway)はそののち視交叉-視索-外側膝状体-視放線-後頭葉視皮質へと至る．

1 視交叉

網膜の中心より鼻側から出てくる神経線維は視交叉の中で交叉して反対側の視索に至る．網膜の中心より耳側から出てくる神経線維は視交叉の中で交叉せずに同側の視索に至る(図 1-27)．交叉線維が優位に障害される視交叉病変では，両耳側半盲を生ずる．交叉線維と非交叉線維の割合は，55：45 で，交叉線維のほうが多い[1)]．この差が，視索病変での相対的瞳孔求心路障害(relative afferent pupillary defect：RAPD)を生ずる根拠となる．鼻側の下 1/4 の線維は，交叉後に 1～1.5 mm の長さで視神経に中を通ってからループを描き視索へ至る(Wilbrand's knee と呼ばれる)[2)]．Wilbrand's knee は，その存在自体が議論されているが，接合部暗点の解剖学的根拠となる．

2 視索

視索は，視交叉と外側膝状体の間の部分である．視索には，同側の網膜耳側の線維と，反対側の網膜鼻側の線維が集まる(図 1-27)．加えて，視索の中では，網膜神経節細胞からの軸索の分布は，網膜の中の分布と完全に一致していない．その結果，不完全な障害では非調和性の同名半盲が生ずる．

3 外側膝状体

外側膝状体は，視床の後外側に位置し，網膜からの神経線維軸索とシナプスを形成し，後頭葉視皮質にその後の線維を送る．同側と反対側からの軸索は，層に分かれて配列される．腹側から背側へ 6 層からなり，1，4，6 層は反対眼からの神経線維が至り，2，3，5 層へは同側眼からの神経

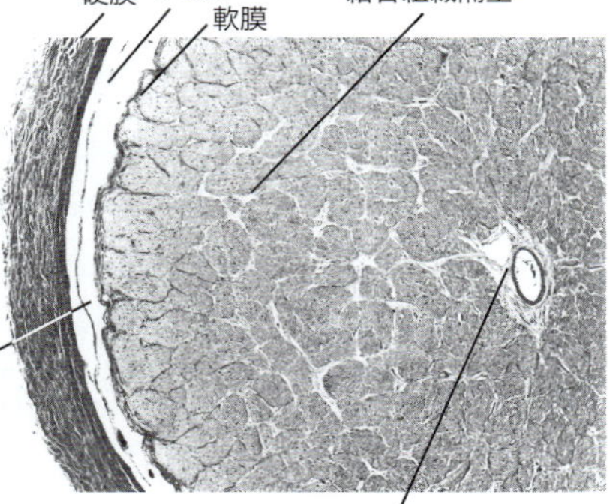

図 1-25　視神経の横断面
〔Snell RS, Lemp MA: Clinical Anatomy of the Eye. 猪俣孟(監訳)：眼の臨床解剖学．p332，医学書院，1993 より〕

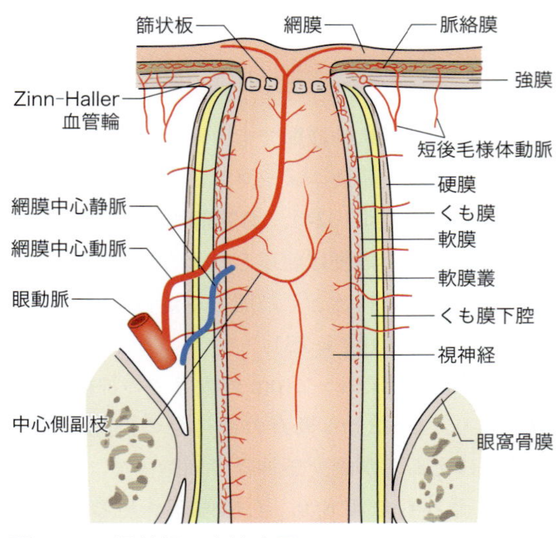

図 1-26　視神経の血流支配

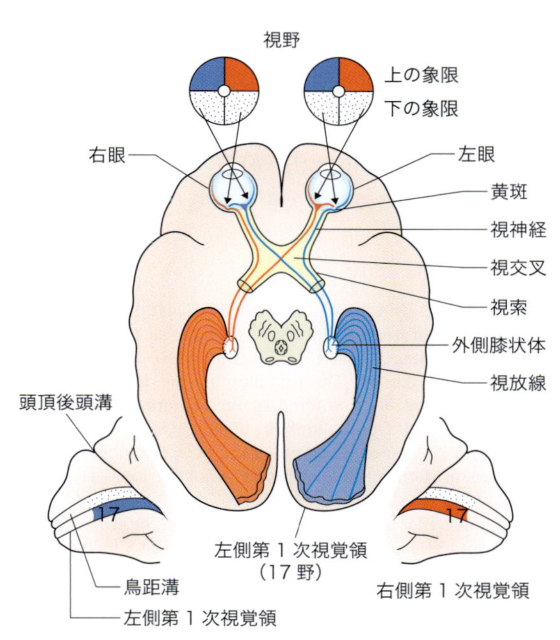

図 1-27　視索内の神経線維の走行

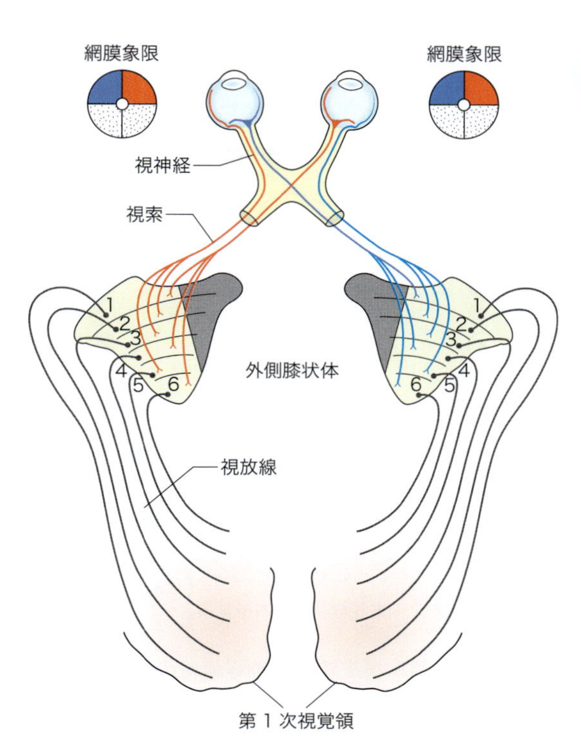

図 1-28　外側膝状体内の神経線維の走行

線維が至る(図 1-28)．1，2 層は，大きな神経節細胞からの線維を含み，他の 4 つの層は小さな神経節細胞からの線維を含む．

4 視放線

視放線は，外側膝状体から後頭葉視皮質へ至る白質線維である．外側膝状体を出た後，内包後脚の後部を占める．上方網膜からの線維は直接後頭葉に達するが，下方網膜からの神経線維は一度前方へ走り，側脳室の下角を回り，後方へ走行する．この前方へのループは，Meyer's loop と名付けられている[3]．Meyer's loop は，側脳室の先端より 1 mm 以内にまで達し，側頭葉前端より 4～5 cm 後部を走行する．したがって側頭葉の先端より 5 cm を超える大きさの病変では Meyer's loop を障害し，pie in the sky 型の視野欠損を生じる．

視放線が側脳室の周りを走行する際，その外側縁を放線冠が通り，網膜下方神経線維は下方を，上からの線維は上方を通る．視放線が側脳室三角を通ったら，線維はコンパクトにまとまり，この部では完全な同名半盲が生ずる．網膜からの軸索は正確に対応しているので，不完全な病変でも調和性の同名半盲を生ずる．

側脳室三角を過ぎると，上下二つに分離され，鳥距溝へ至る．これらは解剖学的に分離されているが，血流も別々に支配されている．したがって，この部の病変では上，または下の 1/4 同名半盲を生ずる．

5 後頭葉視皮質

視放線は，後頭葉視皮質へと至る．ヒトでは，85% が半球間溝の中に埋もれており，その先端は頭頂後頭溝にまで達する[4]．後端は後頭葉極に沿って 1.5 cm 広がり，25～40 cm^2 の面積をもつ．その網膜分布との関係は以下のようである(図 1-29)．

(1) 後頭葉極から 50% が網膜中心 10° に対応する．
(2) 真ん中の 40% は網膜の 10～60° に対応する．
(3) 前方の 10% は網膜の 60～90° に対応する．

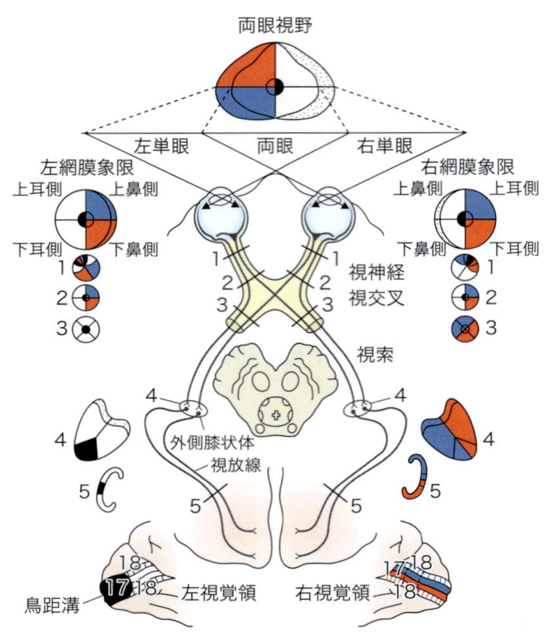

図 1-29 後頭葉視皮質内の神経線維の走行と網膜，視野との対応

これらの関係から，大きな後頭葉極の病変で，小さな傍中心同名性孤立暗点を生ずる．真ん中の病変では視野の中心部が保存される同名半盲が生ずる（macular sparing）．前方 10% 部の病変では，片側の耳側のみの欠損となる（耳側半月）．

▶文献
1) Kupfer C, Chumbley L, Downer JC: Quantitative histology of optic nerve, optic tract, and lateral geniculate nucleus of man. J Anat 101: 393-401, 1967
2) Hoyt WF, Luis O: The primate chiasm: details of visual fiber organization studied by silver impregnation techniques. Arch Ophthalmol 70: 69-85, 1963
3) Meyer A: The connections of the occipital lobes and the present status of the cerebral visual affections. Trans Assoc Am Physicians 22: 7-15, 1907
4) Tootell RB, Hadjikhani NK, Vanduffel W, et al: Functional analysis of primary visual cortex (V1) in humans. Proc Natl Acad Sci USA 95: 811-817, 1998

（中馬秀樹）

VI 脳の解剖

哺乳類の神経系は中枢神経系と末梢神経系の 2 つに区分される．中枢神経系は脳と脊髄からなり，さらに脳は，大脳，間脳，脳幹（中脳，橋，延髄），小脳に区分される（図 1-30）．末梢神経系は神経系全体から中枢神経系を除いた部分で，脳幹から起こる脳神経と脊髄から起こる脊髄神経に区分できる．ここでは脊髄を除いた中枢神経系と脳神経について解説する．

1 大脳

大脳は神経細胞のある皮質（灰白質），皮質の下部で神経線維束の白質，中心部で間脳を取り囲む大脳基底核からなる．皮質の溝は脳溝と呼ばれ，脳溝の間の盛り上がった部分は脳回と呼ばれる（図 1-33⇒24 頁）．皮質のうち神経細胞が 6 層構造をもつ皮質は発生学的に新しく，新皮質（等皮質）と呼ばれる．6 層構造をとらない皮質は原皮質，古皮質（あわせて不等皮質）と呼ばれ，大脳辺縁系を形成する．

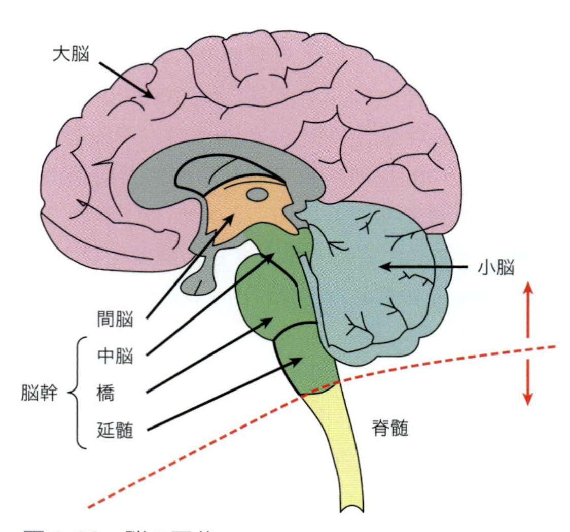

図 1-30 脳の区分

a. 外側面

外側面(図 1-31)の主要な脳溝は中心溝(ローランド溝)と外側溝(シルビウス溝)で，これを元に前頭葉，頭頂葉，側頭葉，後頭葉に区分される．ただし，頭頂葉と後頭葉，側頭葉と後頭葉を分ける明確な脳溝は外側面にはない．実際の脳で脳溝を確定するのは中心溝ですら難しいことがある．

中心溝を境にしてその前後に上下方向に走る脳溝が中心前溝と中心後溝である．中心溝と中心前溝の間が中心前回，中心溝と中心後溝の間が中心後回となる．

中心前溝より前方，中心後溝より後方では脳溝は基本的に前後方向に走る．前方には上前頭溝，下前頭溝が，後方には頭頂間溝がある．下前頭溝の下方の下前頭回には眼窩部，三角部，弁蓋部が存在する(図 1-31，POr，PTr，POp)．また，頭頂間溝を挟んで上方が上頭頂小葉，下方が下頭頂小葉(縁上回，角回を含む)である．側頭葉には上側頭溝，下側頭溝が存在する．外側溝の後端部を取り囲む回が縁上回，上側頭溝の後端部を囲む回が角回となるが，境界は明瞭ではない．

b. 内側面

内側面(図 1-32)の主な脳溝は帯状溝，頭頂後頭溝，鳥距溝である．頭頂後頭溝は頭頂葉と後頭葉の境界で後方は楔部，前方は楔前部になる．鳥距溝の周囲に一次視覚野が形成される．

内側面から側頭葉底面にかけて側副溝，後頭側頭溝がある．両者に挟まれた回が紡錘状回，側副溝の内側の回の前方が海馬傍回，後方は舌状回となる．

内側面には左右半球を連絡する神経線維束の脳梁，前交連，後交連，視床間橋を見ることができる．前交連，後交連を結ぶラインは AC-PC ラインと呼ばれ，MRI 撮像の基準線となる．

c. 大脳辺縁系

大脳辺縁系は，大脳半球の内側面にある，海馬，海馬傍回，帯状回などの発生学的に古い皮質と，この皮質と神経結合のある扁桃体，中隔核から構成される．情動発現に強く関与し，また，海馬は記憶の形成に強く関与する．

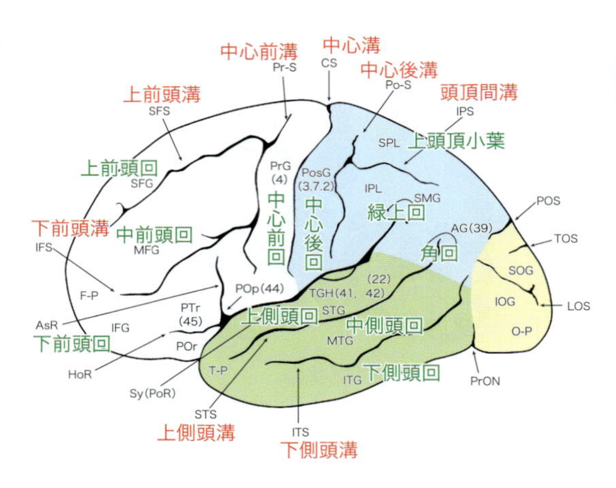

図 1-31 大脳(左半球)の外側面

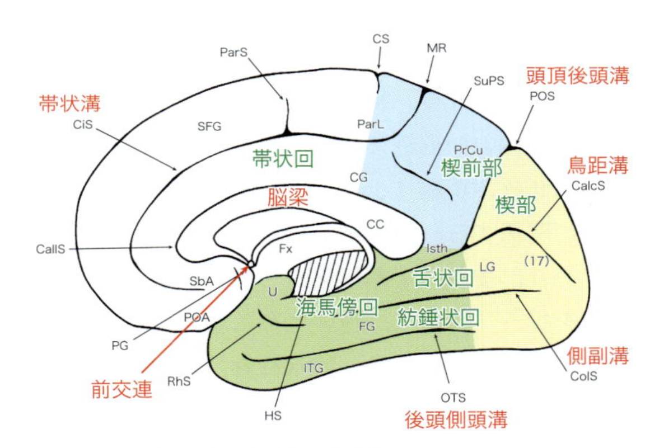

図 1-32 大脳(右半球)の内側面

2 大脳基底核

大脳基底核(図 1-33)は大脳の深部にある線条体(尾状核，被殻)，淡蒼球，視床下核，黒質によって構成され，大脳皮質との間に視床を介するループ回路を形成することで，運動，眼球運動，認知機能の調節を行う．損傷によって，無動を特徴とする Parkinson 病，多動(不随意運動)を特徴とする Huntington 病やバリスムなどを発症する．また，近年ではいわゆる報酬系を介してモチベーションの形成にかかわるとされる．

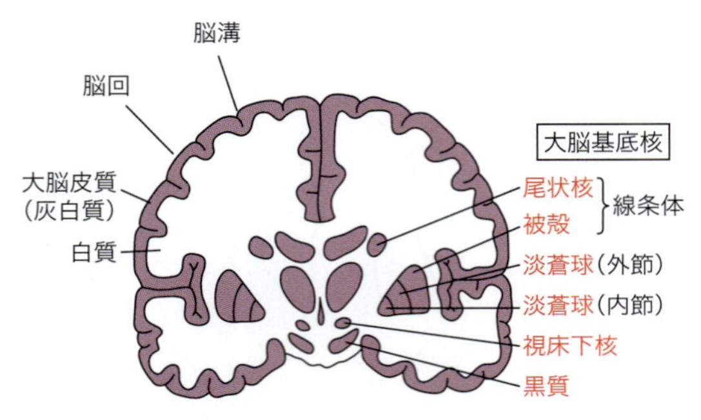

図 1-33 大脳の断面(冠状断)

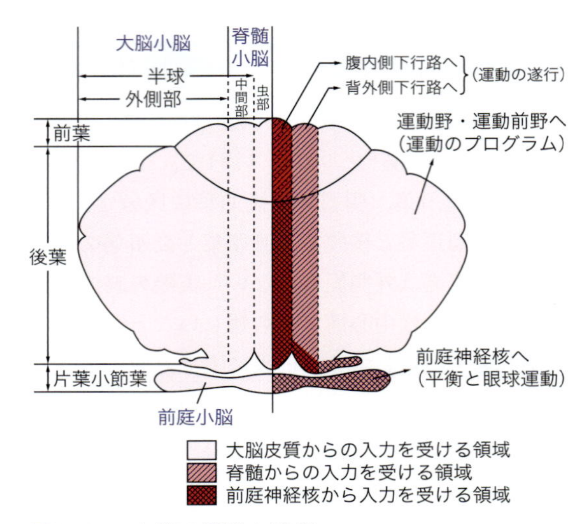

図 1-34 小脳の構造と機能

3 間脳

間脳(図 1-30)は視床上部，視床，視床下部からなる.

視床上部は，情動行動の制御に関与する手綱核，メラトニン合成により概日リズムと関連する松果体が含まれる．視床は嗅覚を除く感覚情報の大脳皮質への中継核であり，また，皮質運動野と大脳基底核，小脳によるループ回路を作り運動の制御に関係する．視床下部は自律神経系の上位中枢であり，また，下垂体を介してホルモンによる調節を行う．さらに，種の生存にかかわる行動の中枢であり，摂食行動，飲水行動，性行動などの本能行動，体温調節，体液・浸透圧の調節，血糖調節などにかかわる.

4 小脳

小脳(図 1-34)は橋の背側部に位置し，小脳皮質と小脳核からなる.

小脳皮質は系統発生学的，解剖学的，機能的に大きく3つに区分できる．系統発生学的に最も古い原小脳(片葉小節葉)は前庭小脳と呼ばれ，前庭神経系と相互に連絡し，身体の平衡，眼球運動を調節する．次に古い古小脳(虫部)は脊髄小脳と呼ばれ，脊髄と連絡して体幹の動き，姿勢，歩行を調節する．最も新しい新小脳(小脳半球)は大脳小脳と呼ばれ，大脳皮質と連絡して四肢の動き，構音を調節する．また，虫部と小脳半球の間の部分は中間部(あるいは傍虫部)と呼ばれ，脊髄，大脳の両者と連絡する.

小脳には2つの入力系がある．苔状線維は大脳皮質や前庭，脊髄など広い部位に由来し，顆粒細胞にシナプス結合する．顆粒細胞の軸索は平行線維となって，Purkinje 細胞の樹状突起とシナプス結合する．登上線維は，下オリーブ核から起始し，軸索は Purkinje 細胞の細胞体と樹状突起にからみつくように結合する．登上線維の強力な発火は平行線維のシナプスに可塑的な変化を起こす．この現象は長期抑圧(long-term depression：LTD)と呼ばれ，運動学習にかかわるとされる.

5 脳幹

脳幹(図 1-30)は中脳，橋，延髄からなる.

遠心性，求心性の神経束(皮質脊髄路，脊髄視床路など)，小脳への神経束(小脳脚)が通っており，脳神経(Ⅲ～Ⅻ)の神経核，その他の神経核(赤核，下オリーブ核など)がある．また，脳幹網様体には大脳の覚醒にかかわる上行性網様体賦活系，循環中枢，呼吸中枢，嘔吐中枢，嚥下中枢，排尿中枢，唾液の分泌中枢，歩行などの調節部位が存在する．さらにノルアドレナリン，ドパミン，セロトニンのモノアミン作動系神経の起始部が存在する.

表 1-3 脳神経の分類

		脳神経	運	感	副	運動核	感覚核	脳神経が通る孔
	I	嗅神経		●		—	—	篩板孔
	II	視神経		●		—	—	視神経管
中脳	III	動眼神経	●		●	動眼神経核 Edinger-Westphal 核	—	上眼窩裂
中脳	IV	滑車神経	●			滑車神経核	—	上眼窩裂
橋	V	三叉神経 V_1：眼神経 V_2：上顎神経 V_3：下顎神経	●	●		三叉神経運動核	三叉神経中脳路核 三叉神経主感覚核 三叉神経脊髄路核	V_1：上眼窩裂 V_2：正円孔 V_3：卵円孔
橋	VI	外転神経	●			外転神経核	—	上眼窩裂
橋	VII	顔面神経	●	●	●	顔面神経核 上唾液核	孤束核	内耳孔
橋	VIII	内耳神経(聴神経)		●		—	蝸牛神経核 前庭神経核	内耳孔
延髄	IX	舌咽神経	●	●	●	疑核，下唾液核	孤束核 三叉神経主感覚核・脊髄路核	頸静脈孔
延髄	X	迷走神経	●	●	●	疑核 迷走神経背側核	孤束核 三叉神経主感覚核・脊髄路核	頸静脈孔
延髄	XI	副神経	●			第 1～5 頸髄前角細胞	—	頸静脈孔
延髄	XII	舌下神経	●			舌下神経核	—	舌下神経管

運：運動神経，感：感覚神経，副：副交感神経．

6 脳神経

脳神経(表 1-3)は 12 対あり，中枢神経系から出る高さの順にローマ数字の I からXIIの番号が付けられている(脳幹より上 2，中脳 2，橋 4，延髄 4)．これら脳神経は，頭蓋内から頭蓋骨の孔を通って外に出る．運動神経，感覚神経，自律神経(ただし副交感神経のみ)を含むが構成はそれぞれの神経によって異なる．

VII 大脳の機能局在

新皮質は 6 層構造をもつ．部位によって 6 層構造の細胞構築が異なっており，Brodmann の脳地図は細胞構築学的な違いに基づいて作成された[1)](表 1-4，図 1-35)．

Brodmann は区分した領域に 1～52 の番号をつけている(図 1-35，13～16 および 48～51 は欠番)．この細胞構築学的分類による脳地図は，脳機能によって区分した機能地図とよく一致する．これはある特定の機能をうまくこなすために脳が分化発達した可能性を意味する．

1 前頭葉

中心溝の前方部が前頭葉で，中心前回には運動関連領域の一次運動野(Brodmann 4 野)と運動前野(Brodmann 6 野)がある．

中心前溝より前方部は前頭連合野であり，前頭前野とも呼ばれる．前頭前野背外側部は Brodmann 46 野，9 野に相当し前頭前野のかなり腹側に位置している．これは背外側部の名称がマカクザルでの解剖学的位置を示すもので，ヒトでの解剖学的位置を示していないことによる．前

表 1-4 主要な Brodmann 領野の解剖学的位置

Brodmann 3，1，2 野	中心後回，一次体性感覚野(S1)	Brodmann 28 野	後嗅内皮質
Brodmann 4 野	中心前回，一次運動野(M1)	Brodmann 31 野	背側後帯状皮質
Brodmann 5 野	上頭頂小葉，体性感覚連合野	Brodmann 32 野	背側前帯状皮質
Brodmann 6 野	運動前野，補足運動野	Brodmann 33 野	前帯状皮質の一部
Brodmann 7 野	上頭頂小葉，体性感覚連合野	Brodmann 34 野	海馬傍回のうち前嗅内皮質
Brodmann 8 野	前頭眼野(FEF)	Brodmann 35 野	海馬傍回のうち嗅周囲皮質
Brodmann 9 野	前頭前野背外側部(DLPFC)	Brodmann 36 野	海馬傍回のうち海馬傍回皮質
Brodmann 10 野	前頭極	Brodmann 37 野	紡錘状回
Brodmann 11 野	前頭眼窩野	Brodmann 38 野	側頭極
Brodmann 12 野	前頭眼窩野	Brodmann 39 野	下頭頂小葉，角回
Brodmann 17 野	一次視覚野(V1)	Brodmann 40 野	下頭頂小葉，縁上回
Brodmann 18 野	二次視覚野(V2)	Brodmann 41 野	横側頭回(Heschl 横回)，一次聴覚野
Brodmann 19 野	視覚前野	Brodmann 42 野	側頭平面，聴覚周辺野
Brodmann 20 野	下側頭回	Brodmann 43 野	一次味覚皮質
Brodmann 21 野	中側頭回	Brodmann 44 野	下前頭回弁蓋部 Broca 野
Brodmann 22 野	上側頭回，Wernicke 野	Brodmann 45 野	下前頭回三角部 Broca 野
Brodmann 23 野	腹側後帯状皮質	Brodmann 46 野	前頭前野背外側部(DLPFC)
Brodmann 24 野	腹側前帯状皮質	Brodmann 47 野	下前頭前野眼窩部
Brodmann 27 野	梨状葉皮質	Brodmann 52 野	島皮質と側頭弁蓋の境界部

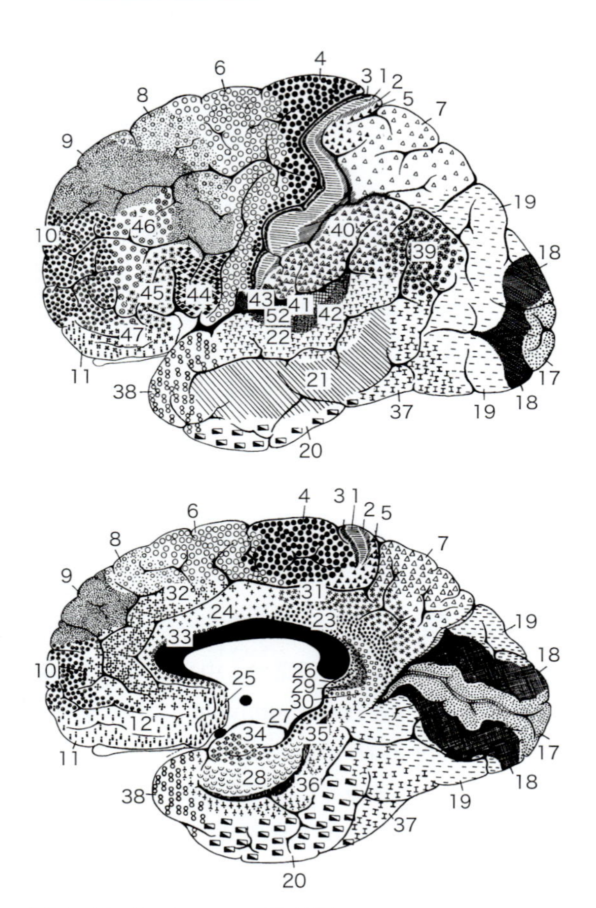

図 1-35 Brodmann の脳地図

頭前野背外側部は行動の遂行機能に関与し，損傷によって例えばワーキングメモリーの機能が障害される．前頭前野眼窩部および腹内側部は大脳辺縁系と連絡し，情動，動機づけや意思決定の機能に関与する．また，これらの領域の損傷で人格変化が生じることが報告されている[2]．左下前頭回の弁蓋部(Brodmann 44 野)と三角部(Brodmann 45 野)は Broca 野と呼ばれ，音声言語の表出にかかわる．

2 頭頂葉

中心溝の後方から頭頂後頭溝にかけての部位が頭頂葉である．中心後回は一次体性感覚野であり，前方から Brodmann 3 野，1 野，2 野に相当する．中心後溝より後方部は頭頂連合野で，頭頂間溝より上方の上頭頂小葉と，下方の下頭頂小葉からなる．サルでは上頭頂小葉が Brodmann 5 野，下頭頂小葉が 7 野だが，ヒトでは前者が Brodmann 7 野，後者が 39 野(角回)，および 40 野(縁上回)となっている．ヒトでは下頭頂小葉が発達した結果，7 野が上方に押し出された格好になっている．

頭頂連合野は高次の体性感覚野であると同時に，多感覚統合，身体とその近傍の空間への注意，空間認知，眼球運動，手や腕の動きなど，様々な認知・運動機能に関与している．右の下頭頂小葉は，半側空間無視の主要な責任病巣のひとつである．また，下頭頂小葉の損傷によってゲルストマン症候群や立体視の障害が生じる．

3 側頭葉

外側溝の下方部が側頭葉である．上側頭回の上面には一次聴覚野(Brodmann 41 野)があり，周囲を高次聴覚野が取り囲んでいる．

一次聴覚野と高次聴覚野を除いた領域が側頭連合野である．左上側頭回の Brodmann 22 野の後方は Wernicke 野と呼ばれ，音声言語の理解にかかわる．上側頭溝より下方部は視覚関連領域であり，下側頭葉皮質と呼ばれる．サルでは側頭葉の外側面が視覚関連領域であるが，ヒトでは言語機能が発達したため，外側面から側頭葉下面の紡錘状回，海馬傍回，舌状回に視覚関連領域が広がっている[3]．下側頭葉皮質には複雑な形の刺激に反応するニューロンが存在し，対象を視覚的に認識する機能に関与している．

4 後頭葉

頭頂後頭溝の後方で，後頭極を含む大脳の最後部が後頭葉である．側頭葉との境界は明瞭でないが，後頭前切痕とすることが多い．後頭葉のほぼ全域が視覚情報処理に関与している．内側面を前後方向に走る鳥距溝の周囲に一次視覚野(V1)があり，Brodmann 17 野に相当する．一次視覚野より前方部を視覚前野(extrastriate area)と呼び，Brodmann 18 野，19 野に相当する．視覚前野には二次(V2)，三次(V3，および V3A)，四次(V4)，五次(V5，または MT)，六次(V6)視覚野などがある．これらの視覚領野には対側視野の網膜部位再現があり，片側の一次視覚野の損傷によって同名半盲が生じる．側頭葉との境界に近い後頭葉の外側部下方には，明瞭な網膜部位再現をもたず，複雑な図形に反応する LO(lateral occipital)や，手や体幹など，顔以外の身体部位に反応する EBA(extrastriate body area)なども存在する．

一次視覚野は外側膝状体から入力を受けるが，視覚前野にも外側膝状体や上丘，視床枕などからの直接投射がある．一次視覚野の損傷によって生じる盲視で，欠損した視野内に呈示された刺激の動きや色などが弁別されるのは，この経路によると考えられている．

▶文献

1) Brodmann K: Feinere Anatomie des Großhirns. In Lewandowsky M(ed): Handbuch der Neurologie. pp206-307, Springer, Berlin, 1910
2) Damasio H, Grabowski T, Frank R, et al: The return of Phineas Gage: clues about the brain from the skull of a famous patient. Science 264: 1102-1105, 1994
3) Wandell BA, Winawer J: Imaging retinotopic maps in the human brain. Vision Res 51: 718-737,2011

Ⅷ 視覚情報処理

横断歩道で，向こうのほうから赤い自動車が走ってくるのを見たとき，私たちの脳は，自動車という「形」，赤いという「色」，走っているという「動き」，そしてこちらへという「奥行き」の情報を処理している．つまり，「形」「色」「動き」「奥行き」の情報があれば，私たちは見ている外界を脳の中で再現できる．

網膜から外側膝状体を経て大脳皮質の一次視覚野に到達した視覚情報は，そのあと視覚前野での処理を経て，最終的に視覚連合野に到達する．サルでの損傷実験，ニューロン活動の記録実験，ヒトの脳損傷患者の症状や脳機能イメージングの結果から，ヒトを含む霊長類の脳には，「形」「色」の情報を処理する一次視覚野から側頭葉へ至る腹側視覚経路(物体視，What の経路)と，「奥行き」と「動き」の情報を処理する一次視覚野から頭頂葉に向かう背側視覚経路(空間視，Where の経路)がある[1](図 1-36)．

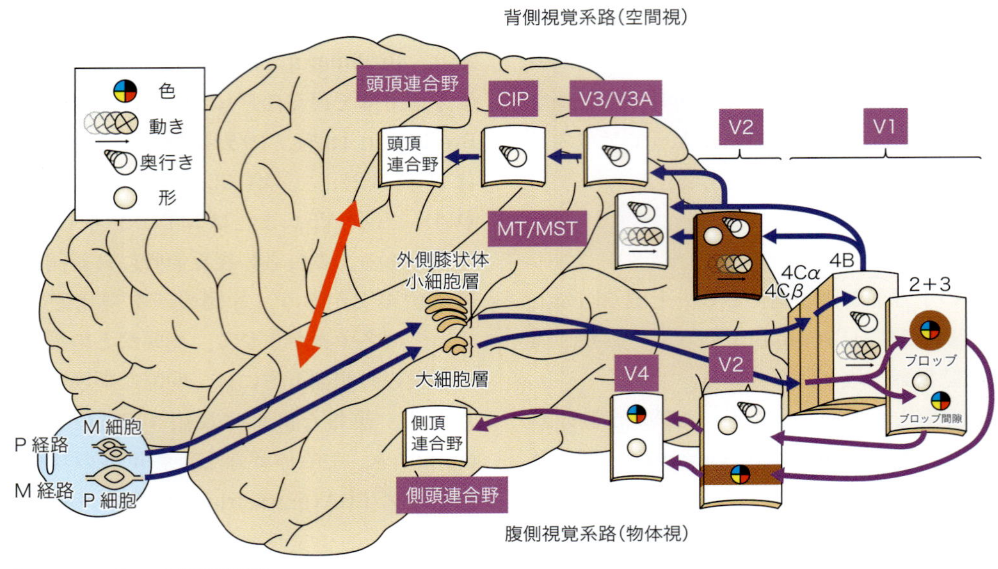

図1-36 2つの視覚経路

1 ヒトの大脳の損傷症状

ヒトの頭頂葉損傷症状をみると，背側視覚経路が空間視の経路であること，側頭葉損傷症状をみると，腹側視覚経路は物体視の経路であることがよくわかる．

a. 頭頂葉損傷症状

1) 空間知覚の障害

両側性に頭頂後頭葉が障害されると，絶対的・相対的な位置定位の障害，大きさの比較の障害などが起こる．また，右半球の障害で傾きの認知障害が観察される．

2) 立体視の障害

立体視の障害が起こり，すべての物が平面的に見えるという報告がある[2)]．

3) 半側空間無視

右側の病変で左半側の身体や空間に無視が生じる．患者は左側の空間内や，体に与えられた刺激に気がつかず，絵を描かせると半分を書き落とす．

4) 運動盲

ヒトのMT/MST野(後述)の損傷で，物体の動きが知覚できなくなる．

b. 側頭葉損傷症状

1) 失認

対象によって相貌失認(顔)，物体失認(物)，街並み失認(街並み)などに分類できる．患者は対象が見えているが，何であるか認識できない．したがって，相貌失認患者でも顔の皺，歯の大きさなど顔の細部を問う質問には答えることができるし，物体失認患者でも対象の形や細部の絵を描くことができる．ただし，対象についての記憶が失われたわけではない．視覚以外の聴覚，体性感覚の手がかり(例えば相貌失認であれば声，物体失認では手で触れる)を使えば認識できる．責任病巣は，紡錘状回，海馬傍回，舌状回などに位置する．

2 視覚関連領域での情報処理

a. 一次視覚野(V1[注1])，二次視覚野(V2)

外側膝状体から入力した視覚情報はV1，V2の領域で「色」「形」，「奥行き」「動き」の情報に仕分けされ，それぞれ「腹側視覚経路」「背側視覚経路」へと送り込まれる．

V1には左右両眼から同視野の情報が入力し，

眼優位コラムを形成する．V1の単純細胞は細長い視覚刺激の傾きに選択性をもち，輪郭の検出に関与しており，同じ傾きに選択性をもった細胞が集まって方位選択性コラムを形成する．また，Ⅱ，Ⅲ層には，チトクロムオキシダーゼで染色すると濃く染まる細胞が円柱状にかたまって存在しており，脳表に水平な断面では斑点状に見えることからブロッブと呼ばれる構造を形成している．V2にはチトクロムオキシダーゼで濃く染まる帯状の構造が観察され，太い縞，細い縞，縞間領域に分けられる．

視覚情報処理は網膜-外側膝状体の段階からすでに始まっている．

1）大細胞経路

網膜のP型神経節細胞（大きな細胞体，網膜全体に分布）に始まり，外側膝状体の大細胞層を経由してV1の4Cα層，4B層を経てV2の太い縞領域へ投射する．この経路は「動き」と「奥行き」の情報を扱う．

2）小細胞経路

網膜のM型神経節細胞（小さな細胞体，中心窩付近に分布）に始まり，外側膝状体の小細胞層を経由して，V1の4Cβ層→ブロッブ間領域→V2の縞間領域に投射する経路と，V1の4Cβ層→ブロッブ→V2の細い縞領域に投射する経路がある．前者は「形」，後者は「色」の情報を扱う．

b．背側視覚経路

「動き」の情報：直線運動，回転運動，奥行き方向の運動など動きの情報はMT，MST野で処理される．

「奥行き」の情報：V1，V2，V3では視差選択性ニューロンが見つかっている．立体的な形状を知覚するのに必要な三次元的な線分の傾き，面の傾きに反応するニューロンがCIP野で見つかっている．また，CIP野では視差手がかりと，きめの勾配などの絵画的手がかりを統合するニューロンが見つかっている．

1）MT（V5）野

ニューロンの受容野は比較的小さく（中心視に対応する部位で1〜3度），刺激の運動方向に強い選択性がある．

2）MST（V5A）野

この領域のニューロンの受容野は大きく，受容野全体をカバーするパターン刺激の動き（optical flow）によく反応する．直線的な動きだけでなく，放射状の膨張，縮小や，回転運動に反応するニューロンがあり，このような視野像の動きは自分の体が移動したときの動きと同じであるから，これらのニューロンは自分の体の動きを知るためのメカニズムに関係があると考えられる．

3）V3，V3A

視差に反応するニューロンが数多く存在し，頭頂葉への視差情報はこの領域を経ると考えられる．

4）CIP野

この領域は頭頂間溝の後方部でLIP野の尾側部とV3Aとの中間に位置し，主に視差情報を使った物体や空間の三次元形態の情報処理に特異的な領域と考えられる．また一部のニューロンは絵画的手がかりにも反応する．軸方位選択性ニューロン，面方位選択性ニューロン，立体構造に反応するニューロンなどがある．

c．腹側視覚経路

「形」の情報：V1のニューロンは細長い受容野をもち，局所的な輪郭の検出を行う．この情報はV2やV4を介してTEO/TE野に伝えられ，単純な図形に反応するニューロン，図形と柄の組み合わせ，図形と色の組み合わせに反応するニューロン，複雑な形に反応するニューロンと階層的な情報処理を経て，顔に反応するニューロン，物体に反応するニューロンが出現する．

「色」の情報：網膜には赤，青，緑の波長によく応答する錐体が存在し，神経節細胞との結合に

注1　組織標本では，V1の灰白質のⅣ層は隣接するV2のⅣ層より厚く，ここに投射する外側膝状体からの軸索を取り巻く髄鞘によって，脳表に平行な線条が明瞭に視認される．そのためV1を線条皮質（striate cortex），または有線野と呼ぶ．なお，その前方に位置する視覚領野を有線外皮質（extrastriate cortex）というが，視覚前野と呼ばれることも多い．

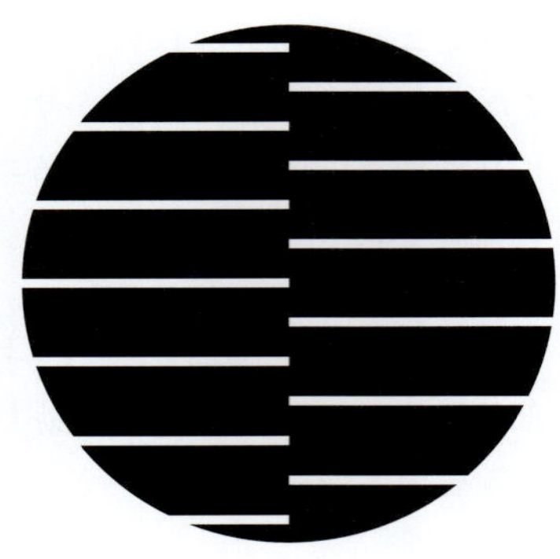

図 1-37　主観的輪郭

よって赤-緑，青-黄の反対色の組み合わせとして脳に色情報が伝えられる．V1 で色に反応するニューロンは光の波長に対して反応するが，V4 のニューロンは反射してくる光の波長ではなく，知覚される色に対応した反応を示す(色の恒常性)．赤，緑，青，黄以外の CIE 表色系に含まれる色に反応するニューロンはV4 以降，TEO 野で見つかる．

1）V2

視覚情報の仕分けに関与するが，物理的には存在しない主観的輪郭(例えば，図 1-37 には物理的に存在しない垂直線が見える)に反応するニューロンが見つかっている．

2）V4

V4 には色の識別に関係したニューロンがある．われわれの視覚は異なった照明下であっても同じ物体の色は同じ色として知覚する．これは色の恒常性と呼ばれる現象であるが，V4 のニューロンのなかにも照明に関係なく同じ色に反応するニューロンが見つかっている．一方，この領域には形に選択的なニューロンもある．

3）TEO 野，TE 野

この領域には比較的複雑な形状の図形に反応するニューロンが存在する．TEO 野では単純に線分などに反応するニューロンもあるが，TE 野のニューロンはその受容野が大きくなり，形，色，柄を組み合わせた比較的複雑な図形にのみ応答する．また，色に対する選択性をもつニューロンも TE 野の特定の領域で見つかっている．

4）前部上側頭溝皮質，前部下側頭回皮質

この部位で様々なタイプの顔ニューロンが報告されている[3]．最近では表情，視線方向に対して選択的なニューロンも見つかっており，さらに，側頭葉の前方部ではアイデンティティ(誰)を表現する顔ニューロン群が見つかっている．

▶文献

1）Ungerleider LG, Mishkin M: Two cortical visual systems. In Ingle DJ, Goodale MA, Mansfield RJW(eds): Analysis of visual behavior. pp549-586, MIT Press, Cambridge, 1982
2）Holmes G, Horrax G: Disturbances of spatial orientation and visual attention, with loss of stereoscopic vision. Arch NeurPsych 1: 385-407, 1919
3）Perrett DI, Hietanen JK, Oram MW, et al: Organization and functions of cells responsive to faces in the temporal cortex. Philos Trans R Soc Lond B Biol Sci 335: 23-30, 1992

（勝山成美，臼井信男）

第2章 臨床心理学

I 患者の心理

1 状況による患者の心理の違い

医療者は疾患の各状況によって患者の示す様相の違いについて知っておく必要がある.

a. 患者の心理過程

罹患したときに患者はどのような心理過程を経ているのだろうか.

① 受診をするまでの不安や葛藤の時期, ② 受診へのためらいの時期, ③ 診断結果への不安と期待の時期, ④ 診断結果への悲しみや怒りの時期, ⑤ 疾患を抱えて生きることへの心理的抵抗と経済的不安の時期という5段階の心理的過程を経験している[1].

同様に, 患者の家族も患者の心理的過程と同じ上記①〜⑤の過程の経験をしている.

b. 回復が望める患者の心理

ある程度の回復が望める患者の心理過程は, ① 治癒の程度に対する期待と不安, ② 期待のレベルまで速やかに回復しないことへの悲しみと焦り, ③ 必ずしも病前と同じ水準まで健康が戻らない自身の身体へのネガティブな感情, ④ ③ のネガティブな感情に起因して, 病前のように社会へ受け入れられないのではという疎外感情という心理を日々抱えて生きている.

また, これら4つの感情は罹患の初期よりも回復期に生じやすいといわれている.

c. 回復が望めない患者の心理

回復は望めないが, 今の状況を維持し続けることは患者にとって「リハビリテーションを継続して行っても変化がない」という学習性無力感に近い心理に陥る.

現状維持のためのリハビリテーションを続けるという長期のストレスに曝され続けると, リハビリテーションを行うという自発的な行動が生起しなくなる現象であり, 通院やリハビリテーション拒否につながるのである.

d. 疾病であり続けることを望む患者の心理

多くの患者は疾病を改善したい, 早く健康な身体になって活動を行うことを強く願っているが, 一部の患者は様々な理由によって疾病であり続けることを求めることがある.

その1つに詐病があり, これは主に障害年金などの経済的利益を得る目的により疾患があるかのように振る舞う行為である.

類似したものに仮病があるが, 仕事や学校にいくのが面倒なので体調不良を理由に休むなどの罪のない行為であることが多い.

e. 良い患者と悪い患者の心理

医療者が「良い患者」と思う患者は受動的で医療者に過度に従順かつ依存的であり，患者という視点を外すと必ずしも良い心理状態とはいえない，一方で情報を積極的に求め，自ら可能な限り自己判断を行い，自立的な心理を保とうとする患者は医療者から見ると不満が多く，注文が多い患者と目されるが，患者という視点を外すと自立・自律的行動をする良好な心理状態の人間であるという矛盾が生じているのである[2)].

f. 医療者視点で見がちな患者の心理

医療機関において患者の心理を見る場合，医療者という立場からの視点で患者の心理(「支配-被支配」の見方)を見がちであることに注意する必要がある.

このことによって，医療者-患者関係という視点で患者の心理を見る場合は「もし“医療者-患者関係”でなければこの人の心理はどのようなものなのか」のように自問すべきである.

自問するときも主語を「患者」ではなく，「この人(もしくは名前)」のように「患者」から「この人・名前」へと主語を置き換えることで，見えてくる患者の心理が変わるからである.

2 子どもと高齢者の「喪失と障害の受け入れ過程」への理解と関わり

医療者は患者の「喪失と障害の受け入れ過程」において，年齢による違いや，いたずらに保護的立場を取るのではなく，患者自身のレジリエンスについても知り，ソーシャルサポートについて配慮する必要性がある.

a. Dembo-Wright の価値転換理論

障害の受容のために必要な価値の転換については Dembo-Wright の価値転換理論があり，これは障害の受容に必要となる4つの価値転換として，① 自分が失ったと思っている価値のほかにも，自分にはいくつもの価値が存在していると考える「価値範囲の拡大」，② 外見よりも人格的な価値，例えば優しさ，努力，人との協調性などの内面的な価値のほうが人間としてより重要なのだという「身体的な価値の従属」，③ 他人と比較したり，一般的な標準と比べたりして自分の価値を評価するのではなく，自分自身に内在する価値に目を向けるという「比較価値から資産価値への転換」，④ 障害を負ったことで，自己の存在全体の劣等性などの感情を抱かないようにする「障害に起因する様々な波及効果の抑制」の4点が重要であるとしている[3)].

b. 子どもの「喪失と障害の受け入れ過程」

この価値転換理論に基づいて子どもの「喪失と障害の受け入れ過程」を見ていく.

子どもと一言にいっても乳幼児から思春期まで(0〜12歳)の12年間の幅があり，成人期の12年間の幅よりも肉体的・精神的な成熟の差が大きいことに注意すべきである.

c. 感情─幼児期の感情の未分化から分化へ

出生後から2歳頃までの時期に基本感情が備わり，4〜5歳時には成人の持つ基本感情(喜び，信頼，恐れ，驚き，嫌悪，怒り，期待)といった基本感情が備わるとしている[4)].

しかしながら，基本感情が備わっているからといって児童期の後期(10歳以降)のように細かく分化した感情ではないので，時間をかけて子どもの感情を理解することが「喪失と障害の受け入れ過程」へのプロセスにつながるので医療者として大切にすべきである.

d. 素朴概念─子どもの概念形成

この価値転換理論を自身に適応し，価値観の転換を行うためにはある程度の抽象的思考が必要である.

しかしながら，子どもは幼児期から児童期のかなり遅い時期まで素朴概念という一種の経験主義的な思考をしている．素朴概念とは「日常生活の中で，体系的な教授なしに獲得される概念」「現代科学における概念に照らしてみると必ずしも正しくないことが多い」というものである[5]．それ故に疾患について生じている出来事を正しく理解できているかどうかは注意する必要がある．

具体的には，子どもは，視力の喪失や視力に障害が起きたのは，患児が悪いことを行ったためであるというような，疾患には関係をしていない因果関係で理解をしようとする傾向がある．これは，子どもなりの強固な理論となっているため，客観的な事実を受け止め，その中での価値転換を行う際に障害となることがある．

その一方で，子どもの「喪失」および「障害を受け入れる過程」に関わる医療者は子どもの抱いている素朴概念を不合理なものとして安易に正すことは不適切である．というのも，幼児期〜児童期までの子ども達にとって，経験から得た「素朴概念」というものは，その時点で理解ができることの範囲の上限なのである．それ故に，子どもの理解の及ぶ範囲で疾病などについて説明し，徐々に「喪失と障害の受け入れ過程」へと導くことが必要であり，児童期後期から思春期に入る時点で，価値転換理論が使われるよう長期的な支援を心がけたい．

e. 家族（主に養育者）への配慮

乳児〜児童期の子どもの場合は，子ども自身のケアだけではなく家族（主に養育者）のケアも必要である．

特に注意すべき点は養育者が「喪失」と「障害を受け入れる過程」での罪悪感（この状況は養育者のやり方が悪かった，子どもへ申し訳ない）と他責（この状況は自分の責任ではない，医療者の不適切な対応によりこのような状態へ陥ったのだ）の強い感情の取り扱いである．

その一方で，ある程度家族が落ち着きを見せ始めた時点で，心理教育として Dembo-Wright の価値転換理論について説明することも必要である．しかしながら，家族としてはこの理論に反発することも十分に予想できる．その防止のためにも養育者に治療・リハビリテーション計画へ参加してもらうことにより，価値転換理論の理解や必要性，そして，この理論を家庭内での生活を通じた話し合いにより，「喪失と障害の受け入れ過程」へとつなげていく方法を家庭内で実践していくことを医療者が支援するのである．

f. 高齢者の「喪失と障害の受け入れ過程」への理解

高齢者は発達心理学者の Erikson EH のライフサイクル論（発達段階）における心理社会的危機として，自己統合対絶望の時期であり，この危機を乗り越えていくことで自己統合（叡智）の段階に至るものであるため[6]，Dembo-Wright の価値転換理論に極めて近いものがある．

g. 高齢者の喪失体験

多くの高齢者が体験する 4 つの喪失体験として ① 身体および精神の健康，② 経済的自立，③ 家族や社会との関係，④ 生きる目的があるとされている[7]．このような 4 つの喪失体験が生じる時期に 4 つの価値転換を行うことは非常に困難を極めると考えられる．そのため，医療者は高齢者の「喪失と障害の受け入れ過程」はかなりストレスフルなものであり，それによって他の疾患をも併発する可能性があることに留意すべきである．

h. 高齢者の知恵モデル

高齢者については「人生の意味と行為における熟達化」という「知恵モデル」が提唱されている．

このモデルによると高齢者の知恵とは ① 文脈理解（問題背景の理解），② 価値相対性の理解（多様な価値観の理解），③ 不確実性の理解（人生の予測不可能性）が備わっているとされている[8]．この知恵モデルも価値転換理論に類似した内容を持っている．

この「知恵」によって，喪失と障害の受け入れ過程およびこれに付帯して生じるストレスのある状況を，諦観と幾分かのユーモアを持って対処できる強さ(尊厳)をも持つ高齢者がいるということに留意し，医療者はそうした患者への処遇は敬意を払い，むしろ医療者の生き方を学び直す機会であると考えて接するべきである．

i. 高齢者の状況 —ソーシャルサポートの減少

「知恵」を持ち，「価値転換」を成し遂げ独立して生きている高齢者であっても，ソーシャルサポートの減少(社会資源の減少)という問題が生じてくる．これは，子ども達の独立と別居，配偶者との死別，同年代者との死別や施設入所という出来事により，高齢者の「喪失」と「障害を受け入れる過程」を家族やまわりでサポートをする力が落ちているのである．

そのため，医療者は高齢者を取り巻くソーシャルサポートを確認するために，社会関係を3重の同心円図式化したコンボイ・モデルを紙などに書き出して，対応を考える必要がある[9]．

これにより，中核となってソーシャルサポートをしてくれる人(キーパーソン)を定め，価値転換理論の活用によって，精神的な充実とQOL向上のために必要なことを医療者とともに担ってもらうことで，高齢者が病院以外でも安心して過ごせるような配慮が必要である．

j. 公認心理師のコンサルテーション

コンサルテーションとは「診療科スタッフに対して，相談，助言」を行うことである[10]．主に，精神科医および公認心理師がこのコンサルテーションを身体科スタッフに行っている．

子どもおよび高齢者の喪失と障害の受け入れ過程への理解と関わりについては，眼科医や視能訓練士だけでは対応が難しいので，病院内に公認心理師がいる場合にはそのコンサルテーションを受けつつ，冷静かつ温かみのある一貫した対応を行い続けることが必要である．

3 患者の心理：発達段階

視能訓練士はあらゆる世代の患者に検査・リハビリテーションを実施するので，患者の心理を考えるうえで発達段階の概要を把握しておくことが必要である．

ここではPiaget Jの4つの発達段階論を述べ，それぞれの発達段階で視能訓練士が必要となることを述べる[11]．

a. 感覚運動期(0〜2歳頃)

この時期は言語の使用が十分にできず，感覚と運動を協応させ外の事物を認識しながら，新しい場面に適応していくので，言語による教示・指示は原則的に困難である．

また，外部の事象を感覚＝口唇，運動＝握る・触るということで認識をするため，医療機器の取り扱いに注意しないと思わぬ事故を招くので，保護者とともに機器類を口に入れないよう，また，機器に触らせないよう十二分に注意すべきである．

この時期には「対象の永続性」という，視界から対象物を布などで覆い隠してもそれにより対象物が永久に喪失したのではなく，一時的に隠されているだけで存在をし続けているという理解と認識が可能となり，そのことも検査・リハビリテーションに活用できる．

b. 前操作期(2〜6または7歳頃)

この時期は表象的＝イメージ思考が可能となり，簡単な因果関係の理解が可能になり，それ以前の発達段階より認識の対象・範囲が大きく拡大する．語彙も20語以上理解しているが，記憶量は6歳時点で成人の半分以下なので，言語による教示は簡潔な言語(主語＋動詞)を心がけ，絵カードでは簡単な因果関係で図示してあることが必要である．

この時期の事物への理解は自己中心性段階であり，これは自己の視点による物事の理解が中心で，自身の見ていることと異なる他者視点というものがあることを気づいていないため，「もし何々だったら」という仮定を含んだ設定の理解が不十分であることに注意が必要である．

c. 具体的操作期(6・7～11・12 歳頃)

この時期は何かの行動を心の中でイメージ(表象化)をすることができはじめる.

この背景には語彙数の急速な増加および母語の文法が獲得されていることがあり，それによって具体的行為のイメージから記号的イメージの水準へと認知能力が発達をするのである.

また，成人期と遜色のない水準まで記憶能力も向上するが，論理的思考の適応の幅が具体的な対象に限られるため，言語による教示の理解が表層的である可能性に常に配慮し，補助的に絵カードを使うなどして必要なことを十分に理解できるように注意すべきである.

さらにこの時期から言語的理解についての個人差が大きくなるのでその点に配慮すべきである.

d. 形式的操作期(11・12 歳以降)

この時期からは成人と同様の思考が可能となり，抽象的な概念を使うことが可能となるが，ここで注意したいのは具体的操作期以上に能力の個人差が出てくることである.

理解水準が高い場合は成人同様の教示で差し支えないが，理解水準が高くない場合などは患者のモチベーション低下や自尊心低下を生じさせないように，医療者側には注意深い言葉づかいや子ども扱いをしないことなどが求められるのである.

e. 成人期・老年期

成人期については形式的操作期で示した理解力に差がある点について留意し，教示をすることが必要である[12]．ただ，注意したいのは教示が入りにくい場合に理解力が低いと即断せずに，聴覚の低下など器質的側面を十分に考慮すべきである.

老年期においては加齢による短期記憶力の低下が生じることは避け得ないことであり，患者の自尊心を低下させないように医療者側が発声の音域や話す速度に十分留意をする必要がある.

高齢者の聴力は，高音域の聴取能力が進行的に低下し，両耳の機能は同程度に低下が進み，聴覚検査のような純粋音に比べ，話し声のような各音域が混在するものの聴取力の低下がみられるという点に注意すべきである.

表 2-1 抑うつエピソード

- 抑うつ気分，興味と喜びの喪失
- 希望がない，価値がないと感じる
- 入眠困難，早朝覚醒の睡眠障害
- 集中力の低下
- 気分の日内変動(朝の落ち込み，昼過ぎからやや改善)
- エネルギー枯渇感と易疲労

〔Sadock BJ, et al(編)，岩脇　淳，他(監訳)：カプラン臨床精神医学ハンドブック 第 4 版．p181，MEDSi，2020 より一部改変〕

4 患者の心理：精神疾患

検査・リハビリテーションの場では視覚の問題の他に精神疾患を併発している患者もケアを受けるため，精神疾患の基礎的な知識と注意すべき事項は把握すべきである[13]．

a. 抑うつ(うつ病)および双極性感情障害

主に落ち込み，気力の低下，集中力の欠如，決断力の欠如，自己評価の低下などの症状がみられる状態である．さらに，睡眠障害や日内変動および食欲不振も多くの患者で生じている(表 2-1)．このことから検査・リハビリテーションへの遅刻やキャンセルは改善へのモチベーションが低いのではなく，睡眠障害により朝に起きられないこと，日内変動により午前中は日中から夕方よりも重い抑うつ状態であるということに起因するものなので，患者の 1 日の生活状態を聞いたうえで行動を起こせる可能性の高い時間設定を行うなどの工夫が必要である.

複数回のキャンセルや時間変更はモチベーションの問題よりも抑うつ状態により生じているため，精神科主治医に頻回のキャンセルが生じている事実を報告すべきである.

双極性障害は前述の抑うつと躁状態を交互に示すものであり，躁状態では多弁，考えがあちこち

表 2-2 軽躁エピソード

- ・気分の高揚
- ・自尊心の増大，誇大性
- ・睡眠欲求の減少
- ・注意力が散漫
- ・多弁
- ・浪費や快楽活動の増大

〔Sadock BJ, et al(編)，岩脇 淳，他(監訳)：カプラン臨床精神医学ハンドブック 第4版．p184，MEDSi，2020より一部改変〕

へと逸れる，1つのことに集中できないなどの症状を示し，医療者に対し一方的にまくし立てるように話し続け，指示以外のことを行う，患者のほうが有能であるという根拠のない自信による乱暴な言動がみられる(表2-2)．検査・リハビリテーションの継続は困難であるが躁状態が治まればそのような行動は消退するので，精神科主治医に生じていることを伝え，指示を受けることが重要である．

b. 統合失調症

主に妄想，幻聴，幻覚，関係念慮(対人関係で普通でない意味づけ)，解体した思考などの症状がみられる状態である．

外来の検査・リハビリテーションのために通院ができている状態であれば，前述の症状は投薬治療によりある程度の治癒状態になっている．そのため，医療者は専門外である症状を軽々しく聞き出すことを控え，検査・リハビリテーションに問題がなければ患者に対して普通に接してほしい．一方で医療者が妄想や関係念慮の対象となることもあるので，そのような際には担当者の交代や精神科主治医や公認心理師への相談などを検討すべきである．

c. 不安障害

漠然とした対象物・状態への不安，特定の対象物・状態への不安など症状は多岐にわたるが，患者との意思疎通は基本的に行いやすい．

検査・リハビリテーションの場面において不安症状がなければ精神症状に触れず，逆に特定の不安など検査・リハビリテーションの場面で問題となる場合は，声かけや可能な代替方法の選択，精神科主治医の指示による検査・リハビリテーション前の抗不安薬などの服薬など，患者が不安障害に阻害されることなく医療ケアが受けられるよう工夫が求められる．

d. 強迫性障害

不潔恐怖などによる患者の不安が生じないようにするには，「何を」「どのように」することで不安を軽減させるのかを聞き，可能なことであれば(例：目の前での消毒用アルコール綿で拭くなど)対応をして患者が安心して検査・リハビリテーションを受けられるよう配慮する必要がある．

e. 神経認知障害

主に老年期に生じる認知症であり，新しいことの学習能力の低下，短期記憶の低下などが生じる状態である．

そのため，言語による検査・リハビリテーションの指示・教示が入りにくくなっており，ゆっくりの聞きやすい声での繰り返しや絵カードを利用することが必要である．

機能の低下がみられるからといって年長者を子ども扱いするような対応は禁忌である．

f. パーソナリティ障害

この障害にはいくつかのクラスターがあるが(表2-3)，衝動性のコントロールの悪さ，見捨てられ不安，不安定な人間関係(理想化とこき下ろし)が検査・リハビリテーションの場面において医療者の負担となる．

衝動性のコントロールの悪さについては患者の気に入らない検査・リハビリテーションで怒りを医療者にぶつけてくることであり，それにより医療者側をコントロールする意図もあるために冷静に対応をする必要がある．

見捨てられ不安は医療者から見捨てられること(実際ではなく想像上の場合もある)を必死に避けようとし，心理的にも身体的にも距離感がない接

表 2-3　パーソナリティ障害のクラスター

クラスター	タイプ
A 群：奇妙で風変わりなもの	妄想性パーソナリティ障害，シゾイドパーソナリティ障害，統合失調型パーソナリティ障害
B 群：演技的・感情的なもの	反社会性パーソナリティ障害，境界性パーソナリティ障害，演技性パーソナリティ障害，自己愛性パーソナリティ障害
C 群：不安やおそれをもつもの	回避性パーソナリティ障害，依存性パーソナリティ障害，強迫性パーソナリティ障害

〔Carlat JD(著)，張　賢徳(監訳)：精神科面接マニュアル 第 3 版．pp273-279，MEDSi，2013 をもとに作成〕

近を行うことがあるので，医療者は巻き込まれない安定性が求められる．

不安定な人間関係に起因することで注意すべき点は，医療現場において医療スタッフへの操作的な低評価と高評価を行うため，それにより医療スタッフ間の関係悪化につながらないようすべてのスタッフ間での情報共有が不可欠である．

g. ミュンヒハウゼン症候群

複雑な詐病としてミュンヒハウゼン症候群があり，これは他者から心理的関心や同情を得るため詐病やわざと身体に悪影響を及ぼす行為を反復して行うものであり，経済的理由よりも心理的満足を得るためや現状の生活における不満や自己愛の表れであり，この症候群が疑われる場合は精神科医および公認心理師に相談をすべきである．

この症候群における疾患の悪化は医療者をも騙すほど巧妙な手段を用いて行うことが特徴であり，検査・リハビリテーションを行う際に自傷などに注意してほしい[14]．

5 患者の心理：発達障害

発達障害をもつ患者に検査・リハビリテーションを行うこともあるため，その概要も知っておく必要がある[15]．

a. 知的障害

標準化された知能検査の全検査 IQ(FSIQ)＝70 以下を知的障害と定義しているが，IQ の指数に左右されることなく患者の理解力を観察することが大切である(表 2-4)．

表 2-4　IQ の分類

IQ	評価	理論上 100 人中
130 以上	非常に高い	2
120～129	高い	7
110～119	平均の上	16
90～109	平均	50
80～89	平均の下	16
70～79	低い(境界知能)	7
69 以下	非常に低い	2

〔辰野千壽：新しい知能観に立った知能検査基本ハンドブック．p79，図書文化社，1995 のウェクスラー式知能検査の部分をもとに作成〕

IQ が 70 以上あっても口頭の教示・指示が入りにくいこともあれば，IQ が 70 を下回っても教示・指示が入る患者もいるからである．

また，知的障害者であっても年齢相応の言葉かけおよび対応を行い，患者を子ども扱いするような対応をすることは不適切である．

b. 自閉症スペクトラム障害

自閉症スペクトラム障害は主に社会的コミュニケーションおよび相互関係の点で次の 3 つの障害がみられる．① 社会的・情緒的な相互関係の障害，② 他者との交流に用いられる非言語的コミュニケーションの障害，③ 年齢相応の対人関係性の発達や維持の障害である．

これらの影響により，口頭の指示・教示への理解が難しいことや，医療者とのコミュニケーションをとりにくいため，絵カードの使用や医療者側がネームカードを着用するなどの工夫が望まれる．

また，感覚の鋭敏性により，検査機器の身体接触により思わぬ拒否やパニック状態に陥ることがあるので注意が必要である．

さらに，発達障害患者には「てんかん」の併発が30％程度みられるので，目に光を当てるような検査・リハビリテーションの場合は光に誘発されて生じるてんかん発作などに十二分に注意する必要がある．

6 患者の心理：精神科薬剤の影響

精神科に通院中の患者の訓練および健診（検診）の際は，服用している薬の副作用により視力に問題が生じている可能性もあるので注意が必要である[16]．

主に精神科で処方される薬には，① マイナートランキライザー（精神安定薬），② メジャートランキライザー（抗精神病薬），③ 抗うつ薬，④ 気分安定薬（抗躁薬）などがある．これらの薬剤の副作用により日中の眠気，眼科系の副作用としては視力障害（眼圧上昇，散瞳，緑内障など），めまい，目のかすみ，複視が生じていることを考慮し，精神科主治医と連携して適切な検査・リハビリテーションが行えるよう心がける必要がある．

これ以外に検査・リハビリテーションに影響を与える副作用として，注意集中力の低下や錐体外路症状（表 2-5）が生じる可能性があるので，それについても精神科主治医へ相談をすべきである．

表 2-5 錐体外路症状

アカシジア	じっとしていられないムズムズ感
ジストニア	頸部・上腕の筋肉が突っ張り，眼球の上転
ジスキネジア	口周りの不随意運動
パーキンソニズム	手足の震え，筋肉の固縮

〔松﨑朝樹：精神診療プラチナマニュアル 第２版．pp63-64，MEDSi，2020 をもとに作成〕

II 医療者の心理

1 医療者の心理の概要

a. 医療者と患者の心理的相互作用

医療者と患者の双方に生じている心理として，医療者側は検査・リハビリテーションにおいて，思ったような成果がでないときに患者に対し，「怒り」，「無力感」，「患者から軽蔑されるのではというような不安」の心理が生じている．

患者側は「（改善をしないと）見捨てられるのでは」，「こんなに簡単なことができず馬鹿にされるのでは」，「指示してきて支配されているようで不快だ」などの心理を治療者へ向けていることが多く，医療者と患者間で心理的にマイナスの相互作用が生じることがある．

b. 感情労働を行う医療者

患者には視覚の問題が生じており，その点において健常者であることが多い医療者に対しネガティブな心理をもちやすい．それに対応をすべく，医療者は心理的な疲弊につながる高いストレスがかかった感情労働（向けられた感情に対処する）を行うのである[17]．

このようなネガティブな心理を向けられたことによる心理的な疲弊に対し，医療者は「患者からネガティブな感情を向けられることは当然のこと」として受け止め，その結果として生じる医療者側の「怒り」や「不安」の感情に対しては無理に否定をせずに，医療者としてこのような感情が起きることは当然のことであり，恥ずかしいことではないと理解したうえで，現場において適切に振る舞えるよう，同僚や他の医療スタッフや公認心理師などに相談することで，自己コントロールをする必要がある．

特に公認心理師へ相談をした場合に，経緯を話したうえで，「感情の自己コントロール」を行いたい旨を相談者側から伝えることで適切な援助が受けられる可能性が高まる．

c. 医療者のなかの罪悪感という心理

患者から否定的な心理を向けられたときに，医療者は怒りの心理をもつこともあるが，同時に「十分に対応できていないのでは」という非常に強い罪悪感を抱く．そのため，その感情を抱いた患者に対して他の患者よりも必要以上に診察やリハビリテーションの時間を費やすなどの罪悪感を打ち消すための行動をとることがある．

こうした行動が生じているときに同僚や他の医療スタッフから指摘を受けた場合，その医療者は指摘してくれた人へ「怒り」の感情をもつことが少なからずある．

この指摘は罪悪感から過剰に特定の患者への思い入れをもっていることに対するもので，個人的な攻撃ではないと素直に受け止め，この「罪悪感」について同僚や他の医療スタッフや公認心理師などに相談し，「罪悪感」を減らすことで患者間のバランスのとれた診察やリハビリテーションの時間をもつことができるようになるのである．

この「罪悪感」については言語化(言葉での説明)が行いにくいため，同僚や他の医療スタッフよりも心理相談業務に慣れている公認心理師に話をするほうが適切である可能性が高い．

2 医療者のストレスと燃え尽き

a. 医療者のストレス

医療者は患者からネガティブな心理を向けられ，また解決の必要があることに多く出会い，それに冷静に対処する必要があるが，必ずしも行った処置により完全な解決に至らないというストレスの多い環境で働いている．

b. ストレスとは

ストレスは，もともと「圧力」などを意味する物理・工学用語であったが，1930 年代後半にカナダの生理学者 Selye H により，生体に与えられた心理的・生理的刺激に有害な刺激であるストレッサー(ストレス因)により ① 副腎皮質の肥大，② 胸腺・リンパ節の萎縮，③ 胃と十二指腸の出血のような，どのようなストレッサーに対しても共通の非特異的生理学的変化が生じることが見いだされた．

c. ストレッサー(ストレス因)

ストレッサーは職種により異なるが，医療者の場合は，① 長期の緊張を強いられ，② 不慣れな状況下に置かれ，③ 困難な症例での失敗体験，④ 患者側からの否定的な評価への恐れ，⑤ 検査・リハビリテーションの量的過剰(長時間労働)などが主なものである．

d. ストレスと感じるのは－ストレスの認知

ストレッサーを認知する心理的過程(ある出来事をストレスと認知する)は，Lazarus RS と Folkman S のストレス状況の認知的評価説で説明されている．

1 次的評価とは，出来事や要求が医療者に重要な意味をもつかという関係性の評価と，出来事や要求が自己評価や社会的評価にマイナスなものをもたらすのかどうかの評価である．

2 次的評価とは，出来事や要求に直面した場合，それに対するコントロール可能性への評価である．

出来事や要求に直面した場合に，この 1 次および 2 次評価を行うことにより，ある出来事をストレスと認知するかどうかが決まる[18]．

また，長期的にストレスにさらされるのは，解決できないことに長期に取り組み続けさせられることに類似しており，やがて燃え尽き(バーンアウト)状態を示すのである．

e. 燃え尽き(バーンアウト)とは

Maslach C によると燃え尽きとは，「長期間にわたり援助活動を行う過程で，精神活動力を過度に要求されたために起こる心身の消耗と枯渇を主とする症候群であり，卑下，仕事への嫌悪，患者への関心や思いやり喪失」とされており，つまり，極度の身体的疲労と感情の枯渇を示す状態のことである．

燃え尽きに陥ると，医療者はその職場を去るか，医療者であることを辞めるという選択を行うことが多い[17]．

f. 燃え尽きへの対処法

このような深刻な選択をせざるを得ない燃え尽きについては，医療者が個人的達成感をもつことを可能にする以下のような対処法がある．

① 教育研修の充実により，自己効力感と自己肯定感を業務遂行時にもてるようにする．

② 新人の医療者がつまずくことなく職場で能力を発揮できるようにするために，ベテランの先任医療者によるマンツーマン支援であるプリセプター制度を導入する．

③ ベテラン医療者の希望喪失による消耗感に伴うストレス耐性の脆弱化防止のために医療専門職としての目標，医療職のキャリア開発，希望する関連部門や法人への転任，昇進について配慮するなどシステムを定める．

燃え尽きによる身体的疲労は休日に休めば回復するものではなく，累積した心理的疲労(感情労働による)が背景にあり，患者に対して適切な対応が不可能となってくる感情の枯渇が生じ，それによる離職につながり，結果として経験を積んだ医療者の相対的な不足という社会的な問題となるため，前述のような対策を組織として行う必要がある[19]．

3 最後に―医療者自身の心理を守ること

公認心理師である筆者は医療者自身の心理を守るため次のことを伝え第 2 章を締めくくりたい．

医療者自身に対しても患者に対してもネガティブな感情が生じ，同時に医療者自身の QOL が低下(睡眠障害，アルコール飲用量の増加，生活を楽しめない感情の発生など)したと感じた場合は，一人で抱えず，速やかに同じ職場の他のスタッフや精神科医および公認心理師に相談してほしいと考えている．

▶文献

1) 佐藤登美，箕浦とき子：看護と倫理 患者の心理．pp88-93，メヂカルフレンド社，2012
2) 岡堂哲雄(編著)：患者の心理とケアの指針．金子書房，1997
3) 上田 敏：障害の受容―その本質と諸段階について．総合リハ 8：515-521，1980
4) 濱 治世，鈴木直人，濱 保久：感情心理学への招待．p178，サイエンス社，2001
5) 岡本夏木，清水御代明，村井潤一(監)：発達心理学辞典．p423，ミネルヴァ書房，1995
6) 氏原 寛，亀口憲治，成田善弘，他(共編)：心理臨床大事典[改訂版]．p117，培風館，2004
7) 日本老年行動科学会(監)：高齢者の「こころ」事典．p219，中央法規，2000
8) 権藤恭之(編)：朝倉心理学講座 15 高齢者心理学．pp104-106，朝倉書店，2008
9) 日本老年行動科学会(監)：高齢者のこころとからだ事典．p389，中央法規，2000
10) 加藤正明，保崎秀夫，三浦四郎衛，他(監)：新版精神科ポケット辞典．p119，弘文堂，2006
11) 東 洋，繁多 進(監)：発達心理学ハンドブック．pp69-70，福村出版，1992
12) 日本老年行動科学会(監)：高齢者の「こころ」事典．中央法規，2001
13) Sadock BJ, et al(編)，岩脇 淳，他(監訳)：カプラン臨床精神医学ハンドブック 第 4 版．MEDSi，2020
14) 落合慈之(監)：精神神経疾患ビジュアルブック．p144，学研メディカル秀潤社，2015
15) 森 則夫，杉山登志郎，岩田泰秀(編著)：臨床家のための DSM-5 虎の巻．p31，日本評論社，2014
16) 功刀 浩(編著)：研修医・コメディカルのための精神疾患の薬物療法講義．金剛出版，2013
17) 久保真人：セレクション社会心理学-23 バーンアウトの心理学．サイエンス社，2004
18) 小杉正太郎(編)：ストレスと健康の心理学．p17，朝倉書店，2006
19) 數川 悟：なぜ「援助者」は燃え尽きてしまうのか．南山堂，2019

(田代信久)

第3章 医療コミュニケーション学

I 概論

1 ノンテクニカルスキルとしての医療コミュニケーション

医療とは危険な環境で不完全な人間が不安定な患者に複数で危険な作業を行いながら，良質で安全な結果を出すことが要求される行為である．医療行為の大部分が不完全で脆弱なコミュニケーションというメディアを介して行われ，事故発生防止バリアも薄いため，小さな誤りが事故という重大な結果に結びついてしまう．とかく個人が持つ知識や技術などのテクニカルスキルばかり重要視されるが，個人の気づきを周囲に発信して周囲が受領して適切なチーム活動に繋げるためには，コミュニケーションに代表されるノンテクニカルスキルが非常に重要である．

医療現場でのコミュニケーションには患者側要素である病状や体調による意識・視覚・聴覚・思考・言語などの発信・受領行動の変化，医療者側要素である「人は誰でも間違える」という人間の様々な認知特性，チームや組織側要素である階層意識や専門意識，さらに医療が行われる環境要素である緊急事態，臨時，変更，交代などの不安定要素が満ちあふれている．そのような危険な環境のなかで確実に意思を発信・受領・共有し安全で質の高い医療につなげるための方法を，医療現場で働く者の責務として学んでおく必要がある．

2 ノンバーバルコミュニケーションと医療現場でのコミュニケーションの特徴

コミュニケーションは書面や画面を介するもの，言語を介するもの，言語以外の表情や身振りなどを介するものなど，様々な形態により交わされる．

感情的な情報が発信された場合に相手に伝わる割合は，言語からの受領が7%，見た目からの受領が55%，抑揚などの耳からの受領が38%で，言語による意思伝達よりも身振り手振りなどの非言語による伝達(ノンバーバルコミュニケーション)が重要である(図3-1)．このメラビアンの法則は感情を伴った場合に成り立つもので，感情表現をできるだけ少なく冷静確実に情報を伝える医療従事者間の会話では，言語による伝達割合が多くを占める．

また，医療現場でのコミュニケーションの特徴として，それが緊急事態で行われるため僅かのほころびが人の命をも脅かす大きな事故につながること，コミュニケーションに関係する人の数・職種が非常に多くかつ固定されていないこと，しばしばチーム内の認識が一致していない状態で行われること，上下関係のなかで緊張した状態で行われるため発信・受領内容に様々なバイアスがかかることなどが挙げられる．

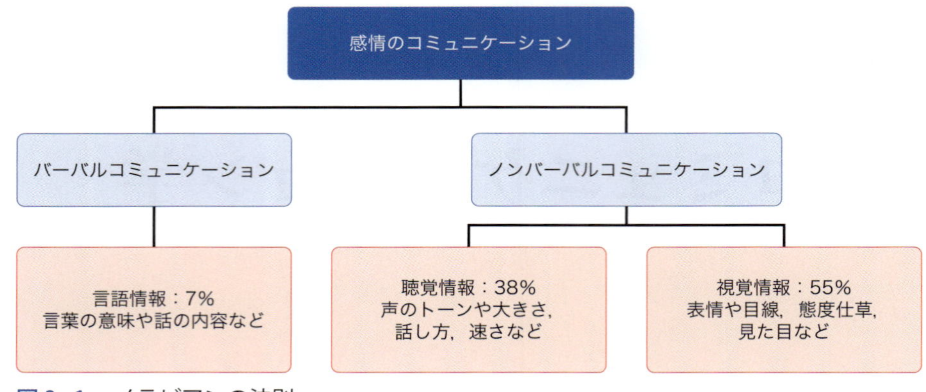

図3-1　メラビアンの法則
感情のコミュニケーションでは，言語によらないノンバーバルコミュニケーションのインパクトが強い．

いずれにしても，コミュニケーションは医療事故の7割に関係しているほど不安定で不確実かつ重要なメディアである．本章では医療現場でのコミュニケーションを患者-医療者間，医療者間に分けて述べ，最後に安全を高めるためのチーム医療との関連性について述べる．

II　患者-医療者間のコミュニケーション

1 患者との関係性の理解

良質なチーム医療のためには，医療チームに患者を組み込み，医療者と患者の間に存在する認識のギャップを埋め，チームとして認識を共有すること，つまり医療の素人である患者と良好な関係性を構築し確実なコミュニケーションにより病状や治療などを説明し納得してもらうことが必要となる．医師と患者との関係は場面により様々でそれに応じたコミュニケーションスタイルが必要になる．

患者・医師関係は3つに分類でき，1つ目は相手に意識がない状態での一方的な関係を示す能動-受動型で，相手の受け入れを確認することはできない．

2つ目は医療行為について医療者側が説明し患者は多少の疑問は隠したまま医師の指導に協力する指導-協力型で，医療者に患者が協力する形を取るためコミュニケーションの双方向性は低い．

3つ目は確実な双方向性のコミュニケーションにより情報を共有している相互参加型で，医療者と患者は安全で安心な良質な医療を行うという共通目標に向かってチームとして歩んでいることになる．

医師を医療従事者に置き換えても同じ関係性が成り立ち，相互参加型の関係性を構築し win-win になるアサーティブコミュニケーションが医療従事者に求められている．

2 傾聴・受領・共感によるラポール（相互的信頼関係）の構築

アサーティブな関係性を構築するため open question による傾聴と受領・共感に努める．最初から「○○は痛みますか？」と相手が yes/no でしか答えられないような質問を行うと，相手は言いたいことを十分に発信できず良い関係性はつくれない．そのため最初は大まかに「調子はいかがですか？」などと文章でしか返事が返せないような質問から入ることを意識する．また，相手の発信を途中で遮らず言いたいことをすべて引き出す傾聴姿勢を貫くこと，相手の言った内容を繰り返して受領を表明すること，その後掘り下げて何らかの結論に至る過程を意識することなども必要となる．

共感とは，患者の言った内容すべてを納得して自分のものとして受け入れる情動的共感(シンパシー)と，相手の訴えを十分に受け入れ相手の価値観やその考えに至った経緯を理解する認知的共感(エンパシー)に分けられ，医療現場ではエンパシーを表現することが求められる．相手を尊重したエンパシーのある受け入れを表明し，想像される困難さを「大変でしたね」などと自分の言葉で共有し，「こんなことをして解明していきましょう」などと協力姿勢を示し，「だからこんな検査をしましょう」などと前向きな方向性を提示するといった尊重・受領・共有・協力・推進の流れを表現する．

ただし，正しくないことを患者が提案した場合には，安全な医療が行えるように「それは間違っているから理由を教えて一緒にがんばってもらおう」と考え提案する姿勢を忘れてはならない．

3 認識のギャップや情報の非対称性をなくす

患者-医療者間では，情報を理解する際の認識レベルが異なり，これにより認識のギャップが起こり重大な事故につながる．患者と医療従事者には知っている情報に相違があること(情報の非対称性)，我々の(病院の)常識は患者の(社会の)非常識であること，自分たちが医療現場の基準で考えて発信していることなどを医療者が理解していないと，患者の認識基準を無視した一方的な発信になり指導-協力型になってしまったり，患者が自分の認識で言われたことを理解したための誤解による事故を招いてしまったりして，患者と医療者の良好な関係に基づく効果的なチーム活動は不可能になってしまう．

つまりコミュニケーションの発信段階で最も注意すべき点は，情報の非対称性を埋めるように発信し，発信内容を患者が聞いた場合にどのように受け止められるかを常々意識することである．患者による受領段階では患者が自身の認識基準で解釈するため，発信者は自分の責任で「わかりましたか？」と，相手の理解度を確認し疑問の発信を促す姿勢を示すことで相互参加型関係性構築に努める．

III 医療者間のコミュニケーション

1 コミュニケーションエラーにつながる人の思考特性

医療現場では複数の医療者が1人の患者の診療にそれぞれの立場で不完全かつ脆弱なコミュニケーションというツールを用いて情報を発信・受領しながら関与するため，コミュニケーションエラーによる医療事故が発生しやすい．

受領者が聞こえた内容から理解する思考過程には2つのタイプがあり，1つはパッと頭に浮かんだことで判断する速い思考，もう1つは頭の中の引き出しを開けて関連する情報を探し出し時間をかけて判断する遅い思考である(表3-1)．速い

表3-1　人の思考・認知過程にある2つのシステム(特性)

速い思考	・ぱっと見た，ちょっと聴いただけで自動的にすぐに働く思考 ・自分に都合よく解釈するヒューリスティックスによる思考 ・環境，経験，直前の行為など多くのバイアスに左右される思考 ・最小努力の法則に則った，努力せずに発動される簡単な思考
遅い思考	・意識的に考えないと自動的には働かない思考 ・周囲の状況や知識などから時間をかけて導き出される思考 ・確実な情報をもとに下される状況に応じた確実性の高い思考 ・努力して発動する時間が必要な思考

医療現場には速い思考による行為が多く，誤判断や事故につながりやすい．

表 3-2 構造化した緊急事態の連絡方法 ISBAR

自己紹介 introduction	・自分の所属，氏名，連絡の目的
状況 situation	・患者に起こっている，最も危険な状況は何か ・緊急性が高いことを最初に話し，相手の注意を引く
背景 background	・患者の臨床的背景や臨床状況は何か ・現在の緊急事態に関係のある事柄を抜粋して伝える
考察 assessment	・状況に対して自分はどのように考えるか ・自分で考える自覚をもち，明確に表明する
提案 recommendation	・状況を解決するため，相手にしてほしいことは何か ・必要と思う提案を，具体的に伝える

思考は，ぱっと見た，ちょっと聴いただけで自動的にすぐに働く思考で，自分に都合よく解釈するヒューリスティックスや環境，経験，直前の行為など多くのバイアスに左右される努力せずに発動される簡単なシステムである．それに対し遅い思考は，意識的に考えないと自動的には働かない思考で，努力は必要だが周囲の状況や知識など確実な情報をもとに下される状況に応じた確実性の高いシステムである[1]．なお，ヒューリスティックスとはアルゴリズムと対をなす思考過程で，その時々の自分にとって都合よく説明しやすい様に経験や利用できる情報をもとに理解すること，バイアスとは多くの人が同じように陥ってしまう一般的な判断ミスのパターンを示す用語である．

そもそも不確かな速い思考で認知する特性をもつ人間が，アルゴリズムを発揮しにくい緊急時に迅速に判断するのが医療現場であり，そこにはコミュニケーションエラーの発生条件が備わっている．完全になくすことは不可能であるにしても，医療者間のコミュニケーションの特徴を理解し，速い思考やヒューリスティックスによる思考を少なくするための，より確実なコミュニケーション方法[2〜4]を体得する必要がある．

2 コミュニケーションの基本と構造化した発信(ISBAR)

効果的で確実なコミュニケーションの条件は，完全(相手はわかっているだろうと自分の基準で内容を省かず，関連するすべての情報を伝える)，明確(相手に誤解されないようにはっきりと理解されるように発信する)，簡潔(関係ないことを言わず項目立てて伝える)，タイムリー(遅れて言うのではなく適切な時間に発信する)であり，また緊急事態では簡潔明瞭が，それ以外のすべての場面では具体的な発信と確実な受領・共有がキーワードとなる．

簡潔明瞭に物事を伝えるには，だらだらと発信せず構造化して発信することが重要である．構造化とは，最初に相手の注目を集めるために最も重要なことを提案し，その後に理由や考えを別の文節として述べることで，ISBAR として提唱されている．

ISBAR は，まず自分が誰で何のための連絡であるのかを自己紹介(introduction)として発信し，次に最も重要あるいは危険な患者の状況(situation)などを簡潔に伝え，その後，関連する患者背景(background)や関連する要素を述べ，相手に何のための連絡かを明確に伝えるため，続いて自分がその事態をどのように評価(assessment)しているか，相手に何を依頼(recommendation)したいのかまで，順番立てて簡潔明瞭に発信するツールである(表 3-2)．

例えば，「外来の佐藤ですが初診の田中一郎さんのことで連絡しました(I)．昨日から左目の違和感を訴え眼が開かない程の眼脂が出ると言っています(S)．特別な既往歴はなく周囲には同じような方はいないようです(B)．眼脂が非常に多いので流行性角結膜炎ではないかと思います(A)．感染防止のため早急に対応したほうがいいと思いますがすぐに診てもらえますか(R)」といった流れである．状況をだらだらと述べるのではなく簡潔明瞭を意識して構造化しながら自分の考えや提案も積極的に述べることが確実なコミュニケーションにつながる[3,4]．

3 具体的な発信と復唱の習慣化

例えば「○○を半筒（はんとう）」あるいは「○○を5ミリ」と発信すると，半筒は0.5筒とも3筒（さんとう）とも，5ミリは5ミリグラム（mg）とも5ミリリットル（mL）とも受け取られる危険性がある．これは典型的な発信段階でのコミュニケーションエラーで，発信者自身が完全に発信する重要性を認識していないために発生する．

曖昧な発信はヒューリスティックスや様々なバイアスによる誤った受領につながるため，いつ，どこで，誰が，何を，なぜ，どのようになどの5W1Hを意識して発信する．医療現場では単位，薬剤名，機器の名称，略語など間違いやすい単語が日常のように飛び交っているため，すべての内容を具体的に発信する姿勢を忘れてはならない．

一方，受領者にも受け止め方がその時々の状況に左右されるという認識の不確実さがある．例えばアンカリングは直前の行動により解釈が大きく左右される思考特性で，直前に佐藤さんの対応をしている人は「斉藤一郎さんに点眼薬を」と言われると「佐藤一郎さん…」と聞こえてしまう．受領の際のエラーを防止するためにもいったん自分の判断を止める習慣が必要で，それが復唱と呼ばれる基本的安全確認行為である（図3-2）．これは決まり文句として「繰り返します，斉藤一郎さんですね」と付け加え，相手が「そのようにお願いします」と発信者の責任で会話のループを閉じることで受領者が間違って受領したことを発信者が気づくチャンスを生みだすclosed loop communicationとも呼ばれる方法である[5]．

情報発信者・依頼者
closed loop communication
情報受領者・受け手
① 佐藤一郎さんの眼底撮影お願いします．
② わかりました，繰り返します．佐藤一郎さん，眼底撮影ですね．
③ そうです，よろしくお願いします．

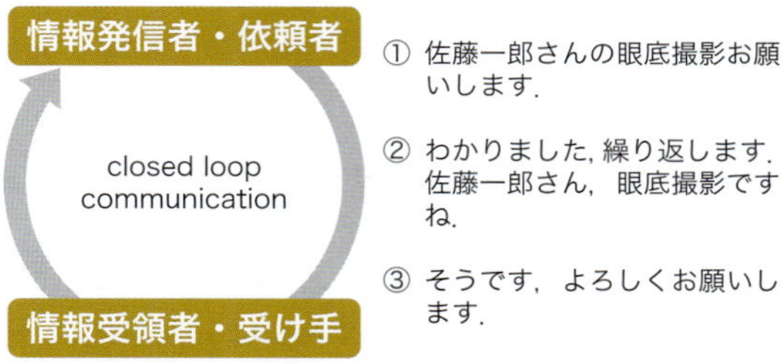

図3-2　情報伝達のチェックバック

Ⅳ　医療の安全を高めるためのチーム医療

1 医療現場のチーム活動とチーミング

チーム医療と聞くと，多職種の担当者がそれぞれの知識を持ち合い一緒に医療を行うものと考えやすい．つまり，普通の野球チームやサッカーチームと同じように，気心の知れた決められたメンバーで事前にパターンを練習し，決まった日時に一緒に活動する，それが想像されるチーム医療ではないだろうか．

実際の医療現場ではどうだろうか．多職種の医療従事者が一緒に事前練習して時や場所を同じくして医療を行っているだろうか．治療方針を話し合うときなど例外を除き，外来でも入院でも多くの場面で自分とその都度変わる同僚あるいは患者と2人で小さなチームをつくりその都度の課題をクリアしているのではないだろうか．このように固定されないメンバーがその都度小さなチームをつくりその都度与えられた課題を解決し，時間経過でチームが変わりながら総合的な結果につなげるのが医療現場のチーム活動の特徴である（図3-3）．

このような活動形態はチーミング（teaming）と呼ばれ，流動的に変わるメンバーでその都度構成されるチームにおいて，それぞれのメンバーが自分の専門分野の知識やその時の気づきなどを発信・共有しながら，職種や経験という境界を超えて互いに連携・協力し，複雑な仕事を柔軟に完遂

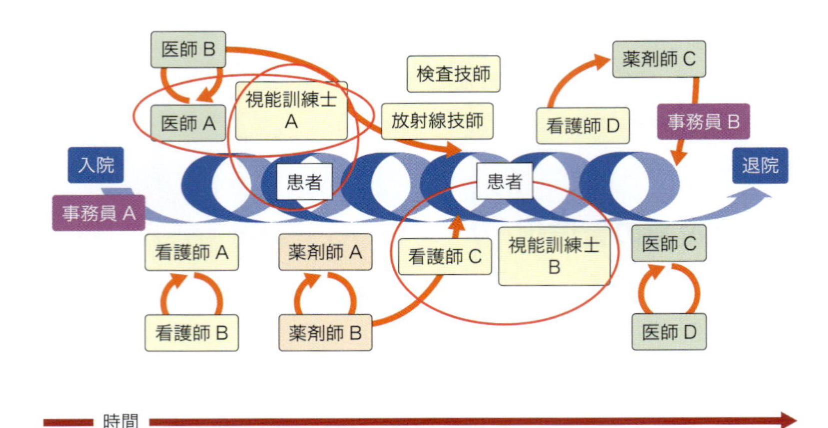

図 3-3 医療現場におけるチーミング
医療現場ではメンバーが同時に活動する構造的ワンチームではなく，時間経過とともに不特定多数が異なるチームを構成し活動する機能的チームで動いている．

するものである[5]．

性格も知らない患者や医療従事者とその都度チームをつくり，その都度のミッションを解決していく活動をいかにうまくつなげていくか，どの様な職種であれ，医療現場に関与する者は医療現場のチーム活動の特徴であるチーミングに必要な要素を理解する必要がある．

2 効果的なチーミングに必要な心理的安全性

成果を上げるチーミングとはどのようなものだろうか．効果的なチーミングのためには，入れ替わるメンバー全員が，気兼ねなく自分の意見を主張すること，相手を尊重して傾聴すること，確実なコミュニケーションで伝達共有すること，チームの目標や問題点などのメンタルモデルを共有すること，個人が責任を自覚して確実な業務を行うこと，などが必要だが，これらをまとめて Edmondson A は効果的なチーミングに必要な4つの柱として，率直に意見を言いあうこと，協働すること，試みること，省察することを挙げている．しかし，率直に意見を言いあい協働するとはいっても，何でも発信できる環境がないと「こんなことを聞いたら馬鹿にされないか」とか「怒られないか」とか，悪いことを想定してなかなか発信できず効果的なチーミングは不可能になってしまう．つまり効果的なチーミングには，言ったことの結果を気にせずに何でも安心して発信できる環境がまずは必要ということになる．

検査や訓練の場面でも同様で，患者が自分の思いを安心して発信できる環境，自分が気づいた患者の希望や異状を，医師や看護師に安心して発信できる環境がチーミングには必須となる．このように自分の発言や行動に対する相手の反応を気にすることなく，気兼ねなく発言や行動できる雰囲気は心理的安全性と呼ばれ，医療現場だけではなく Google が行った労働生産性向上のためのプロジェクトでもその重要性が示されている．

心理的安全性とは，自分がどのような発言をしても目的に沿ったものであれば非難されないという安心感であり，患者が何でも言いやすい雰囲気，患者の異状を医師や看護師に躊躇なく発信でき受け入れてもらえる環境，そのような部署や組織に備わっている雰囲気であり，リーダーはもちろん全員が常に意識しておくべき雰囲気や態度である．心理的安全を高める行動としては，共感，傾聴，受領，相互信頼，脆弱性や限界の認識などが重要で，この中で共感は前項でも示したように，相手がなぜそのように発言するのかを相手の立場になって考えるエンパシーのことである．検査を対応している患者から想定外の発信があったときに，なぜそのように言うのか？ と発言の奥に潜む患者の経験や価値観などを聞き出し，それを理解する姿勢を養い発揮することが求められる．

3 医療現場でのコミュニケーションに必要な心理的安全性

医療チームの頂点に医師がいてその指示に従って多くの職種が働くという構造は医療の成果も安全も望めない非常に危険な考えである．状況の観察というインプットから意味づけというアウトプットまでの過程をみると，経験者は「あのときはこうだったから今回も同じでよい」と，これまでの経験に則ったスキル(skill)ベースな過程で判断するのに対し，中級者は「こんな決まりがあるから当てはめてみよう」といろいろな規則(rule)に当てはめて判断し，あまり経験のない初心者は「よくわからないから調べてみよう」と知識(knowledge)を得てから判断する(Rasmussen J の SRK モデル)．つまり経験者は速い解決はできるが，経験というバイアスが結果としての誤りや事故に結びつく可能性を持ち合わせている．指示を出した人に対して意見が言えない環境では上級者の経験バイアスが強くなり危険が増すばかりか，発信しないことで組織としての成長も見込めない．コミュニケーションツールを知っていても，あるいは気づいたら提案するのがコミュニケーションの始まりだ，と言われても，実際にはなかなかできないことである．

心理的安全性が高い医療機関では，事故報告件数が増えて結果として安全が確保されるということも知られており，職種や経験に関係なくコミュニケーションが自由にできる環境，つまりエンパシーを持った心理的安全性の高い環境を作り出すことが，安全で質の高い医療をもたらす確実な医療コミュニケーションにつながる．

重要なことは，心理的安全性を高めるのはチームのリーダーがやるべきことだと考えないことである．チーミングにおいては患者とチームを組むことがあり，その場合は経験や職種によらず医療従事者がリーダーになることになる．誰もが高い心理的安全性をもって小さなその都度できるチームメンバーである患者に接し，患者から情報を引き出し，適切に共有することが求められる．

▶文献

1) ダニエル・カーネマン(著)，村井章子(訳)：ファスト＆スロー　あなたの意思はどのように決まるか？　早川書房，2014
2) 落合和徳，海渡　健：チームステップス[日本版]医療安全—チームで取り組むヒューマンエラー対策．メジカルビュー社，2012
3) 東京慈恵会医科大学附属病院看護部・医療安全管理部(編著)：TeamSTEPPS® を活用したヒューマンエラー防止策．日本看護協会出版会，2017
4) 海渡　健：医療現場におけるヒューマンエラーの現状および特徴．Medical Technology 44：1360-1368，2016
5) エイミー・C・エドモンドソン(著)，野津智子(訳)：チームが機能するとはどういうことか．英治出版，2014

（海渡　健）

第2部

視能検査学

第4章 視力検査

I 視力

1 定義

視力(visual acuity)とは，一般的には物体の形状や存在を認識する眼の能力であるが，学問的には視力は2点または2線を分離して識別できる眼の能力であると定義される[1]．

2点または2線を分離して識別できる閾値が最小分離閾である．最小分離閾の眼に対するなす角が最小可視角(角度は1/60度である分で表す)となり，最小可視角(分)の逆数が視力である．

1909年の第11回国際眼科学会において，視力は主として最小分離閾をもって表すが，実用面から数字やひらがななどの文字視標も国際視力表として認められ，文字やランドルト環(Landolt ring)(図4-1)が一般的に使用される．視力は視機能を客観的に評価するうえで重要な手段で，視機能を表す代表的な値である[2,3]．

わが国における視力検査の基準は，第11回国際眼科学会にて決められた基準が生活様式の変化によりそぐわないことから，1964年に新しい視力検査基準が発表された[4]．正確な視力値を測定する際に使用する標準視力検査装置は，視標はLandolt環のみを用い，視標の外寸の誤差は±3%以内，視標と背景との対比は90%以上，視標背景の光束発散度を500 rlx±150 rlxとすることが決められた．

視力測定の際に基準となるLandolt環は，太さ1.5 mm，切れ目幅1.5 mm，外形は7.5 mmである．この視標を検査距離5 mで見た場合，切れ目はちょうど視角1分となり，切れ目の方向が判別できれば視力は小数視力の1.0となる．白黒のペアで見ると，1 cycle/2分＝30 cycles/60分＝30 cycles/degに対応している．

視力の基準となる単位は，視力1.0つまり視角1分(1′)である．なぜ1分が基準となるかは，古代エジプト時代から正常視力か否かを決めるため，天空の星を視力表として使用してきたことによる．代表的なものとして大熊座のなかの北斗七星のミザール(Mizar)星とその近くに見えるアルコル(Alcor)星がある．この2つの星は地球から同一方向に見えるだけで，連星ではない[5]．

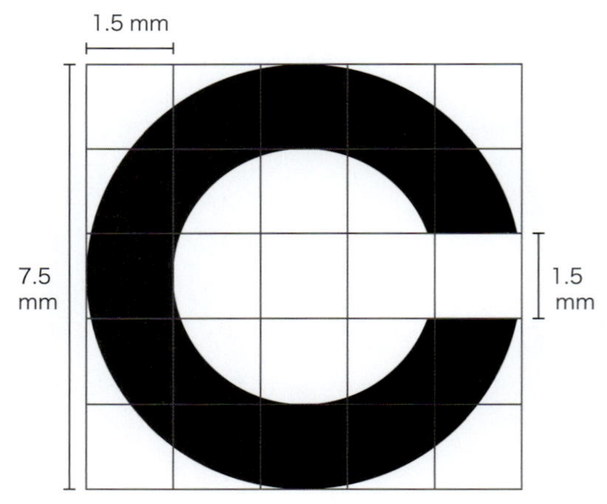

図4-1　Landolt環

1705年にHooke Rによってミザール星とアルコル星の間が視角1分に相当すると報告された．このことに基づきSnellenやLandoltは視角1分を基準とした視標や視力表を考案することとなったもので，厳密には生理学的根拠に基づいているものではない．

2 4つの尺度

形態覚は視機能のうち物の色や形に関する感覚であり，物を認識してその物が何であるかを識別する機能である．形態覚は呈示される視標の性質によって，識別される能力が異なり，4つの尺度に分類される[5~7]．

a. 最小視認閾（minimum visible）

最も小さい1点または1線を認める閾値である．点や線は空間的な大きさで決められるというよりは，点や線と背景の輝度との差に関係し，視細胞のエネルギー感度に影響される．つまり光点の見え方と黒点の見え方では異なる反応を示す．

黒地に白点の見え方を代表する光点は，眼における回折，収差，散乱などの影響により元の点より広がりをもち，少しぼやけた状態で網膜上に結像される[8]．夜空の星をみるとき，星の大きさや形には関係なく，星からの光が強ければ強いほど大きく見えることになる．白地に黒点の見え方は，背景が一定の明るさをもつことから，光の強さのみでは影響されない．背景と点との輝度の差，光刺激の強さの差を認識できるかどうかが関係することになる．

b. 最小分離閾（minimum separable）

2点を2点として，あるいは2線を2線として識別できる閾値である．通常の視力の概念に相当するものである．視力は，2点や2線のような図形を使って測定されることはない．基準としてLandolt環の使用が国際的に推奨されており，Landolt環で最小分離閾を測定し評価する．臨床的には分単位の最小可視角（minimum visual angle）の逆数が小数視力と定義される．Landolt環で考えた場合，どの程度まで小さな切れ目を識別可能であるかを判定し，切れ目と眼のなす角を求める．厳密にいえば切れ目の2つの点と眼球の第1節点（網膜前方17 mm）を結ぶ角度が視角となり，この視角の逆数が小数視力である．

視力測定は，各個人の最小可視角の絶対値を測定しているのではない．あらかじめ決められた大きさのLandolt環が表示された標準視力検査表を用いて行われる．各大きさのLandolt環の切れ目が判別可能な回数が5回の呈示のうち3回確認できれば，見えた視標のサイズの視力を有することになる．

c. 最小可読閾（minimum legible）

文字を判読できる閾値である．図形の認知や文字を読むことができる最小の大きさで測定するものである．最小可読閾の測定に使用されるひらがな視標や絵視標による視力は，視角から導きだされる視力値ではなく，Landolt環との比較実験により作成されたものを使用している．正確な視力の観点からはLandolt環を用いたほうがよい．

欧米においてはSnellen視力表やETDRSチャートが主に使用される（図4-2）．これらの視力表を用いた視力は最小可読閾を測定していることになる．Snellen視力表は，視角5分にローマ字の一辺をおさめて，線の太さや間隔を視角1分になるようにした視標である．文字全体の大きさが文字の太さの5倍になっている．基本的な視標には正答率がほぼ等しい文字C，D，E，F，L，O，P，T，Zが用いられている．問題点として，視標の大きさの変化が等間隔になっていない，文字により読みやすさが異なる，視角の相当する部位の決まりがあいまいであることなどが挙げられる．

d. 副尺視力（vernier acuity）

2直線または3点の位置の違いを感じる閾値である．2本の線がお互いに連続しているか，ずれているかを認識するものである．Landolt環によ

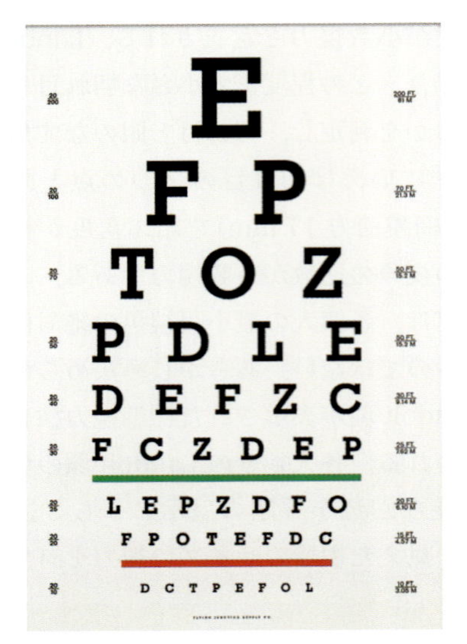

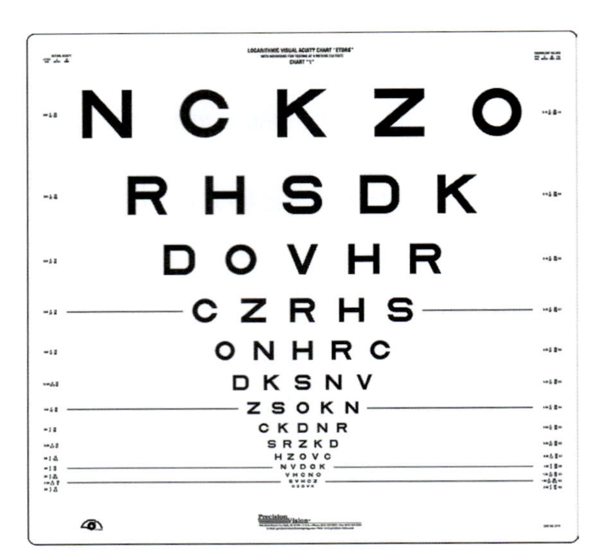

図 4-2 Snellen 視力表（左）と ETDRS チャート（右）
ETDRS チャートは，屈折矯正用，右眼測定用，左眼測定用の 3 つのチャートからなる．

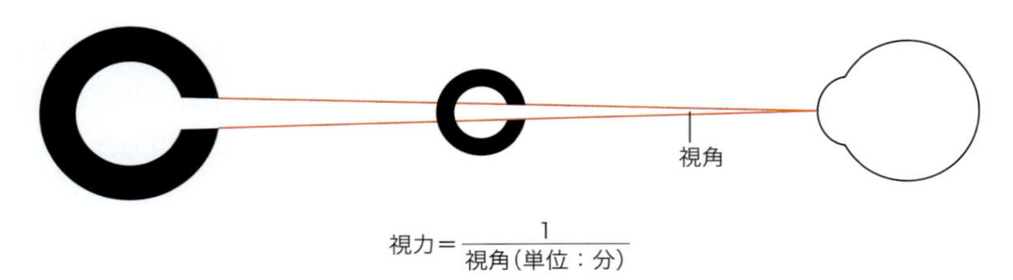

$$視力=\frac{1}{視角（単位：分）}$$

図 4-3 視角に対する視標の距離と大きさ
（西信元嗣，岩田耕一，魚里 博：新しい眼光学の基礎．p108，金原出版，2008 より）

る最小分離閾で測定される視力に比べ高い値である．このことから超視力（hyperacuity）といわれている．しかし，空間分解能を評価するもではなく空間位置の弁別能の評価であり，物を見る能力を表す視力とは本質的に異なるものといわれている．

3 評価（視角の算出）

視力を評価するにあたり，視角を用いることには利点も多い．視標の大きさは距離に依存し，視標が近い場合は Landolt 環の切れ目は大きくなり，遠ざかると小さくなる．切れ目の大きさを角度つまり視角で評価すると視標までの距離の条件がなくなる（図 4-3）．眼前 5 m の 0.1 視標の視角と眼前 50 cm の 1.0 視標の視角は同じである．

小数視力はマイナス符号がなく，Snellen 視力と比べて表記も簡便である．その反面，小数視力は視力値が等間隔に配列されていないため，段階的な変化として表現はできない（図 4-4）[9,10]．

基本的に視力は，Landolt 環を用いて最小分離閾を測定することが一般的である．しかし，ひらがな，アルファベットなどの文字視標，数字や絵視標も日常的に用いられている．これらの視標を用いた視力は，視角から導きだされる視力値ではなく，最小可読閾にあたる．

視力とは 2 点を 2 点として識別する眼の能力であり，認識可能な閾値で示される．つまり空間的に離れた 2 つの点を見た場合，2 点間の距離が十分大きければ，点は 2 つに分離して見ることができる．2 点間の距離が小さければ，2 点は分離されず 1 つのかたまりとして見える．どこまで細かいものを識別できるかという能力を空間分

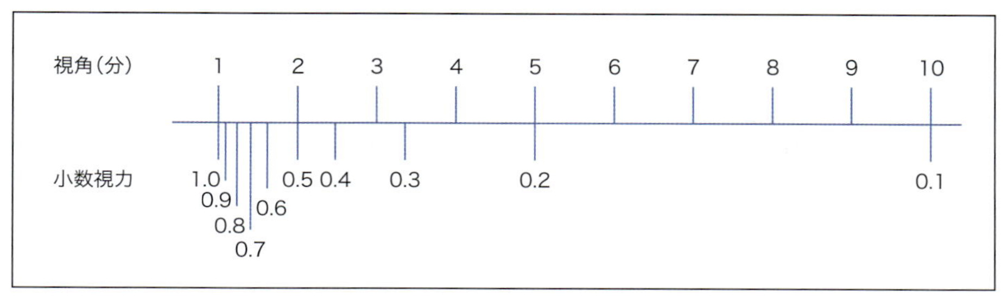

図 4-4 視角と小数視力の関係
〔大鹿哲郎：視力検査．大鹿哲郎，大橋裕一(編)：専門医のための眼科診療クオリファイ 1 屈折異常と眼鏡矯正．p85，中山書店，2010 より〕

解能といい，視覚に関してはこれを視力としている．

4 小数視力

眼がかろうじて判別できる 2 点が眼に対してのなす角を最小可視角という．最小可視角の逆数を小数で表した数値が小数視力(decimal visual acuity)といい，国際的な標準視力表記方式である．一般的に測定には Landolt 環が用いられる．小数視力表に用いられる視標は視力 0.1 から 1.0 までの 0.1 刻みの等差級数的になっており，1.2，1.5，2.0 が加えられている．小数視力は最小可視角の逆数からもとめられるため，視力が 0.1，0.2，0.3 と変化した場合，各視力の視角は 10.0 分，5.0 分，約 3.3 分となり実際は等間隔ではない．小数視力を使った場合の問題点は，視力の変化を 1 段階や 2 段階で表すことは適切ではないことである．臨床評価として使う場合は注意が必要である[5,7]．視力の平均値を計算する場合は，算術平均ではなく，幾何平均を用いる必要がある．

小数視力以外に，検査距離を分子，視力 1.0 の人がかろうじて見える視標の距離を分母として表す分数視力(fractional visual acuity)がある．この分数視力を使う代表的な視力表は，図 4-2 に示す Snellen 視力表である．検査距離は 6 m もしくは 20 feet(フィート)で測定する．検査距離は一定で，視力 1.0 の人が 30 m 先で見えるような大きな視標を 6 m でかろうじて判別できる人は 6/30 となり，小数視力は 0.2 となる．分数視力の分数を計算すると小数視力と同じである．検査距離 20 feet の一般的な Snellen 視力表は，20/200，20/100，20/70，20/60，20/40，20/30，20/25，20/20，20/15，20/13，20/10 の視標で構成されて，等間隔に視標が配列されているとはいえない．また，Snellen 視力表はアルファベットの文字をすべて使用してはいないが，文字間で正答率(あるいは誤答率)に差があり文字の読みやすさはあまり考慮されてない．

5 対数視力

視力検査で用いられる小数視力表は，視標が 0.1 から 2.0 へ上から順番に配列されている．0.1 から 1.0 までは 0.1 刻みで，1.2，1.5，2.0 の視標が加えられている視力表が一般的である．視標の配列が等差級配列になっているように見えるが，視角の逆数から小数視力をもとめることから実際は等差級配列ではない．このことから平均視力の計算や 1 段階や 2 段階の視力の変化として使用することは不適切である．小数視力表から得られた視力を等間隔に表現するには，小数視力の対数を用いることにより可能となる．これを対数視力(logarithmic visual acuity)という[5,7]．

小数視力の対数を用いるのではなく，視角(分)の対数 logMAR(MAR：minimum angle of resolution の略で分単位の最小可視角)に基づいた視力表が使用されるようになってきている．国際標準化機構(ISO)や日本産業規格(JIS)においても logMAR の使用が推奨されている[9]．

logMAR 視力表では 1 対数単位を 10 等分する間隔 0.1 log unit(10 の 10 乗根 $\sqrt[10]{10}$ or $10^{0.1}$

表 4-1 各種視力と logMAR 値との関係

最小視角 (MAR)(分)	logMAR	Snellen 視力			小数視力	対数視力
		4 m	6 m	20 feet		
10	+1.0	4/40	6/60	20/200	0.10	−1.0
8	+0.9	4/32	6/48	20/160	0.125	−0.9
6.3	+0.8	4/25	6/38	20/125	0.16	−0.8
5	+0.7	4/20	6/30	20/100	0.20	−0.7
4	+0.6	4/16	6/24	20/80	0.25	−0.6
3.2	+0.5	4/12.6	6/20	20/63	0.32	−0.5
2.5	+0.4	4/10	6/15	20/50	0.40	−0.4
2.0	+0.3	4/8	6/12	20/40	0.50	−0.3
1.6	+0.2	4/6.3	6/10	20/32	0.63	−0.2
1.25	+0.1	4/5	6/7.5	20/25	0.80	−0.1
1.0	0.0	4/4	6/6	20/20	1.00	0.0
0.8	−0.1	4/3.2	6/5	20/16	1.25	+0.1
0.63	−0.2	4/2.5	6/3.75	20/12.5	1.60	+0.2
0.5	−0.3	4/2	6/3	20/10	2.00	+0.3

〔魚里 博：視力はなぜ 2.0 どまりなのか？ 根木 昭(編)：眼のサイエンス 視覚の不思議．p213，文光堂，2010 より〕

≒1.259) で視標の大きさが変化し，logMAR 値で−0.3 から+1.0 まで，小数視力換算で 0.1 から 2.0 までの 14 段階で視標が構成されている．つまり視標の大きさが約 1.25 倍で大きくなり，約 0.80 倍で小さくなる比率で視標が変化するように作られている．logMAR 値を使用することで，算術平均が簡便にでき，これまでのように小数視力を対数視力に変換して計算する手間が省かれる．従来の小数視力・分数視力と対数視力 logMAR の関係を表 4-1 に示す[9, 10]．

logMAR を用いた視力表の代表的なものに，ETDRS(Early Treatment Diabetic Retinopathy Study) チャートがある(図 4-2)[11]．糖尿病網膜症の早期治療研究において視力の評価として用いられてきたが，屈折矯正手術などの各眼科手術における術前術後の評価や薬剤による治療効果の判定に用いられるようになってきている．

小数視力(VA)は最小視角の MAR(単位は分)の逆数であることから．VA＝1/MAR となり，対数をとった場合 logVA＝−logMAR となる．logMAR では視力 1.0 を 1 として 1.0 より良い視力では負の数，悪い視力では正の数となり，対数視力と logMAR 値は絶対値は等しくなるが符号が異なることに注意が必要である．

▶文献

1) 大島祐之：視力．萩原 朗(編)：眼の生理学．pp47-77，医学書院，1966
2) 中尾主一：眼の生理光学．神谷貞義，梶浦睦雄(編)：生理光学と眼鏡による治療．pp38-166，医学書院，1967
3) Linksz A: The Development of Visual Standards: Snellen, Jaeger, and Giraud-Teulon. Bull NY Acad Med 51: 277-285, 1975
4) 萩原 朗：視力検査基準について．日本医事新報 2085：29-34，1964
5) 長南常男：視力．市川 宏(編)：新臨床眼科全書眼機能学 I．pp1-95，金原出版，1985
6) 福原 潤：生理光学の基礎．西信元嗣(編)：眼光学の基礎．pp145-195，金原出版，1990
7) 所 敬：屈折異常とその矯正 第 6 版．pp35-63，金原出版，2009
8) 魚里 博：波動光学の基礎．西信元嗣(編)：眼光学の基礎．pp63-111，金原出版，1990
9) 魚里 博：屈折矯正における眼光学系と視機能検査．視覚の科学 22：66-84，2001
10) 大頭 仁：視力検査標準化の動き，眼科 24：1049-1058，1982
11) Ferris FL, Kassoff A, Bresnick GH, et al: New visual acuity charts for clinical research. Am J Ophthalmol 94: 91-96, 1982

II 視力検査に必要な視覚生理学

1 形態覚

形態覚とは物の存在を視認して，それが何であるかを認識する眼の機能である．形態覚の能力を表すものとして，一般的に用いられているものが視力である．形態覚という概念の基礎を作ったのは Hering E(1879)であり，視器を媒介として空間を知覚する能力である「視的空間覚」という概念を生理学と心理学に立脚して発表した[1,2]．

形態覚の評価には閾値が用いられる．閾値には，最小視認閾＝1 点または 1 線を認める閾値(白地黒点で 30 秒，黒地白点で 4 秒以下)[3]，最小分離閾＝2 点または 2 線を識別する閾値(20〜30 秒)[3,4]，副尺視力＝2 線または図形の食い違いを認める閾値(2〜10 秒)[3,4]，最小可読閾＝文字または複雑な図形を判読または識別する閾値(30〜40 秒)[3]がある．

視力測定は，高コントラストの Landolt 環を使用し，一般的に最小分離閾を求めて行われる．視力を形態覚の評価に用いることで，比較的短時間に精度よく検査が可能となる．

視力による評価は，主に網膜中心の視覚であり，視覚系の形態覚機能のすべてが評価されるもではない．視標の性質の違いにより異なる識別閾値があり，視力の値は視標の形状ばかりではなく，明るさや周囲のコントラスト，視距離，光の波長，網膜の順応状態など様々な因子により変動するものである．また視覚系の形態覚機能においては，様々な分解能特性により影響を受ける[5,6]．

a. 幾何光学的な分解能

外界からの光刺激を最初に受ける光受容器は網膜である．網膜は中心窩から周辺部にいくにしたがい視力は悪くなり，視力の良し悪しは中心窩の錐体細胞に依存する．最小分離閾を測定するには，2 点を分離する必要がある．中心窩における錐体細胞の大きさは約 2.0 μm であることから，図 4-5 に示すように 2 つの錐体中心間が 4.0 μm 離れている必要があり，視角に換算すると約 50 秒(second of arc)の解像限界となる．視力に換算すれば約 1.2 に相当する．中心窩における錐体細胞の大きさを 1.5 μm と仮定しても，3.0 μm 離れている 2 つの錐体間の換算視角は約 37 秒となり，視力に換算しても 1.63 程度となる．これを幾何光学的な分解能(receptor theory of resolution)という．実際の視覚認識においては，固視微動やマッハ効果などの様々な因子により，理論的な値よりもさらに細かなものを識別していることが多い[6]．

b. 波動光学的な分解能

屈折異常や収差がない理想的な光学系を仮定しても，光の波動性による回折現象で点像は広がりをもつ像となり，点物体の像をエアリーディスク(Airy disc)という．各瞳孔径と線像強度分布を示す(図 4-6)．眼球における実測値においては，瞳孔径 2.4 mm 程度において，点像強度分布関数(point spread function：PSF)の半値幅が約 1 分で最小となり，2.4 mm よりも瞳孔径が大きくなると眼の収差の影響を受け，逆に小さくなっても光の回折の影響を受ける[5,6]．

Rayleigh は無収差の光学系においても，波動

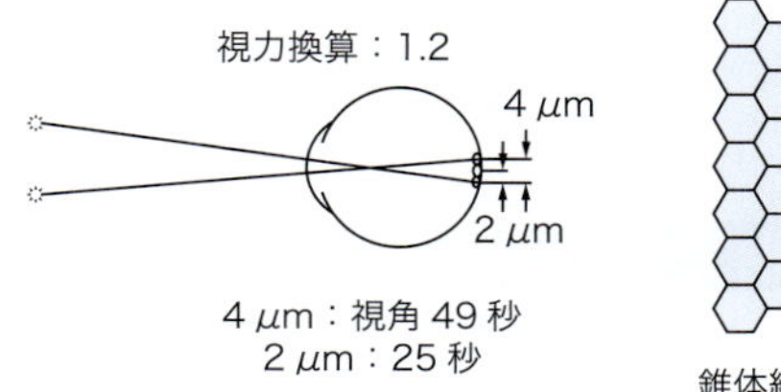

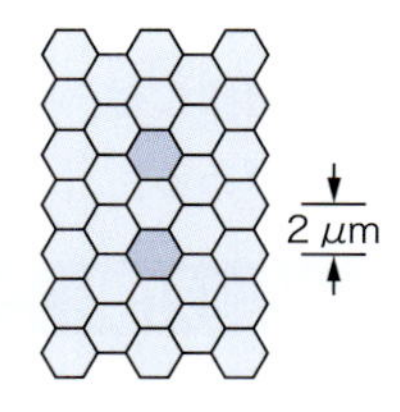

・錐体直径 2.0 μm，間隔 4 μm
→ 視角 50 秒，視力換算 1.20
・錐体直径 1.5 μm，間隔 3 μm
→ 視角 37 秒，視力換算 1.63

図 4-5　錐体細胞の配列と幾何光学的な分解能
〔魚里　博：視力はなぜ 2.0 どまりなのか？　根木　昭(編)：眼のサイエンス　視覚の不思議．p211，文光堂，2010 より〕

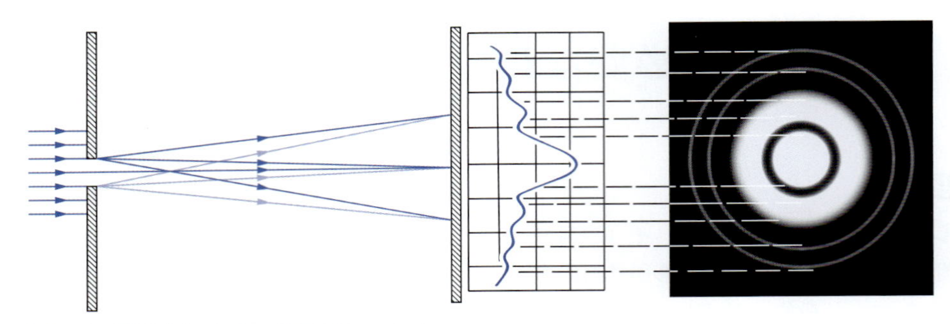

図4-6　瞳孔縁による回折像(Airy disc)
(所　敬：屈折異常とその矯正　改訂第6版. p44, 金原出版, 2014より)

光学的に取り扱うと分解できる限界があることを示した. Rayleighの解像限界に相当する眼の分解能(通常の瞳孔径)は視力換算で約2.0強となる[6].

2 感覚尺度[7]

人間には五感(視覚, 聴覚, 嗅覚, 触覚, 味覚)があり, これらの感覚は外部環境から何らかの形態情報を得て, 脳に伝達する役割をもつ.

人間の感覚において, 感覚の反応量を正確に定量化することは, かなり困難である. 物理的な量であれば計測は容易であるが, 人間の感覚になると個人差があり, 同じ人であっても, その日の体調によっても感じ方は異なる. 物理的世界と知覚世界では感覚尺度は同じではない.

感覚の定量は, 物理的な刺激強度と感覚の大きさとの関係を測定することで試みられてきた. 感覚を評価する1つの尺度としては閾値がある. 閾値とは, 物理的な刺激に対して感覚として知覚することができる, ぎりぎりの境界のところをいう. 閾値には, 大きく分けて絶対閾(刺激閾)と弁別閾がある.

a. 絶対閾

感覚の感度を評価する基本的な方法は, 絶対閾を決定することである. 視覚に関しては, 何もない刺激から感覚を生じさせる刺激へ強度を徐々に増すことで, 感覚が生じる確率も徐々に増加する. 刺激量に対して知覚できる刺激のもっとも少ない刺激量が絶対閾となる. 絶対閾は, 具体的に刺激の存在を50%の確率で検出できるときの刺激の強さで示される. 明るさの知覚に関しての最小刺激は, 晴れた暗い夜に30マイル(約48 km)離れたところから見たろうそくの炎といわれている[7].

b. 弁別閾

感覚の絶対閾を用いての評価は, 現実的に手間を要するが, 弁別閾を用いることでより簡便に評価できる. 弁別閾は, 基準(標準)から区別するには刺激強度をどの程度上げる必要があるか評価するものである. 一対の刺激が呈示され, 比較刺激に対して「大きい」か「小さい」かの応答で評価される.

弁別閾を用いた実験を最初に行ったのは, Weber EHとFechner GTである. 標準刺激の値が大きくなればなるほど, 感覚系は強度の変化に対して敏感でなくなるという画期的な発見をした[7].

Weberは, 変化に気づくため標準からどの程度強度を増大しなければならないのかは標準の強度に比例することを発見した. 刺激強度をIとしたとき, 刺激の識別閾値をΔIとすると, $\Delta I/I = W$(W：定数)が成り立つ. 一定の値WはWeber比となる. これがWeberの法則である. Fechnerは, 感覚量は刺激強度の対数に比例することを発見した. 刺激強度Iが変化するとき, 感覚量をRとすると, $R = K \log I + C$(K, C：定数)が成り立つ. これがFechnerの法則である. この法則はWeberの法則から導き出されたので,

Weber-Fechnerの法則と呼ばれる．心理物理学の最も基本的な法則である[2,8]．

注意として，すべての感覚においてWeber-Fechnerの法則が成立するというわけではない[2]．

3 Stiles-Crawford効果

Stiles-Crawford効果〔Stiles-Crawford effect of the first kind（第1種のStiles-Crawford効果）〕とは，同じエネルギーであっても瞳孔中心を通る光と周辺部を通る光では，周辺部を通る光のほうが暗く感じる現象である（図4-7）．この現象は網膜における光受容体である視細胞の方向感受性に起因する．眼内に入る平行光線のうち，瞳孔中心部を通る光がもっとも効果的に網膜を刺激し，瞳孔周辺部を通る光は斜めに視細胞を刺激するために，効率が低下する現象である．

この現象は杆体よりも錐体のほうが顕著となる．周辺部よりも視力に影響する瞳孔中心からの光を最も効率よく視細胞に入射させ感度を高めるためである．周辺部における視細胞は網膜に対して傾斜している．このような視細胞の性質と網膜の構造は，眼内で散乱したノイズ光を軽減させるのにも役立つ[9,10]．

また，瞳孔の中央部を通る光と周辺部を通る光とでは色相が変化して見える現象は，Stiles-Crawford effect of the second kind（第2種のStiles-Crawford効果）と呼ばれる[9]．単にStiles-Crawford効果という場合は，第1種の効果を意味する．

4 視力検査に影響する因子

われわれの生活においては眼から入る視覚情報は大変重要である．見え方の評価としては視力が用いられる．眼球から視覚中枢までの視路で異常が起これば視力障害が生じる．視力検査は自覚的な検査であるため，視路の障害以外に，検査の理解度や体調などの影響も受ける．また，測定時の様々な条件の変化によっても影響を受ける．ここでは，光学的な影響因子について説明する．

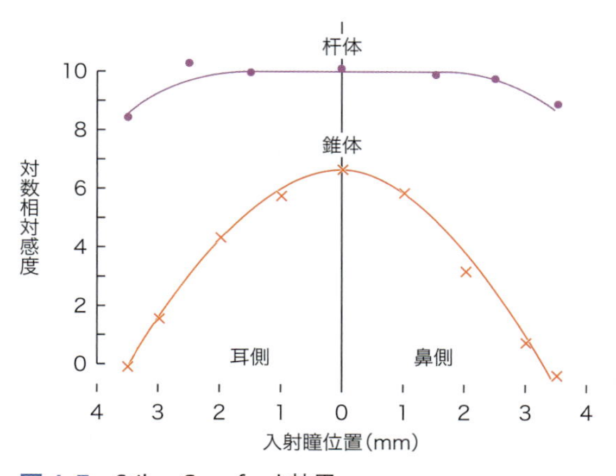

図4-7 Stiles-Crawford効果
〔鵜飼一彦：眼球光学系．篠森敬三（編）：視覚I—視覚系の構造と初期機能．p19，朝倉書店，2007より〕

a. 網膜面における結像状態

良好な視力を得るためには，網膜に鮮明な像が結像される必要がある．結像を妨げる因子としては，屈折異常や収差がある．

1）屈折異常の影響

遠視・近視・乱視などの屈折異常がある場合，遠方からの光が無調節状態の眼に入射すると網膜面に鮮明結像することはなく，分解能は悪くなり視力は低下する．

2）収差の影響

自然光は様々な波長の光で構成されている．このような光がレンズを通過すると分散のため，光の波長によって焦点位置や焦点距離が変化する．軸上色収差と軸外色収差を図4-8に示す．焦点位置が波長により変化することを軸上色収差という．短波長の青色はレンズから近い位置に，長波長の赤色はレンズから離れた位置に結像する．この色の違いによる結像特性を利用した検査が赤緑テストである．人間の眼では青色光と赤色光の色収差は約1.25 Dである〔可視域の両端（380〜780 nm）では約3.0 Dに及ぶ〕．また焦点位置が波長により変化するとき，主軸より外れた位置の像に色収差が生じるものを軸外色収差または倍率色収差という[11,12]．

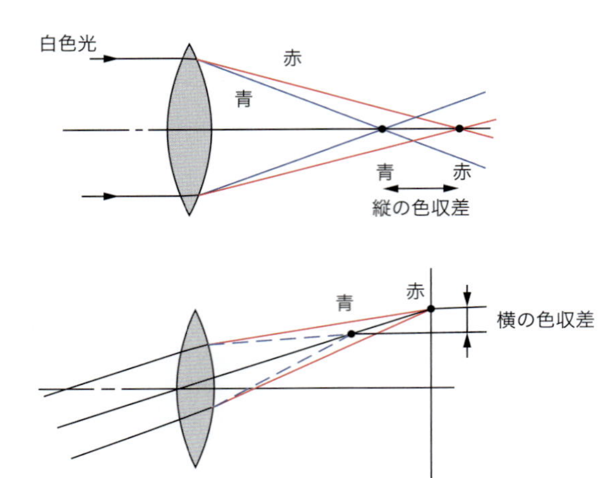

図4-8 軸上色収差(上)と軸外色収差(下)
〔平井宏明：幾何光学の基礎．西信元嗣(編)：眼光学の基礎．p38，金原出版．1990より〕

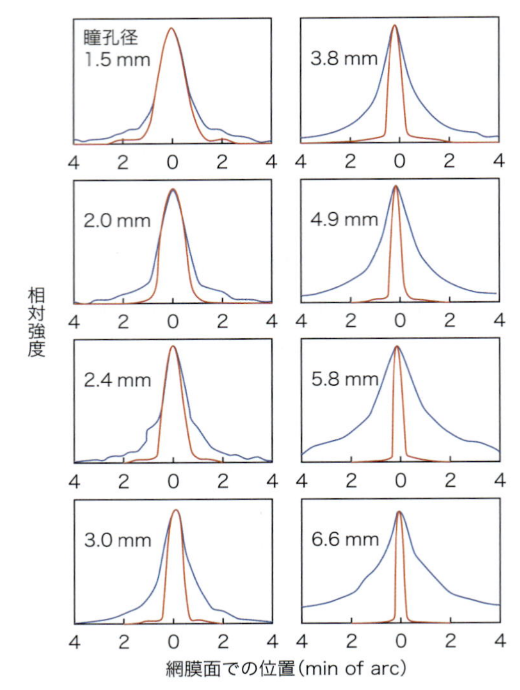

図4-9 各種瞳孔径による線像強度分布関数の変化
赤色の線は理論値，青色の線は実測値を示す．2.4 mm径の線像の広がりが最も少ない．
〔魚里 博：視力はなぜ2.0どまりなのか？ 根木 昭(編)：眼のサイエンス 視覚の不思議．p211，文光堂，2010より〕

b. 瞳孔径

1) 回折の影響

波の性質をもつ光が眼内に入るとき，光は瞳孔縁で光の干渉が起こり，網膜には明瞭な点としての像が結像せず，中心の明るい像の周りに暗い輪と明るい輪が交互に同心円状にならぶ回折像として結像される[5)]．中心の明るい光はエアリーディスク(Airy disc)と呼ばれ，瞳孔径が小さいほどエアリーディスクは大きくなり，結像状態が悪くなる．眼球光学系においては瞳孔径が小さくなれば回折が大きくなる反面，球面収差が小さくなることで視力低下を発生させる因子としては相殺されるが，瞳孔径が2.0 mm以下になる場合は視力への影響が生じる．図4-9に示すように，瞳孔2.4 mm径はいちばん回折の影響を受けにくい大きさとなる[6)]．

c. 視標の明るさ

日常の視環境における明るさは，新月の屋外の真っ暗な状態(約0.001 lx)から真夏の晴天の屋外(約10,000 lx)まで大きく変化する．明るい所では見えるものが暗い所では見えにくくなる．視力と視標の輝度との関係を図4-10に示す．暗所視から明所視にいくにしたがい視力は良くなるが，

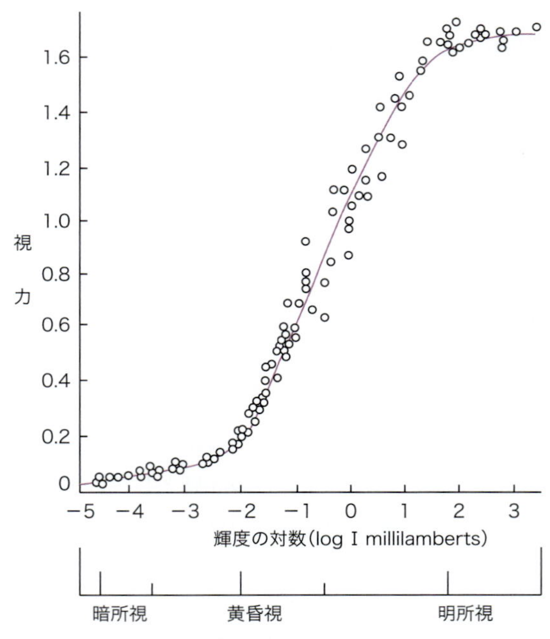

図4-10 視力と輝度の関係(Hecht, 1928)
〔長南常男：視力．市川 宏(編)：新臨床眼科全書第2巻A 眼機能学Ⅰ．p47，金原出版，1985より〕

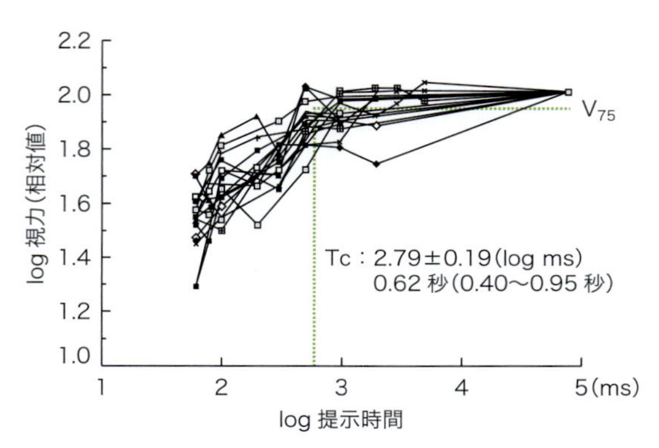

図 4-11 視標提示時間と視力
〔黄野桃世，山出新一，深見嘉一郎：眼疾患における視覚の時間荷重効果(1)視力測定の視標提示時間について．日眼会誌 95：184-189，1991 より〕

1,000 lx ぐらいから視力の増加は緩やかになり，その後増加は見られなくなる．

明所視では錐体細胞が機能しており，視力は良好である．暗所視では杆体細胞が機能しており，視力は著しく低下する．黄斑部には杆体細胞は存在せず，中心窩外で見ることになり視力は不良となる．0.01 lx 以下では杆体視，0.1 lx 以上になると錐体視となる[10,13]．

d. 視標呈示時間

視力測定を行う際の視標呈示時間は，短くなると視力は低下し，長くすると視力は向上するが飽和する[13]．視標呈示時間と視力の関係では，呈示時間無制限の視力の 75% の視力が得られる時間は平均 0.62 秒(0.40～0.95 秒)と報告されている(図 4-11)．刺激の強度と呈示時間に関しては，刺激強度を I，刺激呈示時間を D とすると，I × D＝B(B：定数)という関係が成立する(Bloch の法則)[14]．この時間和は刺激時間 0.1 秒以下で成立するもので，通常の視力検査においては，視標呈示時間を区切る必要性は少ない．

1964 年に発表された視力検査基準では，検査結果の判定基準において，視標を呈示してから被検者の応答を 3 秒待たねばならないとし，小児の検査ではさらに長い時間を要すると規定されている[2,15]．

▶文献

1) 大島祐之：視力．萩原 朗(編)：眼の生理学．pp47-77，医学書院，1966
2) 長南常男：視力．市川 宏(編)：新臨床眼科全書 眼機能学 I．pp1-100，金原出版，1985
3) 丸尾敏夫：視能矯正学 改訂第 3 版．pp57-59，金原出版，2012
4) 山出新一：視力測定法．日本視覚学会(編)：視覚情報処理ハンドブック．pp587-590，朝倉書店，2000
5) 魚里 博：波動光学の基礎．西信元嗣(編)：眼光学の基礎．pp63-118，金原出版，1990
6) 魚里 博：視力はなぜ 2.0 どまりなのか？ 根木 昭(編)：眼のサイエンス 視覚の不思議．pp210-213，文光堂，2010
7) スーザン・ノーレン・ホークセマ，バーバラ・L・フレデリックセン，ジェフ・R・ロフタス，他(著)，内田一成(訳)：第 4 章 感覚過程．ヒルガードの心理学 第 15 版．pp152-213，金剛出版，2012
8) 篠森敬三：光の強さ．篠森敬三(編)：視覚 I －視覚系の構造と初期機能．pp86-113，朝倉書店，2007
9) 高橋現一郎：Stiles-Crawford 効果．大鹿哲郎(編)：眼科プラクティス 6．眼科臨床に必要な解剖生理．pp384-387，文光堂，2005
10) 鵜飼一彦：眼球光学系．篠森敬三(編)：視覚 I －視覚系の構造と初期機能．pp1-22，朝倉書店，2007
11) 所 敬：屈折異常とその矯正 改訂第 5 版．pp35-50，金原出版，2009
12) 平井宏明：幾何光学の基礎．西信元嗣(編)：眼光学の基礎．pp1-41，金原出版，1990
13) 可児一孝：視力検査の流れ．所 敬(監)：理解を深めよう視力検査 屈折検査．pp30-35，金原出版，2009
14) 篠森敬三：時空間特性 I．篠森敬三(編)：視覚 I －視覚系の構造と初期機能．pp203-227，朝倉書店，2007
15) 萩原 朗：視力検査基準について，日本医事新報 2085：29-34，1964

(魚里 博，桝田浩三)

III 視力検査の実際

視力検査には遠見と近見の測定があり，遠見の矯正値はその眼の屈折値を表す．

A. 遠見の自覚的屈折検査

1 検査の概要

目的 屈折矯正を行い最高視力を検出する．

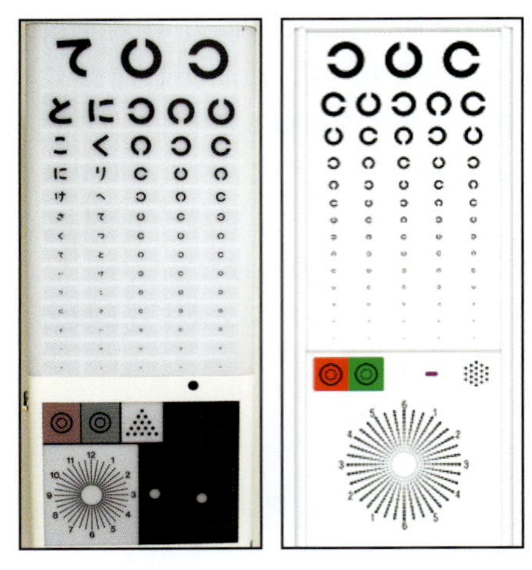

図 4-12 視力検査装置

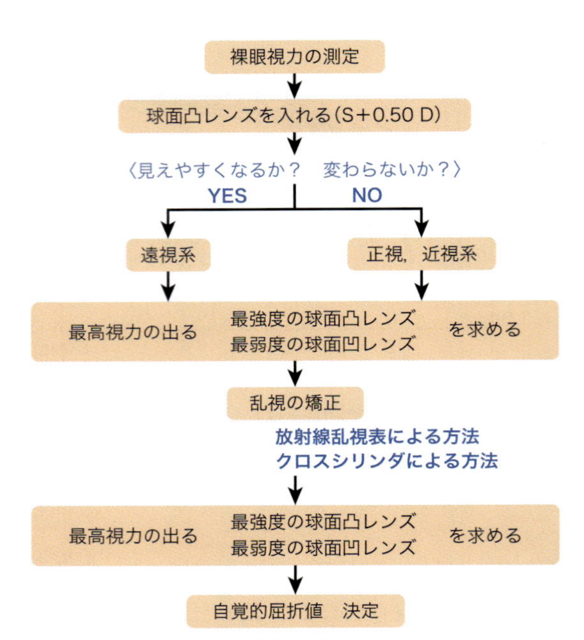

図 4-13 自覚的屈折検査の流れ
〔大牟禮和代：自覚的屈折検査．所 敬(監)：理解を深めよう 視力検査 屈折検査．p48，金原出版，2009 より〕

原理 5 m を無限遠として調節休止状態で屈折矯正により外界の像を中心窩に結像させる．その時の視力を測定し最高視力値とする．

機器 視力検査装置(図 4-12)，レンズセット，眼鏡試験枠(検眼枠)，遮閉板，クロスシリンダ．

検査室 50 lx 以上でかつ視標面照度を上まわらない程度とする．自然光が入ると室内の明るさが変わるので室内灯で調節するか，検査室に自然光が入らないようにし室内光を一定にする．

視力表 標準視力検査装置(あるいは準標準視力検査装置)の視標背面輝度は 500±125 rlx，視標面の高さは 1.0 と被検者の眼の高さが一致するようにする．

2 検査の方法

検査の流れを図 4-13 に示す．

a. 裸眼視力の測定

レンズの光学中心と瞳孔中心が一致する枠を使用し，片眼に遮閉板を入れ検眼枠を掛ける．

1) 0.1 以上の視力の場合

視力表を上から順番に見せる．過半数を正答した段の視標を視力値とする．標準視力検査表では 3/5，準標準視力検査表では 4/5 が過半数となる．視標呈示時間は 3 秒．

2) 0.1 以下の視力の場合

0.1 の単独視標を用いて被検者から徐々に離れて過半数を正答できた距離を求める．その距離から視力を換算する．視力値＝0.1×距離/5 m．

例)3 m で 0.1 の視標が判別できたとき

0.1×3/5＝0.06

3) 0.01 未満の視力の場合

被検者の眼前に検者の指を見せて本数を問う．本数を認識できた距離を測定する．記載は，cm/指数弁(n. d.：numerus digitorum，c. f.：counting finger，F. Z.：Finger Zahl)．

4) 指数弁未満の視力の場合

眼前で手を動かし動きが判別できるかを問う．記載は手動弁(m. m.：motus manus，h. m.：hand motion，H. B.：Handbewegung)．

5) 手動弁未満の視力の場合

ペンライトの光を瞳孔に入れ明暗が判別できるかを問う．記載は光覚(s. l.：sensus luminis，l. s.：light sense，L. S. Licht Sinn)．光が判別できないときは光覚(−)となり視力 0 となる．

検査のポイント

☑ 2つの努力

1つ目は，眼を細めて見ないようにすること．細めることで焦点深度が深くなり視力がよくでることがある．

2つ目は，よく見てもらう．「なんとなく」でも切れ目の方向が判断できるのであれば答えるように促す．

☑ 中心視ができない

網膜疾患などで黄斑部に障害があり中心視できない場合は顔・視線を動かし見やすいところで測定をする．必要に応じて他眼はガーゼなどで遮閉し他眼から見えないようにする．また，被検者が視標を見つけられない場合は，検者が字ひとつ視標を少し大きく動かし測定する．

☑ 視野が狭い

視野が狭く視力が不良の場合は，大きく動かすと視野から視標が消えてしまい測定が困難になる．視野検査などの結果があればそれを参考に視標の出す位置を決め，視線を誘導するとよい．

b. 球面レンズ度の決定

他覚的屈折検査または所持眼鏡より得られた値を参考にすることは有用である．ここでは参考値がないときに正確な屈折値を検出する方法として下記の手順に従い測定する．最小錯乱円，前焦線，後焦線が網膜のどこにあるのかイメージして検査を行う．

まず初めに弱度凸レンズ(+0.50 D)を用いて遠視系または正視，近視系かにふるい分けを行う．このとき，調節の介入を防ぐために凸レンズから行う．次に遠視系であれば最高視力のでる最強度の球面凸レンズ，近視系であれば最弱度の凹レンズを求める(表 4-2)．

弱度の凹レンズを装用しても視力が変わらないもしくは低下する場合は球面屈折度数0となる．裸眼視力が著しく低いときは，下記の検査のポイントを参照のこと．

表 4-2　球面レンズ度の決定

遠視(裸眼：0.7)	近視(裸眼：0.08)
(0.7×+0.50 D) (0.9×+1.00 D) ↓ (1.2×+2.25 D) (1.5×+2.50 D) (1.5×+2.75 D) (1.5×+3.00 D) **最強度の凸レンズ** (1.2×+3.25 D)	(0.1×−1.00 D) (0.3×−1.50 D) ↓ (0.8×−3.25 D) (1.0×−3.50 D) (1.5×−3.75 D) **最弱度の凹レンズ** (1.5×−4.00 D) 調節している (1.5×−4.25 D) 調節している

表 4-3　頂点間距離とレンズの関係

頂点間距離	12 mm より近い	12 mm より離れる
凹レンズ	強くなる	弱くなる
凸レンズ	弱くなる	強くなる

2枚以上のレンズを装用させるときはレンズ度数の大きいものを，頂点間距離が 12 mm の位置に挿入する．±4.00 D 以上[1)]のレンズを使用する場合は 12 mm 以外の枠にレンズを入れると矯正効果に影響するので注意する．

レンズは頂点間距離(レンズ後面から角膜頂点の距離)が 12 mm のときに最も収差がないように作製されている．したがってレンズは頂点間距離が変わると角膜頂点屈折力も変わる(表 4-3)．

角膜頂点屈折力は下記の式で求めることができる．

$$A = L/(1 - kL)$$

A(D)：角膜頂点屈折力

L(D)：レンズの屈折度

k(m)：頂点間距離

検査のポイント

☑ 遠視なのか？ 近視なのか？

裸眼視力が 0.1 以下の場合は弱度のレンズでは見え方の差がわかりにくいので±1.00 D ぐらいのレンズで見比べてもらう．それでもわかりにくいときはさらに強いレンズで比べてみる．まずは近視よりなのか遠視よりなのか，おおまかにふるい分けを行い屈折状態を把握する．

☑ 調節の介入を防ぐ

調節の介入を防ぐために凸レンズ交換時は交換するレンズを検査眼に重ね，不要なレンズを抜く．抜いたレンズを重ねて入れ替える．また，遠視で調節力が強い場合は弱い度数から徐々に強くしていくよりも，裸眼視力よりも視力が低下するレンズを挿入して雲霧しながら徐々に度数を弱め調節の介入を防ぐ．

☑ 検査の落とし穴

自覚的屈折検査では被検者からの応答を上手に引き出し短時間で検査することが求められる．被検者が見え方の差を感じられるレンズで比較しないと応答が曖昧となり，検者も被検者の応答に振り回され時間がかかってしまう．また，よく見ようと瞬目が減り涙液層の乱れにより見にくくなり，本来の屈折値を検出できなくってしまう．被検者の応答だけを信じて検査を進めるばかりでなく，検者は常に被検者の様子に気を配り，応答を理論とも照らし合わせながら検査を進め，レンズ選択に矛盾がないか確認しながら行う．

c. 乱視の矯正

乱視の検出には2つの方法がある．

1) 乱視表を用いる方法

球面レンズの度数が決定したときの網膜上には最小錯乱円がある（図4-14）．雲霧して後焦線を網膜の前方に移動させる（図4-15）．不十分な雲霧量では後焦線が網膜前方に移動しない．雲霧の目安は他覚的屈折値がわかっているときはその値の 1/2＋α，わからないときは＋1.00 D を球面度数に加え，検査を始める．＋1.00 D 雲霧させた場合は 1.75 D までの乱視検出が可能である．

雲霧をさせた状態で乱視表を見させ，均等に見えるか聞く（図4-16）．

均等の場合「乱視なし」となるのだが，乱視量が少ないため＋1.00 D では雲霧量が大きく後焦線が網膜前方にいき過ぎて濃淡が自覚できない場合がある．したがって雲霧量を＋0.50 D にして再検査を行い，これで均一であれば「乱視なし」となる．

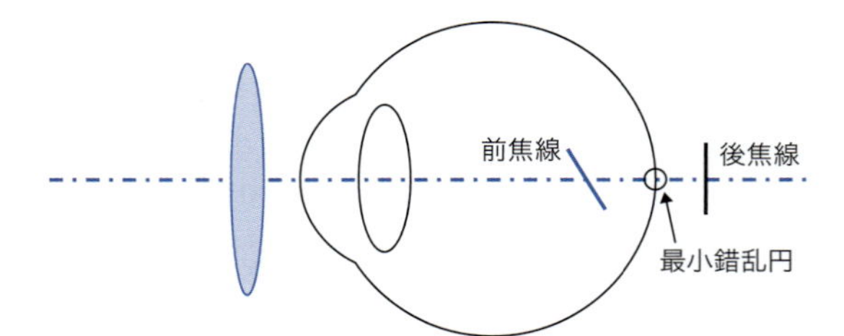

図4-14 球面レンズ度が決定したときの眼の状態

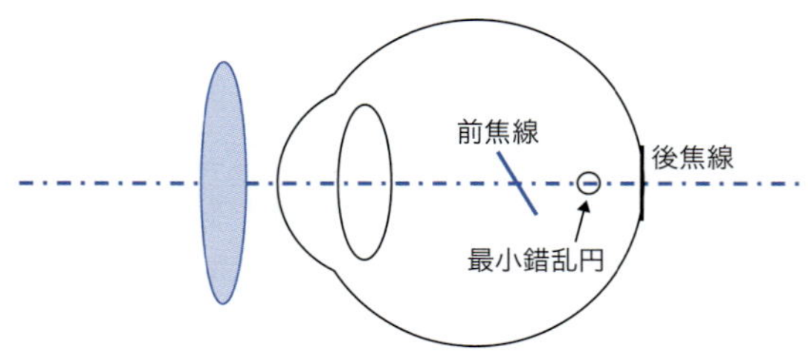

図4-15 雲霧したときの眼の状態

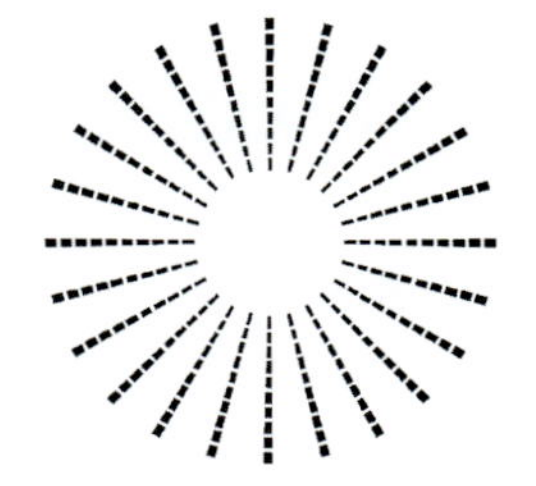

均一に見える＝乱視なし

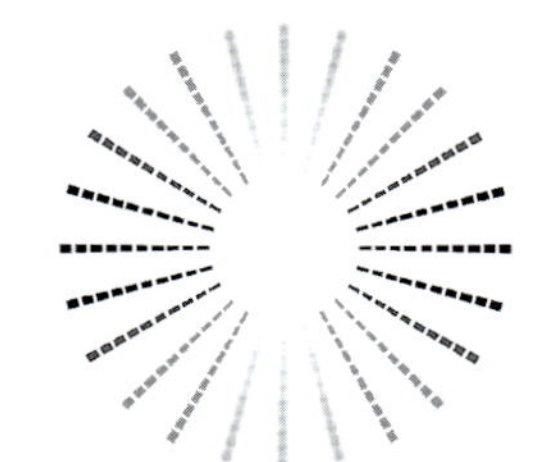

軸が 90°になるように円柱レンズを入れる

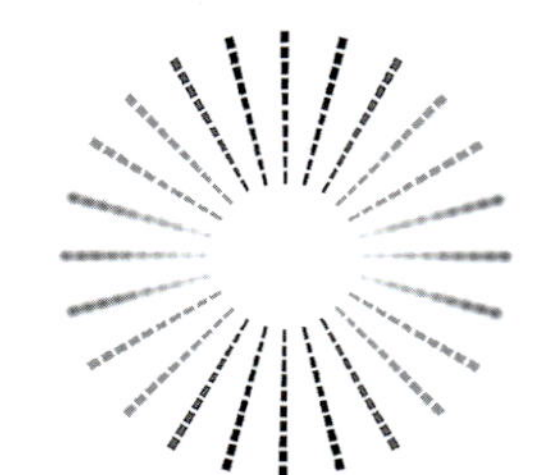

軸が 180°になるように円柱レンズを入れる

図4-16 乱視表の見え方

均等でない場合「乱視あり」となる．軸方向によって濃淡があるので濃く見えた線の方向と直交する方向が円柱凹レンズの軸方向となる．徐々に度数を強め，濃さが均一になるか，濃淡が逆転する1つ前の度数を求める．

検出中に違う方向が濃くなった場合は乱視軸度がずれたためで，微調整が必要となる．濃い線が移動した方向に5～10° 軸度を移動させて確認する．

乱視度数が決定したら＋0.50 D を加入して見え方を問う．見にくくなれば正しく乱視度数を検出できているので，球面度数の調整を行う．徐々に球面度数をマイナスよりにして最高視力のでる球面を求める．

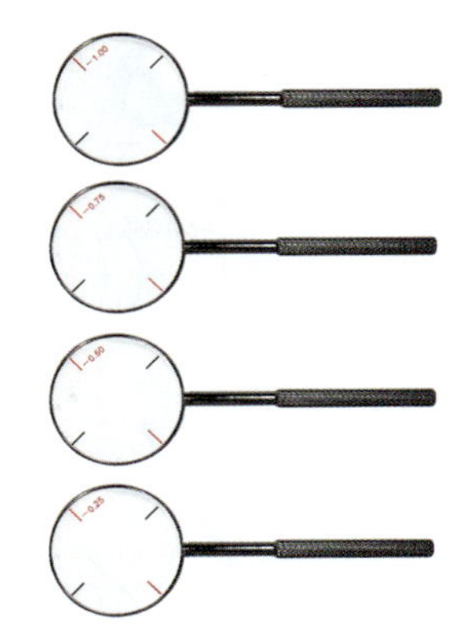

図 4-17　クロスシリンダ
赤線：円柱凹レンズの軸方向．
黒(青・緑)線：円柱凸レンズの軸方向．

検査のポイント

雲霧について

雲霧量によって矯正できる乱視度数が決まるので，その度数以上に乱視がある場合は雲霧量を増やして後焦線が網膜前面にある状態にする．例えば雲霧量が＋1.00 D のとき，1.75 D まで乱視矯正を行っても濃淡が均一もしくは逆転しない場合は 2.00 D 以上の乱視があると考えられる．検出するためには雲霧量が足りていないので後焦線が網膜前方にくるように雲霧量を増やしてから引き続き検査を行う．

調節の介入を防ぐ

円柱レンズには凸レンズ・凹レンズがあるが，検査には凹レンズを使用する．後焦線を網膜上またはやや前方で結像させ，凹円柱レンズで前焦線を後焦線に近づけていき焦点にする．凸レンズを使うとこの逆となるため調節の介入が起こり正確な乱視度数の検出が難しくなる．

乱視検出後の球面調整のときに＋0.50 D を加入して見やすくなった場合は，雲霧量が足りず後焦線が網膜後方にあり正しく乱視を検出できていない．この場合は最高視力のでる球面度数を再度求め雲霧から再検査を行う．

2) クロスシリンダを用いる方法

クロスシリンダは同じ度数の円柱凹レンズと凸レンズを直交させて組み合わせたレンズである．±0.25 D，±0.50 D，±0.75 D，±1.00 D が市販されている．必要に応じて使い分ける(図 4-17)．

最高視力のでた球面度数は最小錯乱円が網膜上にあるので(図 4-14)，この状態でクロスシリンダを表裏回転させる．回転により前焦線と後焦線の位置が変化する．近づくと最小錯乱円は小さくなり見やすくなり，逆に離れると最小錯乱円は大きくなるので見にくくなる．この原理を使って乱視矯正を行う方法である(図 4-18)．

a) 乱視の有無

クロスシリンダのマイナス軸を基準に検査を進めていく．マイナス軸が水平垂直方向(90° と 180°)にくるよう回転させて見え方を聞く．差がなければ斜め方向(45° と 135°)にくるよう回転させて見え方を聞く．これも差がなければ「乱視なし」となる．

見やすい方向があれば「乱視あり」となる．

b) 乱視軸度の検出

見やすいと応答のあった方向に仮の円柱レンズの軸を合わせて入れる(表 4-4)．

この際，最小錯乱円が網膜上にくるように円柱

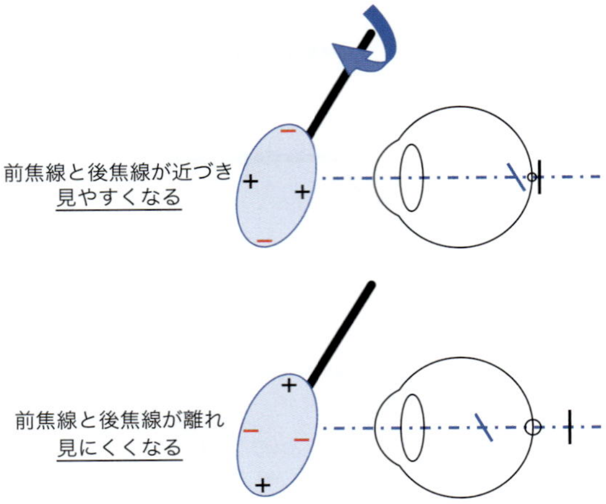

前焦線と後焦線が近づき
見やすくなる

前焦線と後焦線が離れ
見にくくなる

図 4-18　クロスシリンダによる乱視矯正の原理

表 4-4　軸方向の目安

水平垂直方向	斜め方向	軸方向
180° 方向が見やすい	差なし	180°
	135° 方向が見やすい	150〜160°
	45° 方向が見やすい	30〜20°

90° 方向が見やすい場合も同様に考える.

レンズ度数の 1/2 分球面レンズをプラスよりに調整する.

例えば,（球面レンズ±0 D）180° 方向にマイナス軸があるときに見やすいならば S+0.25 D⊂C −0.50 D Ax 180° を装用する.

仮の円柱レンズ軸度を挟むようにして表裏を繰り返し回転させ見え方を比べる. 見やすいと応答のあったクロスシリンダのマイナス軸の方向に 5° もしくは 10° 動かす. これを繰り返し行い, 見え方に差がなくなった度が乱視軸度となる（図 4-19）.

c）乱視度数の検出

円柱凹レンズの軸とクロスシリンダの軸が重なるように合わせてレンズを回転させる（図 4-20）. マイナス軸を重ねたほうが見やすいと答えたら, 乱視度数を強くする. その際に球面度数を 1/2 プラス寄りにする. プラス軸を重ねたほうが見やすいと答えたら乱視度数を弱める. その際には球面度数を 1/2 マイナスよりにする. 常に最小錯乱円が網膜上にあるようにするため, 乱視度数が変化するたびに球面度数の調整が必要となる. レンズを回転させても見え方が変わらなくなれば乱視度数の決定となる.

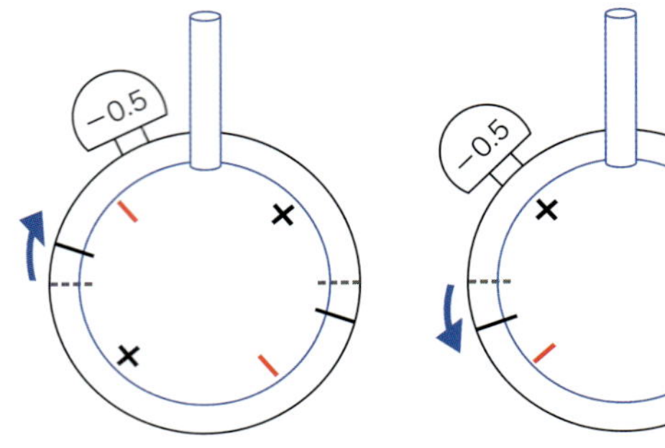

図 4-19　乱視軸度の検出
回転させた見え方に差がある場合：見やすいと答えたときのクロスシリンダのマイナス側に 5° もしくは 10° 軸度を動かす. 見え方に差がなくなるまで繰り返して軸度を決定し, 度数の検出に進む.

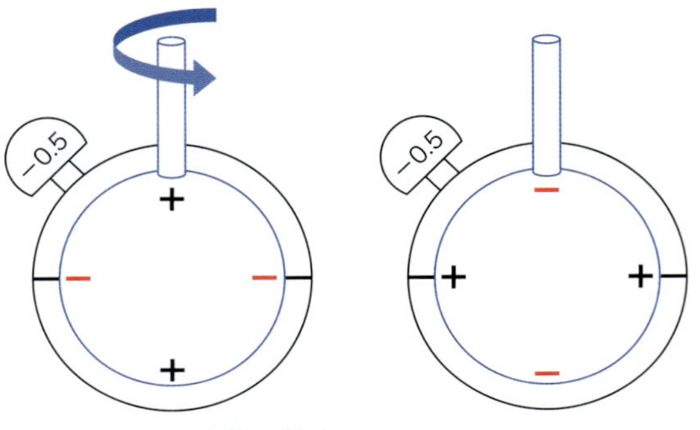

図 4-20　乱視度数の検出
仮円柱レンズの軸度が 180° の場合.

乱視度数が決定した時点では最小錯乱円が網膜上にある状態である. 最後に球面レンズを微調整して最高視力のでる球面レンズを求める.

検査のポイント

- ☑ 最小錯乱円の位置をイメージする

  乱視度数を −0.25 D 弱めたときは球面を 0.125 D マイナスよりの度数にするが, レンズは 0.25 刻みのため最小錯乱円を網膜上に結像させるために −0.25 D マイナスよりのレンズを選択する.

- ☑ 視標

  視標は Landolt 環でもよいが, クロスシリンダ用（図 4-21）を用いるほうがわかり

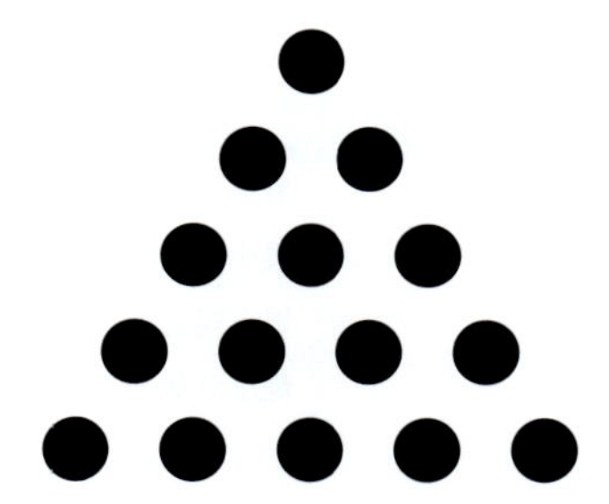
図 4-21 クロスシリンダ用の視標

やすい．

☑ 検査の落とし穴

乱視表もクロスシリンダも，球面レンズでよく見えた状態から検査上でいったん見えにくくして乱視を検出する方法である．そのため，見え方，答え方の説明をしっかりと行う．クロスシリンダでは，「どちらがいいか？」という問いにすると，被検者はどちらかを選択しなければならないと思い悩みこんでしまう場合がある．「見え方に差がないか？」「同じようにぼやけて見にくい？」など「同じ」という選択肢があることを理解してもらい検査を進めるとスムーズに検出できる．

B. 近見の自覚的屈折検査

1 検査の概要

目的 ① 調節障害の有無を知る，② 近用眼鏡の度数を決める，③ 機能的弱視の視力検査，④ 坐位の取れない被検者の視力検査．

検査条件 近見視力表を用いて検査距離 30 cm で検査する．室内の明るさについては特に規定がないが視標面輝度は 200 cd/m^2 でコントラスト比は 82% 以上と規定されている．

機器 近見視力検査表，Landolt 環字ひとつ視標．

検査距離 遠見視力検査表に比べ，近見視力検査表は視標製作精度が落ちるため検査距離 30 cm を正確に測って測定する．

表 4-5 球面レンズ度の決定例

	遠視の場合	近視の場合
遠見視力	RV＝(1.2×＋1.50 D)	RV＝(1.2×－5.50 D)
近見視力	RV＝(0.3×＋2.50 D) (0.6×＋3.00 D) (0.7×＋3.50 D) (1.0×＋4.00 D) (1.0×＋4.25D)	RV＝(0.3×－4.50 D) (0.6×－4.00 D) (0.8×－3.50 D) (1.0×－3.25 D) (1.0×－3.00 D)

2 検査の方法

上記検査条件を満たす環境で検査をする．近見視力では 30 cm の視標に焦点を合わせるために 3.30 D の調節力が必要となる．被検者の調節力をしっかりと使った状態で最高視力のでる度数を検出するように測定する．そのためには，予想される加入度数よりも少し弱めの加入度数から測定を始めるとよい．最高視力のでる遠視なら最弱度凸レンズ，近視なら最強度の凹レンズが求めるレンズとなる．表 4-5 に例(54 歳，予想される加入度数は 2.00 D～2.50 D なので弱めの 1.00 D 加入から検査を開始)を挙げる．

検査のポイント

☑ 加入度数に左右差がある

特に遠視の場合，予想される加入度数よりも強く加入しないと視力がでないときがある．その場合は遠視が潜伏している可能性があるので雲霧法もしくは調節麻痺薬を使って遠見視力を再測定する．

☑ 検査の落とし穴

若年期の偽水晶体眼の場合，本来は調節力がないため 3.00 D 加入が必要となるが実際にはもう少し弱い加入となることが多い(偽調節)．はっきりとした原因は解明されていないが，偽水晶体眼＝調節ナシと決めつけずに弱めの加入度から検査を始めるようにする．

▶文献

1) 所 敬：屈折異常とその矯正．pp67-69，金原出版，2014

（和田直子）

C. 小児の視力検査

1 検査の概要

目的 小児の発達に応じた検査法を用いて，視力を評価する.

方法 自覚的に視力の測定を行う．自覚的な検査が不可能な場合は眼球運動の観察や視覚誘発電位を利用し他覚的に視力を評価する.

適応 すべての小児.

機器 小数視力表，Landolt 環字ひとつ視標，絵視標，森実式ドットカード，acuity cards，OKN ドラム，光源視標，光刺激装置.

2 検査方法

自覚的な視力検査は早ければ2歳半頃から行うことが可能となるが，発達の個人差は大きいため，児の発達に応じた視標の選択が必要となる．視標によって求めている閾値が異なるが，それぞれ視角に換算し視力値としている(表 4-6).

表 4-6　各視標と求めている閾値

視標	求めている閾値
Landolt 環	最小分離閾
絵視標	最小可読閾
森実式ドットカード	最小視認閾
縞視標	最小分離閾

a. Landolt 環字ひとつ視標

Landolt 環の切れ目の向きを指でさして回答させる．言い間違えることもあるため，口答は避ける．指さしが難しい場合は Landolt 環の模型(通称：ハンドル)を使い，検者が持つ Landolt 環の向きと同じになるようにハンドルを回転させる(図 4-22).

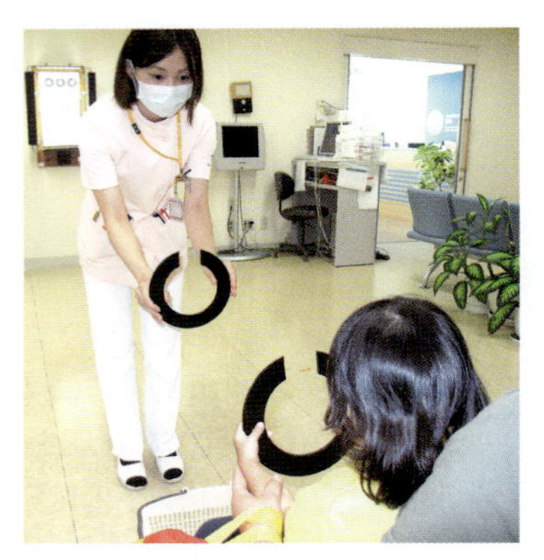

図 4-22　ハンドルを用いた字ひとつ視力検査の練習

b. 絵視標

4種類の動物などが描かれたカードを見せて，名前を答えさせる．口答ができない場合は4種類が1枚になったカードのなかから検者が呈示したカードの絵と同じ絵を選ぶ「絵合わせ」を行う(図 4-23).「絵合わせ」では見えていない視標を選択していないか，注意が必要である．5 m の検査距離では集中できない場合は 2.5 m で検査を行い，結果を 1/2 にして 5 m の視力値として換算する.

図 4-23　絵合わせ

c. 森実式ドットカード(図 4-24)

ウサギやクマに位置や大きさを変えた目が描かれており，目の位置を指でささせる．目が描かれていないカードも混ぜて順不同にし，検査距離 30 cm で目を指せたカードの最小の目の大きさを視角に換算する.

3 他覚的な視力の評価

乳幼児および発達遅滞児で自覚的に視力検査を行うことができない場合は，以下の方法で他覚的

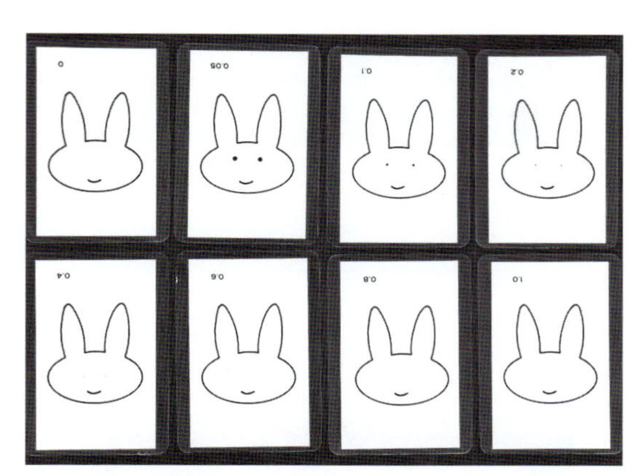

図 4-24　森実式ドットカード

図 4-25　粟屋-Mohindra 式 PL 装置
検査距離 50cm．2 つの円形スクリーンの一方に縦縞，他方に同じ輝度の無地のスライドをプロジェクターで投影する．観察者は衝立の中央にあけられたのぞき穴から被検児がどちらを見ているか判定する．

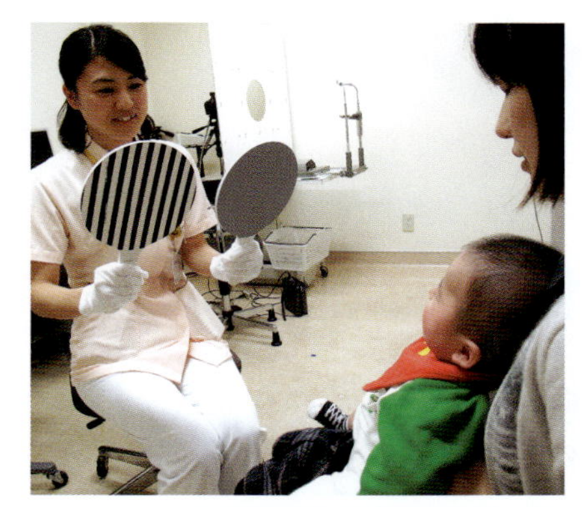

図 4-26　Square Wave Grating Stimuli を用いた縞視力測定

に視力を評価する．

a. preferential looking 法（PL 法）

乳児では縞模様や市松模様などのパターン化刺激を好んで固視するという特徴を利用したものである．被検児の前に設置した 2 つの窓にそれぞれ縞視標と無地の視標を呈示する．2 つの窓の中央にある覗き穴から観察し，被検児が縞視標を見たか否かを眼や頭の動きから他覚的に判断する（図 4-25）．検査距離と縞の太さから最小分離閾として視力に換算する．

大きな装置を必要とせず，一般臨床において簡便に測定できる grating acuity test には Teller acuity cards，グレーティングカード，Lea gratings（図 4-26）などがある．

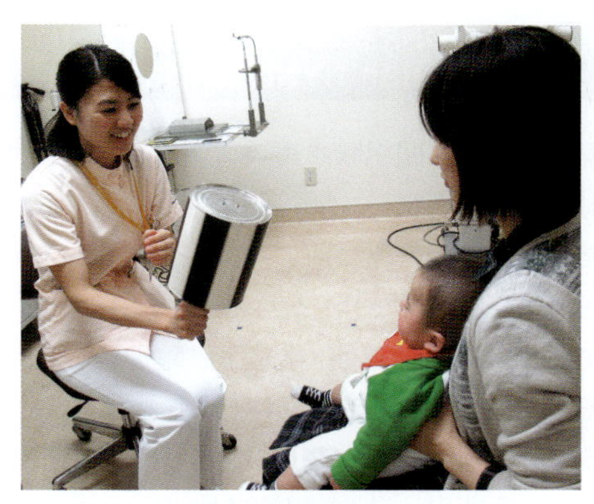

図 4-27　視運動性眼振（OKN）の測定
測定時の刺激条件の標準化が難しく，一般臨床においては定性的な検査となっている．

b. 視運動性眼振（optokinetic nystagmus：OKN）（図 4-27）

回転ドラムの表面に描かれた縦縞模様を回転させることによって眼振が誘発されるかを観察する方法である．縞が見えているときにはドラムの回転方向に緩徐相，回転方向と逆方向に急速相をもつ眼振が出現する．縞が見えなくなったときに視運動性眼振は消失するので，このときの縞の幅から視力を推測する．

c. 視覚誘発電位(visual evoked cortical potential : VECP)

後頭部に電極を付け，視覚刺激に対して後頭葉一次視覚野で誘発される電位を測定する方法である．フラッシュ刺激では0.1程度の視力があるかどうかがわかる程度であるが，市松模様の大きさを変化させるパターンリバーサルVECPでは，パターンの大きさとVECPの電位の大きさから視力をある程度定量的に推定することができる．

d. 固視検査(直接観察法)

Visuscopeなどの視標が内蔵された直像鏡で眼底を直接観察し，固視状態を把握する(《視能学エキスパート》シリーズの『視能訓練学』を参照のこと)．

e. 両眼性固視検査(binocular fixation pattern)

角膜反射と遮閉試験を用いて単眼および両眼での固視状態を観察し，間接的に中心固視の良否と両眼開放下での目標に対する固視持続能力を調べる固視検査法である[1]．

検査を行う際は遮閉-非遮閉試験を行いながら下記の3項目を観察する(それぞれの頭文字をとってCSM testとも呼ばれている)．

1) 片眼遮閉時(単眼性固視検査)

C：固視は中心か中心でないか？
(central, not central)
S：固視は安定しているか？
(steady, unsteady)

2) 片眼非遮閉時(両眼性固視検査)

M：斜視がある場合，両眼開放下で目標を固視し続けることができるか，他眼に固視が移ってしまうか？
(maintained, unmaintained)

以上の結果を表4-7のごとく分類し，弱視の程度を把握する．

眼位が正位もしくは小角度の斜視の場合は片眼に角プリズム(16Δ程度)を基底内方もしくは上下方向に装用させ，光学的に偏位をつくることで同様の検査を行うことができる(図4-28)．

表4-7 binocular fixation pattern

片眼遮閉時(単眼性固視検査)	片眼非遮閉時(両眼性固視検査)
中心固視	固視持続良好
	固視持続(±)
	固視持続不良
ほぼ中心固視	固視持続不良
中心固視不良	

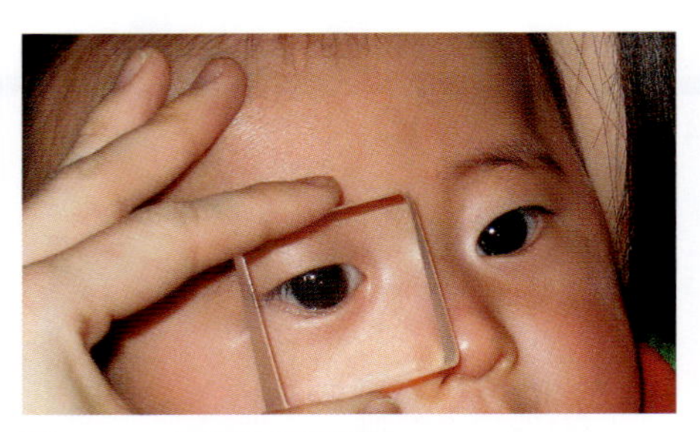

図4-28 両眼性固視検査
正位や斜視角が小さい場合は，片眼に角プリズムを装用させ，光学的に偏位をつくることで両眼性固視検査を行うことができる．

f. 視反応の観察

対光反射および瞬目反射は新生児から認められる．生後2〜3か月になると固視・追従運動がみられ，4か月になると両眼の協調のとれた共同運動が確立する．これらの発達が順調であるかを観察する．

g. 嫌悪反射

片眼を遮閉したときの嫌がり方を左右で比較して，見え方に左右差があるかどうかを推測する．

4 視力の発達

乳児の視力は古くから他覚的な視力測定法が研究され，それぞれの検査法による視力の発達が報告されている(図4-29)．視力は主に視運動性眼振(OKN)，視覚誘発電位(VECP)，preferential looking法(PL法)で測定されており，報告により多少の不一致がみられるが，おおよその傾向と

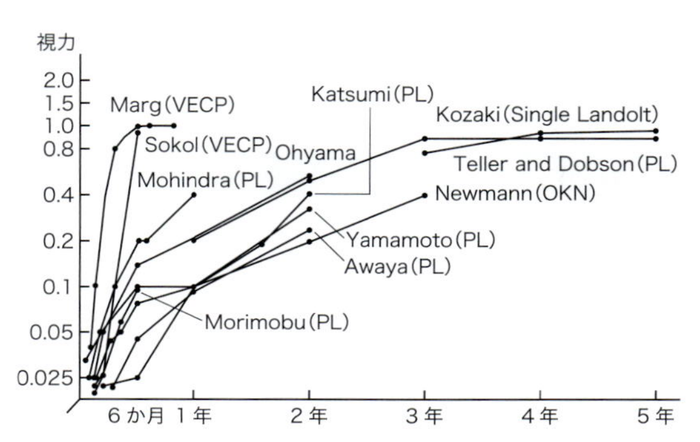

図4-29　種々の報告による乳幼児の正常視力
（粟屋　忍：乳幼児の視力発達と弱視．眼臨 79：1821-1826，1985 より）

して，生後1か月で0.03，3か月で0.1，6か月で0.2，12か月で0.3〜0.4，3歳で1.0に達する[2]．

5 視力検査でみられる小児の特性

小児においては視力検査に対する心理的動揺や注意集中の不足など，心理的な影響が視力に現れやすい．また，もともと小児は正確な視力値を提供しなければならないという目的意識に欠けることが多く，正確な視力検査を行うことが難しいが，字づまり視標より字ひとつ視標のほうが集中して検査に取り組むことができる．

幼児型視覚特性のひとつとして，読み分け困難が正常小児にもみられる現象と考えられており，正常小児を対象とした研究[3]では8歳まで有意に読み分け困難が認められたとの報告がある．一方，本現象が斜視弱視の弱視眼にのみみられることから，読み分け困難は斜視弱視特有の現象とする報告[4〜6]もあり，読み分け困難における見解は一致していない．一般には，8歳頃まではLandolt環字ひとつ視標での測定を行う．

検査のポイント

☑ 他覚的屈折検査

小児においては適切に調節麻痺薬を用い，正確な他覚的屈折値に基づいて矯正視力を測定することが重要である（第5章III.「調節麻痺薬を用いた屈折検査」の項参照，⇒99頁）．

正確に測定するには固視を促すよう声掛けをしながら，短時間に測定することがコツである．必要な場合は検者による開瞼を行い，睫毛の影響を除去する．

☑ 検査時間

小児は長時間の検査で飽きてしまい，正しい結果が得られないことがある．患者を飽きさせないように声を掛けながら，他覚的屈折値を参考にできるだけ手早く検査を行うことが大切である．

☑ 視標の選択

視力検査を行うにあたって，あらかじめ患者の観察を行っておくと視標選びの参考となる．検者と会話ができ，保護者から離れて検査に応じることができればおおむねLandolt環字ひとつ視標での検査が可能である．絵視標は患者の知的要素や視経験が介入するため，特定の視標を答えられなかったり，似ているが異なるものを答えたりすることがある．

☑ Landolt環字ひとつ視標の出し方

乱視の影響を考慮し，Landolt環は上下方向と左右方向を呈示するが，無意識のうちに呈示する順番が決まってしまわないように注意する．また，Landolt環の向きを変えるときは，患者にわからないように操作することが大切である．

☑ 検者と患者との信頼関係

小児の検査を行うに当たっては検者と患者との信頼関係が検査結果に影響することがある．検者が嫌われてしまっては思うように検査を進めることができないので，可能であれば担当を変わることも一つの方法かと考える．何度か通院してもらい，検査を重ねていくと信頼性のある検査結果が得られるようになる．

☑ 年長者における字づまり視力不良

屈折矯正（特に乱視）が不十分であると，字づまり視力が低下することがある．また，眼振の患者においては字ひとつ視標のほうが見やすい．年長者において字づまり視力が低下しているときは字ひとつ視力も測定し，その原因を検討する必要がある．

▶文献

1) 臼井千惠：特別な検査機器を用いない検査2．固視検査．眼科MOOK No. 31：77-85，1987
2) 粟屋 忍：乳幼児の視力発達と弱視．眼臨 79：1821-1826，1985
3) 菅原美雪，粟屋 忍，大石文恵，他：幼児視力の読み分け困難からみた弱視の感受性期間の検討．眼紀 35：1257-1262，1984
4) Irvine SR: Amblyopia ex anopsia. Observations on retinal inhibition, scotoma, projection, light difference discrimination and visual acuity. Trans Am Ophthalmol Soc 66: 527-575, 1945
5) 臼井千惠，久保田伸枝：Crowding 現象に関する研究一第4報一．眼臨 92：741-746，1998
6) 植村泰夫：弱視治療に関する2，3の質問(その2)分離困難について．臨眼 21：847-825，1967

D. 両眼開放視力検査

1 検査の概要

目的 両眼開放での視力値を測定し両眼での状態を把握する．

方法 通常の単眼視力の測定後，両眼開放で視力を測定する．

適応 潜伏眼振，斜位近視，単眼視力不良の症例，眼鏡合わせ．

機器 小数視力表，Landolt 環字ひとつ視標，レンズセット，検眼枠．

2 検査方法

他覚的屈折検査の結果をもとに自覚的屈折検査を行い単眼視力の測定をする．その後両眼開放にし，両眼開放視力を測定する．

3 両眼視力に影響する要因

片眼を遮閉して測定した単眼視力に比べて両眼開放視力は良好であるが，その機序として，下記のような様々な要因が考えられる．

a. 瞳孔径の影響

両眼開放下では片眼遮閉時より瞳孔が縮瞳していることから焦点深度が深くなり，縮瞳により収差が減少する[1]．

b. 両眼加重

一般に種々の視機能において単眼より両眼のほうが良い結果が得られることを両眼加重といい，両眼で有効的に視覚情報を処理するために働くと考えられる神経機構である[2,3]．

c. 確率加算

両眼視下においては左右眼の正答率が累加される．右眼と左眼の各視標の正答率をa，bとすると両眼の正答率は $a+b(1-a)$ となり，単眼より正答率が上がる[4]．

d. 調節の影響

片眼遮閉時に入りやすい調節の影響[5]が両眼開放下ではない．

e. 心理的影響

小児では両眼視力が単眼視力より著しく向上することがあり，心理的な要因も考えられる．

f. 潜伏眼振

両眼開放下では潜伏眼振の影響がないか，顕性潜伏眼振があっても片眼遮閉時の潜伏眼振よりはるかに弱いので，単眼視力より両眼視力が極端に良く，両眼開放視力はほぼ正常視力を示す．

g. 斜位近視

間欠性外斜視にみられる斜位近視では外斜視がないときには輻湊性調節が働いているため，両眼開放視力が著しく低下する．

4 両眼開放下での単眼視力測定

片眼遮閉の影響を受けずに単眼視力を測定する方法(《視能学エキスパート》シリーズの『視能訓練学』を参照のこと)．

検査のポイント

☑ 片眼遮閉による近視の過矯正

片眼遮閉時には散瞳と調節の影響で近視化することがあるため，特に眼鏡処方時には両眼開放下で片眼遮閉時より遠視化するかどうか自覚的屈折値の確認をすることが必要である．

☑ 潜伏眼振

潜伏眼振の存在が明らかな症例では，屈折矯正が不十分でもまずは両眼開放視力を測定し，現状を把握することが大切である．

▶文献

1) 魚里　博：両眼視力と単眼視力：日本視能訓練士協会誌 35：61-66，2006
2) 田辺由紀，内海　隆，森　理恵，他：多数例正常若年者における両眼視力と片眼視力．眼臨紀 3：74-77，2010
3) 若山曉美：両眼加重の働きと影響因子―なぜヒトは 2 つの眼があるのか．日本視能訓練士協会誌 40：7-18，2011
4) 可児一孝：III．視力検査の実際 2．視力検査の流れ．所敬，松本富美子(編)：理解を深めよう 視力検査 屈折検査．pp34-35，金原出版，2009
5) 林　博文，西田哲夫，岡本茂子，他：屈折検査法の検討(第 1 報)両眼開放屈折検査を中心として．眼紀 29：508-521，1978

（中川真紀）

E. logMAR

1 logMAR とは

logMAR は視角(最小分離角)を対数で表記したもので数学的用語となる．MAR とは minimum angle of resolution(最小分離角)の略である．小数視力は視角の逆数で表し，対数視力は小数視力を対数で表す．logMAR は視力の値ではないので logMAR 視力とはいわない．

logMAR，対数視力，小数視力，視角の関係を表 4-8 に示す．

a. logMAR を使用する理由と利点

視力は心理物理量であり，心理的な感覚値は Weber-Fechner の法則により対数で表すとされている．Weber-Fechner の法則とは「刺激の強度(L)が変化すると，感覚量(S)はその対数に比例する」という法則であり，「S＝K log L＋C(K，C は定数)」で表されている．

表 4-8　対数視力，小数視力，視角の関係

logMAR	対数視力		小数視力	視角(分)
	log(小数視力)	log(10×小数視力)		
−0.3	0.3	1.3	2.0	0.50
−0.2	0.2	1.2	1.6	0.63
−0.1	0.1	1.1	1.25	0.80
0.0	0.0	1.0	1.0	1.00
0.1	−0.1	0.9	0.8	1.25
0.2	−0.2	0.8	0.63	1.59
0.3	−0.3	0.7	0.5	2.00
0.4	−0.4	0.6	0.4	2.50
0.5	−0.5	0.5	0.32	3.13
0.6	−0.6	0.4	0.25	4.00
0.7	−0.7	0.3	0.2	5.00
0.8	−0.8	0.2	0.16	6.25
0.9	−0.9	0.1	0.125	8.00
1.0	−1.0	0.0	0.1	10.00

日常臨床で主流となっている小数視力は視角の逆数で表し，0.1〜2.0 まで配列されているが，視角が等間隔になっていないため統計学的処理ができない．それを可能にするために，視角を対数化する必要がある．logMAR は統計学的処理をするのに有用とされている．

視力測定を，logMAR で結果が出る ETDRS チャートを用いて測定した場合は，値を換算することなくそのまま統計処理に利用できる．

b. 小数視力を対数視力や logMAR に変換する方法

小数視力を対数視力や logMAR に変換する方法は以下の通りである．

$$\text{対数視力} = \log_{10}(\text{小数視力})$$

$$\text{logMAR} = \log_{10}(\text{視角}) = \log_{10}\left(\frac{1}{\text{小数視力}}\right)$$

c. 対数関数

対数関数 log では $a^x=b \Leftrightarrow x=\log_a b$ という関係が成り立つ．

$\log_a b$ の a を底という．底が 10 のものを常用対数といい，常用対数は底を書かずに省略されることが多い．眼科では常用対数が使われる．

対数関数には次のような公式がある．

① $\log_a 1=0$

② $\log_a a=1$

③ $\log_a M^y=y\times\log_a M$

④ $\log_a M+\log_a N=\log_a MN$

⑤ $\log_a M-\log_a N=\log_a(M\div N)$

$=\log_a\left(M\times\dfrac{1}{N}\right)=\log_a\dfrac{M}{N}$

常用対数でこれらの公式を使っても計算できないもの(無理数)は下記の数値で代用するか電卓を利用する．

- $\log_{10}2\fallingdotseq 0.3010$
- $\log_{10}3\fallingdotseq 0.4771$
- $\log_{10}4=\log_{10}2^2=2\log_{10}2$
  $\fallingdotseq 2\times 0.3010=0.6020$
- $\log_{10}5\fallingdotseq 0.6989$
- $\log_{10}6=\log_{10}(2\times 3)=\log_{10}2+\log_{10}3$
  $\fallingdotseq 0.3010+0.4771=0.7781$
- $\log_{10}7\fallingdotseq 0.8451$
- $\log_{10}8=\log_{10}2^3=3\times\log_{10}2$
  $\fallingdotseq 3\times 0.3010=0.9030$
- $\log_{10}9=\log_{10}3^2=2\times\log_{10}3$
  $\fallingdotseq 2\times 0.4771=0.9542$

実際の数字を使って log について例(1)～(4)で具体的に記載してみる．

例(1) $\log_{10}1=\log 1$(底を省略)

例(2) $10^x=1000$

$x=\log_{10}1000\,(1000=10^3)$

$x=\log_{10}10^3$

$x=3$

例(3) 視角を logMAR に変換する．

視角 1 分を logMAR に変換すると log(視角)＝log 1 となり，公式 ① より log 1＝0，すなわち logMAR 値は 0 となる．

視角 10 分は公式 ② にあてはめると log 10＝1 となり，logMAR 値は 1 となる．

例(4) 小数視力を対数視力に変換する．

小数視力 0.3 を対数視力に変換すると $\log_{10}$(小数視力)＝log 0.3 となる．

これを公式 ④，⑤ を用いて計算してみる．

公式 ④ を使用

$$\begin{aligned}\log 0.3&=\log\frac{3}{10}\\&=\log\left(3\times\frac{1}{10}\right)\\&=\log 3+\log\frac{1}{10}\\&=\log 3+\log 10^{-1}\\&=\log 3+(-1)\times\log 10\\&\fallingdotseq 0.4771+(-1)\\&=-0.5229\end{aligned}$$

公式⑤を使用

$$\begin{aligned}\log 0.3&=\log\frac{3}{10}\\&=\log 3-\log 10\\&\fallingdotseq 0.4771-1\\&=-0.5229\end{aligned}$$

どちらで解いても対数視力は－0.5229 となる．

2 logMAR の特徴

a. logMAR の 1 段階の変化量

logMAR の 1 段階の変化は 0.1 ステップとなり，小数視力が良くなると logMAR 値は減少する．logMAR が 1 段階改善すると小数視力は約 1.25 倍になる．その理由を以下に示す．

ある logMAR 値から 1 段階改善すると，log(視角)＋(－0.1)となる．

この式を計算すると，

logMAR	小数視力
−0.3	2.00
−0.2	1.60
−0.1	1.25
0.0	1.00
0.1	0.80
0.2	0.63
0.3	0.50
0.4	0.40
0.5	0.32
0.6	0.25
0.7	0.20
0.8	0.16
0.9	0.125
1.0	0.10

1 段階の改善

$10^{0.1}=\sqrt[10]{10}=1.259...$

$\times 10^{0.1}$

図 4-30 logMAR と小数視力の変化量(改善)

logMAR	小数視力
−0.3	2.00
−0.2	1.60
−0.1	1.25
0.0	1.00
0.1	0.80
0.2	0.63
0.3	0.50
0.4	0.40
0.5	0.32
0.6	0.25
0.7	0.20
0.8	0.16
0.9	0.125
1.0	0.10

$\times\frac{1}{10^{0.1}}$

1 段階の悪化

$\frac{1}{10^{0.1}}=\frac{1}{1.259}=0.7943...$

図 4-31 logMAR と小数視力の変化量(悪化)

$$\log(\text{視角})+(-0.1)$$
$$=\log\left(\frac{1}{\text{小数視力}}\right)-0.1$$
$$=\log\left(\frac{1}{\text{小数視力}}\right)-0.1\log 10$$
$$=\log\left(\frac{1}{\text{小数視力}}\right)-\log 10^{0.1}$$
$$=\log\left(\frac{1}{\text{小数視力}}\div 10^{0.1}\right)$$
$$=\log\left(\frac{1}{\text{小数視力}}\times\frac{1}{10^{0.1}}\right)$$
$$=\log\left(\frac{1}{\text{小数視力}\times 10^{0.1}}\right)$$

↑( )の中が新たな視角

ここで導き出された新たな視角の逆数が新たな小数視力となる．新たな小数視力は(元の小数視力 $\times 10^{0.1}$) となり，この $10^{0.1}$ を計算すると，$10^{0.1}=10^{\frac{1}{10}}=\sqrt[10]{10}=1.259\cdots\fallingdotseq 1.25$ となる．よって logMAR の 1 段階の改善は小数視力の約 1.25 倍となる(図 4-30)．

また，logMAR が 0.1 悪化すると，小数視力は約 0.8 倍となる．その理由を以下に示す．

ある logMAR 値から 1 段階悪化すると log(視角)＋(0.1)となる．

この式を計算すると，

$$\log(\text{視角})+0.1$$
$$=\log\left(\frac{1}{\text{小数視力}}\right)+0.1$$
$$=\log\left(\frac{1}{\text{小数視力}}\right)+0.1\log 10$$
$$=\log\left(\frac{1}{\text{小数視力}}\right)+\log 10^{0.1}$$
$$=\log\left(\frac{1}{\text{小数視力}}\times 10^{0.1}\right)$$
$$=\log\left(\frac{10^{0.1}}{\text{小数視力}}\right)$$

↑( )の中が新たな視角

ここで導き出された新たな視角の逆数が新たな小数視力となる．新たな小数視力は(元の小数視力 $\times\frac{1}{10^{0.1}}$)となり，この $\frac{1}{10^{0.1}}$ を計算すると，$\frac{1}{10^{0.1}}=\frac{1}{1.259}\cdots=0.7943\cdots\fallingdotseq 0.8$ となる．よって logMAR の 1 段階の悪化は元の小数視力の約 0.8 倍となる(図 4-31)．

b. logMAR と小数視力の関係

logMAR と小数視力の関係を図 4-32 に示す．logMAR の数値が小さくなるほど，視力は良好となる．logMAR の 1 段階の改善で小数視力は 1.259 倍となることから，logMAR の 3 段階の改善で 1.259×1.259×1.259 となり小数視力が約 2 倍改善となる．logMAR の 1 段階の悪化で小数視力は 0.794 倍となることから，logMAR の 3 段階の悪化で 0.794×0.794×0.794 となり小数視力は約 0.5 倍になる．

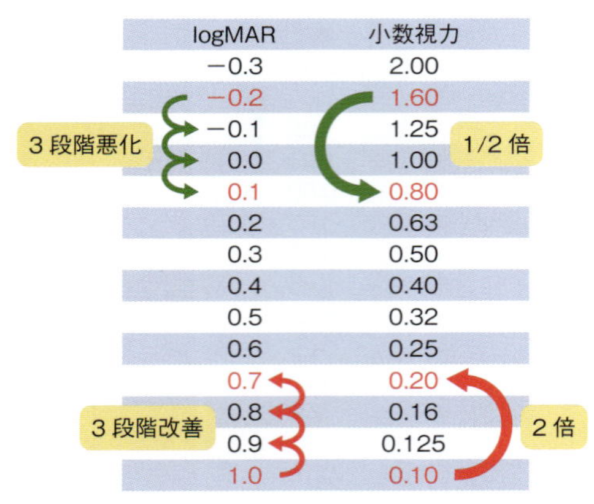

logMAR	小数視力
−0.3	2.00
−0.2	1.60
−0.1	1.25
0.0	1.00
0.1	0.80
0.2	0.63
0.3	0.50
0.4	0.40
0.5	0.32
0.6	0.25
0.7	0.20
0.8	0.16
0.9	0.125
1.0	0.10

図 4-32　logMAR と小数視力の変化量

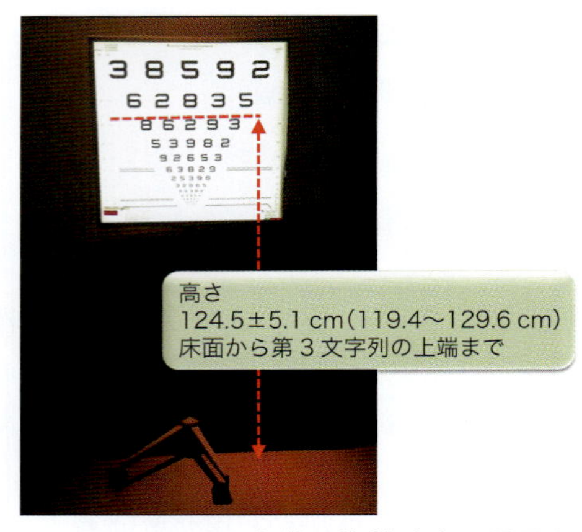

図 4-33　161.4 lx 未満の比較暗室に設置した ETDRS チャート

c. 対数視力と logMAR の関係

対数視力は小数視力を対数に変換したもので，logMAR は視角を対数に変換したものである．視力は視角の逆数であることから，対数視力は

$\log \dfrac{1}{(視角)}$ となり，この $\log \dfrac{1}{(視角)}$ は $\log(視角)^{-1}$

となり，$(-1)\times\log(視角)$ となる．このことから対数視力と logMAR の関係はどちらかに(−1)を掛けた値となる．

一概に対数視力といっても扱っている計算式が異なっていることがあり注意が必要である．統計処理をするために，対数視力＝log(10×小数視力)で計算されている場合があり，この式で算出すると，logMAR の 1.0 より良好な値に対応する対数視力が正の数となり処理しやすくなる(表 4-8)．

F. ETDRS チャート

1 検査の概要

目的 視力の評価

原理 視力表は logMAR で 0.1 刻みで小さくなり，視標の間隔も均等に狭くなり，可読文字数で評価する．

適応 網膜疾患，低視力者，臨床試験，など

機器 ETDRS チャート

2 ETDRS チャートとは

ETDRS とは Early Treatment Diabetic Retinopathy Study の略で糖尿病網膜症を多施設で研究するグループの名称である．そのグループが使用したチャートを ETDRS チャートといい，臨床研究などで視力を評価し治療効果を判定するための国際基準として使用されるようになった．これまでの視力検査では，最小分離閾や最小可読閾，最小視認閾を検出してきたが，ETDRS チャートでは閾値だけでなく，読めた文字数の要素も加わり，より詳細な視機能の差も検出でき，低視力の評価にも有用とされている．

3 検査機器

ボックスサイズは 62.9 cm×65.4 cm×17.8 cm で取り付けの高さは床面から第三文字列の上端までが 124.5±5.1 cm となっている(図 4-33)．装置は壁面に設置するか，スタンドに取り付けられたものを使用する．

ETDRS チャートの内部は図 4-34 のようになっている．蛍光管は新しいものを 4 日間(96 時間)点灯した後に使用し，一年ごとに新しい蛍光管に取り換える．蛍光管を覆う外套管は左右等しい長さに調整し，覆われない部分は左右各 10.6 cm となるようにする．外套管背面の開口部が検査装置の背面にまっすぐ向くように調整する．外套管

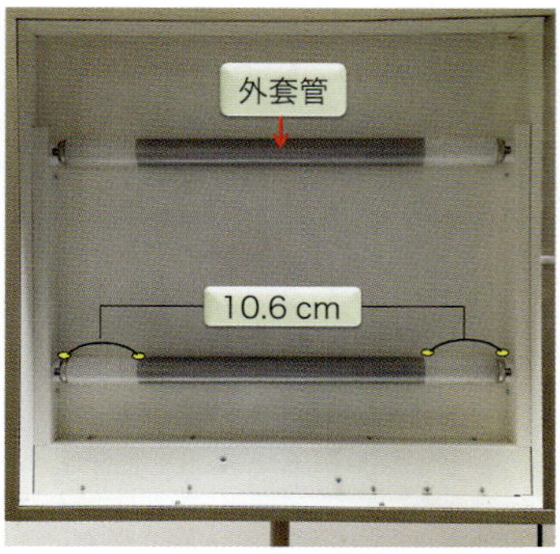

図 4-34　ETDRS チャートの内部

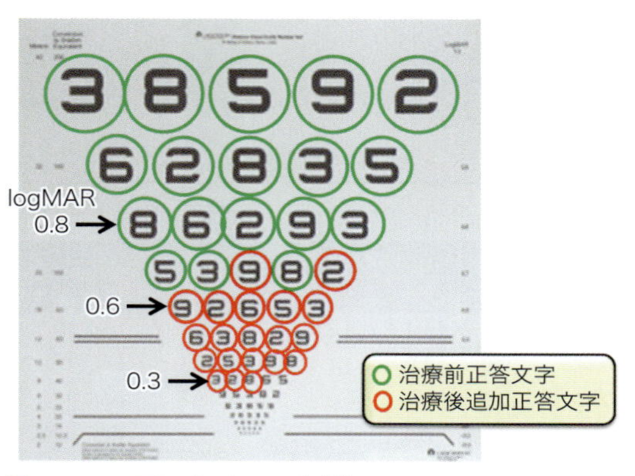

図 4-35　ETDRS チャート例
0.74 であった logMAR 値が治療により 0.34 に改善した．0.34−0.74＝−0.40 となり，4 段階改善．可読文字数 20 文字増加となり 68 文字となった．

がシール式の貼付の場合は調整不要である．

検査室の室内照明は通常の明室での視力検査とは異なり図 4-33 のような暗さとなる．検査室の室内照明の条件は視力検査装置消灯下でチャート中央部の照度が 161.4 lx（15 Ft-cd）未満にする．室内の照明条件も 2 年ごとに確認が必要である．

チャートは各列 5 文字で，Sloan letter と呼ばれる 10 種類のアルファベットが使用され，文字認識の難易度が各段で同じになるように文字の組み合わせも定められている．母国語が英語圏以外の国では数字や Landolt 環も使用されている．文字は 1 段ごとに logMAR が 0.1 ずつ変化していく．チャートの文字が小さくなると，文字と文字との空間も同じように狭くなって逆三角形の形になる．このことから読み分け困難による視力低下も考慮する必要がある．チャートには屈折検査用，右眼用，左眼用の 3 種類があり，毎回それぞれ決められたチャートを用いて検査をする．

4 検査距離

一般に視力が良好の場合は 4 m で行う．4 m で最上段の 5 文字の正答が得られない（5 文字未満）場合は 1 m も測定する．

5 検査の方法

検査方法は最上段の左端から右方向に順番に読んでいき，右端まで読み終えたら下段左端に進み，再び右方向に進み，読めなくなるまで読み進める．読めた文字数で判定し，最小可読文字を logMAR で表す．

4 m で最上段の 5 文字の正答が得られた場合は，1 m の検査は不要で，それより大きな文字の logMAR 値 1.1 以上が読めたと判断し，1.1〜1.6 の段の 30 文字を加える．4 m で最下段まで正答した場合は 14 段×5 文字＋30 文字＝100 文字となる．

4 m で最上段の 5 文字の正答が得られず 1 m で行った場合は，6 段目までの可読文字を測定し，4 m での正答数に 1 m での正答数を加える．

臨床試験（治験）によっては「20 文字未満の場合は 1 m でも視力を測定する」と規定されているものもある．一段 5 文字で logMAR が 0.1 刻みのため，1 文字の logMAR 判定は 0.02 となる．

6 評価・判定例

評価，判定例を示す．図 4-35 の例では治療開始前は緑の丸で 18 文字正答している．最上段が 5 文字正答なので 30 文字加算し，正答数は 48 文字となる．logMAR の判定は 0.8 の段が 5 文字正答し，0.7 の段が 3 文字正答しているので，0.8−（0.02×3 文字）＝0.74 となる．

治療により赤の丸の文字数が増加し，0.3 の段まで正答した．このときの logMAR は 0.4−（0.02×3 文字）＝0.34 となる．この場合は 0.34−0.74＝−0.40 となり 4 段階の改善と判定される．可読文字数は 20 文字増加となり正答文字数は

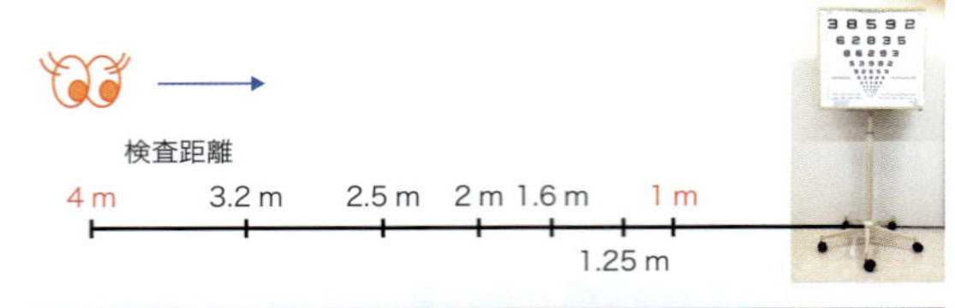

4 m での小数視力	各検査距離における logMAR 値						
	4.0 m	3.2 m	2.5 m	2.0 m	1.6 m	1.25 m	1.0 m
0.1	1.0	1.1	1.2	1.3	1.4	1.5	1.6
0.125	0.9	1.0	1.1	1.2	1.3	1.4	1.5
0.16	0.8	0.9	1.0	1.1	1.2	1.3	1.4
0.2	0.7	0.8	0.9	1.0	1.1	1.2	1.3
0.25	0.6	0.7	0.8	0.9	1.0	1.1	1.2
0.32	0.5	0.6	0.7	0.8	0.9	1.0	1.1
0.4	0.4	0.5	0.6	0.7	0.8	0.9	1.0
0.5	0.3	0.4	0.5	0.6	0.7	0.8	0.9
0.63	0.2	0.3	0.4	0.5	0.6	0.7	0.8
0.8	0.1	0.2	0.3	0.4	0.5	0.6	0.7
1.0	0.0	0.1	0.2	0.3	0.4	0.5	0.6
1.25	−0.1	0.0	0.1	0.2	0.3	0.4	0.5
1.6	−0.2	−0.1	0.0	0.1	0.2	0.3	0.4
2.0	−0.3	−0.2	−0.1	0.0	0.1	0.2	0.3

図 4-36 各検査距離における logMAR 値

68 文字となる.

7 記載方法

臨床試験(治験)では専用の記録用紙があり，可読文字，誤読文字，不可読文字を記載するようになっており，正答文字数の合計を記載する．正答文字数は 4 m で読めた正答文字数と 1 m で読めた文字数(1 m での検査不要だった場合は 30 文字)を加算する．基本的には文字数で判定するが，4 文字以上正答した最下段の logMAR 値も記載することがある．

8 臨床試験(治験)

臨床試験での自覚的屈折検査の際は，検者間での結果のばらつきを軽減するために，可読 logMAR の段ごとに屈折矯正に使用する球面レンズやクロスシリンダの度数，被検者への問いかけの言葉などが細かく決められており，それに従わなくてはならない．

9 ETDRS チャートの特徴

一般に視力が良好の場合は 4 m で検査を行うが，検査室の大きさや臨床試験の条件によって検査距離を変更することができる．ETDRS チャートは図 4-36 のように視力表の各段の縮小率が均一であり，4 m から 0.8 倍ずつした距離で同じチャートを使って測定することができる．このとき，各検査距離における logMAR 値は 4 m での logMAR 値に 0.1 ずつ加えた値となる．例えば 3 段目の logMAR 値は 4 m で測定した場合 0.8 であるが，2.5 m ではその値 0.8 に 2 段分の 0.2 を加えた値 1.0 となる．

検査のポイント

☑ レンズ補正

視力不良の場合，自覚的屈折検査終了後に検査距離を変更し，再度視力検査をする必要がある．その際，距離に合わせて屈折度数を変更しなければならない．例えば 4 m で自覚的屈折検査をした後に，1 m での視力検査が必要になったときは，4 m で得られた屈折矯正値の球面度数に S+0.75 D $\left(\frac{1\,\mathrm{m}}{1\,\mathrm{m}}-\frac{1\,\mathrm{m}}{4\,\mathrm{m}}=1.00\,\mathrm{D}-0.25\,\mathrm{D}\right)$ を付加する．また，その他の距離でも検査はできるが，レンズセットの規格が 0.25 D 刻みとなっているため，屈折検査や視力検査を 4 m，2 m，1 m で検査するとレンズの補正がしやすくなる．

(仲村永江)

G. 小児の心因性視覚障害に対する視力検査

1 検査の概要

目的 真の視力障害と心因性視覚障害を鑑別する．

原理 打ち消し法，距離法を用いて，視力値を測定する．

適応 視力低下の原因として精神的心理要因が疑われる症例．

機器 視力表，レフラクトメータ，検眼レンズ，遮閉板．

2 心因性視覚障害の定義

心因性視覚障害は身体表現性障害のうち転換性障害に分類される．

視力の低下を説明するに足る器質的病変を認めず，視力低下の原因として精神的心理的要因を考慮せざるをえない症候群と定義される[1)]．精神的な発達段階にある小児に，人間関係の不適応などが相まって，無意識に引き起こされる眼転換症状である．現代の複雑な社会，学校，家庭環境などが精神的ストレスとなり，視力，視野などの視覚が障害される眼心身症の1つである．

3 心因性視覚障害の特徴

a. 発症年齢および性差

7〜12歳の女児に多く，男児の約2倍である．

b. 自覚症状

学校健診で視力低下を指摘されることが大部分で視力障害を自覚していない場合が多い．学校で黒板の文字が見えにくいと訴えることがあるが，その一方で日常生活を不自由なく過ごしている．

c. 視力検査

視力低下の程度は中等度で屈折異常は軽度のことが多い．他の眼疾患も認められず視力低下の説明が不可能である．そのため弱視との鑑別が不可欠であるが，心因性視覚障害では以前の検査で良好な視力が得られていたこと，打ち消し法に反応すること，検査時に得られた視力と屈折異常が軽度で検査所見に矛盾点が生ずる．多くは両眼性で，視力が変動しやすい．

d. 視野検査

正常視野を示すことが多いが，動的視野検査ではらせん状視野(図4-37)，求心性視野狭窄(図4-38)，静的視野検査では求心性視野狭窄，水玉様視野，花環状視野を示す．黒板視野計では管状視野(図4-39)を示す．

e. 色覚検査

約半数に色覚異常がみられる[2)]が，非定型的で分類できない．

f. 他の眼症状

眼痛，近見障害，小視症，羞明感，間欠性斜視，瞬目過多がある．

g. 全身症状

心因性難聴，心因性呼吸困難，頭痛，腹痛，嘔吐など症状は様々である．

4 検査方法

a. 他覚的屈折検査

オートレフラクトメータでの測定時，通常通り検査をするが，モニタより瞳孔径の動揺の有無，測定値の変動がないか観察する．

b. 自覚的屈折検査

打ち消し法・トリック法を含めたトリックによる視力検査を行う．凸レンズの上に凹レンズを加え中和していく方法がある．最終的には本来の屈折値に±0のレンズを組み合わせて矯正するレンズ交換法を行うこともある．

打ち消し法は，凸レンズを装用した上に凹レンズを加え±0＝裸眼視力として検査を進める．まず凸レンズで像をぼやけさせ，それを打ち消す同じ度数の凹レンズを入れる．レンズ交換のときには，「このレンズを入れるとよく見えるね」「さっきと同じ大きさだよ」などと声をかける．このようなトリックで視力がでることを確認することが

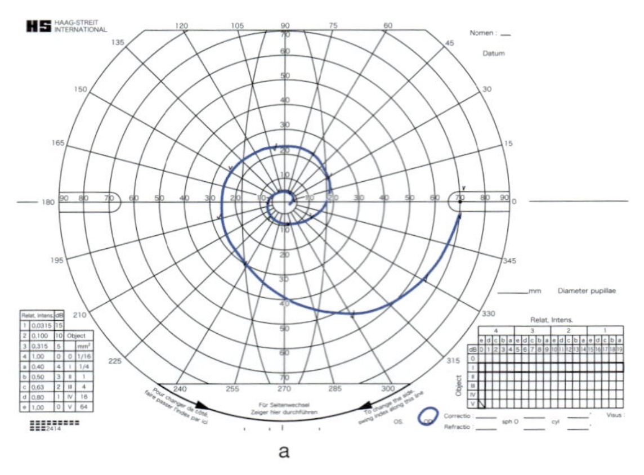

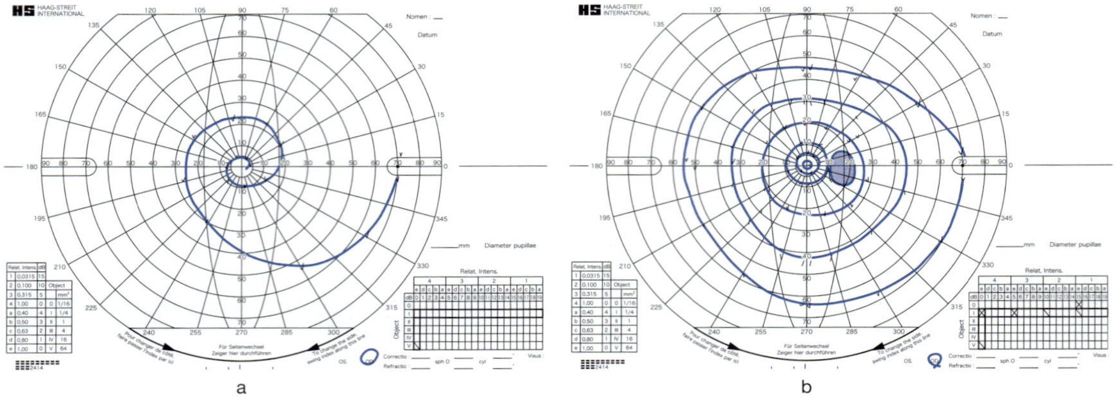

a

b

図 4-37　らせん状視野

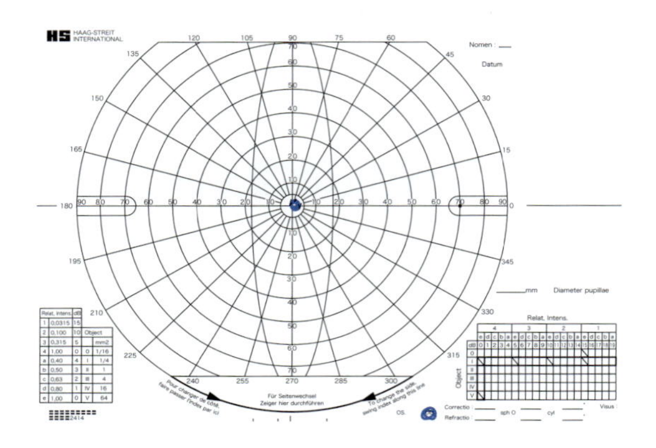

図 4-38　求心性視野狭窄

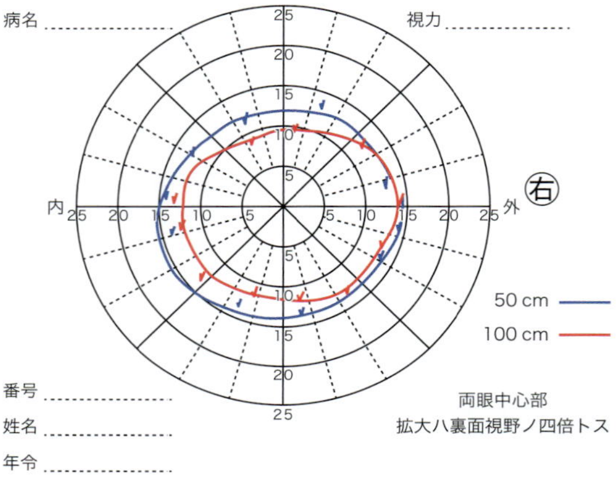

図 4-39　管状視野

できれば本症と診断できる．

検査のポイント

- トリック法を行う際は，必ず器質的疾患の除外を行ったうえで実施する．
- 視標の種類や検査距離を変えたり，同じレンズを数回出し入れしたり，両眼開放視力や plane レンズの装用，ピンホール視力を測定するなど検査条件を変えることで良好な視力が得られることもある．しかし，ピンホール板は装用によっては視野が狭くなること，近見視力は視標が小さい印象が強いこともあり，かえって低下する場合もある．
- トリック法においては，大きい視標から順番に1つずつ呈示し，正答が続いていれば正答率を求めることはしない．見えた最小の視標を意識させてレンズ交換を行い，もっと見えるレンズを入れたと暗示をかけながら，さらに小さい視標を見せる．

▶文献

1）　鈴木高遠：心因性視力低下ー発症の傾向，背景と教訓．日本の眼科 61：925-935，1990
2）　村木早苗：心因性視覚障害．仁科幸子(編)：専門医のための眼科診療クオリファイ 9　子どもの眼と疾患．中山書店，pp198-200，2012

（渡部　維）

第5章 屈折検査

I 屈折異常

眼の屈折は眼内に入射した光線をレンズ系である角膜と水晶体で屈折して網膜の視細胞層に結像する光学的仕組みである．本来の屈折状態を静的屈折，調節によって変動した屈折状態を動的屈折(調節)との名称がある．通常，屈折といえば静的屈折をいい，正視，遠視，近視，乱視に分けられる．調節休止状態の眼の網膜中心窩に焦点を結ぶ外界の点を遠点といい，遠点が無限遠にあれば正視で，これ以外を屈折異常という．遠視と近視は屈折面が視軸に対して対称で，これらを球面屈折異常という．乱視は直交する経線によって非対称なものである．この屈折異常の程度は矯正された眼鏡レンズ度数で表す(図 5-1)．

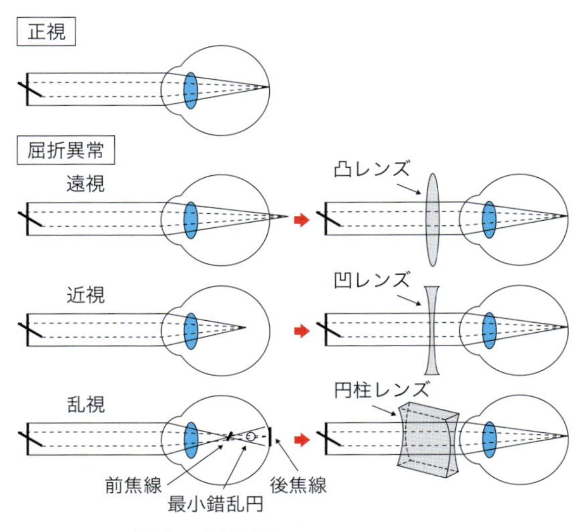

図 5-1　正視と屈折異常

屈折矯正手術後(白内障術後の眼内レンズ挿入眼を含む)の屈折は，本来の屈折状態と異なる．したがって，どのような屈折矯正手術をしたかを併記する必要がある．

屈折度の推移をみると，幼児では遠視であるが，成長とともに正視に，次いで近視になり，加齢とともに加齢性遠視になる傾向がある．乱視では幼児期に倒乱視であったものが小学校に入るころから直乱視に移行し，その後倒乱視が増加して40 歳頃に倒乱視が直乱視より多くなる傾向がある．

1 遠視
hyperopia, hypermetropia

a. 定義

遠視とは調節休止状態の眼に平行光線が入射した場合，網膜より後方に結像する屈折状態で，遠点は眼球の後方有限の距離にある．そして，遠点距離に等しい焦点距離をもつ凸レンズで矯正される．

b. 分類

成因からレンズ系である角膜と水晶体の屈折力が弱い屈折性遠視(refractive hyperopia)，眼軸長が短い軸性遠視(axial hyperopia)に分類される．

程度分類から良好な視力が得られる潜伏遠視(latent hyperopia)，調節しても良好な視力が得られず凸レンズで矯正される顕性遠視(manifest hyperopia)，この両者を合わせた全遠視(total hyperopia)がある．全遠視はアトロピンなどの調節麻痺薬点眼で検出される．

臨床上から遠視を構成する要素が生物学的分布範囲にある単純遠視(simple hyperopia)と，先天小眼球，眼窩内腫瘍，扁平角膜，角膜瘢痕，外傷，水晶体脱臼などを伴う病的遠視(pathologic hyperopia)がある．

c. 症状

新生児の大多数は＋2 D 程度の遠視であるが，通常，小学校入学時には正視になる．しかし，強い遠視の場合には弱視(amblyopia)や調節性内斜視(accommodative esotropia)の原因になるので，早期に全遠視の度を正確に測定して屈折矯正しなければならない．調節力が十分な若年者は通常なんら障害はないが，時に眼精疲労を訴える．遠視の高齢者では同年齢の正視者よりも早く近方視が不自由になるが，遠視を矯正すると症状が軽快するので，老視が早く発症するわけではない．

d. 治療

顕性遠視には眼鏡あるいはコンタクトレンズ(CL)を処方する．特に，遠視性弱視や調節性内斜視では，アトロピン点眼により全遠視度を測定したうえで完全矯正眼鏡あるいは CL を処方する．潜伏遠視でも眼精疲労を訴える場合には適切な眼鏡を処方する．最近では LASIK などの屈折矯正手術も行われている．

2 近視
myopia

a. 定義

近視とは調節休止状態の眼に平行光線が入射した場合，網膜より前方に結像する屈折状態である．したがって，遠点は眼球の前方有限の距離にある．そして，遠点距離に等しい焦点距離をもつ凹レンズで矯正される．

b. 分類

成因からレンズ系である角膜と水晶体の屈折力が強い屈折性近視(refractive myopia)，眼軸が長い軸性近視(axial myopia)に分類される．

程度分類から－3 D までを弱度近視，－3 D を超え－6 D までを中等度近視，－6 D を超え－10 D までを強度近視，－10 D を超えるものを最強度近視とする分類が一般的である．

遺伝による分類では主として近業などの環境因子による後天近視(acquired myopia)と遺伝による先天近視(congenital myopia)とがある．

臨床上から生物学的に個体差の分布範囲にあり，視機能障害を伴わずに眼鏡レンズで容易に視力矯正できるものを単純近視(simple myopia)といい，学校近視はこれに含まれる．一方，何らかの視機能障害を伴うものを病的近視(pathologic myopia)といい，先天性軸性近視であり，－8 D を超える近視の約 90% は視機能障害を伴う．

c. 症状

単純近視では裸眼で近見視力は良好であるが，遠見視力の低下を訴える．病的近視では裸眼視力は著しく低下し矯正視力も悪い．単純近視の眼底所見では，コーヌスと紋理(豹紋状)眼底であるが，病的近視では眼底後極部にびまん性網脈絡膜萎縮病変，Bruch 膜の断裂による lacquer crack lesion，限局性網脈絡膜萎縮，脈絡膜新生血管黄斑症，黄斑部網脈絡膜萎縮，後部ぶどう腫がみられ矯正視力障害の原因になっている．周辺眼底では格子状変性その他の変性巣がみられる．そこで，病的近視を含めた強度近視は失明原因の上位を占めている．

d. 合併症

単純近視にはないが，病的近視には，裂孔原性網膜剝離，新生血管黄斑症，黄斑円孔，緑内障，白内障，硝子体融解などがある．

e. 治療

近視進行予防対策として，戸外活動を奨励することのほか，低濃度のアトロピン点眼(0.01%)，完全矯正眼鏡，調節ラグを考慮した累進屈折力レンズ，周辺部遠視を矯正する眼鏡やCL，オルソケラトロジーなどが行われている．一般に学業や仕事に支障がある場合には凹レンズの眼鏡やCLを処方する．屈折矯正手術として，エキシマレーザーで角膜実質を蒸散して角膜屈折力を弱めるLASIK(laser *in situ* keratomileusis)，フェムトセカンドレーザーを用いて角膜実質にレンズ状の切片(レンチクル)を作製してこれを抜去するSMILE(small incision lenticule extraction)などがある．強度近視に対しては有水晶体眼内レンズ(phakic intraocular lens)も用いられる．

病的近視の合併症である新生血管黄斑症に対しては光力学療法(photodynamic therapy：PDT)，抗VEGF(vascular endothelial growth factor)薬の硝子体内注射，硝子体手術が行われている．

3 乱視
astigmatism

a. 定義

眼の経線により屈折度が異なり，外界の1点からでた光線が眼内外で1点に結像しない屈折状態である．角膜や水晶体の屈折面の対称的歪みにより起こり円柱レンズで矯正できる正乱視(regular astigmatism)と屈折面が不規則で円柱レンズで矯正できない不正乱視(irregular astigmatism)とがあるが，乱視といえば正乱視を意味する．正乱視では強い屈折力をもった強主経線と弱い屈折力をもった弱主経線が直交している．眼内に入射した光線はそれぞれの経線により，前焦線と後焦線に結像する．この焦線間距離を焦域(Sturm conoid)といい，乱視度を示す．また，焦域の中央やや前方に比較的焦点の合う最小錯乱円がある．乱視眼が矯正されないときには，この最小錯乱円でみていることが多い．

b. 分類

成因による分類では屈折面の形状異常による屈折性乱視(curvature astigmatism)，屈折率の不均衡による屈折率性乱視(index astigmatism)がある．大多数は前者である．

主経線の方向による分類では，強主経線が垂直の場合は直乱視(with the rule astigmatism)，水平の場合は倒乱視(against the rule astigmatism)といい，斜めの場合は斜乱視(oblique astigmatism)という．乱視を矯正する凹円柱レンズの度は凹円柱レンズの軸と直角方向にあるので，凹円柱レンズの軸方向は直乱視では水平，倒乱視では垂直である．

強弱主経線の屈折度が正視と屈折異常の場合には単乱視(simple astigmatism)，両主経線が屈折異常の場合には複乱視(compound astigmatism)(遠視性複乱視，近視性複乱視)という．一方が遠視，他方が近視の場合には混合(雑性)乱視(mixed astigmatism)という．

c. 症状

複乱視では遠近ともに焦点が合わない状態で視力は悪いが，球面レンズと円柱レンズで矯正できる．不正乱視は視力不良でも円柱レンズで矯正できない．代表的な不正乱視を起こす疾患には円錐角膜，円錐水晶体，水晶体脱臼などがある．不正乱視の原因の多くは角膜で，角膜トポグラフィなどで診断できる．

d. 治療

正乱視では円柱レンズによる眼鏡やトーリックCLで矯正可能である．また，角膜不正乱視はハードCLにより矯正可能なことがあるが，角膜移植が必要な場合もある．

4 無水晶体眼
aphakia

視軸上に水晶体がない眼をいい，強い遠視になる．手術により水晶体を摘出した場合や水晶体の脱臼，外傷などで起こる．乳幼児の先天性白内障の術後の屈折矯正は弱視の予防上大切で，従来，ソフト CL が使われていたが最近は眼内レンズが積極的に使われている．

5 不同視
anisometropia

a. 定義

左右眼の屈折度が異なるもので，通常２D 以上の差のあるものをいう．

b. 分類

遠視性不同視，近視性不同視，雑性不同視の分類がある．

c. 症状

２D 以上の不同視を眼鏡矯正すると不等像視(aniseikonia)を生じることがある．小児の遠視性不同視は弱視になる危険があるので，アトロピン点眼後の屈折検査をして適切な矯正をする必要がある．

d. 治療

装用可能な眼鏡を処方するか，網膜像の拡大縮小の少ない CL で矯正する．屈折矯正手術も行われる．片眼の先天性白内障術後にソフト CL を装用させたが，最近では眼内レンズによる矯正が積極的に行われている．

（所　敬）

II 他覚的屈折検査

A. オートレフラクトメータ

1 検査の概要

目的 屈折度を他覚的に評価する．

原理 瞳孔に近赤外線光を投影し眼底からの反射光を解析することで屈折度数を求める．

適応 屈折異常．

機器 オートレフラクトメータ．

2 適応

自覚的屈折検査を円滑に行うための参考値を知る予備検査や，調節麻痺薬を用いた精密な屈折値の測定法として広く用いられる．

据え置き型では坐位で顔の固定ができる被検者，手持ち型では坐位での測定が困難な被検者や乳幼児が主な対象となる．

3 検査機器

a. 測定原理

オートレフラクトメータは，瞳孔から近赤外線を投影し，眼底からの反射光を解析することで眼屈折度を求める．解析方法により，① 検影式，② 合致式，③ 結像式，④ 画像解析式，⑤ フォトレフラクション法，に分けることができる．現在は，高速で精度の高い画像解析式が主流である．

b. 機器の構造

1) 固視標の種類

内部固視標と外部固視標とがある．内部固視標を呈示する方式では，機器の内部の光学的遠方に視標を表示し，固視させる．視標は，調節の介入を避けるように小屋や気球などの遠景を模したものを用いる場合が多い．さらに，調節を寛解させるため，光学系による自動雲霧機能が搭載されている．

外部固視標を呈示する方式では，ハーフミラーなどを通して外界の任意の視物を固視標とする．両眼開放下で，自然視に近い状態での測定が可能であり，器械近視を生じづらい利点がある．しかし遠視の症例では，有限距離に視標を置くことになるため，調節の介入に注意を要する．

2）設置方法

据え置き型と手持ち型に分けることができる．据え置き型は，本体を光学台などに設置し，被検者は坐位で顔を顎台にのせ，頭部を固定した状態で測定する．

一方，手持ち型は装置が小型で，持ち運びが可能なものを指す．検者が装置を保持し，被検者の眼前にかざして測定する．場所，体位を問わずに測定が可能であるため，据え置き型のレフラクトメータに顔を乗せることが困難な乳幼児，車いすや寝たきりの患者の測定に適する．

3）付加機能

他覚的屈折値とともに，角膜曲率半径を測定するオフサルモメータ（ケラトメータ）の機能を備えたオートレフケラトメータが多数を占める．

さらに，角膜径，瞳孔径，調節力の測定機能や，グレアテスト，角膜形状解析機能，非接触眼圧計が内蔵されている機種もある．

4 検査方法

a. 据え置き型オートレフラクトメータ

現在用いられているほとんどのオートレフラクトメータは，据え置き型で内部固視標を呈示する方式である（図 5-2）．以下，据え置き型オートレフラクトメータにおける代表的な測定手順を示す．

1）設定

検査前に確認すべき設定項目は，屈折度および乱視軸の最小表示（屈折度は 0.01〜0.25 D 刻み，乱視軸は 1〜5° 刻み），乱視度の符号表示（通常はマイナス），矯正時の角膜頂点間距離（わが国では通常 12 mm，コンタクトレンズによる矯正を想定する場合は 0 mm），連続測定回数，雲霧機能の作動回数などがある．

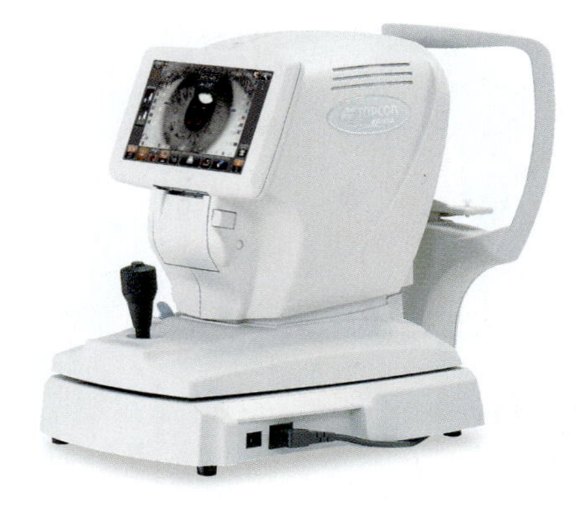

図 5-2　据え置き型オートレフラクトメータ（トプコン，KR-800A）

2）被検者の準備

被検者が楽な姿勢を取れるように，光学台や椅子の高さを調節する．本体の顎台と額当てを清潔にした後，被検者の顔をのせ，被検者の眼の高さと器械のアイレベルマーカーと一致させるように顎台の高さを上下する．このとき，頭位異常があれば正す必要がある．特に頭部が傾斜していると乱視軸の測定誤差の原因となる．

3）アライメント

モニタに映った被検眼を確認しながらジョイスティックやタッチパネルなどを操作し，本体の測定中心と瞳孔の中心とを一致させる．被検者には内部固視標を注視させ，測定方向と視軸とが一致するようにする．視力不良などで固視が困難な場合は，非測定眼で外部の視標を固視させたり，口頭で指示することで視線を誘導する．角膜に投影されるマイヤーリングを確認しながら，前後のフォーカスを合わせる．

近年は，これらの操作を自動で行うオートアライメント・トラッキング機能を搭載している機種も多い．

4）測定

モニタに映った前眼部や，マイヤーリングを観察し，前髪や睫毛，眼瞼などが測定領域を遮っていないことを確認する．光を遮るものがあると測定光が不安定になり，屈折度や乱視軸の誤差が生じることがある．開瞼を促し，それでも睫毛や眼

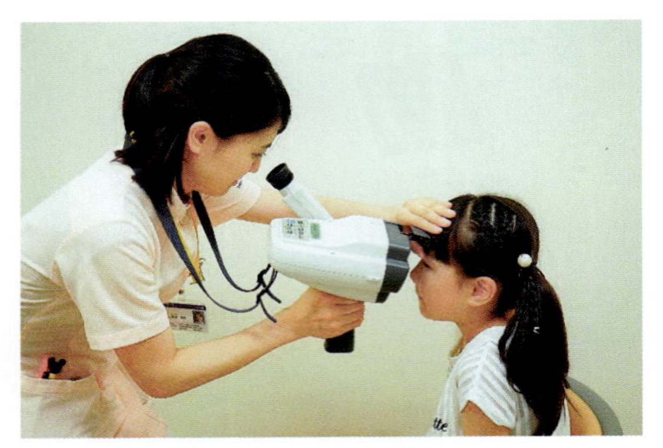

図5-3　手持ち型オートレフラクトメータ(ライト製作所，レチノマックスK-プラス3)

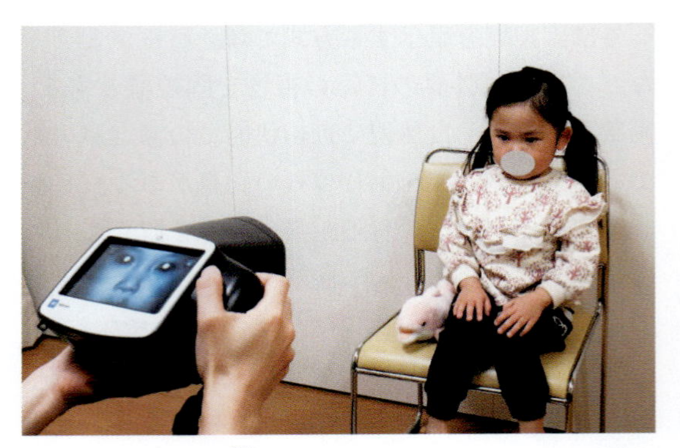

図5-4　スポット™ビジョンスクリーナーによる検査

瞼がかかる場合は眼瞼を挙上する．このとき，眼球を圧迫し角膜を歪めないように注意する．測定前に数回の瞬目を促し，涙液層が安定したところで測定を行う．

b. 手持ち型レフラクトメータ

据え置き型のレフラクトメータに顔を乗せることが困難な症例や，検査室以外の場所で検査を行う必要がある場合に有用である．基本的な測定の流れは据え置き型と同様である．しかし，頭部と装置とが固定されていない状態での測定となるので，顔や装置の傾きによる乱視軸の測定誤差を生じないよう注意する(図5-3)．

c. フォトスクリーナー

近赤外光を照射し，眼底からの反射光を解析することで屈折度を求める方法である．両眼開放下で距離を保って検査を実施することが可能なため，自覚的屈折検査や据え置き型のレフラクトメータによる測定が困難な乳幼児や発達障害児の測定に有用である．

代表的な装置はWelch Allyn社のスポット™ビジョンスクリーナーである(図5-4)．検査距離は1mで，屈折度のみならず眼位・瞳孔間距離・瞳孔径を同時計測し，弱視などのリスクファクターを判定する．小型かつ軽量で設置場所などの制約がないため，健診での弱視スクリーニングとしても活用されている．

5 検査結果の取り扱い

多くの機種では，複数回の測定値を独自のアルゴリズムで平均化し，代表値として表示するが，測定された値すべてを観察することが重要である．

a. 測定値の信頼性

複数回の測定値の球面度数，乱視度数，乱視軸の変動が少なく，安定していれば正常な測定結果といえる．

複数回の測定値が大きく変動したり，エラー表示が含まれている場合は，正しい測定が行われていない可能性がある．その場合は，測定条件に不備がなかったかを確認し，安定した値が得られるまで測定回数を増やす．白内障など，中間透光体の混濁が原因の場合は，機種により搭載されている「白内障モード」などを用いると測定できる場合もある．ただし通常より強い赤外線を照射するため，常用は避ける．

対象眼が装置の測定限界を超える強い屈折異常(おおむね球面度数±25D以上，乱視10D以上)の場合エラーとなり，「over」などと表示される．この場合は，角膜曲率半径や眼軸長などの他覚的所見から大まかな屈折値を推定するか，検影法などのほかの他覚的屈折検査を用いる．

b. 球面度数

各機種で雲霧機能により調節の介入を防ぐ工夫

がなされているが，いかに適切な条件で測定された場合でも，器械を覗きこむことによる調節の介入，すなわち器械近視を完全に除去することは困難である．特に若年者であるほどこの影響が大きいため，自覚的屈折検査の参考値として利用する場合は，年齢に応じて測定値よりも遠視側の度数を採用することが望ましい．小児や，調節の不安定な症例では，調節麻痺下の屈折検査を行うことも考慮する．

c. 乱視軸および乱視度数

前述の，検影式・合致式・結像式の測定方式では，各経線方向を経時的に測定することで乱視を測定していたため，測定中の屈折度の変動により乱視度に影響を与える場合があった[1]が，近年主流の画像解析式では各経線を同時に測定しているため精度が高い[2]．複数回の測定値のばらつきが小さければある程度信頼してよい．

しかし，正しい測定がなされた場合でも，乱視度がごく小さい場合には乱視軸がばらつくことがある．この場合，乱視は無視できる程度であることが多い．

検査のポイント

☑ 調節の寛解について

調節を寛解させるための雲霧機能は，初回のみ作動する設定と，測定ごとに作動する設定とがある．調節の介入を極力避けるためには後者が望ましいが，内蔵の雲霧機能の効果は限定的である．

☑ 検査の説明

眼科に慣れていない患者，特に小児にとって器械を用いた検査は恐怖の対象である．患者が怖がれば，強い閉瞼，身体の強張りにより測定に悪影響を与え，場合によっては検査への協力が得られないこともある．特に本検査は非接触眼圧計と形状が類似していることもあり，空気を当てられると思い込み不要に緊張することも少なくない．

検査内容の適切な説明をし，患者の緊張を極力ほぐした状態で検査をすることが重要である．

☑ アライメントについて

レフラクトメータで測定すべきは光軸上ではなく視軸上の屈折値である点に留意する必要がある．固視が可能な症例では，しっかりと視標の中心を固視するように促し，視軸と測定軸を一致させる．また，偏心視の症例では，偏心視軸上の屈折を捉えることも有用である．

☑ 測定のタイミング

調節は瞳孔反応と連動している．縮瞳時には調節，散瞳時には寛解するため，モニタ上の瞳孔の状態を観察し，なるべく散瞳したタイミングで測定を行う．

アライメントが完了すると自動で測定を行うオートショット機能を搭載した機種も多いが，若年者や調節けいれんを伴う症例では，測定時に瞳孔が大きく変動し，調節が介入しやすいので，そのような症例ではオートショット機能などはオフにし，検者自身が測定のタイミングをとることが望ましい．

☑ 測定値の信頼性の低下となる因子

(1)中間透光体の強い混濁

測定光である近赤外線を吸収，反射，散乱する不均一な混濁(角膜混濁，白内障，硝子体混濁など)がある場合，測定値の精度は低下し，混濁の程度によっては測定不能となる．

(2)角膜不正乱視

円錐角膜などの不正乱視では測定が困難であり，測定ができたとしてもその値は不正確となる．測定時のマイヤーリングの状態などを観察し，不正乱視が疑われる場合は角膜形状解析検査や波面センサによる検査などを追加で行う．

(3)ハードコンタクトレンズ，高弾性ソフトコンタクトレンズを外した直後これらは角膜前面の形状に一時的な影響を与え，通常とは異なった屈折値を示すことがあるため，コンタクトレンズを外した後は時間をおいてから測定することが望ましい．ハードコンタクトレンズの処方時や屈折矯正手術の術前検査では，数日〜1か月程度装用を中止することが望ましいが，通常の検査ではレンズを外してから10〜30分程度の時間をおいて検査を行い，その旨をカルテに記載する．

(4)多焦点眼内レンズ挿入眼

回折型レンズでは参考になる場合が多いが，屈折型レンズでは球面度数の誤差が大きい[3]とされており，注意が必要である．ただし，測定方式によっても傾向は異なる．

このほかには，測定限界に近い強度屈折異常，小瞳孔(おおむね2mm以下)，固視不良，眼振などがある．これらの因子が存在する場合は，測定が可能であったとしても，測定値の信頼性が低い可能性を念頭におく必要がある．

☑ 屈折値以外に得られる情報

測定時にモニタを観察することで，瞳孔の大きさや形状，瞳孔反応，おおまかな固視状態を把握することができる．さらに，内部固視標を呈示する方式では片眼を遮閉した形となるため，検査時に潜伏眼振が観察される場合もある．

また，角膜に投影されるマイヤーリングの形状からは角膜の情報も得られる．マイヤーリングが楕円に観察される場合，その短辺を強主経線とする角膜乱視が，不整円の場合は角膜不正乱視が疑われる．また，睫毛や眼瞼などのアーチファクトはマイヤーリングの途切れとして，涙液層の破綻や角膜上皮の異常はマイヤーリングの乱れとして観察される．

さらに，測定不能となった場合でも，その結果は中間透光体の混濁や何らかの眼疾患の存在を示唆する重要な所見となる．測定時の様子とともにその旨をカルテに記載する．

▶文献

1) 所 敬：屈折異常とその矯正第6版．pp86-90，金原出版，2014
2) 山下牧子：他覚的屈折検査．松本富美子，大牟禮和代，仲村永江(編)：理解を深めよう 視力検査．pp36-43，金原出版，2009
3) Muñoz G, Albarrán-Diego C, Sakla HF: Autorefraction after multifocal IOLs. Ophthalmology 114: 2100, 2007

(佐々木翔，小林克彦)

B. 検影法

1 検査法

他覚的屈折検査はオートレフラクトメータ(オートレフ)任せとなっているが，調節機能のない高齢者やアトロピン調節麻痺下ではほぼ正確な値が得られるものの再現性に乏しく，姿勢を静止できない幼児では測定不能である．小児や若年者では器械近視の混入が避けられず，不必要に乱視を検出するという欠点もある．乳幼児用には手持ちオートレフもあるが，正確性に難があり，近年注目のスポット™ビジョンスクリーナーは結果に再現性が乏しく，単なるスクリーナーである．これに比べて検影法(レチノスコピー)では，完全な中間透光体混濁の場合以外これらの問題はない．

a. セッティング

検影器と前置する板付きレンズあるいは球面レンズ(通常はS+2.00 D)を用意する(図5-5)．補助材としてものさしかメジャーも用意しておく．

検者の眼と被検者の眼の間の距離は50 cmが基本であるが，厳密には検者の眼の第1主点(角膜前面の後方1.5 mm)から被検者の眼前12 mm(頂点間距離で)に置くレンズ中心までの距離である．実際的には，検者と被検者の角膜頂点同士では約51 cmである．このときの肘の曲がり具合

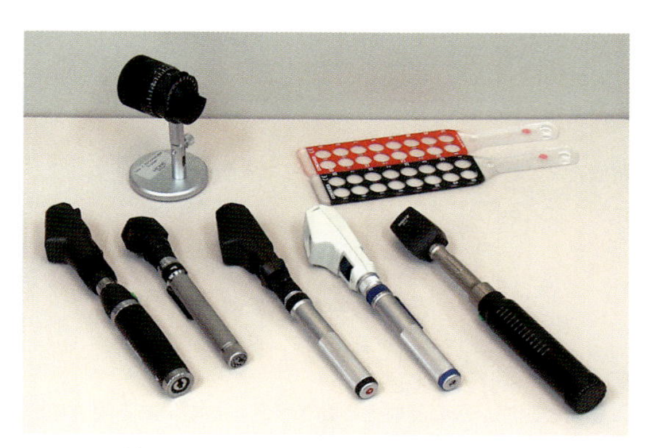

図 5-5 検影器・前置レンズと模型眼
手前は各社 5 種類の検影器，右奥は前置レンズ，左奥は練習用の模型眼．

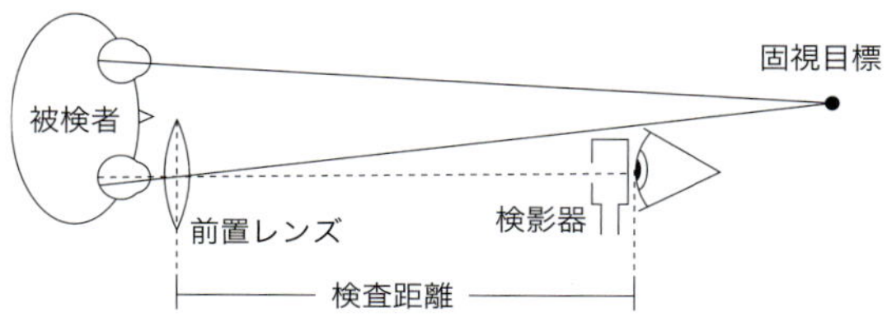

図 5-6 静的検影法のセッティング
検査距離は標準的には 50 cm とする．

を覚えるのがコツである．欧米では手が長いこともあって 66.7 cm とする記述もある．なお，検査距離を 50 cm などに固定して測定する方法を「静的検影法」といい(図 5-6)，検査距離を移動して中和の位置から屈折度数を計測する方法を「(距離)移動法」という．

被検者の右眼を測定するときには検者は右眼で，左眼を測定するときには左眼で観察する．被検者は検者の後方に置いた固視標を検者の耳をかすめて見る．固視標は，理想的には 5 m くらい後方に離れたほうが望ましいが，現実的には 2 m くらい離れた位置でも構わない．

検影器は，普段は開散光にして使うが，ほんの少し広げて使うほうが明るくて使いやすい．収束光は強度近視例に用いる(図 5-7)．検影器には照射光がスリット状のものと点状のものがあり，それぞれ線状検影器(ストリークレチノスコープ)・点状検影器(スポットレチノスコープ)という(図 5-8)．初心者段階では線状検影器が乱視の検出もしやすく使いやすいが，慣れてくると点状

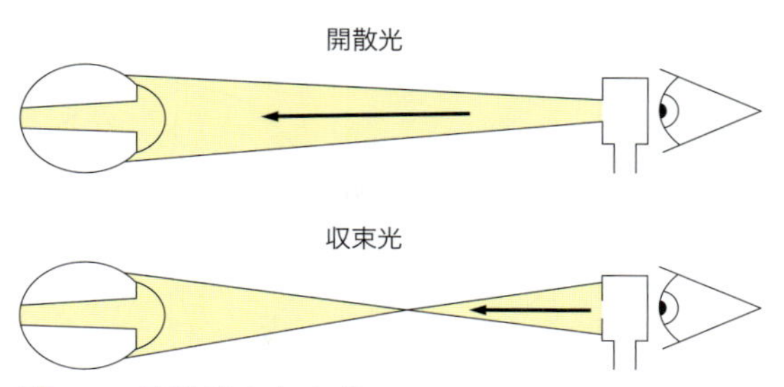

図 5-7 開散光と収束光
通常はわずかに広がる開散光を用いる．収束法は強度近視例で用いる．

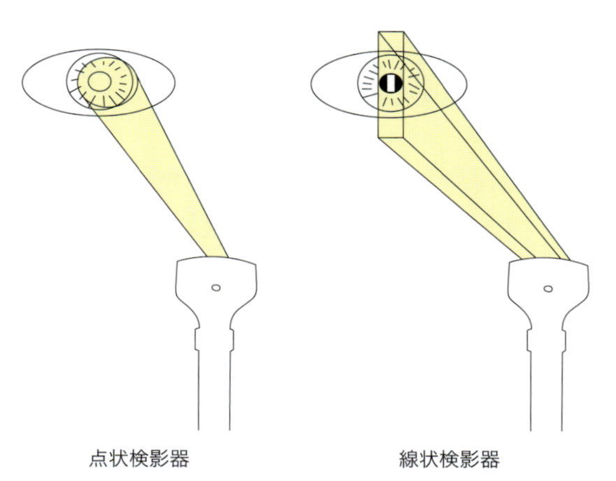

図 5-8 点状検影器と線状検影器
照射光束の形状からこの 2 種類の検影器がある．

検影器のほうが簡便である．線状検影器を使う場合は光の幅を極力狭くする．ストリークを垂直にして水平方向(180° 方向)に，ストリークを水平にして垂直方向(90° 方向)にスキャンする．ペンライトに改良を加えたものも練習用として発売されている〔(株)ナイツ・ポケレチライト ORT-Y〕．

検者は被検者の瞳孔に自分の眼の焦点を合わせ，検影器を持った手の親指を自分の顔に当ててぐらつかないように構える．検影器の光が瞳孔全体を覆うように当てることが重要で，光の端が瞳孔の内側に入ると，間違った動きをする．この段階で，瞳孔を通して網膜からの反射光を見て，中間透光体に混濁があるかないかをチェックする徹照法も行う．

板付きレンズを被検眼の 12 mm 前に，顔と平行に置き，置きたいレンズの少し上方を 2 本の指で，例えば人差し指と中指でレンズの左右端を

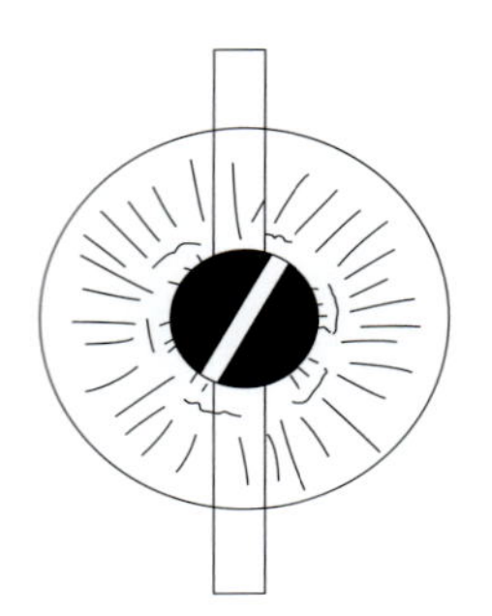
a. 軸に不一致(オフアクシス)

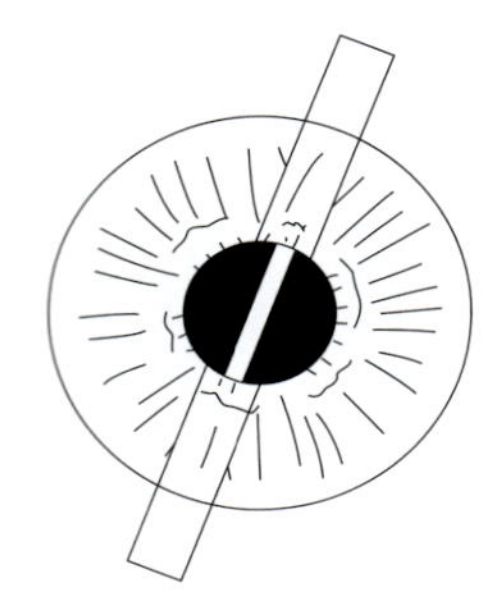
b. 軸に一致(オンアクシス)

図 5-9 乱視の場合の検影器所見
乱視では瞳孔外のストリークの向きと瞳孔内の反射光の向きにずれが生じる(a). ストリークを回転させ, ストリークと反射光の向きが一致した状態を軸に一致といい(b), この軸が乱視では主経線, すなわち軸の方向を意味する.

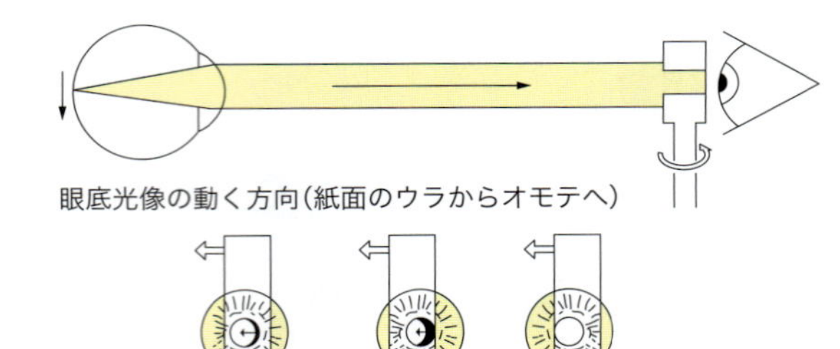

図 5-10 同行の状態
入射光と眼底からの反射光の動きが同じ方向にある場合をいう.

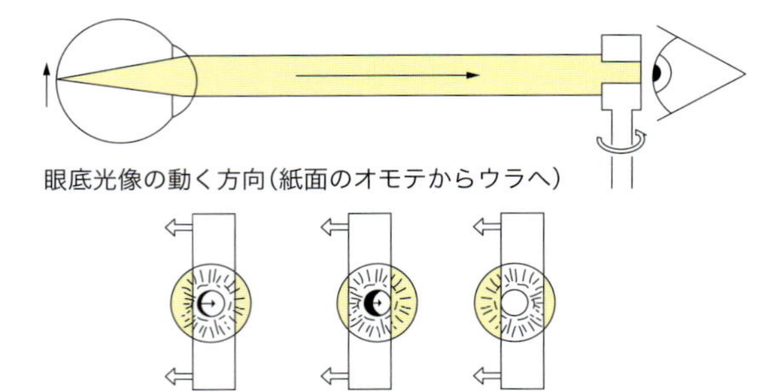

図 5-11 反行の状態
入射光と眼底からの反射光の動きが正反対の方向にある場合をいう.

挟む. あいている小指や薬指を被検者の顔に当て, ぐらつかないようにする. 最初は+2Dのレンズを置き, 検影器全体を回転させて光を横にシフトする. このときの瞳孔の中の網膜からの反射光の動きを観察する. 解説書のなかには板付きレンズ下端の柄の部分を持つ図が多いが, ぐらついて, あてがうレンズと被検眼の距離が狂う. 乳幼児では1枚の球面の検眼レンズを使うほうがやさしい.

乱視の場合は, 図 5-9a のように, 瞳孔外のストリークの(動く)方向と瞳孔内での反射光の(動く)方向とにずれが生る. この状態は『軸に不一致(オフアクシス)』という. 瞳孔内の照射光の向きに一致するようにストリークを回転させた状態を『軸に一致(オンアクシス)』(図 5-9b)という. この軸が乱視の主経線, すなわち軸の方向である.

b. 結果とその扱い

反射光の動きには次の3通りの姿がある. 50 cm の距離で最初に+2D のレンズを置いたとき,

(1) 光を動かしても網膜からの反射光が動かない状態, これを中和(neutralized)といい, 正視を意味する.

(2) 光の動く方向と同じ方向に網膜からの反射光が動く状態, これを同行(with the motion)といい, 遠視であることを意味する(図 5-10).

(3) 光の動く方向と反対の方向に網膜からの反射光が動く状態, これを逆行(against the motion, 反行ともいう)といい, 近視であることを意味する(図 5-11).

同行した場合は, 最初に置いた+2D よりも遠視側のレンズに, 逆行した場合は+2D よりも近視側のレンズに, 順次度を換えていく. 被検眼の反射光が動かなくなる中和の状態をもたらしてくれるレンズ度数を求める. 中和は, 検査距離を前後にずらして最終確認をする(前後5 cm ほどで ±0.22 D に相当).

なお, 逆行から同行に転じる度数を探るよりも, 同行から逆行に転じる度数を探るほうがわかりやすく, 最初から逆行したら, 付加レンズをマイナス側のものに持ち替えていったん同行させ, 度数をプラス側にもっていって同行から逆行に転じる度数を求めるのがよい.

中和になった値から+2D を引くと, 水平方向ならびに垂直方向のレンズ度数を決定できる.

c. 得られた値の計算式とその表現

x D の球面レンズを置いて 50 cm の距離で得られた屈折値 D は，次のように求められる；

D＝x－(＋2.00)

検査距離 40 cm の場合は，40 cm が 1 m/0.4 m＝－2.50 D の位置であるから，

D＝x－(＋2.50)　となる．

例えば，検査距離 50 cm，水平方向が＋9.00 D，垂直方向が＋3.00 D の球面レンズで中和した場合，屈折値は次図のように水平方向が＋7.00 D，垂直方向が＋1.00 D となる．

例
＋1.00
＋7.00

1) 最小収差法

S＋1.00 D⊃C＋6.00 D Ax 90°

円柱レンズを組み合わせたあとの状態の収差が最も少ない組み合わせを求める方法である．この場合の収差は一般的な球面収差とする．ひとことでいえば，球面レンズ値(S 面の値)に絶対値の小さいほうの値をもってくるルールである．

2) マイナスシリンダ法

S＋7.00 D⊃C－6.00 D Ax 180°

なぜか最もよく用いられている表記である．とにかく円柱レンズにマイナスレンズを採用する方法であり，眼鏡処方箋への表記でも頻用されている．

3) シリンダレンズのみによる方法

C－2.00 D Ax 180°⊃C－3.00 D Ax 90°

この組み合わせは実際に検眼レンズに入れたときに収差が大きく，採用しないほうがよい．

4) 最小収差法かマイナスシリンダ法か

近視性乱視で 2 つの軸がともにマイナスの場合(例)は，どちらの方法でも同じ矯正レンズが得られる．

しかし，例のように遠視性乱視で 2 つの軸がともにプラスの場合は，最小収差法のほうが収差の少ないレンズが決定される．1) と 2) を見比べていただくと一目瞭然である．C 面値はプラスかマイナスの違いこそあれ同じ 6.00 D であるが，S 面値は 1) では S＋1.00 D，2) では S＋7.00 D と大きな違いがある．また，収差云々という前に，レンズの重量が大きく違ってくること，すなわち 2) の S＋7.00 D よりも 1) の S＋1.00 D のほうがはるかに軽いことが容易に理解できる．すなわち，眼鏡処方前のトライアルとして検眼枠にレンズを入れて患者にかけてもらうときには，1) に記した値のレンズの組み合わせでなくてはならず，2) では重くてそれだけで不快感を与えてしまうことに留意すべきである．

2 検影法の落とし穴

a. 散瞳している場合

すなわちアトロピン硫酸塩やシクロペントラート塩酸塩を点眼して調節麻痺させている場合や，トロピカミド散瞳下の場合である．瞳孔径が 5 mm を超えていると瞳孔周辺部の動きには球面収差が入り，間違った値を出してしまうおそれがある．この場合は，瞳孔の中心付近の光の動きに注目して検影法を行う必要がある．

b. 泣き叫ぶ赤ちゃんの場合

泣き叫ぶ赤ちゃんを押さえつけて実施しても誤差が出てあまり意味がない．実際は，習熟すると 1 回のスキャンでかなりのめどが立つので，お母さんにダッコしてもらっている状態でも十分測定することができる．

3 検影法の応用

a. 徹照法

検影法では最初に光を当てた段階で，徹照法を行うことができ，白内障の有無や硝子体混濁などを見出すことが容易である．

b. 眼鏡上の検影法

眼鏡の上からの検影法である(through the glass retinoscopy). 眼鏡の度が合っているかどうかを判定するもので, 眼鏡レンズを通して検影法で正視を示せばメガネが合っている, 何らかの異常を示せば, その分メガネの度数が間違っている, という判定ができる. これもオートレフなどにはできない技である.

c. 動的検影法 (dynamic retinoscopy)

調節させた状態の動的屈折状態をスキャンする方法である. 被検者眼前の近方(例えば 30 cm や 50 cm)にある目標を固視させ, このときの屈折値を求めれば調節を測定できる. 他覚的調節検査として有用である.

4 自己トレーニングのすすめ

a. 自習用ビデオの紹介

インターネットサイトにマニュアルを示した動画がある. 筆者が作成に協力した日本語のもの[1]と, 英語のものでは“retinoscopy, video”で検索すると, YouTube など多数ヒットする. 動画で見れば非常に理解しやすいので, 是非ご覧になることを期待する. 文献もいくつかはあるが[2〜4], 動画による理解のほうが勝っている.

b. 模型眼を使った自己トレーニング

自習用には数社から販売されている模型眼(トレーナー)の購入をおすすめする(図 5-5). 好きな度数に設定できる. また, 前面に検眼用の乱視レンズ(例えば C−4.00 D)を置いて乱視眼の疑似体験をすることもできる. 毎日練習するのがおすすめである.

c. 初めての臨床応用

全くの初心者段階では, 屈折値が動かない(調節が混入しない)50 歳以上の高齢者での測定から始めることもおすすめしておく.

▶文献

1) 内海 隆：検影法の基本と応用. 参天製薬眼科学術ビデオライブラリー：屈折異常 https://www.santen.co.jp/medical-channel/op/video/refractive/005.html
2) 西信元嗣：検影法. 丸尾敏夫, 小口芳久, 西信元嗣, 他(編)：眼科検査法ハンドブック第3版. pp 35-42, 医学書院, 1999
3) 内海 隆：検影法(レチノスコピー)の価値―眼鏡処方において. あたらしい眼科 32, 2015
4) 近畿弱視斜視研究会：レチノスコピー 初心者のための実習マニュアル第9版. 近畿弱視斜視研究会, 2022(非売品. 日本眼科学会総会のスキルトランスファーあるいは近畿弱視斜視アフタヌーンセミナーにて参加者に頒布)

(内海 隆)

C. 角膜形状解析

1 検査の概要

目的 角膜形状を測定し, 角膜形状異常の診断, 角膜不正乱視の評価, 屈折矯正手術の適応決定, 眼科手術の角膜形状への影響評価, 眼内レンズ度数決定, ハードコンタクトレンズ処方に用いる.

原理 角膜前涙液層での反射像から角膜屈折力を測定するものと, 角膜断層像を撮影し, 角膜前後面形状, 角膜厚分布を測定するものがある.

適応 角膜疾患, 屈折矯正手術, 白内障手術, および角膜移植など角膜形状に影響を与える眼科手術.

機器 Placido 型角膜形状解析装置, Scheimpflug カメラ, 前眼部光干渉断層計(前眼部 OCT).

2 目的

角膜は眼球全体の約 2/3 の屈折力を担っており, その形状は視機能に大きな影響を与える. 角膜形状解析は従来オートケラトメータで行われ, 直径約 3 mm の領域の涙液層からの反射像を基に角膜曲率半径と乱視軸を算出し, 白内障手術時の眼内レンズ(IOL)度数計算やハードコンタクトレンズのベースカーブ決定などに用いられている. 一方で, 角膜中心から周辺部までの広範囲な測定や角膜後面の形状異常を伴った症例の測定,角膜不正乱視の検出などオートケラトメータでは測定困難な項目もあり，それらを克服すべく様々な角膜形状解析装置が開発されてきた．

正確な角膜形状解析によって円錐角膜など角膜形状異常の早期発見や角膜不正乱視の視機能への影響を評価できるのみならず，LASIKや多焦点IOL，トーリックIOLの適応を判断する検査としても必須である．

3 機器と特徴

a. Placido型角膜形状解析装置

1）原理

Placido型角膜形状解析装置は角膜に同心円状の光を投影し，涙液層での反射で生じるマイヤー像を得る．例として図5-12にPlacido型角膜形状解析装置で測定した正常眼のマイヤー像を示す．マイヤー像のリングの間隔から角膜前面の角膜曲率半径を算出し，角膜前面と角膜後面の屈折力の割合は一定であるという仮定に基づいて角膜全体の屈折力を推定する．直径約3mmの1本の反射像から角膜曲率半径を求めるオートケラトメータと比べ，より多くの反射像を用いて広範囲の評価が可能であり，不正乱視の有無と程度がわかる[1]．

2）結果の見方

Placido型角膜形状解析装置の角膜屈折力マップでは，各測定点の角膜屈折力がカラーコードマップとして表示され，屈折力が正常範囲の場合は緑色に，屈折力が大きい場合は暖色系に，屈折力が小さい場合は寒色系に表示される．こうして角膜形状の特徴を視覚的に理解することが可能であり，角膜の形状異常やそれに伴う角膜不正乱視の早期検出が可能である．このカラーコード表示の配色パターンは後述のScheimpflugカメラや前眼部OCTとも共通しており，ScheimpflugカメラであるPentacam® HR（OCULUS）で測定した円錐角膜眼の角膜屈折力マップを図5-13に示す．

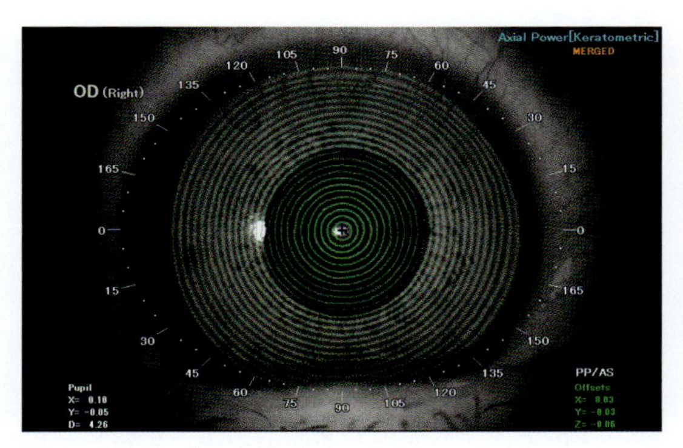

図5-12 マイヤー像
25本のリングを用いて直径8.8mmの領域を解析している．

b. Scheimpflugカメラと前眼部OCT

1）原理

Scheimpflugカメラや前眼部OCTは，角膜の断層像から，角膜前面，角膜後面の高さ情報（エレベーションマップ）をもとに角膜前後面の屈折力マップや角膜厚マップをカラーコードマップで表示している[2]．それによりPlacido型角膜形状解析装置では測定困難であった涙液異常や角膜後面の異常を伴う症例においても正確な測定が可能となった．

Scheimpflugカメラの Pentacam® HR（OCULUS）は，屈折矯正手術の禁忌となる円錐角膜の

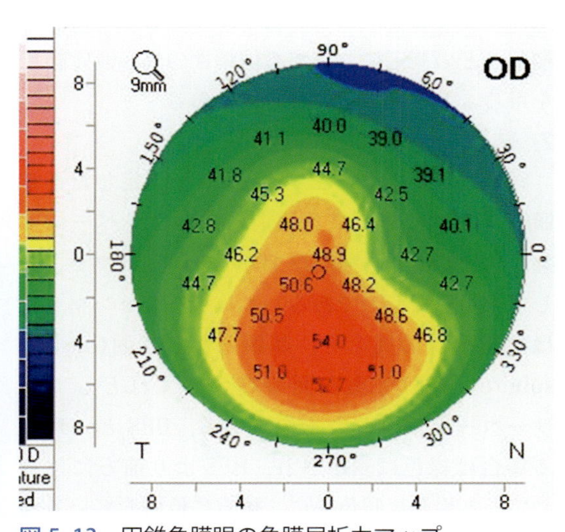

図5-13 円錐角膜眼の角膜屈折力マップ
耳下側に暖色のカラーコードマップで示される局所的急峻化を認める．

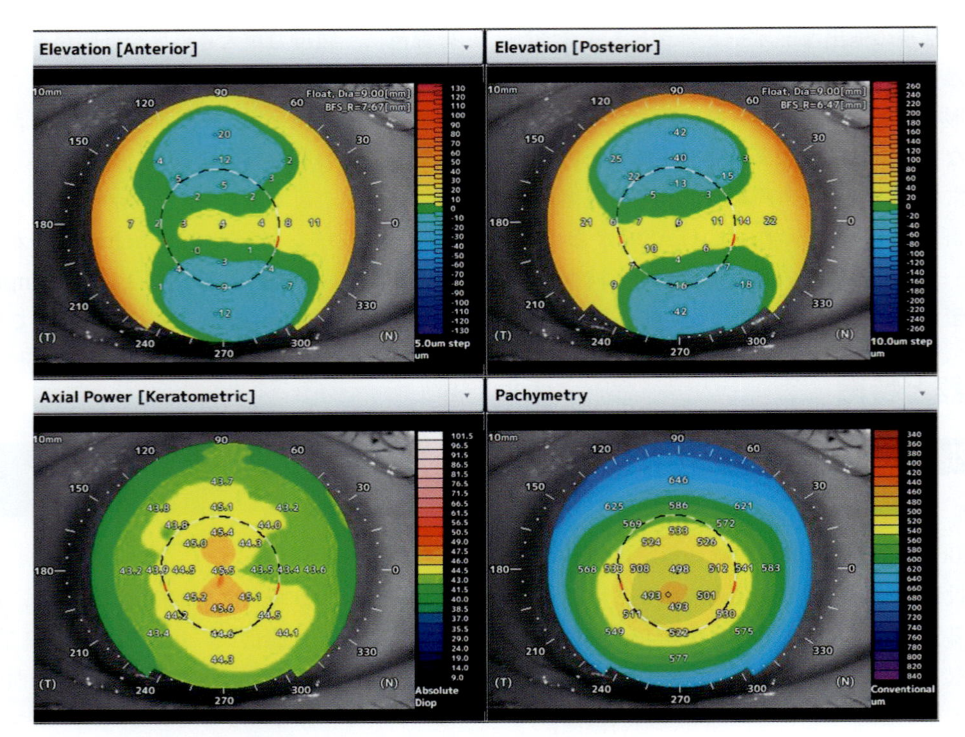

図 5-14 正常眼(軽度の直乱視)の角膜形状解析画面
左上：角膜前面のエレベーションマップ，右上：角膜後面のエレベーションマップ，左下：角膜屈折力マップ，右下：角膜厚マップ.

スクリーニングやIOLの選択などに有用な解析ソフトウェアもある．一方，前眼部OCTのCASIA 2 Advance(TOMEY)ではScheimpflugカメラに比べ組織深達度の高い長波長の近赤外光を測定に用いており，角膜混濁を伴う疾患眼や角膜移植眼などの測定においても信頼性の高い測定結果を得ることができるのが特徴である.

2) 結果の見方

図 5-14はCASIA 2 Advanceで測定した正常眼のマップであり，角膜前後面のエレベーション，角膜屈折力，角膜厚をカラーコードマップとして表示したものである．エレベーションマップは角膜形状の異常を，基準となる球面(best fit sphere：BFS)と実測面の高さのずれとしてカラーコード表示したものである．BFSと一致する場合は緑色に表示され，BFSより前方に位置している場合は暖色系に，後方に位置している場合は寒色系に表示される．角膜屈折力マップはPlacido型と同様だが，後面のマップも表示できる．角膜厚マップは角膜が薄い部分は暖色系に，厚い部分は寒色系に表現される．この眼では，軽度の蝶ネクタイパターンで直乱視があることがわかる．下耳側へわずかに偏心した正円を示し，暖色パターンはみられない.

4 症例

前眼部OCTの測定画面を例に代表的な症例の見方を解説する.

a. 円錐角膜眼(図 5-15)

円錐角膜は進行性の角膜菲薄化と突出により角膜不正乱視をきたす疾患である．角膜屈折力マップでは，角膜中央やや下方が局所的に急峻化し，乱視の強主経線が曲線化することが特徴である．角膜前後面のエレベーションマップでは，中央やや下方の島状の前方突出が認められる[3]．円錐角膜では角膜後面の突出が前面の突出に先行して出現することも指摘されており，後面の形状異常を

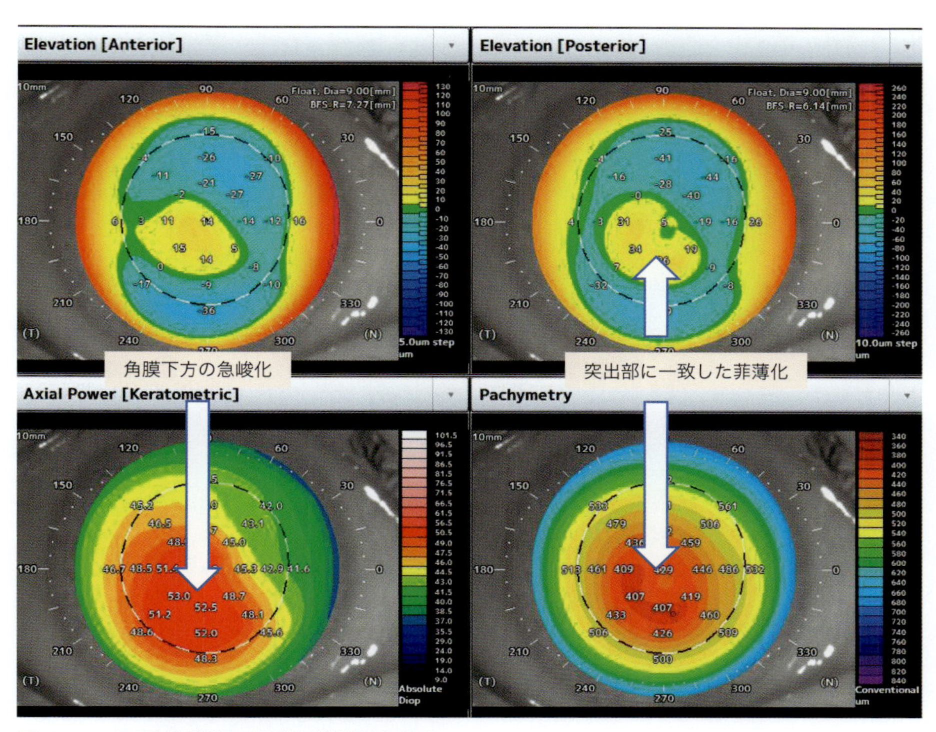

図 5-15　円錐角膜眼の角膜形状解析画面
非対称な屈折力分布が見られ，下方角膜の局所的突出による急峻化を表す．角膜厚マップでも突出部に一致して菲薄化が見られる．

検出できることは早期発見に有用である[4]．角膜厚マップでは，前方突出部に一致した部位の菲薄化が認められる．

b. 屈折矯正手術眼（図 5-16）

代表的な屈折矯正手術である近視 LASIK では，角膜中央にフラップを作製して，フラップ下の実質をエキシマレーザーで切除し平坦化させることで近視を矯正する．そのため中央部の角膜厚が近視の矯正度数分だけ菲薄化し，角膜厚マップで角膜中央部が暖色で表される．角膜後面は手術の影響を受けないためエレベーションマップでは角膜前面のみ中央部が平坦化する．LASIK 後に角膜不正乱視をきたす合併症として重要な角膜拡張症を検出する際には，角膜後面の前方突出をチェックすることが有用である．

c. 角膜屈折力の Fourier 解析

角膜移植後など不正乱視を伴う症例で眼鏡処方をする場合，正乱視と不正乱視が混在しているため自覚的屈折検査で円柱レンズの度数と軸の決定が困難なことがある．Fourier 解析は正乱視成分と不正乱視成分を分離して定量的に評価することが可能な手法であり，自覚的屈折検査をする際に有用である[1]．

CASIA 2 Advance の Fourier 解析画面を例に解説する．図 5-17 は角膜移植眼の Fourier 解析の画面であり，画面左下の各指数が赤色で示されており不正乱視を伴っていることがわかる．このように正乱視と不正乱視が複雑に混在した症例でも，正乱視成分の円柱度数と軸が抽出されて示されており，この値を参考に円柱レンズ度数と軸を決めることが可能である．

検査のポイント

☑ 角膜形状解析装置で測定できるのは角膜乱視であり，水晶体乱視は考慮されていない．そのため，水晶体乱視の少ない若年

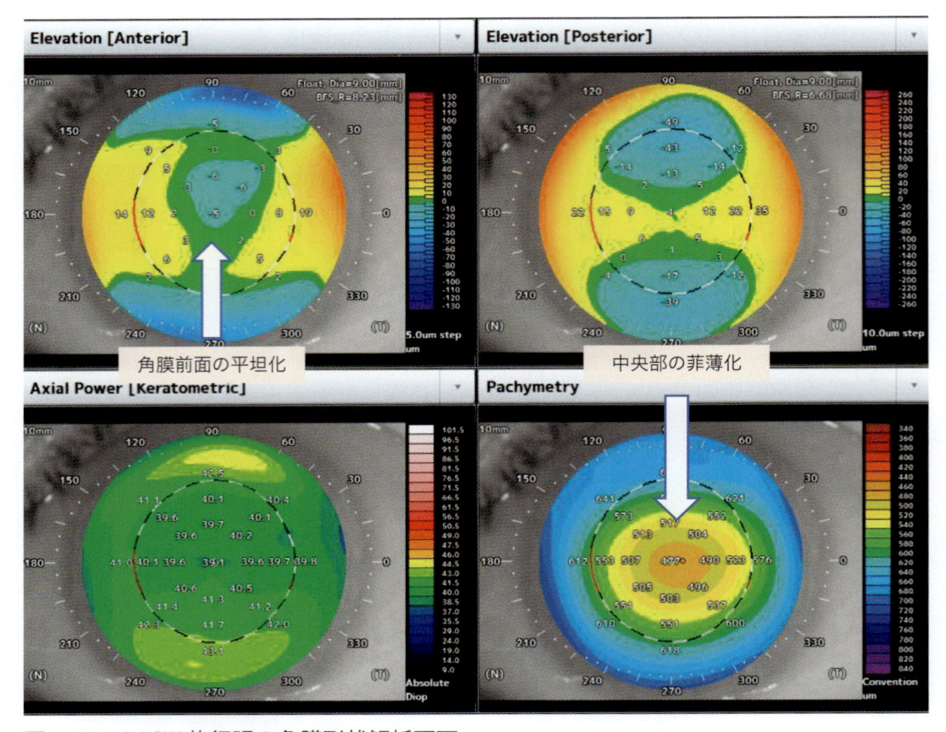

図 5-16　LASIK 施行眼の角膜形状解析画面
角膜中央が菲薄化している．またエレベーションマップでは角膜前面のみ中央部が平坦化していることがわかる．

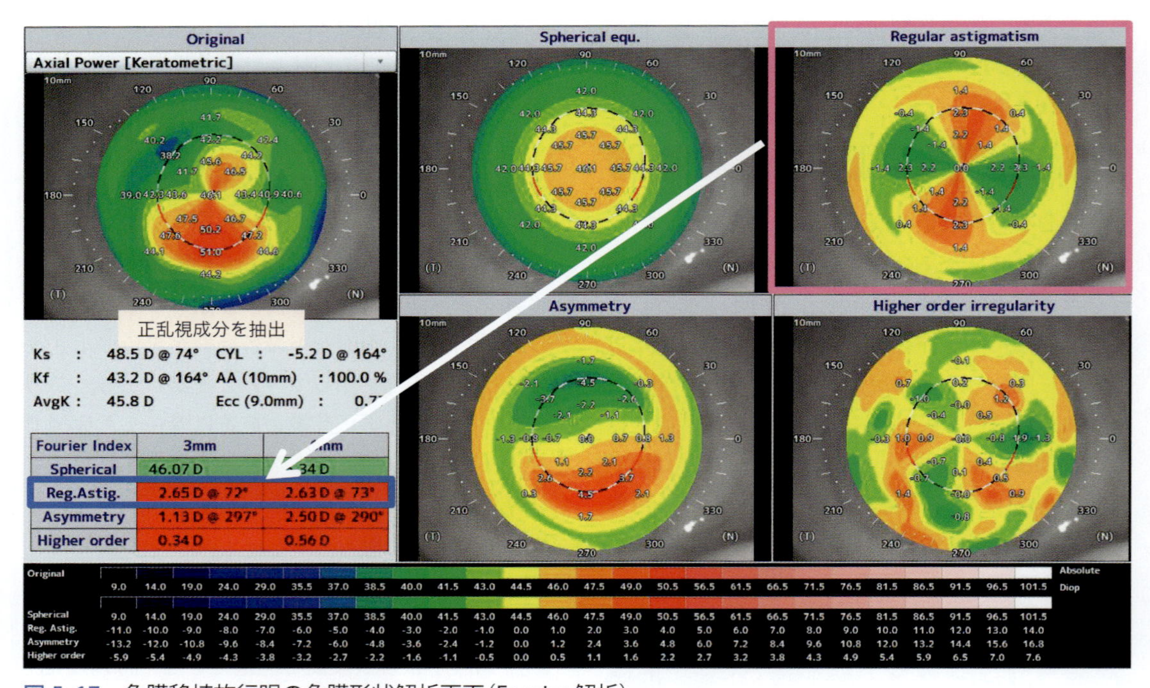

Fourier Index	3mm	mm
Spherical	46.07 D	34 D
Reg.Astig.	2.65 D @ 72°	2.63 D @ 73°
Asymmetry	1.13 D @ 297°	2.50 D @ 290°
Higher order	0.34 D	0.56 D

図 5-17　角膜移植施行眼の角膜形状解析画面（Fourier 解析）
角膜移植によって正乱視と不正乱視が複雑に混在している．右上に正乱視成分が抽出して表示されており，自覚的屈折検査の際は左下に示された円柱度数の倍量と乱視軸を参考にできる．

者，無水晶体眼，球面 IOL が挿入されている場合には角膜乱視が屈折の乱視と考えて基本的に問題ないが，高齢者では水晶体の倒乱視化によって，屈折の乱視は，角膜乱視より倒乱視化している可能性が高いため注意が必要である．

☑ Placido 型角膜形状解析装置では，測定精度が涙液層の状態に左右されるため，瞬目後すみやかに撮影する必要がある．ドライアイなど涙液異常をきたす症例や長時間の開瞼によって涙液層が不安定となった場合，反射像が得られず測定困難な場合や，測定できたとしても測定ごとに結果が大きく異なる場合もある．そのようなときには瞬目を促して涙液層を安定させることや複数回の測定によって再現性を確認することが重要である．また円錐角膜眼など角膜後面の形状異常を伴う症例や屈折矯正手術後など角膜前面屈折力と後面屈折力の割合が変化した症例では角膜前面の測定値から推定した角膜屈折力と角膜前後面の屈折力に差が生じうる．

▶文献

1) 根岸一乃：プラチド型角膜形状解析 Update（TMS-5 など）．あたらしい眼科 27：10-16，2010
2) 神谷和孝：前眼部解析装置 Pentacam．IOL & RS 23：510-516，2009
3) 前田直之：円錐角膜．眼科 56：1277-1283，2014
4) Schlegel Z, Hoang-Xuan T, Gatinel D: Comparison of and correlation between anterior and posterior corneal elevation maps in normal eyes and keratoconus-suspect eyes. J Cataract Refract Surg 34: 789-795, 2008

（渡辺真矢，前田直之）

D. 補償光学系検査

1 検査の概要

目的 眼球収差の影響を受けずに高倍率・高解像度で眼底像を撮影する．

原理 全眼球収差を Shack-Hartmann 波面センサで測定し，可変形鏡で無収差になるように補正する．

適応 視細胞変性疾患，視神経疾患，弱視，心因性視力障害．

機器 flood-illumination AO 眼底カメラおよび補償光学レーザー走査検眼鏡（AOSLO）．

2 検査機器

補償光学（adaptive optics：AO）は天文学の分野で発達した光学技術である．補償光学を応用した機器として，flood-illumination AO 眼底カメラおよび補償光学レーザー走査検眼鏡（AOSLO）がある．flood-illumination AO 眼底カメラ（図 5-18）は，固視微動によるノイズに強い特徴をもつ．一方，AOSLO は共焦点であるため，網膜の狙った層だけを照明し，高いコントラストの画像を取得できる．本項では AOSLO をもとに解説する．

AOSLO は撮影時に全眼球収差を Shack-Hartmann 波面センサで測定し，可変形鏡（deformable mirror：DM）で全眼球収差量が 0 に収束するよう補正する．眼球収差の影響を排除できるため，既存の眼底カメラよりも高倍率かつ高解像度で眼底像を取得することができる[1]（図 5-19）．AOSLO で撮影されたモザイク模様は，錐体モザ

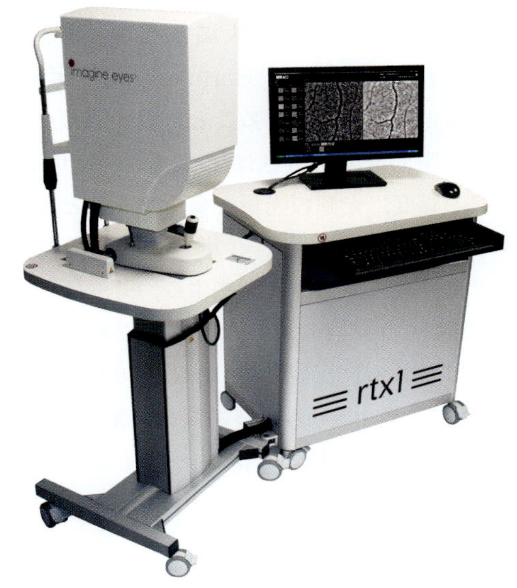

図 5-18 flood-illumination AO 眼底カメラ
rtx1-e（Imagine Eyes 社製）．

5 屈折検査

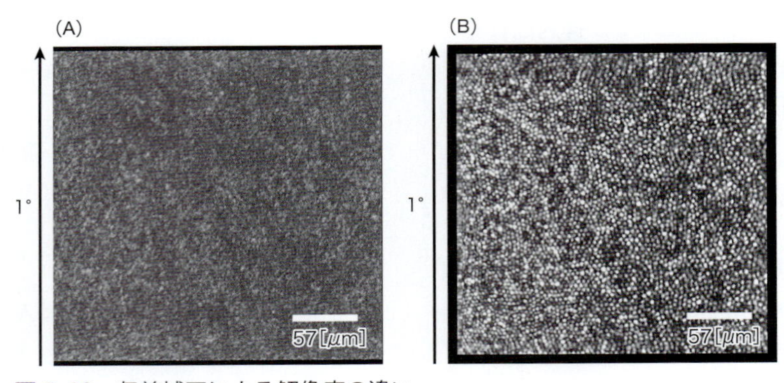

図 5-19 収差補正による解像度の違い
A：通常の SLO で視細胞層を撮影，B：AOSLO で視細胞層を撮影.

イクと呼ばれ，ellipsoid zone または錐体細胞外節を反映していることが報告されている[2].

3 適応

(1) 視細胞変性疾患や視神経疾患が疑われる症例.
(2) 心因性視力障害や詐盲が疑われる症例.

4 検査方法

補償光学眼底検査は基本的に散瞳下で行う．波面情報の解析径を瞳孔径に合わせ，フォーカス(球面値)を調整する．低次収差の矯正が完了した後，可変形鏡で残余収差を補正する．収差補正が正確に行われると，全眼球収差量(root mean square：RMS)が 0.1 μm 未満となる．残余収差量が大きかった場合は，Hartmann 像のゲイン，または露光時間を調整することで収差情報を修正できる．眼底像の明るさは，ピンホールサイズ，受光器の感度，光源の光量を変更することで調整できる．収差補正，眼底像の明るさ調整を行った後，フォーカス位置を微調整する.

AOSLO では焦点のあった位置の反射が最も強く反映されるが，反射の強い層は ellipsoid zone (もしくは錐体外節)および神経線維層であり(図 5-20, 21)，網膜内層にフォーカスすると信号強度が落ちる.

5 正常値

AOSLO では錐体細胞密度を測定することができる．健常者の錐体細胞密度は解剖学的データと一致する．中心窩から 10 arcmin (≒50 μm)偏心では 114,963～226,929 cells/mm^2 の錐体細胞密度があると報告されている[3].

錐体細胞密度は中間透光体障害や視神経障害がない場合，視力[4]やコントラスト感度[5]と有意な正の相関をもつ．自覚的屈折検査やコントラスト感度検査は心理物理的検査であるため，健常者においても検査結果が変動する．一方で錐体細胞密度は結果の変動が少ないことが報告されている[1]．したがって，視力低下を訴えて受診した患者に対して補償光学眼底検査を行い，錐体細胞密度を求めれば，視力低下の原因が，網膜変性疾患によるものであるのか，あるいは心因性視力障害や詐盲であるかの鑑別に役立つ.

6 AOSLO で捉えた網膜・視神経疾患

a. 視細胞変性疾患

網膜色素変性や錐体ジストロフィをはじめとした視細胞変性疾患では，錐体モザイクの欠損または錐体サイズの拡大を捉えることができる(図 5-22).

b. 視神経疾患

Leber 視神経症をはじめとした視神経疾患では，神経線維層にフォーカスすることで，神経線維の欠損を捉えることができる(図 5-23).

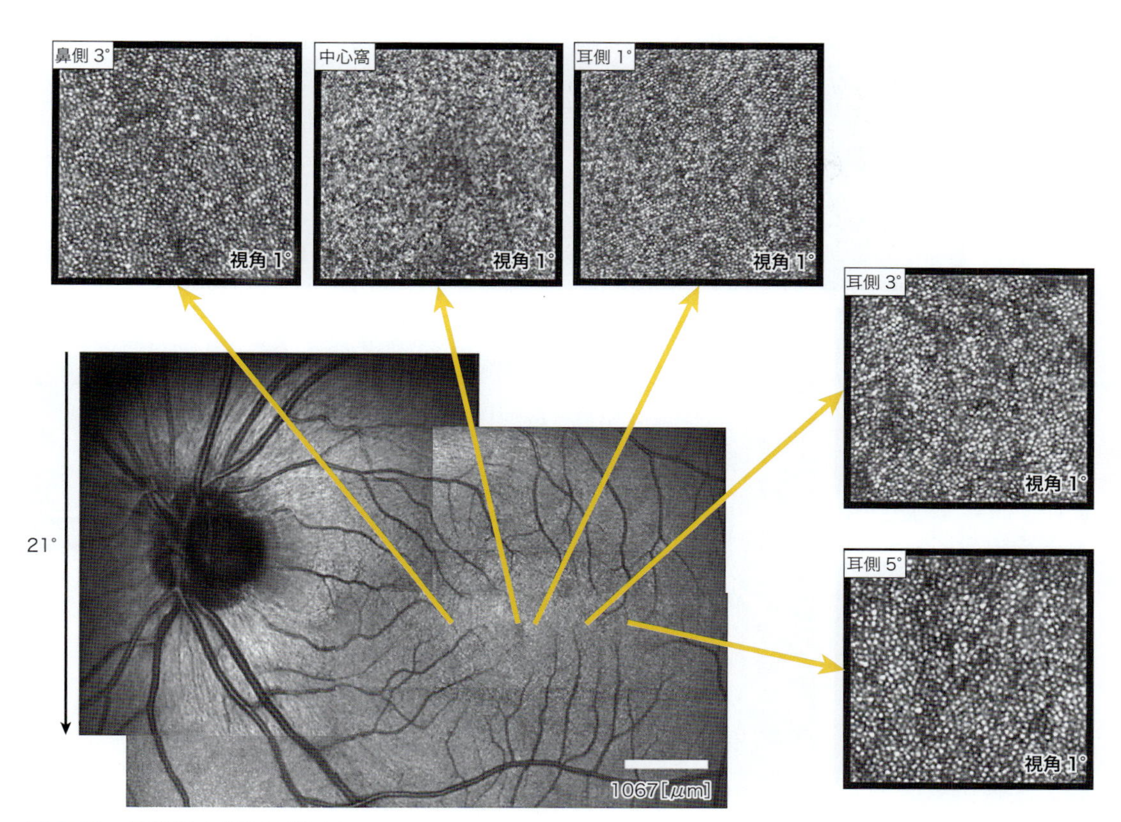

図 5-20 健常者の錐体モザイク

c. 網膜内層に障害がある症例

microcystic macular edema(MME)をはじめとする網膜内層障害もAOSLOで鮮明に捉えることができる．撮影は，最も反射の強い視細胞層にフォーカスを合わせて錐体モザイクを撮影した後，ピンホールサイズを大きくすることで網膜内層を撮影範囲に収めると良い(図 5-24)．

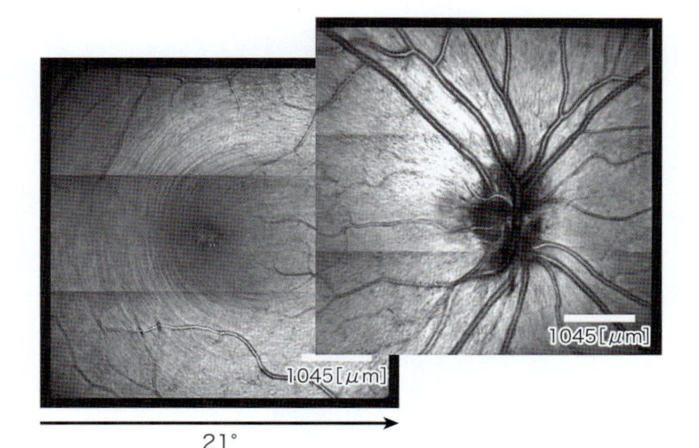

図 5-21 健常者の神経線維層

ポイント

☑ 瞳孔径，調節の影響

瞳孔径は収差補正の精度に直接関与する．被検者の瞳孔径が小さいと眼球の収差情報を波面センサで正確に取得できず，収差補正の精度が落ちることがある．また，無散瞳下の撮影では被検者の屈折値が調節によって変動するため，収差補正が間に合わず画質の低下につながる．

☑ 涙液の影響

ドライアイ症例では収差補正のフィードバックループが追い付かないことがある．鮮明な画像が取得できなかった場合は，被検者に瞬目を促す，あるいは人工涙液を点眼し，涙液層を安定させることで正確な収

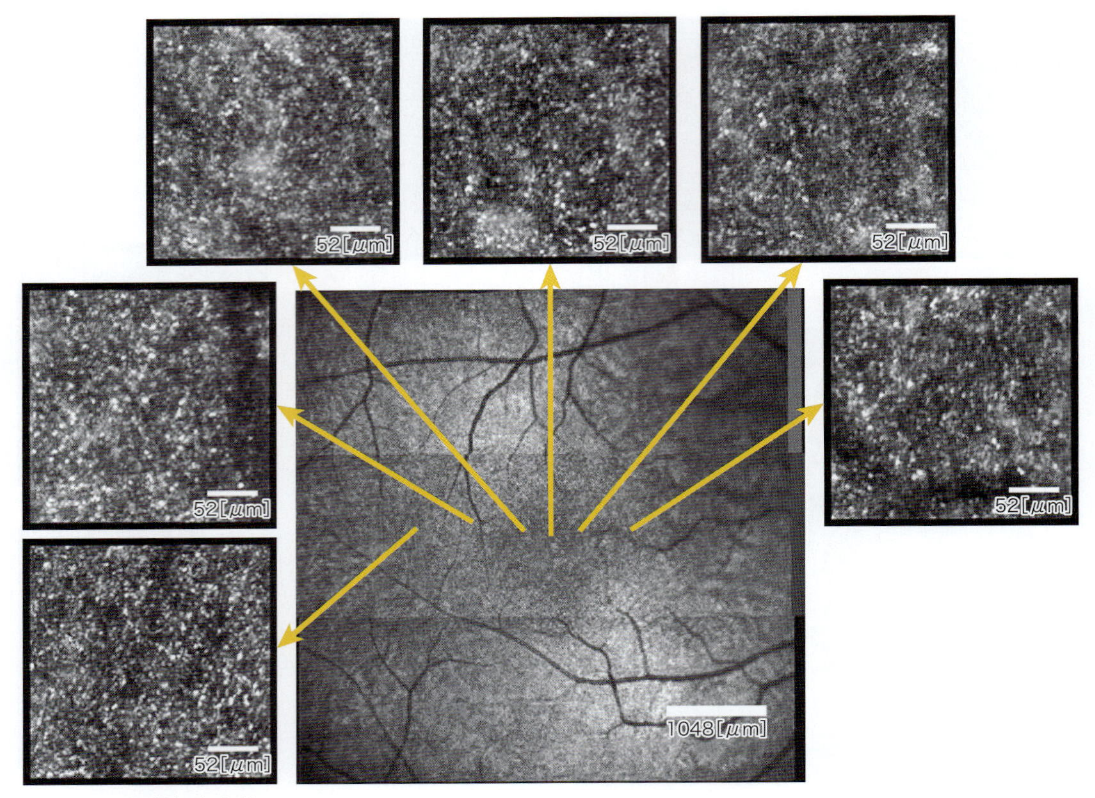

図 5-22　網膜色素変性

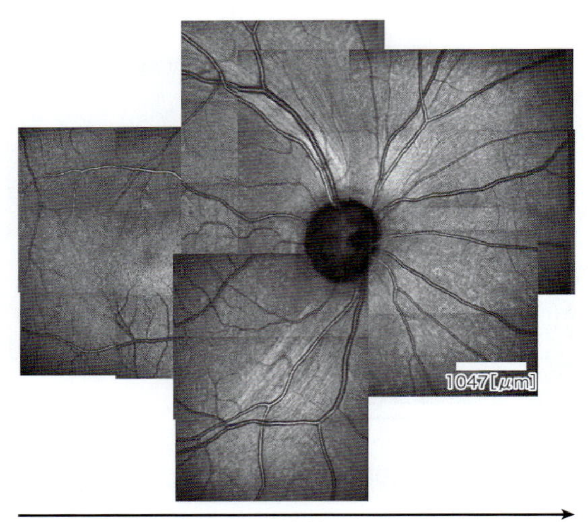

図 5-23　Leber 視神経症

差情報を取得できる．

☑ 中間透光体の影響

被検者の中間透光体に異常があると，Hartmann 像における一部の収差が異常値を示し，誤った収差補正を行うことがある．その場合，収差の解析径を小さくし，異常な Hartmann 像を除外することで収差補正を正すことができる．

☑ 眼振がある症例

眼振がある症例では，倍率を下げて画角を広げる．もしくは眼振の大きさを測定し，振り幅に合わせて撮影位置を調整することである程度狙った網膜部位を撮影することができる．

☑ 高次収差が大きい症例

円錐角膜など高次収差が大きく，可変形鏡で収差を補正しきれない症例では，矯正レンズを傾けることで，残余収差を打ち消す高次収差を人為的に作り出すことで収差を補正できることがある．

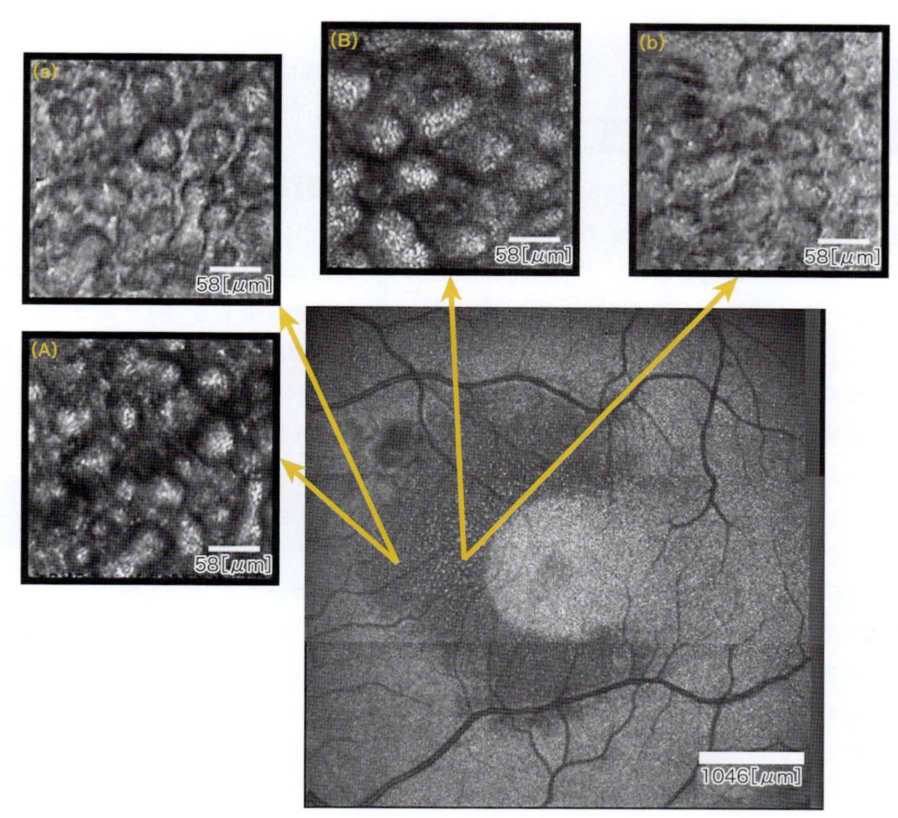

図 5-24 MME(microcystic macular edema)症例
A，B：視細胞層フォーカス，a，b：網膜内層フォーカス．

▶文献

1) Roorda A: Adaptive optics for studying visual function: a comprehensive review. J Vis 11: 6, 2011
2) Jonnal RS, Besecker JR, Derby JC, et al: Imaging outer segment renewal in living human cone photoreceptors. Opt Express 18: 5257-5270, 2010
3) Putnam NM, Hofer HJ, Doble N, et al: The locus of fixation and the foveal cone mosaic. J Vis 5: 632-639, 2005
4) Rossi EA, Roorda A: The relationship between visual resolution and cone spacing in the human fovea. Nat Neurosci 13: 156-157, 2010
5) Hirota M, Morimoto T, Kanda H, et al: Relationship between spatial contrast sensitivity and parafoveal cone density in normal subjects and patients with retinal degeneration. Ophthalmic Surg Lasers Imaging Retina 48: 106-113, 2017

（広田雅和，不二門尚）

III 調節麻痺薬を用いた屈折検査

1 検査の概要

目的 調節が介入しない正確な他覚的屈折値を測定する．

原理 調節麻痺薬を用いて，調節を麻痺させた状態で他覚的屈折値を測定する．

適応 弱視や斜視が疑われる小児および調節けいれんが疑われる症例．

機器 レフラクトメータ，レチノスコープ，板付きレンズ．

2 調節麻痺薬使用の目的

a. 屈折検査における調節の影響

屈折検査は，レフラクトメータや検影法による他覚的屈折検査で得られた屈折値を参考に自覚的屈折検査を行う方法が一般的である．正確な屈折値を測定するには極力調節の介入を防ぐ必要があり，その方法として調節麻痺薬の使用，遠方視して調節を休ませる，あるいは雲霧法によって調節させないようにする，などがある．オートレフラクトメータには遠方視および雲霧法の機能が標準的に内蔵されているため，成人では調節麻痺薬を用いなくても「視標(多くは風景)をボンヤリ見てください」と指示することで，調節を休めた状態での他覚的屈折値をある程度期待通りに測定することが可能となる．ただし，調節けいれんや調節の過緊張が疑われる症例では，年長者においても調節を緩解させるために調節麻痺薬を使用することがある．

b. 小児の屈折検査における調節麻痺薬の使用

一方，小児の多くが遠視傾向にあるため，外界の様々なものを明視するには常時調節しているといっても過言ではない．そこで，小児の屈折検査では以下の事情も考慮して調節麻痺薬を使用する必要がある．

(1) 小児は通常，10 D を超える良好な調節力を有しているが[1]，それを成人のように随意に緩解できない．オートレフラクトメータでも内蔵の固視標を凝視して調節が加わるため，調節が介入しない屈折値を得るには事前に調節機能を麻痺させる必要がある．

(2) 小児は年齢が低いほど自覚的な応答が稚拙であり，例えば「このレンズを入れたほうが見やすくなるか」といった単純な質問にもうまく答えられないことが多い．特に，自覚的な応答のみから正確な乱視度および乱視軸の決定を行うことは難しい．そこで，屈折検査では，まず調節機能を麻痺させた状態で正確に他覚的屈折値を測定し，その結果に基づいた屈折矯正を行うことが必要である．

3 調節麻痺薬各論

屈折検査に用いられる調節麻痺薬を表 5-1 に示す．調節麻痺薬は抗コリン薬と呼ばれ，副交感神経の伝達物質であるアセチルコリンを阻害して神経伝達を遮断することで，瞳孔は散大し対光反射は消失，毛様体は弛緩して調節麻痺が出現する．薬剤により散瞳と調節麻痺の程度には差がある．

a. アトロピン硫酸塩 (atropine sulfate)

調節麻痺薬としては最も強力な調節麻痺作用がある．小児では全身の副作用が起こりやすいので，0.25〜0.5% に希釈する場合もあるが調節麻痺作用は弱まることを念頭におく必要がある．完全調節麻痺を得るためには，1 日 2〜3 回，3〜7 日間の点眼を必要とする．回復までの時間は点眼終了後 2〜3 週間である．

アトロピンは劇薬であるため，家庭での点眼方法や取り扱いについて十分に説明をする(図 5-25)．

小児へのアトロピン投与で起こる副作用は，発熱と顔面紅潮が多い．アトロピンの抗コリン作用により発汗抑制が起こり，体温調節が困難になるおそれがあることからこれらの副作用との関連が示唆されている[2]．副作用は点眼開始数回以内で起こることが多い．

b. シクロペントラート塩酸塩 (cyclopentolate hydrochloride，サイプレジン®)

小児の屈折検査において第1選択で用いられる調節麻痺薬．比較的散瞳作用が弱く，調節麻痺をもたらす薬剤であるが，効果の発現に個人差が大きい．シクロペントラート塩酸塩による調節麻痺効果はアトロピン硫酸塩より 0.5〜1.0 D 程度弱い[3,4]．5〜10 分おきに 2 回点眼し 40〜50 分後に検査可能となる．回復までの時間は 1〜2 日である．

表 5-1 屈折検査に用いる調節麻痺薬

薬剤名	組成・剤形 pH	点眼回数	検査までの時間	回復までの時間	副作用
アトロピン硫酸塩 日点アトロピン (日本点眼)	点眼液：1% pH：5.0〜6.5	1日2〜3回 3〜7日間	自宅での点眼	2〜3週間	顔面潮紅，発熱，口渇，悪心，嘔吐，幻覚，けいれん，興奮，心悸亢進，血圧上昇など
シクロペントラート塩酸塩 サイプレジン® (参天)	点眼液：1% pH：3.0〜4.5	5〜10分おきに2回	最終点眼から 40〜50分後	1〜2日間	一過性の幻覚，運動失調，情動錯乱など
トロピカミド配合 ミドリン®P (参天)	点眼液：0.5% (フェニレフリン塩酸塩 0.5% 含有) pH：4.5〜5.8	5〜10分おきに2回	最終点眼から 20〜30分後	5〜6時間	結膜炎，眼瞼皮膚炎，悪心，嘔吐，頭痛など

カルテ番号 ○○○○

調節麻痺薬アトロピンを用いた精密屈折検査に関する説明書

1. 目薬を点眼する理由

□ 近視、遠視、乱視といった「屈折異常」を正しく調べます。
□ 眼には水晶体の厚みを自在に変えてピントを合わせる「調節」という機能があります。
通常、屈折検査は遠方の視標をボンヤリ見ることで調節を緩めて検査を行いますが、小児は調節力が強く上手に緩めることが出来ないため、目薬で調節機能を麻痺させて本来の屈折度数を測定します。

2. 目薬を点眼することによって起こる眼の変化

□ ものを見ようとしてもピントが合わなくなり、特に近くが見えにくく老眼のようになります。
□ 瞳孔(ひとみ)が大きくなり、まぶしくなります。
□ これらの変化は一時的なもので、点眼を中止すると2週間程度(個人差あり)で元に戻ります。

3. 目薬の使い方

□ 1日2回(朝、夜)1滴ずつ、5日間両眼に点眼して下さい。
点眼期間： 年 月 日 〜 月 日
□ 点眼時は両眼同時に点眼せず、できれば30分程度間隔を空けて下さい。
□ 確実に点眼できたか自信がない場合は、朝は右眼、夜は左眼から点眼して下さい。
□ 目薬の副作用で、稀に顔が赤くなったり熱が出たりすることがありますので、点眼後は体内への吸収を防ぐために目頭部分を1分程度押さえて下さい。
□ これらの症状が出たら点眼を中止し、眼科外来(○○○○-○○○○)に連絡して下さい。
□ 目薬は検査用です。本人以外には絶対使用しないで下さい。使用後は廃棄して下さい。

図 5-25 アトロピン硫酸塩を用いた屈折検査の説明書

シクロペントラート塩酸塩はpHが3.0〜4.5と低いために点眼時の刺激が強く，かなりしみる．頻度は低いが，神経系の副作用(一過性の幻覚，運動失調，情動錯乱)が起こることがある．

c. トロピカミド(tropicamide, ミドリン®M，ミドリン®P)

調節麻痺作用が弱く，散瞳効果が大きいため，一般に散瞳薬として用いられる．調節麻痺薬としては年長者の調節けいれんや調節の過緊張が疑われる症例でミドリン®Pが用いられるのみで，通常，小児には使用しない．ミドリン®Mはトロピカミドのみ，ミドリン®Pはフェニレフリン塩酸塩との合剤で，フェニレフリンが瞳孔散大筋のα_1受容体を刺激するため，さらに散瞳効果が大きい．散瞳作用は点眼後15〜20分で最大となり，回復までの時間は5〜6時間である．

4 検査方法

a. 調節麻痺薬の選択

上述したように，小児の屈折検査に適した調節

表 5-2 年齢および弱視・斜視の有無別による調節麻痺薬の使い分け例

<table>
<tr><th rowspan="3"></th><th rowspan="3">初診時</th><th colspan="2">精密屈折検査</th><th colspan="2">経過観察</th></tr>
<tr><th colspan="4">弱視・斜視</th></tr>
<tr><th>なし</th><th>あり</th><th>なし</th><th>あり</th></tr>
<tr><td>乳児期</td><td rowspan="4">シクロペントラート塩酸塩
トロピカミド（眼底検査）</td><td colspan="2">0.5% アトロピン硫酸塩</td><td></td><td></td></tr>
<tr><td>幼児期</td><td colspan="2">0.5～1.0% アトロピン硫酸塩</td><td>シクロペントラート塩酸塩</td><td>0.5～1.0% アトロピン硫酸塩</td></tr>
<tr><td rowspan="2">小学生</td><td>低学年
シクロペントラート塩酸塩
うち遠視・乱視 →</td><td rowspan="2">1.0% アトロピン硫酸塩</td><td>低学年
シクロペントラート塩酸塩</td><td rowspan="2">シクロペントラート塩酸塩</td></tr>
<tr><td>高学年
シクロペントラート塩酸塩</td><td>高学年
↓</td></tr>
<tr><td>中学生</td><td>他覚的屈折検査後の自覚的屈折検査</td><td>トロピカミド</td><td>シクロペントラート塩酸塩</td><td colspan="2">他覚的屈折検査後の自覚的屈折検査</td></tr>
</table>

麻痺薬はアトロピン硫酸塩とシクロペントラート塩酸塩の2種類であるが，その薬効の違いから，調節麻痺作用がより強力なアトロピン硫酸塩は精密な屈折値の測定に用いられ，シクロペントラート塩酸塩は初診時の屈折異常の有無あるいは経過観察時の屈折の推移などを調べる目的に用いられることが多い．特に，残余調節が診断と治療の妨げとなる調節性内斜視，部分調節性内斜視，不同視弱視あるいは屈折異常弱視の検査にはシクロペントラート塩酸塩の調節麻痺効果は不十分であり，アトロピン硫酸塩による精密屈折検査が不可欠である．

それぞれの薬剤の特徴を正しく把握し，患者の屈折値あるいは眼位によって調節麻痺薬を適切に使い分けることが大切である．年齢および斜視・弱視の有無別にみた調節麻痺薬の使い分けの一案を表 5-2 に示す．

なお，調節麻痺薬の使用に関する施設基準および副作用に関しては多施設共同研究の報告がある[5]．

b. 点眼時の注意

シクロペントラート塩酸塩は外来で，アトロピン硫酸塩は自宅にて点眼する．副作用を避けるため，点眼後は涙嚢部を約1分間圧迫し鼻涙管への流出を防ぐ．また，うまく点眼できなかったからといって，むやみに点眼しすぎることがないようにする．点眼を嫌がる小児には初回に右眼から点眼した場合は2回目の点眼は左眼からにする，などの工夫をする．

c. 屈折測定

散瞳状態と，アトロピンの場合は家庭での点眼状況を確認したうえでレフラクトメータまたは検影法で屈折を測定する．

視力検査が可能な症例は，測定した屈折値での矯正視力を測定する．このときピンホールを入れる必要はない．矯正レンズが正しければ，散瞳の影響で矯正視力が不良となることはほとんどない．

検査のポイント

☑ 点眼時の説明

点眼に際しては，まず保護者に，① なぜ調節麻痺薬を使用しなければならないのか，② 点眼するとどのようなことが眼に起こるのか，③ 点眼によって起こる副作用にはどのようなものがあるのか，などを十分に説明し，同意を得る．幼小児は点眼に激しく抵抗することが多く，このような患者には保護者の協力が必要不可欠であるため，調節麻痺薬の使用に対する保護者の正しい理解は必須である．アトロピンの副作用が疑われた場合は使用を中止し，担当の医師または視能訓練士に報告するように

カルテ番号　○○○○

調節麻痺薬サイプレジン® を用いた精密屈折検査に関する説明書

1. 目薬を点眼する理由

□ 近視、遠視、乱視といった「屈折異常」を正しく調べます。
□ 眼には水晶体の厚みを自在に変えてピントを合わせる「調節」という機能があります。
通常、屈折検査は遠方の視標をボンヤリ見ることで調節を緩めて検査を行いますが、小児は調節力が強く上手に緩めることが出来ないため、目薬で調節機能を麻痺させて本来の屈折度数を測定します。

2. 目薬について

□ 目薬はしみます(個人差あり)。
□ ものを見ようとしてもピントが合わなくなり、特に近くが見えにくく老眼のようになります。
□ 瞳孔(ひとみ)が大きくなり、まぶしくなります。
□ これらの変化は一時的なもので、1日から2日(個人差あり)で元に戻ります。
□ 目薬の副作用として、稀に眠気や一過性幻覚などを起こすことがあると報告されています。
□ 点眼後に日常と異なる様子がみられたら、担当者に申し出て下さい。

図 5-26　シクロペントラート塩酸塩を用いた屈折検査の説明書

伝えておく．

また，外来で点眼し同日に屈折検査を行うシクロペントラート塩酸塩の使用は，点眼から十分な調節麻痺作用が発現するまで時間がかかることを了承してもらう必要がある．

各調節麻痺薬の説明書の一例を図 5-25，26 に示す．

☑ 調節麻痺効果の確認

屈折値測定の際に調節麻痺薬が正しく効いているかどうかを瞳孔の対光反射と測定中の屈折値の動揺から確認する．

☑ アトロピンの副作用への対応

アトロピンの副作用の連絡を受けたら，電話などで全身状態の確認をする．アトロピン点眼中に感冒などを発症してしまう例もあるが，点眼開始数回以内の発熱で 39℃を超える高熱でなく，感冒様症状を伴わないことが確認できたら，できるだけ速やかに来院してもらう．アトロピンによって副作用を起こす患者は副作用を繰り返すことがあるので，点眼回数が少なくてもアトロピン点眼後の屈折検査を行っておくことは有用である．

☑ 検査の落とし穴

せっかく点眼しても，患者の点眼への拒否反応が強いと流涙や強い閉瞼によって調節麻痺薬の効果が不十分なことがある．また，アトロピンを自宅で点眼する場合は，保護者のコンプライアンスが悪いと指示通りに点眼していない場合があるので，点眼回数や点眼状況(患者が抵抗しなかったかなど)を確認し，記録しておく．

▶文献

1) 所　敬：屈折異常とその矯正　改訂第4版．p210，金原出版，2004
2) 外山恵里，関　ゆかり，高橋里佳，他：小児に対するアトロピン硫酸塩点眼薬における副作用の発現率と症状．日視会誌 43：213-218，2014
3) 久保田伸枝，平野久仁子：小児の屈折検査における調節麻痺剤について―アトロピンとサイプレジンの比較．眼科 16：419-423，1974
4) 森　隆史，八子恵子，飯田知弘，他：乳幼児に対するアトロピン点眼液を用いた調節麻痺下の屈折検査．眼臨紀 1：157-160，2008
5) 若山暁美，仁科幸子，三木淳司，他：調節麻痺薬の使用に関する施設基準および副作用に関する調査：多施設共同研究．日眼会誌 121：529-534，2017

(中川真紀)

第6章 調節検査

I 調節

正視眼では焦点がちょうど網膜上にあるので，平行光線は網膜上に結像する．このままの状態では，眼前有限の距離にある物体からの光は網膜の後方に結像する．もし眼の焦点の位置を変えることができなければ，眼前有限距離の物体は明視できないわけであるが，実際には焦点の位置を変えることができる．この仕組みを眼の調節と呼ぶ．

1 生理的機構

Purkinje-Sanson によれば，無調節状態での水晶体前面曲率は 10 mm，水晶体後面曲率は 6 mm，調節時の水晶体前面曲率は 6 mm，水晶体後面曲率は 5.5 mm，調節時の水晶体屈折力の増加は主に前面の曲率の変化に委ねられており，後面の曲率はほとんど変わらない．もともと水晶体実質の弾性は非常に少なく，外部からの力で変形を受けても，元の形に戻る力は小さい．弾力性があるのは水晶体嚢である．

a. 調節の神経支配

毛様体筋は自律神経の支配を受けている．副交感神経は Edinger-Westphal 核を出て動眼神経の中を下り，毛様体神経節でニューロンを変え，節後線維は短毛様体神経となり，一部は虹彩に，一部は毛様体筋に分布する．交感神経は頸部交感神経線維が長毛様体神経となって，眼球に入る．Byrne および Olmsted らによると毛様体筋も虹彩と同じく交感神経と副交感神経の二重支配を受けると考えられる．

毛様体筋は輪状線維(Müller 筋)，放射状線維および経線状線維(Brücke 筋)が存在するが，調節に関与しているのは主として輪状線維である．毛様体筋が収縮すると，瞳孔括約筋と同じようにリング状の毛様体筋が内径を小さくし，その内側に付着している毛様小帯が緩む．毛様小帯が緩むと，水晶体を円盤状に引っ張る力が緩んで，水晶体は自らの弾性で厚みを増す．

b. 屈折と調節の名称

ピントを合わせることができる最も遠い距離は遠点，最も近い距離は近点という．自覚検査で得られる遠点は自覚遠点といい，オートレフラクトメータや赤外線オプトメータで他覚的に得られる最も低い屈折値を距離に換算した値を他覚遠点という．自覚的にピントを合わせることができる最も近い距離が自覚近点，赤外線オプトメータなどで他覚的に測定される最大調節時の屈折値を距離に換算した値が他覚近点である．それらの位置関係は通常は自覚遠点，他覚遠点，他覚近点，自覚近点の順である(図 6-1)．自覚遠点と自覚近点の間を自覚的調節域(明視域)と呼び，他覚遠点と他覚近点の間を他覚的調節域と呼ぶ．調節域の幅をジオプトリ単位で示したものを調節力という．

どこを見るともなくボーッと見ているときに

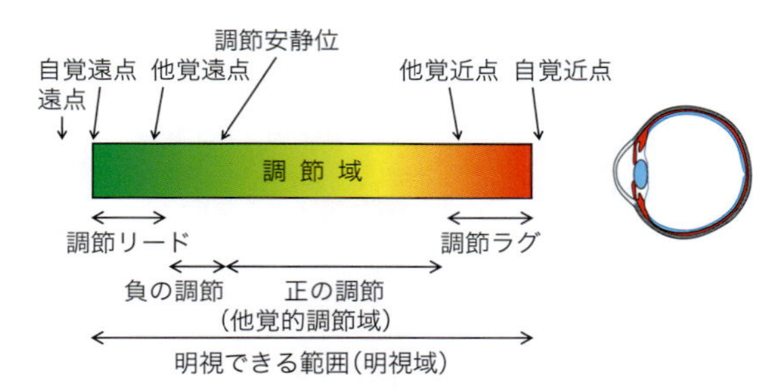

図 6-1　調節に関する名称

遠点：調節麻痺剤などで毛様体筋を完全に弛緩させた状態でピントが合う距離.
自覚遠点：自覚的にピントを合わせることができる最も遠い距離.
他覚遠点：赤外線オプトメータなどで記録できる最も低い(最もマイナス寄り)の屈折値を距離に換算した値.
他覚近点：赤外線オプトメータなどで記録できる最も高い(最もプラス寄り)の屈折値を距離に換算した値.
自覚近点：自覚的にピントを合わせることができる最も近い距離.
調節安静位：生理的な緊張状態でピントが合っている距離.

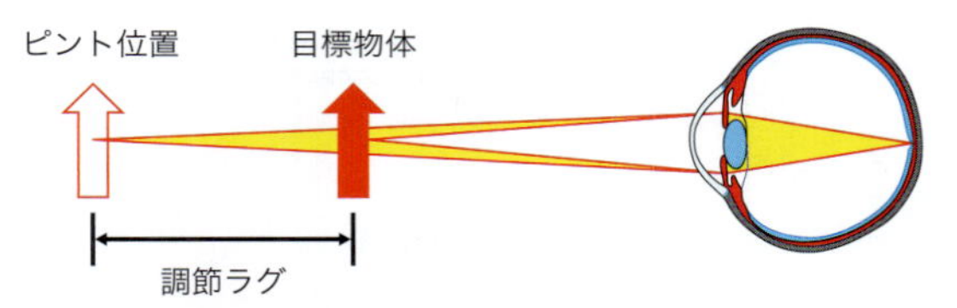

図 6-2　調節ラグ(調節の遅れ)

明視物体の距離よりも遠くにピントを合わせて明視している状態.

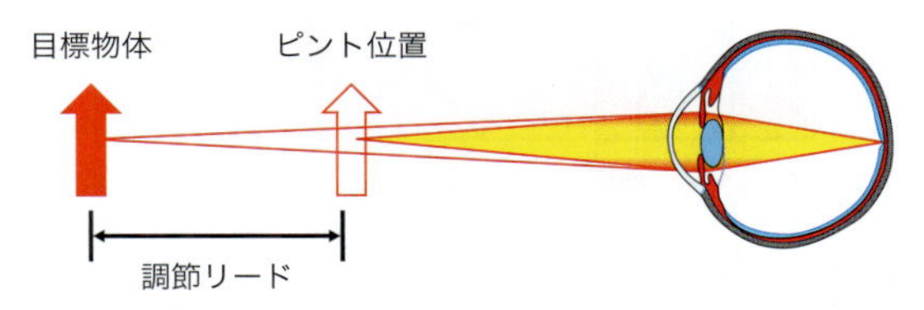

図 6-3　調節リード(調節の進み)

明視物体の距離よりも近くにピントを合わせて明視している状態.

は，遠点にピントが合った状態ではなく，それよりも若干近くにピントが合っている．生理的調節緊張下における屈折状態であり，このときピントが合っている位置は調節安静位と呼ばれる．

調節安静位から近方に向かう調節を正の調節，調節安静位から遠方へ向かう調節を負の調節と呼ぶ．通常は両者を合わせて調節と呼んでいる．

明視域の範囲内にある物体を注視しているときに，その物体の位置に正しくピントを合わせているとは限らない．これは大脳の視覚処理が関与すると考えられている．明視物体の距離よりも遠くにピントを合わせている状態を調節ラグ(調節の遅れ)と呼び(図 6-2)，明視物体の距離よりも近くにピントを合わせている状態を調節リード(調節の進み)と呼んでいる(図 6-3)．正常な調節機能状態にある場合には，通常，調節安静位よりも遠方では調節リードが生じ，調節安静位よりも近方では調節ラグが生じる．

2 加齢変化

加齢に伴い調節力は低下する．水晶体嚢の弾性が減少し，水晶体は固くなる．毛様体筋が収縮して毛様小帯が弛緩しても水晶体の曲率が十分に増加しなくなることが調節力減少の原因と考えられている．年齢とともに毛様小帯の作用力が減少することも関与すると考えられている．年齢の増加とともに調節力が減じ，近点が遠ざかるのが老視の一般的現象であるが，石原[1]によれば 50 歳以後になると遠点も遠ざかり屈折状態が一般に遠視側へ移行するもので，いわゆる老人性遠視となる．屈折値は 30 歳くらいまでは近視側にシフトし，その後は遠視側にシフトする(図 6-4)．平均的には加齢に伴い＋2.00 D 程度遠視化する[2]．恒久的な屈折矯正を行うときには加齢に伴う遠視化に対する注意が必要である[3]．

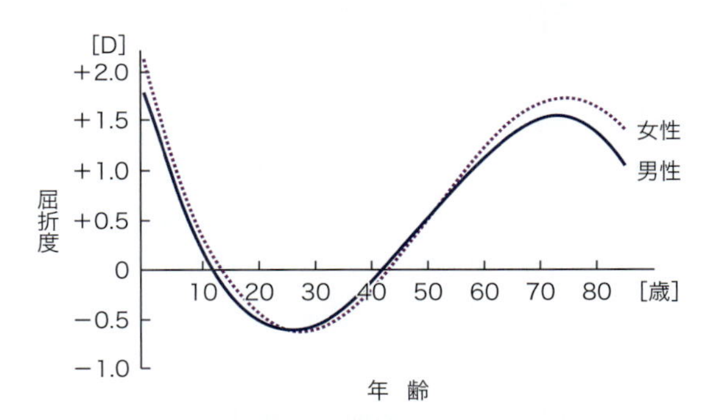

図 6-4　青年期正視眼の加齢と屈折値の変化

〔魚里　博：加齢と眼(田野保雄 監：新図説臨床眼科講座第 6 巻)．メジカルビュー社，pp22-23，1999 より一部改変〕

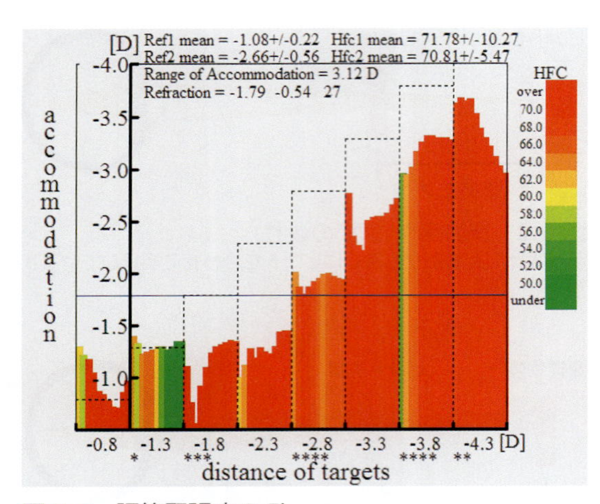

図 6-5　調節緊張症の Fk-map
調節応答は視標によく追随しているが，どの視標距離に対してもHFC値が高い.

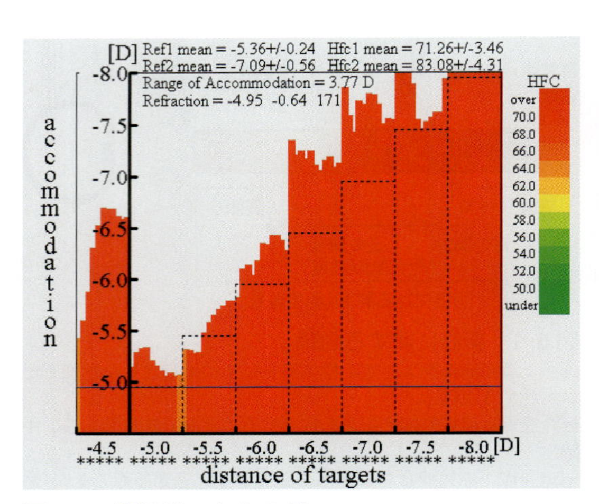

図 6-6　調節けいれんの Fk-map
調節応答は視標を追随できず，強い調節リード状態にあり，HFC値が高い.

3 調節障害（けいれん，麻痺）

調節緊張時間・調節弛緩時間のいずれか一方，あるいは両者ともに延長を示すものが古典的な調節緊張症とされている[4]が，調節機能解析装置では調節異常を他覚的に観察できる(「負荷後調節検査」を参照⇒109頁)．すなわち，遠方から近方の視標に対して調節はよく追随するが，毛様体筋に強い震えが観察されるものを調節緊張症(図6-5)，呈示視標位置に調節が追随できず，屈折値が不安定で，毛様体筋に強い震えが観察される状態を調節けいれん(図6-6)とすると理解しやすい[5]．

▶文献

1) 石原　忍：日本人の目の調節，河本記念論文．日本眼科学会誌 23，1912
2) 魚里　博：眼光鋭く．Tomey Ophthalmology News 28：5，2001
3) 梶田雅義：年齢と屈折度の変化．あたらしい眼科 18：1233-1237，2001
4) 加藤静一：日本眼科全書 7 巻 5 冊 調節および調節障害．p1，p53，p77，金原出版，1955
5) 鈴木説子，梶田雅義，加藤桂一郎：調節微動の高周波成分による調節機能の評価．視覚の科学 22：93-97，2001

II 調節検査

1 検査の概要

目的 ピント合わせの能力を定量的に測定する．

原理 ピントを合わせることができる最も遠い距離と最も近い距離を測定して，調節の能力を定量する．

適応 遠くがよく見える屈折矯正状態で近方視に障害がある患者の視機能検査．

機器 近点計．

2 原理

自覚遠点と自覚近点を求めて，ピント合わせができる能力(調節力)を求める．

自覚的調節検査と他覚的調節検査がある．

a. 自覚的調節検査

明視できる最も近い距離(近点距離)と最も遠い距離(遠点距離)を計測する．距離をジオプトリに変換して，それぞれ近点屈折値および遠点屈折値を算出する．

調節力は，

調節力＝遠点屈折値－近点屈折値

で算出する．

近点屈折値を求めるには，眼前に視標を呈示して，明視が可能な最も近い距離を測定する．明視できる距離が 50 cm 以上である場合には，＋2.00 D を眼前 12 mm の位置に置いて検査を行う．それでも 50 cm を超える場合にはさらに＋2.00 D 加えて同様の検査を行う．

視標は 30 cm 近方視力表の 0.4 あるいは 0.5 程度の視標サイズを使用するのが一般的である．明視できる最も近い距離が x cm であり，前置レンズが Dsp ジオプトリであるとき，近点屈折値 Dn は，

$$\mathrm{Dn} = -100/x + \mathrm{Dsp}$$

である．

遠点距離を求めるには，眼前に視標を呈示して，明視が可能な最も遠い距離を測定する．明視できる距離が 50 cm 以上である場合には，＋2.00 D を眼前 12 mm の位置に置いて検査を行う．それでも 50 cm を超える場合にはさらに＋2.00 D 加えて同様の検査を行い，これを繰り返す．明視できる最も遠い距離が y cm であり，前置レンズが Dsp ジオプトリであるとき，遠点屈折値 Df は

$$\mathrm{Df} = -100/y + \mathrm{Dsp}$$

である．

このときの調節力 P ジオプトリは，

$$\mathrm{P} = \mathrm{Df} - \mathrm{Dn}$$

で算出する．

実際には前置レンズや視標の呈示距離によって網膜像の大きさが変わるので，厳密に正しい自覚的調節力を測定することは困難である．

b. 他覚的調節検査

オートレフラクトメータの固視標呈示位置を制御できるように改造し，呈示視標を注視しているときの眼屈折を他覚的に記録する．被検眼が作ることができる眼屈折力の最大値と最小値を測定し，その差を他覚的調節力とする．

3 適応

調節衰弱，調節麻痺，調節不全麻痺，老視などの調節力の減弱が疑われる疾患．

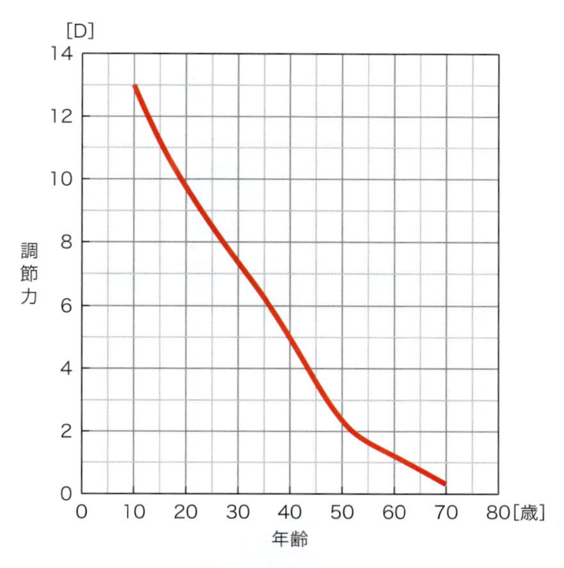

図 6-7　加齢・自覚的調節力曲線
調節力は加齢に伴い減衰の一途にある．調節機能が全くなくなった年齢でも調節力がゼロにならないのは，偽調節の影響である．
(梶田雅義：老視用眼鏡の最近の進歩．あたらしい眼科 22：1035-1040，2005 より)

4 正常値

過去に報告されている自覚的調節力を平均して示すと[1)]，10 歳では 13 D 程度の調節力が検出されるが，加齢に伴い変化し，35 歳頃には半減し，45 歳頃には，遠方がよく見えるような矯正状態では近方視に支障がでるまでに低下する(図 6-7)．自覚的調節力には調節リードや調節ラグが含まれるため，他覚的調節力が発揮できない年齢になっても自覚的調節力はゼロにはならない．

5 検査機器

a. 自覚的検査装置

自覚的調節力の測定に欠かせない器具として臨床で長く使われてきたものに「石原式近点計」がある．この装置は手動式で，調節力の量定に影響が大きい近点の決定が視標の移動速度に左右され，測定値は極めて不安定であった．本装置は視標を検者の手で動かし，角膜頂点からの明視の限界点である近点と，遠点(−2.00 D よりも弱い近視あ

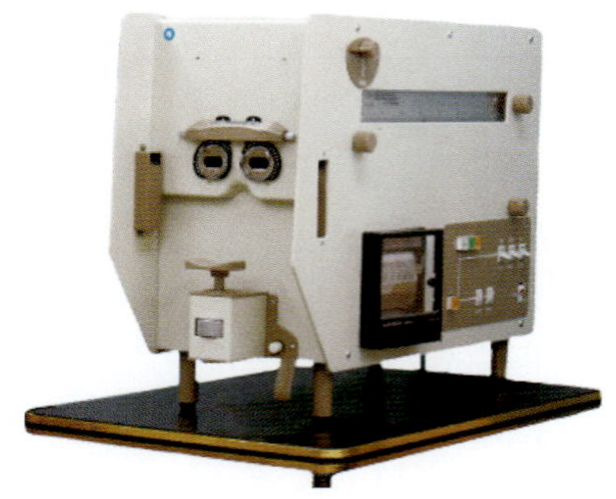

図 6-8 アコモドポリレコーダ(コーワ社製)
自覚的な調節緊張速度と緊張弛緩速度が測定できる.

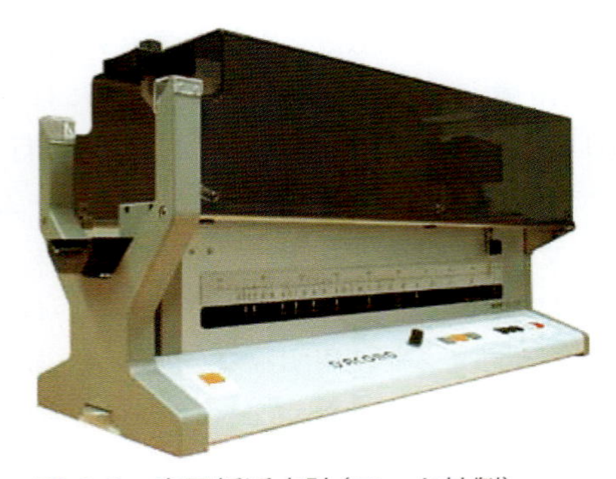

図 6-9 定屈折近点計(ワック社製)
視標が近づくにつれて視標の実速度が減少するため,近点距離測定の再現性が向上する.

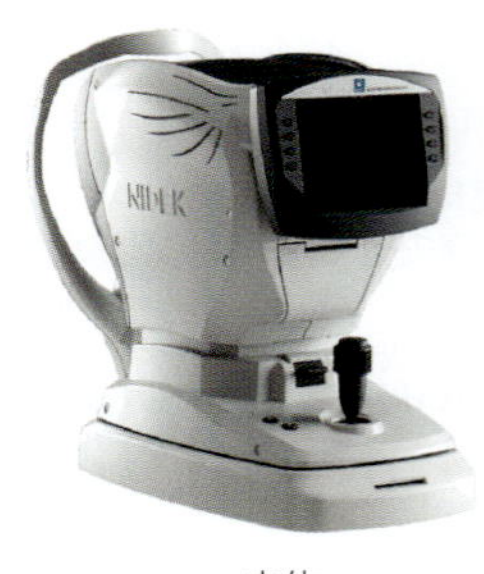
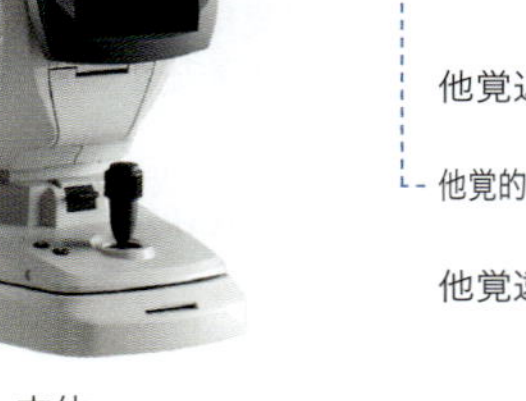

a 本体

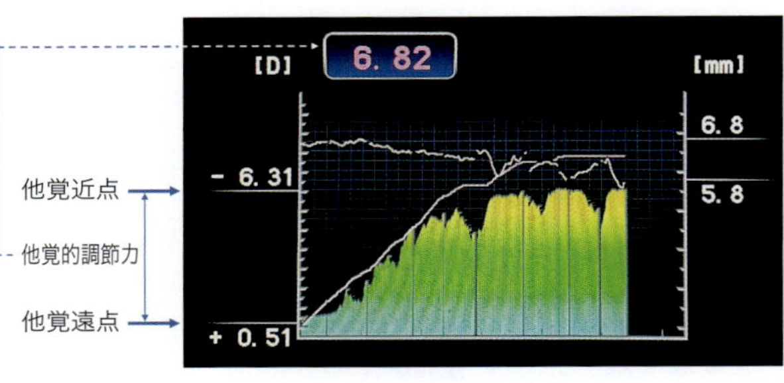

b 記録の1例

図 6-10 オートレフケラトメータ ARK-1s(ニデック社製)
a. 他覚的調節力測定機能を備えている.
b. 他覚的調節力. 図aの装置で記録した.

るいは遠視ではプラスレンズを眼前に置いて測定)を求め,その差から調節力を計算するものである.その後,手動式から電動式に改良されたが(図 6-8),視標が近づくにつれ調節にかかる負荷の速度が速くなるため,被検者の対応が追いつかず,好ましい結果が得られなかった.「定屈折近点計(ワック社製)」(図 6-9)は屈折度の変化に対応して視標を移動させるものであり,比較的満足できる測定結果が得られる.いずれも,調節力,調節幅を測定する目的で作られた装置である.

b. 他覚的検査装置

被検者の自覚的な明視判定基準に影響されず,被検眼が呈することができる最大眼屈折力と最小眼屈折力を他覚的に測定する.

1) アコモドメータ

アコモドメータ AA-2000(ニデック社製)はオートレフの内部視標の動きをコンピュータによって制御し,被検者の屈折系の変化を赤外線オプトメータにより経時的に記録するものであった.これによって他覚的な調節力を測定することができた.最近では ARK-1s(ニデック社製)に同装置が装備されており,他覚的な調節力の測定が可能である(図 6-10).他覚的に調節力を測定できるが,被検者の調節努力が必要であるため,被検者の気分や心理状態の影響をうける.

検査のポイント

☑ 自覚的調節検査

明視できるか否かの判断は被検者に委ねられているため,被検者の気分によって結果が変動する可能性がある.調節力が異常に小さい場合に,調節ができないのか,片眼でピントを合わせるコツが分からずに調節できないのか，調節をしたくないのかなどの鑑別は困難である．また，調節緊張症では正常者以上に好結果が検出されることがある．

☑ 他覚的調節検査

網膜のボケ像を大脳がボケ像として認知したときに，ピントを合わせようとする行動が起こされるため，個人差が大きい．また，被検者の最大調節力を引き出す検査のため，心理的な影響を受け，再現性に乏しい．検査結果だけでは自覚的調節力と同様に正常と異常の区別は困難である．

▶文献

1) 梶田雅義：老視用眼鏡の最近の進歩．あたらしい眼科 22：1035-1040，2005

III 負荷後調節検査

1 検査の概要

目的 呈示視標を注視したときに生じる調節反応量を他覚的に定量し，毛様体筋の機能状態を定性・定量的に推定する．

原理 固視標を呈示し，それを注視しているときの眼屈折を計測する．

適応 眼精疲労および調節異常の診断が必要な症例．調節緊張症，調節けいれん，調節衰弱，老視など．

機器 調節機能解析装置．

2 原理

固視標を呈示することによって調節負荷を与えたときの調節力や調節動態の変化を観察する．

a. 調節機能の解析

水晶体は毛様体筋の内側に付着する毛様小帯によって宙づりの状態にあるため，毛様体筋の震えは水晶体を振動させて屈折値に揺れを作る．この屈折値の揺れは調節微動と呼ばれている．毛様体筋に過剰な負荷がかかると毛様体筋の震えが強くなり，調節微動も大きくなる．調節微動の高周波数成分は毛様体筋の活動を反映することがわかってきている．一定距離の視標を固視したときの調節微動の強さを解析することによって，毛様体筋の活動状態を観察する目的に製作されたのが調節機能解析装置である．

3 方法

a. 調節機能の解析

装置の内部視標を他覚的屈折値に＋0.50 D 加えた雲霧状態から，無限位置，−0.5 D，−1.0 D，−1.5 D，−2.0 D，−2.5 D，−3.0 D の距離に呈示し，視標を注視しているときの調節反応量と調節微動を記録することによって，調節機能図(fluctuation of kinetic refraction map：Fk-map)を作成する．

4 適応

眼精疲労，調節衰弱，調節麻痺，調節不全麻痺，および老視などの調節機能の低下が疑われる疾患．

5 正常値

調節機能解析装置による測定結果は Fk-map で表示される(図 6-11)．正常な調節機能を有する例の平均値では，毛様体筋に負担を掛けないで発揮できる調節力は 30 歳代後半で低下を始め，50 歳代前半では他覚的には調節力は全く認められなくなる(図 6-12)．

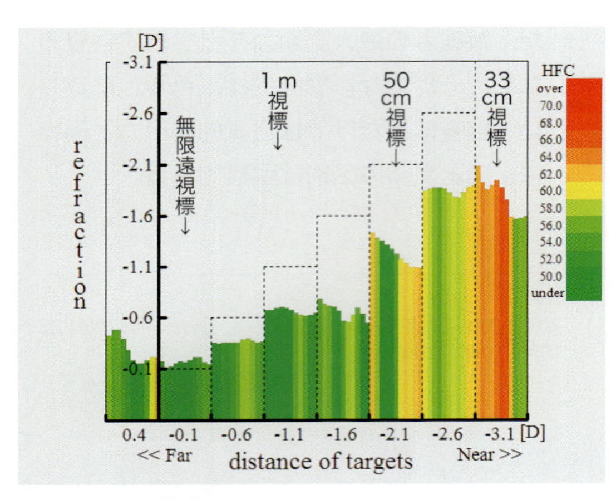

図 6-11 正常者の Fk-map

調節機能解析装置の結果は Fk-map で表示される．横軸は呈示視標，縦軸（カラーバーの高さ）は被検眼の屈折値，カラーバーの色は HFC[注1] 値を示す．遠方視表では HFC 値が低く緑色を呈しているが，近方視力では HFC 値がわずかに上昇し，黄色から橙色を示している．

6 検査機器

a. AA-2（ニデック社製）（図 6-13）

オートレフラクトメータの測定値を基準に視標位置を +0.5，±0.0，−0.5，−1.0，−1.5，−2.0，−2.5，−3.0 D の 8 段階に設定し，それぞれの視標に対する屈折値を経時的に測定し，調節微動を計測する装置である．視標位置を ±0.0，−1.0，−2.0，−3.0 D の 4 段階で測定する Lite モードも準備されている．乱視眼では視標側で矯正する装置を備えているため，乱視眼でも視標を注視しやすい特徴を有する．

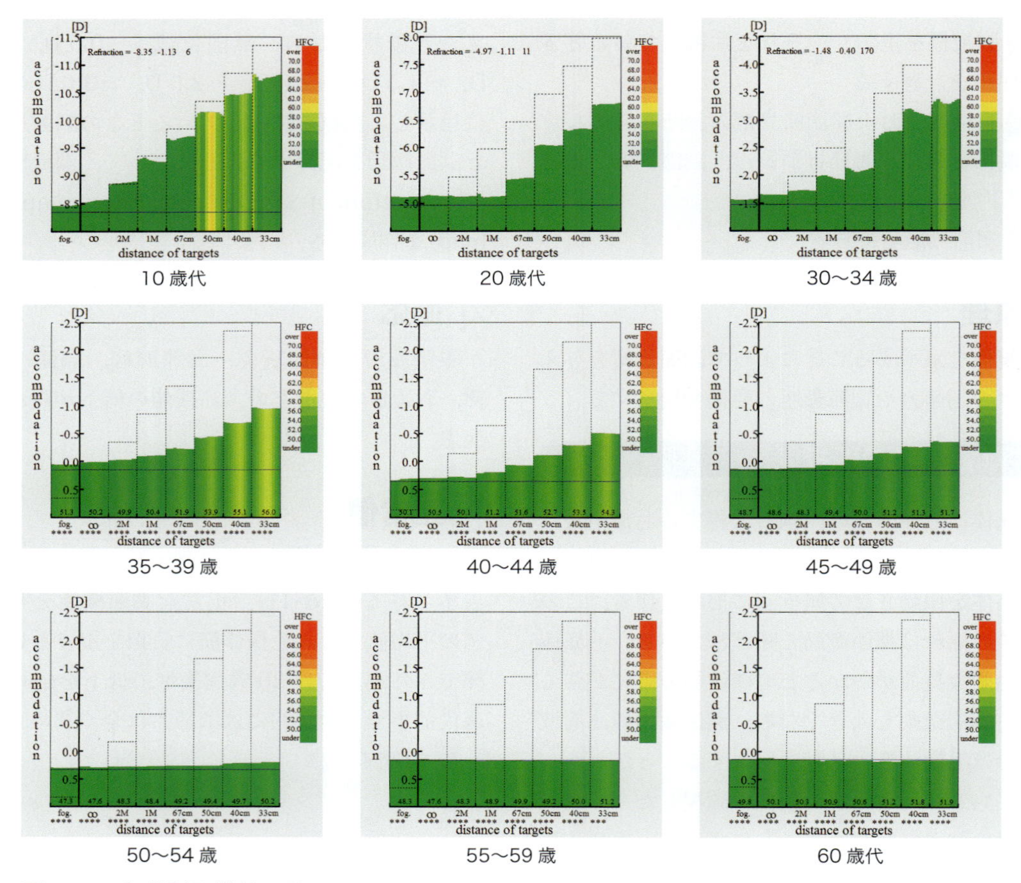

図 6-12 年代別正常者の Fk-map

調節応答は 35 歳頃から急激に減少を始め，50 歳代でほぼ消失する．

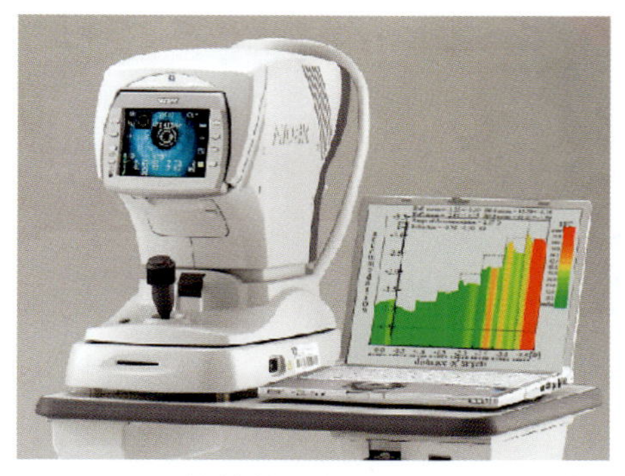

図 6-13　調節機能解析装置 AA-2(ニデック社製)
乱視を視標側で矯正するため，乱視眼でも呈示視標が見やすい．

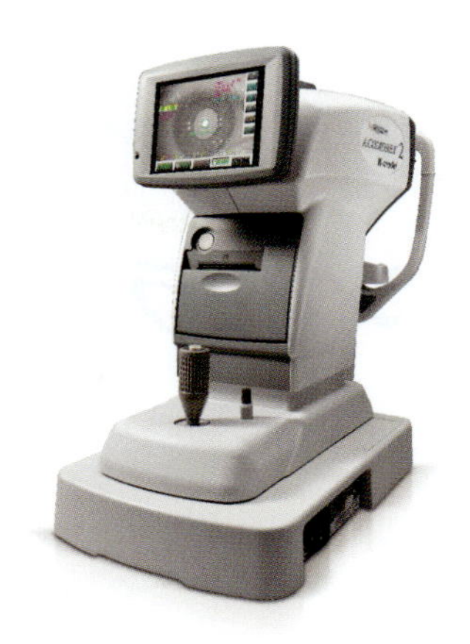

図 6-14　調節機能解析装置アコモレフ 2(ライト製作所製)
スクリーニングモードを備えており，測定時間の短縮が図れる．

b. アコモレフ 2(ライト製作所製)(図 6-14)

オートレフラクトメータの測定値を基準に視標位置を +0.5，±0.0，−0.5，−1.0，−1.5，−2.0，−2.5，−3.0 D の 8 段階に設定するスタンダードモードと視標位置を ±0.0，−1.0，−2.0，−3.0 D の 4 段階で測定するスクリーニングモードの設定が可能である．それぞれの視標に対する屈折値を経時的に測定し，調節微動を計測する装置である．

検査のポイント

☑ 近方作業負荷後の調節力測定

近方視作業による疲労後には屈折値は近視化すると考えられているが，実際には遠視化する例と近視化する例が存在する[1,2]．また，調節力の測定は自覚検査であるため，心理的な影響で変動し，信頼性に乏しい．

☑ 他覚的調節力の測定

調節が適切に呈示視標を追随できるかを観察することができるが，最大調節力を計測するため，被検者の調節努力に依存して変動する．また，調節緊張症があっても，調節力は低下していないので，調節異常として検出できない．視標の追随が悪い場合でも調節しないのか，調節努力を行っても調節ができないのかの鑑別はできない．

☑ 調節機能の解析

最大調節負荷が −3.0 D であるため，被検者の調節努力による変動が介入しにくい．また，一定の調節力を発揮しているときの毛様体筋の頑張り度が HFC 値で定量できるため，調節努力を行っても調節できない状態を判定できる．片眼固視で調節を誘発させる検査であることから，片眼視での視標のステップ移動にピントをうまく合わせられない症例が存在する．

注 1　HFC(high frequency component)：調節微動は意味ある周波数帯として，0.6 Hz 未満の低周波数成分と 1.0〜2.3 Hz の高周波数成分に分けられるとされている[3,4]．低周波数成分は調節そのものの動きであり，高周波数成分は毛様体筋の震えによって生じている．調節微動を Fourier 変換で周波数のスペクトルパワーを求め，高周波数成分のスペクトルパワーの積分値を出現頻度(HFC)として示す．

▶文献

1) 梶田雅義：IT 機器使用による調節機能変化の検討．日本眼科医会 IT 眼症と環境因子研究班業績集：100-103，2002-2004
2) 梶田雅義，高橋奈々子，高橋文男：調節負荷とドライアイ一関係の可能性について．視覚の科学 25：40-45，2004
3) Campbell FW, Rebsor JG, Westheiroey G: Fluctuations of accommodation under steady viewing conditions. J Physiol 145: 579-585, 1959
4) 梶田雅義：調節微動の臨床的意義．視覚の科学 16：107-113，1995

(梶田雅義)

第7章 コントラスト検査

I コントラスト感度

1 概要

日常生活においては多種多様なサイズ，色，濃淡の状況下でものを見ている．臨床における視力が良好であっても，実際の見え方では不満を訴える患者は少なくない．そこで，実際に日常生活でどのように見えているかを評価する指標の1つとして，コントラスト感度曲線(contrast sensitivity function：CSF)が挙げられる[1]．図7-1にCampbellら[2]によるコントラストチャートを示す．コントラスト感度曲線は様々な空間周波数帯におけるコントラスト閾値を測定することで得られる．これを測定することで，視力検査では評価することが不可能であった種々の条件における視機能を評価することができるようになった．近年では患者の視覚の質(quality of vision：QOV)の向上が大切であると考えられており，コントラスト感度検査が重要になっている．

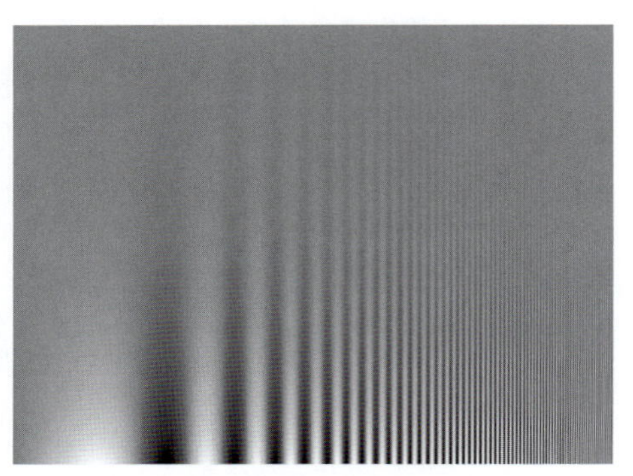

図7-1 Campbell-Robson コントラストチャート
縦軸にコントラスト，横軸に空間周波数を示す．上に行くほどコントラストは薄くなり，右に行くほど高空間周波数すなわち縞が細かい．視覚系CSFでは数cycles/deg付近で最もCSFが高いことがわかる．

2 コントラスト

白黒の濃淡あるいは明暗の比をコントラスト(contrast)という．Landolt環視標の場合には視標と背景輝度の対比を意味する．コントラストの値Cは輝度の最大値をLmax，最小値をLminとすると，

$$C=(Lmax-Lmin)/(Lmax+Lmin)$$

となる(Michelsonの公式)．コントラストは通常0から1の間の数値をとり，これを%コントラストで表すことが多い．

3 空間周波数

種々の縞の細かさを空間周波数(spatial frequency)で表す．空間周波数の単位としては通常cycles/degree(cpd)あるいはcycles/mmを用い，これは単位視角(あるいは長さ)あたりに白黒の縞が何組あるかで表現している．空間周波数特性の測定に使用されるパターンは図7-2のような正弦波格子パターンである．輝度の変化は次式で表される．

$$L(x)=L(1+m\sin 2\pi f_x)$$

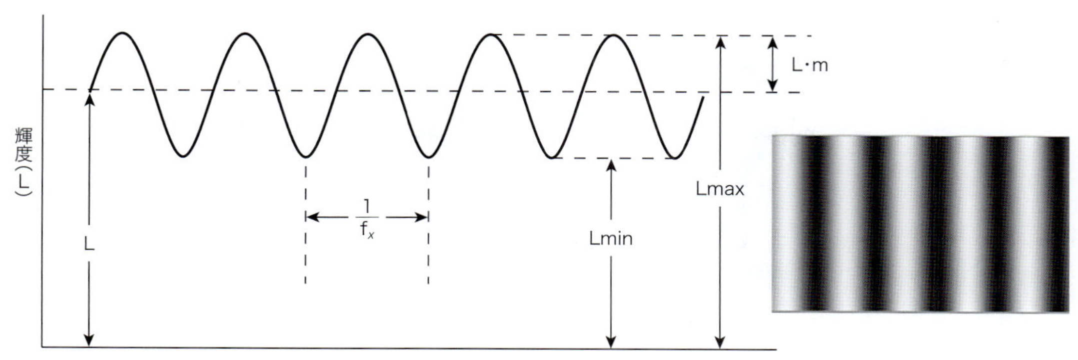

図 7-2　正弦波格子パターン
輝度（L）は L（x）＝L（1＋msin2πfx）で表される．
L はパターンの平均輝度，L・m は正弦波の振幅，m は変調度，f_x は空間周波数．
（Campbell FW, Robson JG: Application of Fourier analysis to the visibility of gratings. J Physiol 197: 551-566, 1968 より）

また，空間周波数は小数視力に換算することが可能である．空間周波数 30 cpd は視角 1 度の中に 30 組の白黒の縞が存在することになり，このことから縞間隔は 1 分となる．すなわち，視力 1.0 の分解能に相当する．

4 コントラスト閾値とコントラスト感度

コントラストを変化させたとき，与えられた空間周波数で識別できる最小コントラストをコントラスト閾値（contrast threshold）とし，このコントラスト閾値の逆数をコントラスト感度という．

5 MTF と CSF

コントラスト感度の測定は，視覚系の空間周波数特性（modulation transfer function：MTF）を測定している．純粋な光学系の MTF と視覚系 MTF である CSF の違いは，CSF が光学系のみならず，神経系の影響を受けることにある．光学系 MTF は空間周波数が大きくなるとともに，コントラスト感度が低下する右下がりのローパス型を示すが，網膜や中枢系の影響する視覚系 MTF である CSF では低空間周波数におけるコントラスト感度が低下しているバンドパス型を示す[3,4]（図 7-3）．図 7-1 のようにコントラスト感度曲線は様々な空間周波数に対するコントラスト感度を求めるため，通常は横軸に空間周波数（cpd），縦軸にコントラスト感度（あるいは閾値）を対数スケールで表示している（図 7-4）．

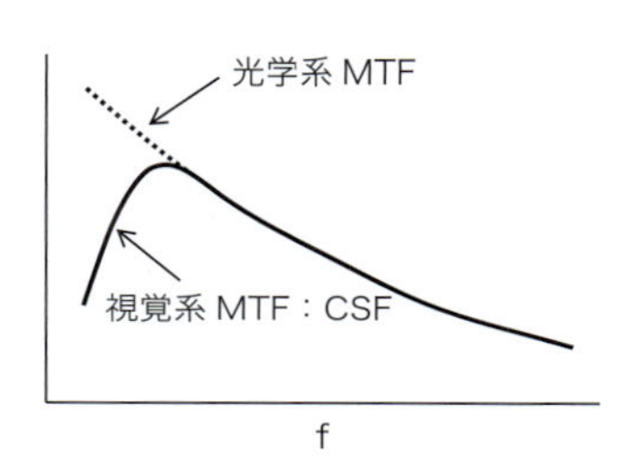

図 7-3　光学系 MTF と CSF
縦軸に MTF あるいは CSF の感度，横軸に空間周波数を示す．破線が MTF の感度，実線が CSF の感度曲線となっている．CSF は MTF 高空間周波数帯で感度低下するバンドパス型の感度曲線．

6 AULCSF による評価

得られたコントラスト感度を統計学的に処理する場合，AULCSF（area under log contrast sensitivity function）という方法を用いる．これはコントラスト感度が各周波数帯で伝達特性が異なり，一定の周波数帯で比較することが困難なためである．AULCSF はそれぞれの空間周波数から得られたコントラスト感度曲線を三次関数として近似し，その対数グラフの積分値を求める方法である（図 7-5）．この方法を用いる場合は，各空間周波数閾における有意な変化を捉えることができない一方で，全体的なコントラスト感度の低下などを反映することができる．

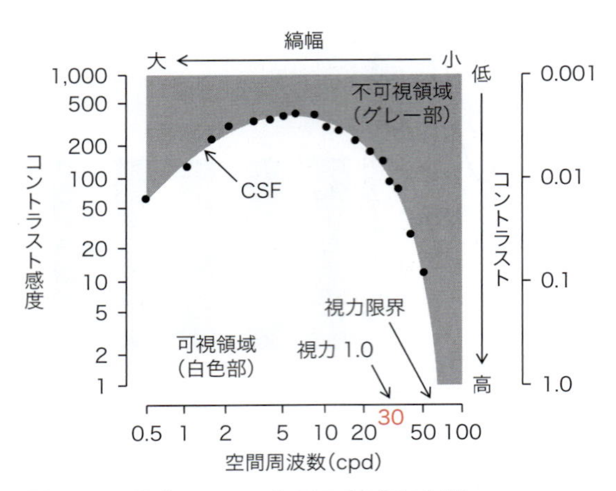

図 7-4 明所でのコントラスト感度曲線
空間周波数が高すぎても低すぎても，コントラスト感度は低下するバンドパス型を示す.

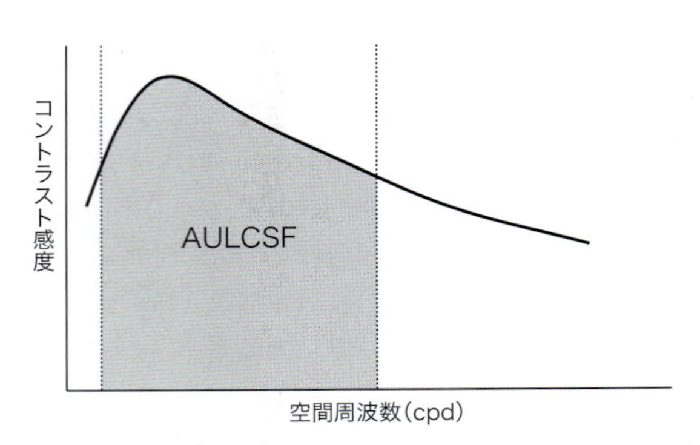

図 7-5 AULCSF
コントラスト感度を対数値に換算し，対数グラフの面積を求める.

II コントラスト検査

1 検査の概要

目的 視力検査では捉えきれない日常視の評価.

原理 様々なコントラスト視標を用いた自覚的検査.

適応 視力良好であるにもかかわらず自覚的な見えづらさを訴える者.

機器 コントラスト視力検査装置，コントラスト感度検査装置.

2 原理

コントラスト感度の測定は次の2つの種類に大別される. コントラスト視力(contrast visual acuity)や対比視力といった文字またはパターンのコントラストを低下させて測定する方法と，正弦波の縞のコントラストを低下させ視覚系のMTFであるCSFを測定する方法である[5]. コントラスト視力は通常の視力検査結果との比較がしやすい. 一方で，Landolt環や文字視標を用いると矩形波成分を含むため，正弦波状の基本周波数以外に高周波成分を含むことになり多少コントラスト感度に影響を及ぼす. そのためコントラスト視力とCSF両者の方法でコントラスト感度を同一に評価することは難しい.

3 適応

コントラスト感度の測定は，前述したように日常での視機能を評価していると考えられている. そのため，検査対象は高コントラスト視標を用いた視力検査(すなわち従来の視力検査)で視力良好であるにもかかわらず，自覚的には見えにくいと訴えるような患者が対象となる. 例としては軽度白内障眼[6]，LASIKに代表される角膜屈折矯正手術前後などが挙げられる. その他，屈折異常に代表されるような光学系の異常，網脈絡膜系の異常など視力低下をきたす様々な疾患でも対象となる. 逆に，高コントラスト視標を用いた通常視力検査にて視力不良な場合には，検査時の視標認識がかなり低下していることもありコントラスト感度検査は適さない.

4 検査方法

コントラスト視力の測定は，コントラスト感度を考慮し視力を評価する方法である. 多くはLandolt環視標や文字視標を用いるため，各コントラストにおける小数視力で評価する. 一方，コントラスト感度の測定では，一般には横軸に空間周波数，縦軸にコントラスト感度(閾値)で表されるコントラスト感度曲線で評価する．どちらの測定でも，視標は種々のコントラスト視標を並べた視力表を用いる．

遠見の場合には完全矯正眼鏡を装用，近見の場合には検査距離と年齢に応じた加入度数を加える．特に高空間周波数の視標では屈折矯正の影響を受けるため，装用度数には注意する．測定機器が内部照明の装置を除き，環境照度は一定にしておく．印字された視標を用いる場合は視標面が汚れないよう，安易に視標面には触れないようにする．

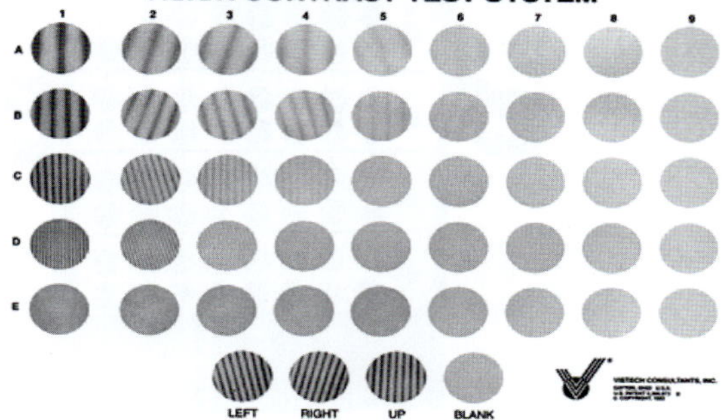

図 7-6　Vision Contrast Test System
壁掛け式で視標が紙に印刷されているタイプ．9 段階のコントラストを 5 つの空間周波数帯で検査する．下段には傾きの例が示されており，被検者は右傾き，左傾き，傾きなし，ブランクの 4 つから回答する．

5 正常値

多くの場合検査用紙に正常コントラスト感度範囲が記載されている．幅をもった正常値に対し，被検者のコントラスト感度が低下していればコントラスト感度の低下が疑われる．この正常範囲は測定機器により異なることから，同一患者であっても機械によって正常値であったり，コントラスト感度低下を示したりすることがある．

6 検査機器

a. Vision Contrast Test System：VCTS(Vistech 社)

遠用と近用の検査視標があるが，遠用で検査を行うことが多い(図 7-6)．視標は円形の正弦波視標であり，視標空間周波数はそれぞれの列で 1.5～18 cpd であり，0.2 log 差となるように設定されている．各視標は縦方向のみでなく，右および左に 10 度傾けた 3 種の方向性をもつ．被検者は指示された視標の縞の方向を答え，コントラスト感度を測定する．正しい回答が得られる限界で検査用紙に記入し，A 列から E 列と進め最終的に被検者のコントラスト感度曲線を描く．この検査装置も紙に印刷されたものであるため印刷面の劣化や環境照度の影響を受けやすいことに注意をする必要がある．

b. CSV-1000(Vector Vision 社)

検査距離は 2.5 m の遠見で，投影式の検査装置である(図 7-7)．内部照明にて自動キャリブレーションされるため外部照明の影響を受けにくい．コントラスト感度測定には正弦波視標を用いる．正弦波視標の空間周波数は 3～18 cpd の 4 種である．各空間周波数につき上下に視標が配列されており，どちらか一方に縞模様がある．上下どちらかの回答となる強制 2 択方式である．VCTS 同様に各列正解したところで検査用紙にチェックし，コントラスト感度曲線を測定する．検査用紙には 2 種の年齢層による正常値が示されており，被検者の測定値と比較する．

c. 類似機器

上記に挙げた以外にも類似機器として CAT-CP(ナイツ社)(120 頁，図 8-2 参照)，MCT 8000(Vistech 社)，CGT-2000(タカギセイコー社)(121 頁，図 8-3 参照)，SSC-350(ニデック社)，OPTEC 6500(Stereo Optical 社)(121 頁，図 8-5 参照)，logMAR 近距離視力表(日本点眼薬研究所，図 7-8)などがある．表 7-1 に代表的なコントラスト感度検査装置とその特徴を示す．

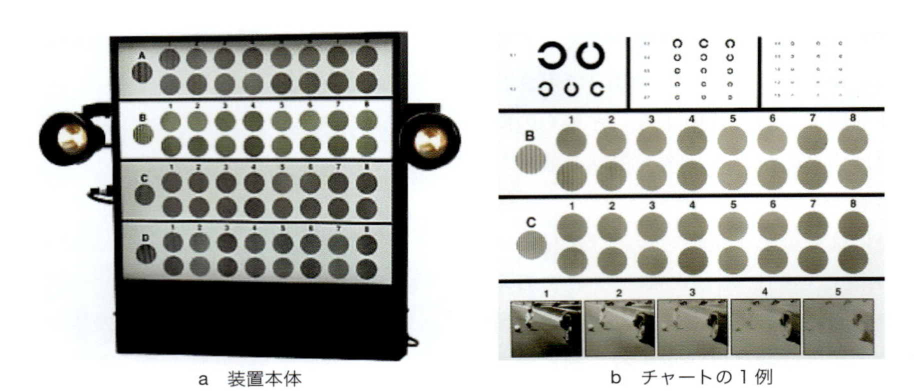

a　装置本体　　b　チャートの１例

図 7-7　CSV-1000
4 段階の空間周波数におけるコントラスト感度を検査する．上下１対のうち，片方に正弦波視標がある．正弦波以外にも様々なチャートにて検査可能である．

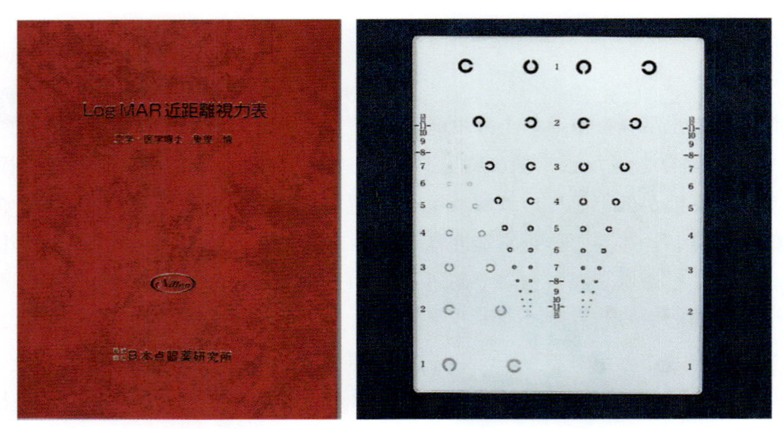

図 7-8　logMAR 近距離視力表
等比数列に視標が配列された logMAR 視力表．検査距離により 13 段階の視力評価ができる．高コントラスト視標と低コントラスト視標が並ぶ．
（魚里　博：低コントラスト視力．IOL&RS 15：200-204，2001 より）

表 7-1　代表的なコントラスト感度検査装置

	VCTS (Vistech)	CSV-1000 (Vector Vision)	CGT-2000 (タカギセイコー)
検査距離	3(m)	2.5(m)	0.3, 0.6, 1, 5(m)
視標の種類	正弦波	正弦波	ダブルリング
視標呈示時間	制限なし	制限なし	0.2, 0.4, 0.8, 1.6(秒)
コントラスト	9 段階	8 段階	14 段階
空間周波数	1.5, 3, 6, 12, 18(cpd)	3, 6, 12, 18(cpd)	換算値 1.1, 1.8, 2.9, 4.5, 7.1, 10.2(cpd)

それぞれの装置の検査距離，視標，コントラスト，空間周波数を示す．

7 干渉縞視力

干渉縞視力は，レーザー光を用いて網膜上に直接干渉縞を投影し，その縞の空間周波数やコントラストを変化させ感度を測定する検査法である．直接レーザー光が網膜に投影されるため，この検査では屈折系や中間透光体の影響は受けず網膜から中枢までの機能を反映している．投影像が縞模様を用いていることから縞視力(fringe acuity)として換算することができる．干渉縞を徐々に細くしたとき，どの細さまで縞が識別できるかを判定する．測定可能な最も細かい縞から干渉縞視力を評価する．

検査のポイント

- ☑ 白内障初期や屈折矯正手術後では高空間周波数で，緑内障などでは低空間周波数で，網膜疾患ではすべての空間周波数帯でコントラストの低下が認められる．使用している視標やその呈示時間，環境照度などにより測定値は影響を受けることが報告されている．現在統一された検査装置がなく，それぞれの装置により測定条件が異なるため各装置で測定されたコントラスト感度の結果は一致しないことがある．
- ☑ 当然のことながら両眼での測定の場合には両眼加算が起こるため，片眼測定時よりもコントラスト感度は上昇する．対象疾患が片眼性か両眼性かを事前に確認しておくと良い．
- ☑ コントラスト感度検査は視力検査よりも日常視に近く，良好な視力があっても感度低下を示すことがある．検査距離に合った矯正レンズの装用や，正しい検査設定を怠った場合にはコントラスト感度の低下したような結果になることがあるため注意する．

▶文献

1) 魚里　博，平井宏昭，福原　潤，他：生理光学の基礎．西信元嗣(編)：眼光学の基礎．pp145-196，金原出版，1990
2) Campbell FW, Robson JG: Application of Fourier analysis to the visibility of gratings. J Physiol 197: 551-566, 1968
3) Atchison DA, Smith G: Retinal image quality. Optics of the human eye. pp199-202, Butterworth Heinemann, UK, 2000
4) Goss DA, West RW: The retinal image. Introduction to the optics of the eye. p103, Butterworth Heinemann, UK, 2002
5) 所　敬：屈折異常とその矯正　改訂第5版．pp41-50，金原出版，2004
6) Bissen-Miyajima H, Katsumi O, Shimbo R, et al: Contrast visual acuities in cataract patients. III. Changes of contrast acuity profiles in normal and pathological eyes. Acta Ophthalmol Scand: 50-55, 1995

（魚里　博，中山奈々美）

第8章 グレア検査

I グレア感度

1 概要

グレア障害とは，中間透光体の光の散乱により，注視している物体の網膜像のコントラストを低下させ，その像の詳細部を不明瞭にさせることをいう．グレアの散乱光により，視野全体の網膜像のコントラスト感度が低下することで起こる．臨床的には通常の視力検査時と，まぶしさの原因となる光源(グレア光)があるときでどのように視機能が異なるかを評価する．グレアの分類はその分野により異なるため，各研究分野の他書に譲る．

この障害は中間透光体である水晶体混濁に起因する白内障眼，角膜混濁などで顕著に現れ，LASIKや白内障術後の多焦点眼内レンズ挿入，多焦点コンタクトレンズ挿入ではハロ・グレア障害が報告されている．これらも前述のように，視力検査では良好な視力が得られるが，散乱光により未挿入眼よりもグレア障害が大きくなることが術後満足度を下げる一因となっている．

2 ドライビングとグレア

環境照度を暗くしたときの測定では，グレア光を対向車のヘッドライトに見立て，薄暮の自動車運転時の視機能を反映することができると考えられている[1]．これは直接グレアの影響を考慮したものであり，具体的には対向車のヘッドライトがある場合，(コントラストの低いような)照らされていない歩行者や道路上の障害物が消える「蒸発現象」がグレアに関与する[2](図8-1)．これまでの多くの研究でグレア障害と交通事故には強い関

a　若年ドライバー

b　高齢ドライバー

図8-1　グレアによる蒸発現象

若年ドライバーと高齢ドライバーのグレアによる蒸発現象シミュレーション画像．aでは認識できる横断歩道上の歩行者がbではグレア光により認識しにくい．

(青木義朗，豊福芳典，塚田由紀，他：高齢者運転の知覚特性の劣化とその対策について．交通安全環境研究所研究発表会講演概要：81-86，2007より)

表 8-1 VDT 作業における労働衛生管理のためのガイドライン(一部抜粋)

グレアの防止
・ディスプレイ画面の位置，前後の傾き，左右の向きなどを調整させること ・反射防止型ディスプレイを用いること ・間接照明などのグレア防止用照明器具を用いること ・その他グレアを防止するための有効な措置を講じること

ディスプレイについて必要に応じ上記に掲げる措置を講じ，グレア防止を図るように記載がある．

連があると報告されているにもかかわらず，運転時のグレア障害は環境条件に依存することから，危険であると認識するドライバーは少ない．

高齢化社会である現代では，白内障や加齢黄斑変性(age-related macular degeneration：AMD)を有する人口も増えていることにより，今後グレア障害による交通事故などの予防にもグレア検査は必要不可欠であると考えられる．

3 VDT 作業とグレア

これまで VDT(visual display terminal)作業により眼疲労が発生しやすくなることが報告されており，その原因としては近見作業による調節機能[3]のみではなくグレアによる影響も知られている[4]．これらは主として反射グレアや光幕反射が原因だと考えられる．厚生労働省が 2002(平成 14)年に制定した「VDT 作業における労働衛生管理のためのガイドライン」[5]では室内照度，ディスプレイ照度のみではなくグレアの防止のため表 8-1 に掲げる措置を講ずるよう指示している．

4 統計学的処理

グレアの有無によるコントラスト感度低下は AULCSF(area under log contrast sensitivity function)にて評価することができる．グレアがないときのコントラスト感度曲線と，あるときのコントラスト感度曲線を比較するものである．全体的な感度低下を捉える一方で，空間周波数別での比較はできない．AULCSF の求め方については前項「コントラスト検査」の項目を参考にされたい(⇒114 頁)．

II グレア検査

1 検査の概要

目的 グレアによる視機能低下の評価．

原理 グレア光源によるグレア障害の有無を測定．本書では自覚的検査についてのみ記載する．

適応 自覚的な眩しさを訴える者，中間透光体混濁の認められる者．

機器 グレアコントラスト感度検査装置，グレアコントラスト視力測定装置．

2 原理

グレア検査では視標の付近にグレア光源を置いてコントラスト感度や視力を測定する．固視点付近にグレア光があるものを中心グレア，視標からずれた場所に光源を設置したものを周辺グレアという．また，環境照度や検査距離を変化させることで様々な日常視におけるグレア障害を評価する．

3 適応

夜間の自動車運転時などに眩しさを自覚している症例などが検査対象となる．その他グレア障害の原因となりうる中間透光体に散乱要因のあるような白内障，角膜屈折矯正手術(LASIK，PRK：photorefractive keratectomy，RK：radial keratotomy)，多焦点眼内レンズ挿入眼[6]などが適応である．

4 正常値

自覚的な見え方を評価する検査であり，正常値は定まっていない．通常はグレアの有無でコントラスト感度が低下するかどうかで判断する．グレアなしの正常コントラスト感度は測定結果用紙に記載されていることが多い．

5 検査方法

順応の影響を考慮し，通常の測定順としてはグレアなしの薄暮視，グレアありの薄暮視，グレアなしの明所視，グレアありの明所視の順に測定する．特に薄暮視の測定の前には十分に前順応を行っておく．明所視の屈折検査で得られた完全屈折矯正眼鏡を使用する．近見の検査の場合には検査距離に応じ，加入度数を付加して検査を行う．

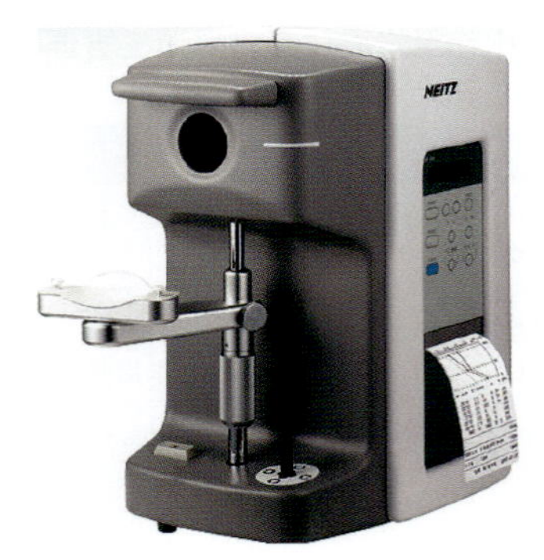

図 8-2 CAT-CP

6 検査機器

a. CAT-CP(ナイツ社)

明所時(200 cd/m^2)と薄暮視(10 cd/m^2)のグレアによるコントラスト視力を評価できる．視標サイズは対数視力 1.3 log〜−0.1 logMAR までの 16 サイズを用意している．検査室は暗室とし，十分に室内順応を行った後検査する．視標コントラスト値は 100%，10%，5% の 3 段階表示であるが，特定のコントラスト値を選択して測定することも可能である．測定結果はプリンタ出力ができ，パソコンへの出力も可能となっている．本機器のコンパクト版として CAT-CP2 もある．本体装置を図 8-2 に示す．

b. CSV-1000HGT (Vector Vision 社)

コントラスト感度検査装置である CSV-1000 の両脇にグレア光源用のハロゲンランプを設置した周辺グレア検査装置である．周辺グレア照明時は薄暮の 150 ft(約 45 m)前方の対向車のヘッドライトをシミュレートしている．検査設定はコントラスト感度検査時と同様である．グレアの有無でのコントラスト感度を測定し，グレアによる影響を検査する．CGT-1000 付属の検査チャートが使用でき，Landolt 環や正弦波視標のみならず，文字コントラストチャートなどを使用することができる．

c. CGT-2000(タカギセイコー社)

検査距離は 4 つの距離で変更することが可能である(図 8-3)．背景輝度は 3 条件から選択し，検査中の瞳孔をモニタで観察しながら検査することができるのが特徴である．グレアの光源の明るさも 3 段階にて設定可能である．視標はダブルリング視標を用いており(図 8-4)，視角 6.3〜0.64 度の大きさ(空間周波数換算値 1.1〜10.2 cycle/deg)，コントラストは 0.0071〜0.64 までの 14 段階表示となっている．視標呈示時間や視標呈示間隔時間の変更が可能であり，他装置と比較し細かい検査設定が可能である．

d. 類似機器

その他のグレア検査機器としては SSC-350CG (ニデック社)，MCT 8000(Vistech 社)，OPTEC 6500(Stereo Optical 社)(図 8-5)などがある．これらについてもグレアの有無でコントラスト感度がどのように変化するか検査するものである．

主な機器の設定条件について表 8-2 に示す．

7 眼内散乱量の自覚的測定

眼内の迷光が多いと光源の周りに光輪が見えるハロと呼ばれる現象やグレアが起こる．C-Quant(OCULUS 社)では上記の機器のようにグレア障害の程度を測定するのではなく，眼内の光の散乱によって生じる網膜への迷光を定量的に測定する(図 8-6)．検査は半暗室で行い，屈折矯正

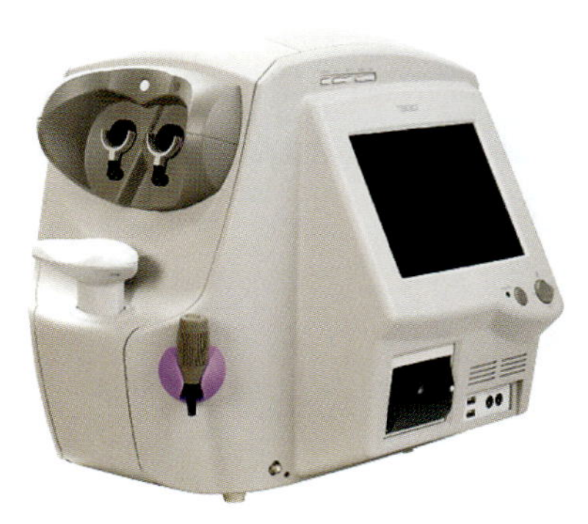

a　装置外観

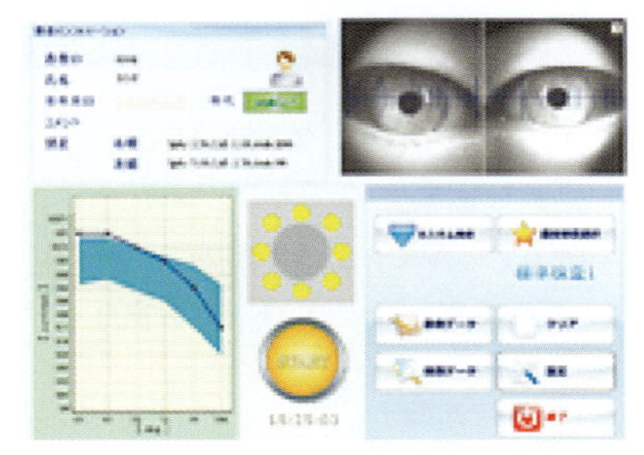

b　測定画面

図 8-3　CGT-2000
様々な検査距離で測定が可能．b のように検査中の瞳孔が観察できる．

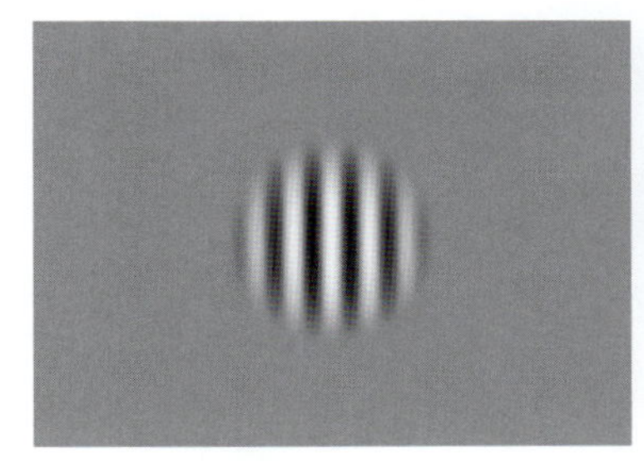

a　正弦波視標

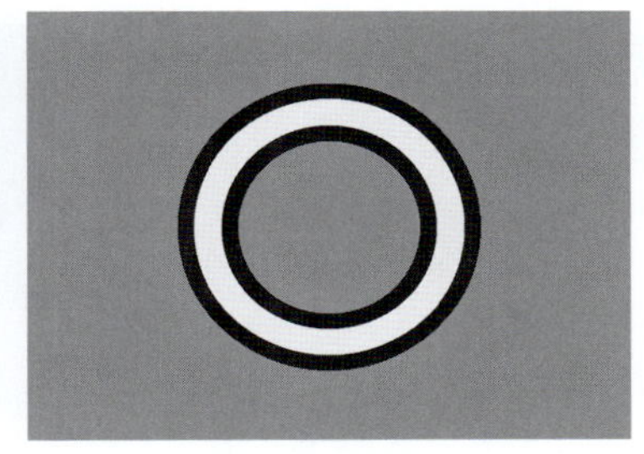

b　ダブルリング視標

図 8-4　正弦波視標とダブルリング視標
一般にコントラスト感度の測定は a のような正弦波視標を用いる．b のダブルリング視標は CGT-2000 内蔵視標．これは厳密には矩形波成分を含んでいる．

は±2 D 以上の場合には矯正レンズを装用する．

検査結果は散乱光 log(s) 値で表され，log(s) 値が高いほど散乱光が多いことを示す．結果の信頼係数として Q 値および Esd 値が表示される．前者は検査結果より 0(補正光のない側のボタンを押した)または 1(補正光のある側のボタンを押した)と答えた際の log 値の平均の差分とばらつきを評価し，後者は log 値のばらつきの推定標準偏差を示す．Q 値は 1.0 以上，Esd 値は 0.8 を超えた場合には測定結果は棄却される．光源は白色 LED を使用し，その最大輝度は 300 cd/m^2 となっている．C-Quant はハロやグレアの原因となる眼内散乱を定量評価していると考えられるが，C-Quant による結果とグレアによるコントラスト感度の結果の関連性は報告されていない[7]．しかしながら加齢に伴い散乱量が増加[8]することや IOL 挿入眼では散乱量が低くなる[9]こと

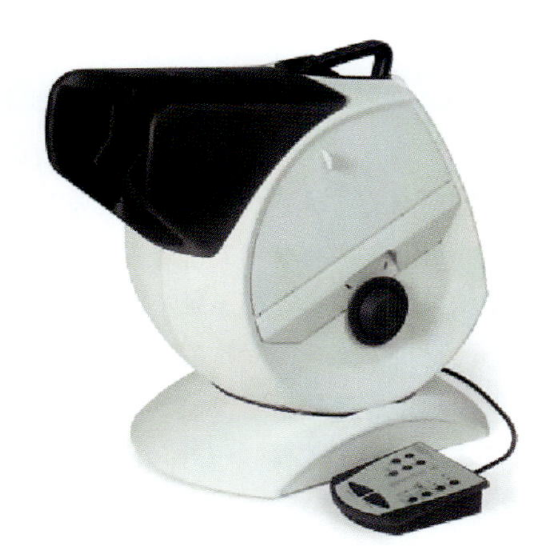

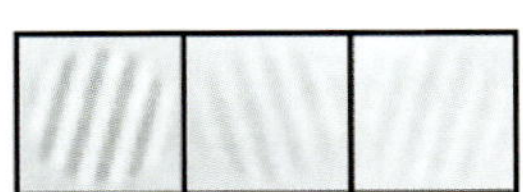

図 8-5　OPTEC 6500
本体の外観とグレアコントラスト感度に使用される正弦波視標を示す．図の視標では左から右傾斜・左傾斜・右傾斜で並んでいる．

表 8-2 代表的なグレア検査装置

	CAT-CP(ナイツ)	CSV-1000HGT (Vector Vision)	CGT-2000 (タカギセイコー)
検査距離	据え置き型 (遠用，近用)	2.5 m	据え置き型 (近用，中間，遠用)
検査環境	明所，薄暮	室内照度に準ずる	明所，薄暮，暗所
グレアの種類	周辺グレア	周辺グレア	周辺グレア(３段階)
測定値	コントラスト視力	コントラスト感度ほか	コントラスト感度

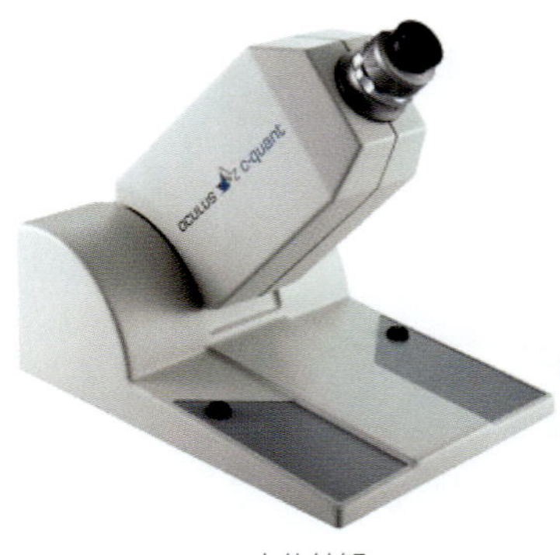

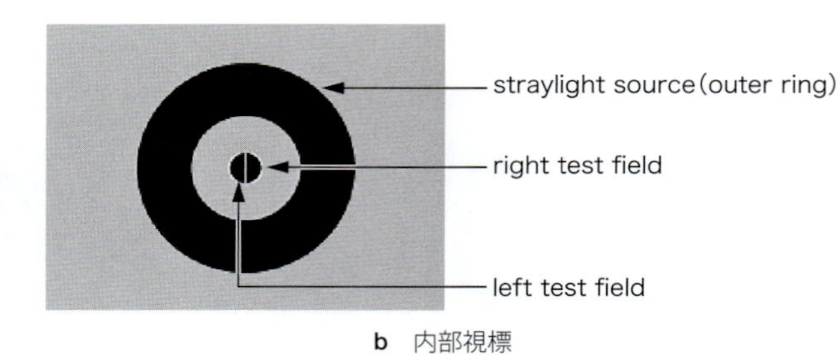

a 本体外観　　b 内部視標

図 8-6 C-Quant
散乱によって生じる網膜への迷光を散乱量として評価する装置.
a. 覗き込み式で片眼ずつ測定を行う.
b. 周辺には散乱光用の flickering ring，中心に半円に別れたテストフィールドがある.

がわかっている.

検査のポイント

- ☑ コントラスト感度検査装置同様，種々の検査装置があるためそれぞれの特徴を理解し測定を行う．中心グレアと周辺グレアでは測定結果に及ぼす影響が異なることに注意する．グレア光を照射することで瞳孔径の変動が起こるため，環境照度やグレアの有無による瞳孔径の観察も可能なら同時に行ったほうがよい.
- ☑ グレアは散乱による影響を測定していることから，レンズに汚れや傷がある場合にはグレアによる感度低下を過大評価するおそれがある．検査開始前に装用レンズの汚れや傷に十分に留意する.

▶文献

1) van den Berg TJTB, van Rijn LJ (René), Kaper-Bongers R, et al: Disability Glare in the Aging Eye. Assessment and Impact on Driving. J Optom 2: 112-118, 2009
2) 青木義朗，豊福芳典，塚田由紀，他：高齢者運転の知覚特性の劣化とその対策について．交通安全環境研究所研究発表会講演概要：81-86，2007
3) 渥美一成，鈴村昭弘，水谷　聡，他：video display terminal 使用による視機能への影響．臨床眼科 40：1027-1031，1986
4) Hultgren GV, Knave B: Discomfort glare and disturbances from light reflections in an office landscape with CRT display terminals. Applied Ergonomics 5: 2-8, 1974
5) 厚生労働省：新 VDT 作業ガイドラインの概要．2002
6) Schmitz S, Dick HB, Krummenauer F, et al: Contrast sensitivity and glare disability by halogen light after monofocal and multifocal lens implantation. Br J Ophthalmol 84: 1109-1112, 2000
7) Massof RW, Rubin G: Visual function assessment questionnaires. Surv Ophthalmol 45: 531-548, 2001
8) Cerviño A, Montes-Mico R, Hosking SL: Performance of the compensation comparison method for retinal straylight measurement: effect of patient's age on repeatability. Br J Ophthalmol 92: 788-791, 2008
9) de Vries NE, Franssen L, Webers CA, et al: Intraocular straylight after implantation of the multifocal Acrysof ReSTOR SA60D3 diffractive intraocular lens. J Cataract Refract Surg 34: 957-962, 2008

(魚里　博，中山奈々美)

第9章 収差検査

I 収差

1 収差とは

レンズ系において光線が1点に集光すればはっきり見えるが，レンズ系の歪みなどにより1点に集光せずにぼけを生じる．これを収差という．視能検査学における収差は以下の2つの視点から捉える必要がある．レンズ，主に眼鏡光学レンズの設計の視点と，視覚の質(quality of vision)の観点から眼球光学系を吟味した際の不正乱視としての視点，である．

2 レンズの設計の視点における収差

光学レンズの性能はSeidelの5収差と色収差で評価される(表9-1)．

a. 球面収差

球面レンズにより無限遠から来る光は光軸上の1点に集光するはずだが，入射する光の位置がレンズの中心から周辺に離れるにしたがって光軸と交わる位置がレンズに近くなる．すなわちレンズの周辺のパワーが高い．これはレンズの表面が球面であることで起こる．

b. コマ収差

光軸から離れた点光源からの光が像面で1点に集まらずに尾を引いた彗星のような像になる現象をいう．

実際の眼においては，瞳孔(絞り)の存在，瞳孔周辺から入る光線ほど感度が低下するというStiles-Crawford効果，そして視細胞密度が黄斑

表9-1 光学レンズの性能としての収差

分類	名称	各収差の特徴		性質や原因
単色収差(Seidelの5収差)	球面収差	光軸上の1点から出た光が光軸上の1点に集光しない		像がぼやける
	コマ収差	光軸上から少し外れただけで光の点が彗星の尾のように伸びて見える	軸外収差(光軸外からの光線に特有)	
	非点収差	縦方向と横方向で像のできる位置がずれる．乱視		
	像面弯曲	像ができる位置が光軸に垂直な平面ではなく弯曲している		
	歪曲収差	光軸から離れると倍率が変わり像が歪む		像が歪んで物体の形が変形する
色収差	軸上色収差	光の波長により結像位置が異なる．応用例)赤緑テスト		光の波長により光学材料の屈折率が異なる(分散という)ために起こる
	倍率色収差	光の波長により像の倍率が異なる		

(中心窩)に集中しているという構造および機能の特異性から，球面収差やコマ収差の影響は軽減される．

c. 非点収差

光軸から離れた1点から出る光のうち絞りの中心を通る光線を主光線と呼び，主光線と光軸を含む面(メリジオナル面)にある光線でできる像と，この面に直交する面(サジタル面)にある光線でできる像が異なる位置にできるために，像面での像が広がりをもつことをいう(図9-1)．乱視と似ている状態．コマ収差や非点収差は光軸外からの光線に特有に発生するため軸外収差と呼ばれる．

d. 像面弯曲

ピントの合う面が曲がっている現象(図9-2)．眼では網膜は弯曲しているので有利に働く．

e. 歪曲収差

像が歪んで形が変形する収差をいい(図9-3)，周辺にいくほど像が縮む樽型と，周辺にいくほど像が広がる糸巻き型などがある．

f. 色収差

光は物質を透過するとき，その物質によって波長(色)ごとの屈折率が異なる性質をもつ(分散という)．軸上色収差と倍率色収差がある．軸上色収差は光の波長により光軸上で像が結像する位置が異なることをいう．凸レンズの場合，波長の短い青色光は屈折率が大きいため焦点より前に，一方，波長の長い赤色光は焦点より後ろに集光する(図9-4)．倍率色収差は光の波長によって像の倍率が異なる，像面周辺部で生じる色ずれのことをいう．

3 視覚の質の視点から眼球光学系を捉えた際の不正乱視

眼は涙液，角膜，前房水，水晶体，硝子体とい

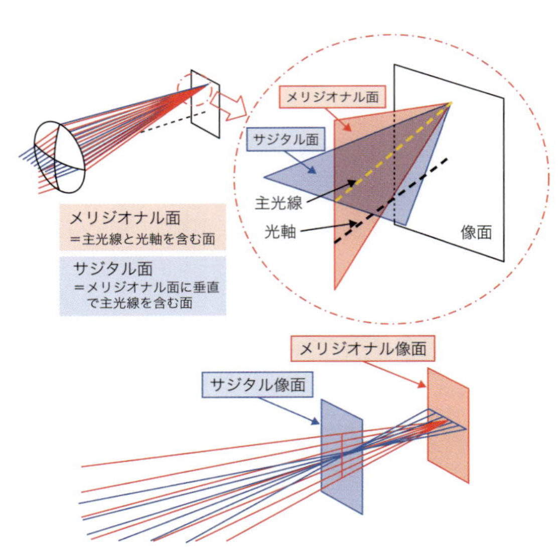

図9-1 非点収差
主光線と光軸を含む面(メリジオナル面)にある光線でできる像(メリジオナル像面)と，この面に直交する面(サジタル面)にある光線でできる像(サジタル像面)が異なる位置にできるために，像面での像が広がりをもつことをいう．

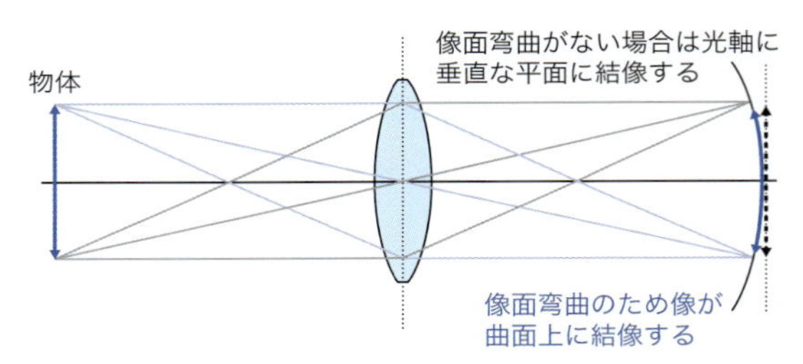

図9-2 像面弯曲
光軸に近いところからの光は光軸に垂直な平面に結像するが，光軸から離れたところからの光はこの平面上に結像せずお椀のように弯曲した曲面上に結像する．

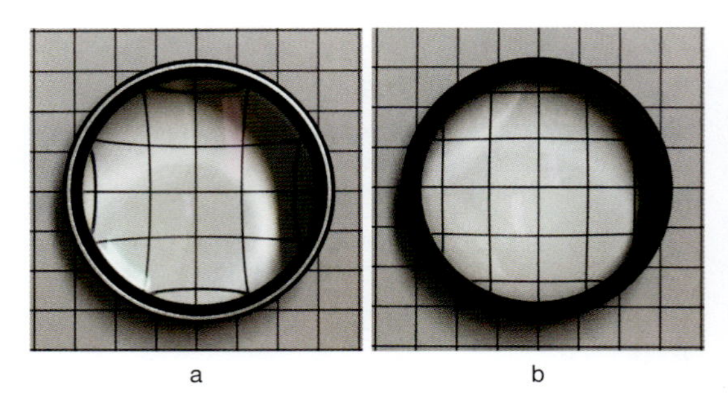

図9-3 歪曲収差
像が歪んで形が変形する収差．眼底検査で用いる+20Dレンズを用いて撮影したもので，表向きに置いた(a)周辺にいくほど像が縮む樽型と，裏向きに置いた(b)周辺にいくほど像が広がる糸巻き型．

うそれぞれ固有の屈折率をもつ透光体が界面を形成し，回折や干渉により屈折を起こし，(網膜上で)集光することでものを見ている．そもそも光は電磁波であり，光は直進するという幾何光学だけでは収差は捉えられない．球面度数，円柱度数では表せない不正乱視を測定し，患者の見え方を理解し，可能であればそれを治療するのに波面光学[1)]を用いた収差の概念は重要である．波面を用いた収差測定(眼のバイオメトリー)では，光の向きを，本来とは逆の，黄斑(点光源)から射出し眼の光学系を出てきたものと考え，眼外の波面を測定しその眼の収差を解析し，Zernike 多項式で定量的に表す(これを波面収差解析と呼ぶ)．ここで，Zernike 係数は「次」と「項」の 2 変数で分けて独立に表示され(図 9-5)，その値は各収差の大きさと向きを表す．球面(C_2^0)・円柱度数(C_2^{-2}, C_2^2)は低次の収差で眼鏡により矯正できるが，3 次以上の高次の収差が眼鏡で矯正できない不正乱視である[2)]．

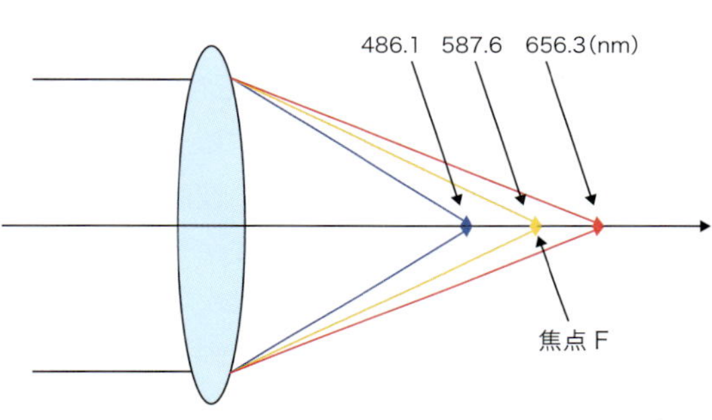

図 9-4　軸上色収差
光学レンズの屈折率は nd で定義され，レンズの焦点 F に集まる光は波長 587.562 nm の d 線である．波長の短い青色光は屈折率が大きいため焦点 F より前に集まり，波長の長い赤色光は焦点 F より後ろに集まる．

▶文献

1) 不二門尚：波面光学と幾何光学．前田直之，大鹿哲郎，不二門尚(編)：角膜トポグラファーと波面センサー―解読のポイント．pp200-210，メジカルビュー社，2002
2) 二宮欣彦，前田直之：眼科における最新医工学　Ⅰ．診断機器への応用　波面収差解析．臨眼 59：70-75，2005

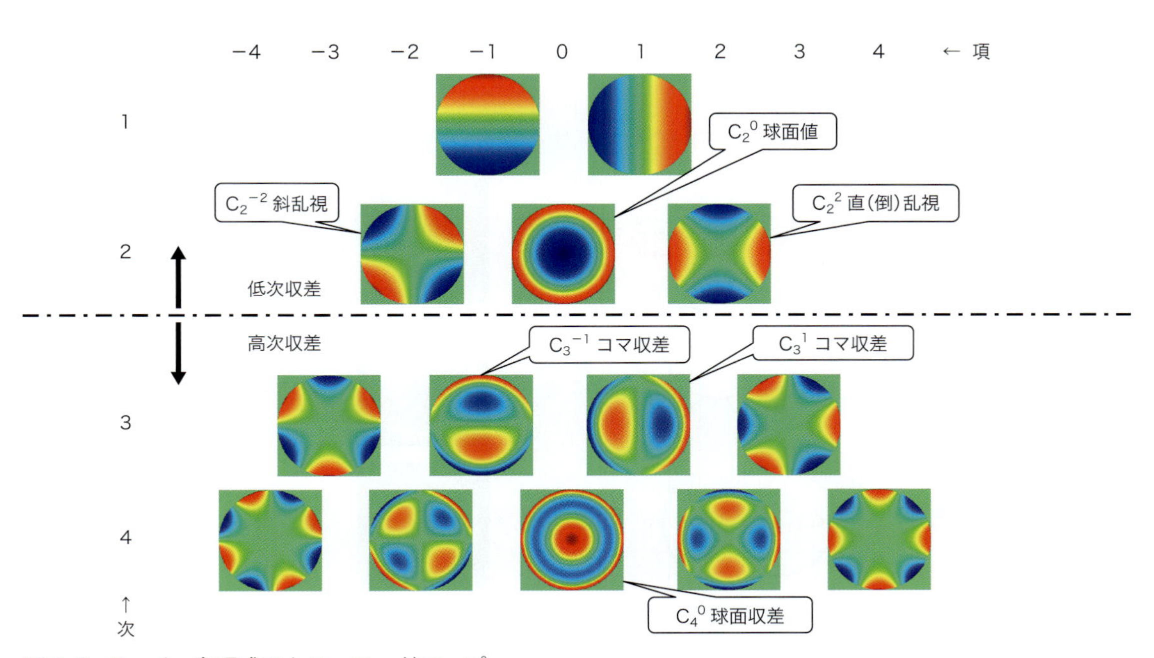

図 9-5　Zernike 多項式のカラーコードマップ
縦が次数，横が項数を表し，3 次以上を高次収差(＝不正乱視)と呼ぶ．代表的な項を示す．

II 収差検査

1 検査の概要

目的 眼表面から網膜に至るまでの眼球屈折系において，種々の収差の程度と局在部位を定性・定量的に測定する．

原理 Hartmann-Shack センサと角膜形状解析装置による収差の計測とそれらを統合した Zernike 解析．

適応 白内障手術術前検査，角膜形状異常眼，ほかの検査で原因不明の見え方の異常を訴える患者の視機能検査．

機器 波面センサ．

2 原理

波面光学(前項参照)では光をその進行に垂直な面として波面が進んでいくと捉える．黄斑に光源を置いたとして眼外に射出する光を波面として捉えれば，正視では平行光線となるため波面は平面波として，近視では収束光線となるため中心が遅れた波として，遠視では開散光線となるため中心が進んだ波として眼外で捉えることができる(図9-6)．カラーコードマップでは，波面の位相を緑を中立の色として，遅れた場合は寒色系，進んだ場合は暖色系として表す．

代表的な Hartmann-Shack センサの原理を示す(図9-7)．被検者が中心固視することによりハーフミラーにより黄斑に1次光源が投影され，黄斑で反射された光は2次光源となり，眼内の収差要因の影響を受けながら眼球の外へ出射する．出射光の波面は小さなレンズが格子状にならんだレンズレットアレイを通過して，CCD カメラ上にスポットパターンを形成する．このスポットパターンのずれにより，眼球の波面収差を測定する．同時に，内蔵されたビデオケラトスコープにより角膜形状を計測し角膜の高次収差を計算して，Hartmann-Shack センサ同様 Zernike 多項式で解析，また各係数について眼球の収差から角膜の収差を引くことで水晶体や眼内レンズによる収差も評価する．

3 検査機器

代表的な KR-1W(トプコン社)[1]は，オートレ

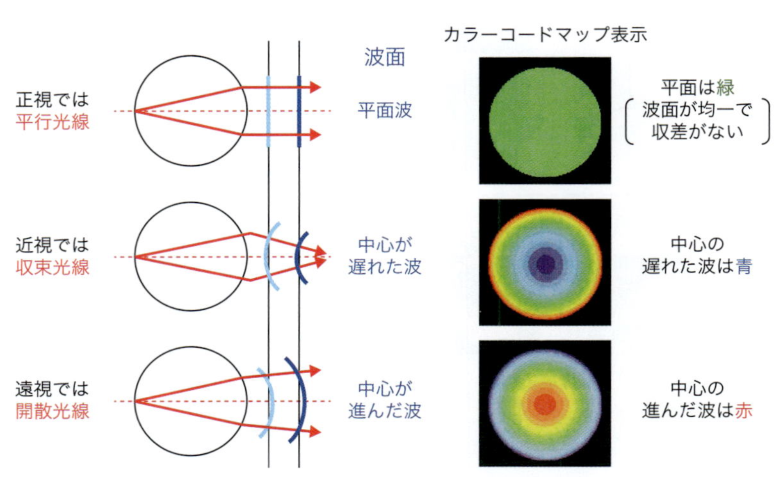

図9-6 屈折異常を波面で捉える(黄斑の2次光源からの光を眼外で測定)
波面を眼内で測定するのは困難なため，黄斑(2次光源)から眼外に出た光の波面を測定する(図9-8参照)．
(画像作成協力 雲出麻紀)

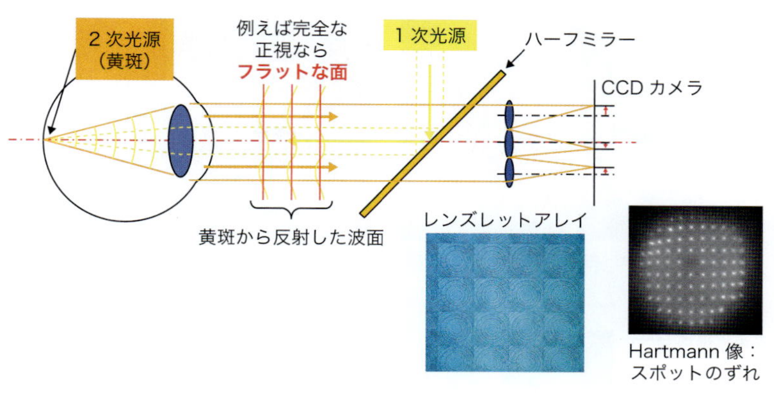

図 9-7　Hartmann-Shack センサの原理

フラクトメータ，オートケラトメータ，角膜形状解析(Placido リング)，波面収差解析(Hartmann-Shack センサ)の 4 つの機能をもつ．

4 検査の方法

必ずしも散瞳する必要はないが明室を避け，瞳孔径は 4 mm 以上(高次まで解析する必要がある場合は 6 mm 以上)確保する．測定は通常のオートレフケラトメータの要領で，被検者に顔を顎台に固定してもらい，角膜中央に円形のリングが合うようにジョイスティックで位置を合わせる．固視標を眺めてもらい，自動もしくは手動でジョイスティックのボタンを押す．測定直前に何度か瞬目をしてもらい，角膜表面の涙液層を整える．

5 結果の読み方

代表的な Zernike 係数について，まず 2 次の Zernike 係数〔C_2^{-2}，C_2^0，C_2^2，ここで下付き文字の 2 は次数を，上付き文字の −2，0，2 は項数を表し，C_2^{-2} は斜乱視成分，C_2^0 は球面値成分，C_2^2 は直(倒)乱視成分を表す〕は眼鏡で矯正できる低次収差であり，以下の式で球面値や乱視を算出することができる[2]．なおここで r は波面収差解析における瞳孔半径である．

等価球面度数　$$SE=-4\sqrt{3}\cdot\frac{C_2^0}{r^2}$$

乱視度数　$$C=-4\sqrt{6}\cdot\frac{\sqrt{(C_2^{-2})^2+(C_2^2)^2}}{r^2}$$

乱視軸　$$A=\tan^{-1}\left(\frac{C_2^{-2}}{C_2^2}\right)\cdot\frac{1}{2}\cdot\frac{180}{\pi}+90$$

球面度数　$$S=SE+\frac{1}{2}C$$

3 次や 4 次の収差については角膜疾患(例：円錐角膜におけるコマ収差)や水晶体の加齢性変化，眼内レンズの形状と球面収差の関連性などが臨床上注目されている．

眼鏡で矯正できない高次収差による視機能への影響は，通常の屈折異常同様，その総和で論じる必要があることがある．しかしここで瞳孔径内ですべての Zernike 係数の総和をとるとゼロになってしまうため，定められた瞳孔領における波面と理想波面の差を二乗した値の総和の平方根を求め，RMS(root mean square)値として表す(単位は μm)．一般に 4 mm 瞳孔径で 0.3 μm を超える場合は視機能障害の可能性が示唆される．

波面収差解析から点像強度分布(point spread function：PSF)を計算し，PSF を Fourier 変換することによって空間周波数特性(modulation transfer function：MTF)を求めることができる．また，PSF と Landolt 環など任意の画像を畳み込み積分することで被測定眼が Landolt 環を見たと

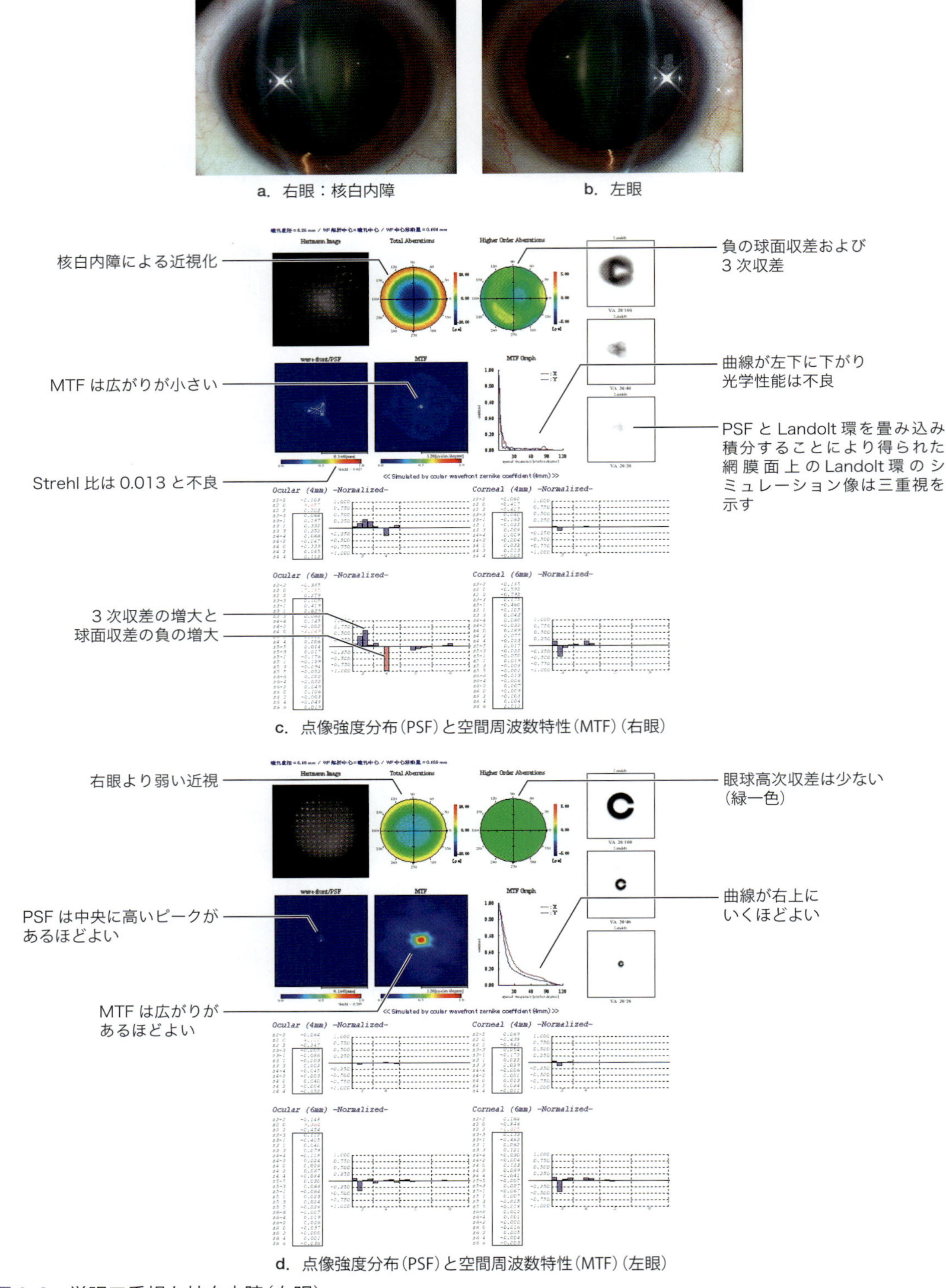

図 9-8 単眼三重視と核白内障（右眼）
白内障による視力低下の原因として混濁による散乱よりも，若年者の場合は核白内障による単眼三重視など高次収差の増大によるものが見られる．

きの網膜像をシミュレーションすることが可能である(図 9-8).

PSF は中央に高いピークがあるのが理想的である. PSF の Strehl 比は, 収差を含んだ場合の PSF のピーク値を収差がない場合の PSF のピーク値で除した値をいい, 高次収差を 1 つひとつ吟味することなしに収差の影響を直感的に把握することを可能にする指標である.

一方 MTF は広がりがあるほうがよい. また直交座標系の x, y 軸について, コントラストの比(0〜1)を縦軸に空間周波数〔spatial frequency (cycle/deg):0〜120〕を横軸にしてそれぞれの曲線を描くことができる. この曲線はコントラストがその光学系でどれだけの比率で低下するかを示しているので, グラフの曲線が右上にいくほどコントラストがよく保存されることになり, その光学系の性能がよいことになる.

検査のポイント

☑ 検査の解釈

検査のデータ(Hartmann 像や角膜形状解析のマイヤー像)をまずチェックし, 検査が正しく行われたかを判断する. 次にカラーコードマップを参考にした定性的な評価により異常の概略をまず把握することが重要である. なお KR-1W(トプコン社)の IOL セレクションマップや Landolt 環のシミュレーション像など, 臨床の目的に合わせた解析やマップは有用である.

☑ 検査の落とし穴

収差の異常値が実際の見え方に与える影響を具体的にイメージするのは難しい. 同じ収差量でも収差の種類によって異なるし, また収差間の相互作用もあり, 全収差が大きくても見え方がそれほど悪くない場合もあるからである. また定量的な評価においては, 各成分では収差の個体差(正常のバリエーション)が大きいことに注意が必要である.

▶文献

1) 二宮欣彦:Ⅲ 波面収差解析を知る 装置別測定法 KR-1W. 前田直之, 大鹿哲郎, 不二門尚(編):前眼部画像診断 A to Z—OCT・角膜形状・波面収差の読み方. pp264-269, メジカルビュー社, 2016
2) 広原陽子:Ⅲ 波面収差解析を知る 波面収差とは. 前田直之, 大鹿哲郎, 不二門尚(編):前眼部画像診断 A to Z—OCT・角膜形状・波面収差の読み方. pp242-247, メジカルビュー社, 2016

(二宮欣彦)

第 10 章
視野検査

I 視野

1 視野の概念

視野とは「まっすぐ見ていて見える範囲」として二次元的に説明することが多いが,「片眼で外界の一点を固視したときに見える範囲内での視覚の感度分布」として三次元的に定義されている. Traquair MH は, この感度の集合体を盲目の海に浮かんでいる島「視野の島(island of vision)」と表現した[1]. この島の中心は感度がとび抜けて高く, その耳側 15° 横には Mariotte 盲点の垂直の穴があり, 中心から周辺に向かってなだらかに傾斜し, やがて断岸のように切り立ち一気に海中に没すると表現している. 山の一番高い部分が感度の高い部分であり, 網膜でいうと黄斑部の中心窩にあたる. ただし視野は検査条件により形状が変わる. 広い意味では角膜・水晶体が吸収する光の程度, 網膜における杆体や錐体の分布やそこに含まれる視物質の状態, 視細胞から大脳皮質に至る興奮具合など生理学的事象や心理学的事象も視野に影響する因子として挙げられる. 屈折矯正も一つの要因である.

日常視を意識した視点からは, 両眼で一点を注視したときに右眼視野と左眼視野が重なる部分である両眼視野や両眼視野に片眼ずつの部分も含めた両眼開放視野という概念もある.

2 視野検査の意義

視野は, 眼球より視中枢に至る視路の投影である. 何らかの視野異常があれば視路のどこかに異常があり, 逆に視路に異常があれば視野異常を引き起こすことが考えられる. 視野検査により視野異常の部位や程度を捉えることで, 疾患の診断・治癒判定・経過観察を行うことができる. 網膜疾患・緑内障・視神経疾患といった眼科領域だけでなく, 視路に関わる頭蓋内疾患についてもその障害部位の検出のためには, 画像診断とともに重要な検査である. また障害者手帳の申請に際しても行われる検査であり, ロービジョン患者の残存視野の検出に用いられる.

3 視野を理解するための視路の解剖

眼所見をカルテに描く場合, 通常検者が眼球に対面した状態そのままを表記するが, 視野は患者側から見た状態を表現している(図 10-1). そのため, 眼球および網膜細胞層の構造や視神経線維の走行をはじめ視神経から頭蓋内に続く視路の解剖を理解したうえで, 異常所見の部位と視野異常の位置関係に注意して検査を施行することが必要である[2](第 1 章 V.「視神経, 視路」参照⇒20 頁).

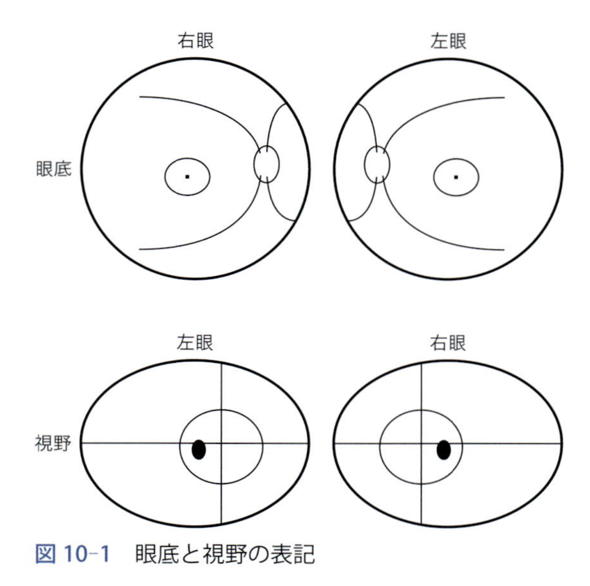

図 10-1　眼底と視野の表記

4 視野検査の歴史[3)]

1669 年 Mariotte E が盲点を発見し，1856 年 Graefe EL により臨床的に白い紙を用いた中心視野の測定が開始された．1889 年 Bjerrüm JP がドアの後ろにスクリーンを描いたのを始まりとして Bjerrüm スクリーンを米国で開発したが，これは平面視野計としてその後 100 年近く tangent screen という名称で人気を博した．検査面がスクリーンから弓状になり，Forster 視野計が日本に紹介されたのは 1869 年であった．1893 年 Groenous A が等感度をつないだイソプタを提唱し，1945 年 Goldmann H は最初に球形の視野計を開発してスイスの眼科医に紹介したが，日本に知られるようになったのは 1955 年前後である．静的測定を行う Tübingen 視野計は 1950 年代後半から 1960 年代にかけて Harms H と Aulhorn E により研究開発され，1966 年に等感度での多数同時刺激，黄昏視背面輝度の下で測定する Friedmann visual field analyser が熟練を要しないで短時間で検査できるものとして登場した．1974 年には第 1 回 IPS(International Perimetric Society)が開催された．1975 年 IPS で Octopus の発表があると視野計の開発の発展は自動視野計に移り，1985 年には日本眼科学会の展示テーマが自動視野計になったほどである．1986 年 Humphrey field analyser が日本で発売され，その後自動視野計では検査時間短縮を考えた SITA, TOP など新しいストラテジーが採用された．また，視標に光ではなくモニタ画面のちらつきを用いた noise field campimetry，緑内障など疾患の早期発見をめざして Blue on Yellow 視野計(short-wavelength automated perimetry：SWAP)，frequency doubling technology(FDT)やフリッカ視野計が開発された．そして，静的だけでなく動的検査も自動視野計に搭載されるようになった．1974 年に開発された眼底視野計(fundus photo-perimeter)は，SLO での scotometry に引き継がれ固視追尾機能を搭載した眼底視野検査計となっている．2015 年にはヘッドマウント型で両眼開放したまま片眼の視野を測定できる imo 視野計が日本で開発・販売され，時間短縮プログラム(AIZE/AIZE-Rapid)がストラテジーとして用いられている．

5 方法

臨床的には，「光が見えたら応答する」ことで自覚的にどの位の明るさがどの範囲で見えるかを調べる明度識別閾値を用いることが多い．定量の検査として Goldmann 視野計による動的視野検査と自動視野計による静的視野検査が代表的である．動的量的検査は，視標を見えないところから動かして見えたところをプロットしイソプタとしてつないでいく方法である．地図の等高線が山を立体的に表現するように，感度の等しい点を結んだ立体的な視野の島を上から見て二次元的に表す．視野の島を横から測定するため急峻な異常は捉えやすいが，微細な感度低下やイソプタ間の暗点を検出できないことがある．また，視野の島がなだらかな場合は応答に変動が起こりやすい．静的量的検査は，視標を止めたまま刺激の強さを変えていくことで各測定点の感度を測る方法である．経線に沿って測ることで視野の島の断層図を見ることもできる．細かく検査することで微細な変化を捉えやすいが，視野異常が急峻な部位では

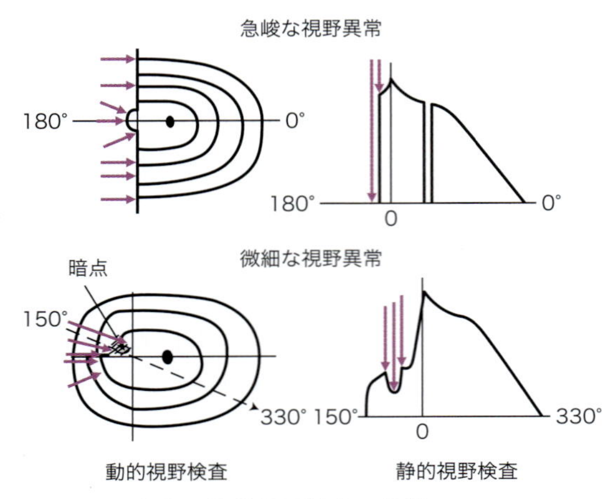

図 10-2 動的と静的視野検査の特徴

応答の変動が起こることがある[4]（図 10-2）．定性の検査には，指や点眼瓶のキャップを視標とした対座（面）法がある．また，見えるか見えないかではなく歪みなどの見え方を検査するには Amsler チャート，それを定量的に表す M-CHARTS がある．

他覚的視野検査には，眼底に投影した刺激から電気生理的に反応を捉える多局所 ERG や VEP，血流の反応でみる functional MRI がある．その他にも刺激に反応する瞳孔反応を用いる瞳孔視野計が研究されている．

▶文献
1) Scott GI: Traquair's Clinical perimetry. pp4-15, Henry Kimpton, London, 1957
2) Harrington DO: The visual fields. Text and atlas of clinical perimetry. pp107-144, Mosby, St. Louis, 1990
3) Johnson CA, Wall M, Thompson HS: A history of perimetry and visual field testing. Optom Vis Sci 1: E8-E15, 2011
4) Aulhorn E, Harms H: Early visual field defects in glaucoma. Glaucoma Symposium, pp151-186, Tutzing Castle 1966, Karger, Basel, New York, 1967

（小林昭子）

II 視野検査に必要な視覚生理学と心理物理学

1 生理学と心理物理学

生命現象を機能の面から研究する学問を生理学という．細胞に細い電極を刺入して細胞内の電位を測定する電気生理学は神経系の研究に広く用いられている．

刺激と感覚反応との関係を調べる研究を心理物理学という．ヒトの網膜に電極を刺入することはできないが，光と視感覚とを測定し，量的な関係を導き出し，動物の生理学実験と対応させることができる．

2 網膜における視覚情報処理

a. 網膜細胞の電気現象[1〜3]

眼球に入射した光は視細胞で神経の電気信号に変換され，網膜内で情報処理される．視細胞内の静止電位は暗所では－20～－40 mV で，光が入射すると背景輝度に応じ負の電位が増加（過分極）する．視神経の反応が all-or-none のパルスで，興奮の程度がその頻度で表されるデジタル様式であるのと異なり，網膜内の神経は視神経を除き膜電位の大きさで興奮の程度が表されるアナログ様式である．図 10-3a は背景のある状態で白から黒までの種々の輝度刺激を与えたときの視細胞の膜電位である．刺激が背景より暗いときは正の方向（脱分極）に，明るいときは負の方向（過分極）になる．図 10-3b は刺激光の強さと膜電位変化の関係である．非常に暗いあるいは非常に明るい場合を除き，膜電位は刺激光の対数に比例している．すなわち，視細胞のレベルで対数変換が行われているのである．

b. 受容野[1,2,4]

視細胞は多数の双極細胞とシナプス結合をしている．シナプスには興奮性と抑制性とがあり，視細胞の興奮は双極細胞を興奮に向かわせる結合（興奮性シナプス）と抑制に向かわせる結合（抑制

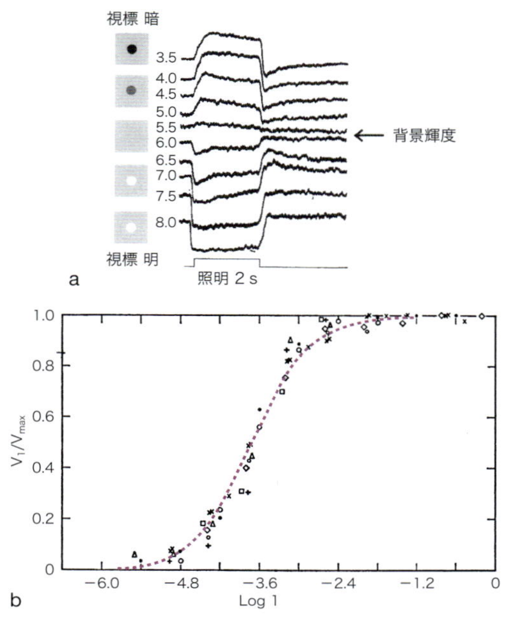

図 10-3 錐体の反応

a. サンショウウオの錐体の反応．背景輝度 5.7-log unit．背景より暗い照明(上部)では正の，明るい照明では負の光量に応じた細胞内電位の変動がみられる．

(Norman RA, Werblin FS: Control of retinal sensitivity. Light and dark adaptation of vertebrate rods and cones. J General Physiol 63: 37-61, 1974 より改変)

b. 光量とカメの錐体の反応．横軸は錐体に入射する輝度の対数，縦軸は錐体の膜電位(mV)である．中間部分はほぼ直線で，錐体の反応が光量の対数に比例している．

(Baylor DA, Fuortes MGF: Electrical responses of single cones in the retina of the turtle. J Physiol 207: 77-92, 1970 より)

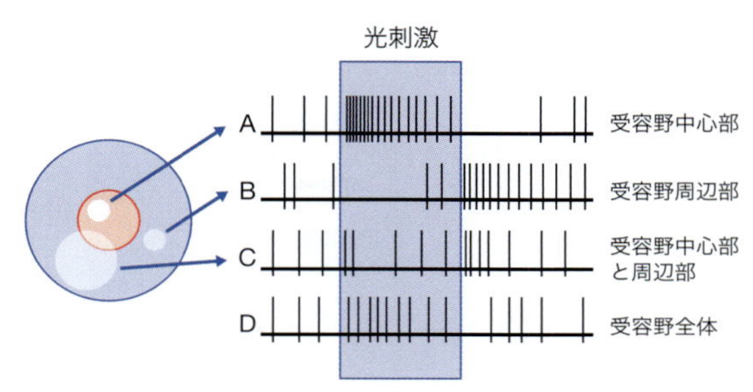

図 10-4 神経節細胞の受容野

on 中心型神経節細胞の受容野の色々な部位に光を照射したときの活動電位．A は受容野中心部，B は受容野周辺部，C は受容野中心部と周辺部にかかる部位，D は受容野全体である．

性シナプス)である．シナプスで結合されて一個の神経細胞に影響を与える範囲をその細胞の受容野(receptive field)という．網膜では，多くの細胞が複雑にネットワークを作っている．電極を刺入してヒトの受容野を調べることはできないが，心理物理学的な方法で神経節細胞の受容野を検討することは可能である．

神経節細胞の受容野は図 10-4 のような 2 重の同心円型で，中心部の円形の受容野中心部と，その外の輪状の受容野周辺部からなり，それぞれが拮抗的に働く．神経節細胞には，on 中心型と off 中心型とがある．on 中心型細胞は，受容野中心部に光が当たると興奮し(図 10-4A)，受容野周辺部に光が当たると抑制(側抑制)される(図 10-4B)．また，受容野中心部が暗くなると抑制され，受容野周辺部が明るくなると興奮する．興奮部と抑制部の両方にかかる光に対しては，その光により興奮させる効果と抑制する効果が計算され，その値に応じた反応が起こる(図 10-4C)．受容野全体に当たる光に対しては反応しない(図 10-4D)．

off 中心型細胞は，これと逆の働きをする．

受容野中心部と受容野周辺部とを合わせた全体が「受容野」であるが，受容野中心部だけをさして「受容野」ということもある．文献を読むときに注意が必要である．

c. 心理物理学[4〜6]

ヒトの受容野は心理物理学的な測定で調べることができる．色々な大きさの視標を使って，閾値における視標の大きさと輝度との関係を検討する．この場合，一定の輝度の背景の上に視標を投影し，視標の背景からの増分閾をもって視標輝度とする．

小視標では，視標が小さいほど高い輝度でなければ見えない．閾値における視標輝度と大きさの関係をみると，図 10-5 の閾値面積曲線のようになる．ここで，横軸は視標の面積，縦軸は視標輝度と面積の積すなわち視標の光量で，どちらも対数である．

曲線の左の部分は水平な直線である．これは，閾値が視標の大きさや輝度単独ではなく，その積すなわち全光量で決まるということで，受容野の範囲内に入射する光が加算されて感覚が起こるこ

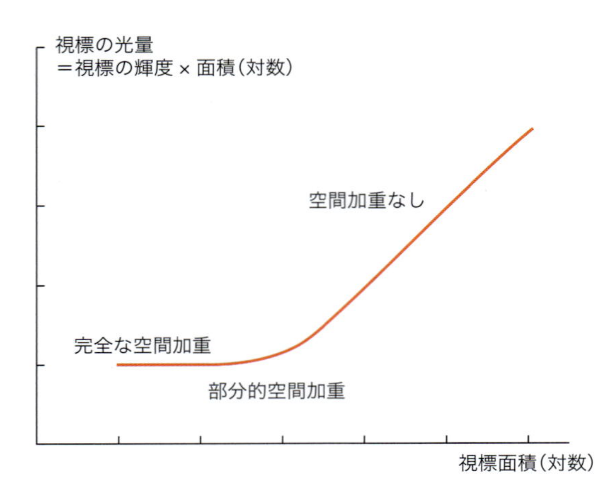

図 10-5 閾値面積曲線
視標面積と閾値における視標輝度との関係．横軸は視標面積，縦軸は視標の光量で，ともに対数である．視標の全光量は視標面積と輝度の積である(対数では和であらわされる)．左の水平な直線部は視標が受容野より小さいときで，視標の輝度と面積の積すなわち光量で閾値が決まる．完全な空間加重(complete spatial summation)である．
右の傾き45°の直線部は，受容野を越える光で，輝度で閾値が決まる．空間加重のない(non-spatial-summation)視標の大きさである．中間部は移行部で，部分的な空間加重(partial spatial summation)である．

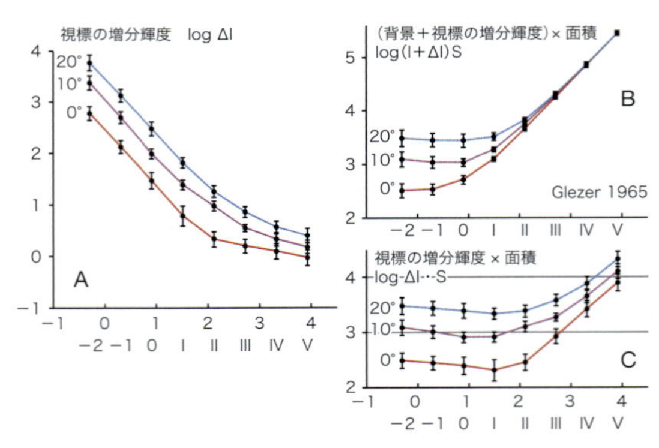

図 10-6 正常被験者の閾値面積曲線
17名の正常被験者の測定値を3種類のグラフで表した．横軸は視標面積(対数)である．縦軸は，Aは視標輝度(増分)，Bは〔視標輝度(増分)＋背景輝度〕×視標面積，Cは視標輝度(増分)×視標面積である．いずれも対数である．
Glezerは，視標として刺激するのは，増分ではなく背景輝度と増分の和であるとしてBのグラフを提案した．綺麗な曲線になるので使われることが多いが，視標が大きくなるほど誤差が無視されるので，適当ではないと思われる．

とを示している．これを空間加重(spatial summation)という(眼科用語集では「加重」となっているが，一般に「寄せ集め」という語が広く用いられている)．

グラフの右の部分は傾き45°の直線である．視標の大きさにかかわらず，輝度で閾値が決まるということで，空間加重がない(non-spatial-summation)という．移行部は部分的空間加重(partial spatial summation)である．

以上のように成書[4]には書かれているが，実際に測定するとこの通りにはならない．図 10-6は偏心度0°，10°，20°で測定した正常被験者の閾値面積曲線である[5]．横軸はいずれも視標面積の対数である．縦軸は，Aは視標輝度(増分)の対数で，Cは視標輝度×視標面積の対数である．図 10-5と図 10-6のCとを比較すると，実測値では完全な空間加重の所で水平にならず，空間加重なしの所で45°になっていない．Glezer(1985)は網膜を刺激している光量は背景輝度＋増分輝度であるとして，縦軸に視標輝度×(背景輝度＋増分輝度)を取ったグラフを使用した(図 10-6B)．このようにすると，図 10-5のような綺麗な閾値面積曲線が得られる．しかし図 10-6Bをよく見ると，右に行くほどエラーバーが小さくなっており，右端では，ほとんど0である．実測値では，視標の増分輝度の標準偏差は全域にわたり同程度であった．同程度の標準偏差のエラーバーが位置により異なり，特に0に表現されるようなグラフは測定値の検討に適当ではないと思われる．

神経節細胞には，P細胞(P cell)，M細胞(M cell)，それぞれにon中心型，off中心型があり，受容野は多数重なり合っている．そのため，視標の光は多数の神経節細胞に興奮や抑制の影響を与える．入射した光に関連する細胞すべてについて興奮と抑制を計算してシミュレートすると，受容野の特性を求めることができる(図 10-7)．

図 10-8は図 10-6の正常被験者の測定値と，シミュレーションである．最良適合は，受容野中心部の直径は4.1＋0.55×偏心度，受容野周辺部の直径/受容野中心部の直径は3.0，受容野中心部の高さ/受容野周辺部の深さは0.12であった．これはM cellの特性であると考えられる．

視神経の受容野は，中心部と周辺部が拮抗した

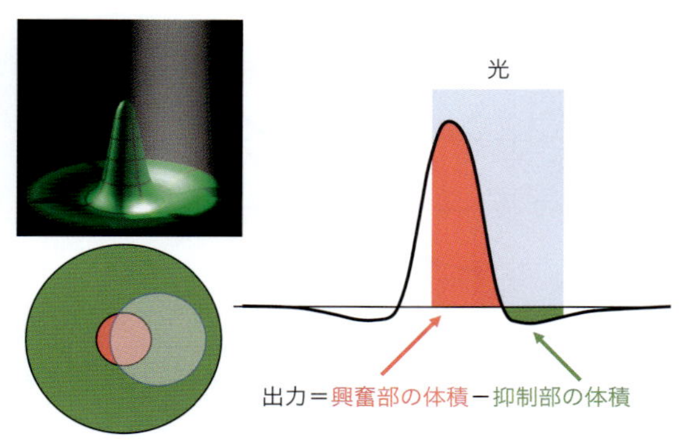

図 10-7 受容野の出力
中心を外れた光が当たった場合，興奮部に当たった光による興奮の量と，抑制部に当たった光による抑制の量を計算し，閾値を超えた場合に視神経が活動電位を出す．

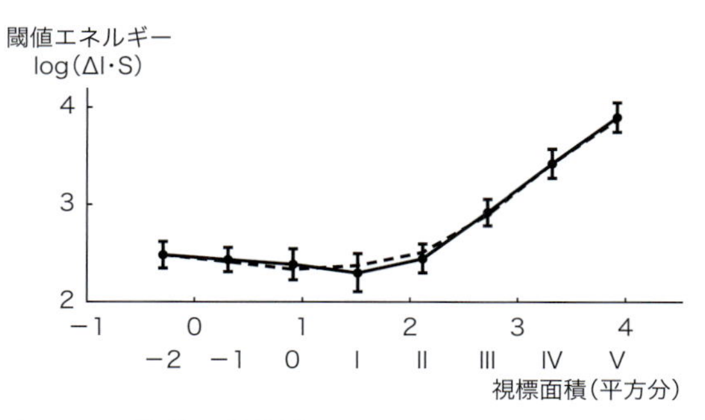

図 10-8 閾値面積曲線のシミュレーション
正常被験者 17 名 17 眼を種々の大きさの視標で，偏心度 0° の静的視野を測定したものである．背景輝度は 31.5 asb，視標呈示時間 100 ms である．縦軸は視標の増分閾値の対数，横軸は視標面積の対数である．
実線は測定値，破線はシミュレーションで，① 受容野中心部の直径：0.55 E+4.1 分〔E は偏心度(°)〕，② 受容野周辺部と受容野周辺部の直径の比：3.0，③ 受容野周辺部と受容野周辺部の高さの比：0.12，が最良適合であった．

反応を示す同心円型であり，中心部と周辺部に当たる光の差を信号として中枢に送っている．すなわち，位置的な微分信号である．中枢では微分信号を積分して元の画像として解釈している．視神経の障害で暗点ができた場合，虚性暗点となるが，これは，変化の信号(微分)が中枢に伝わらないため，暗点の周囲の見え方がそのまま暗点部分に及んでいるとして中枢で処理されるためと考えることができる．対数変換し，微分信号を使うことにより，広いダイナミックレンジを確保しながら高い感度を得ているのであろう．

図 10-9 は，偏心度 10° の位置に，Goldmann 視野計の視標 0，I，III，V を投影したときの P cell の興奮のシミュレーションである．赤は on 中心型細胞の興奮，緑は off 中心型細胞の興奮で，色が濃いほど興奮が強い．0(直径 3 分)の視標では興奮する細胞は少ないが，III では on 中心型の細胞が 8 個，off 中心型の細胞が 54 個興奮している．大きな視標では，視標の縁に近い細胞のみが興奮している．

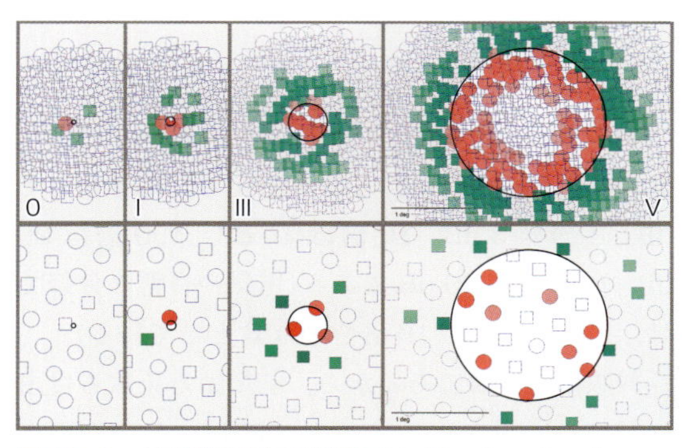

図 10-9 神経節細胞の興奮のシミュレーション
偏心度 10°，左から Goldmann 視野計の視標 0，I，III，V を投影したときの網膜神経節細胞 P cell のシミュレーションである．赤は on 中心型細胞の興奮，緑は off 中心型細胞の興奮で，いずれも色が濃いほど興奮が強い．
下段は受容野密度が 10% に減少した場合で，III の視標では興奮する細胞があるが，0 の視標では，受容野の間隙に視標が投射される率が高い．

3 閾値と感度[4〜6)]

刺激が小さいときは反応が起こらないが，ある値を超えた刺激に対しては反応が起こる．反応が起こるか起こらないか〔あるいは正しい反応(正答)が生ずるか生じないか〕の境界の値を閾値とする．閾値より強い刺激では 100% 反応が起こり，それより弱い刺激では反応が全く起こらないというわけではなく，反応はある範囲内に分布している．図 10-10 のような知覚確率曲線を描き，正答率が 50% の値を閾値としている．

心理物理学の測定では，専ら閾値測定が行われる．感度は閾値の逆数である．閾値が高いのと感度が低いのとは同義であるが，閾値が数値で表される厳密な意味であるのに対し，感度はかなり漠然とした使われ方もされる．

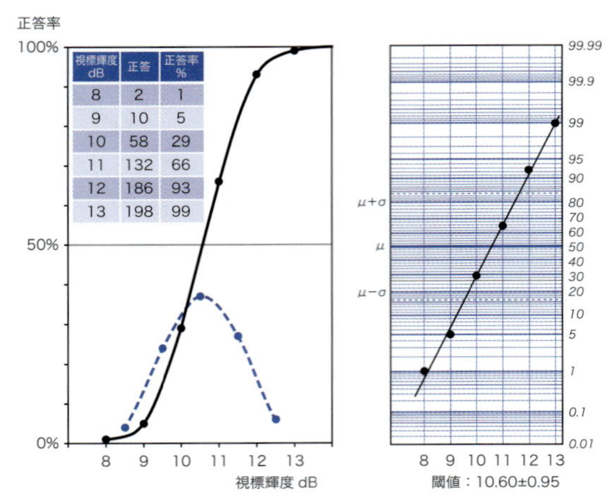

視標輝度 dB	正答	正答率 %
8	2	1
9	10	5
10	58	29
11	132	66
12	186	93
13	198	99

図 10-10 恒常法で測定した静的視野の知覚確率曲線
縦軸は正答率，横軸は視標輝度．8 から 13 dB の視標を，ランダムに各 200 回呈示し，正答率をプロットした．破線は変化率．右は正規確率紙で，ほぼ直線に乗っている．閾値は 10.60 ±0.95.

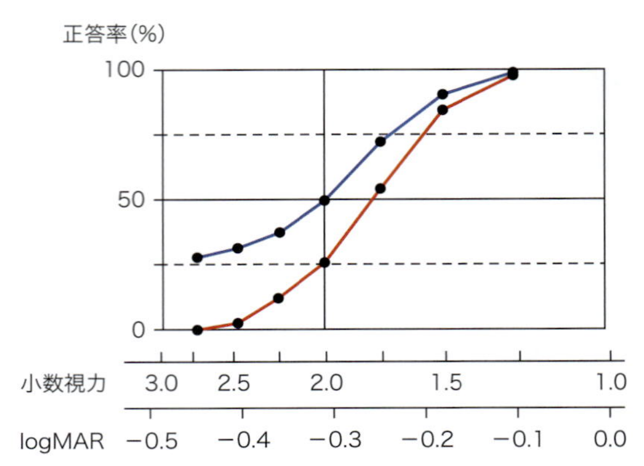

図 10-11 強制選択法による視力測定の知覚確率曲線
1.2 から 2.75 までの 7 段階の視標を用い，呈示時間 100 ms で測定した．Landolt 環の切れ目は，上下左右の 4 種類である．青線は上下左右の 4 肢強制選択法，赤線は「わからない」を許した測定である．
視標が大きいと正答率は 100% に近づくが，視標が小さくなると，強制選択法では 25% に，「わからない」を許した場合は，0% に近づいた．
このバイアスを考慮して，強制選択法では補正をした場合は正答率 50% を閾値とするが，補正をしない場合は 62.5% を閾値とする．正規確率紙にプロットするのは補正した値を使用しなければならない．

感覚は刺激の対数に比例するので，対数あるいはデシベル(dB)で表されることが多い．デシベルは常用対数を 10 倍した値である．基準値は 0 dB，2 倍は 3 dB，10 倍は 10 dB，100 倍は 20 dB，0.01 は−20 dB である(電気や音響の分野では，2 倍を 6 dB，10 倍を 20 dB としている)．

対数は比較値であるから，基準値も正負も自由に設定できる．したがって，閾値の dB 値が高いからといって感度が低いというわけではない．静的視野では，視標の最高輝度を 0 として減衰を dB 表示するので，dB 値が高いほど感度が良い．logMAR では，視角 1 分(小数視力 1.0)を 0 として対数で表すので，logMAR 値が大きいほど視力が悪い．

Landolt 環の向きを上下左右の 4 種類の視標で視力検査を行う場合，「上」「下」「左」「右」と「わからない」の 5 種類の答をさせる方法と，わからなくても当てずっぽうで上下左右のどれかの答えを要求する方法(強制選択法)とがある．「わからない」という応答は他の応答と同じ重み付けができないので，統計的な処理を行い難い．心理物理実験では強制選択法が好んで用いられる．この場合，選択肢は 4 個で，方向が判別できない小さな視標でも 1/4 の正解確率がある．知覚確率曲線は図 10-11 の実線のように，25% と 100% の間に描かれるので，0〜100% になるように次の式で正答率を補正する．

$$\frac{E}{N}=\frac{R-N\times p}{N(1-p)}$$

E：推測を除いた正答数
N：呈示回数
R：推測を含めた正答数
p：推測の確率(視標の向きの数の逆数 0.25)

視野測定の場合，強制選択法では選択肢は「見えた」「見えない」の 2 つである．2 肢強制選択であるから，推測の確率が 50% になるかというと，測定値は図 10-10 のようなカーブになり，50% と 100% の間にはならない．被験者に「見えたときボタンを押してください」と要求するので，被験者は見えたときに反応し，見えないときは反応しない．見えたかどうか迷う場合のみが問題になるが，視力測定の際のように，見えない視標に対して強制選択するのとは異なるのである．「どちらかわからない」という選択肢を許す場合は後の処理で「見えない」応答として処理するのが一般的である．

通常の視野測定では，正答率 50% を閾値として差し支えないと思われる．

4 閾値測定法[4〜7]

静的視野測定を例にとって説明する．

a. 恒常法

予想される閾値を挟んで数段階の刺激を多数回ランダムに与え，それぞれの刺激に対し正しい反応の起こる確率(正答率)を求める．図 10-10 の S 字型の線は，8 から 13 dB の 6 段階の視標が見えた確率をプロットした知覚確率曲線である．下の破線は知覚確率曲線を微分したもので，反応の分布である．反応は一般に正規分布し，知覚確率曲線は累積正規分布曲線になるとされている．

右の正規確率紙にプロットし，これが直線に乗っていれば正規分布であると考える．50% の値が閾値，$\mu + \sigma$，$\mu - \sigma$ が標準偏差であるとする．

1 つの刺激当たり 50〜200 の試行を要するので，臨床検査には無理がある．試行ごとに被験者の応答に応じて閾値がどこにあるかを統計的に推定し，ある収束条件を満たすと終了する方法(最尤法)も行われる．

b. 極限法

明らかに見える輝度の視標を見せ，一定の段階で暗くしていく(下降系列)．見えないという応答があるところで停止し，見えると見えないの中点に閾値があるとする．次は明らかに見えない輝度から出発する上昇系列で明るくしていき(上昇系列)，見えたという応答があると停止する．

上昇系列と下降系列をあらかじめ決めておいた回数に達するまで繰り返す．上昇系列，下降系列の閾値の平均値を求める．

これらの操作は一定の方法で検者が行う．

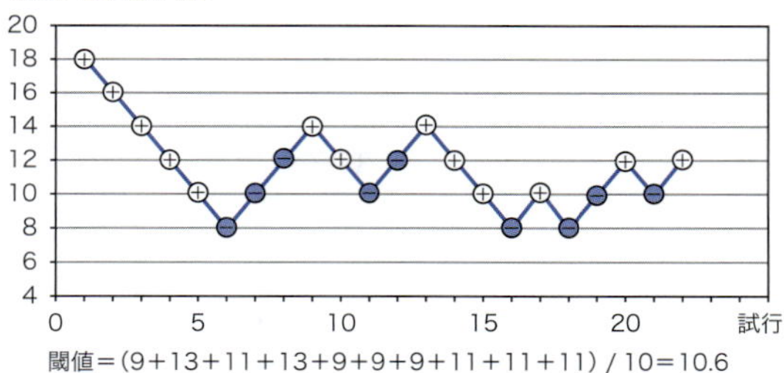

図 10-12　上下法
18 dB の視標を呈示し，これが見えたので，2 dB ずつ暗くし，8 dB が見えなかったので，2 dB ずつ明るくする．「見える」「見えない」が反転すると視標の明暗を切り替える．切り替えが前もって決めた数(この場合は 10 回)になると終了する．「見える」「見えない」の中間に閾値があるとして，この値を平均する．

c. 調整法

極限法の操作を被験者が行うものである．つまみを回して視標の輝度を変えられるようにセットしておき，被験者自身でつまみを回して刺激を増減してやっと見える所を決めさせる．上昇，下降を被験者が納得するまで，何回やってもよい．

被験者によって基準が異なり，信頼性にも差があるので，本格的な測定には用いられない．簡便に閾値を大まかに決めるのには便利である．

d. 上下法(図 10-12)

極限法の変形である．下降系列から始めた場合，見えないという反応があると，系列を反転して上昇系列に移り，見えるという反応があるまで輝度を上げる．上昇系列，下降系列の反転があらかじめ決めておいた数になると終了する．値を平均して閾値とする．見えたら輝度が下がり，見えなかったら輝度が上がることに気づいて被験者が正答を予測することがあるので，時々，見えない視標を挿入するなど工夫を要する．

e. bracketing 法(図 10-13)

自動視野計で用いられている簡便法である．視標が見えると 4 dB 暗い，見えないと 4 dB 明るい視標を呈示する．上下法と同じように反応が反転したら系列を切り替えるが，このとき段階を半分の 2 dB にする．次に反応が反転したら打ち切

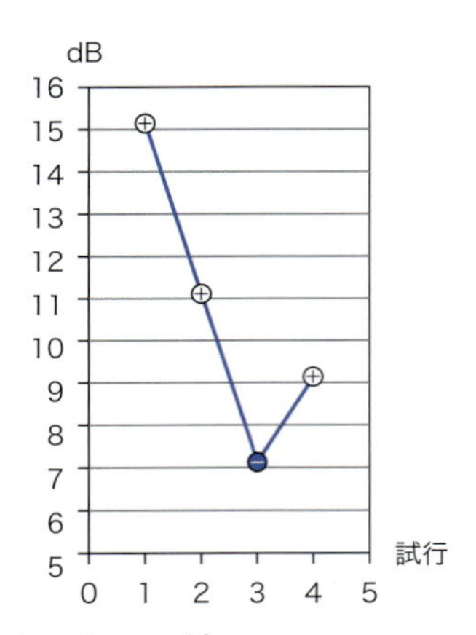

図 10-13 bracketing 法
「見える」「見えない」の反応が反転するごとにステップ幅を小さくして，閾値を上下から包み込む方法で，自動視野計の静的測定に用いられている．

る．最低3回の試行で閾値を決定するので，非常に荒っぽい方法であるが，臨床，特に視野測定では試行数が多いとかえって信頼度が減少するので，この方法が好まれる．

自動視野計の閾値測定では，初回の輝度が偶数か奇数かはコンピュータが決める．2 dB の段階で測るので，1 dB の変化には意味がない．

臨床で広く使われている Humphrey 視野計などの静的視野計では bracketing 法が用いられるが，試行回数が多く被検者の負担が大きい．測定の応答や多数症例の解析結果から測定点の閾値を推定して少ない試行で閾値を決定できるように測定を進めていく方法が実用化され，SITA(Swedish Interactive Thresholding Algorithm)が広く使われるようになった．これは緑内障に特化して作られたものであるが，一般の測定にも用いられよい結果が得られている．Nagata ら[8]は閾上視野計で被験者の応答に応じて視標位置を数点増やし，神経回路コンピュータ(AI)を用いて診断する装置を作った．30 年前のコンピュータであったが，良好な診断能力と被験者の負担軽減を示した．高性能のコンピュータ，OCT，MRI，deep learning と big data など，長足の進歩を遂げている診断技術と組み合わせてさらに簡便で精度の高い測定法が開発されるのも夢ではないであろう．

f. 視力測定

Landolt 環を呈示して，5 個のうち 3 個以上を正答した最小の視標の値を視力としている．視力値を得るために多数の試行を行っているにもかかわらず得られた視力値は 1 つの数字なので，1 個体における視力の変化を統計学的に評価することができなかった．恒常法であれば評価が可能であるが，非常に多くの試行数を要し，臨床で行うことは不可能である．三田ら[7]は，対数視力は正規分布をすると考え，試行ごとにロジスティック回帰分析を用いて知覚確率曲線を得る方法を開発している．治験の効果判定などに有効であろう．

5 Weber の法則と Weber-Fechner の法則[4]

手掌に 100 g の錘を乗せ少しずつ重くしていき 102 g で初めて重くなったと感じるとき，200 g では 204 g で感じる．錘が初めて変化したと感じる刺激の増加量 2 g，4 g(識別閾 ΔR)と，初めに乗せた錘 100 g，200 g (標準刺激量 R)との比($\Delta R/R$)は一定である．

$$\Delta R/R = k$$

k は一定で Weber 比という．

この式は音の高さや，明るさの感覚など広く当てはまり，Weber の法則(1834)といわれる．視野において，背景輝度(I)と視標輝度(ΔI)の間に $\Delta I/I$＝一定という関係があることはよく知られている．

Weber の法則は識別閾についてであるが，Fechner は閾値だけでなく感覚の量を式として表現しようと考えた．刺激量(R)と感覚量(S)との間に

$$S = k \log R$$

という式を考え，心理物理学の基礎測定式とした．これを Weber-Fechner の法則あるいは Fechner の法則という．

これは，中くらいの刺激に当てはまるが，極端な刺激では当てはまらない．

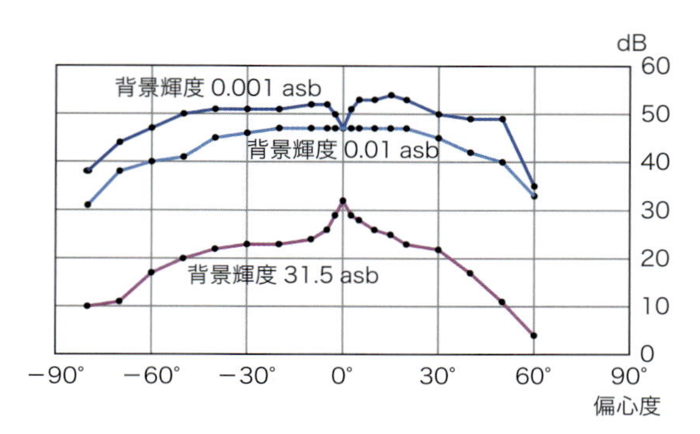

図 10-14 背景輝度と視野
上から，背景輝度 0.001 asb（暗所視），0.01 asb（薄明視），31.5 asb（明所視）で測定した正常被験者の静的視野 180° 断面である．視標は Goldmann III．

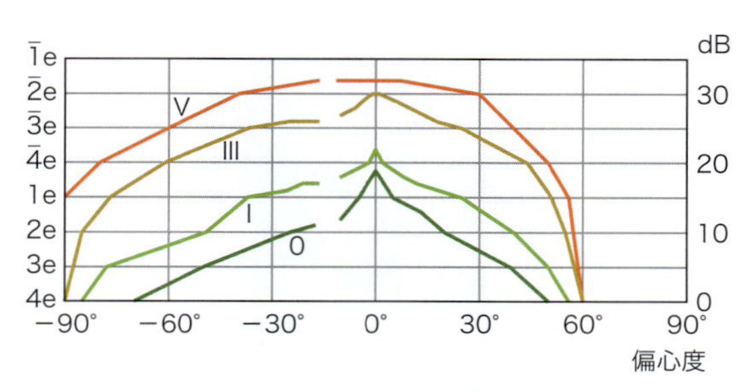

図 10-15 Goldmann 視野計で測定したイソプタの 180° 断面
視標の大きさによって断面の形が変わり，大きい視標では平坦，小さい視標では中心が尖った傾斜の強い形になる．

6 閾値と感覚量

視野の中心部は閾値が低く，周辺部は高い．しかし，閾値が高いところで，ものが暗く見えるわけではない．被験者になって視野測定を受けてみると，中心部では，視標が見えるか見えないかわからないような見え方であるが，周辺部では閾値を超えると突然明るい視標が見えてくる．視覚の恒常性で，同じ輝度のものは，視野全体で同じ明るさに見えるのである．

中心性漿液性脈絡網膜症では，網膜の剝離した部位は暗く感じるが，閾値を測るとあまり上昇していないことが多い．緑内障の暗点はほとんど自覚されることはなく，視標を暗く感じることもない．

7 視野検査に影響する因子

a. 背景輝度

図 10-14 は背景輝度を変えて測定した静的視野の水平断面である．視標は Goldmann 視野計のIIIである．下段は背景輝度 31.5 asb の明所視で，中心が突出しているが，上段（背景輝度 0.001 asb の暗所視）では，中心部が 5 dB ほど低下している．中心窩には杆体がないため錐体が最大に暗順応した閾値である．

中段（背景輝度 0.01 asb の薄明視）では，錐体が最大暗順応し，杆体と錐体が同程度に働いている状態で，中心部 20° 以内が平坦である．

一般の視野計では，背景輝度 31.5 asb の明順応が用いられる．

b. 視標の大きさ

図 10-15 は視標の大きさを変えて測定した動的測定の水平断面である．

Vの視標では，中心部はなだらかな傾斜で，部位による閾値の差は少ない．このような条件では，動的測定は困難である．動的測定でイソプタを検出するためには，閾値に傾斜が必要である．一方，傾斜が強いと閾値が変化してもイソプタの位置がわずかしか変化せず，異常の検出が困難である．Iの視標は適当な傾斜があり，動的測定に適している．Vの視標では，静的測定でも視標が見えたのか否かがわかりにくく，小さな視標のほうがわかりやすい．

静的測定ではIIIの視標が使われる．この視標では，中心部と周辺部とで閾値の差が少ないので視野計が作りやすいこと，視標が見えやすいこと，ばらつきが少ないことなどの長所がある．しかし，IIIの視標は直径が 24 分あり，月より少し小さいものである．この視標で刺激される神経節細胞は 60 個程度あり，非常におおざっぱな検査ということもできる（図 10-9）．

c. 固視変動

測定中，眼球は常に動いている．眼底を観察しながら測定する眼底視野計を用いれば，視標の位

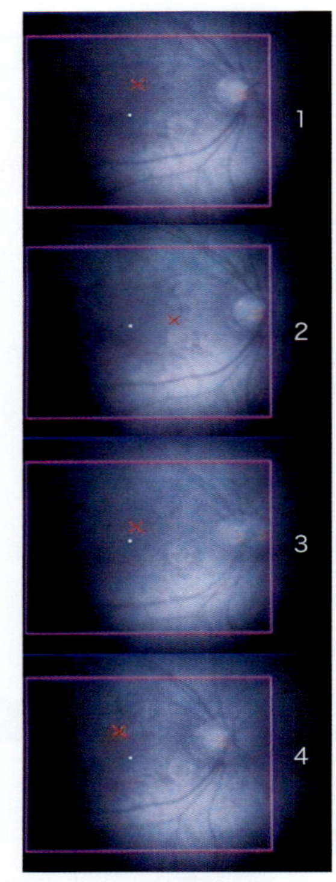

図 10-16　視野測定中の眼球の動き
眼底の動きを自動追尾して視標を網膜の一定位置に投影する眼底視野計のモニタ画像である．赤い×印に視標が呈示される．中心窩の上方5°を視標直径9分，呈示時間1秒で静的測定を行っている．中心の小白点が固視標である．1では×印の位置に視標が出ている．視標が消えると眼球が2°ほど動いた(2)．視標を再呈示すると，また眼球運動が起こり，視標を追尾している(3)．視標呈示中に眼球運動があるので，このデータは使用できない．眼球の位置が安定した4で再測定を行った．

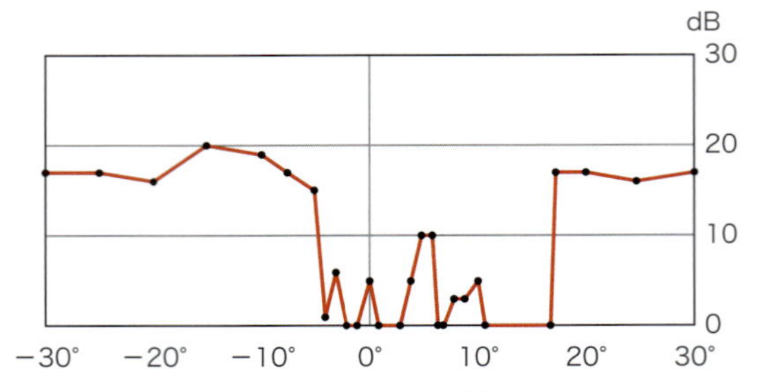

図 10-17　視神経炎回復期の静的視野
Tübinger 視野計で手動で測定した水平断面である．視標は7分白色，背景は白色 10 asb．中心部に 5 dB の見えるところがあり，視力は 1.2 になった．固視がよく，細かく測定できた．中心部に凹凸の激しい篩状視野であった．

置を確認することができる[8]．図 10-16 は眼球運動を自動追尾して視標を眼底の一定部位に投影する眼底視野計で測定中の眼底の動きである[9]．この程度の眼球運動はごく普通にみられるものである．

緑内障など，視神経障害では，凹凸の激しい視野障害(篩状視野，sievelike scotoma)となる(図 10-17)．視神経線維は all or none の活動電位で興奮を伝えるので，視神経線維の障害では，興奮が伝達されるか否かである．視野障害は，個々の神経線維が色々な程度の障害を受けた結果と考えるより，興奮を伝える線維の数が減少して，受容野の欠損が起こり，凹凸の激しい視野となったと考えるほうが的を射ているであろう．図 10-16 のように刺激位置が毎回変わるような条件で閾値を求めようとしても，正確な値は求められない．

図 10-9 の下段に受容野が 1/10 に減少した場合のシミュレーションを示した．通常のⅢの視標では，受容野欠損部に視標が入ってしまうことはない．一方，0 の視標では，受容野に当たることのほうが少ない．篩状視野では，小さな視標で欠損部を見つける方法のほうが異常をよく検出してくれる．受容野のシミュレーションでは，偏心度 10° では，視神経が 20% に減少すると受容野中心部の配列に 5 分程度の間隙ができる．この間隙に投影した刺激は非常に見難いと考えられる．Frisén[10] は視標輝度は一定にしておき，受容野中心部程度の大きさの刺激を，ある領域に多数与え，見えた確率で視野を定量化する方法(rarebit perimetry)を提唱している．半径 20°×30° の範囲を 24 のブロックに分け，その中に直径 1.6 分，150 cd/m^2 の閾上視標を出すのである．Nakatani らは眼底写真上に視標の位置を関連づける fundus-oriented perimetry を考案し，直径 2.9 分の閾上刺激で異常部位を高密度に測定して，preperimetric glaucoma 症例に神経線維層欠損部の暗点が高率に検出できたと報告している(図 10-18)．閾上刺激によるスポットチェックは被検者に優しい検査である．Preperimetric glaucoma といわれるような初期の変化をみつけるためには，閾上検査をもっと取り入れてもよいのでは

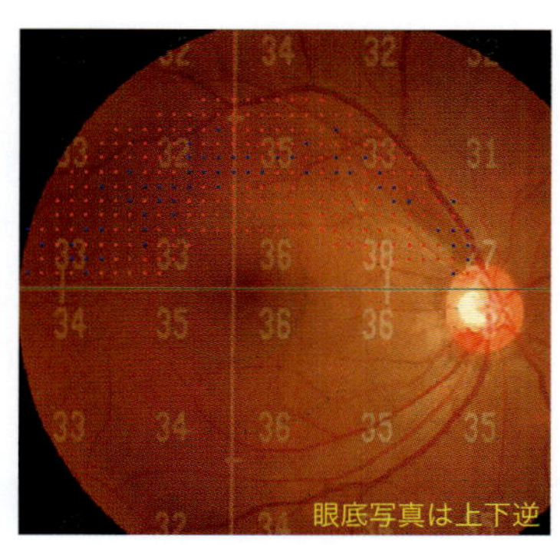

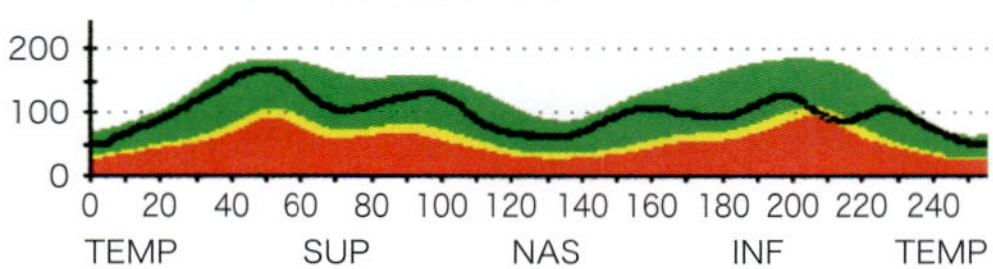

図 10-18 fundus-oriented small-target perimetryで検出されたpreperimetric glaucomaの視野欠損

眼底写真を検者用のモニタに上下逆に表示し，Mariotte盲点の位置から眼底写真と視野の位置を合わせ，任意に検査領域を決める．視標は2.9分，434 asb，間隔1°で被検者用の液晶ディスプレイに呈示される．
白い文字はHumphrey 30-2の閾値，下段はOCTの結果である．
耳下側の神経線維層欠損に一致した視野欠損が検出されている．
(Nakatani Y, Shinji O, Higashide T, et al: Detection of visual field defects in pre-perimetric glaucoma using fundus-oriented small-target perimetry. Jpn J Ophthalmol 56: 330-338, 2012より一部改変)

ないかと考える．

視神経線維の数が減少した場合，受容野がどのように変化するか，また，閾値がどのようになるか，これを明らかにするためには，補償光学系を用いた眼底観察系と，眼底を追尾して一定部位に刺激を与える装置で測定することが必要である．

▶文献

1) 杉　晴夫：神経とシナプスの科学　現代脳研究の源流．pp140-191，講談社，2015
2) シュミット RF(編)，岩村吉晃(訳)：感覚生理学．pp130-167，金芳堂，1980
3) 田内雅規，金子章道：電気的応答から見た視細胞の性質．眼科 Mook 14：1-12，1980
4) 池田光男：視覚の心理物理学．森北出版，1975
5) 可児一孝，高島みすず，永田　啓：視野と受容野．眼科 35：225-232，1993
6) 福田秀子，可児一孝：閾値とその測定法．神経眼科 7：291-298，1990
7) 三田哲夫，原　平八郎，可児一孝，他：統計解析を用いた視力測定．視覚の科学 31：19-25，2010
8) Nagata S, Kani K, Sugiyama A: A computer-assisted visual field diagnosis system using a neural network. Perimetry Update 1990/1991. pp291-295, 1991
9) Nishida Y, Murata T, Yoshida K, et al: An automated measuring system for fundus perimetry. Jpn J Ophthalmol 46: 627-633, 2002
10) Frisén L: New, sensitive window on abnormal spatial vision: rarebit probing. Vision Research 42: 1931-1939, 2002

(可児一孝)

III 動的視野検査

1 検査の概要

目的 視野全体を把握する．

原理 等感度曲線であるイソプタを各視標ごとに作成することで定量する．

適応 視野異常が疑われる疾患．

機器 Goldmann視野計，自動視野計．

2 原理

Goldmann視野計(図10-19)による検査が動的視野検査の基本になる．視標を動かし見えたという自覚的な応答をプロットしてつなぎ，等感度曲線であるイソプタを各視標ごと作成する．視標面積や輝度を変えることで定量できる．マニュア

図 10-19 Goldmann Perimeter 940(HAAG-STREIT社製)

ル操作のため，どの視標をどこからどこまで呈示するかが任意に選択可能である．

3 Goldmann 視野計の検査方法

a. 機器の設定[1)]

視野計はドーム内へ光や影が入らないように向け，水準器を調整し水平に置く．正確な設定によりレジスタリングアームは中央に位置する．V/4 e で最大視標輝度を 1,000 asb に，背景輝度はV/1 e を用いて 31.5 asb に調整する．測定用紙は下と左右の線を枠の溝に合わせて入れる．

b. 検査説明

患者を安全に誘導した後，検査の目的とともに，「正面の固視点を注視し眼を動かさない」「視標が見えたらすぐブザーを押す」「瞬きをしても構わない」といった検査方法を被検者に合わせた言葉で説明する．顎台を動かして器械と被検者の眼の位置を合わせる際には，被検者の姿勢が苦しくならないように器械台の高さも一緒に調整する．また片眼検査終了後他眼の検査に移る際も椅子を横に移動するように気をつける．

c. 遮閉と眼瞼挙上

非検査眼の遮閉は隙間から見えないよう注意し，瞬目はできるように遮閉具にふくらみを持たせるなど顔貌に合わせて工夫する．眼瞼や睫毛による視野異常を引き起こさないように検査眼の上眼瞼挙上をするが，閉瞼できることを確認する．初回検査時は視力の良い眼を先に検査したほうが検査方法の理解を得やすい．

d. 視標選択

1）視標面積

V (64 mm^2)，Ⅳ(16 mm^2)，Ⅲ(4 mm^2)，Ⅱ(1 mm^2)，Ⅰ(1/4 mm^2)，0(1/16 mm^2)の 6 種類．

2）視標輝度

4，3，2，1 は 5 dB ずつ，e，d，c，b，a のフィルタを用いると 1 dB ずつ変えられる．

通常はV/4 e，Ⅰ/4 e，Ⅰ/3 e，Ⅰ/2 e，Ⅰ/1 e を使用し，中心感度はⅠ/1 a または 0/1 e を用いて測定することで視野の島の頂点を確認する．V/4 e とⅠ/4 e の間はⅣ～Ⅱと面積を変えた視標を使用する．レバーは確実に止まるところまで 1 つずつゆっくり動かさないと故障したり，視標が 2 つになり正しく投影されなかったりする．

e. 視標呈示

視標は見えないところから見える方向へ動かし，応答があるまで止めない．予想される「視野の島」に対して垂直に動かすことで安定した応答が得られる．応答があったところでレジスタリングアームを止めてプロットする．移動速度を一定にするためレジスタリングアームはしっかり保持し，左右への移動は記録用紙の矢印に沿って動かすことでスムーズに行える．検査中はプロジェクターをドームにぶつけないようにレジスタリングアームの可動域が左右どちら側にあるかに注意する．また，視標の出る方向を被検者が予測して固視が不安定になると視野結果に影響が出るため，それを防ぐ目的で呈示はランダムに行う．

f. イソプタと暗点の測定

イソプタ測定では正常範囲あるいはイソプタの外側に呈示し求心性に動かすのが基本である．特にV/4 e の場合は下方と耳側は最大可動範囲の外側に，上方と鼻側は正常範囲より外側に呈示して応答がないことを確認してから動かし始めないと狭くなる[2)]．視野異常の確認のため必ず垂直・水平経線をはさんだ部位を測定するとともに，各イソプタで違う経線を選択することで異常の見落としを防ぐ．イソプタ間が広く開いている場合は中間イソプタでの測定やスポットチェック[3)]で暗点の確認をする．

暗点測定は，まず暗点が予測される部位を囲むイソプタの視標を暗点の中心と思われるところに呈示する．応答がなければ遠心性に動かし「広さ」を測定し，異常の「深さ」は暗点内で見えない最も強い視標刺激まで強くすることで求められる

(Mariotte 盲点の中心は，耳側 15°・下方 3° が基本である．通常視標面積の影響を受けづらい I/4 e と Mariotte 盲点を囲む最小イソプタ視標の 2 つで測定し Mariotte 盲点の拡大の有無を確認する)．

4 適応

自覚的な応答が得られ検査に協力性があれば，疾患にかかわらず視野全体を把握することができる．状況に合わせ応答を確認しながら検査することができるため，体位の保持ができれば小児や高齢者であっても検査可能である．

5 検査の進め方のポイント

a. 矯正レンズ

閾値検査では屈折矯正の影響が起こるため，調節力に応じたレンズを使用する．中心 30° の範囲を基準に，屈折性の視野異常が疑われた段階で使用する．ただし，感度低下に対しぶどう腫など網膜の歪みの影響が疑われる場合は 0.50 や 1.00 D 刻みにレンズを交換し屈折性の視野変化かどうか確認する．

b. 中心部の閾値

Goldmann 視野計の検査条件下では視力が良好な場合中心感度は一番高くなる．視力とイソプタの関係が一致しなければ，中心 2 度の固視観察孔の中にイソプタや暗点が入ってしまっていることも考えられる．その場合は固視点投影器を使用したり，視標を直接固視させて中心窩閾値を測定したりすることで中心部の閾値を確認できる．

c. 疾患別視野異常と測定での注意点

1) 正常(図 10-20)

顔貌により差はあるが，一般的な範囲は鼻側 60°，上方 60°，下方 75°，耳側 100° 程度とされている[4]．左右眼で対称となり，どの疾患に対しても検査の基準である．

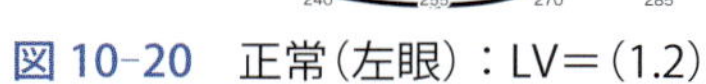

図 10-20　正常(左眼)：LV＝(1.2)

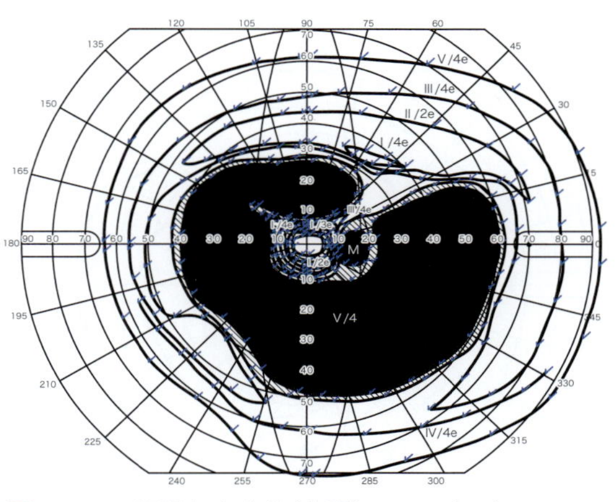

図 10-21　網膜色素変性(右眼)：RV＝(0.1)

2) 網膜疾患

a) 網膜色素変性(図 10-21)

輪状暗点や求心性視野狭窄という特徴的な視野異常になる．

輪状暗点はイソプタの間隔が開いた部位に存在しやすい．暗点の測定では Mariotte 盲点を基準にすることもできる．視野が狭く夜盲もあるため，検査室への誘導の際には障害物を取り除くなど介助に気をつける．

b) 加齢黄斑変性・中心性漿液性脈絡網膜症・錐体ジストロフィなど

中心部に暗点をきたすが，暗点の部位や広さ・深さの測定には眼底所見や視力が参考になる．中心暗点がある場合も検査中は中心窩が固視

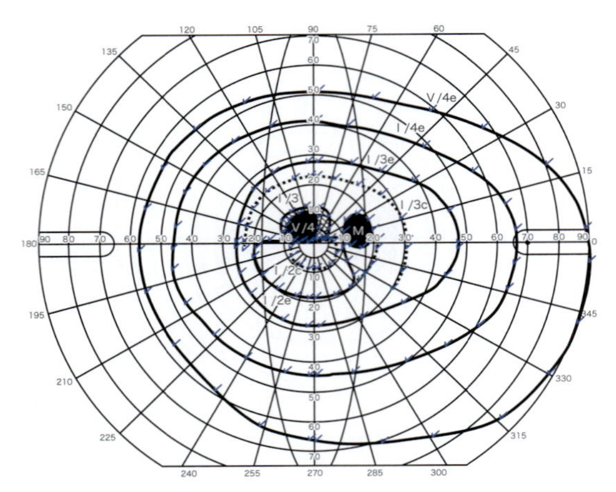

図 10-22 錐体ジストロフィ(右眼)：RV＝(0.1)
偏心視により Mariotte 盲点が上にずれている.

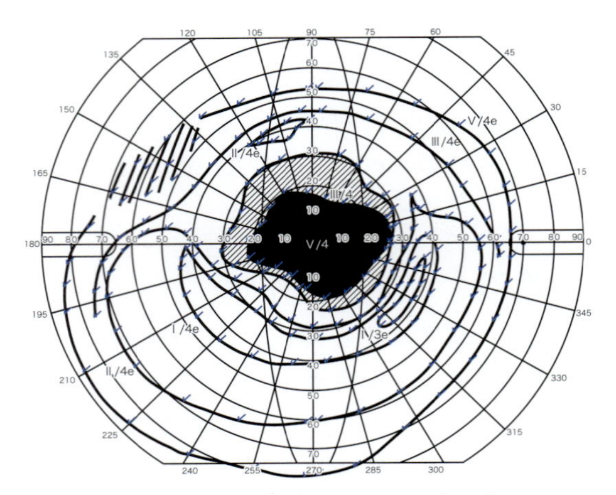

図 10-24 視神経炎(左眼)：LV＝0.01(n. c.)

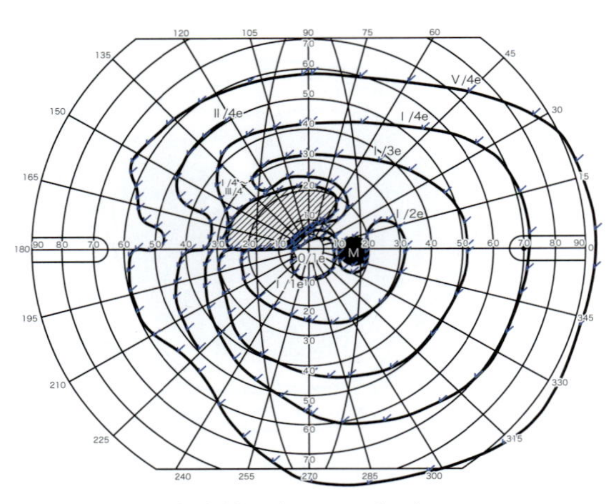

図 10-23 緑内障(右眼)：RV＝(1.5)

標へ向かうように固視を誘導する(後述の「視神経疾患」参照). ただし, 長期にわたり中心暗点が存在したため偏心視を獲得している場合には固視誘導にこだわると時間がかかるため, 偏心視の状態で検査をするのも一つの方法である(図 10-22). その場合 Mariotte 盲点の位置ずれや固視状態などコメントを記録用紙に記載する.

3) 緑内障(図 10-23)

網膜神経線維の走行に沿って, 鼻側階段, Bjerrum 領域の暗点, 傍中心暗点, 弓状暗点, 穿破, 求心性狭窄などが見られる. 緑内障の視野変化には湖崎分類[5]や Aulhorn 分類 Greve 変法[6]が参考になる. イソプタの欠損部位だけでなく Armaly 法[7]を参考にして緑内障性視野異常が疑われる部位のスポットチェックをする. 鼻側階段の有無を確認するには細かくプロットしていくことが必要である. 末期でも視力は維持されていることが多いため中心感度に注意する.

4) 視神経疾患

a) うっ血乳頭

Mariotte 盲点の拡大が起こる.

b) 虚血性視神経症

水平半盲が見られる.

c) 視神経炎(図 10-24)

中心暗点を呈するが, 中心暗点が深くて広い場合, 固視標が見えないため固視の誘導が必要である. 急性期の中心暗点は偏心視とは異なり中心窩に視方向がある. 固視標は見えなくてもまっすぐ見るように指示すると正面視ができるため, 検者は固視観察孔で瞳孔の中心に位置を合わせながら測定を行う. 固視が不安定な場合には Mariotte 盲点を測定できないこともある.

5) 頭蓋内疾患

a) 視交叉部の異常(図 10-25)

異名半盲として, 両耳側半盲・半盲様暗点が多い. ただし交叉部より後方が障害されると同名性の異常を起こすこともある. 中心部に異常が起こりやすく視力低下を起こすが, 左右眼で異常の程度が異なり必ずしも対称的な異常になるとは限らない. 半盲様の異常を確認するには垂直経線での

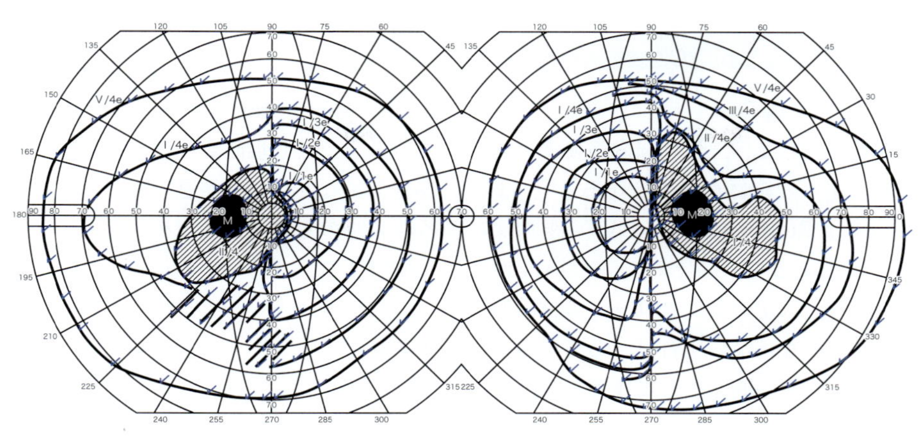

図 10-25 頭蓋咽頭腫：RV＝(0.6)，LV＝(0.1)
Riddoch-Zappia 現象もみられる.

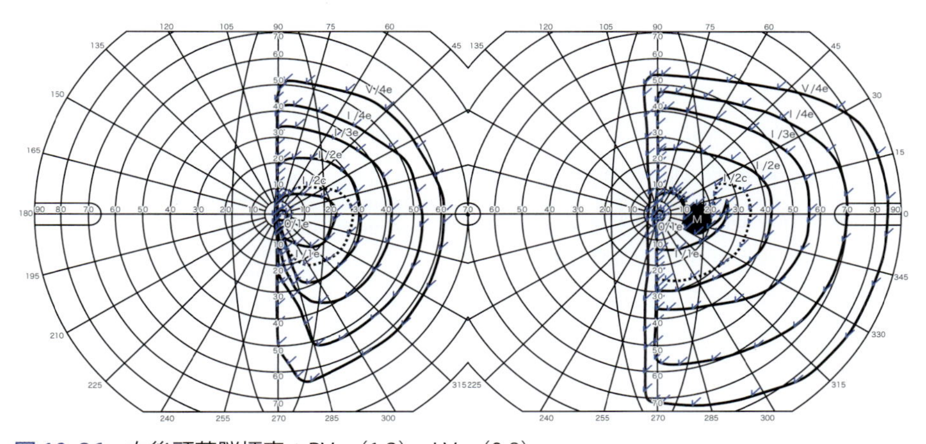

図 10-26 右後頭葉脳梗塞：RV＝(1.2)，LV＝(0.8)

差の有無に注意し，中心部の暗点や欠損にも気をつける.

b) 視交叉より後部の異常(図 10-26)

同名半盲になるが，視放線の障害では 1/4 半盲，後頭葉に近づくと左右眼の異常は相似形になり，黄斑回避が起こる．測定の際には垂直だけでなく水平経線での差の有無を確認する．視力とイソプタの関係を考えて，イソプタが中心を避けた結果にならないように注意する.

6) 心因性視野異常

応答が不安定で再現性がなかったり，求心性視野狭窄を呈したりする．しかし実際は正常視野になることが多い．通常の検査で視標はアトランダムな方向から呈示し再現性も確認するが，らせん状視野は視標を順番に呈示することで引き起こされる．心因性だから異常視野になると思い込んで検査をしてしまうと Leber 病など疾患を見落とすことになる．他疾患の場合と同様に患者のもっている視機能を十分引き出せるように検査を進めるが，言葉を選んだ声かけをしてラポールをとることが必須である．再現性を確認するため遠心性に視標を動かし消失域を測定したり，自覚的な応答が難しい場合は視標を追う眼の動きで判断したりする方法もある．急な視機能低下を訴えたのにもかかわらず障害物に気づいたり移動に問題がなかったりと患者の様子と検査結果との整合性がないことが診断につなげられることもあるため患者の観察も大事である.

d. 検査中の注意点

1) 応答が不安定な場合

疾患によるものとしては，早期緑内障による異常部位では応答が不安定になることがある[8]．また視神経疾患ではRiddoch-Zappia現象(視標が動くとわかるが止まっているとわからない)[9]が起こることがある．測定の度にプロットの位置が変わりイソプタをつなげない場合は，あえてつながず斜線で表す．検者の問題としては視標選択など検査条件を整えられているか，台の高さなど患者が苦しい状況になっていないかどうかにも気をつける．体調などにより患者の協力性が乏しい場合は，診断に必要な部位のみを測定し検査時間を短縮する．

2) 固視観察

検査中は固視観察筒から固視状態を観察しながら測定を行い被検者の様子には常時気を配る．声をかけることで被検者の応答を確認するなど患者とコミュニケーションをとりながら検査を行うことが大切である．時間のかかる自覚的な検査であるだけに被検者の協力がなければ成り立たないことを肝に銘じておく．

6 検査機器

手動のGoldmann視野計はHAAG-STREIT社が製造を中止したため，国産のイナミ社製とタカギセイコー社製のものがある．自動視野計ではOctopus，Humphrey，コーワが動的検査を搭載している．ただし現時点では，視標の面積・速度や測定部位などは検者が選択し呈示だけが自動という半自動のものが多いため，検査の進め方が結果に影響する．

▶文献

1) 石井祐子：動的視野検査．松本長太(監)：理解を深めよう視野検査．pp23-30，金原出版，2009
2) 小林昭子：Goldmann視野計テクニカルチェックシートを用いた動的視野検査の技術指導法．日本視能訓練士協会誌 41：221-227，2012
3) 原澤佳代子：動的量的視野検査－Goldmann視野計による－．あたらしい眼科 11：1833-1842，1994
4) Anderson DR: Testing the field of vision. pp1-17, Mosby, St. Louis, 1982
5) 湖崎 弘，中谷 一，塚本 尚，他：緑内障視野の進行形式．臨眼 32：39-49，1978
6) Grave EL, Langerhorst CT, van den Berg TTJP: Perimetry and other visual function tests in glaucoma. In Cairns JE (Ed), Glaucoma (vol 1). pp37-77, Grune & Stratton, London, 1986
7) Rock WJ, Drance SM, Morgan RW: A modification of the Armaly visual field screening technique for glaucoma. Can J Ophthalmol 6: 238-292, 1971
8) Werner EB, Drance SM: Early visual field disturbances in glaucoma. Arc Ophthalmol 95: 1173-1175, 1977
9) 松尾治亘，古野史郎，遠藤成美，他：視路疾患にみられると云うRiddoch-Zappia現象について．日眼会誌 79：1321-1328, 1975

(小林昭子)

IV 静的視野検査

A. Octopus視野計

1 検査の概要

目的 詳細な視野変化を検出する．

原理 視標の呈示位置を固定し，各測定点で輝度を変えることで感度を求めていく．

適応 緑内障をはじめ，主に中心視野に異常が疑われる疾患．

機器 Octopus視野計．

2 検査機器

Octopus視野計は，Bern大学Fankhauser Fらにより開発された世界で初めての静的自動視野計である[1]．初代モデルである201型において，現在広く普及している自動視野計の論理的基礎である測定点配置，測定ストラテジー，信頼性パラメータ，年齢別正常値の概念，各種統計解析などが確立された．以後多数のモデルが発売され，ハードウェアの改良と視野解析ソフトウェアの

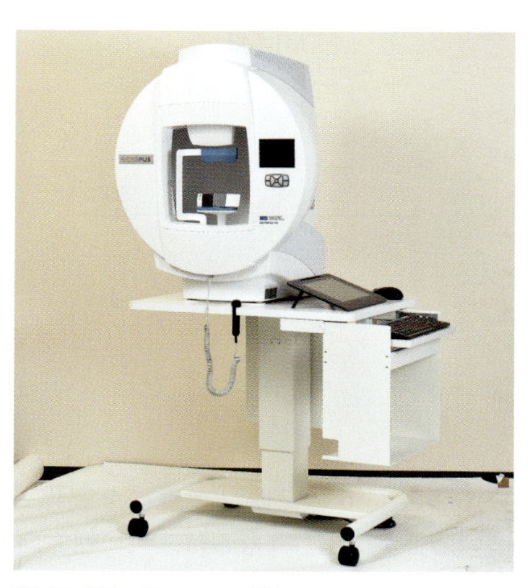
図 10-27　Octopus 900

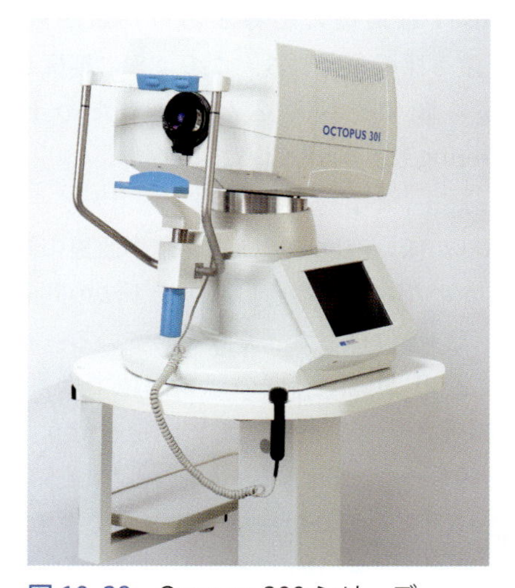

図 10-28　Octopus 300 シリーズ

バージョンアップが行われてきた．現行の機種には，静的視野測定のみならず動的視野測定も行える 90° 全視野投影型の Octopus 900(図 10-27)，自動瞳孔追尾やヘッドレストセンサを有し中心 30° 内を静的に測定する直接投影システムの Octopus 300 シリーズ(図 10-28)，TFT(thin film transistor)モニタを採用した明室での検査が可能な中心 30° 内を静的に測定する Octopus 600 がある(図 10-29)．Octopus 900 では周辺視野を両眼開放エスターマンテスト，中心視野は 10-2 プログラムを用いて身体障害(視覚障害)者認定の

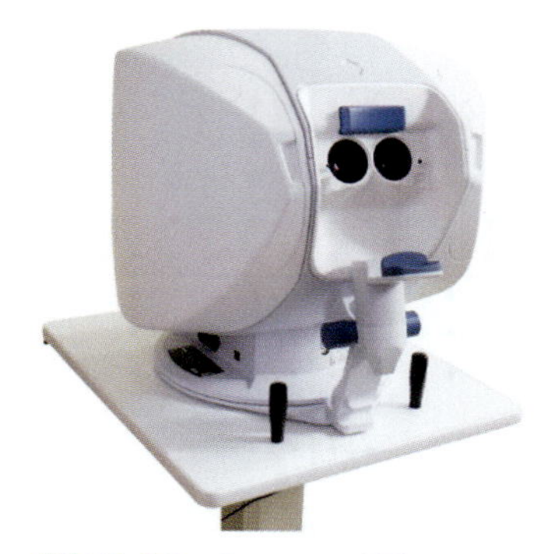
図 10-29　Octopus 600

評価が可能である．Octopus 600 は 10 Hz で反相点滅するフリッカおよびコントラストの調整されたリング視標を用いた，早期緑内障の検出を目的とした Pulsar 視野測定プログラム[2]を実施できるという特徴がある．

またオプションで Blue on Yellow 視野[3,4]，フリッカ視野[5]を測定することができ，さらに最新の視野解析ソフトである EyeSuite™ Perimetry にて，各種眼科疾患の診断，経過観察および視野進行が把握しやすくなっている．本項では，Octopus 視野計の基本的な使い方と測定結果の読み方について概説する．

3 検査方法

a. 測定プログラムの選択

測定プログラムには，スクリーニング測定と閾値測定が用意されている．臨床上では，閾値測定プログラムの 32，G1/G2，M1/M2 が汎用されている．測定プログラムは，対象とする疾患の特徴的な視野変化に合わせた配置点を有するプログラムを選択するとよい(表 10-1)．32 は，中心 30° 内を格子状に 6° 間隔に測定点を配列したものであり，いずれの疾患においても対応できる．緑内障用のプログラムである G1/G2 は，網膜神経線維走行や網膜神経節細胞の分布を考慮し，中心部や鼻側に密に測定点を集め，全体の測定点数は減らして，より効率的に緑内障性視野障害を検出できるよう配置されている．M1/M2 は中心

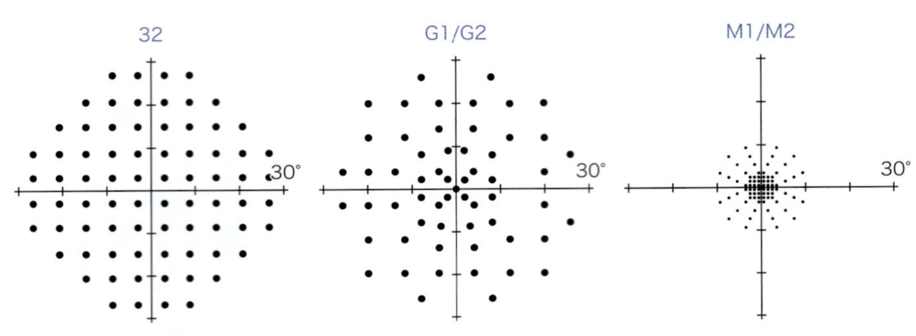

図10-30 測定点配置

表10-1 測定プログラム

名称	測定範囲	検査点	適応疾患
32	0〜30°	76	一般
G1, G2	0〜30°/30〜60°	59/14	緑内障
M1, M2	0〜4°/4〜9.5°	45/36	黄斑疾患, 緑内障進行例
N1	9.5〜26°/26〜56° 0〜4°/blind spot 4〜26°/26〜52°	38/14 21/80 54/17	視神経疾患
D1	0〜26°/26〜52°	16/42	糖尿病
LVC	0〜30°	77	Low vision (中心)
LVP	0〜30°/30〜87°	9/66	Low vision (周辺)
ET	0〜80°	100	視野障害等級判定
CT	4〜90°	16〜100	Custom test

10° 内に密に測定点が配置されており，黄斑疾患や，緑内障の固視点近傍に障害がある場合に有用となっている(図10-30).

b. 測定ストラテジーの選択

スクリーニング測定にはいくつかのストラテジーがあるが，一般的には正常，比較暗点，絶対暗点の3段階に分類する2-level test(three-zone法)が用いられる．一方閾値測定には，Normal (4-2-1 dB bracketing)，Dynamic，TOP(Tendency Oriented Perimetry)の測定ストラテジーがある．

1) Normal ストラテジー

現在の自動視野計における閾値測定の基本となっている．4 dB ステップで輝度を変化させ，被検者の応答が変化したならば，次に逆方向に2 dB ステップで輝度を変化させ再び被検者の応答が変化した点で測定を終了する．閾値の最終値はOctopus では最後に応答があった値から1 dB 戻った値を採用している．このように輝度を上下しながら閾値を挟み込んでいくため上下法(bracketing 法)とも呼ばれている．

2) Dynamic ストラテジー

視感度が低い部位では，知覚確率曲線の傾きがなだらかになることに着目し，上下法の間隔を視感度の低い部位ほど大きく設定している．正常付近では2 dB 間隔，感度の悪い部位では最高10 dB 間隔とステップ幅を変えて測定を行う．測定精度を保ちつつ，視野障害が進行している症例ほど検査時間を大幅に短縮することができる(Normal ストラテジーの約1/2の時間).

3) TOP ストラテジー

空間的に隣接する測定点の閾値は類似することに着目し，測定点の閾値決定に複数の隣接する点の測定結果を反映させている．測定は各測定点を4つのstage に分けて閾値推定が行われる．各点1回の視標呈示で測定を終えることができるため測定時間は2〜3分と極めて短い．ただ測定アルゴリズムの性格上，局所の深い暗点は浅目にやや広く検出され，偽応答は測定結果へ大きく影響を及ぼしてしまう．長時間の集中や姿勢の保持が困難な小児や高齢者には適したストラテジーではあるが，わずかな視野変化を的確に捉え診断，経過観察をするためには，より測定精度の高いストラテジーを選択する必要性がある.

4 測定結果の読み方

a. 単一視野解析(single field analysis)(Seven-in-One)の読み方(図 10-31)

①患者データ：ID，氏名，生年月日の入力間違いがないか確認する.

②Greyscale：数値表示をグラフィックスでカラー(濃淡)表示したものがグレイスケールである．Octopus 視野計では，年齢別正常値からの変化量を表示した CO グレイスケールと従来からの実測値をベースにした VA グレイスケールを選択表示させることができる．グレイスケールにて大まかな視野の障害パターンを把握することができるが，個々の測定点においてより正確に障害を評価するためには内蔵している正常値に基づく解析が必要となる.

③Values：測定点ごとの感度の実測値(dB)が表示されている．0 dB は■で表示される．また軽度の異常を疑う場合は，この実測値を用いて年齢別正常範囲内での変化を確認する必要がある.

④Comparison：実測値と年齢別正常値との差を表示している．差が 4 dB 以内のものは「＋」で表示されている.

⑤Corrected comparisons：Comparison の各測定点の値から，白内障などで diffuse に低下した成分(deviation)の dB を差し引いた値が表示されている.

⑥Probabilities：各測定点の値が，統計学的に正常から有意に逸脱しているかを確率表示している．確率プロットは 5 段階のシンボルマークで表示され，5%，2%，1%，0.5% 未満であることを表している.

⑦Corrected Probabilities：Corrected comparisons を確率表示している.

⑧Defect curve：個々の測定点における年齢別正常値からの変化量を小さいものから大きいものへ順にならべた曲線で，視野の局所的な沈下，全体的な沈下を評価することができる．さらに偽陽性率が高いと左肩が正常値より大幅に上昇することで判断できる.

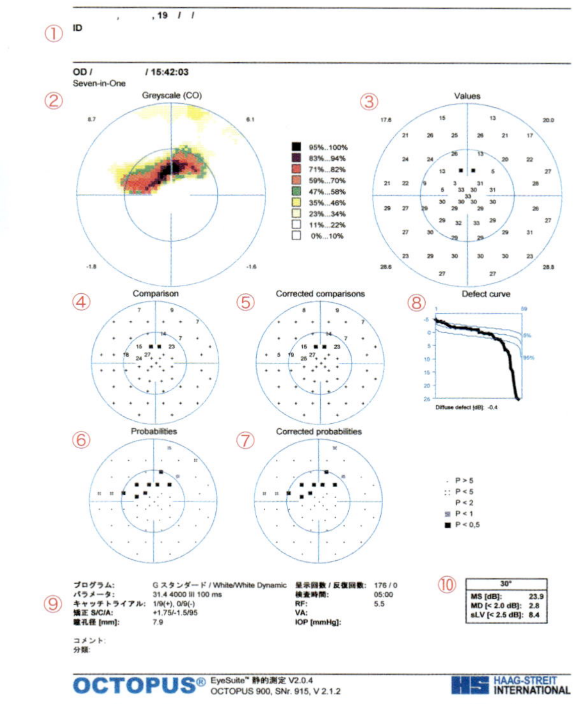

図 10-31 単一視野解析：Seven-in-One 形式のプリントアウト

⑨検査情報：キャッチトライアル

- 偽陽性率(false positive responses)は，検査視標を呈示していないにもかかわらず間違って応答した割合をいう．偽陽性率 20% を超える場合には，測定結果の信頼性が低いと判断される.
- 偽陰性率(false negative responses)は，視野検査中に一度応答のあった部位に高輝度の視標を呈示し答えなかった割合で，同様に 20% を超える場合には患者が集中力を欠いたり，検査内容を理解していない可能性がある.

⑩視野指標/Global Indices：検査結果全体の特徴を示す指標.

- MS(mean sensitivity)：視野全体の平均感度
- MD(mean defect)：年齢別正常値と平均感

度との差

- sLV(square loss variance)：視野の凹凸の程度，局所的な感度低下
- CsLV：sLV から SF の影響を除いた値
- SF(short term fluctuation)：短期変動，検査中の測定値の再現性の指標

b. EyeSuite™ Perimetry の有用性

視野測定データの統計解析ソフトである EyeSuite™ Perimetry は，緑内障における機能的変化(視野変化)と構造的変化(眼底変化)を互いに対応させることにより，診断や進行を容易に判断することができる有用なソフトウェアである．解析法には polar 解析と cluster 解析がある．また過去に測定された結果を用いることにより，直線回帰的に視野進行傾向を評価する polar trend 解析，cluster trend 解析を行うこともできる．

検査のポイント

☑ 自動視野計は，測定機器により測定条件と設定条件に違いがあることを認識しておく必要がある．背景輝度，視標サイズ，視標呈示時間，最高視標輝度などの条件が異なると，感度の dB 値の生データを直接比較することはできない．また同じ視野計を用いても，プログラムやストラテジーが異なれば同様に直接比較はできない．

▶文献

1) Fankhauser F, Koch P, Roulier A: On automation of perimetry. Albrecht Von Graefes Arch Klin Exp Ophthalmol 184: 126-150, 1972
2) Zeppieri M, Brusini P, Parisi L, et al: Pulsar perimetry in the diagnosis of early glaucoma. Am J Ophthalmol 149: 102-112, 2010
3) Johnson CA, Adams AJ, Casson EJ: Blue-on-yellow perimetry: A five-year overview. In Mills RP ed: Perimetry Update 1992/1993. pp459-466, Kugler, Amsterdam, 1993
4) Sample PA, Martinez CA, Weinreb RN: Color visual fields: A 5-year prospective study in eyes with primary open angle glaucoma. In Mills RP ed: Perimetry Update 1992/1993. pp467-473, Kugler, Amsterdam / New York, 1993
5) Matsumoto C, Takada S, Okuyama S, et al: Automated flicker perimetry in glaucoma using Octopus 311: a comparative study with the Humphrey Matrix. Acta Ophthalmol Scand 84: 210-215, 2006

(高田園子，松本長太)

B. Humphrey 視野計

1 検査の概要

目的 微細な視野異常を検出する．

原理 視標の輝度を変化させて定点に呈示し，その応答により各測定点の閾値を決定する．

適応 緑内障をはじめ，主に中心視野に異常が疑われる疾患．

機器 Humphrey 視野計(Humphrey® Field Analyzer)．

2 原理

自動で定点を静的に測定する機器である．一定のストラテジーで検査が進むため検査を理解しないままでも自動的に測定されるが，手動に比べ短時間で検査を行うことができる．結果が対数表示されるため視野異常やその経過を統計学的に解析する機能も搭載されている．

3 方法

a. 検査条件

〈視標〉

(1) 面積：Goldmann 視野計に準じた V，Ⅳ，Ⅲ，Ⅱ，Ⅰ(通常Ⅲが選択されるのは，中心と周辺での感度差や感度の個人差が少ないためである)

(2) 最大輝度：10,000 asb

(3) 色：白，赤，青

(4) 呈示時間：0.2 秒

〈背面輝度〉 31.5 asb に自動調整

〈検査距離〉 30 cm

〈最大測定範囲〉 89°(耳側)

b. プログラム

表 10-2 にプログラムの測定範囲と測定点をまとめた.

c. 測定法

1) スクリーニング検査

正常感度曲線は age corrected(年齢別データ)あるいは threshold related(各象限で 1 点を実測することから正常感度を想定)を選択して設定する.

(1) one intensity：単一輝度の視標で測定.

(2) two zone：予測される正常感度から 6 dB 明るい視標で測定.

(3) three zone：two zone の測定後見えなかった点を最大輝度の視標で測定.

(4) quantify defect：three zone で最大輝度の視標だけが見えた測定点の感度低下を定量.

2) 閾値検査

(1) full threshold：想定した正常感度を基準に 4 dB ずつ輝度を変化させ応答が変われば 2 dB 戻る bracketing 法により全測定点の閾値を決定する.

(2) fastpac：full threshold と同様に想定した正常感度を基準とするが，3 dB ずつ輝度を変化させていき戻りはない.

(3) Swedish Interactive Thresholding Algorithm (SITA)-standard：呈示する視標輝度の変化は full threshold と同じだが，最尤法を用い 1 回の視標呈示ごとに被検者の応答に応じて想定値を変化させながら閾値を決定する．緑内障を対象にして開発されたアルゴリズムであるが，検査時間は full threshold の約半分になる.

(4) SITA-fast：閾値決定は SITA-standard に準じるが，輝度変化は 4 dB ごとのみで fastpac のように戻りはない.

表 10-2　プログラムの測定範囲と測定点

	パターン	測定範囲と測定点
スクリーニング	中心 40 点	30° 内 40 点
	中心 64 点	30° 内 64 点
	中心 76 点	30° 内 76 点
	中心 80 点	30° 内 80 点
	アーマリー中心	30° 内 84 点
	周辺 60 点	30〜60° 内 60 点
	鼻側階段	50° 内 14 点
	アーマリー全視野	50° 内 98 点
	全視野 81 点	55° 内 81 点
	全視野 120 点	55° 内 120 点
	全視野 135 点	鼻側 57° 内 135 点
	全視野 246 点	60° 内 246 点
閾値	黄斑部	4° 内 16 点
	中心 10-2	10° 内 68 点
	中心 24-2	24° 内 54 点
	中心 30-2	30° 内 76 点
	周辺 60-4	30〜60° 内 60 点
	鼻側階段	50° 内 14 点

その他スペシャルテストとしてエスターマン片眼・両眼，上方 36 点・64 点がある

4 適応

視野異常が疑われる疾患があれば検査適応であるが，検査は自動的に進むため検査中の頭位保持や検査への協力性を得られない場合は困難である.

5 検査手順とポイント

(1) プログラムと測定眼の選択：黄斑部疾患や求心性狭窄が進行した場合は，測定点が 6° 間隔に配置されている中心 30-2 や 24-2 より 2° 間隔の 10-2 のほうが適している．視標面積をⅢからⅠに変更するとわずかな感度低下を調べられ，Ⅴにすれば残存視野を確認できる.

(2) データの入力：年齢別正常値を結果解析に用いるため，生年月日の入力は正確に行う.

(3) 矯正レンズの準備：レンズによるアーチファクトを起こさないように，度数や軸，眼前距離に注意する．矯正レンズ度数の入力では IOL 挿入眼など加齢の影響だけでなく調節力を考慮する必要がある.

(4) 検査の説明：基本は動的検査と同様であるが「(閾値検査では正常でも約半数は見えないため)見えない場合もある」「ブザーを押している間は光が出ない」といった検査説明もする．患者の不安が和らぐように検査時間の目安を知らせる．
(5) 非検査眼の遮閉と上眼瞼の挙上/顎台，椅子，器械の高さ調整：「動的視野検査」の項⇒141頁を参照．
(6) 中心窩閾値測定：4ドットの固視標に視線を誘導し測定する．
(7) 固視監視の設定：検査中の固視ずれ状態が経時的にグラフで表される gaze track は正面の固視標を注視しモニタ上瞳孔が中心にある状態で設定する．レンズホルダーを使用することで顎台を自動調整する head track やレンズとの頂間距離があいたら警告音を鳴らす vertex monitor も作動する．fixation losses(固視不良)も併用できる．
(8) 測定中：検査中に表示される閾値を確認しブザーが押されるタイミングにも気をつけておくと偽陽性に対して早期に対応できる．fixation losses が増える場合は遮閉の具合や測定眼の選択を確認し，設定した Mariotte 盲点の位置も再検索する．頭位保持が必要なため検査中も患者を1人にせず観察する．
(9) 結果印刷：入力した患者情報，瞳孔径，検査中の状態や疾患と視野異常の整合性を確認する．

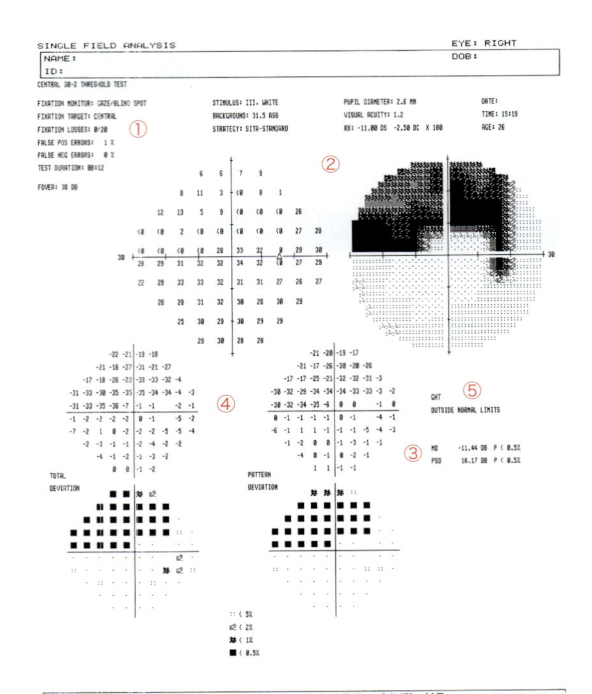

図 10-32 中心 30-2 の single field analysis
① 信頼性，② dB 値とグレートーン，③ global indices(視野視標)，④ total deviation と pattern deviation，⑤ glaucoma hemi field test(緑内障半視野テスト)．

6 検査結果の評価―中心 30-2 の単一視野解析 (single field analysis)[1,2] (図 10-32)

a. 信頼性

fixation losses 20%，false positive errors(偽陽性)33%，false negative errors(偽陰性)33% 以上になると信頼性が低いとして×印が付く．SITA では視標を出してからの反応時間で false positive errors を計算しており 15% になると信頼性が低いとされる．また，閾値の再現性をみるという点で global indices の short term fluctuation(SF：短期変動)も信頼指標のひとつになる．

b. dB 値とグレートーン

dB 値をシンボル化したものがグレートーンである．視覚的にはわかりやすいが，10 段階にしか分けておらず，測定点の間は平均値を計算してシンボル化してあるため視野異常を判断する際には注意が必要である．

c. global indices(視野指標)

視野全体を総合的に捉え指数で表示したものである．mean deviation(MD：平均偏差)は視野全体でどの位感度低下があるか，pattern standard deviation(PSD：パターン標準偏差)は視野の島のなかで急峻な異常があるかを表している．PSD を SF で補正して corrected pattern standard

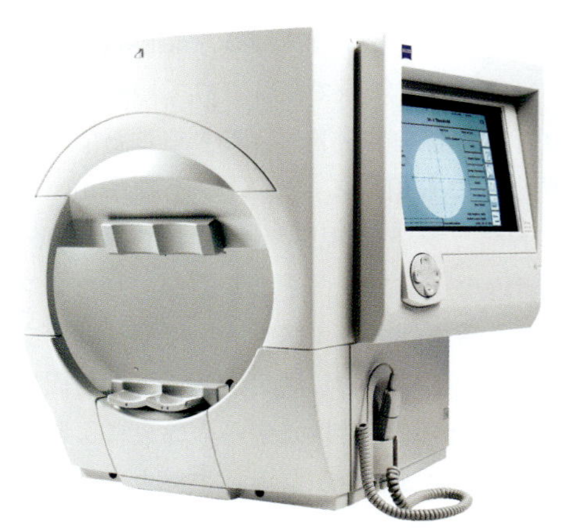

図 10-33　ハンフリーフィールドアナライザー HFA Ⅱ（モデル 750）

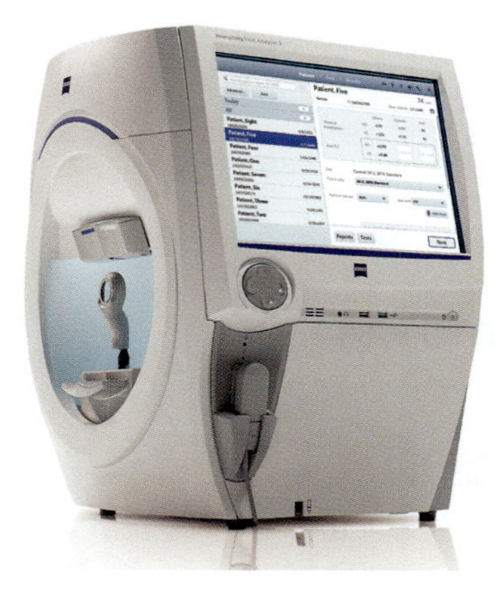

図 10-34　ハンフリーフィールドアナライザー HFA Ⅲ（モデル 860）

deviation（CPSD：修正パターン標準偏差）を求め，視野異常として表現している．ただし SITA のように SF を測定しなければ CPSD は解析されない．

d. total deviation と pattern deviation

total deviation は各測定点で年齢別正常値と比較して異常の程度をマイナス数値とシンボルで表示する．しかし白内障による感度低下があると異常が隠れてしまうことがあるためその部分を嵩上げして異常を解析したのが pattern deviation である．全体感度が下がっている場合は total deviation で視野を判定することになる．

e. glaucoma hemi field test（緑内障半視野テスト）

緑内障による視野異常を判断するため，視野上部の 5 つのゾーンと対応する下部の同じ部位の閾値を比較して解析したものである．within normal limits（正常範囲），borderline（ボーダーライン），outside normal limits（正常範囲外），general reduction of sensitivity（全体的感度低下），abnormally high sensitivity（異常な高感度）の判定をする．

その他，event 解析として overview の表示を元にした glaucoma change probability（GCP），glaucoma progression analysis（GPA）がある．trend 解析としては box plot や MD slope などを用いた change analysis，VFI 進行プロットによる GPA サマリーがある[3]．また STATPAC™ の解析条件に適合しないパラメータを使用した場合，グレートーン・実測閾値・欠損の深さの 3 つを表示する 3-in-1 がある．各象限の閾値総数により，前回との比較が可能である．

7 検査機器

以上述べてきたモデル 750（図 10-33）では，その他にブルー・イエロー検査やキネティックテストも行えるが，モデル 860（図 10-34）になると中心窩閾値の確認が gaze track 設定前にできるようになり，乱視度数の補正は不可だが入力度数に自動調整される AutoTLC リキッドレンズの設置が可能となった．

また，新しいストラテジーとして SITA Faster，検査プログラムには 24-2C SITA Faster が追加されている．そして，固視監視では，24-2/30-2/10-2/60-4 SITA-Standard の全視標呈示時の検査眼のスクリーンショットが記録・表示される RelEYE 機能が搭載されている．

▶文献

1）Anderson DR, Patella VM: Automated Static Perimetry. 2nd edition, pp103-120, Mosby, St Louis, 1999

2) 西田保裕，大鳥安正，間山千尋，他：Humphrey 視野解釈の基本．根木昭(編)：眼科プラクティス 15 視野．pp24-77，文光堂，2007
3) 高田園子：静的視野検査．松本長太(監)：理解を深めよう視野検査．pp34-45，金原出版，2009

(小林昭子)

C. imo 視野計

1 検査の概要

目的 中心視野変化を短時間で検出する．コントラスト感度を評価する．

原理 アイトラッキング下，両眼開放下で片眼の静的視野測定を行う．オプションでコントラスト感度の測定が可能．

適応 緑内障をはじめとする中心視野に異常をきたす疾患，心因性視覚障害，詐病，白内障などにおけるコントラスト感度の評価．

機器 imo，imo vifa．

2 検査機器

imo 視野計は，明室でアイパッチを用いずとも両眼開放下で片眼の静的視野測定が可能なコンパクトな視野計で，オリジナルのヘッドマウント型視野計 imo(図 10-35)ならびに後継機種である imo vifa(図 10-36)がある．ヘッドマウント型視野計 imo は，測定用の光学系と駆動用コンピュータを本体にすべて内蔵し，頭部に装着することで視野検査が可能となっている．操作パネル，応答ボタンはすべて無線で接続されている．さらに専用のスマートスタンドに装着することで，据え置き型としても用いることができる．imo vifa はヘッドマウント型視野計 imo の特徴を継承し，被検者のセットアップをより簡便にしたコンパクトな据え置き型で，オプションでヘッドマウント型として頭部に装着し測定することも可能になっている．imo vifa では光学系の改良により瞳孔間距離を合わせる必要がない．またカラー液晶パネルも用いており，測定時の頭位アライメントが自分でも容易に調整できるように工夫されている．矯正レンズは上部左右のダイヤルならびにマグネット式の追加レンズにて行う．固視管理に関しては，imo 視野計は瞳孔イメージならびに角膜反射を用いたアイトラッキングが可能となっている．表 10-3 は検査条件で，Humphrey 視野計と同等の測定条件を有している．さらに透過型高輝度液晶ディスプレイを用いることにより，コントラスト感度測定など目的に応じて様々な視覚刺激を呈示可能となっている．測定は明室で行うこと

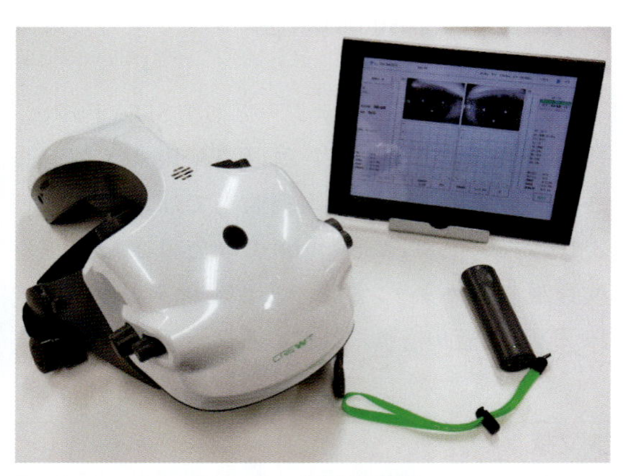

図 10-35 ヘッドマウント型視野計 imo
本体およびコントロールパネル，応答スイッチ．

図 10-36 imo vifa

表 10-3 検査条件

視標サイズ	I〜V(それ以上も可)
最高視標輝度	10,000 asb
視標呈示時間	200 msec
背景輝度	31.5 asb

が可能である．

3 検査方法

a. 測定点配置

測定点配置には Humphrey 視野計と同様の 30-2，24-2，10-2 のほかに imo 視野計独自の 24plus（図 10-37）がある．24plus は 24-2 の測定点に，中心視野評価で重要となる 10-2 プログラムの 24 点を追加配置したものである．従来は 24-2 と 10-2 の両方の測定を行わなければならない症例に対しても，1 つのプログラムでより短時間に対応可能となっている．24plus は 2 つの stage に分かれており，赤丸で示した 1st stage では，特に緑内障において早期に障害が発生しやすい部位を短時間で効率的に検査可能となっている．さらに固視点近傍の測定点は，機能的に後期まで残る検査点を上下左右対称に配置しており，様々な疾患の進行症例において残余機能を評価可能となっている．

b. 測定アルゴリズム

視野検査の測定アルゴリズムには，4-2 dB bracketing，AIZE（Ambient interactive ZEST），AIZE-Rapid の 3 つのプログラムがある．臨床的な位置づけは Humphrey 視野計の全点閾値，SITA-standard，SITA-Fast に類似する．しかし AIZE-Rapid に関しては偽陽性応答，偽陰性応答を測定時の患者応答より推定する手法を用いて時間短縮に応用している．AIZE に比べ AIZE-Rapid は閾値決定時の収束条件をやや広く設定し，臨床使用における精度を維持しながら検査時間を大幅に短縮している．さらに AIZE，AIZE-Rapid には Ex モードと呼ばれる前回の測定結果を参照することで 2 回目以降の検査時間を大幅に短縮する経過観察プログラムがある．特に緑内障では，いったん障害された視野の改善は見込めないため，Ex モードは被検者の視野検査時の負担軽減に有用である．また，Ex モードでは白内障手術後などでいったん視野感度が改善しても対応できる仕様となっている．

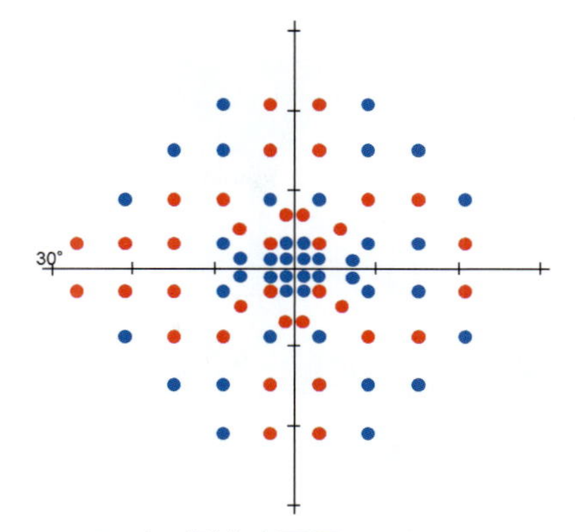

図 10-37 24plus 測定点配置
赤丸：24plus 1st stage：優先順位の高い測定点．
青丸：24plus 2nd stage：追加で全測定点．

c. 両眼開放ランダム視野検査

imo 視野計は左右独立した光学系を有しており，両眼開放下で片眼の視野検査が可能となっている．検査中のアイパッチは不要で，被検者からはどちらの視野を測定されているかわからない状態で視野検査が行える両眼開放ランダム視野検査が可能である（図 10-38）．両眼開放ランダム視野検査は片眼性の心因性視覚障害や詐病の診断にも有用である．また斜視や斜位などで両眼視が困難な症例では従来通り，片眼ずつ固視標を呈示し，左右別々に視野検査を行うこともできる．この際にも非測定眼はアイパッチを用いなくても測定可能である．

4 測定結果の読み方

a. 単一視野解析（図 10-39）

imo 視野計では，日本人による正常視野データベースをもとに視野解析が行われている．単一視野解析の結果は基本的に Humphrey 視野計の測定結果に準拠している．また，Octopus 視野計で用いられているデフェクトカーブも採用されている．

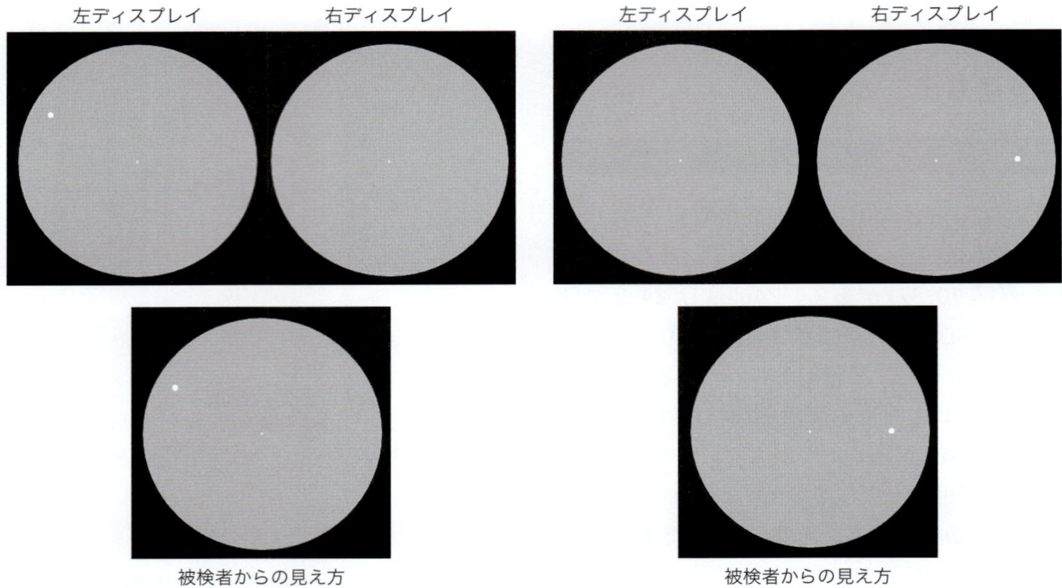

図 10-38 両眼ランダム視野検査
左右独立した光学系を用い，両眼開放下で片眼の視野検査が可能となっている．検査中のアイパッチは不要で，被検者からはどちらの視野を測定されているかわからない状態で視野検査が行える．

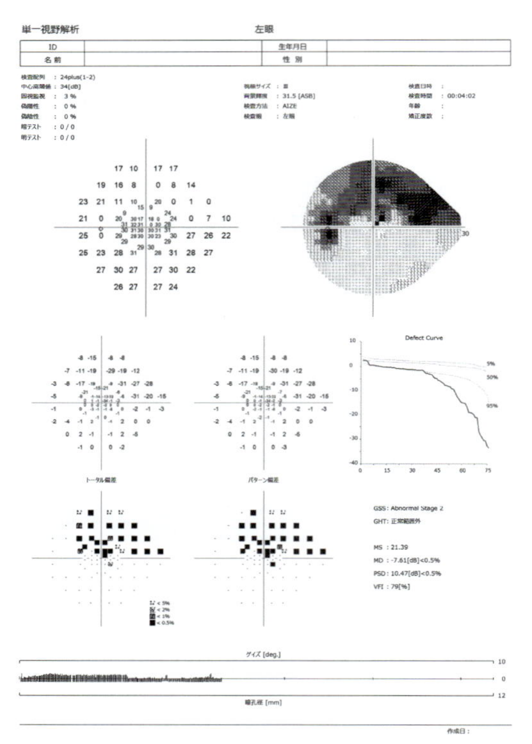

図 10-39 単一視野解析

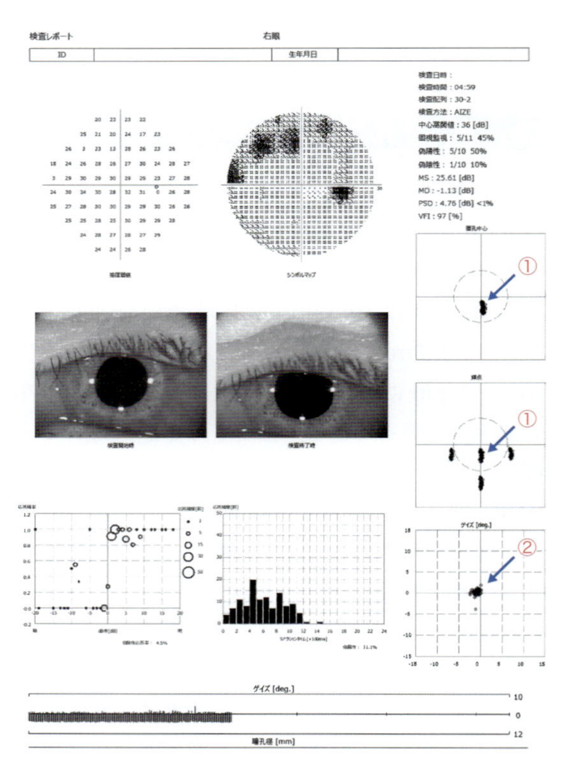

図 10-40 信頼性レポート
①顔がやや下方に動いたことを示す．
②ゲイズは小さく固視は安定していたことを示す．

b. 信頼性レポート(図 10-40)

imo 視野計では信頼性レポートとして，検査結果の信頼性に関する詳細な情報が提供されている．まず，閾値決定のプロセスで呈示されたすべての視標の輝度を知覚確率曲線に準拠したカーブにフィッティングさせて表示し，被検者の応答に対する安定性を確認することができる．またすべての刺激に対するリアクションタイムが表示され，偽陽性応答の評価に用いることができる．さらに固視に関しては検査中の頭位移動と固視不良を分離して表示している．さらに測定前後の瞳孔像をプリントアウトし，瞳孔計の変化，検査前後の頭位ずれがないかの確認にも用いることができる．

(松本長太)

V 特殊視野検査

1 検査の概要

目的 早期緑内障性視野障害の検出．

原理 網膜神経節細胞の余剰性．

適応 早期緑内障および自動静的視野検査(SAP)で異常を認めない緑内障疑い症例(前期緑内障)．

機器 FDT 視野計(Matrix)，フリッカ視野計，Blue on Yellow 視野計．

2 網膜神経節細胞(RGC)

網膜神経節細胞(retinal ganglion cell：RGC)には主なものとしてP細胞系，M細胞系，K細胞系の3つのサブタイプがあることが知られている．

a. P 細胞系

RGC のなかで最も数が多い(約 80%)midget cell より外側膝状体(LGN)にある parvocellular layer に至る経路で，主に視力や色の知覚に関与している．

b. M 細胞系

parasol cell(約 5～10%)と呼ばれる RGC から LGN の magnocellular layer に至る経路で，主に動き(motion, flicker)に対し反応を示すとされている．

c. K 細胞系

M 細胞系と同様に数が少ない(約 5～10%)small bistratified cell より LGN の koniocellular layer に至る経路で，網膜の青錐体に関与する系と考えられている．

3 RGC の余剰性と視野検査

現在，緑内障診断において主に使用される SAP は P 細胞系の機能を測定していると考えられている．P 細胞系はもともと数が多くその細胞余剰性のため，SAP で異常が検出できる時点ではすでにかなりの数の細胞が減少をきたしているとされる．緑内障では P 細胞系のみが障害を受けるわけではなく，M 細胞系および K 細胞系の RGC も同様に障害を受ける．そこで SAP よりも早期段階での視野異常検出を目的とし，細胞の余剰性という観点より数の少ない RGC の機能を測定する機能選択視野検査が開発された．

4 機能選択視野検査

ここでは早期緑内障および図 10-41 のような眼底には緑内障性構造変化を認めるも，SAP では異常を認めない前期緑内障の異常検出に有用である機能選択視野検査として，FDT 視野計(Matrix)，フリッカ視野計，Blue on Yellow 視野計について述べる．

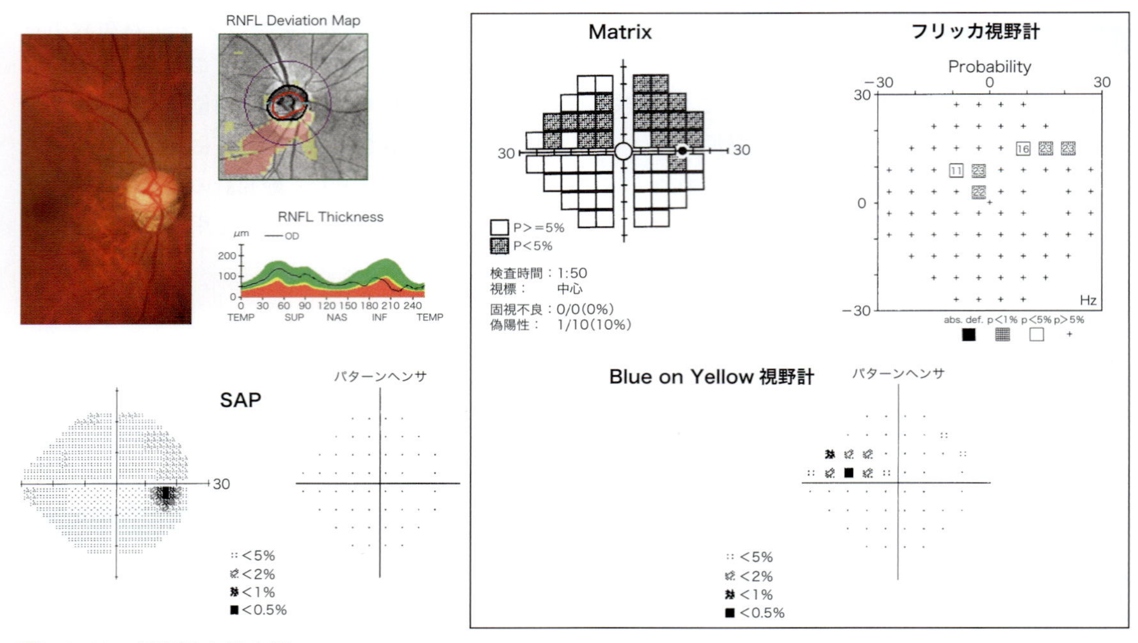

図 10-41 前期緑内障症例

SAP では異常を認めないが機能選択視野検査で異常を認める.

a. Matrix

FDT 視野計は低空間周波数の正弦格子縞を高次周波数で反転させると干渉縞が倍に見えるという frequency doubling illusion[1] を利用した視野計となっており，M 細胞系の機能を測定する検査と考えられている．第 1 世代の FDT 視野計は，10°×10° と大きな視標で 16 点の測定点を検査するものであったため詳細な変化を検出するという点において問題があった．その問題点を改善した第 2 世代の FDT 視野計である Matrix は，視標サイズが 5°×5° と小さくなり Humphrey 視野計の 24-2，30-2 と同じ測定点での検査が行える．Matrix は従来の SAP と同等の緑内障性視野障害の検出能力を有し[2]，SAP より早期段階での視野変化を検出することができる[3,4]．

b. フリッカ視野計

フリッカ視野計も FDT 視野計同様 M 細胞系に関与するとされ，緑内障性視野障害検出に有用とされてきた[5]．フリッカ刺激を用いた視野検査はいくつかあるが，そのなかでフリッカ融合頻度(CFF)値を用いた視野計は，視標サイズⅢを用い周波数を変えながらどの程度の周波数までちらつきを感じたかを測定し視野検査を行っていく．フリッカ視野計も Matrix と同様に早期緑内障検出に有用である[4,6]．

c. Blue on Yellow 視野計

黄色背景上にサイズⅤの青色視標を呈示し視野検査を行う．Blue on Yellow 視野計は short-wavelength automated perimetry(SWAP) とも呼ばれ，原理として黄色背景を使用することにより，網膜の赤錐体(long wavelength)と緑錐体(middle wavelength)に adaptation が生じ(図 10-42)，青錐体(short wavelength)が isolation され青錐体機能つまり K 細胞系の機能を測定する検査とされる．Blue on Yellow 視野計は緑内障の視野検査に有用であり，前期緑内障に対しても異常検出能を有する[4,7,8]．

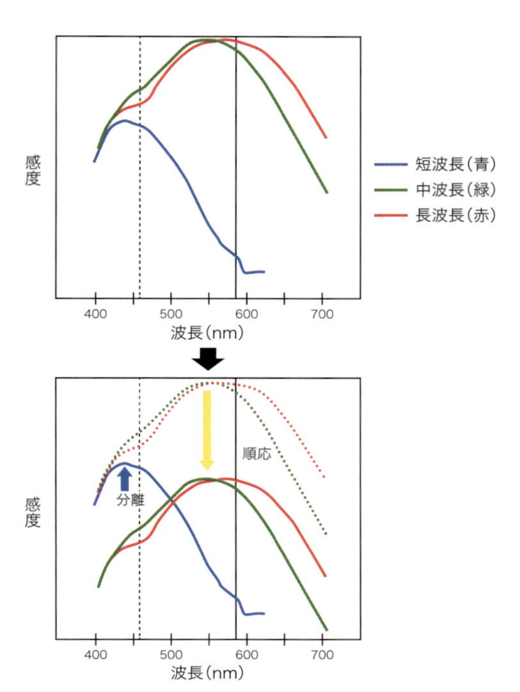

図 10-42　Blue on Yellow 視野計の原理

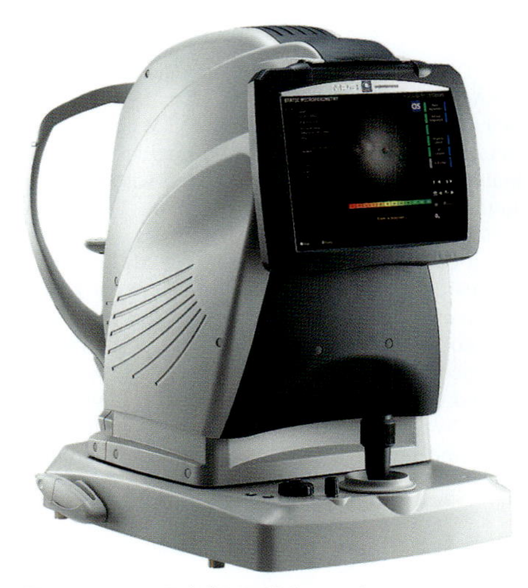

図 10-43　眼底視野計（MP-3）

5 眼底視野計

眼底視野検査計（図 10-43）の大きな特徴は，眼底像を元に視機能を測定したい部位をピンポイントで検査することが可能であること，トラッキングおよびアライメント機能により同じ部位を測定しフォローアップできることにある．眼底視野計は，特に中心固視が問題となる加齢黄斑変性症や黄斑浮腫など，黄斑部に変化が生じる疾患における網膜感度の測定に非常に有用である．近年では緑内障眼においても，眼底変化の生じた部位を確認し直接その部位の感度を測定できるため，より詳細な機能および構造変化の対応を検査することができる[9]．

検査のポイント

- 機能選択視野計で検査を行う際，SAP と同様に検査中は中心をしっかり固視してもらうことが重要である．Matrix，フリッカ視野計では矯正レンズが必要ない．また Matrix は短時間での検査が可能なためスクリーニングテストを行う機器として使用されている．Matrix もフリッカ視野計も SAP での検査のように視標が見えたらボタンを押すといった反応ではなく，Matrix は視標の縞が動いていることが見えたら，フリッカ検査は視標のちらつきを感じなければボタンを押してもらうことになり，ボタンを押してもらう状況をしっかり理解してもらう必要があるため，検査前の患者へのインストラクションがとても重要となる．
- Matrix と特に Blue on Yellow 視野計は，白内障などの中間透光体の状態が検査に大きく影響を及ぼし，再現性が高く信頼できる検査結果を得るのが難しい．その一方，フリッカ視野計は中間透光体の状態による影響は受けにくいことがわかっている．また，これらの機能選択視野計は早期の緑内障性視野障害を検出するには有用とされているが，測定できる感度の幅（dynamic range）が狭いため中期以降の症例になってくると進行評価が難しくなる．
- 眼底視野計のトラッキング下での検査時，うまくトラッキングができず検査に時間がかかることがある．

▶文献
1) Kelly DH: Frequency doubling in visual responses. J Opt Soc Am 56: 1628-1633, 1966
2) Racette L, Medeiros FA, Zangwill LM, et al: Diagnosis accuracy of the Matrix 24-2 and original N30 frequency doubling technology tests compared with standard with standard automated perimetry. Invest Ophthalmol Vis Sci 49: 954-960, 2005
3) Spry PG, Johnson CA, Mansberger SL, et al: Psychophysical investigation of ganglion cell in early glaucoma. J Glaucoma 14: 11-19, 2005
4) Nomoto H, Matsumoto C, Takada S, et al: Detectability of glaucomatous changes using SAP, FDT, flicker perimetry, and OCT. J Glaucoma 18: 165-171, 2009
5) Tyler CW: Specific deficits of flicker sensitivity in glaucoma and ocular hypertension. Invest Ophthalmol Vis Sci 20: 204-212, 1981
6) Matsumoto C, Takada S, Okuyama S, et al: Automated flicker perimetry in glaucoma using Octopus 311; a comparative study with the Humphry Matrix. Acta Ophthalmol Scand 84: 210-215, 2006
7) Sample PA, Taylor JDN, Martinez GA, et al: Short-Wavelength color visual field in glaucoma suspects at risk. Am J Ophthalmol 115: 225-233, 1993
8) Johnson CA, Adams AJ, Casson EJ, et al: Blue-on-yellow perimetry can predict the development of glaucomatous visual field loss. Arch Ophthalmol 111: 645-650, 1993
9) Rao H, Januwada M, Hussain R, et al: Comparing the structure-function relationship at the macula with standard automated perimetry and microperimetry. Invest Ophthalmol Vis Sci 56: 8063-8068, 2015

(野本裕貴，松本長太)

VI Amslerチャート

1 検査の概要

目的 中心10内の視野異常を簡便に検出することを目的とした検査表である．このチャートにより簡便に中心暗点，傍中心暗点，変視症を検出する．

原理 Amslerチャートは10 cm×10 cmの格子状のシートであり，検査距離30 cmにて網膜面20°内を検査可能となる．

適応 変視症を有する黄斑疾患(黄斑上膜，黄斑円孔，加齢黄斑変性・中心性漿液性網脈絡膜症など)．中心・傍中心暗点など中心視野障害を呈する疾患(緑内障・視神経疾患など)．

機器 Amslerチャート，M-CHARTS．

2 Amslerチャートによる変視症検出の目的

多くの黄斑疾患では，視細胞あるいはその外接の規則正しい配列に乱れが生じ，そのため外界と視中枢との間で確立していた精密な空間対応に乱れが生じ，その結果，物体の形状が実際よりも変形して見える．多くの視力良好な黄斑疾患患者が，その変視症のため，視機能に満足していないのが現状である．その変視症の有無や形状を把握することで，患者の訴えや変化をより詳細に知ることが可能となる．このAmslerチャートは変視症を簡便に定性的に検出できる．

3 検査方法

a. Amslerチャート(図10-44)

Amslerチャートは7種類のシート(表10-4)からなり，一般的には第1表が広く用いられている．検査距離30 cm，近見矯正下にて片眼遮閉にて行う．

検査表の中心を固視し，表10-5の質問にしたがって順に検査を行う．これらの質問に対する結果を付属の記録紙に記載する．正常眼では，格子状の検査視標はすべて真っ直ぐな線として認識できる．

b. M-CHARTS(図10-45)

1) 原理

変視を認知するには，ある一定の長さの連続した直線による網膜面への刺激が必要である．この直線を間隔の狭い点線から徐々に間隔の広い点線に変えることにより，次第に被検者は変視を認知しなくなる．M-CHARTSはこの原理に基づき作成されている．Amslerチャートは，変視の有無および形状を検出し，M-CHARTSは，変視を定

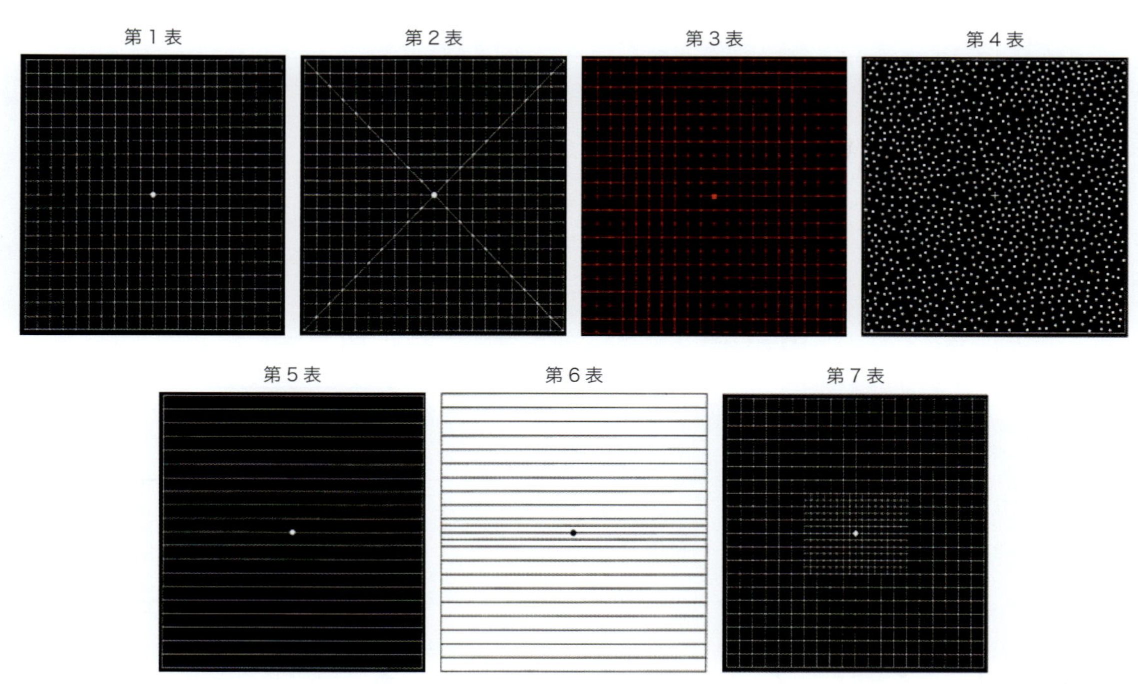

図 10-44 Amsler チャート

表 10-4 7 種類のシート

第 1 表	一般に広く用いられている基本表である.
第 2 表	固視点が見えないときに使用する.
第 3 表	コントラストを下げている. 暗点を検出しやすくする.
第 4 表	暗点を検出する.
第 5 表	縦・横の変視を検出する.
第 6 表	読書に影響しやすい領域の変視を主に検出する.
第 7 表	固視点近傍の病変を検出する.

表 10-5 質問表

問 1. 中心に白い点, すなわち固視点が見えますか?(中心暗点の有無)
問 2. 固視点を見たままで, 一番外の四角がすべて見えますか?(中心 10° 内視野から周辺へ突破する暗点の有無)
問 3. 固視点を見たままで, 内部の格子が完全に見えますか? 途切れたりしていないですか?(傍中心暗点の有無)
問 4. 線は歪んでいませんか? 格子の大きさはすべて同じに見えますか?(変視症の有無)
問 5. 動き, 揺れ, 輝き, 色などの変化は感じませんか?
問 6. 変わって感じるところの位置はどこですか?

量する.

2) 検査方法

M-CHARTS は, 1 本の直線および視覚 0.2° ～ 2.0° の点の間隔からなる点線 19 本からなるシートである. ほとんどの疾患には視角 0.1° からなる視標を用いるが, 加齢黄斑変性などの視力不良な疾患には, 視角 0.5° からなる視標を用いる.

また, M-CHARTS には, 1 本線からなるものと 2 本線からなるものがある.

検査距離 30 cm, 近見矯正にて被検者に間隔の狭い点線から間隔の広い点線を順に呈示し, 変視を自覚しなくなった点線の視角をもって変視量をする. 縦方向, 横方向それぞれ別々に測定を行い縦線の変視量(metamorphopsia score for vertical line : MV)と横線の変視量(metamorphopsia score for horizontal line : MH)を求める.

正常眼では, MV＝0, MH＝0 となり, 変視の自覚が大きいものほど値は大きくなる.

黄斑円孔のような中心暗点のある症例では, 固視点から 1° ずつ離れた 2 本線のタイプを用いる. 左右の補助視標を用いて固視点が消える部位をまず探し, その部位で測定を行う. 検査中は被検者

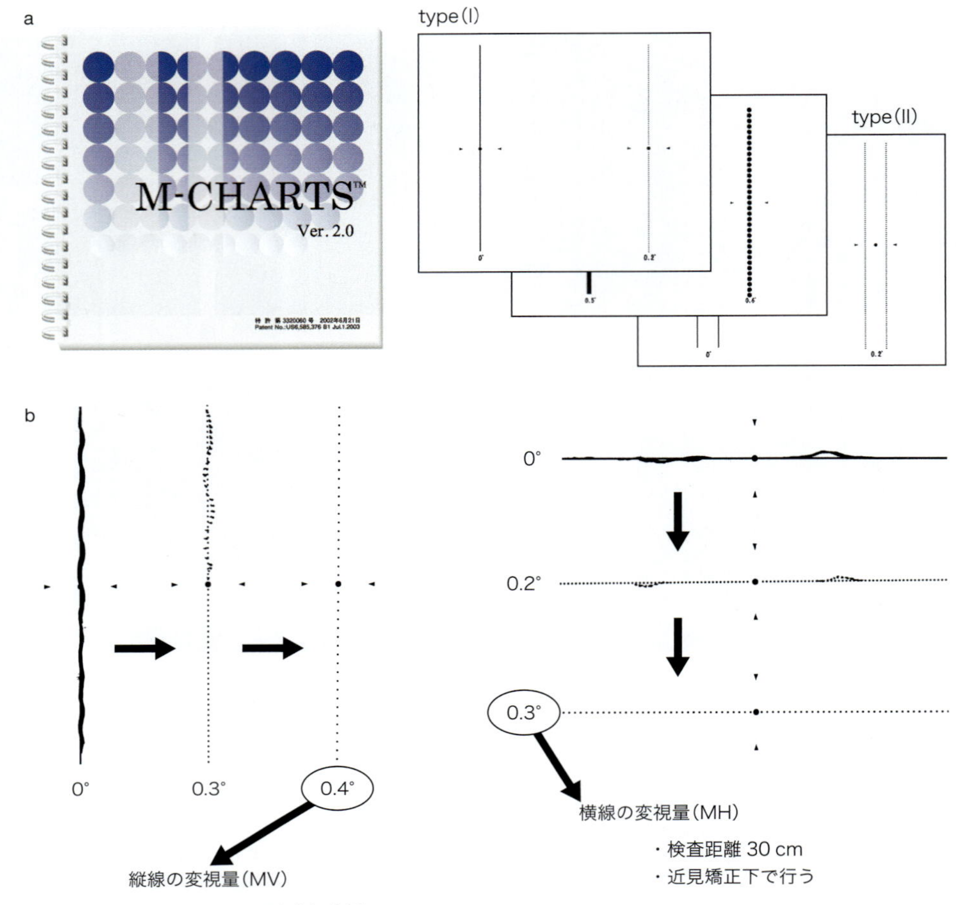

図 10-45　M-CHARTS の測定方法
a. M-CHARTS.
b. 測定方法.

に，線の中央の固視点を注視するように誘導し，線の歪みの有無を確認していく．ただし，点の間隔は相対的に一定であるため，固視が直線上で若干動いても，最周辺部の変視以外は検査結果に大きな影響は出ないように作成されている．

M-CHARTS では，被検者は記載することなく点線を順に追うことで定量でき，非常に簡便である．

長期に変視症を自覚する代表疾患である黄斑上膜の症例を図 10-46 に示す．

検査のポイント

☑ 検査前の患者への説明

検査距離を 30 cm に保ちながら，固視点を見たままでの検査を行うよう注意する必要がある．検査距離が変わってしまうと網膜面へ投影される大きさが変わるため十分な配慮が必要である．また，近見矯正が正しくなければ，視標そのものがぼやけてしまい十分な検査ができなくなるので，必ず 30 cm での矯正ができているか確認をすることが大切である．

（小池英子，松本長太）

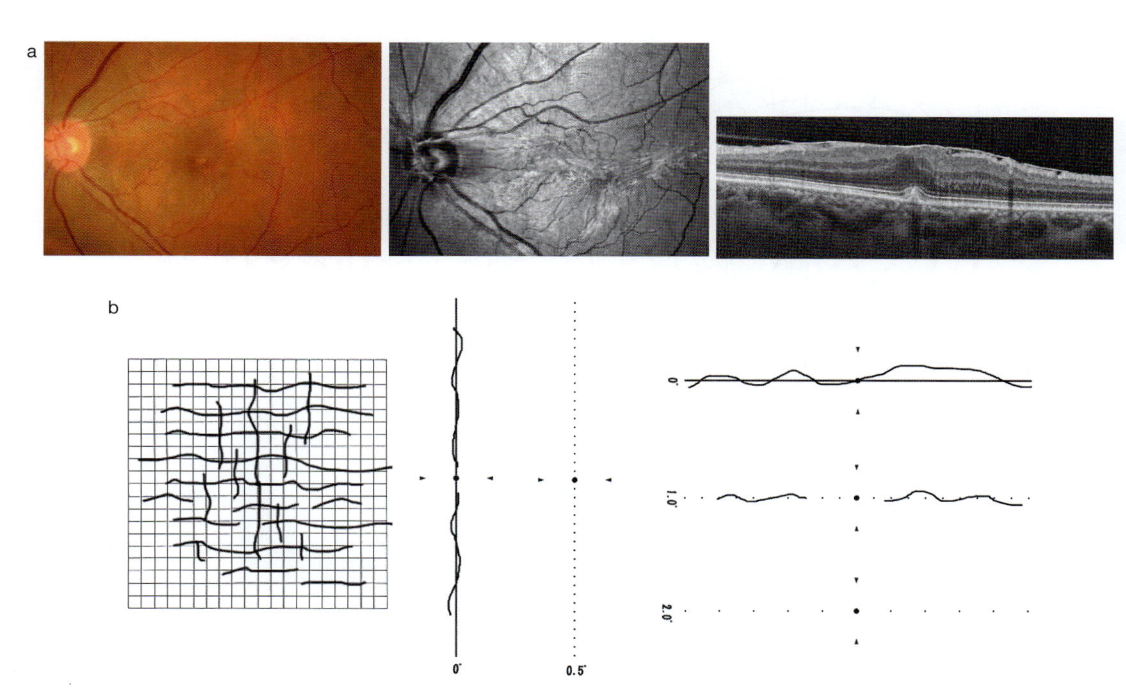

図 10-46　黄斑上膜の症例
a. 黄斑上膜.
b. Amsler チャートにて横方向に強い変視を自覚した．M-CHARTS にて，MV＝0.5 MH＝2.0 の変視を認めた.

Ⅶ　両眼視野検査

1 検査の概要

目的 両眼視野を評価する．

方法 各種視野計に搭載されている測定プログラムを用いる．

適応 両眼視機能の評価が必要な症例．

機器 Esterman プログラム，Humphrey 視野計，Octopus 視野計，CLOCK CHART binocular edition.

2 両眼視野検査の原理

日常診療に用いられる視野検査は，片眼視野を測定することにより，視野異常の早期発見や進行判定を行っている．しかし，われわれの日常生活は，両眼開放下で様々な物体を捉え行動している．そのため，両眼視野を評価することは quality of life（QOL）の評価にもつながる．片眼視野は，上方約 60°，下方 70°，鼻側 60°，耳側 100° の広がりをもち，両眼視野は約 200° の広がりをもつことが知られている．この両眼視野は，左右眼の視野が重なり合う部分と重なり合わない左右周辺部分に分けられる．この重なり合う部分は約 120° の広がりがあり，この重なりによって両眼視が成立し，物体を三次元に捉えることができる．

3 両眼視野の検査方法

a. 片眼視野からの両眼視野シミュレーション

左右眼視野の結果から両眼視野をシミュレーションする方法として，Goldmann 視野計（GP）による動的視野検査では左右眼それぞれの結果から各イソプタをつなぐことにより，両眼重ね合わ

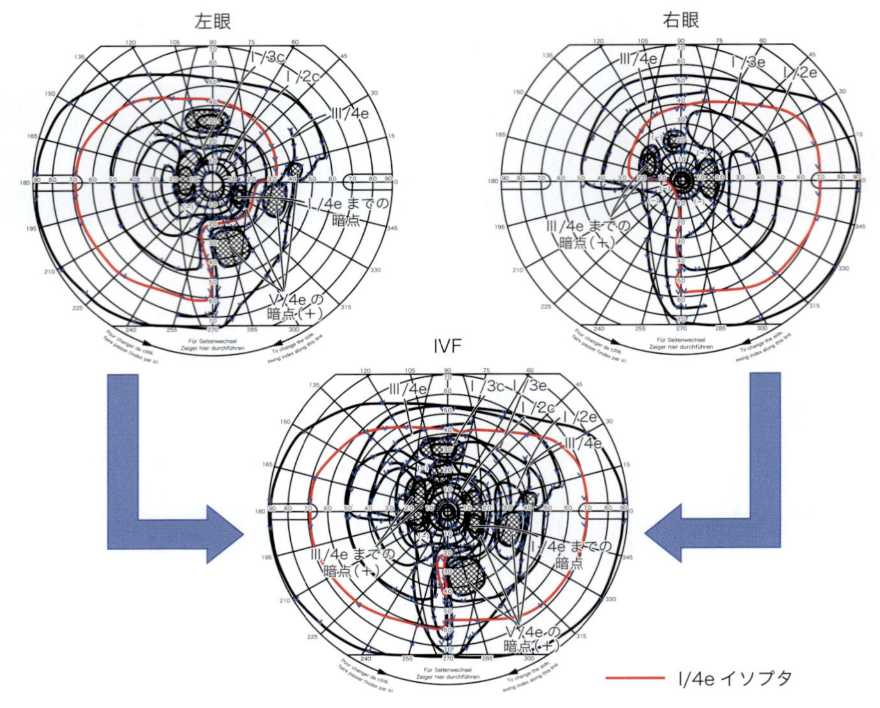

図 10-47 両眼重ね合わせ視野

せ視野を作成する方法(図 10-47), 静的視野測定では integrated visual field(IVF)を作成するにあたって, best eye, average eye, best location, binocular summation の 4 つの方法が提唱されている[1].

(1) best eye：mean deviation によって決定した感度の高い眼を採用する方法
(2) average eye：各測定点における両眼の平均感度を算出する方法
(3) best location：各測定点での各眼の感度を比較し, 感度の高い測定点を採用する方法
(4) binocular summation：各測定点について下記の式を用いて感度を算出する方法

binocular sensitivity= $\sqrt{\{(\text{right eye sensitivity})^2+(\text{left eye sensitivity})^2\}}$

現在では BeeFiles for HFA(Beeline)を用いると, 容易に best location による IVF を作成することが可能である(図 10-48).

b. Esterman プログラム

1925 年まで American Medical Association (AMA)は, 現在の日本の視覚障害者等級判定の視野障害による視能率判定方法の原案であった AMA visual efficiency scale を採用していた. しかし, QOL に重要な下半視野に比重がおかれておらず, 生活上の不自由度が反映されていないため, 1968 年に Esterman が片眼 Esterman プログラムを開発し, Esterman Disability Score (EDS)による視機能評価方法を報告した[2]. グリッドは 100 点あり, 下半視野にグリッドを多く, Bjerrum 領域にグリッドの密度を高く配置していること, 中心視野にはグリッドがないことが特徴である. 当時は Esterman グリッドと GP のⅢ/4 e イソプタを重ね合わせ, イソプタ内のグリッドを検出し, EDS を算出する方法であった. その後, 1982 年に両眼 Esterman グリッド(図 10-49)が報告され, 現在に至る[3]. グリッドは 120 点であるが, 配置の特徴は片眼 Esterman グ

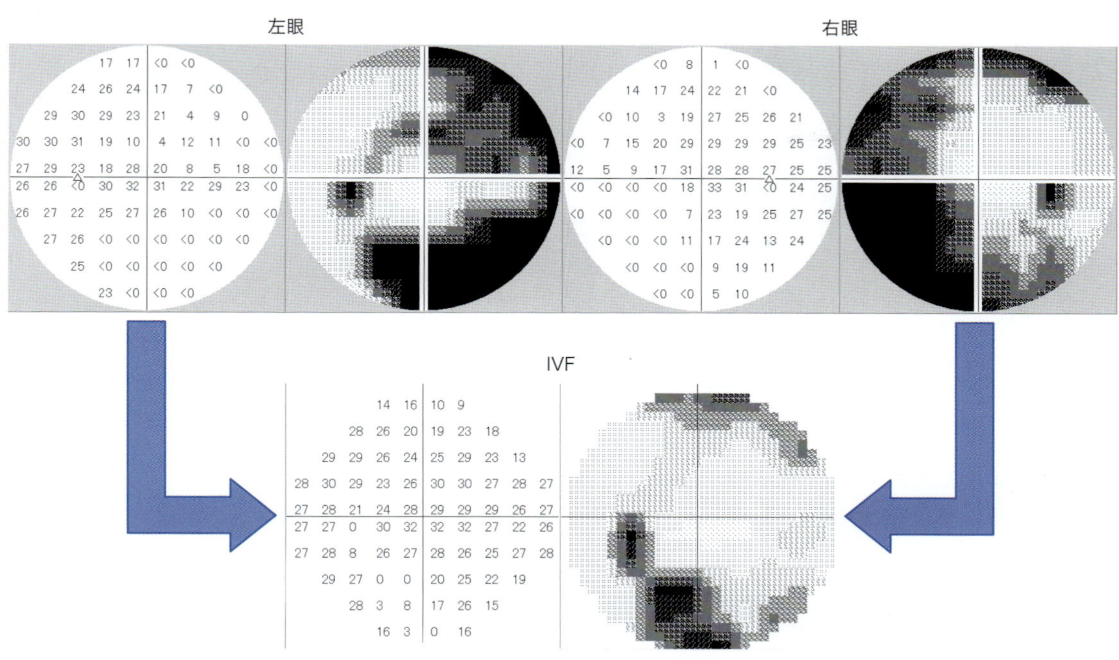

図 10-48 best location による IVF（BeeFiles for HFA, Beeline）

リッドと同様である．現在，日常診療で使用できる両眼開放下の測定プログラムは，両眼 Esterman プログラムのみとなっている．

GP と Esterman グリッドを重ね合わせる作業は非常に煩雑であるが，現在は Humphrey 視野計（Carl Zeiss），Octopus 視野計 101，900（Haag-Streit）の標準プログラムとして搭載され，簡便に測定することができる．測定条件は，視標輝度 1,000 asb（Goldmann 視標輝度 4 e，10 dB），視標サイズⅢの単一輝度解析で，背景輝度 31.5 asb，視標呈示時間 400 ms である．平均 5 分程度（3〜9 分）で両眼開放下視野を検出することが可能である．

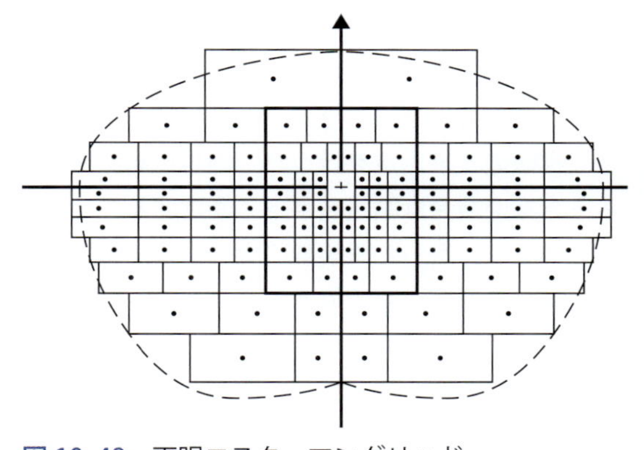

図 10-49 両眼エスターマングリッド

c. CLOCK CHART binocular edition

図 10-50 のように偏心 10°，15°，20°，25° にそれぞれターゲットが配置され，被検者はチャートの中心固視点を固視しながら，時計回りに 360° 回転させ，30° ごとに 4 つのターゲットすべて視認できるかどうかを確認することで，両眼開放下での視野障害を抽出することができる非常に簡便な検査法である．先述の HFA や Esterman プログラムと比較して，CLOCK CHART binocular edition の感度は，それぞれ 85% と 82% と報告されており[4]，被検者自身だけで行うことができるスクリーニング検査として，非常に有用なツールと考えられる．

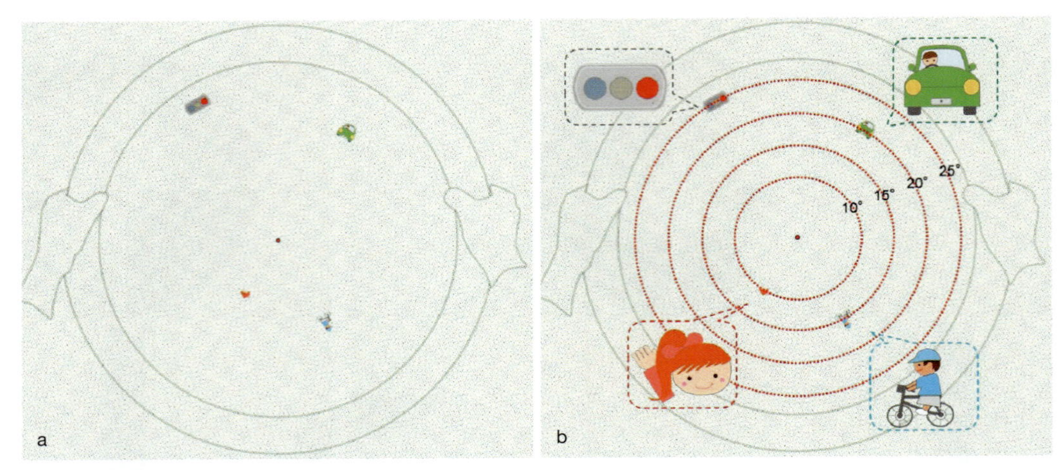

図 10-50 CLOCK CHART binocular edition

検査のポイント

- 日常診療に用いられる視野計は片眼測定用であるため，Heijl-Krakau 法（盲点監視法），Gaze tracking 法，ビデオカメラ法といった固視監視システムを使用できない.
- 両眼開放下用の矯正レンズ枠がなく，固視点を認識できる屈折値の範囲内であれば，裸眼のまま測定を行うが，固視点を認識できない場合は眼鏡装用下で測定することもある．しかし，眼鏡枠の太さによる測定結果への影響が不明である.

▶文献

1) Nelson-Quigg JM, Cello K, Johnson CA, et al: Predicting binocular visual field sensitivity from monocular visual field results. Invest Ophthalmol Vis Sci 41: 2122-2221, 2000
2) Esterman B: Grid for scoring visual fields. II. Perimeter. Arch Ophthalmol 79: 400-406, 1968
3) Esterman B: Functional scoring of the binocular field. Ophthalmology 89: 1226-1234, 1982
4) Ishibashi M, Matsumoto C, Hashimoto S, et al: Utility of CLOCK CHART binocular edition for self-checking the binocular visual field in patients with glaucoma. Br J Ophthalmol 103: 1672-1676, 2019

（萱澤朋泰，松本長太）

第11章

臨界融合頻度検査

1 検査の概要

目的 第３ニューロンの視神経機能障害の検出.

方法 片眼で一定距離にある光を注視し，点滅(ちらつき)の出現・消失により中心部の融合頻度(中心 CFF)を測定.

適応 視神経疾患.

機器 近大式中心フリッカー値(CFF)測定器®，フリッカーテスト器®，ハンディフリッカ®，フリッカー・ミニ®など.

2 臨界融合頻度(CFF)とは

ヒトの眼前に点滅する光(フリッカー)を置いて，その点滅頻度を高める(例えば光の前に回転するプロペラを置き，その回転数を上げる)と，ある頻度でついに点滅を識別できなくなる．また逆に高頻度で点滅する光は点滅とは認識できないが，点滅頻度を下げると点滅を認識できる．このときの頻度がフリッカーの臨界融合頻度(critical fusion frequency：CFF)で，「フリッカー値」と呼ばれている．日本眼科学会用語集では限界フリッカ値〔CFF：critical flicker(fusion) frequency〕と記載されている.

3 CFF 検査

a. CFF のこれまで

1940 年代にこの CFF は疲労に伴って低下することがわかり，作業能率や労働条件を扱う分野で次第に応用が始まった．眼科領域では，1960 年代半ばに大阪大学眼科の中林正雄と大鳥利文が視覚機能，特に第３ニューロンの視神経機能と CFF との関連につき初めての臨床研究を開始した．1970 年からは大阪大学神経眼科専門クリニックで大鳥が CFF 測定器を試作し，大鳥と筆者らはすべての視神経疾患の患者の CFF 測定を行った．その結果，中心 CFF の低下は視神経疾患の早期から，鋭敏にその異常を示していることが判明した[1]．その後，大鳥と筆者は近畿大学眼科へ移り，「近大式中心フリッカー値(CFF)測定器®」を製作した．現在は「近大式中心フリッカー値測定器Ⅲ型®」(図 11-1)に改造されている．視神経疾患の診断と治療においてこの CFF 測定器は，simple, sensitive, specific の 3S の特性を有する重要なツールとなっている.

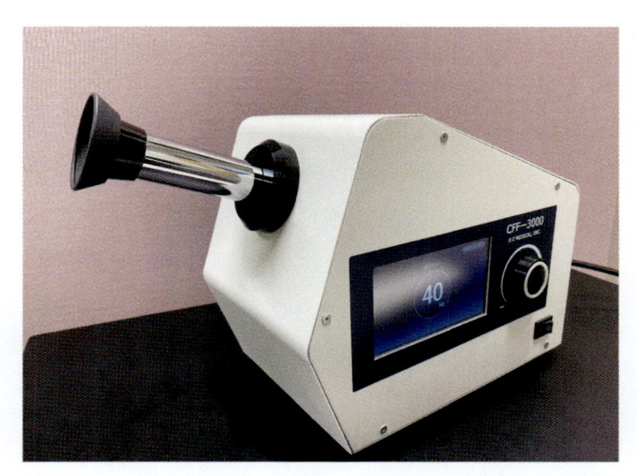

図 11-1　近大式中心フリッカー値(CFF)測定器Ⅲ型®

b. CFF測定器について

1) 測定器と測定方法

「近大式中心CFF測定器®」は片眼で筒内の点滅光を覗きこみ，中心部の融合頻度(中心CFF)を測定する方式である．測定器の視標輝度は31.5 asb，視標直径は10 mm(視角2°)，視標の色は白(帯黄色)，背景輝度は20 asb，背景直径は40 mm(視角8°)で，視標はセクターディスクを1：1の比で回転させた．1回転/秒が1 Hzで，10回転/秒は10 Hz，20回転/秒は20 Hzである．具体的な測定法はまず検査距離30 cmの接眼筒を引き出し，片眼(視力の良い眼から)で筒内の視標を見せ，検者は測定器側面の頻度変換ダイヤルで回転頻度(周波数)を下げながらちらつき(点滅)を見せ，さらに少し頻度を上下させてちらつきを変化させどのようなものかを確認してもらう．さらに回転頻度を上げてちらつきがわかりにくくなり，ついにはちらつきが認識できなくなる(＝上昇のCFF)．次に，回転頻度を下げていき，少しでもちらつきを感じたときに記録する(＝下降のCFF)．一般に，下降のCFFが患者は瞬時に答えやすく，変動も少ない傾向がある．初めてCFF測定をする患者では，点滅(ちらつき)の出現と消失の意味が理解できていないことがあるため，まず健常眼(または視力良好な眼)の測定ではっきり説明し，次に視力不良な患眼の測定を行う．

2) 測定結果

近大式中心CFF測定器®の測定結果[2]は，CFFの平均値は全年齢では45.4 Hzで，30歳代が48.1 Hzと最高値を示し，加齢とともに10歳ごとに0.7 Hzの低下がみられた．正常値の下限は35 Hzで，35 Hz未満は異常であった．屈折異常による網膜面への結像不良や白内障による網膜への光量不足によるCFFへの影響は少なかった．筆者の経験では，矯正視力0.3以下の視神経障害のない皮質白内障では年齢マッチした健常者のCFF平均値の約10%ほど低下するが，35 Hz未満にまで低下することはない．

表11-1 視神経疾患の分類

特発性視神経炎	遺伝性視神経症
多発性硬化症の視神経炎	中毒性視神経症
抗AQP4抗体陽性視神経炎	栄養欠乏性視神経症
抗MOG抗体陽性視神経炎	虚血性視神経症
自己免疫性視神経炎	甲状腺視神経症
感染性視神経炎	外傷性視神経症
慢性再発炎症視神経症	(圧迫・鼻性・浸潤・腫瘍)

3) 類似測定器

ほかに類似のCFF測定器には，フリッカーテスト器®(はんだや)，ハンディフリッカ®(ナイツ)，フリッカー・ミニ®(イナミ)があり，近大式CFF測定器®との比較では，正常者のCFFの平均値が最も高いのは近大式であった[3]．視標の色の違いでは，白，黄，緑の色視標の平均値が高く，赤，青の視標で低い結果が得られた．

4 視神経炎とCFFのかかわり

a. 視神経炎とは

視神経疾患(表11-1)のなかで，この視神経炎(optic neuritis)は最も発生頻度が高く，重篤な視機能障害を生じる．原因不明の特発性視神経炎(idiopathic視神経炎：IDON)と多発性硬化症の視神経炎(multiple sclerosis視神経炎：MSON)，抗アクアポリン4抗体陽性視神経炎(AQPON)[4]，抗myelin oligodendrocyte glycoprotein抗体陽性視神経炎(MOGON)の4つが一般に“視神経炎”と呼ばれている．

b. 視神経炎の症状と所見

4つの視神経炎に共通する一般的な臨床症状と所見を表11-2に示す．

初診時の症状と所見は原則的に4つの視神経炎に共通であり，これだけで初診時に区別することは不可能である．このなかで，特に視神経炎に特有の所見としては中心CFFの低下と瞳孔対光反射の著しい障害がある．視力低下・中心暗点・色覚異常はほかの眼疾患でもみられるが，中心CFF低下は視神経炎に限って得られる特有の異常所見である．眼内に異常所見がないのに視機

表 11-2　視神経炎の症状と所見

視力低下：急に(2〜3 日内に)，重症(0.1 以下に)
中心暗点：視野の真中が暗くて，見えにくい
色覚異常：色がわかりにくい(特に赤と緑)
中心フリッカー値低下：ちらつきがわかりにくい(35 Hz 未満)
瞳孔異常：瞳孔の対光反射の障害がある
眼底異常：視神経乳頭の浮腫・萎縮・(異常なし)
眼球後部痛：眼を動かすと奥のほうが痛い

能低下があるケースでは視神経炎を疑って，瞳孔対光反射とともに中心 CFF 測定はまず行うべき検査である．白内障のような中間透光体混濁があっても CFF には影響は少ないため，もしも中心 CFF 低下があれば手術前に視神経炎や視神経萎縮の存在を疑い，なければ視神経障害はないと判断できる．

CFF 測定器は小さくて場所を取らず，操作が簡単で単純な測定方法なので幼児から高齢者まで容易にしかも正確な測定が可能である．眼科医や眼科検査員のいない神経内科や脳外科で視神経炎の判断が必要になる診療現場でも，CFF 測定は簡単に習得でき応用は可能である．

c. 視神経炎経過中の視力-中心 CFF 解離現象

視神経炎の一般的な治療としては，発症急性期にまずステロイドパルス治療を1〜3 クール行い，効果が不十分ならその後にステロイド薬(プレドニン® 0.5 mg/kg)を内服し，効果をみながら漸減する．ステロイドパルス治療の開始とともに，急速に視力は回復し，1 クール終了で 1.0 にまで達することはまれではない．しかし，治療の経過中においてこのように視力は順調に回復しているのに中心 CFF の回復が不十分で，視力回復よりも中心 CFF 回復がはるかに遅れるケースにしばしば遭遇する．これが“視力-中心 CFF 解離”(図 11-2)現象で，CFF 測定を始めた初期から気づいており，筆者らは 1978 年に世界で最初に報告した[5]．1970 年当時の視神経炎治療は主にステロイド薬の内服で行われており，この視力-中心 CFF 解離は，現在のステロイドパルス治療が急

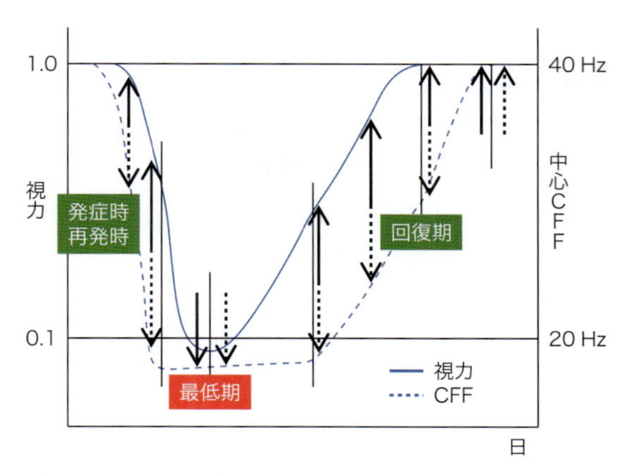

図 11-2　視神経炎の視力-中心 CFF 解離

速に回復するのに比べて緩やかに回復し長期間に観察可能で気づきやすかった．

この視力-中心 CFF 解離の発生理由は長らく不明であったが，近年の解剖生理学研究から，視神経炎では網膜神経節細胞のうち視覚の動き(フリッカー)を伝達する parasol 細胞(外側膝状体の Magno 細胞系へ投射)と対光反射に大きく関与する W 細胞とメラノプシン含有細胞[6]の軸索が選択的に障害を受けやすい(vulnerability)ためと考えられている．

d. 視力-中心 CFF 解離の臨床応用

この視力-中心 CFF 解離は単に現象としての把握にとどまらず，臨床に応用できた．その 1 つが，視神経炎治療の中止時期の決定であった．治療により視力が 1.0 に回復したため，中心 CFF が正常下限の 35 Hz を超えていないのにステロイド内服治療を中止すると，しばしば再燃し視力が低下した．視神経炎の正しい回復の指標は視力ではなく，中心 CFF であると認識し，たとえ視力が 1.0 を超えても中心 CFF が 35 Hz を超えるまではステロイド治療は中止せずに継続した．この考えは，現在のステロイドパルス治療でも同じで，視神経炎の完全な回復を得るにはステロイドパルス 3 クール終了後にまだ中心 CFF が 35 Hz 未満であれば，後治療としてステロイド内服を 35 Hz を超えるまで漸減しながら続けている．

この治療経過中の視力-中心 CFF 解離をみてい

て，次の疑問は発症超急性期における視力と中心 CFF の関係はどうなのか，であった．一般に視神経炎は急性に発症し，患者も何が起きたかわからず，数日経って視力，中心 CFF ともに最低の状態で眼科を初診することが多いため，この発症超急性期の所見は不明のままであった．しかし，多発性硬化症患者の再発で判明した．再発を繰り返す患者は経験から，わずかな見えにくさでも再発を怖がり，早め早めに受診した．この再発の超急性期に，視力 1.0 であってもすでに中心 CFF は 35 Hz 未満(20〜30 Hz)に低下していた．偶然に多発性硬化症の患者会で，担当眼科医に再発の兆しを訴えたが視力が 1.0 あり，中心 CFF は測定されないまま再発は否定され，2 日後に 0.1 以下に低下したとの涙ながらの訴えを聞いたことがある．また多発性硬化症の僚眼の初発の視神経炎の発症時に視力低下よりも先に中心 CFF は低下した．視力-中心 CFF 解離の臨床応用の 2 つ目は，視神経炎の超急性期であっても，この現象が先行してみられるため，視神経炎の発症または再発を早期に正しく判断できることである．

5 Leber 遺伝性視神経症と CFF のかかわり

a. Leber 遺伝性視神経症とは

Leber 遺伝性視神経症(Leber hereditary optic neuropathy：LHON，Leber 病)は 19 世紀後半に眼科医の Leber T が報告した．発症は少年期から青年期の男性に多くみられる両眼性の視神経症で，視神経萎縮となって重篤な視機能障害を遺す．母系遺伝を示すミトコンドリア病の 1 つで，ミトコンドリア DNA に点変異がみられる．変異塩基対の番号は 11778 が最も多く，ほかに 3460，14484 があり，日本ではこの 3 つのいずれかが患者の約 90% に検出される[7]．亜急性に片眼に発症し，多くは数か月後に僚眼が発症する．視力は 0.1 以下に低下し，中心暗点，色覚異常がみられる．瞳孔の対光反射障害はないか極めて微弱で，中心 CFF は最低期には低下するが経過中と発症急性期に正常値を示すことがある．

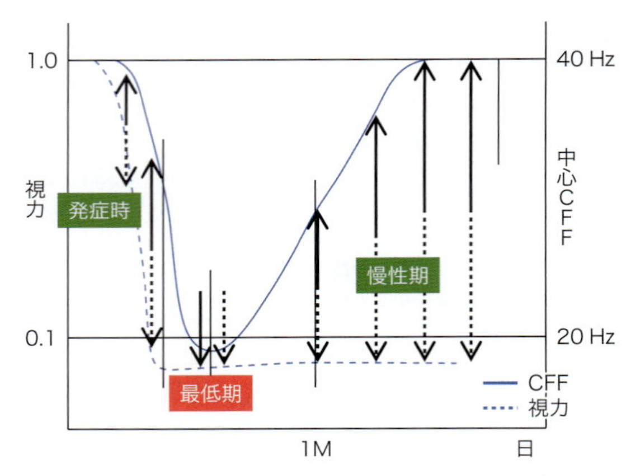

図 11-3 Leber 遺伝性視神経症(LHON)の視力-中心 CFF“逆”解離

b. Leber 遺伝性視神経症の視力-中心 CFF“逆”解離現象

一部の Leber 遺伝性視神経症例では最低期に視力と中心 CFF が低下した後に，発症 1 か月後から視力が 0.1 未満でありながら中心 CFF が回復し正常値を示すことがある．これは視神経炎とは“真逆”の視力-中心 CFF“逆”解離(図 11-3)で，数か月後に僚眼が発症する急性期にもこの逆解離がみられる[8,9]．

この視力-中心 CFF“逆”解離の発生理由は Leber 遺伝性視神経症では網膜神経節細胞のうち形態覚と色覚に関与する midget 細胞(外側膝状体の Parvo 細胞系へ投射)が選択的に障害を受けやすいためか，または parasol 細胞(Magno 細胞系)とメラノプシン含有細胞が障害を免れているためと考えられる．

c. 視力-中心 CFF“逆”解離の臨床応用

Leber 遺伝性視神経症の視力-中心 CFF“逆”解離は，初診時に心因性視覚障害と診断を誤る原因になる．視力低下があり，眼内に異常所見がないケースではなんらかの視神経疾患，特に視神経炎が疑われる．しかし，視神経炎に特有の中心フリッカー値の低下と瞳孔対光反射障害がない場合には視神経炎は決定的に否定され，診断が心因性視覚障害の疑いに向けられることもしばしばである．結果的には数か月後になって眼底に視神経乳頭の蒼白が出現し，Leber 遺伝性視神経症に気づくことになる．またさらに，発症早期の視野は Goldmann 視野計では均一な中心暗点に見えるが，静的視野計では中心部は均一な暗点ではなくモザイク状の感度低下(fenestrated scotoma，石筍状暗点)で視力測定時に答える視力が不安定になること，また眼底の視神経乳頭の発赤腫脹がその後の蒼白萎縮になる過程のある期間(発症後 1〜2 か月後)に観察すると偶然に正常乳頭に似て見えること，などが心因性視覚障害と誤りやすい理由である．

6 その他の視神経疾患と CFF のかかわり

a. 外傷性視神経症，虚血性視神経症，圧迫性視神経症，浸潤性視神経症

外傷性視神経症は眉毛部強打による視神経管付近の視神経損傷，虚血性視神経症は乳頭部での視神経栄養血管の閉塞，圧迫性視神経症は下垂体腫瘍などの視神経圧迫，浸潤性視神経症は白血病や悪性リンパ腫の病的細胞の視神経への浸潤である．これらの視神経症はいずれも眼窩内・頭蓋内の視神経(網膜神経節細胞の軸索)の障害であり，基本的には視神経炎と同様に中心 CFF 低下と瞳孔対光反射障害が特有で顕著である．いずれも急性発症期や視力回復期に視力-中心 CFF 解離現象をみる場合がある[9)]．

b. 中毒性神経症，栄養欠乏性視神経症

薬剤や化学物質の中毒性視神経症には，抗結核薬のエタンブトール中毒性視神経症，MRSA 治療薬のリネゾリド中毒性視神経症，習慣性シンナー吸引によるトルエン中毒性視神経症があり，栄養欠乏性視神経症にはアルコール多飲によるビタミン B_1 欠乏症と葉酸の欠乏症が原因になる．これらの視神経症はいずれもミトコンドリアの電子伝達系代謝異常から ATP 産生阻害を生じ，網膜神経節細胞の細胞体の障害が先行する疾患である．基本的には Leber 遺伝性視神経症と同様に P 細胞優位の障害が先行し，中心部視機能障害である視力低下・色覚異常が特有で顕著である．いずれも急性発症期や視力回復期に視力-中心 CFF “逆”解離現象をみる場合がある[9)]．

▶文献

1) 大鳥利文，中尾雄三，当麻信子，他：視神経疾患の診断治療における中心フリッカー値測定の意義について．臨眼 27：301-310，1973
2) 岩垣厚志，尾辻　理，奥山幸子，他：近畿大学式中心フリッカー値測定器の正常値．臨眼 48：952-953，1994
3) 中村紀孔，中尾雄三，山田泰生，他：各種中心フリッカー値測定器の比較．眼臨医 94：12-14，2000
4) 中尾雄三：抗アクアポリン 4 抗体陽性視神経炎の臨床的特徴．神眼 25：327-342，2008
5) Otori T, Hohki T, Nakao Y: Central critical fusion frequency in neuro-ophthalmological practice. 3rd International Visual Field Symposium. Docum Ophthalmol Proc Series 19: 95-100, 1978
6) 石川　均：瞳孔とメラノプシンによる光受容．日眼会誌 117：246-269，2013
7) 中村　誠，三村　治，若倉雅登，他：Leber 遺伝性視神経症認定基準．日眼会誌 119：339-346，2015
8) 中尾雄三：レーベル病の不思議．日本視能訓練士協会誌 36：1-4，2007
9) 中尾雄三：視神経疾患の新たな考え方—原発病変部位・病因・視機能障害—．あたらしい眼科 35：69-77，2018

(中尾雄三)

第12章 瞳孔検査

1 検査の概要

目的 瞳孔異常の検出．

原理 遠方視で瞳孔径を測定し瞳孔の大きさ，形，瞳孔不同の有無を確認し，対光反射，近見反射を確認する．

適応 瞳孔反応異常をきたす視神経障害，縮瞳を所見とする副交感神経の異常による疾患，散瞳を所見とする交感神経の異常による疾患．

機器 Haab 瞳孔計，定規，ペンライト，倒像検眼鏡，瞳孔検査用機器．

2 瞳孔の観察

検者はオートレフラクトメータ眼圧測定時にモニタに映る瞳孔を日々見ており，瞳孔検査ではなく日常の検査で瞳孔不同に気づくことが多い．モニタ上の拡大された瞳孔に左右差がないか，日々意識することが重要である（図 12-1）．

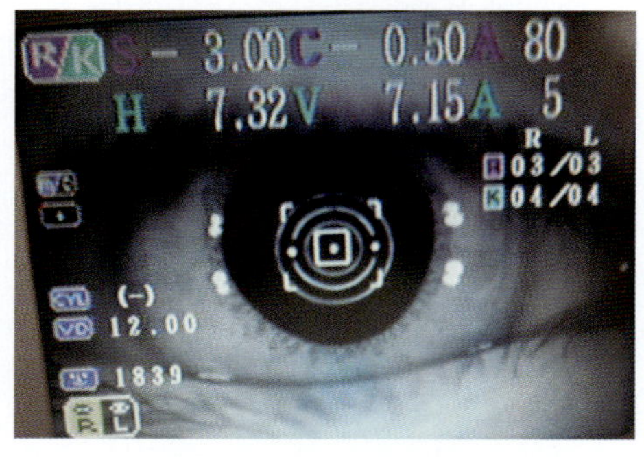

図 12-1　オートレフラクトメータの画面に映る瞳孔

3 瞳孔検査

a. 瞳孔径の測定

明室で遠方視もしくは少し上方を見るように指示し，Haab 瞳孔計や定規を下眼瞼に平行に当て瞳孔径を測定する（図 12-2）．なかなか目視で目盛が読みにくい場合は，瞳孔と目盛を一緒に写真に撮りプリントアウト後に瞳孔径を測る方法もあるが，フラッシュはくれぐれも使わずに撮影する．また室内の照明で瞳孔不同を作りださないよう，横から光が入らない環境で実施する．瞳孔径は日内変動がみられるため，検査時刻も明記しておく．

瞳孔不同を認めない場合も，暗室（半暗室）で同様に瞳孔径を測定する．明室と暗室で瞳孔不同に差がない場合は生理的瞳孔不同と考える．

b. 瞳孔の形

正円形か，楕円形などの不整円か変形瞳孔の有

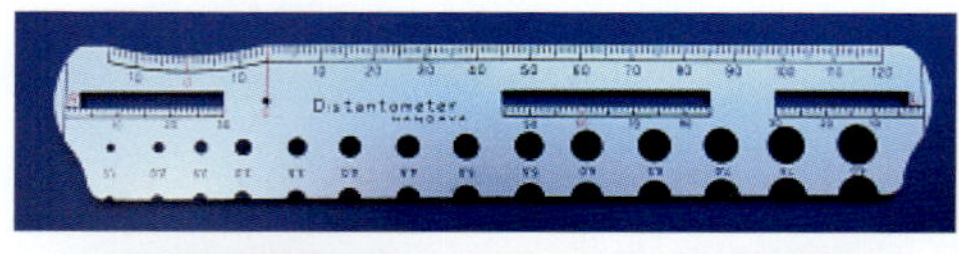

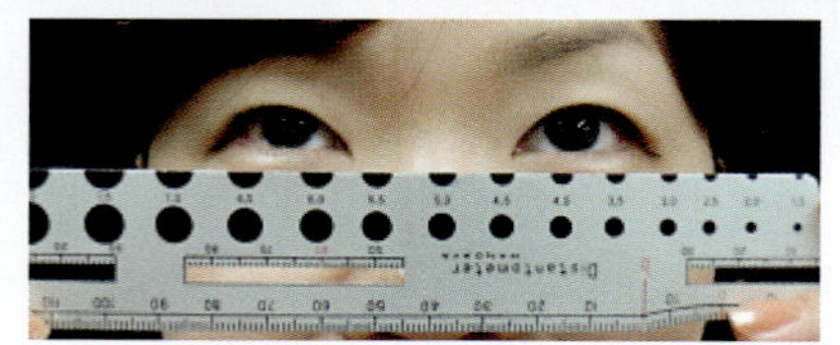

図 12-2　Haab 瞳孔計による瞳孔径の測定

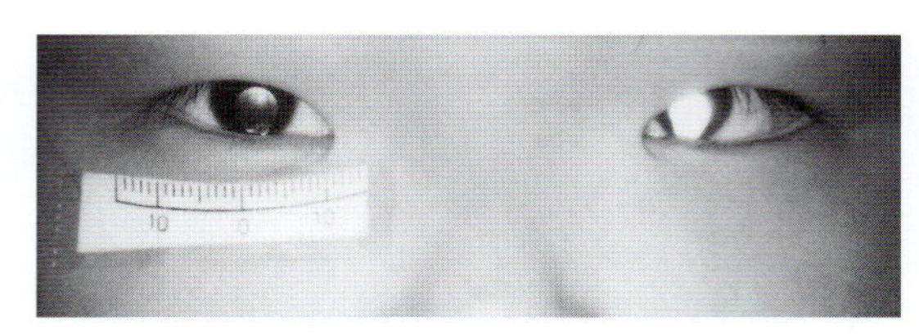

図 12-3　変形瞳孔
7 歳男児．両眼コロボーマ．

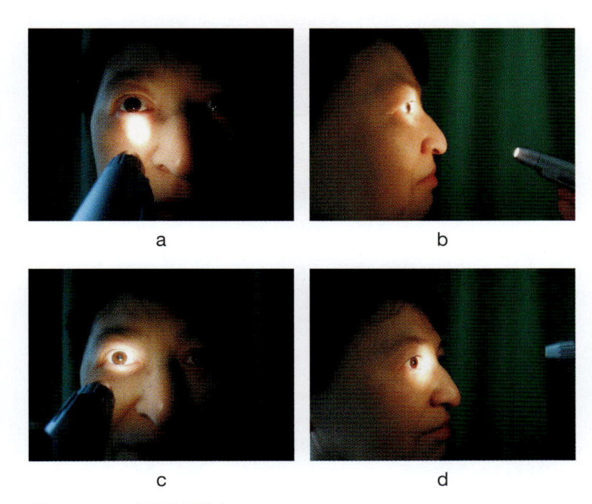

図 12-4　対光反射

無を確認する(図 12-3)．形の観察ではオートレフラクトメータの画面が拡大され見やすいが，細隙灯顕微鏡を用いると iris ruff の部分欠損(瞳孔緊張症)も観察可能である．

c. 対光反射

明室または半暗室で，遠方視もしくは少し上方を見るように指示し，瞳孔下方の下眼瞼にペンライトを準備する(図 12-4a)．ペンライトは瞳孔に向けて動かし(図 12-4b)，瞳孔の奥にある中心窩に光が当たるようイメージし，瞳孔中心に当てるようにする(図 12-4c, d)．このとき，瞳孔に光を直接当てた眼の縮瞳状態(直接対光反射)と同時に瞳孔に光を当てていない他眼の縮瞳状態(間接対光反射)を観察する．

対光反射は光を瞳孔に当てると潜伏時間が約 0.2 秒で縮瞳が始まり，1 秒後に縮瞳のピークを迎える．瞳孔の大きさのみでなく，光を当て縮瞳していく速さ，縮瞳のピークから散瞳していく速さにも着目し観察する．

直接対光反射と間接対光反射の縮瞳は正常であれば同等である．

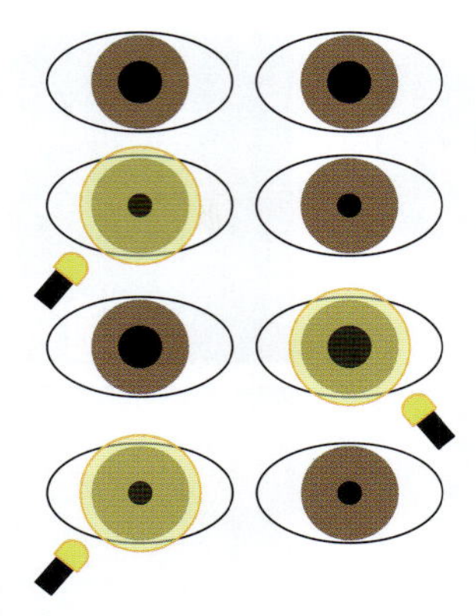

図 12-5　swinging flashlight test

d. 近見反射

近くのものを見るとき，調節，輻湊と同時に起こる縮瞳反応を見るため，近見反射はペンライトではなく，ペン先など注視しやすい視標を準備する．眼前やや下方 30 cm に視標を出し，しっかり注視するよう促しながら鼻に向けてゆっくり動かし，近見反射でみられる縮瞳状態を観察する．

e. swinging flashlight test

対光反射の左右差を比較し，視神経障害の診断に用いる対光反射求心路障害の検査である．

暗室で遠方視もしくは少し上方を見るように指示し，明るいペンライトか倒像検眼鏡を準備する．一眼の瞳孔の真下からペンライトもしくは倒像検眼鏡の光を瞳孔に向けて動かし，瞳孔に光を 1〜3 秒当て，素早く反対眼の瞳孔の真下からペンライトもしくは倒像検眼鏡の光を 1〜3 秒当て，両眼の縮瞳の状態を観察する．1 回のみでなく両側(左右)交互に数回繰り返し対光反射求心路障害の有無を判定する(図 12-5)．

直接光を入れた眼の縮瞳，縮瞳の維持状態(維持できず散瞳してくるか)，他眼の間接反射で見られる縮瞳，縮瞳の維持状態を確認する．

これは定性検査であるため，定量検査とするた

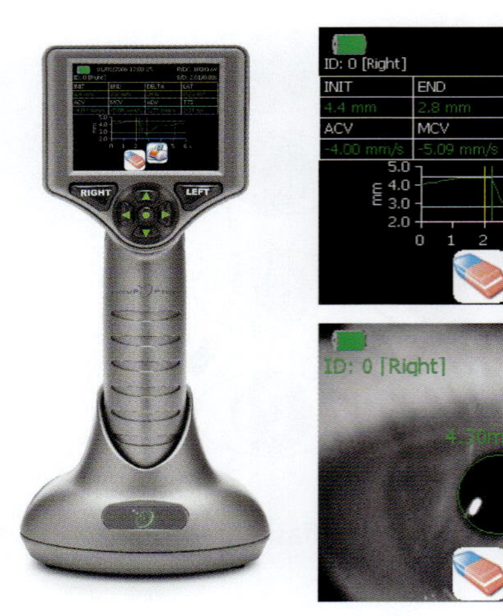

図 12-6 電子瞳孔計
NEUROPTICS 社製 瞳孔記録計 PLR-3000（VIP-3000 は瞳孔径の測定のみ）

めに健眼の眼前に ND フィルタを置き，反応を中和させ評価する方法がある．

ここに挙げた瞳孔の観察方法は見慣れることで検査の精度が上がる．それにはやはり訓練が必要である．次に挙げる機器により詳細なデータを得ることができる．

f. 電子瞳孔計（図 12-6）

瞳孔の大きさ，光を当て縮瞳し始め，最大縮瞳となり，散瞳し元の瞳孔の大きさに戻る一連の動きを定量的に測定できる瞳孔検査機器である．瞳孔径の測定，縮瞳量や縮瞳速度，散瞳速度など数値とともに波形が示される．機種によっては swinging flashlight test まで計測できるものがある．

4 瞳孔に関する解剖・生理

瞳孔は虹彩の中央にある孔で，虹彩の中にある瞳孔括約筋と瞳孔散大筋により，瞳孔の大きさが調整される（図 12-7）．

瞳孔の動きは副交感神経と交感神経により制御され，副交感神経は動眼神経副交感神経節，交感神経の中枢は上頸神経節にある（図 12-8）．

副交感神経は瞳孔括約筋を支配し縮瞳し，交感神経は瞳孔散大筋を支配し散瞳すると考えられて

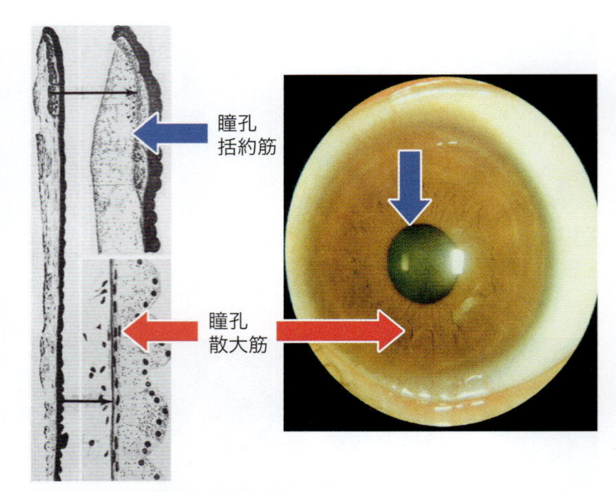

図 12-7 瞳孔の平滑筋支配

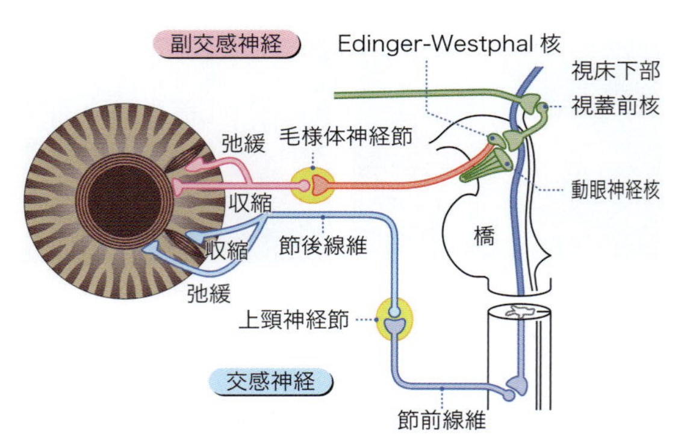

図 12-8 瞳孔を支配する交感神経・副交感神経神経経路

きた．しかし瞳孔散大筋は興奮性の交感神経のみならず，抑制性副交感神経の機械的支配を受けている．一方，瞳孔括約筋も興奮性副交感神経のみならず，抑制性交感神経の機械的支配を受けている．このことから瞳孔散大筋と瞳孔括約筋には交感神経と副交感神経による二重相反神経支配が存在する．また瞳孔は明るいところで縮瞳することで，目の焦点深度は深くなり，球面収差が減少する．

a. 対光反射

一眼に光を当てると耳側網膜の刺激は視神経を通り同側の視索に入り，鼻側網膜の刺激は視神経から視交叉を介し対側の視索に入る．視索を出ると，外側膝状体の手前で視索から分岐し，視蓋前

域核から同側のEdinger-Westphal核と後交連を介して対側のEdinger-Westphal核に入る(求心路).

Edinger-Westphal核を出ると，左右の動眼神経から副交感神経前枝として毛様体神経節，短毛様体神経を通り両眼の瞳孔括約筋に刺激が伝わり縮瞳する(遠心路).

一眼に直接光を入れた直接対光反射と反対眼の間接対光反射は同等に縮瞳する．外側膝状体以降の視路病変では対光反射は障害されないとされている．

b. 近見反射

近くのものを見るとき，調節，輻湊と同時に両眼の縮瞳がみられる．近見反射のうち調節性瞳孔反射の求心路は網膜から大脳皮質を経てEdinger-Westphal核内に入ると考えられ，輻湊性瞳孔反射の求心路は内直筋の筋知覚から三叉神経中脳核を経由してEdinger-Westphal核に入ると考えられている．対光反射とは神経経路が若干異なるため，視蓋前域の障害では対光反射は消失するが近見反射は正常である(Argyll Robertson瞳孔).

c. 閉瞼反射

眼瞼を強く閉じるとき，閉瞼した眼は上転し縮瞳がみられる．

d. 三叉神経反射

角膜，結膜など三叉神経の支配領域に持続的刺激があると瞳孔は縮瞳する．

e. 精神反射

精神的興奮(驚きなど)時には散瞳が起こる．

f. 正常瞳孔径

正常瞳孔径は明室で2〜6 mm(平均3 mm)，乳児で瞳孔径は小さく(2〜2.5 mm)，高齢者では徐々に瞳孔径が小さくなることが知られている．

g. 生理的瞳孔不同

左右の瞳孔径の差が0.5 mmの瞳孔不同は正常人の20%に存在するが対光反射は正常．

h. 正常な瞳孔反応

瞬きなどで閉瞼から開瞼した直後に一瞬縮瞳し散瞳する(開瞼反応).

指で瞼裂を大きく開きしっかり押さえた後，強く閉瞼させると縮瞳することが多い(眼輪筋反応).

極度の側方視時に正常人の5%で外転眼の瞳孔が内転眼の瞳孔より大きくなる．

5 異常瞳孔の種類

見極めのポイントとなる縮瞳，散瞳を起こす可能性のある疾患を下記にまとめた．

a. 縮瞳

瞳孔不同を伴うことが多い．瞳孔括約筋収縮で縮瞳が起こることから，ピロカルピンなどの点眼薬，抗ChE薬内服，虹彩炎，三叉神経刺激となる角膜病変，副交感神経支配ニューロンへの抑制路の障害などでみられる．

瞳孔散大筋の麻痺で起こる縮瞳の代表はHorner症候群であるが，対光反射は肉眼的に正常にみえ，明室，暗室での瞳孔径の差は暗室で散瞳がわるく患眼が縮瞳している．その原因は中脳病変，橋病変(Foville症候群)，延髄病変(Wallenberg症候群)，甲状腺腫瘍など頸部腫瘍摘出術後，肺尖部腫瘍摘出術後，糖尿病，偽落屑症候群などがある．

両眼縮瞳は橋縮瞳，視床病変，Argyll Robertson瞳孔，初期の昏睡状態や調節けいれん，輻湊けいれん，両眼の虹彩炎，疼痛治療時に用いる麻薬性鎮痛薬の使用でみられる．

b. 散瞳

瞳孔不同を呈することが多いが，時に両眼同程度の散瞳もみられることがある．

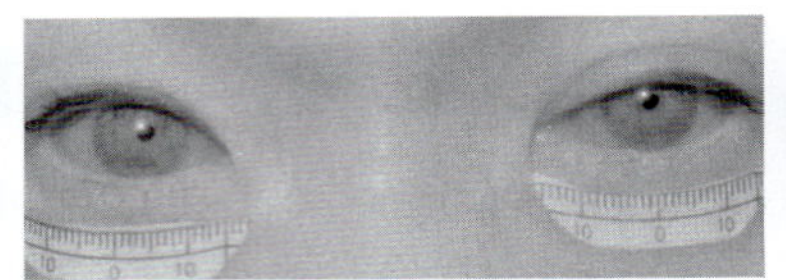
遠方視時

近方視時

図 12-9 Argyll Robertson 瞳孔

両眼散瞳としては中脳背側病変で出現する視蓋瞳孔〔light-near dissociation(対光反射-近見反射乖離)を伴う〕，両眼に点眼した場合のアトロピン散瞳，スコポラミン，LSD，三環系抗うつ薬の使用で見られる．高齢者は縮瞳傾向であるが，瞳孔括約筋の萎縮から時に極大散瞳を示すことがある．

瞳孔括約筋の麻痺ではアトロピン散瞳，緑内障発作による括約筋不全麻痺，打撲による外傷性散瞳，瞳孔緊張症，動眼神経麻痺(命にかかわるのでその日のうちに脳外科へ紹介)，Fisher症候群，片頭痛に伴う一過性散瞳など．

瞳孔散大筋の収縮で散瞳が起こる場合，アドレナリン，ピバレフリン®，ネオシネジン®，ミドリン®P の薬剤性散瞳などがある．

c. 変形瞳孔

先天性変形瞳孔には無虹彩，虹彩欠損，小瞳孔，先天性瞳孔散大，瞳孔偏位，多瞳孔，瞳孔膜遺残，虹彩異色症がある．

後天性変形瞳孔は，虹彩毛様炎，Adie 症候群，外傷などがある．

6 瞳孔異常の診断の進め方

瞳孔異常の診断の進め方で大切なことは，患者の視線を妨げないよう，明室で遠方視もしくは少し上方を見るように指示し，Haab 瞳孔計や定規を上眼瞼もしくは下眼瞼に平行に当て瞳孔径を測定し，対光反射は下方より瞳孔中心に光を入れるようにし瞳孔の動きを観察することである．

a. 瞳孔不同

1) 生理的瞳孔不同

生理的瞳孔不同は正常人の 20% に見られ，左右の瞳孔径の差は 0.5 mm，まれに 1.0 mm を超す場合もあるが，対光反射は正常である．また生理的瞳孔不同と判断するには明室と暗室での瞳孔不同が同程度である．

2) 瞳孔不同を見つけたが異常なのは散瞳か縮瞳か迷う場合

室内の明るさを変え(明室→暗室→明室)，瞳孔径を測定する．明室，暗室の瞳孔の大きさの差が大きい眼が正常眼．

明室で瞳孔不同が顕著な場合は散瞳眼の副交感神経障害，暗室で瞳孔不同が顕著な場合は縮瞳眼の交感神経障害である．

b. 縮瞳

1) Argyll Robertson 瞳孔(図 12-9)

a) 症状

瞳孔径 2 mm 以下の両眼性縮瞳，対光反射消失，近見反射は正常で暗室で散瞳し難く，視力障害がない(light-near dissociation)．

b) 原因

中脳背側，中脳水道周囲部の徴候で古くは神経梅毒と考えられていたが，現在は糖尿病，アルコール依存症，血管障害，脳炎，多発性硬化症，サルコイドーシス，腫瘍などとされる．

偽 Argyll Robertson 瞳孔：動眼神経麻痺が半年以上経過後に，動眼神経の走行異常により眼球内転により縮瞳する．これは近見反射で眼球が内転することで縮瞳するため，近見反射が保たれているようにみえるが，眼球内転による縮瞳である

表 12-1　Horner 症候群の点眼試験

	節後障害	節前障害	中枢障害	判定時間
1.25% アドレナリンまたは 1% フェニレフリン	過敏性獲得(++)	過敏性獲得(+)	過敏性獲得(−)	60 分
	点眼 10 分前後で眼瞼下垂軽減あるいは消失		眼瞼不変	
5% チラミンによる散瞳	散瞳反応：減弱あるいは消失	散瞳反応：正常	散瞳反応：正常	45 分
5% コカイン塩酸塩による散瞳	散瞳反応：消失	散瞳反応：消失	散瞳反応：減弱	90〜120 分
部位	眼球〜上頸神経節	上頸神経節〜毛様脊髄神経	毛様脊髄中枢〜視床下部	
成人での責任病巣と原因疾患	頸部の腫瘍 頸部の血管障害 頸部外傷	胸部の腫瘍 Pancoast 症候群 気胸や肺がん術後 ペースメーカ埋込術後	腫瘍 脳血管障害 Wallenberg 症候群 交代性 Horner 症候群 脊髄空洞症 頸髄外傷後	

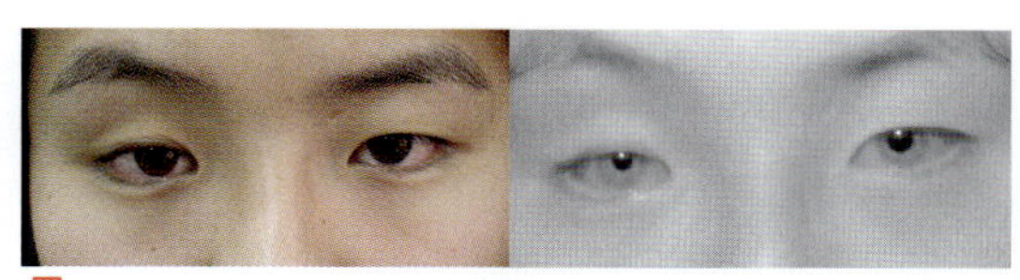

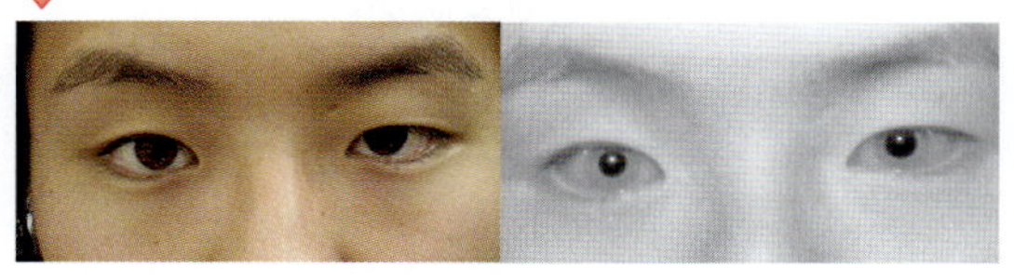

図 12-10　Horner 症候群(27 歳男性)
1% ネオシネジン® 点眼後 30 分で右眼の眼瞼下垂は消失し瞳孔は散瞳反応がみられる.

ため近見反射ではない.

2) Horner 症候群(図 12-10)

a) 症状

瞳孔不同は軽度(2 mm 以下). 縮瞳がみられたら暗室で健眼との瞳孔径が最大となることを確認する. 対光反射は正常, 軽度の眼瞼下垂, 瞼裂狭小, 患側の顔面紅潮, 発汗低下, 皮膚の乾燥. 調節には影響がみられない.

b) 原因

交感神経の障害で生じ, 重篤な疾患が背景にある可能性がある. 眼交感神経経路の第 1 ニューロン(中枢性), 第 2 ニューロン(節前性), 第 3 ニューロン(節後性)のいずれかに原因がある.

c) 点眼試験

Horner 症候群の診断と部位の特定には点眼テストが有効である. 表 12-1 より点眼薬を決め点眼し, 薬剤の作用時間に合わせ, 点眼前, 点眼直後, 点眼後 15 分, 30 分, 45 分, 60 分, 75 分, 90 分と瞼裂, 瞳孔を 90 分間チェックする.

d) 小児の Horner 症候群の原因疾患

先天性 Horner 症候群には分娩時外傷, 神経膠芽腫, 内頸動脈の無形成などがある. 後天性 Horner 症候群には神経膠芽腫, 横紋筋肉腫, 脳幹部病変(血管奇形, 脱髄), 内頸動脈解離, 医原性(頸静脈, 鎖骨下動脈のカテーテル操作, 開胸術, 頸部手術)などがあり, いずれも小児科に精査を依頼する.

3) 橋出血

a) 症状

両眼性のピンホール状に縮瞳する.

b) 原因

橋出血, 外傷などの急性橋障害でみられる.

4) 薬剤性縮瞳

a) 症状

コリン作動性(ピロカルピン様)物質, あるいはコリンエステラーゼ阻害薬の投与により生じる縮瞳.

b) 原因

薬剤, あるいは化学物質の曝露歴で確認することが重要である. 対光反射, 近見反射がなく, 瞳孔はピンホール瞳孔であり, 眼瞼下垂, 眼球運動異常はみられない.

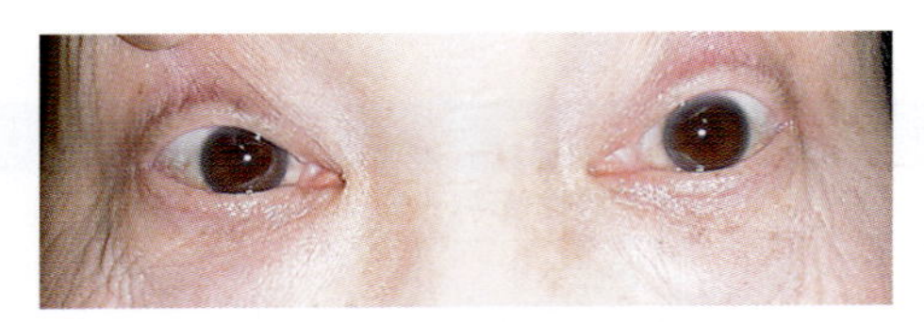

図 12-11 有機リン中毒による縮瞳

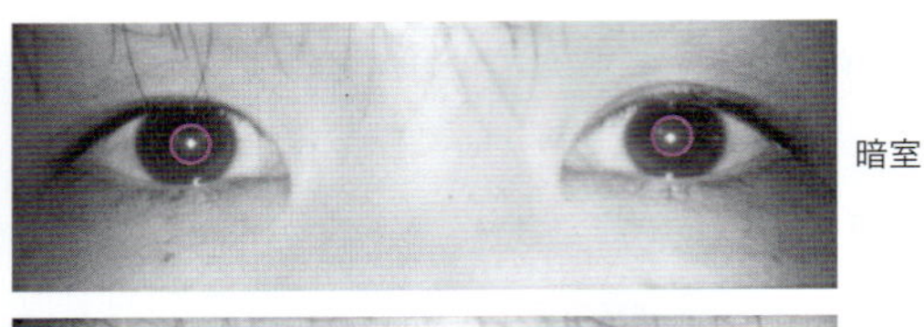

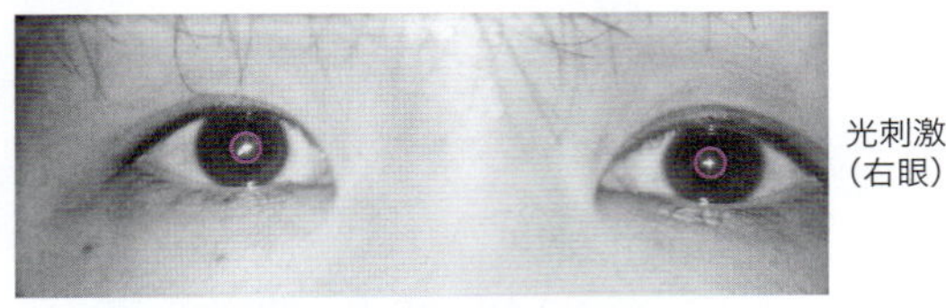

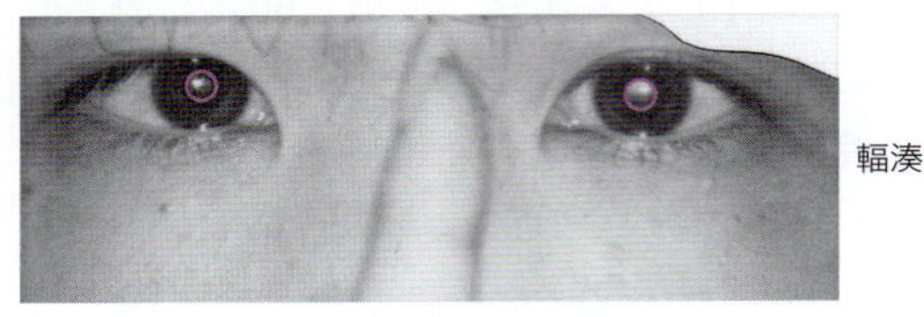

図 12-12 Adie 症候群(23 歳女性)

c) 縮瞳を起こす可能性のある薬剤

コリンエステラーゼ阻害作用をもつ農薬などの化学物質(サリンも含まれる，図 12-11)．縮瞳薬はピロカルピン塩酸塩点眼液，注射用アセチルコリン塩化物がある．

C. 散瞳

1) 瞳孔緊張症〔tonic pupil, Adie 症候群(図 12-12)〕

a) 症状

患側の瞳孔が散瞳，対光反射は消失もしくはわずかに残存し，緊張性にゆっくり(tonic)と動く．一方近見反射は保たれているが弱く，ゆっくりで light-near dissociation を呈する．若い女性(20～30 代)に多く，羞明と近見視での見えづらさを訴える．片眼性が 90% であるが，両眼性になる場合もある．瞳孔の動きは均一でなく，分節状麻痺がみられる(図 12-13)．これらの瞳孔異常に加え，膝蓋腱反射の消失を伴う場合に Adie 症候群

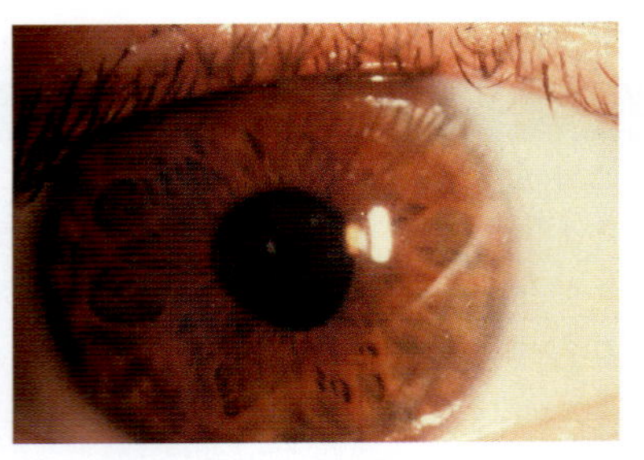

図 12-13 Adie 症候群の分節状麻痺

と呼び，神経学的に正常で瞳孔のみの異常であれば瞳孔緊張症と呼ぶ．

b) 原因

毛様体の神経接合部からアセチルコリンが房水中に出て，これが瞳孔括約筋に作用して縮瞳を起こす経房水説と，毛様体神経節や節後線維が損傷されたときに瞳孔よりも調節を支配するほうが多く残り，再生時に調節神経が瞳孔括約筋へ異常再生する神経再生異常説の 2 説がある．

c) ピロカルピン点眼テスト

希釈した 0.05～0.1% のピロカルピン点眼薬を点眼すると縮瞳がみられる．ピロカルピン点眼過敏性は毛様体神経節後線維の障害に限らず，節前線維の障害でも縮瞳がみられる．希釈せず 1% ピロカルピン点眼薬で縮瞳すれば動眼神経麻痺を考える．また 1% ピロカルピン点眼薬でも縮瞳しない場合は薬剤性か外傷性散瞳を考える．

d) 治療

対症的に低濃度のピロカルピン点眼が用いられる．調節障害には矯正眼鏡，羞明には遮光眼鏡を用いる．障害は治らないが，瞳孔は年齢とともに縮瞳する傾向がある．

2) 動眼神経麻痺

a) 症状

眼球運動障害(内転，上転，下転障害)，眼瞼下垂，瞳孔散大などの多彩な症状を呈す．典型的には眼瞼が下垂し，眼球は外下転位をとる(図 12-14)．瞳孔が散大している場合は脳動脈瘤などが疑われ，緊急を要す．初診時に瞳孔が散瞳していなくても 24～48 時間は瞳孔が散瞳してくる場合があるので観察を行う．

表 12-2　抗コリン作用をもつ薬剤

三環系抗うつ薬	アミトリプチリン塩酸塩など
精神賦活薬	メチルフェニデート塩酸塩など
抗パーキンソン病薬	トリヘキシフェニジル塩酸塩など
抗ヒスタミン薬	クロルフェニラミンマレイン酸塩など
感冒薬	(抗ヒスタミン薬配合など)
気管支喘息吸入薬・抗コリン薬，鎮咳薬	(抗ヒスタミン薬配合など)
鎮痙薬，消化性潰瘍薬・抗コリン薬，抗不整脈薬	ジソピラミドなど
筋弛緩薬，催眠鎮静剤(ベンゾジアゼピン系)	トリアゾラムなど
精神安定剤(ベンゾジアゼピン系)	エチゾラムなど
抗てんかん薬	クロナゼパムなど

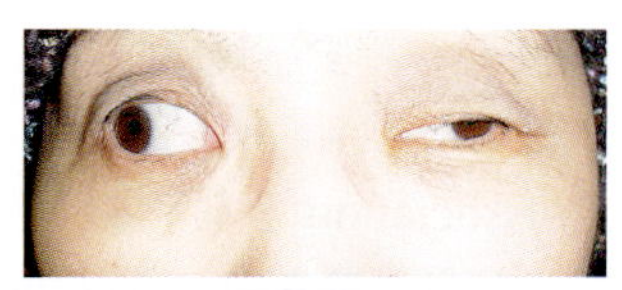

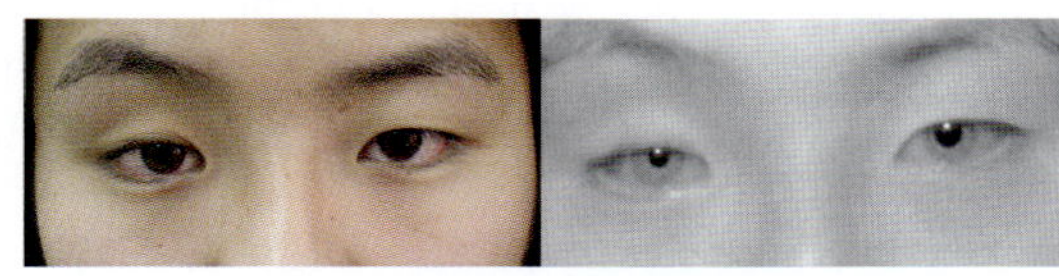

図 12-14　動眼神経麻痺と Horner 症候群における眼瞼下垂の差
上：右方視の左眼動眼神経麻痺．左眼の眼瞼下垂に注目．
下：右眼 Horner 症候群．暗室下で右眼縮瞳と下垂があるが動眼神経麻痺ほどではない．

b）原因

動眼神経の走行範囲で中枢から順に，核，中脳内の神経根，くも膜下腔，後交通動脈の下，海綿静脈洞内，上眼窩裂，眼窩内のどこかで障害が起こっている．血管障害，糖尿病性眼筋麻痺，血管炎，脳動脈瘤，眼部帯状ヘルペス，多発性硬化症，Tolosa-Hunt 症候群，脳腫瘍，外傷，海綿静脈洞病変，眼窩病変，眼筋麻痺性片頭痛，周期性動眼神経麻痺などがある．

3）心因性散瞳

a）症状

心因性と思われる瞳孔異常，散瞳の症例がある．不安の強い患者，統合失調症などの精神疾患では散瞳がみられ，対光反射の減弱もみられる．

b）原因

患者自身が所持している点眼薬で散瞳している場合がある．点眼薬による散瞳であるかの確認は 1% ピロカルピンを点眼して鑑別する．動眼神経麻痺，瞳孔緊張症(Adie 症候群)などの散瞳であれば 1% ピロカルピン点眼後 30 分程度で縮瞳がみられるが，点眼薬による散瞳では縮瞳はみられない．

4）中脳背側症候群(Parinaud 症候群)

a）症状

両眼散瞳(視蓋瞳孔)，瞳孔不同，対光反射消失，近見反射はほぼ正常，垂直注視麻痺，眼球後退眼振，skew deviation．

b）原因

発症年齢により原因は異なるが，若年者では松果体部腫瘍，中高年者では脳血管障害が多い．

5）薬剤性散瞳(抗コリン薬散瞳)

a）症状

抗コリン薬(アトロピン様薬剤)の投与により生じる瞳孔径 7 mm 以上の散瞳．対光反射・近見反射が消失，眼瞼下垂，眼球運動異常はみられず，1% ピロカルピンを点眼しても縮瞳しない．

b）原因

抗コリン薬曝露の有無はしばしば不明なことが多い．なかには自分で意図的に点眼する人もいるといわれている(Münchausen 症候群)．

c）散瞳を起こす可能性のある薬剤

(1) マンドラゴラ，ベラドンナ，ロート，マンダラ，ヒヨスなどの植物．
(2) 抗コリン作用をもつ薬剤(表 12-2)．

表 12-3　散瞳薬

薬剤	最大散瞳までの時間	持続時間	使用目的	副作用　他
アトロピン硫酸塩	点眼後，1 時間程度で散瞳	調節麻痺作用は10〜14 日持続	小児の屈折検査，弱視治療，虹彩毛様体炎の治療など	発熱，顔面紅潮，心悸亢進
シクロペントラート塩酸塩	点眼後，1〜2 時間程度で散瞳	調節麻痺，散瞳作用ともに 1〜2 日	小児の屈折検査など	点眼時の刺激性が大．一過性の幻覚，運動失調，情動錯乱を起こすことがある
トロピカミド	点眼後 20〜30 分で散瞳	散瞳作用は 5〜6 時間	眼底検査など	フェニレフリンのアレルギーがある場合に用いる
トロピカミド＋フェニレフリン塩酸塩	点眼後 20〜30 分で散瞳	散瞳作用は 6〜8 時間	眼底検査など	
フェニレフリン塩酸塩	点眼後 40〜60 分で散瞳	散瞳作用は 5〜6 時間	狭隅角眼の眼底検査など	ピロカルピン点眼で縮瞳させることが可能

(3) 散瞳薬(点眼薬)(表 12-3).

アトロピン硫酸塩(日点アトロピン点眼液 1%)は，点眼後 1 時間で瞳孔は散瞳し，調節麻痺効果が 10〜14 日程度持続する．小児の屈折検査，弱視の治療，虹彩毛様体炎の治療にも用いる．

シクロペントラート塩酸塩(サイプレジン® 1% 点眼薬)は，散瞳より調節麻痺効果のほうが強いため，屈折検査に用いられる．点眼後 1 時間程度で瞳孔は散瞳し，効果は 2〜3 日でなくなる．一過性の幻覚，運動失調，情動を起こすことがあるため，注意する．

トロピカミド(ミドリン® M 点眼液 0.4%)は，点眼後 20〜30 分で瞳孔は散瞳し，効果は 5〜6 時間で消失．この溶液にネオシネジン®(0.5%)を加えたミドリン® P は眼底検査のための散瞳薬として用いられている．

フェニレフリン塩酸塩(ネオシネジン® コーワ 5% 点眼液)は，眼底検査に用いられる交感神経刺激薬である．

6) 対光反射-近見反射乖離 (light-near dissociation)

光刺激による対光反射が消失または強く障害されているにもかかわらず，輻湊時の縮瞳(近見反射)が保たれる．

light-near dissociation を呈する疾患には，Argyll Robertson 瞳孔，瞳孔緊張症(Adie 症候群)，Parinaud 症候群，動眼神経麻痺後の異常神経支配などがある．

検査のポイント

- ☑「3 瞳孔検査」に示した手順で瞳孔の異常を検出するが，検査を進める際「どちらが縮瞳(もしくは散瞳)しているのか？」に着目することが重要である．
- ☑ 明室と暗室での差が大きいほうが正常眼，対光反射，近見反射が速いほうが正常眼，光を当て縮瞳し散瞳するという反応から戻る時間が短いほうが正常眼ということを念頭におき，患眼の異常が縮瞳か散瞳か見極める．

(松井孝子，吉冨健志)

第13章 暗順応検査

I 光覚と暗順応・明順応

1 暗順応・明順応とその検査

明るい屋外から非常に暗い部屋に入ると初めは全く見えないが，数分経過すると少しものが見えてきて，20分もすればかなり見えてくる．逆に暗い部屋から明るい屋外に出ると初めはまぶしくてものが見づらいが，数分たてばまぶしさはおさまって，普通にものを見ることができる．

この「暗いところに目が慣れてくる」プロセスを暗順応，逆に「明るいところに目が慣れてくる」プロセスを明順応と言う．

健常な網膜の視感度は，暗順応や明順応により大きく変化する．そのうち暗順応が進むにつれて変化する視感度を測定するものが「暗順応検査」である．

2 光覚・視野・暗順応検査

暗順応検査は，診療報酬点数表には「光覚検査」という名称で記載されている．光覚検査を広義に捉えると，網膜の部位別に視感度を測定したもの，つまり視野検査と，網膜の順応状態を変化させて視感度を測定したもの，つまり暗順応検査の両方を含むと考えられる．後者が狭義の光覚検査で，現在では光覚検査は暗順応検査と同義として扱われる．

暗順応検査では，網膜全体あるいは網膜の一部分(視野中心 10～30° 以内)の視感度を暗順応にしたがって経時的に測定する．

II 暗順応検査に必要な視覚生理学

網膜は光刺激を電気的反応に変換して信号処理をする神経組織である．その中で最初に光刺激を電気的反応に変換する組織は視細胞である(図 13-1)．

視細胞には杆体細胞と錐体細胞があり，杆体はピーク波長を 500～510 nm あたりにもつ 1 種類であるが，錐体には赤色域に感度のピークをもつ L 錐体，緑色域に感度のピークをもつ M 錐体，青色域に感度のピークをもつ S 錐体がある(表 13-1，図 13-2)．健常網膜の視細胞は大多数が杆体であり，次いで L，M 錐体，そして S 錐体の数は非常に少数である(表 13-1)．

杆体と錐体ではその感度が大きく異なる．杆体は感度が非常に高いがダイナミックレンジ(感度の幅)は狭く，明るい環境では感度が飽和して働かない．一方の錐体は，感度は低いが視力や限界フリッカ値が高く，また L，M，S 錐体の 3 種類があるために，色覚をもっている．

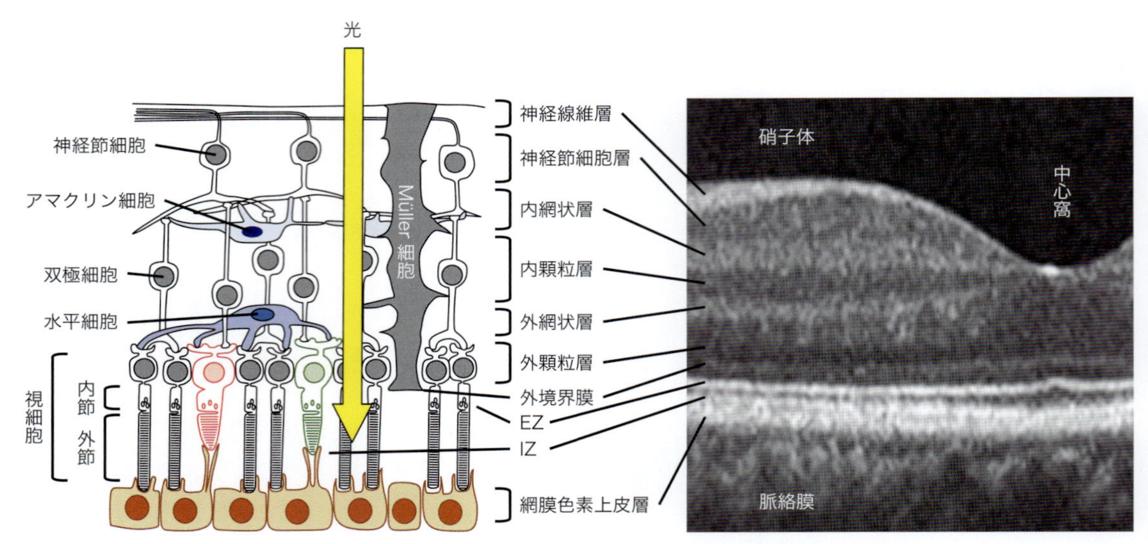

図 13-1 網膜断面のシェーマ(左)と正常眼黄斑部の光干渉断層計検査(optical coherence tomography：OCT)所見(右)

硝子体側を上，脈絡膜側を下に表示した．EZ：ellipsoid zone，IZ：interdigitation zone.

表 13-1 ヒト視細胞の種類と特性

		杆体(暗所視)	錐体(明所視)		
			L 錐体(赤錐体)	M 錐体(緑錐体)	S 錐体(青錐体)
感度ピーク波長		500〜510 nm	558〜575 nm	531〜540 nm	419〜430 nm
感度		高	中	中	中
最大分布		中間周辺部	中心窩	中心窩	傍中心窩
空間分解能(視力)		低	高	高	中〜低
時間分解能(限界フリッカ値)		低	高	高	低
数(推定)	正常人	約 12,000 万	約 600〜700 万		
			約 50〜75%	約 20〜40%	約 4〜10%

ヒト視細胞の多くは，暗所で働く杆体である．明所で働く錐体には，L，M，S 錐体の 3 種があり，正常人では錐体の多くは L/M 錐体で S 錐体は少ない．

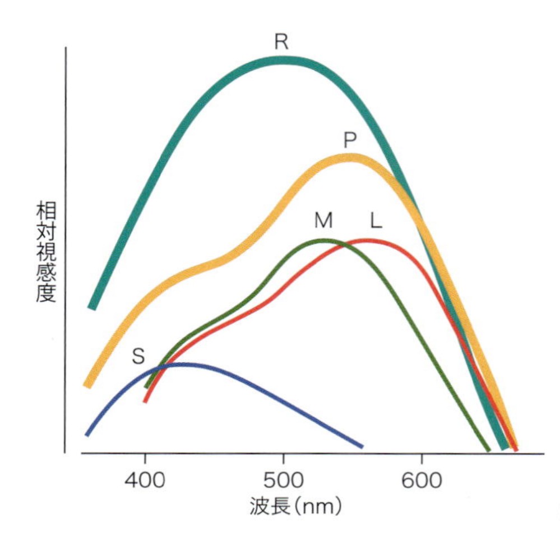

図 13-2 ヒト視細胞の波長感度曲線および視感度曲線

R：杆体，S：S 錐体(青錐体)，M：M 錐体(緑錐体)，L：L 錐体(赤錐体)の波長感度曲線．P は明所視の視感度曲線を示す．

こういった特性により，ヒトは明所では錐体で，暗所では杆体を使ってものを見ている．このため明所でのヒトの視感度は555 nmあたりの黄色に最大の感度をもつが(図13-2，P)，暗所にいくとそのピークは505 nmあたりに移動する(図13-2，R)．この現象をPurkinje現象という．

III 暗順応検査

1 検査の概要

目的 暗順応障害の有無および程度を検査する．

原理 一定の明順応後に完全暗室で暗順応を開始し，視野の一部か全体の視感度を経時的に測定してグラフにプロットする．

適応 夜盲および昼盲を訴える疾患．

機器 Goldmann-Weekers暗順応計．

2 目的

暗順応検査の目的は，夜盲や昼盲を訴える患者に施行して，その存在や程度を判定することである．あるいは夜盲や昼盲の訴えがなくても検査を行うことによりそれらの存在を証明できる．

3 適応

(1) 夜盲を訴える疾患：網膜色素変性，小口病や白点状眼底を含む先天停在性夜盲，糖尿病網膜症や網膜静脈閉塞症を含む網膜循環障害，ぶどう膜炎など．

(2) 昼盲を訴える疾患：錐体(-杆体)ジストロフィ，杆体一色覚など．

健常眼と病眼の暗順応検査結果を図13-3と図13-4に呈示する．

4 機器

暗順応検査には古くはTübinger視野計や日置式暗順応計，Nagel暗順応計といったものが用いられた．しかし現在かろうじて残っている暗順応計はGoldmann-Weekers暗順応計(Haag-Streit，スイス)である(図13-5)．しかしこれも製造中止となり，今やわが国では暗順応計をもつ施設はほとんどない．

a. Goldmann-Weekers暗順応計(図13-5)

Goldmann-Weekers暗順応計は，検査ドーム，記録ドラム，コントロールボックスにより構成される(図13-5，A〜C)．付属品には，ドーム内や検査視標の輝度を較正するためのルクスメータ，他覚的暗順応検査のための回転ドラム，そして各種の指標がある．

検査ドラムは，交流50 Hzを使用すると1時間で1回転するが，交流60 Hzでは50分で1回転する．したがって，50 Hzの地域(東日本)と60 Hzの地域(西日本)で使用する検査用紙が異なる(図13-3)．

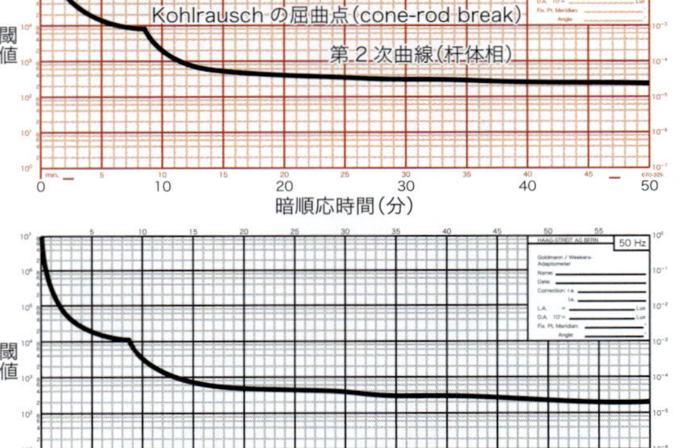

図13-3 暗順応検査の正常例
上は交流60 Hz用の記録用紙，下は交流50 Hz用の記録用紙に記録した．50 Hz用の記録用紙は，慶應義塾大学病院眼科スタッフのご厚意による．

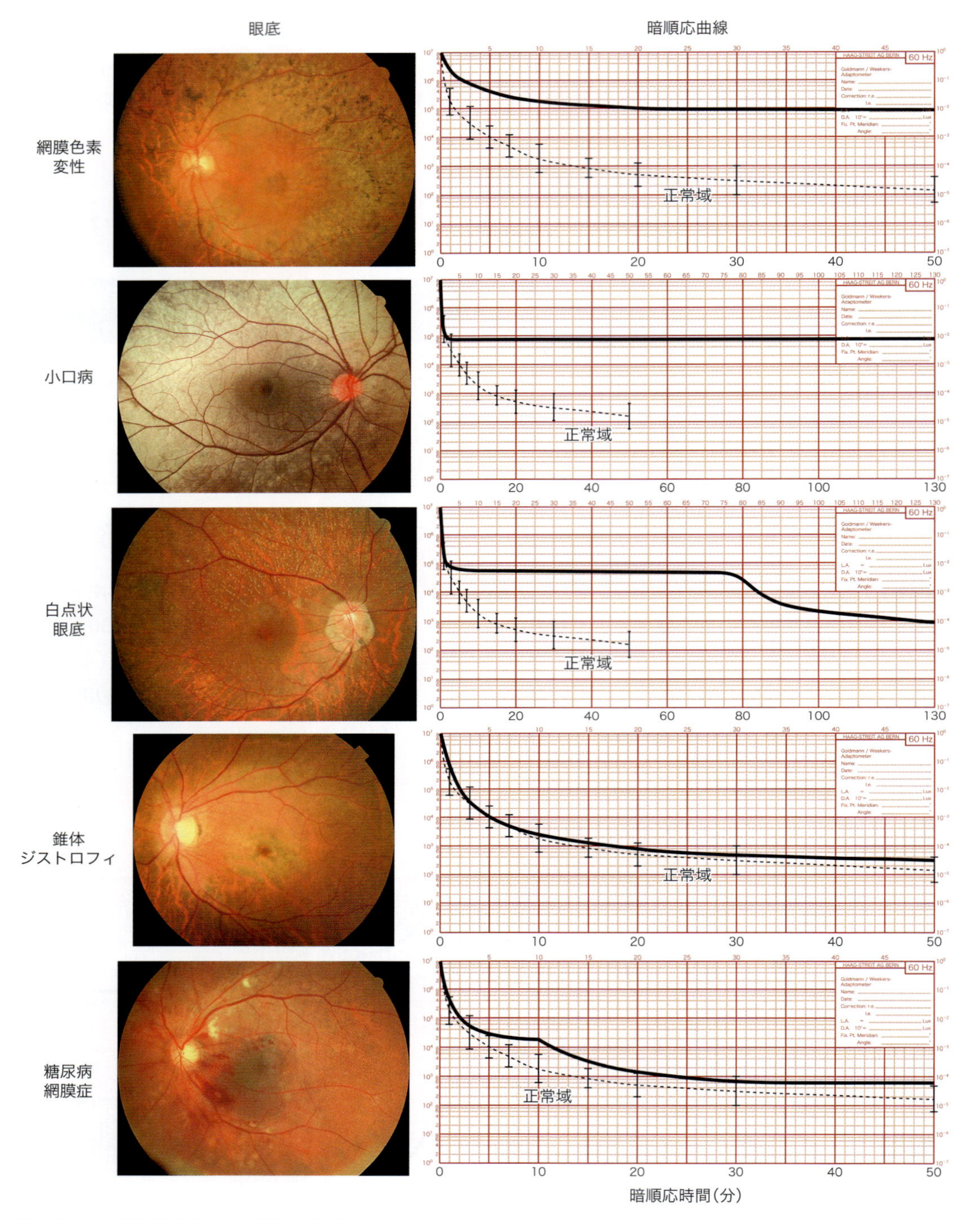

図 13-4 網膜疾患とその暗順応曲線

小口病と白点状眼底の暗順応曲線は130分まで測定した．網膜色素変性と小口病では，Kohlrauschの屈曲点のない錐体相のみの暗順応曲線となり，逆に錐体ジストロフィでは杆体相のみの暗順応曲線となっている．白点状眼底ではKohlrauschの屈曲点が著しく遅れている．糖尿病網膜症では暗順応の途中経過が特に異常を示している．

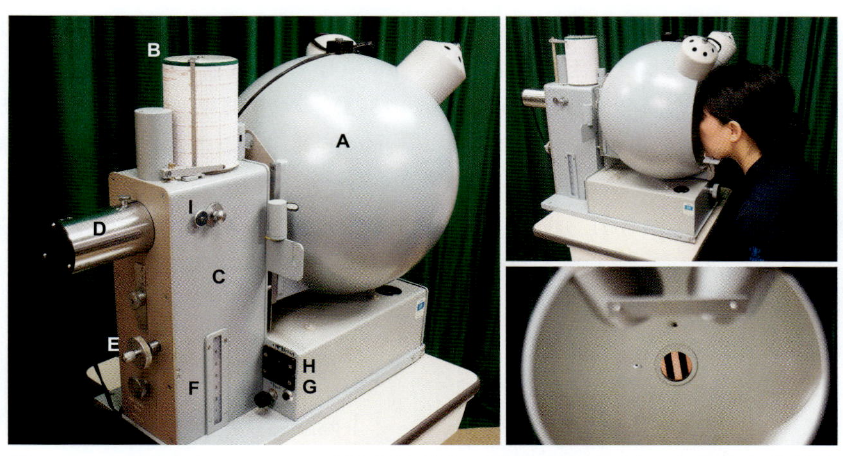

図 13-5　Goldmann-Weekers 暗順応計（左），測定風景（右上），部分暗順応検査用の縞視標（右下）

A：検査ドーム，B：検査ドラム，C：コントロールボックス，D：視標用光源ボックス，E：視標輝度コントロールおよび打点用ノブ，F：視標輝度目盛り，G：メインスイッチ，H：明順応ランプスイッチ，I：拡散フィルタ用ノブ．
検査時の固視標は，縞視標の上方 11° に設置されている（右下）．

b. 検査方法

Goldmann-Weekers 暗順応計では，視野中央部に視角 11° の検査用視標を用いた部分的暗順応検査と，検査ドーム全体を用いた全網膜暗順応検査が可能である．通常は部分的暗順応検査を行うが，大きな中心暗点があって固視標や検査視標が認知できない場合には全網膜暗順応検査を行う．以下に検査方法の概要を述べる．詳細は付属の説明書を参照されたい．

1）検査の準備

(1) 完全暗室にすることのできる場所に Goldmann-Weekers 暗順応計を設置する．

(2) Goldmann-Weekers 暗順応計に付属のルクスメータで，ドーム内の輝度，視標の明るさを較正する（詳細は暗順応計に添付の説明書を参照）．

(3) 部分的暗順応検査の場合はドームを右へ開いて検査用視標を取り付ける．検査用視標は通常はコントラスト 100% の縞視標である（図 13-5 右下）．全網膜暗順応検査の場合は，付属の乳白色スクリーンをドーム内にセットして拡散フィルタ用ノブを引き出す（図 13-5, I）．

(4) 検査ドラムに検査用紙をセットする（図 13-5, B）．

2）検査の実際

(1) 両眼性疾患の場合は両眼同時に検査を行うが，左右差のある眼疾患の場合には片眼を遮閉具で閉眼する．

(2) 被検者をドームの顎台に固定して検査室を消灯する．まず検査前明順応に先だって完全暗室下で 2 分間の暗順応を行う．次にドーム内を点灯して検査前明順応を行う．検査前明順応の条件は，ドーム内輝度 1,400～2,100 asb，明順応時間は 5 分あるいは 10 分である．

(3) ドーム内の固視標を被検者に確認させる．固視標はドーム内視標中央の上方 11° にあり，暗赤色である．

(4) 被検者に固視標を固視させて，検査ドラムに設置した検査用紙の時間軸を 0 の位置に合わせる．

(5) すぐにドーム内を消灯し，完全暗室の状態で検査を開始する．閾値の測定は，検者が輝度調整ノブ（図 13-5, E）を回してドーム内あるいは視標の輝度をゆっくりと上げてゆき，被検者がかすかに光を認識したときに，台を棒などで軽く叩くか声で合図をしてもらう．これは数回繰り返して閾値の再現性を確認する．

(6) 閾値の測定は，検査開始から15分間は1～2分間隔，15分から30分までは3～5分間隔，30分から50分ないし60分までは5～10分間隔で閾値をチェックする．閾値測定の間隔は適宜変更してよいが，暗順応検査を開始して15分間くらいは閾値が急激に下がるので，正確な暗順応曲線を得るためには頻繁な閾値測定が必要である．検査は通常30分程度で終了するが，より正確な最終閾値を確認するには50分～1時間程度検査し，プロットした測定点に鉛筆などで印を入れ，暗順応曲線を完成する．

c. 健常眼の暗順応曲線(図13-3)

健常眼に暗順応検査を行うと，2相性の曲線が得られる．暗順応を開始して数分でいったんプラトーになった後，7～10分後から再び閾値は下がり始め，30～40分程度で再びプラトーに達する．この最初にプラトーになるまでの暗順応曲線を第1次曲線，次に閾値が下がり始めてから再びプラトーになる暗順応曲線を第2次曲線という．第1次曲線は錐体の暗順応曲線，第2次曲線は杆体の暗順応曲線である．

第1次曲線と第2次曲線の屈曲点を「Kohlrausch の屈曲点(cone-rod break)」という(図13-3)．検査前明順応が過剰であればKohlrausch の屈曲点は遅れ，逆に検査前明順応が不十分であるとKohlrauschの屈曲点が認められず，第2次曲線のみの単相性暗順応曲線となる．したがって検査前明順応は規定通りにきちんと行う必要がある．

検査のポイント

- ☑ 暗順応検査では「少しでも明かりがわかったら合図してください」と被検者に説明して検査を行う．検査開始当初は合図のタイミングにばらつきが出やすいので，数回素早く検査を繰り返して閾値を測定し，応答の再現性を確認する．
- ☑ 視標輝度のコントロールノブは，閾値の近くまでは素早く操作し，閾値付近ではゆっくりと操作して正確な閾値を測定するように努める．
- ☑ 暗順応検査は，狭い暗室に検者と被検者が長時間閉じ込められる検査である．空調に気を遣い，ラジオなどを小音量で流しながら検査をすると，リラックスできてよりよい結果が得られる．

(國吉一樹)

第14章 色覚検査

I 色覚

1 等色

a. 等色の原理

現在の色覚学や測色学の基礎となっている原理は「等色(color matching)の原理」である．図 14-1 に示すような 2 分視野(bipartite field)を用いて，一方の視野にテスト光 *T* を強度 T で，他方の視野に 3 色光 *X*，*Y*，*Z* をそれぞれ強度 X，Y，Z で光学的に重ねて与える．テスト光 *T* としていかなる色光を呈示しても，3 色光 *X*，*Y*，*Z* の強度 X，Y，Z を適切に調整すると，全く等しい見えを作ることができるということが等色の原理である．ここで，「全く等しい見えを作る」とは，*X*，*Y*，*Z* の強度 X，Y，Z を調節すると左右の視野の明るさも色みも全く等しくなるということである．もし視野中央の境界線がなければ，左右の視野が等色すると完全に一様な 1 つの視野になってしまう．

このように色光を光学的に重ねて呈示することから，色を作ることを「混色」と呼び，光の混色を加法混色(additive mixture)という．ここで気を付けなくてはいけないのは，混色は視覚系内で起きる現象，つまり，心理現象であり，光の物理現象ではないということである．物理的には *X*，*Y*，*Z* はそれぞれ異なった分光放射エネルギーをもった光に過ぎず，*X*，*Y*，*Z* を重ねることは，それぞれの波長ごとにエネルギーが足し合わされた新しい光(ここでは *A* と呼ぶ)が作られるということである．*A* が作られるのは物理的なエネルギーの足し合わせの問題である．*A* の色がどうなるかについてはあくまでも視覚系の特性の問題であり，物理的には何も言えないのである．*A* は混色光と呼ばれる．

等色を式で表すと，

$$\mathrm{T}T \equiv \mathrm{X}X + \mathrm{Y}Y + \mathrm{Z}Z$$

と書き，これを等色方程式(color matching equation)と呼ぶ．*X*，*Y*，*Z* を原色(primary color)あるいは原刺激(primary stimulus)と呼ぶ．この等色方程式では，＋記号は「色光を物理的に重ねる」こと，≡記号は「両辺の視野が等色する」ことを意味している．

等色の原理が成立するためには次の前提条件(1)と(2)が必要である．

(1) 混色光 *A* の 3 原色 *X*，*Y*，*Z* は互いに独立でなければならない．

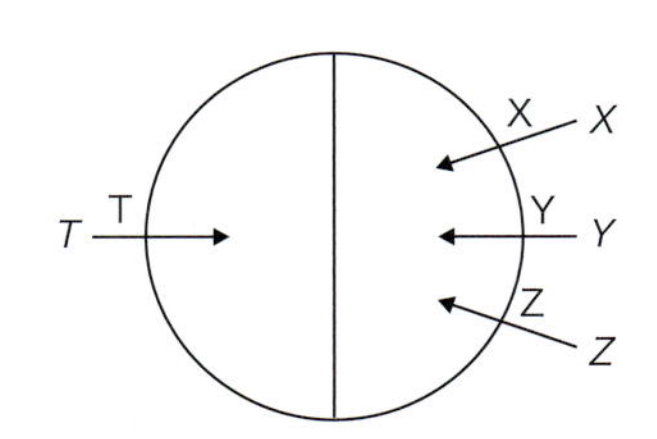

図 14-1　2 分視野
左視野にテスト色光 *T* が強度 T で呈示される．右視野に混色光 *X*，*Y*，*Z* がそれぞれ強度 X，Y，Z で呈示される．

これは，3原色のどの1つをとっても他の2つで等色されてはならないという意味である．この前提条件は，逆に考えると，この条件さえ満たしていればどんな3原色を選んでも等色の原理は成立するということをいっている．

(2) 負の混色を許す．

光は足すことはできても引くことはできない．負の混色といっても物理的に光を取り去るのではなく，等色方程式の上で負を作るという意味である．実は，任意の T のなかには3原色 X，Y，Z を単に重ねたのでは等色されないものがある．負の混色はこれを解決するために考えられた一つの便法である．T が3原色 X，Y，Z の直接の重ね合わせで等色できない場合は，X，Y，Z のどれか1つを T と同じ視野に入れることにより等色を成立させることができる．例えば，X を T と同じ視野へ移すとすると，T と X の混色光が Y と Z の混色光と等色することになる．これは，

$$\mathrm{T}T+\mathrm{X}X \equiv \mathrm{Y}Y+\mathrm{Z}Z$$

と表記される．ここで，左辺のXを右辺に移項して，

$$\mathrm{T}T \equiv -\mathrm{X}X+\mathrm{Y}Y+\mathrm{Z}Z$$

として，$-X$ を負の混色と呼ぶ．

以上のような2つの前提条件が満たされれば等色はどんな場合にも成立する．これが等色の原理の正しい理解である．

b. 条件等色

物理的な分光組成の異なる2つの色光が等色することをメタメリックマッチング(metameric matching)あるいは条件等色という．$\mathrm{X}X$，$\mathrm{Y}Y$，$\mathrm{Z}Z$ を物理的に足し合わせた光の波長組成は，X，Y，Z の分光特性を $\mathrm{X}(\lambda)$，$\mathrm{Y}(\lambda)$，$\mathrm{Z}(\lambda)$ とすると，

$$\mathrm{X}\cdot\mathrm{X}(\lambda)+\mathrm{Y}\cdot\mathrm{Y}(\lambda)+\mathrm{Z}\cdot\mathrm{Z}(\lambda)$$

となる．しかし，任意の色光 T の分光特性 $\mathrm{T}(\lambda)$ にはいろいろな波長組成がありうる．数学的に $\mathrm{T}\cdot\mathrm{T}(\lambda) \neq \mathrm{X}\cdot\mathrm{X}(\lambda)+\mathrm{Y}\cdot\mathrm{Y}(\lambda)+\mathrm{Z}\cdot\mathrm{Z}(\lambda)$ のときに成立する等色が条件等色である．

任意の色光が3種の色光で条件等色するという現象は，色を表記するために光の分光特性をいちいち調べる必要はなく3変数の組で行えることを意味している．また，逆に，条件等色の存在から，色はそもそも光の分光特性では表現できず，3変数の組み合わせで表現しなければならないことも意味している．この条件等色があるからこそ，色覚の3色説(trichromatic theory)が生まれ，等色関数(color matching function)，さらには3種類の錐体の分光感度が求められている[1]．

2 3種の光受容器

等色の原理はなぜ成り立つのであろうか．「なぜ任意の色光を等色するには3種の色光が必要で，しかも3種だけあれば十分なのか」．この疑問に答えるには，まず，単一自由度の原理(principle of univariance)を知ることが必要である．これは「視物質に吸収された光子が視物質におよぼす効果はその光子の波長(あるいは振動数)とは無関係である」という原理である[2]．視物質の分子は1個の光子を取り込むことによって変化し，その変化が集積して最終的に光受容器の応答となる．光子には波長があるが，視物質は光子の波長にはかかわらず光子を何個取り込んだかといったことだけを問題とし，視物質の変化の自由度は1で大きいか小さいかだけであるというのがこの原理である．

ただし，視物質には光子の波長に依存して，吸収確率が異なる特性がある．これが視物質の分光吸収率になる．しかし，たとえ分光吸収率が異なっても波長の異なる光子は区別されない．なぜならば，それぞれの波長の光子の数を分光吸収率に合わせて増減すれば，結果的に波長が異なっていても，同数の光子が視物質に吸収されるようにすることができるからである．数が等しければ，視物質は波長の異なる光子を区別することはできない．単一自由度の原理を視物質の代わりに光受容器に当てはめると，分光吸収率が分光感度に変わる．光受容器が1種類しかない1色覚では，光受容器の分光感度に合わせて刺激光の強度を調

節すれば，波長組成の異なるどんな刺激光でも光受容器の応答は等しくなる，つまり全く同じ色になってしまうのである．

単一自由度の原理を踏まえて，等色の原理と光受容器の種類数の関係をみてみよう．視覚系に，もし1種類の光受容器しか存在しなければ，図14-1の左視野のTに等色する右視野の原色はどんな色光でも1つあればよい．その色光の強度を調節すればTに必ず等色できるからである．では，分光感度が異なる光受容器が2種類あればどうなるであろうか．左視野のTが2種類の光受容器A，Bを刺激したときに，光受容器のそれぞれの応答をR_{TA}，R_{TB}とする．これに等色するためには右視野の原色は1つでは不十分である．なぜならば，1つの固定された原色は強度をいくら調整しても2種類の光受容器の応答をそれぞれ自由に変化させることはできないからである．しかし，原色がXとYの2つあれば，それぞれの強度を調整することにより，2つの光受容器の応答を左右視野で等しくすることができる．XとYに対する光受容器A，Bの応答をR_{XA}とR_{YA}，R_{XB}とR_{YB}とすると，左右の視野での光受容器の応答を等しくする条件は，

光受容器A：$T \cdot R_{TA} = X \cdot R_{XA} + Y \cdot R_{YA}$

光受容器B：$T \cdot R_{TB} = X \cdot R_{XB} + Y \cdot R_{YB}$

となり，この方程式を解けば，変数X，Yが求まるからである．光受容器がA，B，Cの3種類ある場合も同様にして考えると，等色の条件は，

光受容器A：$T \cdot R_{TA} = X \cdot R_{XA} + Y \cdot R_{YA} + Z \cdot R_{ZA}$

光受容器B：$T \cdot R_{TB} = X \cdot R_{XB} + Y \cdot R_{YB} + Z \cdot R_{ZB}$

光受容器C：$T \cdot R_{TC} = X \cdot R_{XC} + Y \cdot R_{YC} + Z \cdot R_{ZC}$

となり，等色に必要な原色はX，Y，Zの3色光になる．

任意の色光Tの強度Tに対して混色光X，Y，Zのそれぞれの強度X，Y，Zを調整して，3種の光受容器の応答を左右の視野で等しくしてしまえば，それ以降の視覚系は両者を全く区別できない，これが等色である．視覚系のフロントエンドである光受容器は3種類しかなく，この応答を等しくする光は視覚系にとっては全く等価となる．

3 LMS錐体色空間

等色の原理により，人間の視覚系の入り口には3種類の光受容器があることがわかった．これが現在知られているL，M，S錐体になる．ここでは，図14-2に示すようにL，M，S錐体の応答を3軸とする錐体色空間を考える．

任意の色光Tはこの空間中に色ベクトルTとして表現される．そのベクトルの先端の座標は(L_T, M_T, S_T)となる．この錐体色空間中に$L(1, 0, 0)$，$M(0, 1, 0)$，$S(0, 0, 1)$の3点を通る単位平面を考える．それを三角形LMSで表し，色三角形と呼ぶ．色三角形LMSと色ベクトルTの交点をPとする．このような交点Pはすべての色ベクトルについて考えることができる．交点Pの座標(l_p, m_p, s_p)を色光TのLMS色空間の色度座標(chromaticity coordinate)と呼ぶ．1つの交点Pには方向が等しく長さの異なる複数の色ベクトルが対応するが，強度の異なる色光，すなわち長さの異なる色ベクトルは同じ色度を示すものとして考える．2つの色光は強度が異なっていても，もし同じ交点Pをもつならば，強度を調節すれば等色するので，等色を扱う場合には強度次元を省略した色度表現のほうが好都合である．言い換えると，異なった交点Pを与える2つの色光は強度をいくら調節しても等色せず，どちらかの色光に第3の色光を加えなければ等色しないことを意味している．

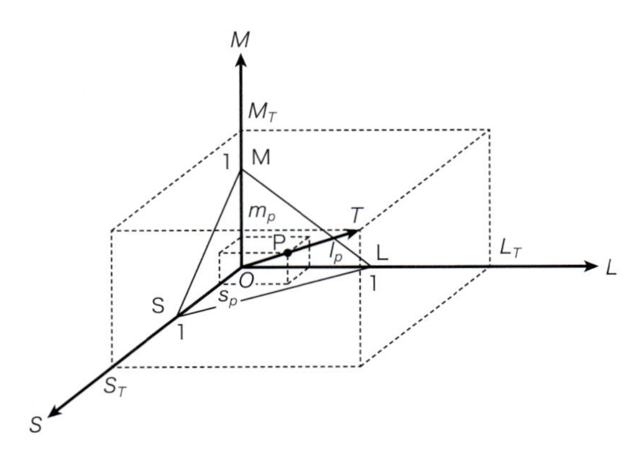

図14-2 色三角形LMSと錐体色空間の色度座標(l_p, m_p, s_p)

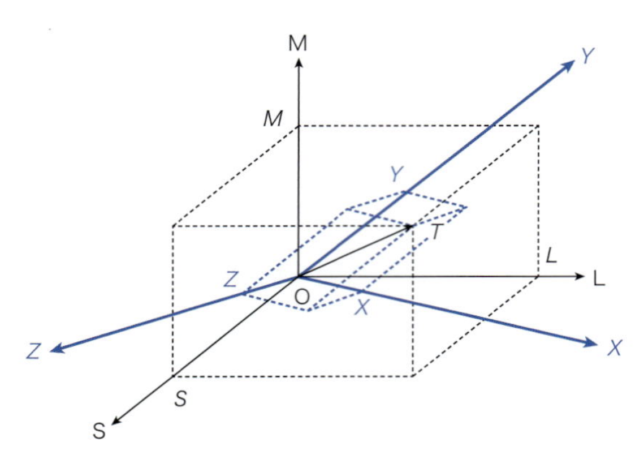

図 14-3 任意の T 光と3原色 X, Y, Z 光の等色の関係

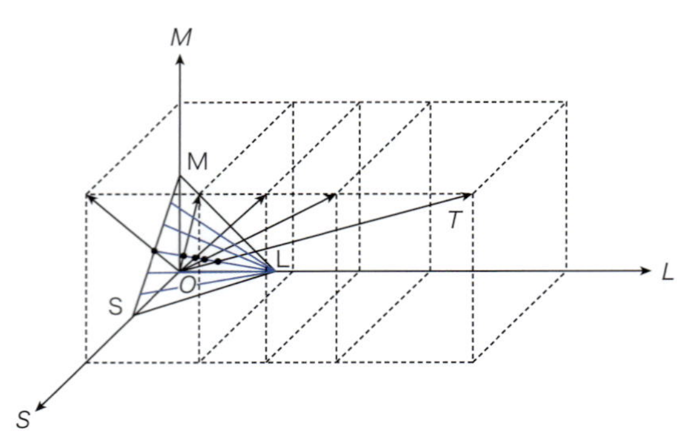

図 14-4 錐体空間中のL錐体の応答のみが変わる色ベクトル群

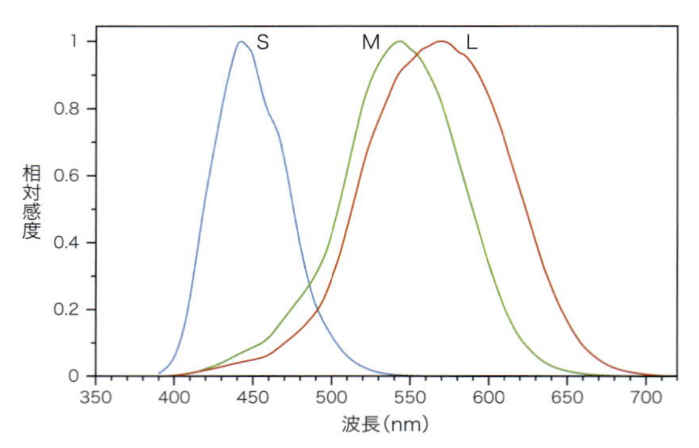

図 14-5 L, M, S錐体の分光感度

(Stockman A, Sharpe LT: The spectral sensitivities of the middle- and long-wavelength-sensitive cones derived from measurements in observers of known genotype. Vision Res 40: 1711-1737, 2000 より)

色光 T として単色光を取り，その錐体色度座標がわかれば錐体の分光感度がわかる．なぜならば，単色光に対するL, M, S錐体の応答はL, M, S錐体の分光感度にその単色光のエネルギーを掛けたものになるので，単色光が色三角形の中のどこにプロットされるかがわかれば逆に錐体の分光感度は決定されるからである．しかし，残念なことに，実際の等色実験により求まるのは単色光に等色する X, Y, Z の強度であり，これからは直接単色光に対するL, M, S錐体の応答を知ることはできない．

図 14-3 は任意の色光 T と3原色 X, Y, Z が等色した関係を表している．3原色 X, Y, Z も錐体色空間の中に T と同様に表現されている．ここで，ベクトル X, Y, Z の長さを調整すれば，ベクトル T と等しいベクトルを合成することができる．これが等色である．このとき，ベクトル X, Y, Z を直交する3軸に選べば，ベクトル T がXYZ色空間内で表現される．さらにXYZ色空間内に単位平面を取り，ベクトル T の交点から色度座標(x, y, z)をLMS色空間の色度座標(l, m, s)と同様に求めることができる．$x+y+z=1$ の関係があるため，通常，色度座標は(x, y)のみで表す．

4 錐体分光感度

ここで，仮に，L錐体がなくM錐体とS錐体のみからなる1型2色覚を考えてみよう．1型2色覚では図 14-4 に示すようにL錐体の大きさのみが異なる色ベクトル群は弁別ができないので等色してしまうことになる．これらの色ベクトル群と色三角形の交点は直線となるが，L軸そのものも色ベクトル群の1本であるので，その直線はL点を通ることになる．また，M錐体とS錐体の応答の比が異なる色ベクトルも1つの色ベクトル群を作りL点から延びる別の直線となる．したがって，図 14-4 の色三角形上の青線で示したように，このような直線はL点からの放射状の直線群となる．

そこで，L錐体視物質をもたない1型2色覚者の混同色線を測定し，XYZ空間内に表現すれば，L点が(x, y)色度図上に求まる．同様にして，M, S錐体視物質がそれぞれ欠損した2型，3型2色覚者の混同色線を測定することでM, S点が(x, y)色度図上に求まる．

3色覚者を用いて等エネルギー単色光に等色する3原色X，Y，Zを求めると，XYZ空間内に等エネルギー単色光ベクトルが描けることになる．これを等色関数(color matching function)と呼ぶ．ここで，L，M，S点がわかっているので，L，M，S軸がXYZ空間内に描け，それに合わせて座標変換をすることで，LMS空間内に等エネルギー単色光ベクトルが描ける．波長λの等エネルギー単色光ベクトルの先端の座標$(L_\lambda, M_\lambda, S_\lambda)$がそれぞれL，M，S錐体の分光感度関数となる．このようにして決定された分光感度関数の例として，StockmanとSharpeが求めた錐体分光感度関数を図14-5に示す[1]．

II　色覚に必要な視覚生理学

1 比視感度

a. 比視感度の測定法

人間の視覚系の分光感度は太陽光のエネルギーが最も強い550 nm付近の中波長領域で高くなっている．しかし，視覚系の分光感度関数は測定法によってその形状が異なることも知られている．その理由は測定法により機能する色覚のメカニズムが異なってくるからである．

比視感度の測定では，視覚系からの出力が一定になるように，入力側の各波長の刺激光の放射束(強度)を調整する．この方法は被験者に1つの判断基準，例えば，刺激光がちょうど検出できるかどうか，あるいは，刺激光の明るさが参照光と等しいかどうかという判断基準を持たせて，刺激光の強度を変化させるものである．ある応答量に達するのに刺激光の強度が少なくてもよければ，その波長に対して視覚系は感度が良く，逆に刺激光の強度が大きいときはその波長に対して感度が悪いことになる．したがって，各波長で求めた刺激光の強度の逆数をとれば視覚系の分光感度が求まることになる．この方法で求めた視覚系の分光感度は比視感度(relative luminous efficiency)と呼ばれている．この方法では，被験者には，刺激光が見えるか見えないかという検出閾，あるいは，ある一定の明るさに等しいかどうかという主観的等価点の判断が求められ，視覚系の応答に対応した量的な判断は求められない．このため測定は精度が良く，現在のほとんどの測定法はこの原理が用いられている．

視覚系の比視感度の測定法には，主に，絶対閾値法(absolute threshold method：ATM)，増分閾値法(increment threshold method)，交照法(heterochromatic flicker photometry：HFP)，直接比較法(heterochromatic brightness matching method：HBM)がある．

b. 絶対閾値法と増分閾値法

視覚系が検出できる最小の光のエネルギー，すなわち光の検出閾値を各波長に対して求め，その逆数を取って比視感度とする．図14-6に刺激視野を示す．中心部が刺激光，周辺部が背景光である．図14-7に示すグラフのうち，赤丸が絶対閾値法で測定した比視感度である[3]．刺激光は直径視角45分，中心窩呈示である．背景光はなく，暗黒になっている．暗順応時では比視感度関数はおよそ440 nm，540 nm，600 nmで凸をもち，

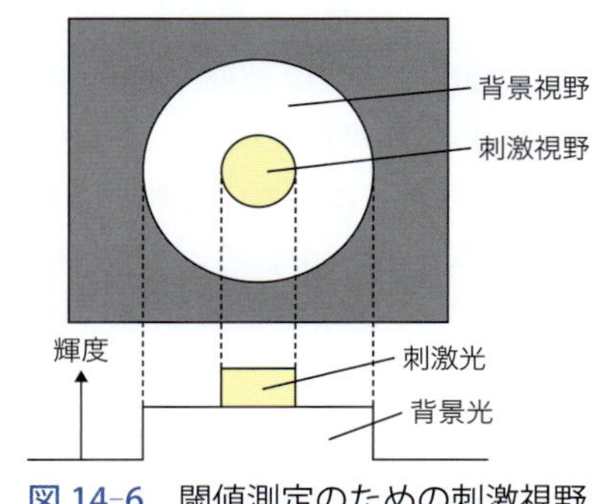

図14-6　閾値測定のための刺激視野

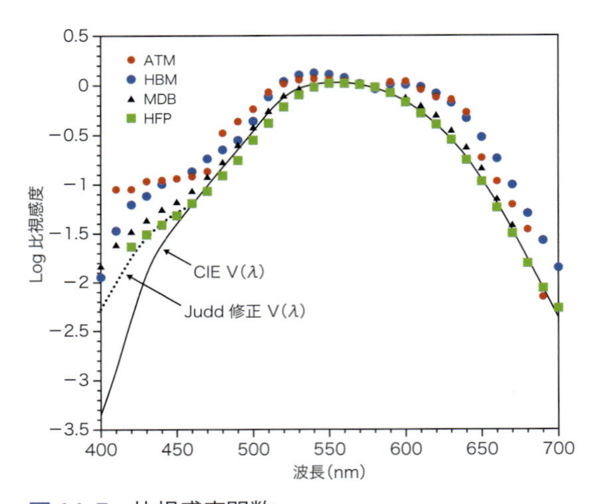

図 14-7 比視感度関数
MDB：minimally distinct border.

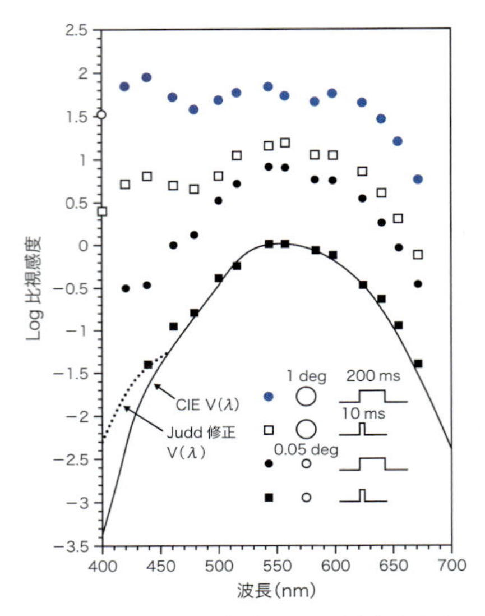

図 14-8 増分閾値法により測定された比視感度関数

450 nm，570 nm で凹をもつ．この形状は閾値法による比視感度関数に特徴的なものである．

図 14-8 に増分閾値法で測定した分光感度を示す[4]．図中に示されているように，刺激光のサイズは視角 1 度と 0.05 度，呈示持続時間 200 ms と 10 ms である．中心窩呈示，背景光は白色 1,000 td である．明順応時の比視感度関数は青丸で示されるように，短波長，中波長，長波長と 3 か所にピークがはっきりと現れるようになる．しかし，刺激光の大きさや呈示持続時間が減少すると，比視感度関数の凹凸は小さくなり V(λ)関数の形状に近づいてくる．これは刺激光の検出が色メカニズムから輝度メカニズムへと移行するためであると考えられる．

c. 交照法

閾値法では，刺激光が見えるか見えないかといった微弱な光強度に対する視覚系の検出感度を求めている．しかし，実際の視環境においては，むしろ物がどのくらい明るいか暗いかといった閾上の光，すなわち十分に明るい刺激光に対しての視覚系の感度を知ることが必要となる．交照法はこのような閾上の刺激光に対する比視感度測定法の 1 つである．

交照法では，1 つの刺激視野(図 14-9a)に参照光とテスト光を時間的に交互に呈示する(図 14-9b)．参照光は色みのない白色光が通常使われ，その強度は一定に固定する．テスト光には単色光を用い，強度は可変にする．図 14-9b の上段に示すようにテスト光の強度が参照光よりも小さい，あるいは下段に示すように参照光よりも大きくなると，刺激視野内にテスト光と参照光の交替による時間的なちらつきが見える．このとき，交替の頻度(時間周波数)が低いと視野内に色みと明るさの両方の交替がはっきりと見える．時間周波数を次第に高めていくと，視野内のちらつきが速くなっていき，あるところで色みの交替がなくなり明るさだけのちらつきだけが残るようになる．このときの時間周波数を CCFF(critical color fusion frequency，臨界色融合周波数)と呼ぶ．さ

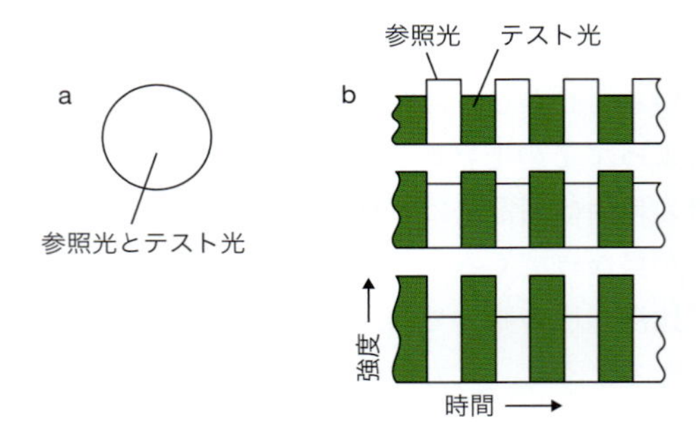

図 14-9 交照法
a. 刺激視野，b. 参照光とテスト光呈示の時間条件.

らに，時間周波数を高くしていくと最後には明るさのちらつきもなくなり，一様な視野となる．この周波数はCFF(critical fusion frequency，臨界融合周波数)と呼ばれる．

交照法ではCCFF以上でCFF以下の時間周波数を使い，明るさのちらつきは残るが色みの交替はないようにし，明るさのちらつきが最小になるテスト光の強度を求めることを行う．色みの交替が見えない周波数を選んだのは，色みの交替が被験者の判断の妨げにならないようにするためである．実はこのことが直接比較法の結果との差を生む原因になるのであるが，これについては後述する．

図14-9b上，下段で示すように，テスト光の強度が小さすぎても大きすぎてもちらつきが見える．しかし，その間にちらつきが最小になるテスト光の強度があるはずであり，被験者はテスト光の強度を調節してちらつきが最小になる見えを探す．この操作を各波長光に対して行い，求められたテスト光の強度の逆数を比視感度とする．

図14-7の緑四角は交照法による比視感度関数を示している[5]．刺激サイズは視角約2度，参照光は約100 td，中心窩呈示である．交照法による比視感度はピーク値が555 nmにある滑らかな凸関数である．閾値法による比視感度とは異なり，極小値や極大値は見られない．450 nm以下でやや凸が現れるが，それほど大きいものではない．また，この形状は参照光の強度にほとんど依存しないことも知られている．

d. 直接比較法

直接比較法では，図14-1に示すような2分視野の左右に参照光とテスト光を併置して呈示する．被験者は参照光とテスト光の「明るさ(brightness)」を直接に比較する．調整法を用いるならば，被験者はテスト光の強度を調節してテスト光の明るさと参照光の明るさをマッチングする．参照光には強度一定の光，テスト光には単波長光を用いる．ここでもやはり参照光としては色みのない白色光がよく使われる．テスト光の彩度が低い場合はテスト光も白色光とあまり違わないので，両者の明るさマッチングは比較的容易である．しかし，テスト光の彩度が高く，色みが強いときには明るさの比較は容易ではなくなる．色みの違う2つの刺激光の明るさだけを抽出して比較するのは，非対称マッチングの1つであり，被験者のタスクとして難しくなるからである．しかし，テスト光の強度を十分下げれば明らかに暗くなり，また十分上げれば明らかに明るくなるので，そのどこか中間に明るさが参照光と等しいところがあることはわかる．

図14-7に直接比較法による測定結果を青丸で示す[6]．刺激視野サイズは2度，参照光は100 td，背景光なしの定常呈示である．直接比較法の比視感度関数は滑らかでなく，比較的はっきりとした凸が440 nm，540 nm，600 nm付近にあり，460 nmと570 nm付近に凹がある．比視感度の形状は閾値法の感度関数に似ている．

直接比較法は交照法に比べて，マッチング時の標準偏差が大きく，さらに被験者間の差が大きいことが知られている[7]．明るさ比視感度関数の凹凸の大きさは被験者により違いがあり，大きい被験者では，例えば，540 nmの凸と570 nmの凹の間が0.2 log以上ある．しかし，凹凸が小さい被験者では明るさ比視感度関数が交照法による比視感度関数とほとんど同じ形状になってしまう．この理由は，明るさ知覚の際に色応答が輝度応答にどの程度寄与するかといった色覚メカニズムのうえから説明されている[6]．

e. 輝度と明るさ

現在使われている輝度は光の放射輝度に標準比視感度関数(standard relative luminous efficiency)V(λ)をかけて積分した値として定義されている．V(λ)は主に交照法によって測定された比視感度関数を基にしてCIE(国際照明委員会)が決めた標準関数である．したがって，2つの刺激光の輝度が等しいとは交照法によって時間的なちらつきが最小になるように2つの刺激光の放射エネルギーが揃えられているということである．

一方，刺激光の明るさの比視感度は直接比較法によって求められている．もし，直接比較法による比視感度関数が交照法による比視感度関数と等しければ，輝度が等しいとは確かに見えの明るさが等しいということになる．しかし，図 14-7 の青丸と緑四角の関数が示すように，両者は異なっている．特に短波長と長波長側で差が顕著である．単色光では短波長と長波長側になると刺激光の彩度が増大して色みが増してくる．それに伴い，同じ輝度の刺激光でもより明るく見えてくることになる．

私たちの日常生活では，刺激光の時間的な変化を判断基準として決められた「輝度」と，その刺激面がどのくらいの明るさに見えるかといった「明るさ」のそれぞれが適用できる場面が異なっている．その場面に合わせて輝度と明るさを使い分けることが重要である．

2 Purkinje 現象

人間にとって生きるためには，真昼の明るい太陽光から星光りの下まで，様々な光強度の環境下に適応できる視覚感度をもつことが必須である．私たちの眼が完全に暗順応したときに検出できる光の最小輝度はおよそ 10^{-6} cd/m^2 であり，視覚系が機能できる輝度範囲の下限である．一方，太陽の輝度は地表面から測るとおよそ 10^9 cd/m^2 となり，これが私たちの日常に接する最高輝度であろう．太陽光は直接見ることはできないので，私たちが見ることのできる輝度範囲の上限はこれより 2 桁低い 10^7 cd/m^2 くらいである．したがって，視覚系は 10^{-6}〜10^7 cd/m^2 の 10^{13} という驚異的な光強度範囲で機能できるように感度を調整するシステムをもっている．

視覚系がこれだけ広い光強度範囲をカバーできているのは，視覚系が錐体と桿体という感度の異なる 2 種類の光受容器（視細胞）を備えているからである．私たちが明るい環境から暗い環境へと移ると，視覚系は徐々に暗順応し，錐体から桿体へと視覚の機能が移行していく．錐体は絶対感度が悪いので明るい環境でしか機能できないが，分光感度の異なる錐体が 3 種類あるために，光の

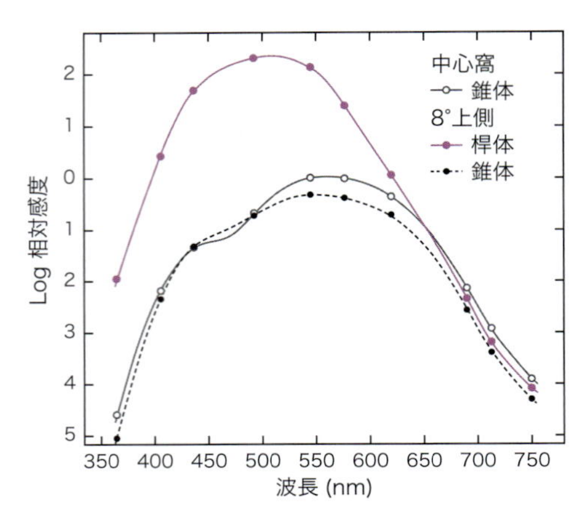

図 14-10 錐体系と桿体系の絶対閾値により測定された分光感度

波長組成の違いを弁別でき，色感覚の原信号を作ることができる．一方，桿体は絶対感度が良く，暗い環境で機能できるが，1 種類しかないため，色感覚の原信号は作れない．図 14-10 は錐体と桿体の絶対閾値による分光感度を示す．錐体の分光感度は中心窩と 8 度視野上側のものが示されている．桿体に比べると 650 nm 以上の長波長側を除き，全体として感度が低く，3 種類の錐体の分光感度を合成した形状をもち，そのピークは 560 nm 付近にある．一方，桿体の分光感度は長波長側以外では全体として錐体よりも感度が高く，そのピークが 505 nm 付近にある．

視覚系の暗順応が進み，機能する光受容器が錐体から桿体に移行すると，図 14-10 に示すように，視覚系の分光感度が全体として 50 nm ほど短波長側にシフトする．これが Purkinje（日本語ではプルキンエ）シフトである．Purkinje シフトが起こると，昼間明るく見える赤が薄暗くなってくると暗く見え，逆に昼間は暗い青が明るく見えてくる．この現象を Purkinje 現象という．チェコの Purkinje JE によって 1825 年に発見された現象である．

図 14-11 に明所視（錐体視）の比視感度 V(λ) と暗所視（桿体視）の比視感度 V′(λ) を示す[8]．V(λ) はピーク波長が 555 nm にあり，V′(λ) はピーク波長が 507 nm にある．図 14-10 は絶対閾値を示しているので，物体の閾上の明るさを問

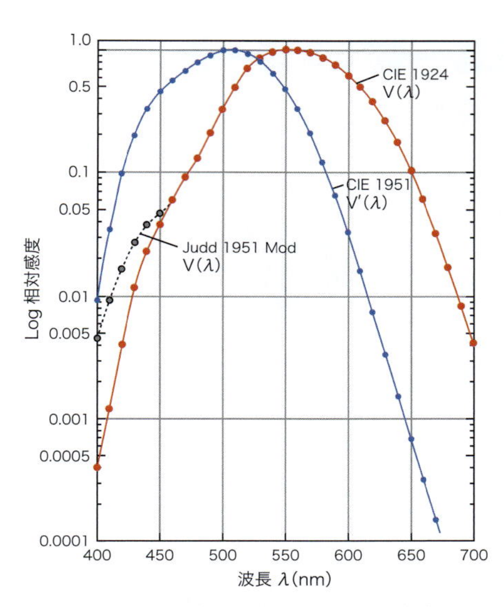

図 14-11 明所視と暗所視の比視感度

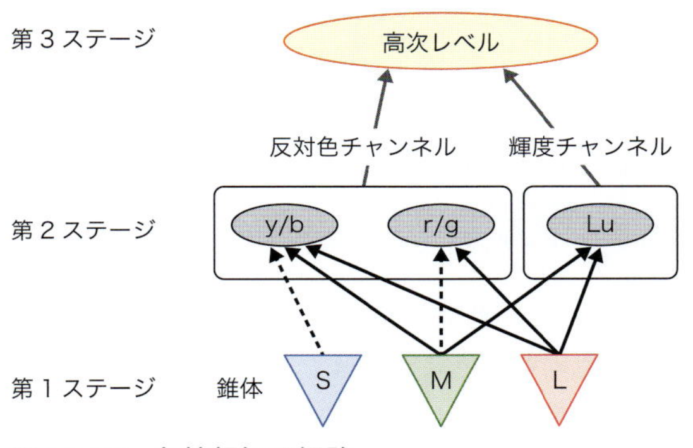

図 14-12 色情報処理経路

題とする場合には，図 14-11 の比視感度関数 V(λ)と V′(λ)を用いたほうが適当である．

3 色情報処理経路

図 14-12 は網膜から大脳皮質に至る色覚情報処理経路の一般的なモデルを示している[9]．色覚応答はまず第 1 ステージの錐体から第 2 ステージの r/g と y/b の錐体反対型チャンネルと Lu の輝度チャンネルへと変換される．錐体反対型チャンネルの応答は，錐体 L，M，S 応答の和と差で，

$$r/g = L - M$$

$$y/b = (L + M) - S$$

作られる．輝度応答としては交照法により求められた比視感度関数を表すように，

$$Lu = L + M$$

が作られる．

これらの変換の具体的な計算式はモデルによって異なるが，いずれの場合でも錐体 L，M，S 応答の和と差を取っていることに変わりはない．反対色応答と輝度応答は網膜内で形成され，外側膝状体(LGN)を経由して，さらに第 3 ステージの大脳皮質の高次レベルへと送られる．そこで，最終的な色の見えの応答に変換される．

初期色覚過程の特徴は，まず，r/g と y/b 応答，Lu 応答を L，M，S 錐体の簡単な線形結合で表現できることである．このような簡単な結合で多くの色覚の現象は十分説明できる．最近の研究で，S 錐体が L，M 錐体とは全く異なる経路をもち，その結果，r/g チャンネルと y/b チャンネルとは全く構造が異なることがわかってきた．r/g チャンネル応答を伝える網膜内の神経節細胞は受容野が空間的に中心と周辺で L+M−，あるいは M+L− といった反対型の midget 細胞であり，LGN の小細胞層(parvocellular layer)へ投射する．一方，y/b チャンネルの神経節細胞は空間的な反対型ではなく，小さい bistratified 細胞であり，外側膝状体の顆粒細胞層(koniocellular layer)へ投射する．その後の皮質視覚領への投影も r/g と y/b チャンネルでは異なり，明らかに処理経路に違いが見られる．この違いは，r/g と y/b システムは色覚系の全く異なった進化の過程から生まれたことが原因であると考えられている．

色覚の高次レベルについてはまだまだ不明な点が多い．色覚情報の流れとしては図 14-13 に示すように，多色型からカテゴリー型といった情報処理形態が考えられている．

▶文献

1) Stockman A, Sharpe LT: The spectral sensitivities of the middle- and long-wavelength-sensitive cones derived from measurements in observers of known genotype. Vision Res 40: 1711-1737, 2000
2) Mitchell DE, Rushton WA: Visual pigments in dichromats. Vision Res 11: 1033-1043, 1971
3) Sperling HG, Harwerth RS: Red-green cone interactions in the increment-threshold spectral sensitivity of primates. Science 172: 180-184, 1971

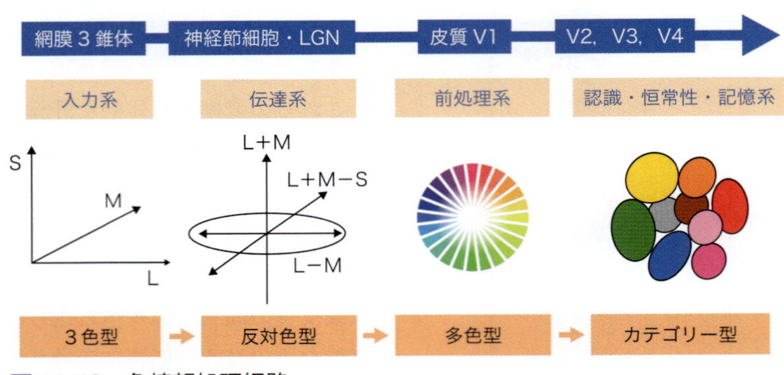

図 14-13 色情報処理経路

4) King-Smith PE, Carden D: Luminance and opponent-color contributions to visual detection and adaptation and to temporal and spatial integration. J Opt Soc Am 66: 709-717, 1976
5) Kaiser PK: Photometric measurement. In Bartleson CJ, Grum F (Eds): Optical Radiation Measurements, Vol. 5, Visual measurements. Academic Press, Orlando, 1984
6) 中野靖久：明るさ知覚モデルとその個人データへの適用. 光学 21：705-713, 1992
7) Ikeda M, Yaguchi H, Sagawa K: Brightness luminous-efficiency functions for 2 degrees and 10 degrees fields. J Opt Soc Am 72: 1660-1665, 1982
8) Wyszecki G, Stiles WS: Color Science: Concepts and Methods, Quantitative Data and Formulae. 2nd Edition. John Wiley & Sons, New York, 1982
9) 内川惠二：色覚のメカニズム. 朝倉書店, 1998

（内川惠二）

III 色覚検査

検査の概要

目的 色覚異常の検出と型・程度の判定.

原理 色度図上の混同色軌跡を利用.

適応 色覚異常, 色覚異常の疑い.

機器 仮性同色表, Panel D-15, アノマロスコープ, ランタンテスト.

A. 仮性同色表

1 検査機器と原理

仮性同色表は主に色覚異常のスクリーニング目的に使用されるものである. 現在主要な物で国内販売されているものは石原式色覚検査表 II (国際版 38 表, 24 表, コンサイス版 14 表) と標準色覚検査表(SPP: Standard Pseudoisochromatic Plates, 第 1 部～第 3 部)のみである(図 14-14, 15). 石原式色覚検査表は, 消失型(正常色覚者には読めるが色覚異常者には読めない), 変化型(正常色覚者と色覚異常者で読み方が異なる), 隠蔽型(正常色覚者には読めないが色覚異常者には読める)の 3 種の表で構成される. 一方で SPP は表のほとんどが変化型の表で構成されている. また, SPP1 は先天色覚異常用, SPP2 は後天色覚異常用, SPP3 は検診用(先天および後天色覚異常用)となっている. 原理はいずれも様々な研究者によって実験的に求められた色度図上の混同色軌跡の考え方に基づいている[1,2]. 図 14-16 は 1 型 2 色覚者および 2 型 2 色覚者の混同色軌跡である. 単純に色混同を起こす色を並べても隣接した色の比較ではわずかな色の違いがわかってしまうため, 仮性同色表には様々なマスキングが施されている[3].

2 検査方法

上記 2 種の仮性同色表の検査方法はほぼ同じである. 照明は, C または D65 光源か, 北向き

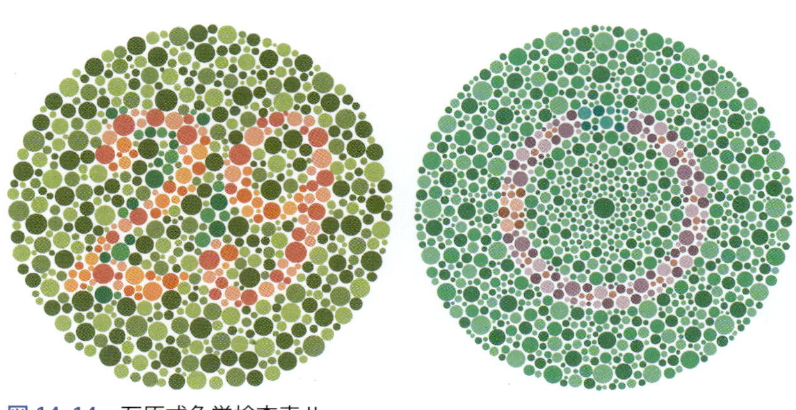

図 14-14 石原式色覚検査表 II

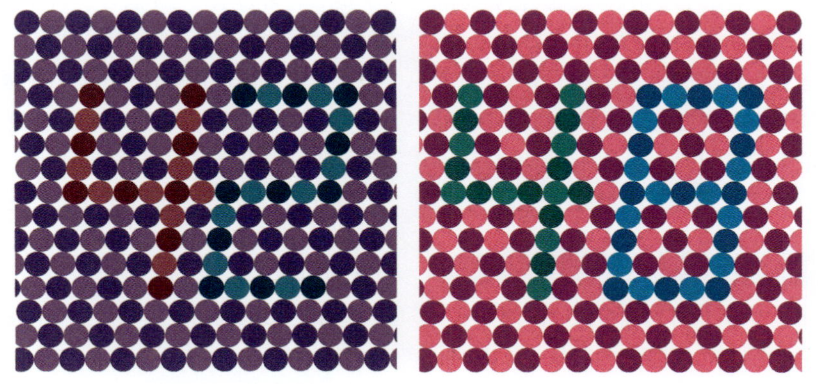

図 14-15 標準色覚検査表(第 1 部)

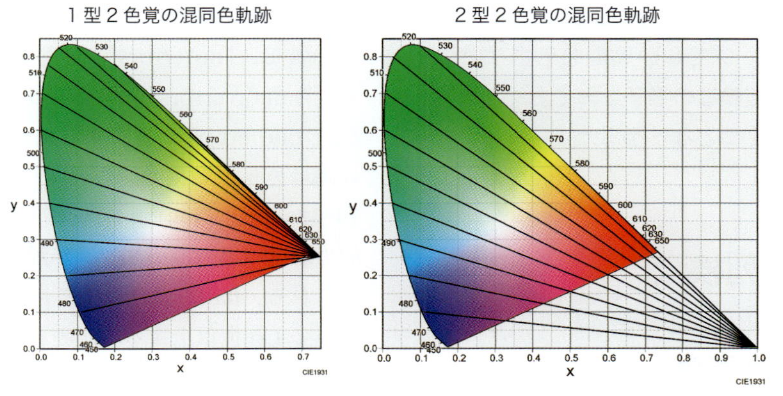

図 14-16 1 型および 2 型 2 色覚の混同色軌跡(Judd 1945)
混同色軌跡上の色は区別がつかない.

の窓からの昼間の自然光で，500 lx を超えないようにし，光源の光が直接目に入らないようにする．検査距離は眼前 75 cm とし，年齢を加味してあらかじめ適切な距離で矯正を行っておく．呈示時間は 1 表につき 3 秒以内である．SPP の 1 表に 2 つの数字がある表では，両方読めた場合にはどちらがよりはっきり見えるかを聞く．

3 適応

先天および後天色覚異常(SPP2およびSPP3で検査可能)の疑いのある者．主に色覚異常のスクリーニングに用いられる．型の判定は参考程度にとどめる．

4 正常と異常

石原式色覚検査表では，検出表と環状表(計22表)のうち誤り数が4表以下で正常色覚，5～7表では色覚異常の疑いあり，アノマロスコープを用いた検査が必要，8表以上であれば先天色覚異常となっている．SPP1では検出表10表のうち，8表以上正答できていれば正常としている．分類表に関してはSPP1の1型色覚の分類能力は優れているが，いずれも参考程度にとどめ，判定を行ってはいけない．

検査のポイント

- 理屈に合わない誤り方の場合には詐病もしくは後天色覚異常の可能性もあり，その他の検査結果も含めて総合的に判定する必要がある．また，微度色覚異常(スペクトル色色覚異常：Spektralfarbenanomale)はアノマロスコープでしか異常を示さない[4]．応答時間や被検者の様子をみておくことも判定材料の1つとなりうる．

B. 色相配列検査

1 検査機器と原理

現在一般的に使用されている色相配列検査はPanel D-15である(図14-17)．15個のコマを色相順に並び替える検査であり，原理は仮性同色表と同じく，混同色軌跡の考え方に準じた全色相を用いた検査である．強度の色覚異常の有無を調べることができ，結果はpassまたはfailと表記され，Panel D-15のpass/failとアノマロスコープでの3色覚/2色覚とは約90%が一致するとされている．

図14-17 Panel D-15

2 検査方法

部屋の照度は250 lx以上とし，D65の光源または北向きの昼光下で検査を行う．無彩色のテーブルクロスの上に15個の色のついたコマをランダムに置き，ケースの中に固定されている1つのコマに色が似た順に残りの15個のコマを並び替えさせる．検査時間は2分程度とする．先天色覚異常の場合は両眼でもよいが，後天色覚異常の場合は片眼ずつ検査を行う．

3 適応

基本的に仮性同色表で色覚異常と検出された者に対して行い，先天色覚異常の1，2，3型に加え，杆体1色覚の検査も可能となっている．

4 正常と異常(pass/fail)

passは，“no errors”：番号順に並べられている，“minor errors”：色相環の近い色同士の間違い，“one error”：横断する線が1本あるがそれ以降は色相環順に並べられている，であるが(図14-18a～c)，“minor errors”や“one error”は理解力が低い場合や不注意，年齢が低い場合などにみられる．failの場合にはそれぞれの異常の線に沿って1往復以上する線が表れる(図14-18d, e)．検査はpassの場合や典型例でない限り2回試行する．

検査のポイント

- Panel D-15は異常の程度を中等度以下か強度に分けるものであり，色覚異常の有無を判定できるものではない．結果がpassであるからといって，色覚異常がないとは

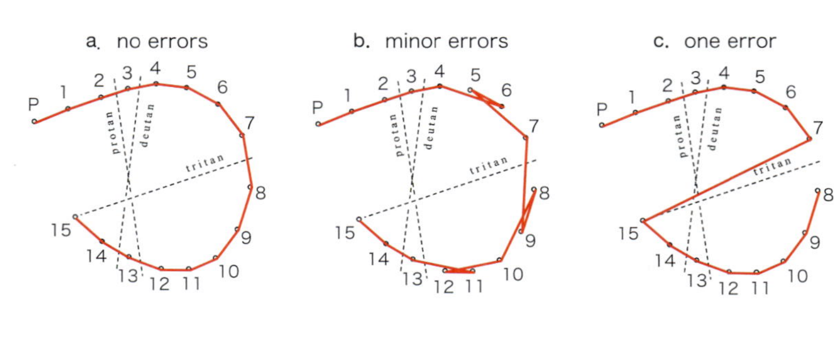

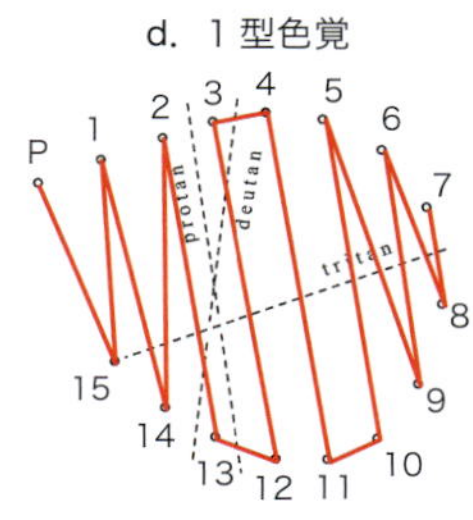

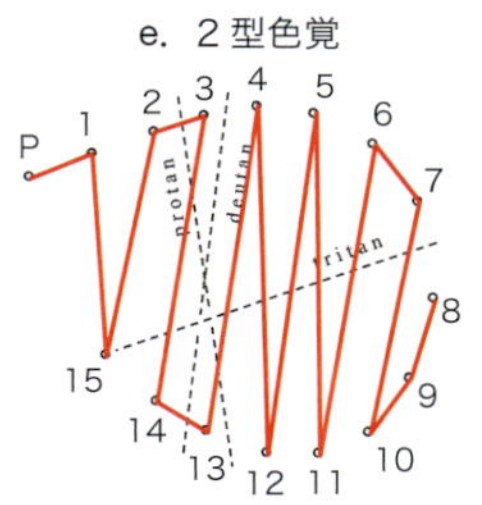

図 14-18　Panel D-15 の並べ方の例

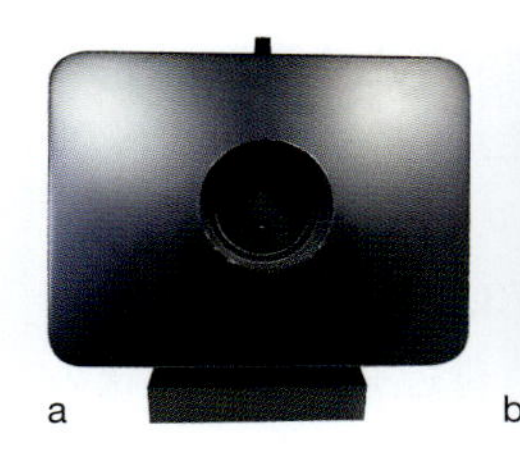

図 14-19　ランタンテスト
a. 刺激呈示部．中央円筒部の中の上下に 2 点の光源がある．
b. 操作盤．刺激の操作に加えて入力していった結果を紙に印刷することができる．

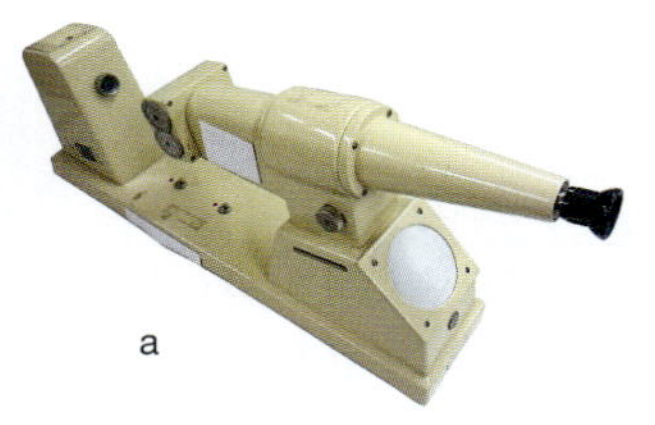

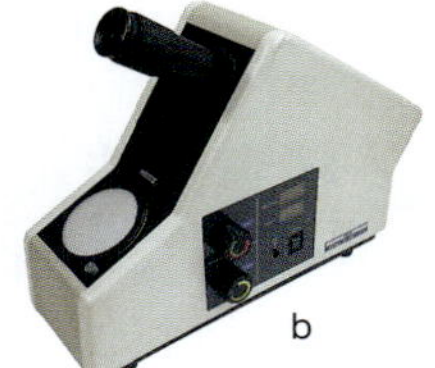

図 14-20　アノマロスコープ
a. Nagel アノマロスコープ．プリズムを用いた分光により単色光を生成している．
b. アノマロスコープ OT-II．光源は発光ダイオードであり，干渉フィルタにより単色光に近い光を生成している．

限らないことに注意しなければならない．また，検査中は眼を離さず並べ方をしっかり観察し，コマの裏をのぞかせない，色がついている部分を指で触らせない，並べ方の速度はどうかなどの注意が必要である．

C. ランタンテスト

ランタンテスト(図 14-19)は，本邦では近年まで販売されていたが，現在は販売されていない．黒い筒状の中に上下に並んだ二つの色光の色の名前を答える検査である．色光の色は赤：630 nm，黄：555 nm，緑：580 nm の 3 色で発光ダイオードによる単色光に近い光である．色の組み合わせは 9 通りあり，呈示順は決まっている．色覚異常の程度が軽度であるかどうかを判定可能である．

D. アノマロスコープ

1 検査機器と原理

アノマロスコープは色光を用いた検査であり，視標は円形で，上下に色が分かれており，それぞれ色を調整できるようになっている(図 14-20)．色光は赤(670 nm)，緑(545 nm)，黄(588 nm)の 3 つの単色光を用いており，上の半円には赤

と緑の混色光が呈示され，それぞれの混色割合をノブを回すことによって調整でき(赤～緑の色相が変わる)，下の半円は黄の単色光でノブを回すことによって強度を調整できるようになっている(黄色の明るさが変わる)．これらの色光は色度図上では長波長～中波長側の最外部の直線状に並ぶ色である(図 14-16)．この線上の色は1型2色覚，2型2色覚の双方に共通する混同色軌跡上の色であり，明るさを調整することによって2色覚に限りすべての位置で等色する仕組みである(等色の成立)．被検者は調整された上下の色が同じ色であるかどうかを答える．古くからはSCHMIDT HAENSCH社製のNagelアノマロスコープが広く使われていたが，現在製造は中止され，入手不可能である．本邦で入手可能なものはナイツ社製のアノマロスコープOT-IIと，OCULUS社製のHMCアノマロスコープがある．

2 検査方法

まず混色および単色ノブを色覚異常者において等色が成立しない目盛に設定し，被検者に確認させ，視標がはっきりと見えていることを確認し，さらに上下に別の色が見えていることを確認する．検査の際，目盛を変えるたびにする質問は「上と下は同じ色ですか？」のみである．色名は聞いてもよいが，先天色覚異常者の答える色名は生来正常色覚とは異なる色感覚での経験的学習によるものなので，あくまでも参考にする程度にとどめておく．また，検者側から色の名前を言うのは被検者の混乱や誘導を招くことになるので言ってはならない．

等色には絶対等色と比較等色がある．絶対等色は視標を見たときに2～3秒以内に答えた場合である．比較等色はそれ以上の時間をかけて答えたときに等色が成立した場合である．比較等色の場合には明順応野で色順応を除去し，絶対等色の成立を確かめる．診断に用いられるのは絶対等色のみである．

3 適応

基本的には先天色覚異常の1型および2型を対象とするが，杆体1色覚の検査も可能となっている．

4 正常と異常

図 14-21a は正常および先天色覚異常者が等色を示す混色目盛と単色目盛の位置を示す．主要な検査点は混色目盛の赤黄等色(混色 73)，第1 Rayleigh 等色(混色 60)，正常等色(混色 40)，第2 Rayleigh 等色(混色 20)，緑黄等色(混色 0)の5点である．正常色覚では正常等色点(混色 40，単色 15)付近のみ等色が成立する．先天色覚異常の場合には程度と型により等色点が異なり，図 14-21b および c のようになっている．

2色覚(図 14-21b)の1型では赤黄等色点(混色 73，単色 3)付近と緑黄等色点(混色 0，単色 30)付近を結ぶ直線上のすべての点で等色が成立し，2型では赤黄等色点(混色 73，単色 15)付近と緑黄等色点(混色 0，単色 15)付近を結ぶ直線状のすべての点で等色が成立する．

異常3色覚(図 14-21c)では第1または第2 Rayleigh 等色付近でのみ等色が成立する．1型では第1 Rayleigh 等色(混色 60，単色 7)付近でのみ等色し，2型では第2 Rayleigh 等色(混色 20，単色 15)付近でのみ等色が成立し，他の主要な等色点は含まない．

検査のポイント

☑ なかなか等色点が得られない場合

被検者の性格によっては等色成立が予想される目盛でもなかなか等色が得られない場合もある．その場合には「上と下は似ていますか？」という聞き方にしたほうがよい場合もある．また，上下違う色名を答えた場合は均等する可能性は低いが，どちらかが，“明るい”または“暗い”と答えた場合にはその付近の単色目盛を調整することで等色する可能性が高い．

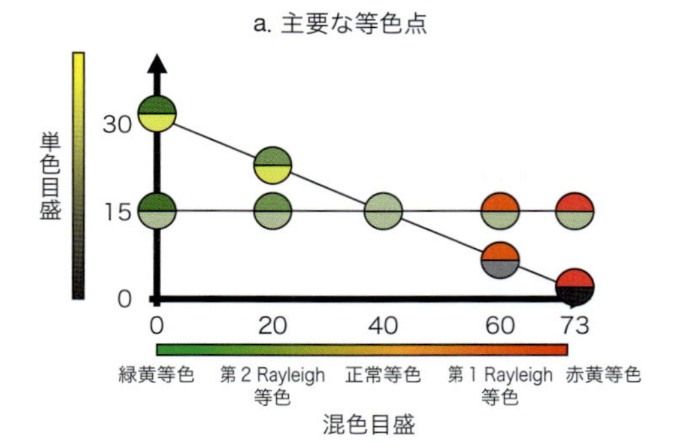

b. 2 色覚の等色範囲

1 型 2 色覚の等色範囲
2 型 2 色覚の等色範囲

30
15
0
0
20
40
60
73
緑黄等色
第 2 Rayleigh 等色
正常等色
第 1 Rayleigh 等色
赤黄等色

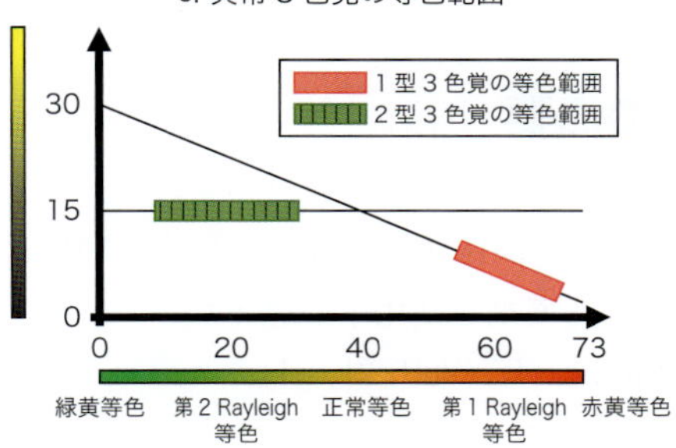

図 14-21 主要な等色点と先天色覚異常が示すアノマロスコープの等色点

☑ 検査する等色点の順番

仮性同色表や Panel D-15 から 1 型が予想される場合は第 1 Rayleigh 等色から始め，2 型の場合では第 2 Rayleigh 等色から始めると，その後に効率よく等色する範囲を探すことができる．等色範囲を調べるときは，最初に混色目盛を大きく 5 目盛程度ずつ動かしながら調べ，等色成立/不成立の境界がありそうな箇所がある程度わかったら 1〜3 目盛ずつ動かして等色範囲を求めるとよい．

☑ 非典型的な等色範囲

アノマロスコープで示される先天色覚異常の等色範囲には，図 14-21 で示される典型的な等色範囲から外れる非典型的な例もある．割合としては少ないが，以下にその例を示す[1]．

(1) 極度 1 型 3 色覚，極度 2 型 3 色覚

典型例である異常 3 色覚の等色範囲に比べ非常に広い等色範囲を示す．5 つの主要な均等点のうち，少なくとも 2 つ以上の等色点を含み，かつ 2 色覚に至らない場合．

(2) 色素色色覚異常 (Pigmentfarbenanomale)

色素色とはいわゆる物体色のことであり，仮性同色表や色相配列検査でのみ異常を示す場合である．アノマロスコープでは正常等色の等色範囲がわずかに広がる場合もある．

(3) スペクトル色色覚異常 (Spektralfarbenanomale)

色素色色覚異常とは反対に，物体色の検査では異常を示さず，色光の検査によってのみ異常が示される例である．アノマロスコープでは典型的な 1 型 3 色覚または 2 型 3 色覚を示す．

▶文献

1) 太田安雄，清水金雄：色覚と色覚異常　第 1 版．pp159-182，金原出版，1990
2) 内川惠二：色覚のメカニズム―色を見る仕組み．pp75-97，朝倉書店，1998
3) 三島済一，塚原　勇，植村恭夫：色覚異常<眼科 Mook No. 16>．pp 128-138，金原出版，1984
4) 田邉詔子，深見嘉一郎：微度色覚異常．臨床眼科 53：209-211，1999

(田中芳樹)

第15章 眼圧検査

1 検査の概要

目的 眼圧の正確な測定.

適応 初診患者・高眼圧症・緑内障患者，眼圧に影響を与えうる薬剤を使用中の患者など.

機器 Goldmann 圧平眼圧計，トノペン，リバウンド・トノメーター，ノンコンタクト・トノメーター，Ocular Response Analyzer，Dynamic Contour Tonometer など.

2 眼圧検査の特徴

眼圧検査は眼科外来における最も基本的な検査の1つで，特に緑内障診療においては眼圧の正確な測定が重要である．本項では，現在，眼圧検査で頻用される眼圧計を中心に解説する.

眼圧計は，接触型と非接触型に大きく分類される．測定原理の詳細については，各項目で詳しく解説する.

Goldmann 圧平眼圧計は，臨床的に最も精度が高く，また，再現性に優れている[1)]が，その測定値は中心角膜厚などの角膜の形状・弾性から影響を受けることが知られている[2)].

3 接触型

a. Goldmann 圧平眼圧計(図 15-1)

Goldmann 圧平眼圧計は，臨床的に最も普及し，最も再現性・精度ともに高い眼圧計であるとされており[1)]，現在，眼圧検査における“gold standard”となっている.

1) 原理と特徴

測定原理は，内圧Pの球体を外力Wの平らな平面で圧平したときに，圧平面積Aとの間に，

$$W = P \times A$$

が成り立つという Imbert-Fick の法則に基づいて眼圧値を算出している(図 15-2)．Imbert-Fick の法則では，完全な球体で，かつ，球体を構成する膜が柔軟で限りなく薄く，かつ，その表面が乾いていることを前提必要条件とするが，実際は，眼球には角膜の形状・弾性や涙液による表面張力

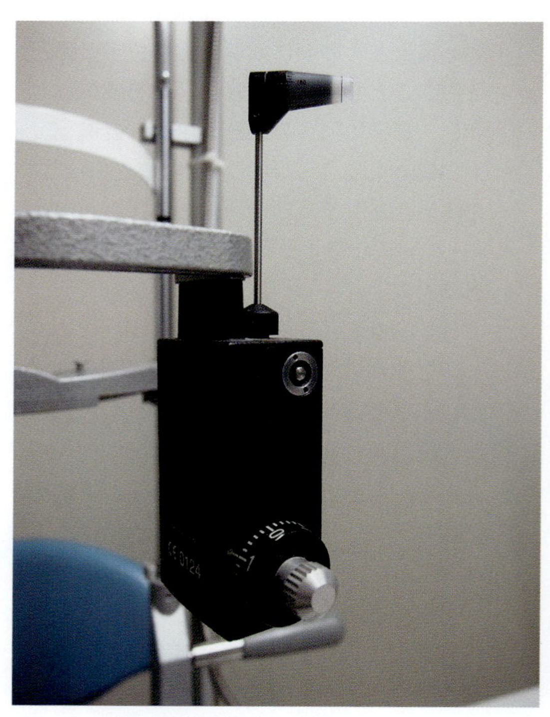

図 15-1　Goldmann 圧平眼圧計

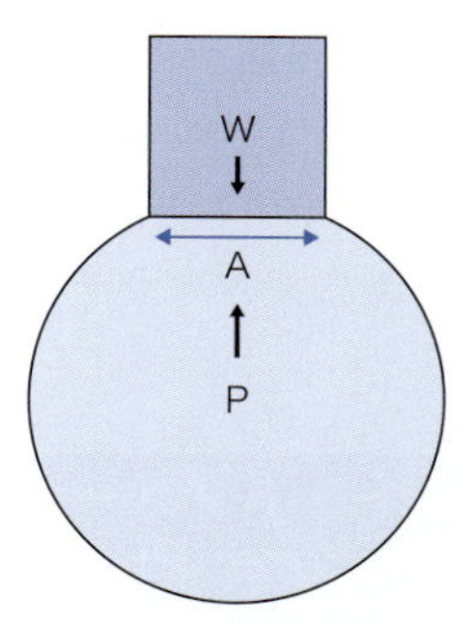

図 15-2　Goldmann 圧平眼圧計の測定原理（Imbert-Fick の法則）

もあるため，Goldmann 圧平眼圧計では角膜の弾性と涙液の表面張力がほぼ打ち消し合えるように設計されている．角膜圧平面積の直径を 3.06 mm，中心角膜厚を 520 μm と設定しているが，角膜の形状・弾性には個人差があり，中心角膜厚が厚いと眼圧値は高く測定され，薄いと低く測定される[2)]．

Goldmann 圧平眼圧計は，角膜を圧平する圧平プリズム，プリズム支持部，圧平用加圧ドラム内蔵の本体部からなり，細隙灯顕微鏡に取りつけて坐位で測定する．角膜に垂直に当てた圧平プリズムを見ながら，角膜を押す力を調整し，眼圧値を得る．Goldmann 圧平眼圧計と同じ原理の手持ち眼圧計として，Perkins 眼圧計や Draeger 眼圧計がある．

2）検査手順

a）眼圧計の点検（キャリブレーション）

付属の加圧検定器を用いて，1 か月に 1 度程度は精度を点検する．バランス棒を中心線（加重圧 0 mmHg），中心に近い黒線（加重圧 20 mmHg）と最も外側の黒線（加重圧 60 mmHg）に合わせて装着し，それぞれの位置と眼圧計の目盛でプリズム支持枠が前後に抵抗なく揺れることを確認しておく．キャリブレーションで異常があったらメーカーに修理を依頼する．

b）器械の準備

(1) 圧平プリズムをプリズム支持枠にはめ，プリズムの目盛 0° を支持枠の白線に一致させる（図 15-3）．3 D 以上の角膜乱視がある場合，乱視の弱主経線の角度を支持枠の赤線に合わせる必要がある．

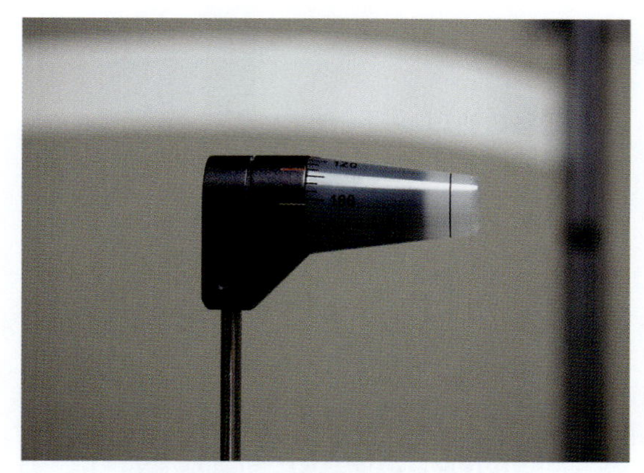

図 15-3　Goldmann 圧平眼圧計の圧平プリズムとプリズム支持枠

(2) 眼圧計の目盛は 1（10 mmHg）にあらかじめ合わせておく．

(3) 細隙灯顕微鏡にブルーフィルタを入れ，光束を全開にして 60° の角度でプリズム先端を照らす．

c）被検者の準備

(1) 0.4% オキシブプロカイン塩酸塩点眼液で点眼麻酔し，湿らせたフルオレセイン紙を下眼瞼結膜に軽く触れ，涙液層を染める．

(2) 通常の細隙灯顕微鏡検査と同様に顔を固定し，リラックスさせ前方を固視させる．

d）測定

(1) 被検者に十分開瞼するよう指示する．開瞼が不十分なときは，開瞼を検者の指で眼球を圧迫しないように行う．

(2) 圧平プリズムを角膜中央部に近づけていき，十分近づいたら細隙灯顕微鏡の接眼レンズで観察する．

(3) プリズムの先端が角膜に接触したら，上下に緑色の半円が観察される．この上下の半円が同じ大きさになるように微調整する．

(4) 測定ノブを回して，上下の半円の内縁が接するように調整する．

(5) 半円が拍動しているときは，その中間値を読み取る．

(6) 眼圧単位は mmHg で，測定時間も忘れずに記載しておく．測定目盛りの10倍値が眼圧値となる．

e) 測定後の処理

(1) 測定後プリズム先端を0.05% ヒビテン液か70% アルコールで清拭する．

(2) ウイルスや細菌感染が疑われる場合，2% グルタルアルデヒドなどの消毒液に浸漬し，水洗いして自然乾燥させる．

b. トノペン(TONO-PEN XL®, TONO-PEN AVIA®)

1) 原理と特徴

MacKay-Marg眼圧計の測定原理に基づいた眼圧計である．眼圧計の先端部はsleeve(外筒)と内部の圧センサにつながったplunger(内筒)からなり，外筒から内筒がわずかに飛び出している．眼圧計が角膜に接触すると，まずは内筒が角膜を圧平していき，さらに圧迫すると外筒も角膜を圧平するため内筒が角膜を圧平するのに要する負荷が減り，測定値は減少に転じる．さらに圧迫すると外筒と内筒の両方で角膜を圧迫するため測定値は再び高まるが，この過程の極小点では角膜の圧平の大部分を外筒が行っているので，この状態の測定値を眼圧値として測定できる．眼圧測定が瞬間であるため，脈波の影響を受けやすく，複数回の測定による平均値を算出する仕様になっている．大きめのマジックペン程度の大きさで持ち運びしやすく，あらゆる体位で測定可能である．測定精度に関しては，Goldmann圧平眼圧計よりも測定値がばらつきやすい．類似機種として，AccuPen®がある．

2) 検査手順

a) 器械の準備

チップカバーをつける．

b) 被検者の準備

0.4% オキシブプロカイン塩酸塩点眼液で点眼麻酔し，開瞼して前方を固視させる．

c) 測定

ペンを持つように器械を把持し，トノペンを持つ手を被検者の顔に置いて支えにし，先端を角膜の中央に垂直に軽く接触させる．この操作を数回繰り返す．正しく測定されると短い電子音が鳴り，4回の測定が終了すると連続した電子音が鳴り，平均値とともに誤差率がデジタル表示される．

c. リバウンド・トノメーター(icare®, icare® PRO, icare® ic200)(図15-4)

1) 原理と特徴

rebound tonometerという測定法で，一定の速度でプローブの先の球部を角膜に当て，跳ね返る際の速度変化から眼圧を測定する．プローブは小さく軽いので表面麻酔を必要とせず，ディスポーザブルになっているのも特徴である．icare® ic200ではプローブが水平〜斜め上〜垂直までの任意の角度で測定可能であるが，icare®はプローブが水平，icare® PROでは水平または垂直である必要がある．眼圧値自体はGoldmann圧平眼圧計とよく一致する[3)]が，角膜形状の影響をGoldmann圧平眼圧計より受けやすい[4)]と報告されている．鎮静を行わずに乳幼児の眼圧測定を行う場合や角膜疾患症例の測定にも有用である．自宅での眼圧自己測定が可能なモデル(icare®

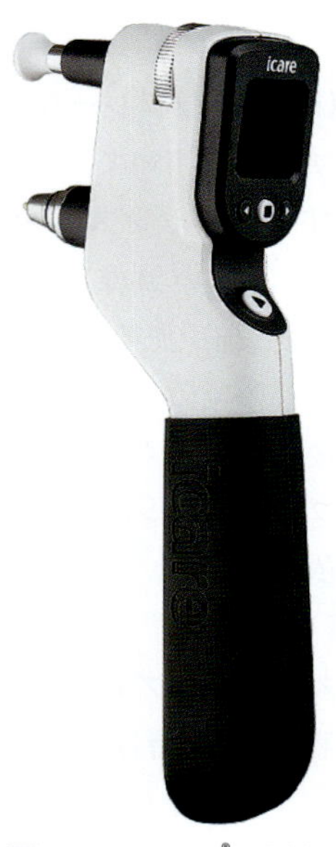

図15-4 icare® ic200

HOME)もある．

2）検査手順（ここではicare® ic200の検査手順を示す）

a）器械の準備

(1) 測定ボタンまたはセレクトボタンを長押しして電源を入れる．
(2) プローブ容器の蓋を開けたら，容器の開口部が上向きのままプローブ先端をプローブベースにはめ，そのまま全体を裏返しプローブを本体の装着部に落とし込む（プローブの先端には直接手で触れないようにする）．
(3) プローブが正しくセットされるとディスプレイに測定準備完了の画面が表示される．

b）被検者の準備

患者をリラックスさせ坐位にて正面か斜め上を向かせるか，仰臥位で上を向かせる（点眼麻酔は不要である）．

c）測定

(1) 器械を把持し，プローブの先端が患者の角膜中心部から4〜8 mmの位置になるように保持する．必要に応じて額当て調節ダイヤルで額当ての長さを調節する．
(2) 向きが正しい状態にある場合は，プローブベースインジケータが緑色に点灯する．向きが不適切な場合は，赤色に点灯して測定ができない．
(3) 測定ボタンを押すとプローブが作動し測定が行われ，測定結果はディスプレイに表示される．この操作を繰り返し，連続して6回の測定を行うことで最終の測定値を得る．ディスプレイにエラーメッセージが表示された場合には，測定ボタンを押してエラーを解除し，再度測定を行う．

d）測定後の処理

セレクトボタンを長押しして電源を切り，プローブを外して適切に廃棄する．

d. Dynamic Contour Tonometer (DCT)

内弯したチップを角膜表面にぴったりと接触(contour match)させ，接触面中央部に搭載したピエゾ圧センサ(1.2 mm)で眼圧値を測定するものである．ある程度の面積が角膜表面にぴったり沿うように接触し，このとき角膜を変形したり歪めたりする力は（ほとんど）加わらないため，角膜の物理的特性の影響を受けにくく，眼圧を測定できる[5]．また涙液はセンサ部の外になるため，涙液の表面張力の影響も受けない．1秒間に100回測定し，脈波も検出するので脈波の影響も受けない．現在，最も角膜の影響を受けにくい眼圧計であり，LASIKなどの角膜屈折矯正手術後にも術前と変わらない眼圧値を測定できるとされる．眼圧値がGoldmann圧平眼圧計より平均1〜4 mmHg程度高く測定される[3,4]ため，従来の眼圧計の眼圧値と単純な比較はできない．

4 非接触型

a. 非接触眼圧計（ノンコンタクト・トノメーター）（図15-5）

1）原理と特徴

非接触眼圧計は圧平式眼圧計の測定原理に基づいており，角膜への空気噴射によって角膜の圧平を行い，圧平面積が一定（直径3.60 mm）になるのに要した時間から眼圧を測定するものである．圧平面積が大きい分，中心角膜厚の影響を受けやすい．非接触眼圧計は角膜に向かって圧縮空気を噴射する装置，平行光の照射部と受光部からなる角膜面圧平状態感知装置，器械と角膜の位置関係をみる位置調整装置からなり，角膜が平面になったときに反射光が最大になるように設計されている．

角膜に直接接触しないため，看護師や視能訓練士の非医師による測定ができることが大きな利点である．

一方，1回の測定に要する時間(1〜3 ms)は瞬

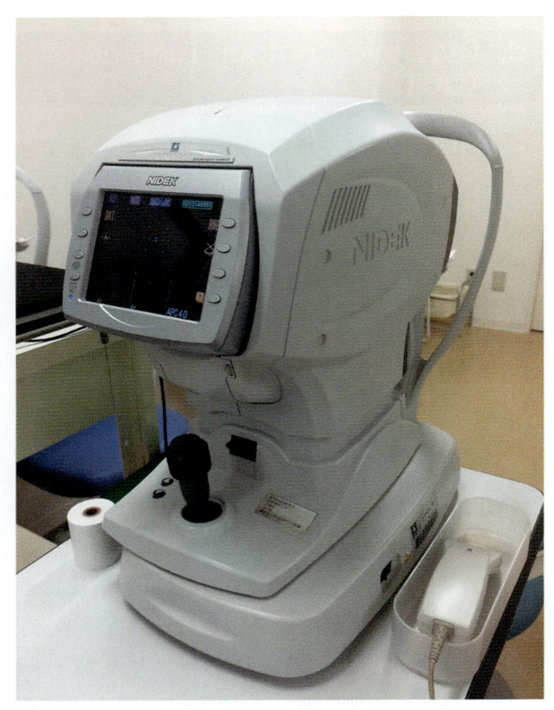

図15-5 非接触眼圧計(TONOREF® II，ニデック社)

間であるため，脈波や呼吸の影響による眼圧変動幅を評価できないため，少なくとも3回以上測定して平均値または中央値を取る必要がある．また，空気噴射の際に力が入り眼圧が高く測定されやすいので，十分にリラックスさせて測定する．閉瞼動作や睫毛，角膜の異常がある症例では精度が低下する．低眼圧では低めに，高眼圧では高めになりやすいという報告もあり[6]，特に眼圧が20 mmHg以上の眼では測定誤差は大きくなるので，Goldmann圧平眼圧計などで再測定したほうがよい．角膜の物理的特性の影響を受けやすいが，中心角膜厚も同時に測定し，測定値を補正し表示するタイプ(NT-530P，CT-800Aなど)もある．携帯可能な手持ちタイプ(Pulsair眼圧計など)もある．

2) 検査手順

a) 被検者の準備

(1) 被検者には音とともに圧縮空気が眼に噴射されることをあらかじめ説明し，十分にリラックスさせる．

(2) 額当てと顎台で頭部を固定し，前方を固視させる(点眼麻酔は不要である)．

b) 測定

(1) 被検者に瞬目しないように指示し，眼瞼や睫毛が検出光の光路を妨げないようにする．

(2) モニタ上で角膜の位置を調整する．

(3) 手動の場合，アライメントを正しい位置に合わせて，ボタンを押して圧縮空気を噴出する．自動設定の場合は正しい位置に合わせれば自動的に圧縮空気が噴出される．

(4) 眼圧値が自動的にデジタル表示されるので，少なくとも3回は測定し，変動幅が3 mmHg以内ならその平均値あるいは中央値を採用する．

b. Ocular Response Analyzer (ORA)

ノンコンタクト・トノメーターの眼圧測定原理を応用し，角膜の物理的特性を同時に測定して眼圧の補正を行う眼圧計である．空気圧による加圧時に角膜面が凸面から平面になったときの眼圧を測定し，さらにその後減圧時に凹面から平面に戻るときの眼圧も測定することで，2つの眼圧の差から角膜の変形に対する抵抗値(角膜ヒステリシス)を求め，角膜の眼圧値への影響を補正した眼圧値を算出する．従来のノンコンタクト・トノメーターの欠点を克服した眼圧計である．同様に角膜ヒステリシスを考慮する眼圧計として，Corvis® STがある．

5 その他の眼圧計

a. Schiötz眼圧計

重力を利用した圧入眼圧計で，仰臥位で，麻酔下にて，角膜の中央部に眼圧計を載せて測定する．眼科診察室以外で眼圧を測定する場合などに広く用いられていたが，他の手持ち眼圧計の進歩により，最近は使用される頻度はあまりない．

b. Triggerfish

24 時間眼圧変動をモニタできるコンタクトレンズ型の眼圧計である．コンタクトレンズにあるセンサが眼圧変化による強角膜部の曲率変化を捉え，眼周囲に設置したアンテナがデータを受信し，レコーダに送信されるしくみとなっている．ただし，本装置では測定開始からの眼圧変動はわかるが，眼圧の絶対値は測定されない．

検査のポイント

- 眼圧測定は，いずれの機器においても，患者を十分にリラックスさせて行うことが肝心である．
- 近年，プロスタグランジン関連薬などの緑内障治療薬による眼局所副作用のために，十分に開瞼ができない症例が増えているが，測定時に眼球を圧迫しないように心がける．
- 普段の外来診療においては，その侵襲の少なさと簡便性から非接触眼圧計（ノンコンタクト・トノメーター）での眼圧測定が行われることが多いが，緑内障患者など精密な眼圧測定が必要な場合には Goldmann 圧平眼圧計を用いる．往診やベッド上での眼圧測定が必要な患者ではリバウンド・トノメーターやトノペンを用いるなど，患者背景や必要に応じて，使い分けるとよい．
- 検査の落とし穴：近年，LASIK などの屈折矯正手術後の症例が増えている．LASIK 後の症例では，角膜厚が通常よりも薄い状態のため，多くの測定方法で，実際の眼圧よりも低く測定されやすいことに留意する必要がある．

文献

1) 日本緑内障学会：緑内障診療ガイドライン（第 5 版）．2021
2) Suzuki S, Suzuki A, Iwase A, et al: Corneal thickness in an ophthalmologically normal Japanese population. Ophthalmology 112: 1327-1336, 2005
3) Vandewalle E, Vandenbroeck S, Stalmans I, et al: Comparison of ICare, dynamic contour tonometer, and ocular response analyzer with Goldmann applanation tonometer in patients with glaucoma. Eur J Ophthalmol 19: 783-789, 2009
4) Özcura F, Yildirim N, Şahin A, et al: Comparison of Goldmann applanation tonometry, rebound tonometry and dynamic contour tonometry in normal and glaucomatous eyes. Int J Ophthalmol 8: 299-304, 2015
5) Kanngiesser HE, Kniestedt C, Robert YC: Dynamic contour tonometry: Presentation of a new tonometer. J Glaucoma 14: 344-350, 2005
6) Tonnu PA, Ho T, Sharma K, et al: A comparison of four method of tonometry: method agreement and interobserver variability. Br J Ophthalmol 89: 847-850, 2005

（白鳥　宙，中元兼二）

第16章 電気生理学検査

I 全視野網膜電図(全視野 ERG)

1 検査の概要

目的 網膜全体の機能を評価する.

原理 光刺激により網膜から発生する電位を記録する.

適応 遺伝性網膜疾患を疑うとき,原因不明の視力低下や視野異常の場合など.

機器 ERG 記録装置,記録電極.

2 目的

網膜電図(electroretinogram:ERG)は,網膜全体の機能を評価したい場合に記録する.特に網膜色素変性など遺伝性の網膜疾患が疑われるとき,視力低下や視野異常の原因がわからないとき,また角膜混濁や硝子体出血などで眼底の透見が困難な患者の網膜機能を評価したい場合などに用いられる.

3 正常波形

ERG は国際臨床視覚電気生理学会(ISCEV)によって提唱されるプロトコル[1]により,杆体応答,最大応答,錐体応答,フリッカ応答の 4 つの応答の記録が推奨されている(図 16-1a).最大応答の正常波形は,大きな陰性の a 波とそれに続く陽性の b 波,律動様小波(OP)と呼ばれる小さな波によって構成されており,a 波は視細胞を,b 波は双極細胞(一部は Müller 細胞も)を,OP 波は主にアマクリン細胞の機能を反映すると

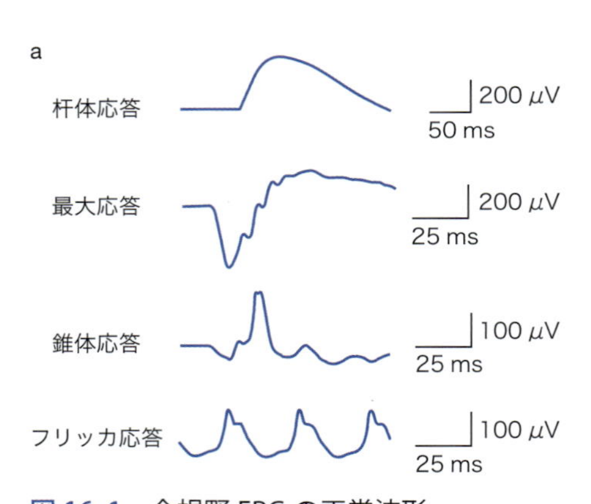

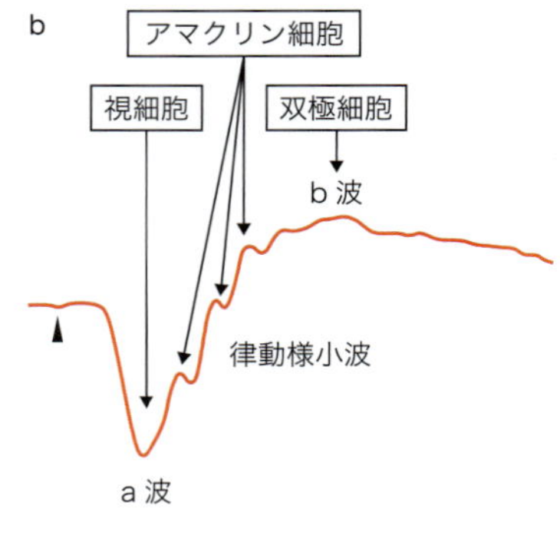

図 16-1 全視野 ERG の正常波形

a. 正常者から記録した ERG の 4 つの基本応答.
b. 最大応答における各成分の名称と,その細胞起源.

いわれている(図 16-1b).

ERG には様々な異常波形のタイプがある．最大応答の異常波形には，すべての波形が小さくなる「減弱型」や，a 波より b 波の振幅が小さくなる「陰性型」，また網膜全体に強い障害があり電位が記録できない「消失型」などがある．

4 網膜疾患における ERG

a. 網膜色素変性

網膜色素変性は，夜盲や視野狭窄が主症状で，眼底は網膜血管の狭細化や骨小体様の色素沈着を呈する．ERG はすべての応答が消失型に近い重度の低下(図 16-2a)を呈する．眼底に色素沈着がない無色素性網膜色素変性や，発症早期の網膜色素変性の診断にも ERG は有用である．

b. 錐体ジストロフィ

錐体ジストロフィは，視力低下や羞明，色覚異常といった症状がみられる．眼底は正常なものから黄斑に萎縮を呈するものまで多岐にわたる．ERG は杆体応答や最大応答は比較的保たれているが，錐体応答やフリッカ応答の振幅は著しく減弱する(図 16-2b)．

c. 先天性停在性夜盲(congenital stationary night blindness：CSNB)

小児の視力不良の原因の 1 つとして重要であり，遺伝形式は様々であるが X 染色体遺伝が多い．ERG は杆体機能が消失する完全型と，杆体機能がわずかに残存する不全型に分類される．最大応答はいずれの病型においても陰性型となる．錐体応答は完全型で a 波の底が長く平坦になる特徴的な波形(square a-wave)を示し，不全型では振幅が低下する．フリッカ応答は完全型で正常，不全型では低下する(図 16-3)．

5 検査方法

今回は LE-4000(TOMEY)を用いた検査方法について記録手順を解説する(図 16-4)．

a. 散瞳薬を点眼する

患者をベッドの上で仰臥位に寝かせ，散瞳薬を点眼する．

b. 不関電極・接地電極をつける

不関電極は前額部に，接地電極は左右いずれかの耳たぶにクリップで固定する．その際に電極の付着部はアルコール綿で皮脂を十分に拭き取り，

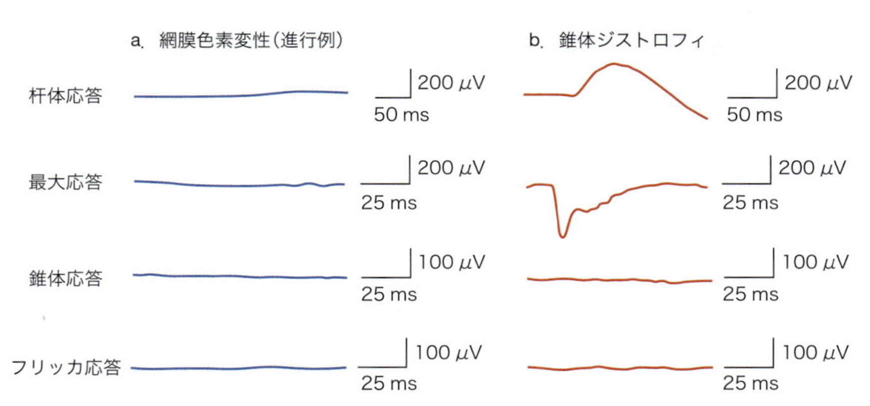

図 16-2 網膜色素変性と錐体ジストロフィの ERG 波形
a. 網膜色素変性の進行例では，すべての応答で消失型を呈することが多い．
b. 錐体ジストロフィでは，最大応答，杆体応答では正常に近い波形が得られるが，錐体応答，フリッカ応答は著しく減弱する．

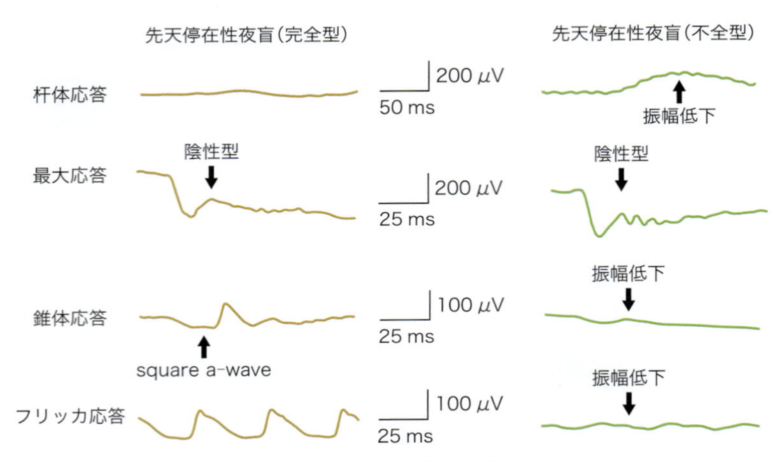

図 16-3 先天停在性夜盲の完全型および不全型の ERG 波形

完全型では杆体応答が消失するが，不全型では減弱する．最大応答はいずれにおいても陰性型となる．錐体応答では，完全型において square a-wave という特徴的な波形が得られる．不全型では錐体応答，フリッカ応答ともに振幅が低下する．

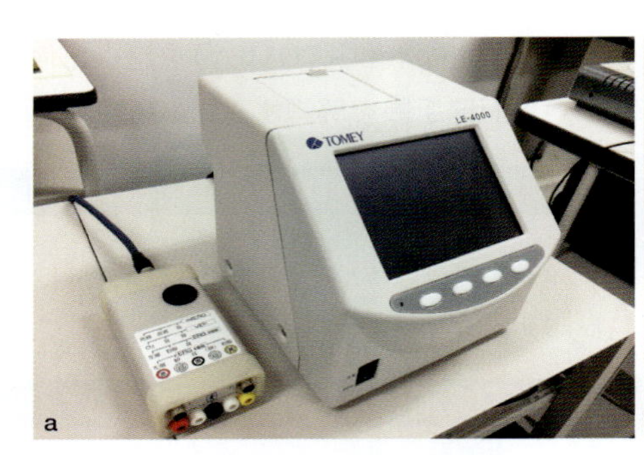

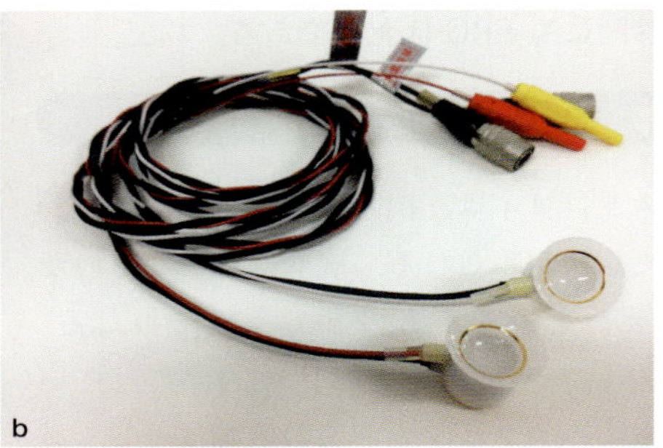

図 16-4 全視野 ERG の記録装置と CL 電極

a. LE-4000(TOMEY)の本体．モニタで記録した波形を確認することができる．
b. LED が内蔵された CL 電極を装着して ERG を記録する．

電極糊をしっかり塗るとよい．

c. 暗順応を行う

暗室にて，20 分以上の暗順応を行う．

d. CL 電極を取り付ける

暗順応を崩さないよう，赤色光下にてベノキシール® 点眼液(オキシブプロカイン塩酸塩)を点眼した後，コンタクトレンズ(以下，CL)電極の内側にスコピゾル® 眼科用液(ヒドロキシエチルセルロース・ホウ酸・無塩基類配合剤液)を滴下して角膜上に装着する．その際，顔は動かさず上方視するよう指示し CL 電極の縁を下眼瞼に挟み，上眼瞼をしっかり挙上して角膜中央に載せると容易である．

e. 暗順応下での検査を開始する

患者には瞬目や眼球運動をできる限り止めるよう声かけをする．モニタ画面で記録応答の選択を行い，ノイズの少ない基線が安定した状態を確認したら検査を開始する．記録する順番は杆体応答→最大応答で行う．

f. 記録した波形を確認する

記録波形を確認しノイズが混入していれば，それらの原因(図 16-5)を改善し再度記録を行う．

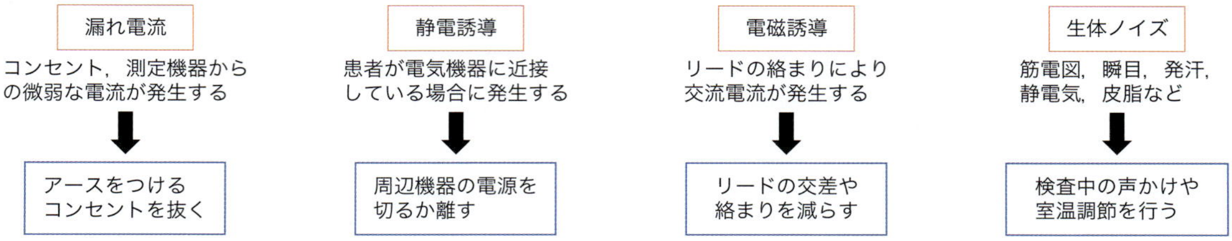

漏れ電流

コンセント，測定機器からの微弱な電流が発生する

アースをつける
コンセントを抜く

静電誘導

患者が電気機器に近接している場合に発生する

周辺機器の電源を切るか離す

電磁誘導

リードの絡まりにより交流電流が発生する

リードの交差や絡まりを減らす

生体ノイズ

筋電図，瞬目，発汗，静電気，皮脂など

検査中の声かけや室温調節を行う

図 16-5　様々なノイズの原因とその対策

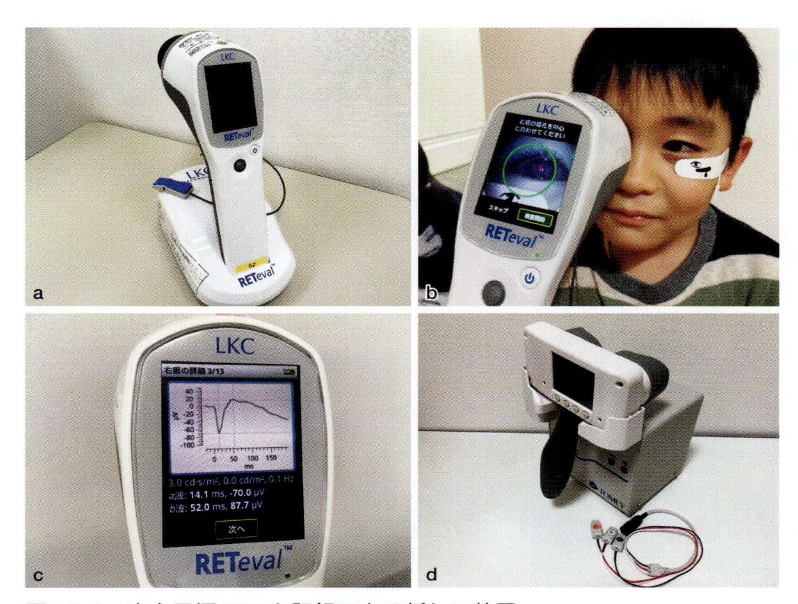

図 16-6　皮膚電極 ERG を記録できる新しい装置

a. RETeval™ (LKC)の本体.
b. ERG の記録中はモニタで固視の状態を観察できる.
c. モニタで波形の確認ができる.
d. HE-2000(TOMEY)の本体.

g. 明順応を行う

CL 電極を外し，10 分以上の明順応を行う.

h. 明順応下での検査を開始する

手順 e を繰り返す. 記録する順番は錐体応答→フリッカ応答で行う.

i. 片付けを行う

検査が終了したら CL 電極を外し，洗眼する. 不関電極，接地電極も外し電極糊はきれいに拭き取る.

6 皮膚電極で記録する ERG 装置

CL 電極を使用する ERG は，手術前日や角膜疾患のある患者への使用は好ましくない. また，小児では電極の装着を怖がり，ERG の記録が困難な場合もある. そこで最近普及してきた装置が，下眼瞼の皮膚に電極を貼って ERG を記録する「皮膚電極 ERG」である.

RETeval™(LKC)(図 16-6a)は，手持ち型の皮膚電極 ERG が記録できる装置である[2]. 専用の電極シール(関電極，不関電極，接地電極が内蔵されている)を下眼瞼に 1 枚貼り，装置を専用のコードとつなげれば ERG の記録ができる. 記録中は赤外線モニタで開瞼や固視の様子を観察できるため，小児への検査に有用である(図16-6b)．また，これまでERGの記録には散瞳が必須であったが，RETeval™は無散瞳でも記録ができるため，より簡便にERG検査が可能になった．

皮膚電極ERGの振幅はCL電極と比べて約1/4～1/5程度小さく，ノイズの影響も受けやすい．しかし，CL電極と比べても低侵襲であり，手順を踏まえた検査を行えば臨床応用に耐えうるERGが記録できる．最近では両眼から同時に皮膚電極ERGが記録できるHE-2000(TOMEY)(図16-6d)も発売され，次世代のERG装置として期待されている．

検査のポイント

☑ 検査説明はていねいに，わかりやすく

検査前にERGの目的や手順を患者にわかりやすく説明をするよう心がける．特に小児は検査に対して不安を強く感じるので，保護者の協力も得ながら検査を行う．

☑ 検査の手順を守る

散瞳が不十分だと光刺激が網膜へ届かず，順応時間が短いと視細胞から十分な応答が得られずERGの波形は弱くなる．ノイズチェックや検査手順を正確に守ることは，きれいな波形を記録する第一歩である．

▶文献
1) McCulloch DL, Marmor MF, Brigell MG, et al: ISCEV Standard for full-field clinical electroretinography (2015 update). Doc Ophthalmol 130: 1-12, 2015
2) 近藤峰生：皮膚電極ERG．山本修一，他(編)．どうとる？どう読む？ ERG．メジカルビュー社．pp60-61, 2015

II 多局所網膜電図(多局所ERG)

1 検査の概要

目的 局所的な網膜機能を評価する．

原理 多数の六角形のエレメントが後極部網膜をランダムに光刺激することで，誘発される局所の網膜の電位変化を記録する．

適応 原因不明の視力低下や視野異常を伴う患者で，局所網膜の機能低下が疑われるときなど．

機器 多局所ERG記録装置(図16-7)，コンタクトレンズ(以下，CL)電極．

2 目的

多局所ERGは，全視野ERGでは捉えることの難しい局所的な網膜機能を評価できる検査である．眼底の後極部に多数の六角形のランダム光刺激を与えることで，局所のERG反応を記録する．この検査が特に有用な場合は，眼底所見が乏しいにもかかわらず視力低下や視野異常を訴える症例の診断，あるいは治療前後の局所網膜機能の評価などである．

3 原理

多局所ERGの記録装置はVERIS™(EDI社)と呼ばれ，独自の刺激条件や記録方法が用いられている．

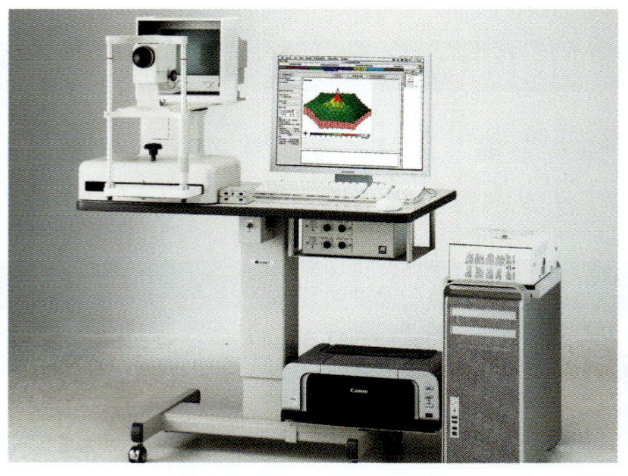

図16-7 多局所ERGの記録装置，VERIS™(EDI，USA)の外観

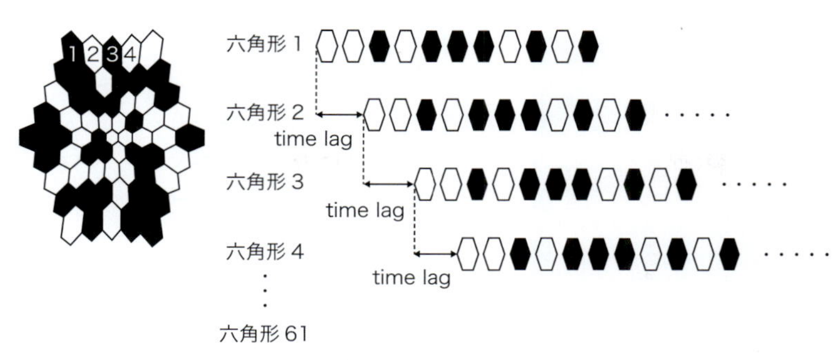

図 16-8 多局所 ERG の刺激方法
六角形の刺激図形があらかじめ決められたパターンで擬ランダム刺激することで，局所的な電位変化を記録できる．

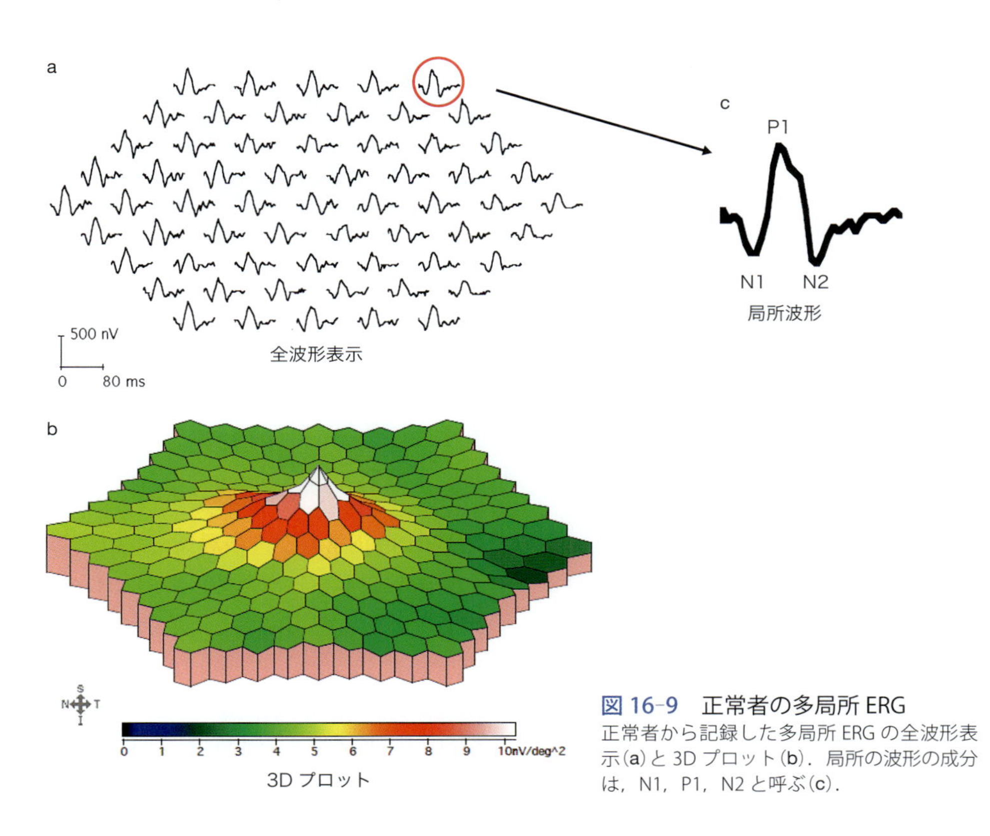

図 16-9 正常者の多局所 ERG
正常者から記録した多局所 ERG の全波形表示(a)と 3D プロット(b)．局所の波形の成分は，N1，P1，N2 と呼ぶ(c)．

a. 刺激条件

多局所 ERG には多数の六角形の刺激エレメントが用いられる(図 16-8)[1]．刺激エレメントの数は選択することが可能で 37 個，61 個，103 個のいずれかの使用が多い．この刺激エレメントは，視覚直径 40～50° の図形で構成されており，それぞれが一定の頻度(base rate)で白あるいは黒に変化する(これを擬ランダム刺激と呼ぶ)が，あらかじめ部位により刺激パターンに時間のずれが設定されている．

b. 記録方法

多局所 ERG は，擬ランダム刺激によって後極部網膜から記録された電位変化を特殊な視覚刺激と数理処理に基づいて記録している．対応する網膜に合わせて六角形の刺激部位の大きさが異なるが，どの部位でも ERG の振幅がおおよそ等しく

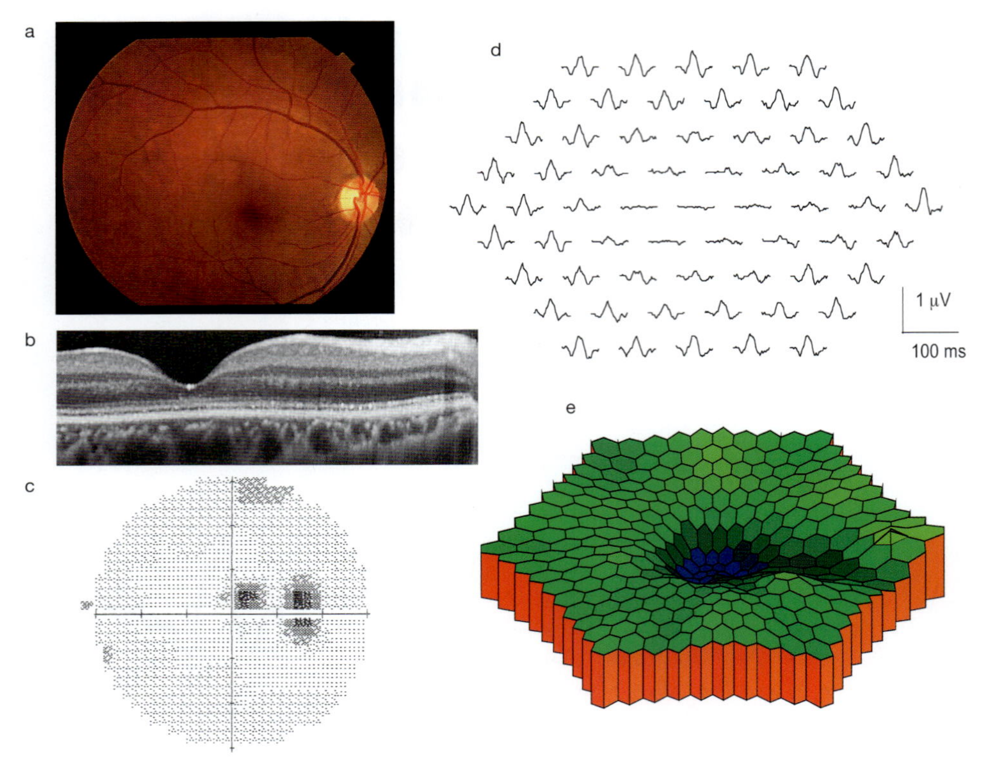

図 16-10 オカルト黄斑ジストロフィの検査所見
眼底に異常は認められない(a)が，OCTではinterdigitation zoneの消失と，ellipsoid zoneの不明瞭化がみられる(b)．静的視野検査では中心部に軽度の感度低下が認められる(c)．多局所ERG(d，e)では，黄斑部の局所応答が低下している．

なるよう設定されている．正常者から記録した多局所ERGの全波形表示(図16-9a)と3Dプロット(図16-9b)を示す．波形のピークはN1，P1，N2(図16-9c)と呼ばれる．3Dプロットは応答密度(単位面積あたりの振幅)をカラー表示したもので，正常者では錐体密度の高い網膜中央部で高くなる．3Dプロットは，視野検査と比較する際に役立つ．

4 網膜疾患における多局所ERG

a. オカルト黄斑ジストロフィ(occult macular dystrophy: OMD，三宅病)

OMDは眼底所見および蛍光眼底造影(FA)で明らかな異常がみられないが，緩徐な視力低下を主訴とする遺伝性の黄斑ジストロフィである．全視野ERGは正常だが，多局所ERGは黄斑部で著しい振幅低下を示すため，この2つの所見が本疾患の診断に有用である．症例を図16-10に示す．

b. 急性帯状潜在性網膜外層症(acute zonal occult outer retinopathy: AZOOR)

AZOORは，眼底が正常であるにもかかわらず網膜外層が障害される疾患であり，急性の視力低下や視野欠損をきたす．光視症を伴うことが多く，近視眼の若年女性に好発しやすい傾向がある．多局所ERGで視野異常の部位に一致して振幅の低下が認められれば，その視野が網膜性の異常であることが診断できる．症例を図16-11に示す．

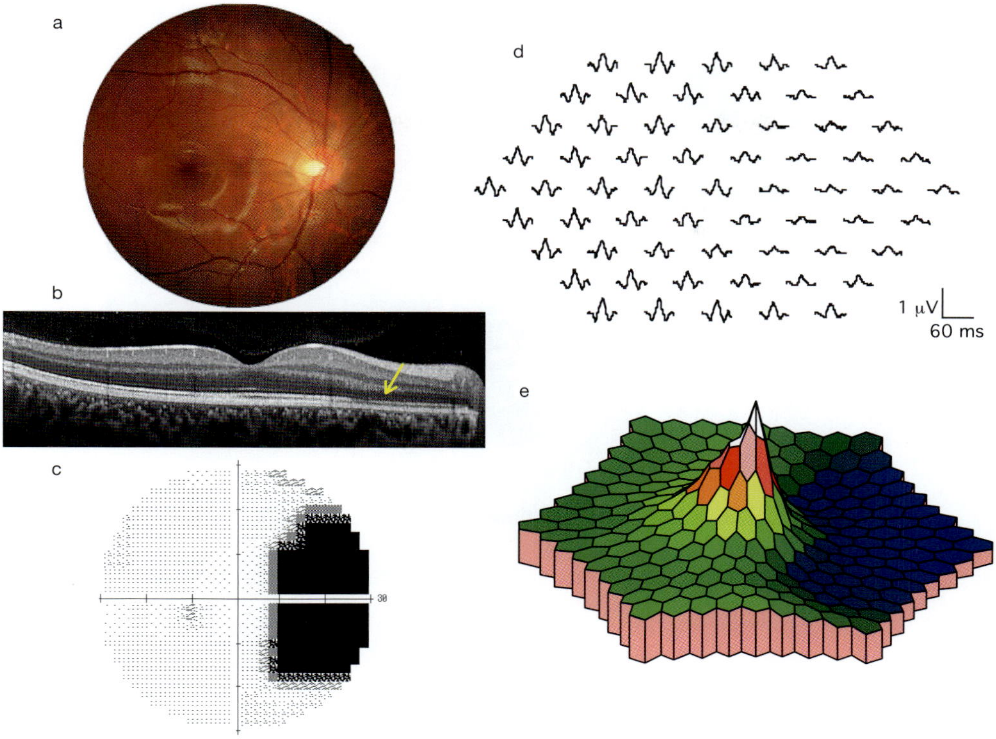

a

b

c

d

1 μV
60 ms

e

図 16-11 AZOOR の検査所見
眼底写真では異常は認められない(a)が，OCT では ellipsoid zone の不明瞭化がみられる(b)．静的視野の暗点(c)に一致して，多局所 ERG では振幅の低下がはっきりと認められる(d，e)．

5 検査方法

多局所 ERG は錐体系応答の記録なので，以下の手順はすべて明室下で行う．

a. 散瞳薬を点眼する

検査前に散瞳薬を用いて十分に散瞳を行う．

b. 接地電極・CL 電極をつける

接地電極を左右いずれかの耳たぶにクリップで固定する．ベノキシール® 点眼液(オキシブプロカイン塩酸塩)を点眼した後，双極型 CL 電極(図 16-12a)の内側にスコピゾル® 眼科用液(ヒドロキシエチルセルロース・ホウ酸・無塩基類配合剤液)を滴下し，角膜上に装着する．良好な固視を得るため，反対眼はアイパッチで遮閉する(図 16-12b)とよい．

c. 検査を開始する

顎台に頭部をのせ，必要に応じてレンズあるいは視度調節レバーを用いて屈折矯正を行う(図 16-12c)．刺激モニタの固視目標を注視するよう指示し，ノイズの少ない基線が安定した状態で検査を開始する．1 回の記録時間は約 30 秒で，これを 8 回程度繰り返す．記録した波形を確認し，固視不良やノイズが多い場合はその回だけ再記録することも可能である．

d. 片付けを行う

検査が終了したら CL 電極を外し，洗眼する．接地電極も外し電極糊はきれいに拭き取る．

検査のポイント

☑ ノイズやアーチファクトの混入に注意する
記録中の頻回な瞬目，眼位の動揺，体動

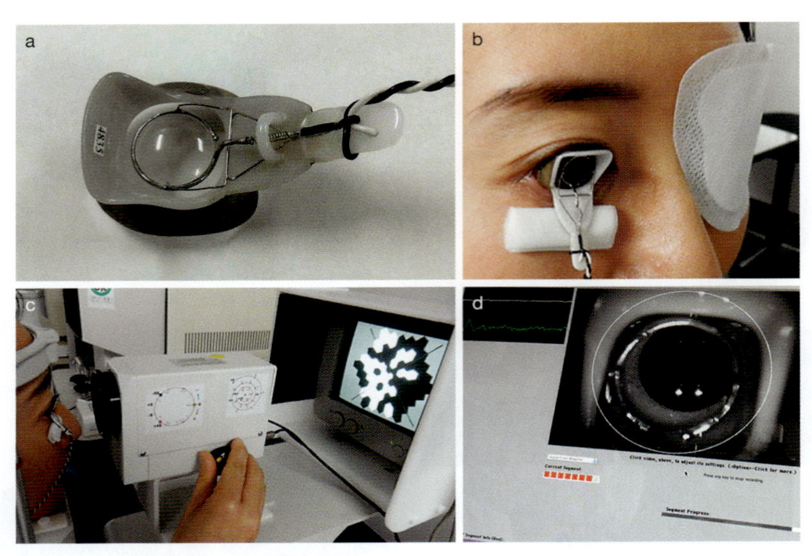

図 16-12 多局所 ERG の検査風景
多局所 ERG の記録に適した Burian-Allen 型 CL 電極（a，メイヨー）．検眼に CL 電極を装着し，反対眼にはアイパッチを貼る（b）．視度調節レバーを回して矯正を行う（c）．検査中はモニタで前眼部の様子を観察する（d）．

などは多局所 ERG の結果の信頼性を低下させるので，検査中に適宜声かけをし，固視の状態を観察することが望ましい（図 16-12d）．また，電極のずれや電極の下に気泡が含まれているとアーチファクトの原因となるので再装着が必要である．

☑ 検査における制約を理解する

多局所 ERG は刺激エレメントが後極部網膜に正確に投影されることが前提となっているが，眼底を観察しながらの記録はできない．そのため，固視に明らかな異常がある患者から得られた多局所 ERG の結果の解釈は信頼性が低下することを理解しなければいけない．

▶文献

1) 島田佳明：多局所 ERG．どうとる？ どう読む？ ERG．山本修一，他（編）．pp62-73，メジカルビュー社，2015

（永嶋竜之介，近藤峰生）
（執筆協力：三重大学 加藤久美子）

III 視覚誘発電位

1 検査の概要

目的 中心網膜から後頭葉視中枢に至る視覚的伝導路の機能を他覚的に評価する．

原理 視覚刺激で誘発される大脳視覚皮質の電気的活動を後頭葉の頭皮上から記録する．

適応 視神経疾患，弱視，詐盲，心因性視覚障害．

機器 誘発電位検査装置．

2 原理

視覚誘発電位（visual evoked potential：VEP）[1〜3]は視覚刺激で誘発される大脳視覚皮質の電気的活動（非常に多くの神経細胞のシナプス後電位が同期して形成される電場）を後頭葉の頭皮上から記録するものであり，生体信号のなかで

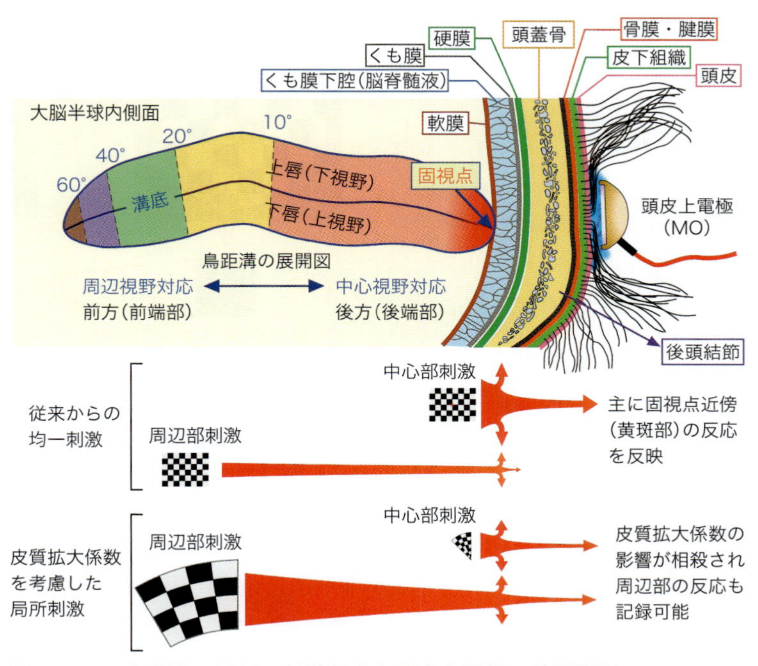

図 16-13 鳥距溝の解剖・刺激部位と頭皮上電極の位置関係

は最も微弱な電位の 1 つである．中心網膜(黄斑部)から後頭葉視中枢に至る視覚伝導路の機能を反映する他覚的検査法の 1 つである．

3 鳥距溝の解剖と頭皮上電極

解剖学的に鳥距溝には網膜部位局在があり，固視点が最も後端に位置し，周辺視野ほど前方すなわち深部に位置する(図 16-13)．さらに中心視野は解像度が高く，その情報処理には非常に多くのニューロンが関与しているため，周辺視野に比べて視野上で同じ面積が皮質上では大きく拡大されており，その比率は皮質拡大係数(cortical magnification factor：CMF)と呼ばれる．一般に電位発生源から離れるほど電位は徐々に減衰し，くも膜下腔では脳脊髄液が存在するため拡散し，さらに頭蓋骨は絶縁体のため大きく減弱するため，大脳深部に位置する周辺視野からの電位は頭皮上に到達しにくく，さらに CMF によって中心視野からの反応が非常に大きくなる．刺激野を構成する図形の大きさが均一で全体の反応が総和として記録される従来の VEP は，主に固視点を中心とした中心網膜の機能を反映する．一方，多局所視覚誘発電位(multifocal visual evoked potential：mfVEP)のように CMF を考慮して刺激図形を中心視野では小さく，周辺視野ほど大きくして局所の反応が捉えられると周辺視野の反応もある程度記録できる．

4 電極の配置

国際 10-20 法が用いられる(図 16-14)．正中線上で鼻根部(nasion)から後頭結節(inion)の長さを計測し，その中間が Cz(vertex, midline central：MC)：正中中心，nasion から 30% が Fz(midline frontal：MF)：正中前頭，inion から 10% が Oz(midline occipital：MO)：正中後頭部である．Oz を通る外周線上で左右 10% 外側部が O_1(LO)，O_2(RO)である．視覚領を含む脳形状には個人差があり，電極の直径は 10 mm と大きいので，成人では inion から上方 3 cm が Oz，Oz の左右 3 cm を O_1，O_2 としてもよい．基準電極はパターン反転刺激では通常 Fz に装着する．フラッシュ刺激の場合は ERG や瞬目の

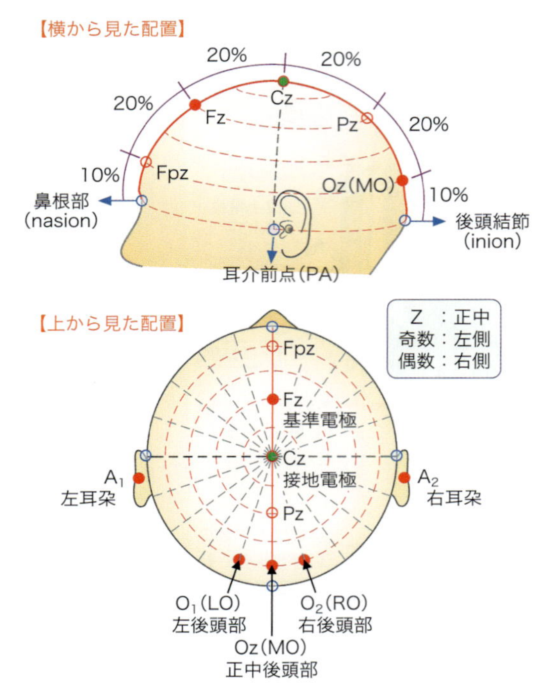

図 16-14　VEP における電極配置

アーチファクトの影響を避けるため，両側の耳朶（じだ）に設置し連結して用いる(A1＋A2)．接地電極は視覚領から離れ，瞬目の影響を受けにくい Cz が推奨されているが，パターン反転刺激では耳朶でもかまわない．一方，mfVEP では基準電極を inion に装着する．

5 刺激法と記録法[1〜4)]

VEP の誘発にはパターン反転刺激とフラッシュ刺激が主に用いられるが，微弱な電位であるため，一定の頻度で繰り返し刺激し，通常 100 回程度の加算平均が必要である．加算平均とは刺激から一定時間の脳波を何回も重ね合わせることで，視覚刺激に同期した電位変化のみを背景脳波や雑音に埋もれた状態から抽出する方法である．

a．パターン反転刺激

視覚皮質のニューロンは単純な光の明暗よりも図形の輪郭によく反応する．白黒のチェックで構成された市松模様や格子縞を一定間隔に反転することで誘発される VEP をパターン反転 VEP(pattern reversal VEP)と呼ぶ．白と黒のチェックの数は同じであるため，反転しても網膜に到達する光量の総和は不変である(図 16-15)．大きさの異なる 2 種類のチェックサイズ(視角 60 分と 15 分)を用いることが推奨されている．大きなチェックサイズを用いるほど，光の変調(白：ON⇄黒：OFF)による luminance 成分が混在し，パターンに固有な成分は減少する．反転頻度は一秒間の反転回数(rev/sec)で表示するが，Hz で表示する場合はこの半分になる．反転頻度の違いで以下の 2 つに分けられる．

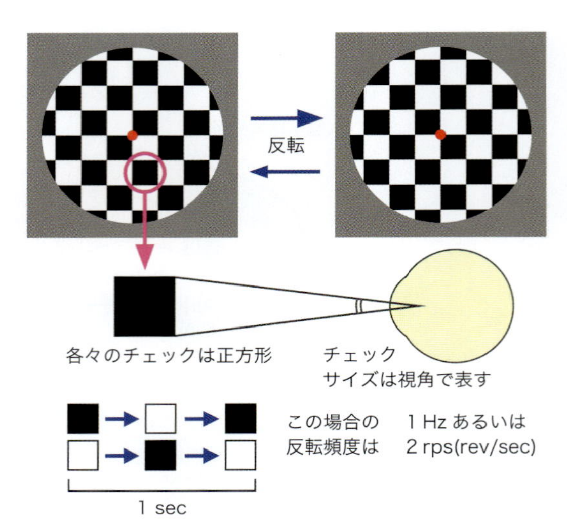

図 16-15　反転刺激・頻度とチェックサイズ

1) transient(一過性)刺激

1 回の反転刺激で誘発される電位変化が完全に刺激前の状態に戻るまで刺激の間隔をあける方法で，2〜4 rev/sec の遅い反転刺激で誘発された VEP を transient VEP という．陰性-陽性-陰性の 3 つの成分からなる三相性波形が得られ，N1，P1，N2 あるいは頂点潜時を併記して N75，P100，N145 と呼ばれる(図 16-16 上)．主陽性頂点である P1 は頂点潜時 100 ms 前後で出現し，振幅に比べて個人差は小さく，再現性が高いため VEP の指標として広く用いられている．N75 と P100 は V1(17 野)由来の反応，N145 に関しては V1 を含む複数の視覚野に由来する反応と考えられている．なお本項では VEP の極性は下向きを＋で表示している．

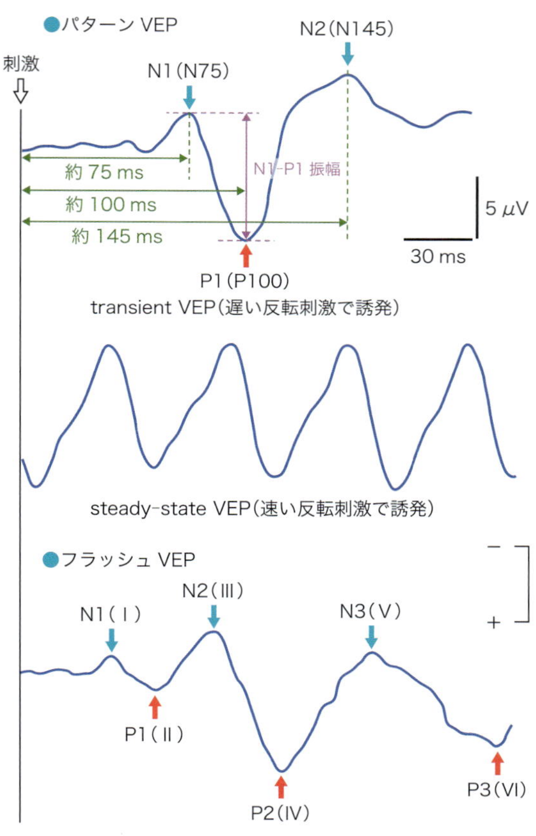

図 16-16 パターン VEP とフラッシュ VEP の波形

2) steady-state(定常状態)刺激

反転頻度が速くなると波形の各成分が融合して正弦波状の律動的な波形になる．このような刺激を steady-state 刺激といい，誘発される VEP を steady-state VEP と呼ぶ(図 16-16 中)．刺激頻度を上げるほど電位は小さくなるため，安定した大きな振幅が得られる 20 rev/sec(10 Hz)前後の頻度がよく用いられる．振幅や位相が評価の対象で，Fourier 解析も行われる．

b. フラッシュ刺激

フラッシュ刺激で誘発される VEP をフラッシュ VEP あるいは luminance VEP と呼ぶ．刺激には LED を内蔵したゴーグルやキセノン放電管が用いられる．刺激から 250〜300 ms 以内に陰性-陽性の 6 個のピークが出現し，Ⅰ〜Ⅳあるいは N1(第 1 陰性波)，P1(第 1 陽性波)…と名付

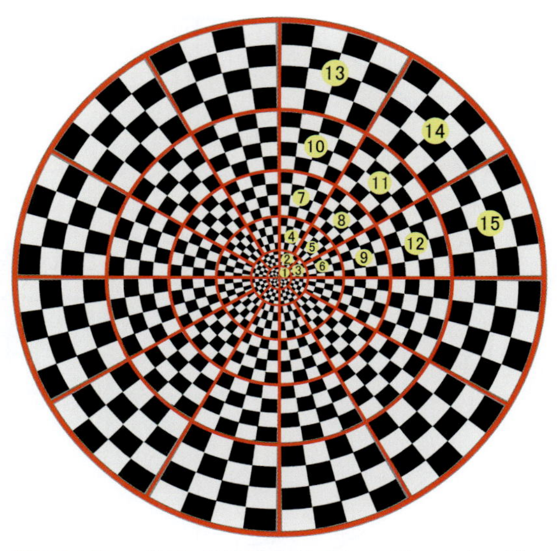

図 16-17 mfVEP の誘発刺激であるダーツボードパターン

けられている(図 16-16 下)．波形は刺激条件で異なり，潜時・振幅の個人差は非常に大きいが，同一個体で片眼刺激の反応はほぼ同じである．フラッシュ刺激は屈折矯正が不要で，固視の持続困難な乳幼児，高度視力障害，意識混濁，精神発達遅滞や認知症を伴う症例では不可欠である．

c. mfVEP

多局所網膜電図の原理に基づき，視野を分割して同時に多数の領域を刺激して，セクタごとの局所反応が得られる VEP である[5]．図 16-17 は VERIS Junior Science(メイヨー社)のダーツボードパターンの反転刺激で，刺激野は視角 20°，各象限 15 個，全体で 60 個のセクタに分割され，各セクタは白黒 8 個ずつのチェックで構成され，擬似ランダムに 75 Hz で反転する．セクタは前述した CMF を考慮して中心部では非常に小さく，周辺部ほど大きい．図 16-18 左は健常者の mfVEP の実波形で左右眼のデータを重ねて表示したもので，左右眼で相似した結果が得られる．個々のセクタの反応には個人差がみられるため，図 16-18 右のように局所の波形を上下左右の 4 象限で加算平均すると特徴を捉えやすい．下視野の機能的優位性[6]が示唆されており，上視野に比

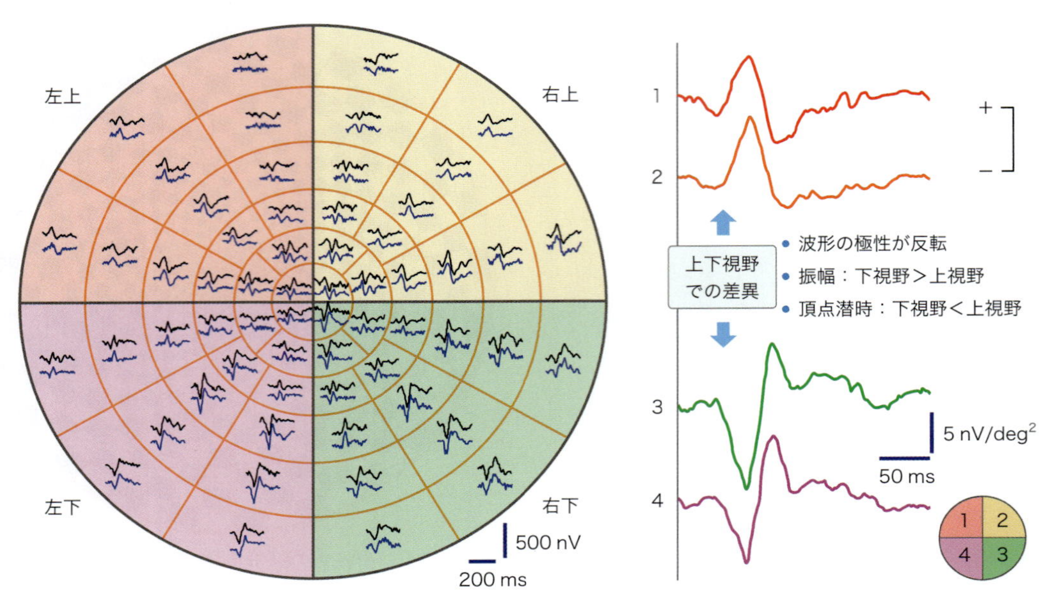

図16-18 60個のセクタごとに誘発されたmfVEPの実波形（上段：左眼刺激時，下段：右眼刺激時）と4象限の加算平均波形

べて振幅は大きく頂点潜時は短縮し，極性も反転する．

6 適応と正常値

- VEPは個人差が大きいため基本的に単眼ずつ刺激し，同一個体で右眼刺激時と左眼刺激時の振幅および潜時を比較する．P100潜時に関しては健常者の平均潜時に標準偏差の3倍を加えた値以上に遅延した場合に異常と判定される．
- 視神経疾患では，一般的にVEPは高度に障害される．多発性硬化症のような脱髄疾患では振幅低下に加えて潜時が著しく延長し，視力回復後も潜時の延長は残存することが多く，診断上有用である．
- 弱視眼では弱視の程度に応じて反応が低下し，大きなチェックサイズで明瞭な反応が得られなければ，治療効果はあまり期待できない．
- 詐盲や心因性視覚障害では基本的にVEPは正常である（心因性では高振幅になる場合がある）．
- 小さなチェックサイズを用いると他覚的な視力測定（VEP視力）に応用できる．
- 正常両眼視を有する場合，両眼開放で記録すると単眼時に比べて振幅は増大し両眼加重（binocular summation）を示す[7]．逆に斜視症例では，両眼開放で記録すると振幅が減少する両眼抑制（binocular inhibition）を示す場合がある．
- mfVEPは緑内障を含む視神経障害や半盲の症例で視野障害を他覚的に評価でき，特に視野検査で自覚的応答に信頼性が得られない場合に有用である．

7 検査機器

通常のVEPは一般的な誘発電位検査装置で測定でき，日本光電のニューロパック X1（MEB-2300シリーズ）・S3（MEB-9000シリーズ），コーナン・メディカルのEvokeDx，Natus社のニコレーEDX，TOMEYの視覚誘発反応測定装置LE-4000などがある．一方mfVEPはObjectiVision社のAccumap2やEDI社のVERIS™専用ソフトウェアで測定できる．

検査のポイント

- VEPの波形は刺激や記録条件によって大きく異なることを理解し，アーチファクトの混入に留意する必要がある．
- パターン反転刺激では刺激野のサイズ（視角），画面の平均輝度とコントラストをあらかじめ計測しておく．測定時の屈折矯正度数や被検者の状態，どちらの眼を刺激したのかなどの情報は自動的に記録されないため，データファイルのコメント欄に必ず記載する．
- 小さなチェックサイズでは，パターンの輪郭が鮮明に見えないと振幅の低下・潜時の延長を招くため，視距離に応じた屈折矯正が重要である．
- 覚醒レベルが低下すると注意の維持が困難になり，固視不良に加えて後頭部にα波が出現し，正確なVEPの抽出は困難になる．必要に応じて声かけを行い，休憩を入れる．
- 同一条件で2回記録（double trace）し，波形の再現性を確認する．
- ノイズ対策として電極装着時に接触抵抗値を十分に下げる．頭皮の皮脂をアルコール綿で十分に取り除き，少し多めの電極糊を用いて装着し，電極の上からガーゼや布製バンドで固定する．計測の途中で加算回数が増えない場合は計測を中断し，接触抵抗値を再チェックし，電極を頭皮に押し付けても改善しない場合は貼り直す．必要のない周辺機器のコンセントを抜いて静電誘導を防ぐことやシールドマットの活用も有効である．
- アーチファクトでは筋電図と瞬目に伴う眼球電位の混入に留意する．筋電図は過度の緊張で力んだり，小児では泣いたり体動が激しいと混入しやすい．眼球電位は脳波に比べ振幅が大きいので，設定を超える電位変動を加算しないように内蔵のアーチファクトリジェクターをONにする．
- 刺激モニタをブラウン管（CRT）から液晶（LCD）に変更すると潜時に影響するため，各施設で年齢別基準値の作成が必要である．
- フラッシュ刺激ではアルミ箔をはさんだ遮閉板で非検査眼を完全に遮光する．

▶文献

1) 新井田孝裕：7．電気生理学的検査，眼科一般検査の指示とデータの読み方，眼科医と視能訓練士のためのスキルアップ．眼科診療プラクティス 86：111-121，2002
2) 新井田孝裕，鈴木賢治：眼科基本検査パーフェクトガイド－検査の理論と実技　EOG・VEP．臨床眼科 71（11）増刊号：216-231，2017
3) 新井田孝裕：I．視覚生理学　G．電気生理学．小林義治，松岡久美子，臼井千恵，岡真由美（編）：視能学（第3版）．pp90-105，文光堂，2022
4) Odem JV, Bach M, Brigell M, et al: ISCEV standard for clinical visual evoked potentials (2016 update). Doc Ophthalmol 133: 1-9, 2016
5) Klistorner AI, Graham SL, Grigg JR, et al: Multifocal topographic visual evoked potential: Improving objective detection of local visual field defects. Invest Ophthalmol Vis Sci 39: 937-950, 1998
6) Hagler DJ Jr: Visual field asymmetries in visual evoked responses. J Vision 14: 13, 1-19, 2014
7) 漆原美希，佐藤　司，新井田孝裕：視覚誘発電位を用いたモノビジョンにおける両眼加重の評価．日視会誌52：1-7，2022

（新井田孝裕）

Ⅳ 眼球電図

1 検査の概要

目的 網膜色素上皮の機能の評価，眼球運動の評価．

原理 網膜色素上皮に由来する眼球全体の電位を経皮的に測定し，経時的に記録する．

適応 網膜色素上皮の機能を障害する疾患〔卵黄様黄斑変性（Best病）・白点状網膜症・コロイデレミア・ぶどう膜炎・網膜色素変性症など〕，眼球運動障害．

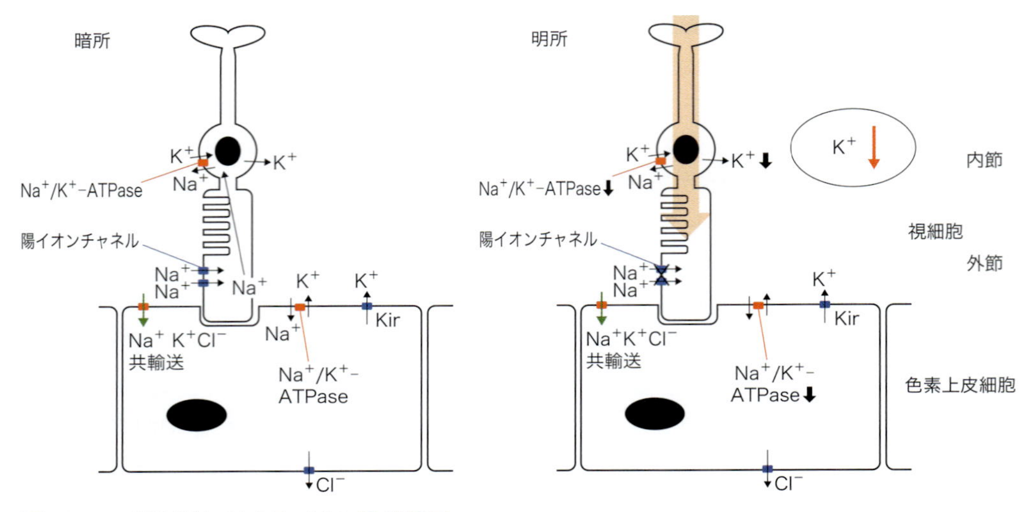

図 16-19 光刺激に対するイオン動態略図

機器 電気眼振計.

2 原理

網膜色素上皮層は単層の上皮細胞層で，それぞれの細胞間がタイトジャンクション(tight junction)と呼ばれる細胞間結合によって固く結合しており，網膜色素上皮層の網膜側(網膜下腔)と脈絡膜との物質移動(主にイオンなど)はできない状態となっている．一方，網膜色素上皮細胞の細胞膜には様々なチャネルがあり，基本的にはこのチャネルなどを通して網膜色素上皮前後の物質移動がなされている．これらイオンのうち，K^+イオンが光刺激に対して鋭敏に反応することが知られている．

暗順応状態では，網膜下腔の K^+イオン濃度は約 5 mM だが，光刺激により約 2 mM に低下する．これは光刺激により，杆体細胞外節にある Na^+チャネルが閉鎖し，細胞内の Na^+濃度が低下すると，杆体細胞内節にある Na^+/K^+-ATPase の働きが低下し，結果として杆体細胞から放出される K^+イオンが減少することに由来する(図 16-19).

これを基にする眼球全体の電位は，網膜色素上皮による電位の総和として角膜側をプラス，眼球後部側をマイナスとする眼球常在電位(standing potential)となり，最大 6〜10 mV の電位差を形成することとなる．(K^+イオンが減少すると，電位が増加するという負の比例の関係であることに注意する)．この眼球常在電位は眼球周囲の電場にも影響しており，水平方向の眼球運動を利用して眼球周囲の電場の変化を皮膚電極を用いて記録することで，間接的に眼球常在電位を測定する方法が眼球電図(electrooculogram：EOG)である．

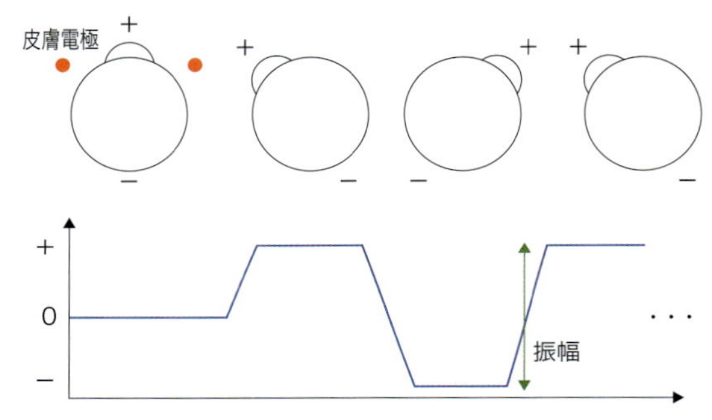

図 16-20 EOG 正常波形の模式図

眼球の偏位量が大きければ EOG が大きく振幅するため，偏位量を一定にする必要がある．そのため，左右に固視目標を置き交互にリズムよく固視目標をスイッチして EOG を記録する．正常波形の模式図を図 16-20 に示す．

EOG の電位の正常値については国際基準(IS-

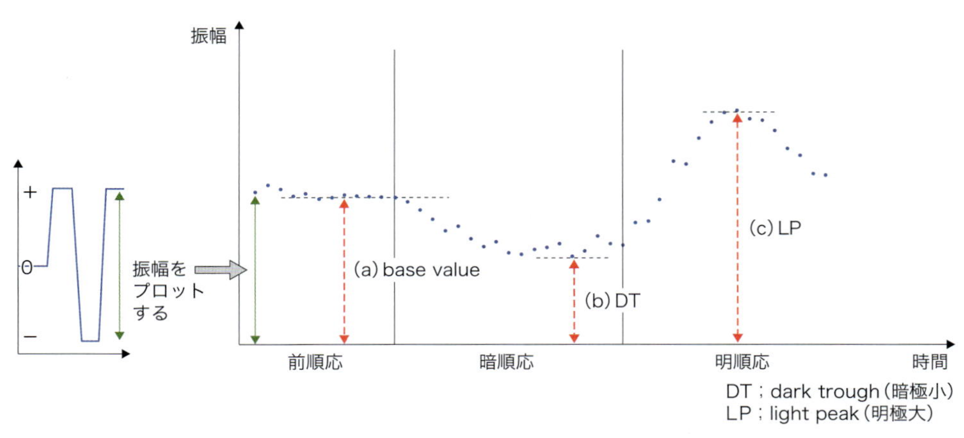

図 16-21　光誘発応答 EOG の模式図

CEV standard 2010)でも規定されていない．これは測定環境や固視の角度によって記録できる電位が大きく変化するためである．ただし，記録できた電位が 150 μV 以下の場合は，この後解説する L/D 比の精度が保てなくなるため，記録環境を見直す必要がある．

眼球運動の評価はここまでの検査で十分であるが，網膜色素上皮の機能の評価のためには，次に示す光誘発応答 EOG を施行する必要がある．

光誘発応答 EOG は，明暗刺激に伴う電位の変化を記録する方法である．これは，光刺激に対する網膜色素上皮の生化学的・生理学的応答を電位として記録したものであり，前述の方法で記録した EOG の全振幅を測定してグラフ化する(図 16-21)．

まず，室明で前順応することで，網膜色素上皮周囲の電位は安定する．これを base value(ベースバリュー)といい，これが眼球常在電位と同義となる(図 16-21a)．

ここから暗順応を開始すると，直後に電位が少し上昇するが，徐々に電位差が減少していく(振幅が低下していく)．最も電位差が小さくなったものを暗極小(dark trough：DT)といい，暗順応開始から 11～12 分で訪れる(図 16-21b)．暗順応 15 分経過後，明順応を開始する．

明順応を開始した直後には電位が少し減少するものの，その後急激に電位差が増大してくる．明順応から 7～8 分で電位差が最大となり，明極大(light peak：LP)となる(図 16-21c)．その後，徐々に電位は低下してくる．

L/D 比(Arden 比)という概念が存在する．L/D 比とは，明極大(LP)時の振幅を暗極小(DT)時の振幅で除すことにより，その比を求める方法である．EOG の正常値はここで初めて示され，L/D 比が 2.0 以上であれば正常，1.5～2.0 で境界，1.5 以下で異常と判定される．これをもって網膜色素上皮機能の評価が行えたこととなる．

▶文献

1) ISCEV standard 2010
2) 飯島裕幸：EOG．眼科診療プラクティス 17：116-119，1995
3) 日下俊次：RPE の電気整理．眼科診療プラクティス 65：22-23，2000
4) 新井田孝裕：EOG・VEP 理論編．臨眼 71(増刊号)：216-225，2017

(寺内　岳)

V 電気眼振図

1 検査の概要

目的 種々の眼球運動を定量的に記録，解析する．

原理 眼位に相関した信号を検出し，経時的に記録する．

適応 眼球運動の評価，異常眼球運動の原因推定．

機器 種々の測定原理による眼球運動記録装置，頭部固定器，視標呈示装置．

2 原理と検査機器

本来の電気眼振図（electronystagmogram：ENG）は，眼球荷電を皮膚電極で検出し，記録が安定しやすい交流増幅を行う電気眼振計にて眼振を記録し，その相対的な強さ，周波数，波形を評価する検査であり，眼位の定量性は低い．神経眼科領域では，眼振以外の衝動性眼球運動や追跡眼球運動なども定量的に評価するため，眼位定量性の高い種々の測定原理（眼球荷電の直流増幅，光電素子法，角膜輪部追跡法，サーチコイル法，ビデオ式など）による記録装置を用いる（図16-22）．

3 記録条件，検査項目の選択

目的に合わせ，記録する方向と測定眼（右，左，両）を決める．サンプリングレートが500Hz以上であれば，サッケードの潜時や速度なども評価できる．ビデオ式では，低サンプリングレートで，サッケード解析には適さない記録装置もあるので注意を要する．

4 解析法

眼位信号がデジタル信号として出力される機器はそのまま，アナログ信号として出力される機器は適切なレートでデジタル化してコンピュータに取り込み，オフラインで解析する．検討項目は眼球運動の種類により異なる．詳細は拙著を参照されたい[1]．

サーチコイル法の測定装置

磁場コイルと頭部固定台

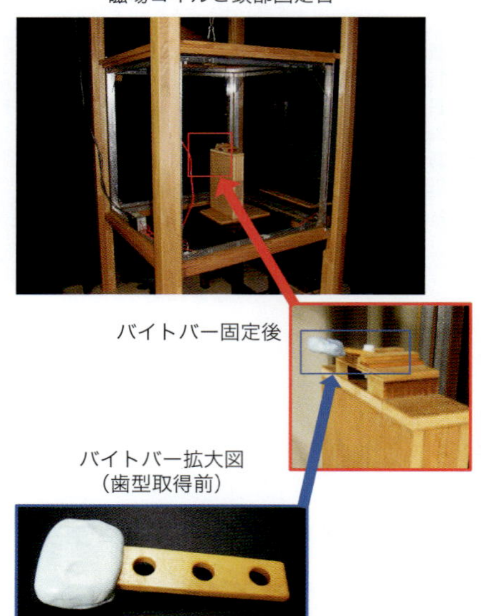

サーチコイル法の誘導コイル
（角膜輪部に装着）

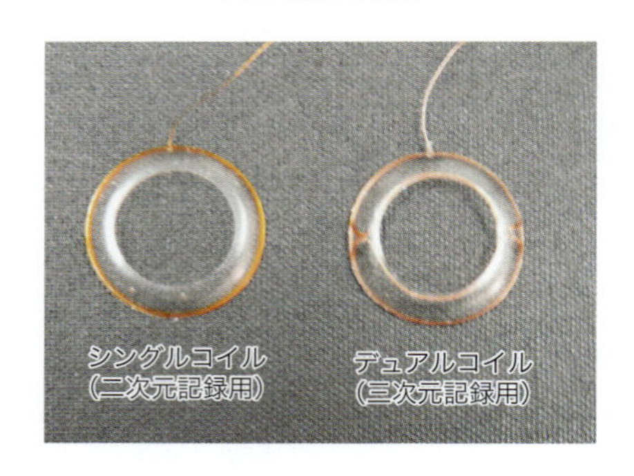

装着したP-EOG測定端末

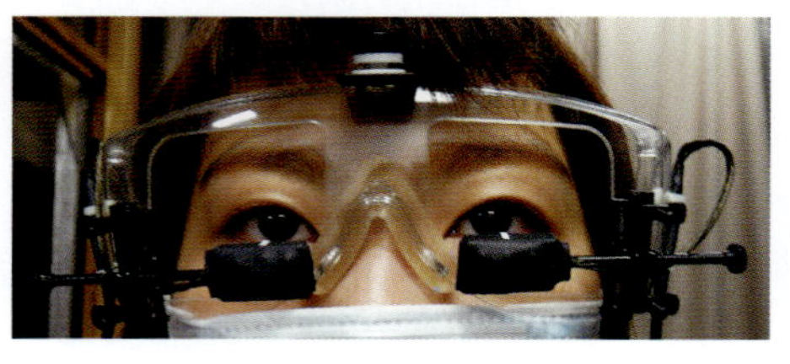

図16-22 ENG検査機器

5 検査手順

① 使用する機器のマニュアルに沿い測定端末を装着する.
② 頭部を固定し，不必要な前庭入力を除く．歯科用弾性印象材を用いるバイトバー法が簡便かつ確実である[1].
③ 視標呈示装置に，正面視標と，眼球・視標間距離から算出した一定角度ごとの複数視標を呈示・固視させて，較正を行う．眼位と検出信号の強さが比例し精度を維持できる範囲を決定する．
④ 眼球運動誘導視標を呈示・固視させ，目的の眼位信号と視標位置信号を同時に記録する．

▶文献

1） 鈴木康夫：眼球振盪の検査．根木　昭(監)：眼科検査ガイド 第3版．pp174-179，文光堂，2022

（鈴木康夫）

VI 筋電図

1 検査の概要

目的 外眼筋の活動電位を記録し，眼球運動障害の鑑別診断を行う．また，ボツリヌス毒素注射時に筋の位置を確認する．

原理 筋線維細胞膜外側の電位変化(活動電位)を記録．

適応 眼球運動障害のある外眼筋，上眼瞼挙筋およびボツリヌス毒素の注射時．

機器 筋電計，針電極，開瞼器．

2 原理

眼球運動を司る動眼神経核，滑車神経核，外転神経核の神経細胞の活動は，神経を伝わり神経筋接合部を経て筋線維に到達する．筋線維は静止状態では細胞膜の内側が陰性に，外側が陽性に帯電しているが支配神経の興奮により筋線維が興奮すると電位差が逆転する．この筋線維細胞膜外側の電位変化(活動電位)を記録して外眼筋の活動を記録，評価するのが筋電図(electromyogram：EMG)である．

1本の運動ニューロンの軸索は多数の筋線維に連絡しており，一般の骨格筋では1本の神経線維の興奮は数百本の筋線維を同時に興奮させる．これを神経筋単位(neuromuscular unit：NMU)というが，外眼筋では1本の神経線維は3～10本の筋線維としか連絡していない．そのため，外眼筋の筋電図をとると非常に多くのNMUの放電が誘導され，干渉波(interference pattern)となる．

3 検査方法

a. 電極

眼輪筋や前頭筋などの体表に近い筋は表面電極(通常の脳波用皿電極)で皮膚面より記録可能であるが，外眼筋および上眼瞼挙筋は表面電極では記録できない深部にあり，針電極の刺入を必要とする．

針電極は，絶縁された封入線(記録部)が外套針の内部に1本内蔵されている同心型一芯電極や2本の封入線で限局した範囲の電位変化が捉えられる双極(双芯)電極がよく用いられる．また電極の長さは身体のほかの骨格筋とは異なり，長い針電極(25～30 mm)が必要である．なお，ボツリヌス毒素の注射時に用いる針電極は，薬液注入が同時にできる特殊な電極を使用する．

b. 検査手順

患者をシールドされたベッド上に仰臥させ点眼麻酔を十分に行った後に，洗眼をしてから開瞼器で開瞼させる．その後，目的筋に経結膜的に針電極を挿入する(図16-23, 24)．水平筋は比較的に刺入しやすいが，上下直筋は刺入しにくいので固定鑷子などを用いる場合もある．上眼瞼挙筋は皮膚をアルコール綿で清拭して経皮的に刺入する．

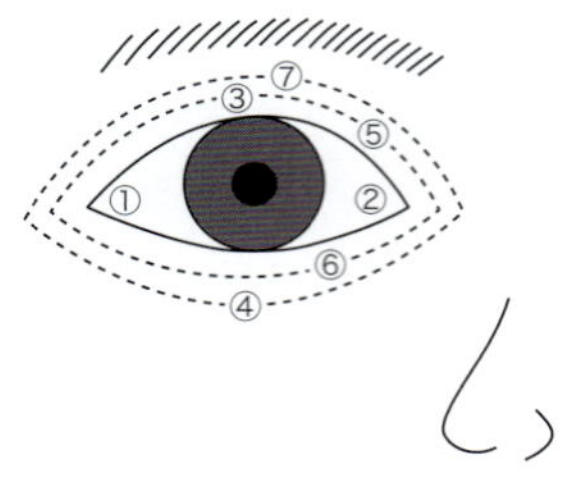

図 16-23 電極を刺入する部位の目安
①外直筋 ②内直筋 ③上直筋 ④下直筋
⑤上斜筋 ⑥下斜筋 ⑦上眼瞼挙筋
接地電極：前額部や手首に装着

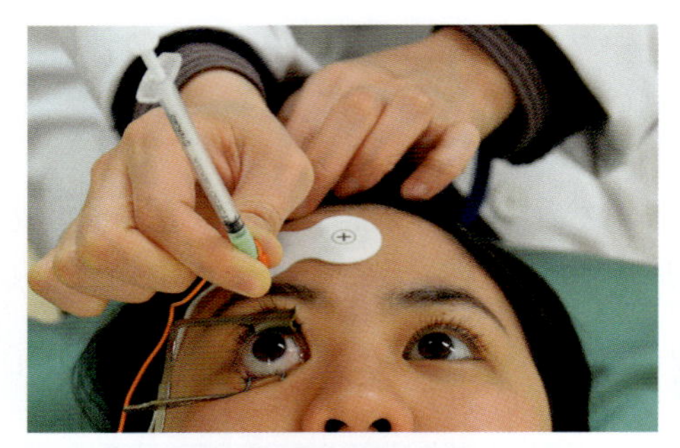

図 16-24 電極を挿入する様子

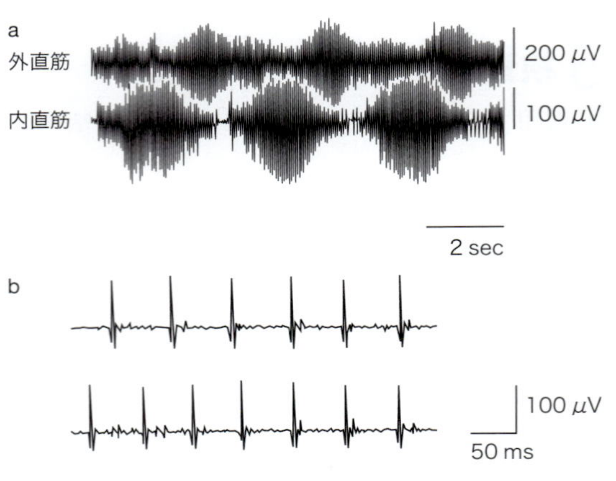

図 16-25 正常者の EMG
a. 針を刺入後すぐに記録される干渉波．干渉波で内外直筋の相互神経支配がみられる．
b. 固視で放電間隔の一定している単一 NMU 筋電図．
〔三村 治：EMG．丸尾敏夫，小口芳久，西信元嗣，他(編)：眼科検査法ハンドブック 第3版．p365，医学書院，1999 より〕

刺入した後はスピーカーの音あるいは画面上の波形でモニタしながら，最大の波形が得られる位置を探す．単一 NMU 筋電図は干渉波が得られた後，電極をずらすか回転させるかしてスピーカー上で規則性のあるシャープな音(ザーザー)を確認し，モニタ上で活動電位の波形を得る．

診断に必要な眼位として，正位，目的筋の作用方向および反対方向に動かして測定をする．上眼瞼挙筋の場合は，閉瞼時および開瞼時(上方視，下方視)の測定を行う．いずれの検査でもなるべく短時間で行うことと，音や光で眼位を誘導して行うことが大事である．また，検査後は速やかに抜針し，抗菌点眼薬を点眼する．

なお，針電極では眼球穿孔を防止するため，電極先端の割面を必ず眼球側に向けて刺入する．

c. 正常波形(図 16-25)

干渉波では筋の作用方向を向いたとき振幅が大きくなり，反対方向を向いたとき振幅が小さくなるのが正常である．単一 NMU 筋電図では筋の作用方向を向いたとき，記録される活動電位の波形が密になり，反対方向を向いたとき疎になるのが正常波形である．

4 適応

眼運動神経麻痺，神経筋接合部障害などの眼球運動障害をきたす患者はすべてがこの検査の対象となりうる．

a. 眼運動神経麻痺

眼球運動神経麻痺では放電は減少または消失する．また，干渉波の形成の有無，作用方向での振幅の異常増大などで予後を判定する．

b. 異常神経支配

Duane 症候群，MLF 症候群などの神経支配の異常ではどのような神経支配になっているかが確定できる．異常神経支配では本来の作用方向以外の方向を向いたときに放電が増加する．内直筋と外直筋のような拮抗筋で同時記録することにより Duane 症候群や動眼神経麻痺回復後などにみられる異常神経支配の診断が可能になる．

c. 重症筋無力症

1 つの NMU に属する筋線維は基本的に同時に

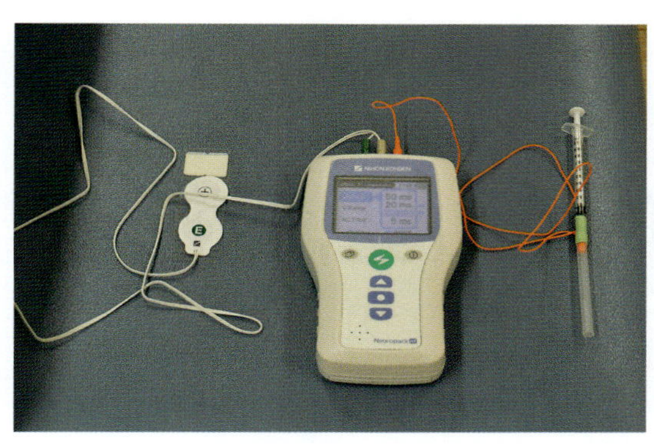

図 16-26 小型の筋電図計〔ニューロパック n1(日本光電)〕
スピーカーによる筋電音とモニタに筋電図が表示される.

同期した放電を出す.しかし,神経筋接合部に異常があり,伝達に遅れがあると同期がずれる.これを Jitter 現象という.同一 NMU に属する一対の筋線維の活動電位を測定する単一筋線維筋電図(single fiber electromyography:SFEMG)で,2 つの筋線維の活動電位の間隔を調べた際に,間隔に変動があれば神経筋接合部の異常(異常 jitter 現象)が考えられ,重症筋無力症の確定診断の根拠になる.

また,干渉波では waning 現象が記録される.

d. 斜視に対するボツリヌス毒素の注射

針先が筋肉内に入っていることの証明に使用するため,EMG でのモニタが必須である.

5 検査機器

ERG や VEP なども記録できる生体誘発電位測定装置が一般に用いられている.最近はボツリヌス毒素の注射用に特化した小型の筋電図計として,筋電図音のみしかでないもの〔クラヴィス(京西テクノス)〕や筋電図波形のでるもの〔ニューロパック n1(日本光電)(図 16-26)〕がある.

6 合併症

合併症として最も注意が必要なのは眼球穿孔である.これを防ぐために電極の露出している面を強膜側に向けて刺入する.また,眼瞼皮下出血,結膜下出血などの合併症はほぼ必発であるので,必ず検査施行前に説明を行っておく.まれに筋を走行している血管からの出血による眼窩内血腫を生じる場合がある.特に上眼静脈に接近して走行する上斜筋には注意して刺入する.

検査のポイント

☑ 電極のポイント

複数の場所や何回か電極を出し入れした場合,電極刺入に際して抵抗が強いことがある.その際は,電極の針先が鈍り「きれ」が悪くなっていることも考えられるので電極を新しいものに交換する.

☑ アーチファクト

最近の小型の機器において最大のアーチファクトは電極コードから入ってくるものである.その対策として,検者はなるべくコードから離れてコードをテープなどで固定して揺れないようにする.

☑ 刺入方法

経験的には経皮では眼球位置が不安定なうえ,盲目的な操作となり眼球穿孔のリスクが非常に高いので,経結膜的な手法を勧めたい.経結膜的なデメリットとして,眼球運動をさせると電極がずれることがある.

☑ 検査の落とし穴

外眼筋は第一眼位でも,また筋の作動方向と逆の眼位でも放電している.このため,骨格筋と違い 1 つひとつの NMU を分離することは現実的には困難である.そのため波形に関して議論することは難しい.また干渉波は,放電の大きさや量が電極と筋線維の位置関係で大幅に変わるので,放電密度のみで神経支配の多い少ないを決めるのは困難である.しかし筋肉内で電極の位置が変わっていなければ,眼球運動あるいは努力運動による筋電図については評価することが可能である.

(金子博行)

第17章 角膜内皮検査・角膜知覚検査・角膜厚測定

1 検査の概要

a. 角膜内皮検査

目的 角膜内皮細胞数の測定と形状の評価.
原理 内皮面と前房水との屈折率の違いを活かし，細胞の反射像を観察する.
適応 内眼手術の術前，角膜疾患，コンタクトレンズ装用眼.
機器 スペキュラマイクロスコープ(接触型・非接触型)，細隙灯顕微鏡.

b. 角膜知覚検査

目的 角膜知覚を調べる.
原理 角膜表面に糸などで触れて，患者が知覚できるかどうかを確認する.
適応 角膜障害，角膜手術後，三叉神経麻痺.
機器 綿糸，角膜知覚計.

c. 角膜厚測定

目的 角膜の厚みを調べる.
原理 超音波.
適応 角膜内皮機能不全，角膜浮腫.
機器 細隙灯顕微鏡，スペキュラマイクロスコープ，超音波パキメータ，角膜トモグラフィ.

2 目的

a. 角膜内皮検査

角膜内皮は，角膜の最内層にあり前房水よりブドウ糖などを取り入れるとともに，角膜実質内の水分を前房側に能動的に輸送することで含水率を一定に保っている．角膜内皮の機能が損なわれると角膜の浮腫を生じる(水疱性角膜症)．ヒトでは角膜内皮細胞は生涯分裂をしないので，その細胞密度が内皮の予備機能の指標となる．一般には1ミリ平方あたりの細胞数が指標となり，400～500/mm^{2}を下回ると角膜浮腫が生じてくる(角膜内皮機能不全)．内皮細胞の減少は，表17-1のような条件でもたらされる．臨床の場で最も一般的に用いられるのは，白内障などの内眼手術の術前であり，内皮細胞密度が少ない場合には，手術によって内皮機能不全が生じることを念頭におく必要がある．また，角膜移植などの術後に定期的に検査を行うことで，予後の推測や治療効果の判定に用いることもできる．

b. 角膜知覚検査

1) 角膜神経の機能

角膜は，人体の中でも神経密度が高く，知覚が鋭敏な組織である．大半は，三叉神経第Ⅰ枝(眼

表17-1 角膜内皮細胞の減少をきたす状態

1. 加齢
2. 先天異常：先天性角膜内皮ジストロフィ，Peters 奇形
3. 疾患：Fuchs ジストロフィなどの角膜内皮ジストロフィ，外傷，長期のコンタクトレンズ装用，角膜内皮炎，ぶどう膜炎，感染性角膜炎，角膜ヘルペス，ICE 症候群
4. 全身疾患：糖尿病，抗精神病薬内服
5. 手術：白内障，緑内障，硝子体切除，角膜移植などの内眼手術

神経)由来であり，長毛様体神経，短毛様体神経が角膜周囲に輪状神経叢を形成する．そこから角膜実質内に入った神経は，実質内神経叢を形成しつつ徐々に角膜上皮に向かって伸び，上皮下，上皮内で神経叢を形成して神経終末が上皮層に分布される．

角膜神経は，外界からの刺激に反応するばかりでなく，角膜組織の恒常性の維持にも重要な働きを果たしている．後述する角膜神経の機能低下，すなわち角膜知覚の低下は，角膜上皮の修復遅延や角膜潰瘍の原因となることもある．しかしながら，角膜神経の減少は外見からはわからないことが多く，難治性の角膜疾患の原因として見逃されることも少なくない．正常者でも，細隙灯顕微鏡で角膜神経の観察は可能であり，多発性内分泌腫症では，これが著明となることに診断的な価値があるが，詳細な観察には後述する機器の使用が欠かせない．

c. 角膜厚測定

角膜は，上皮・実質・内皮の3層からなるが，その厚みの約90％は実質からなり，角膜厚測定はほぼ角膜実質の厚みの測定を意味する．角膜厚は角膜実質の含水率によって左右され，角膜内皮によるポンプ作用が低下した場合に実質の浮腫が生じる．また，角膜屈折矯正手術や層状角膜移植では，術前に角膜厚やその分布を正しく知ることが安全な手術の施行に欠かせない．

3 検査方法

a. 角膜内皮検査

角膜内皮の観察は，内皮面と前房水との屈折率の違いを活かして細胞の反射像を見ることで，生体での観察が可能となる．その方法には以下のものがあるが，一般にはスペキュラマイクロスコープが最も広く用いられている．

1) 細隙灯顕微鏡による観察

内皮細胞が大きくなってくると，細隙灯顕微鏡でもその形状を観察できるようになる．スリット光を斜め45°の方向から当てて幅を1～2 mmに設定してやや高さを絞る．この状態で倍率を上げて内皮面を観察するとモザイク状の内皮細胞を観察することができる(図17-1)．同時にcornea guttata(滴状角膜)なども観察することができるが，内皮細胞密度の定量的解析はできない．接触型の内皮観察用コンタクトレンズを用いるとより詳細な観察が可能となる．

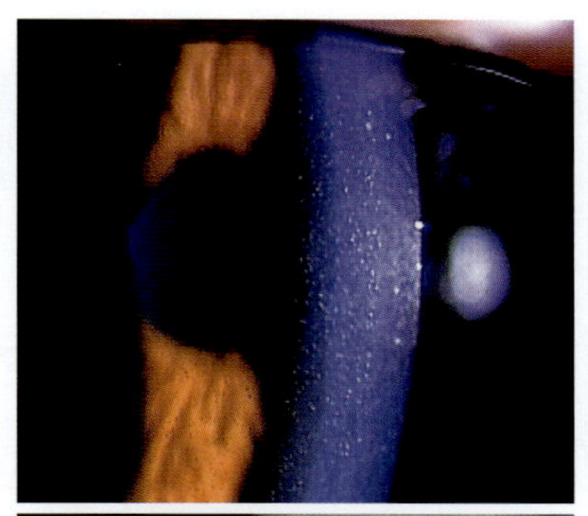
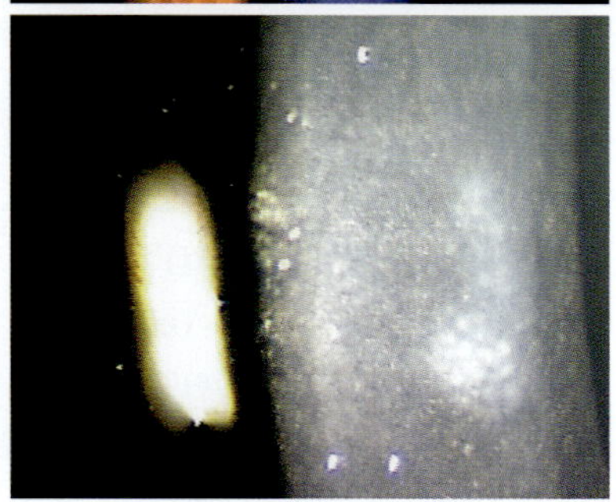

図17-1　細隙灯顕微鏡による角膜内皮の観察

2) スペキュラマイクロスコープ

スペキュラマイクロスコープは，内皮面からの反射光のみを選択的に観察する鏡面反射の原理を応用した生体顕微鏡であり，1960年代にMauriceなどによって開発された．開発当初は，接触型の機器が主流であったが，現在では非接触型のものが広く用いられている．

3) 所見と正常値

a) 内皮細胞密度

正常では，六角形の内皮細胞が整然と並んでいるのが観察される(図17-2)．正常者での密度は，2,500～3,000/mm^{2}であり，加齢によってわずかずつ減少する．2歳以下の小児では密度が高く，またアジア人では白人に比べて密度が高い．これ

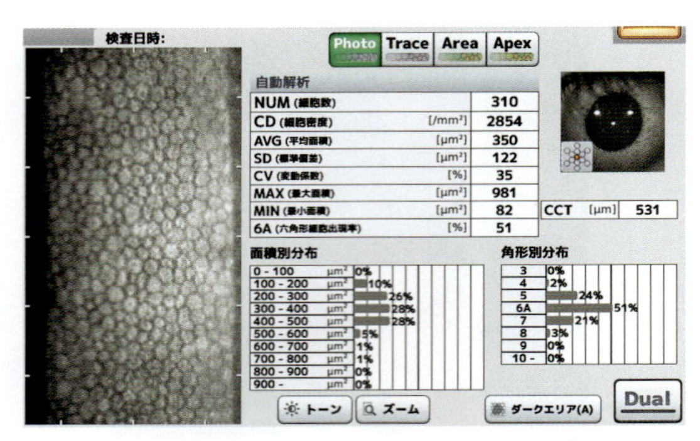

図 17-2 正常スペキュラマイクロスコープ像
六角形の内皮細胞が整然と並んでいる.

は,角膜の大きさの違いによるといわれており,角膜全体での細胞数(約 50 万個)に大きな違いはない.加齢にしたがって 0.5〜0.6%/年の割合でゆるやかに減少していくが,密度の値には個人差がかなり大きい.平均細胞密度で表す場合は,内皮細胞密度の逆数となり,値が大きいほど優れていることとなる.

b) 細胞面積の変動係数

内皮細胞の脱落は,隣接する細胞が伸展・遊走することでカバーされる.そのため脱落が起こると細胞面積のばらつきが大きくなる.ばらつきの程度は細胞面積の変動係数(SD 値)を平均細胞密度で割ることで計算され,coefficient of variation(CV 値)とも呼ばれる.正常者では 20〜40 歳では 20〜25%,60 歳以上では 25〜30% とされ,35% 以上は異常で内皮細胞に負担がかかっていると推測される.

c) 六角形細胞出現率

角膜内皮細胞は,六角形の状態が最も安定した状態といわれる.細胞の脱落に伴い隣接する細胞の伸展・遊走があると,六角形細胞の比率が下がる.正常での六角形細胞出現率は若年者で 65〜70%,高齢者では 60〜70% といわれ,50% 以下は異常とされる.

4) 検査機器

大きく分けて接触型と非接触型がある.前者では点眼麻酔後に対物レンズを角膜に乗せて観察・撮影する.非接触型に比べて倍率が高く,観察範囲が狭い.非接触型はスリット式の照明光を当ててその反射像を観察するもので,全く非侵襲的である.最近は操作も容易となり,内皮細胞の形態解析を自動で行うソフトも発達しており,大半はこの非接触型で検査が行われる.

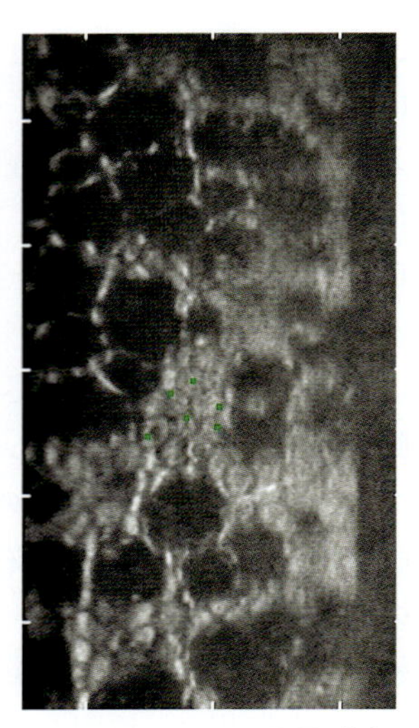

図 17-3 cornea guttata のスペキュラ像

5) 主な病的所見

大きく分けて内皮細胞の拡大などの形態的な異常と,内皮面の不整に分けられる.後者は鉗子分娩などの外傷や内皮ジストロフィのほか,滴状角膜(cornea guttata)や角膜後面沈着物など内皮に隣接する組織や細胞の凹凸でもみられる.

検査のポイント

☑ 得られた画像の解釈

スペキュラマイクロスコープは,内皮細胞を直接見ているわけではなく,その反射像を捉えているにすぎないことに留意すべきである.例えば,角膜の状態によっては全く内皮像が観察されないことがあるが,これは内皮細胞が存在しないことを示すわけではない.また内皮面に凹凸があると,反射光が返ってこないために像が観察されない.例えば,cornea guttata は比較的頻度の高い異常であり,スペキュラマイクロスコープでは cornea guttata のある部分は黒く抜けて見える(dark area,図 17-3).しかしながら黒く見える場所にも内皮細胞は存在する．

☑ 定量的解析の注意点

臨床研究では，内皮細胞密度の変化など定量的な解析をすることが多い．この場合気をつけなくてはいけないのが解析できた細胞数である．信頼に足る結果を出すには200個程度の解析が必要とされ，ある程度信頼がおける解析数でも50個程度は必要とされる．観察条件の悪い場合は，10個程度しか解析できない場合も多いが，そのまま平均などの定量的解析を行ってもよいかどうか留意する必要がある．

☑ 共焦点顕微鏡（コンフォーカルマイクロスコープ）

角膜神経の観察で用いられる *in vivo* confocal microscopy とも呼ばれる生体顕微鏡によっても，角膜内皮の観察が可能である．通常のスペキュラマイクロスコープでは観察できない角膜実質混濁眼でも観察が可能な場合がある．欠点としては，観察範囲が 0.4×0.4 mm と狭いこと，対物レンズが角膜に接触するので患者の協力がある程度必要なこと，および器械が高額なことである．

b. 角膜知覚検査

定性的には綿糸や先を細くコヨリのようにした綿棒などで角膜表面を軽く触れてみて，患者が知覚できるかどうか，対眼との瞬目反応の差を調べる簡便法もあるが，定量的には角膜知覚計が用いられる．

Cochet-Bonnet（コシュ・ボネ）角膜知覚計は，簡便で比較的安価であるので最も広く用いられている．本器械は，検者が把持するペン用の本体部分と，直径 0.12 mm のナイロン糸が出る先端部分からなる（図 17-4）．ナイロン糸の長さは，本体横の目盛りをスライドさせることで調整できる．測定は，坐位でも仰臥位でも可能であるが，被検者の顔の位置がなるべく動かないように設定

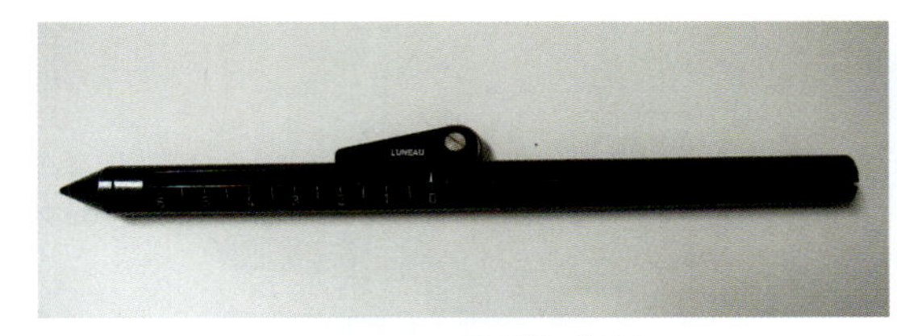

図 17-4　Cochet-Bonnet 角膜知覚計

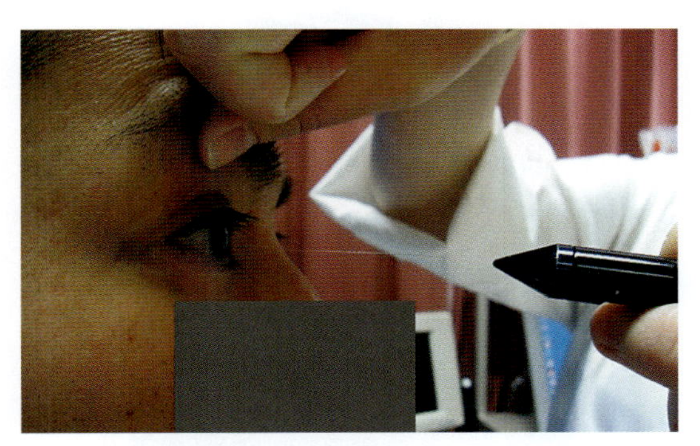
図 17-5　角膜知覚検査の実際

する．両眼を大きく開けて遠方を見るように指示する．検者は，まずナイロン糸を最も長くした状態（60 mm 長）で先端を被検者の角膜に接触させる（図 17-5）．接触の力加減は，ナイロン糸が軽くたわむ程度とする．被検者に触れた感覚があるかどうか尋ね，知覚できない場合はナイロン糸を 5 mm ずつ短くして繰り返す．知覚できた最長の長さを記録する．糸の長さと知覚は必ずしも比例していないので，統計解析などの場合は圧力（gr/mm^2）で計算する．測定は通常，角膜中央部で行うが，場合によっては角膜周辺部でも測定する（球結膜や瞼結膜で行うことも可能である）．「角膜知覚計検査」として保険収載されている（D-271，38 点）．その他，Draeger の角膜知覚計，Belmonte の角膜知覚計があるが，いずれも主に研究目的で使用されており，一般的ではない．

角膜神経の観察には，生体共焦点顕微鏡（*in vivo* confocal microscopy）が必要である．焦点外の反射光や画像を排除することで極めて高解像の画像を得ることができる．大きく分けてタンデムスキャン型，スリットスキャン型，レーザースキャン型がある．特にレーザースキャン型は光源

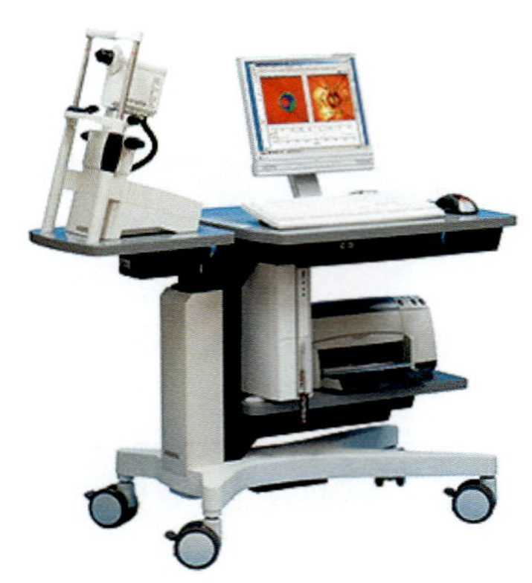

図 17-6 HRT IIIの外観
〔Heidelberg Engineering 社製，(株)JFC セールスプラン：http://www.jfcsp.co.jp/products/heidelberg/201 より〕

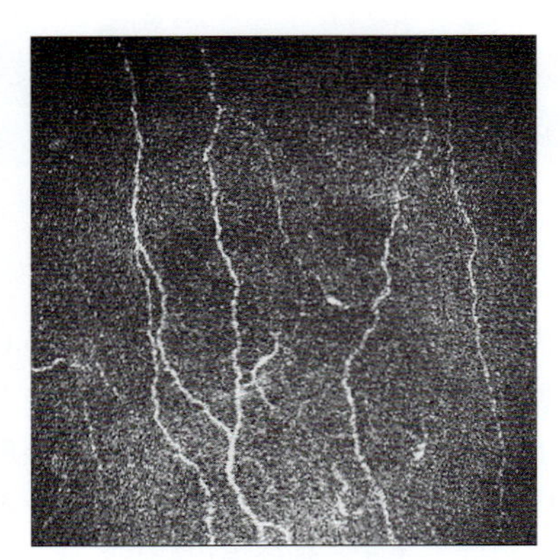

図 17-7 HRT-RCM で撮影した正常者の基底細胞神経叢

が明るく得られる画像も鮮明で，現在広く用いられているのは，ダイオードレーザー(波長 670 nm)を光源とする Heidelberg 社の Retina Tomograph Rostock Cornea Module (HRT-RCM)である(現在は，HRT IIIが発売中，図 17-6)．光学解像度が 1 μm 以下と非常に高く，これを用いると，角膜実質内神経や基底細胞神経叢を観察することが可能である(図 17-7)．HRT-RCM で測定された基底細胞神経叢の神経密度は 20,000〜25,000/mm^2 である．異常所見として，神経密度の低下のほか，神経分岐の増加/減少，神経の蛇行・屈曲，炎症細胞や樹状様細胞の出現などが報告されている[1)]．

表 17-2 角膜知覚低下をもたらす原因

1. 内因性疾患
   - ヘルペス角膜炎
   - アカントアメーバ角膜炎
   - その他の角膜炎後
   - 三叉神経麻痺(脳腫瘍，聴神経腫瘍，動脈瘤など)
   - 糖尿病
2. 眼科手術後
   - LASIK など角膜切開を伴う屈折矯正手術
   - 角膜移植
   - 白内障手術(切開創の大きいもの)
3. 外因性
   - 長期のコンタクトレンズ装用
   - 点眼薬(NSAID，βブロッカー，点眼麻酔など)
   - 薬剤性角膜障害
   - 化学傷・熱傷
4. 先天性
   - Adie 症候群
   - 家族性自律神経失調症

1) 適応

角膜知覚が低下する疾患を表 17-2 に挙げる．三叉神経麻痺では，角膜上皮の菲薄化，基底細胞の分裂低下が起こるとされ，神経末端より分泌されるサブスタンス P などの神経栄養因子の減少が関与していると報告されている．角膜知覚が低下すると，涙液分泌が減少し，また角膜表面の異常に気づきにくくなるという問題点もある．

検査のポイント

- ☑ 角膜知覚計を用いた知覚検査は自覚的検査であるので，被検者が検査の意味を理解することが必要である．必要以上に怖がると正確に検査ができないので，痛みを伴わないことをよく説明する．
- ☑ 角膜中央部での測定の場合，特にナイロン糸が短い状態での測定では，角膜が圧平されることによる見え方の変化を被検者が認識することがある．
- ☑ 被暗示性が強い患者などで，正確な答えが得られているか不明なときは，断続的に接触させて触れた回数を被検者に尋ねるやり方もある．

c. 角膜厚測定

光学的な角膜厚測定装置としては，細隙灯顕微鏡を用いたMishima-Hedbys法があるが，現在ではあまり使用されていない．

1）超音波測定法

超音波パキメータのプローブを角膜表面に垂直に当て，角膜内皮面から返ってくる信号を捉えて角膜厚を測定する．簡便な方法であり，角膜周辺部の厚みも測定できるという利点があるが，後述の角膜トモグラフィより測定時間がかかることと，プローブを垂直に当ててかつ押し付け過ぎないなど，測定の慣れがやや必要という欠点もある．

2）スペキュラマイクロスコピー

本来は，角膜内皮細胞の観察を行う機器であるが，角膜上皮面から内皮面に焦点を移動させるときの距離から角膜厚を測定することができる．簡便であるが，測定精度がほかの方法にやや劣ることと，角膜混濁や形状不整眼での測定ができない場合があるなどの欠点もある．

3）角膜トモグラフィ

角膜前後面の3次元形状を測定することで，角膜厚の分布を測定することができる．

a）スリットスキャン型

オーブスキャン（Orbtek社）では，左右からスリット光を投影して角膜前後面の位置情報を得て角膜形状を測定する．

b）シャインプルーフ型

ペンタカム（Oculus社）は，シャインプルーフの原理を用いたスリット像の解析によって前眼部の3次元解析を行う．角膜形状解析，角膜混濁の解析も行うことができる．

c）前眼部光干渉断層計（anterior segment optical coherence tomography：AS-OCT）

赤外線光を利用して，前眼部の構造を3次元的に解析する．Visante（Carl Zeiss社），RT-Vue100（Optovue社）などが従来から使用されているが，近年ではTOMEY社のCASIA2が広く用いられている．他の方法に比べて，測定時間が短く，羞明を感じないことがメリットである．角膜前後面の形状，角膜厚マップに加え，隅角や水晶体の画像も得ることができる．

検査のポイント

- ☑ 用いる機器によって正常値がいくらか異なる．涙液層の厚みも併せて測定する角膜トモグラフィでは，スペキュラマイクロスコピーや超音波パキメータに比べてやや厚めに測定される．
- ☑ 測定に当たっては，プローブを用いる場合は角膜中心部に正しく垂直に接触させること，角膜トモグラフィにおいては正しく固視するように誘導すること（眼球の向きが変わると正しく測定されない）が重要である．
- ☑ 角膜厚の測定は，角膜内皮機能不全，角膜屈折手術の適応決定のほか，近年では眼圧測定に与える影響が重視されている．角膜厚が厚いと眼圧が高く測定され，薄いと低く測定されるために，緑内障の診断においてはこれらを加味して補正する眼圧測定法が提唱されている．

▶文献

1） Cruzat A, Qazi Y, Hamrah P: In vivo confocal microscopy of corneal nerves in health and disease. Ocul Surf 15: 15-47, 2017

（島﨑　潤）

第18章 フレア検査

1 検査の概要

目的 前房内の炎症を検出する.

原理 細隙灯顕微鏡の観察光を細く絞り，セル・フレアを観察する．弱いレーザー光を当てて，前房内の散乱光を測定することで炎症の程度を定量化する.

適応 内眼手術後，ぶどう膜炎.

機器 細隙灯顕微鏡，レーザー前房蛋白細胞測定装置.

2 目的

フレア検査は，セル検査と並んで前房内の炎症を検出する検査である．眼には血液眼関門があり，前房は虹彩毛細血管内皮細胞および毛様体無色素上皮にある tight junction がバリアとなっている．このために前房内の環境は一定に保たれているが，炎症や種々の眼疾患，外的刺激によって血管透過性が亢進する場合がある．バリアの障害は，血液成分の前房内への漏出を引き起こし，これがセル(細胞成分)，フレア(蛋白質)として観察される.

3 検査機器と方法

大きく分けて，細隙灯顕微鏡による観察と専用の機器(レーザーフレアメーター)を用いた定量的解析がある.

a. 細隙灯顕微鏡による観察

細隙灯顕微鏡で観察光を細く絞るとセル・フレアの観察を行うことができる．一般的に，幅 1 mm，高さ 3 mm 程度の光を 45～60° から当て，高倍率で観察する．フレアが増加した状態では，細隙灯の光が束として観察される．またセルは，観察光内に Tyndall 現象によって微塵として観察される．これらは，表 18-1, 2 に挙げるような

表 18-1 細隙灯顕微鏡によるセルの半定量的判定法

Grade	1 視野内細胞数*
0	<1
0.5+	1～5
1+	6～15
2+	16～25
3+	26～50
4+	>50

＊縦，幅とも 1 mm のスリット光で観察

〔Standardization of Uveitis Nomenclature (SUN) Working Group: Standardization of uveitis nomenclature for reporting clinical data. Results of the First International Workshop. Am J Ophthalmol 140: 509-516, 2005 より〕

表 18-2 細隙灯顕微鏡によるフレアの半定量的判定法

Grade	記述
0	なし
1+	わずか
2+	中等度(虹彩，水晶体の詳細が明瞭に観察)
3+	高度(虹彩，水晶体の詳細が不明瞭)
4+	著明(線維素析出)

〔Standardization of Uveitis Nomenclature (SUN) Working Group: Standardization of uveitis nomenclature for reporting clinical data. Results of the First International Workshop. Am J Ophthalmol 140: 509-516, 2005 より〕

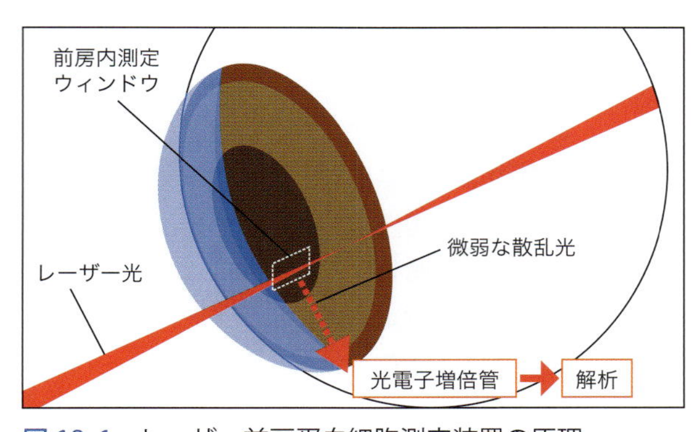

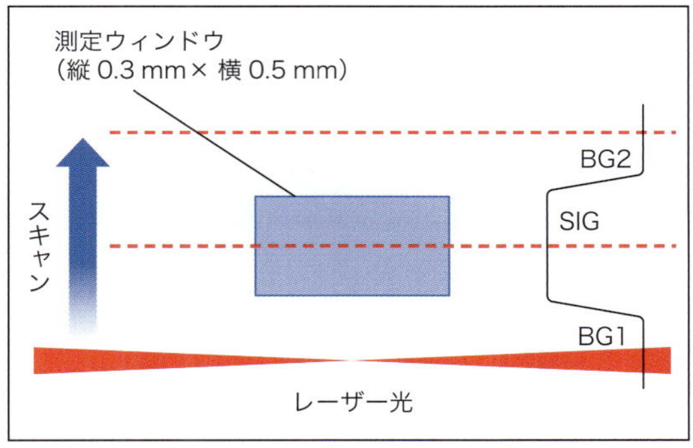

図 18-1　レーザー前房蛋白細胞測定装置の原理
（コーワ社ホームページ https://www.kowa.co.jp/e/life/product/flare_meter.htm より）

SUN（Standardization of Uveitis Nomenclature）グレーディングで半定量的に判定する．SUN グレーディングは簡便で特別の機器を必要としないという利点があるが，観察者による差異があるという欠点がある．

b. レーザー前房蛋白細胞測定装置（レーザーフレア・セルメーター）

弱いレーザー光を当てて，前房内での散乱光を測定することで前房の炎症の程度を定量化する装置で，1980 年代から開発されている．原理を図 18-1 に示す．集光レンズを経て前房内に当てられた赤色半導体レーザーの光（波長：635 nm）による散乱光を，観察系と直交する受光レンズで検出する．光電子増倍管で光電に変換され，背景信号を引いた値が数値化される．観察領域は 0.3×0.5 mm であり，この領域を約 0.5 秒でスキャンして測定される．セルは，観察領域を横切る際に生じる散乱光のピークの数を測定して行われる．フレアの正常値は，3.0〜5.0 pc/ms（フォトンカウント/ミリ秒）であり，炎症眼では 10〜150 pc/ms に増加する．セルは正常では検出されない．

現在手に入るのは，コーワ社製のものであり，細隙灯顕微鏡と一体化した FM-700 とテーブルトップ型の FM-600α が購入可能である（図 18-2）．原則として暗所で測定したほうが安定した結果が得られるが，FM-600α では明室カバーを使用することで暗室でなくても測定可能となっている．なお，以前の器械ではセルの定量化も行われ「レーザーフレア・セルメーター」と呼ばれていたが，近年の機器はフレアの測定に特化している．なお本検査は，「レーザー前房蛋白細胞数検査」として保険収載されている（D-280，160 点）．

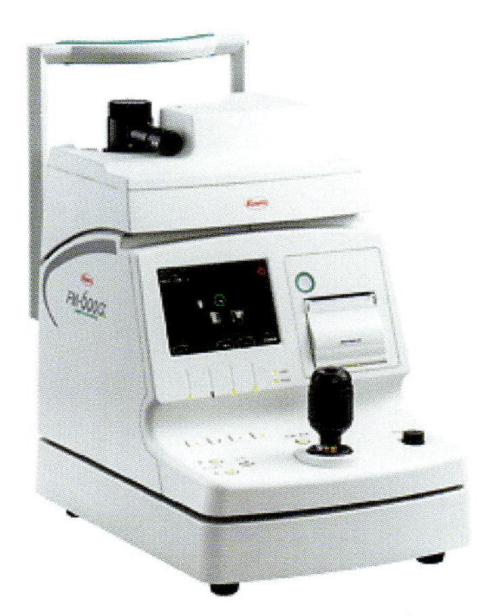

図 18-2　レーザーフレアーメーター®
（コーワ FM-600α，コーワ社ホームページ https://www.kowa.co.jp/e/life/product/flare_meter.htm より）

4 適応

a. 内眼手術時の前房内炎症

内眼手術後に生じる前房内炎症の定量が最大の適応である．特に白内障手術後での測定が広く行われている．本検査によって手術侵襲の定量化，および抗炎症剤の効果判定を行うことができる．

白内障術後には，現在の小切開手術では一般的に術直後にフレア，セルの増加を認めるが，術後1〜2週でほぼ正常化する．

b. 内因性疾患

内眼手術のほか，内因性の疾患，特にぶどう膜炎によって生じる前房内炎症に対しても施行され，治療効果判定に有用である．

c. その他

加齢や糖尿病によってもフレア値の増加をみる．糖尿病では，網膜症の重症度とフレア値が関連する．その他，網膜剝離や網膜静脈閉塞症，網膜色素変性症でもフレア値の上昇を認めたと報告されている[1]．

検査のポイント

- ☑ 普通瞳孔でも測定可能であるが，虹彩からの散乱光によるノイズを避けるために散瞳状態のほうが結果が安定する．ただし散瞳により，前房内のフレア・セルが変動する可能性も考慮しなくてはならない．
- ☑ 測定時には測定位置のアライメントをきちんと調整することが重要である．
- ☑ 測定は複数回行い，結果をみて不適切なデータを削除したうえで平均を取る．
- ☑ レーザーフレアメーターでは，測定範囲が小さいために細隙灯顕微鏡での所見と必ずしも一致しないことがある．特にセルの値が小さめに出ることがある．

▶文献

1） Hoshi S, Okamoto F, Hasegawa Y, et al: Time course of changes in aqueous flare intensity after vitrectomy for rhegmatogenous retinal detachment. Retina 32: 1862-1867, 2012

（島﨑　潤）

第19章
涙液検査

1 検査の概要

目的 涙液量の測定と涙液層の安定性の評価.

原理 ① 涙液量の測定：Schirmer 試験紙または綿糸を下瞼縁に挟み，濡れた長さを測定し，涙液量を求める. ② 涙液層の安定性の評価：フルオレセイン BUT(break-up time)では，フルオレセイン溶液を点眼後，涙液層が破綻するまでの時間を計測する.

適応 ドライアイなどの涙液の異常が疑われる疾患.

機器 Schirmer 試験紙，綿糸，フルオレセイン，細隙灯顕微鏡.

2 涙液と涙液層

涙液は角結膜表面を覆う薄い膜であり，大半は主涙腺から分泌され，瞬目によって眼表面に行き渡り，一部は蒸発し残りは涙点から排出される. 眼表面に存在する涙液量は正常者で約 6 μL といわれ，1 分間にその 20% ほどが入れ替わる. 涙液は，眼表面を潤すだけでなく，角結膜上皮細胞に栄養を供給する働きもある. 実際，涙液中には多くの電解質，蛋白，アミノ酸などが含まれている. 涙液量の減少に対して処方される多くの点眼薬は，その組成の部分で本当の涙液の代用とはなっていない.

以前は，涙液層は表面から油層，水層，粘液(ムチン)層の 3 層構造をとるといわれてきたが，近年の考えではムチンは水層の中で上皮に向かって濃くなる濃度勾配をもって存在するとされる(図 19-1).

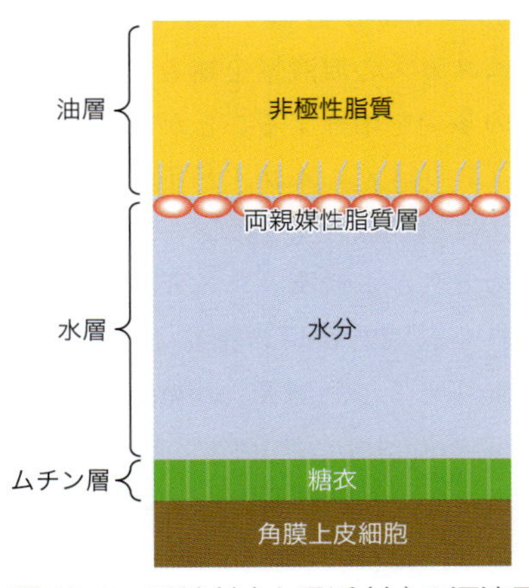

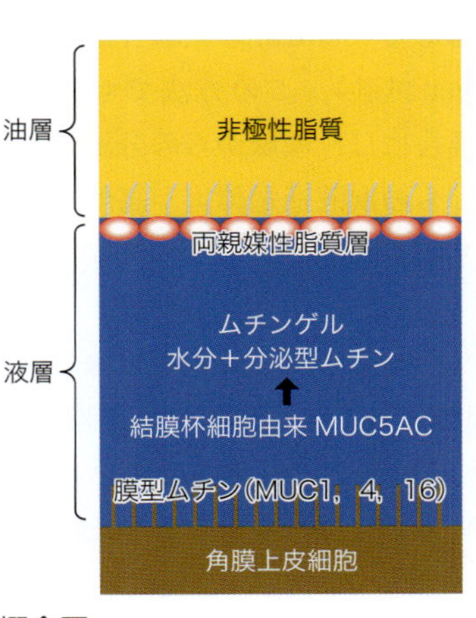

図 19-1 以前(左)と最近(右)の涙液層の構造概念図
(横井則彦，坪田一男：ドライアイのコア・メカニズム─涙液安定性仮説の考え方. あたらしい眼科 29：3-10，2012 より一部改変)

3 適応

涙液の検査には大きく分けて，涙液量の測定と涙液層の安定性の評価に分けることができる．適応となるのは，涙液の異常が疑われる疾患であり，ドライアイがその大半を占める．

4 検査方法

a. 涙液量の測定

1) Schirmer 試験

最も古くから行われている方法で，種々の変法も用いられている．原法となる Schirmer I 法では，被検者の余分な涙液を拭きとったあと，定められた Schirmer 試験紙を外側 1/3 の下瞼縁に挟む．そのまま開瞼・自由瞬目で 5 分間留置し，濡れた長さを測定する．この方法では，被検者の涙液基礎分泌と試験紙による刺激性分泌の和を測定していると考えられる．正常値は 10 mm 以上で，5 mm 以下は異常と判定される．

変法としてよく用いられているのは，点眼麻酔を併用するもので I 法変法ともいわれる．刺激が少ないため患者の不快は少なく，涙液基礎分泌を反映すると考えられる．また，測定中に閉瞼を保たせる方法もあり，このほうが若干患者の感じる刺激は少ない(図 19-2)．涙液の刺激性分泌能力を調べるために，綿棒で鼻粘膜を刺激したうえで測定する方法もある(Schirmer 試験 II 法，または鼻刺激 Schirmer 試験)．この方法でも分泌量が減少している場合には，涙腺からの分泌能力低下あるいは涙腺からの涙液通過障害が高度に存在することを示唆する．

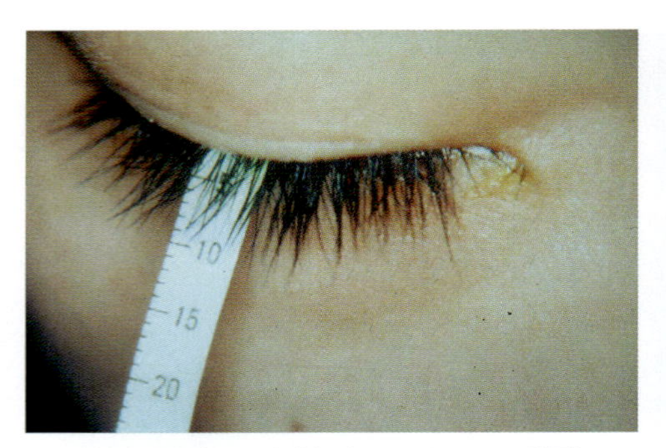

図 19-2 閉瞼して測定する Schirmer 試験

2) 綿糸法

濡れると色が変わる専用の綿糸を瞼縁に引っ掛けて，15 秒間でどのくらい濡れるかを測定する．Schirmer 試験が涙腺からの分泌能力をみているのに対して，綿糸法は眼表面に貯留した涙液量を反映していると考えられる．正常値は 20 mm 以上，10 mm 以下は異常とされる．近年，より詳細に貯留量を測定するストリップメニスコメトリーも開発された．

3) 涙液クリアランス試験

涙液量の検査というよりも涙液動態を調べる検査であるが，Schirmer 試験と同時に行われることが多いのでここで取り上げる．あらかじめ濃度の決まったフルオレセイン液を一定量(5% 溶液を 10 μL がよく用いられる)マイクロピペットなどで点眼し，5 分後に通常の Schirmer 試験を行う．5 分後に試験紙の濡れた長さとともにその色を比色表と比べて検査液の希釈の程度を半定量的に判定する．正常では 8 倍以上であり，4 倍以下では涙液の新陳代謝が低下していることが示唆され，高度の涙液分泌低下や涙道通過障害の場合にみられる．

4) その他の機器による測定法

眼表面の涙液量を非侵襲的に測定する試みがなされている．涙液メニスカスには眼表面の涙液の 85〜90% が貯留していると考えられるので，メニスカスの涙液量を知ることで眼表面全体の涙液の多少を類推することができる．

1 つはメニスコメトリーであり，涙液メニスカスに縞模様の光を投影し，反射して返ってくる縞の太さから涙液メニスカスの曲率半径を求め，これを涙液貯留量の指標とする．もう 1 つは，前眼部光干渉断層像(anterior segment optical coherence tomography：AS-OCT)を利用するものである．矢状断で涙液メニスカスの部分を測定すると，正常では角膜と眼瞼縁の間に三角形の涙液メニスカスが映しだされる(図 19-3)．この高さや曲率半径，面積を測定することでメニスカスに

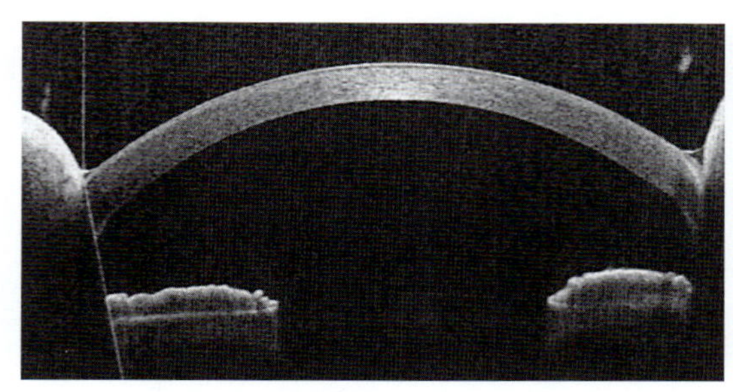

図 19-3　正常 AS-OCT 像
左右にみられる涙液メニスカス像を解析して涙液貯留量を調べる．

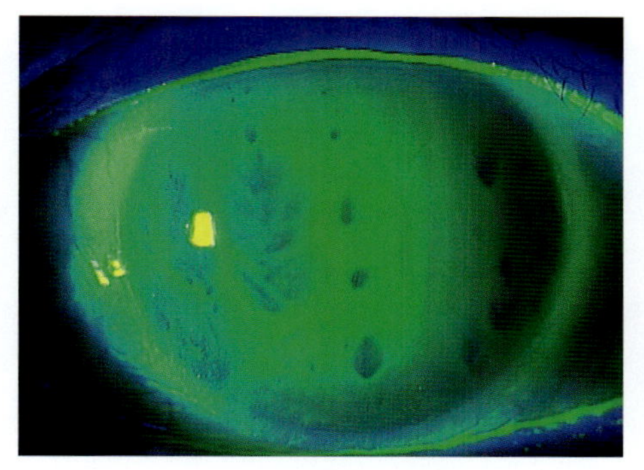

図 19-4　ドライアイ患者に見られた BUT 検査での dark area

ある涙液量を評価する．

いずれの方法も，涙液メニスカスの限られた部分のみを測定しており，結膜弛緩症や眼瞼外反などがあると正確に測定できないことは念頭においておくべきである．

b. 涙液層安定性の評価

涙液は，十分な量が分泌されているだけでなく，角結膜表面に安定して存在することが必要である．その評価には，開瞼を継続した状態で涙液層がどのくらいの時間維持されるかで判定する方法と，瞬目・開瞼に伴う涙液動態を観察する方法がある．

1) フルオレセイン涙液層破壊時間 (fluorescein tear film breakup time)

最も広く行われている涙液層安定性の検査法は，フルオレセインを用いた涙液層破壊時間(tear film breakup time：BUT)の測定である．フルオレセイン溶液を点眼後数回瞬目させたあと，開瞼を保ってもらい，角膜上にフルオレセインで覆われない部分(暗く見えるので dark area と呼ばれる)が出現するまでの時間を測る(図 19-4)．3 回測定してその平均をとる．5 秒未満が異常とされる．最近は，BUT の測定だけでなく涙液層破壊の動態(breakup pattern：BUP)を観察することで，ドライアイの原因を探る tear film oriented diagnosis の考え方が提唱されてきている．

2) 非侵襲的涙液層破壊時間 (noninvasive BUT：NIBUT)

フルオレセイン溶液を用いないで涙液層の破壊時間を測定する．投影光によって生じる涙液層表面での反射光のパターンを観察し，その経時的な歪みから測定する．現在日本で市販されている装置としては Keratograph 5M®(Oculus 社)，ICP Tearscope®(SBM Sistemi 社)，idra®(SBM Sistemi 社)，DR-1α®(コーワ社)などがある．

3) 涙液干渉像の観察

涙液油層からの干渉像を観察することで，油層の状態のみならず水層の量や動態も評価することができる．上記の NIBUT の測定と同じ機器が用いられることが多い．

検査のポイント

- Schirmer試験は，涙液量測定のスタンダードな方法であるが，再現性があまりよくないことが知られている．その理由の1つは，試験紙の留置状態によって引き起こされる刺激にばらつきが多いことが挙げられる．再現性を向上させるには，試験紙の入れ方をなるべく一定にするとともに，必要に応じて何回か測定をすることが求められる．
- フルオレセインを用いたBUTなどの涙液検査では，用いる溶液量を最小限にすることが重要である．大量のフルオレセインを用いると涙液量が増え，正しい評価ができなくなる．点眼 1 滴は，正常者の涙液貯留量の 5～8 倍あることに留意すべきである．

（島﨑　潤）

第20章

OCT検査

I 前眼部

1 検査の概要

目的 前眼部の混濁した組織の観察，高倍率による観察・測定．

原理 光干渉．

適応 正常～高度の不正乱視．

機器 光干渉断層計(optical coherence tomography：OCT)．

2 前眼部における OCT

前眼部における OCT の使用は 1994 年に初めて報告され[1]，それ以降，前眼部疾患の病態の把握や，前眼部手術の術前・術後の評価に使用され，検査目的は，混濁した組織の観察，高倍率の観察，測量(定量化)の 3 点である[2]．本項では，前眼部 OCT の測定原理，検査時の注意点，得られる所見を症例呈示しながら解説する．

3 原理と機器

OCT は，組織断面を取得して，それを 3 次元立体構築するものである．原理の違いによりタイムドメイン OCT(time domain OCT：TD-OCT)，スペクトラルドメイン OCT(spectral domain OCT：SD-OCT)，スウェプトソース OCT(swept sauce OCT：SS-OCT)に大別される．

初期の OCT は，参照光とプローブ光の光路長差を変化させ，連続的に試料の散乱分布を反映する干渉波形を得る TD-OCT であったが，現在はより高速で解像度が高い Fourier ドメイン OCT (Fourier domain OCT：FD-OCT) が主流である．FD-OCT は，SD-OCT と SS-OCT がある．FD-OCT は，参照光とプローブ光を分光し，スペクトル領域で干渉信号を計測し，Fourier 変換して試料の断層情報を得るものである．これはさらに，広帯域波長の光源を回折格子と一次元センサを用いてスペクトル分解し，スペクトル干渉信号を取得する SD-OCT，光源の波長を時間的に掃引させ，その波長変化を時間的に計測することでスペクトル干渉信号を取得する SS-OCT に分かれる．SD-OCT で前眼部測定が可能な装置の特徴は，本来網膜用のため波長が 840 nm であり，解像度が高く高倍率で表示されるが測定範囲は狭い．これに対して，SS-OCT は，同じ FD-OCT に属するが前眼部専用の装置のため波長が 1,310 nm で，SD-OCT より低倍率で表示されるが測定範囲は広く，3 次元解析や角膜形状解析が可能である[2]．このように，機種ごとで測定波長による測定範囲の違いや解像度の差があり，得られる結果も異なる(図 20-1)．したがって，あらかじめ測定目的を明確にしておくことが重要である．本項では，SS-OCT として CASIA2(TOMEY)，SD-OCT として RTVue-100(Optovue 社)を例に解説する．

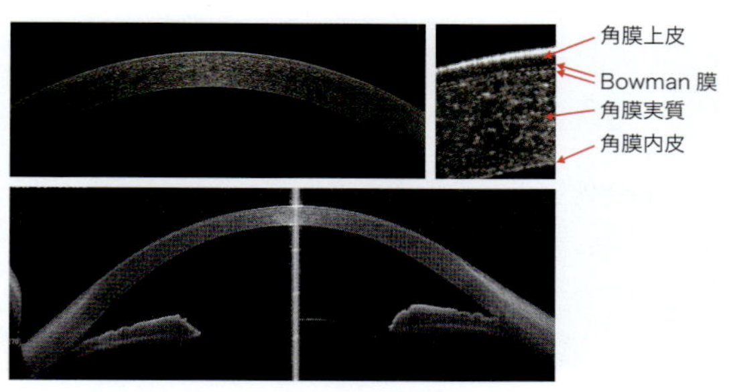

図 20-1　SD-OCT である RTVue-100（上図）と SS-OCT である CASIA（下図）の断層像
SD-OCT は，解像度が高く，拡大すると角膜の層構造が確認できるが，撮影範囲は狭い．SS-OCT は解像度はやや劣るが，撮影範囲が広い．

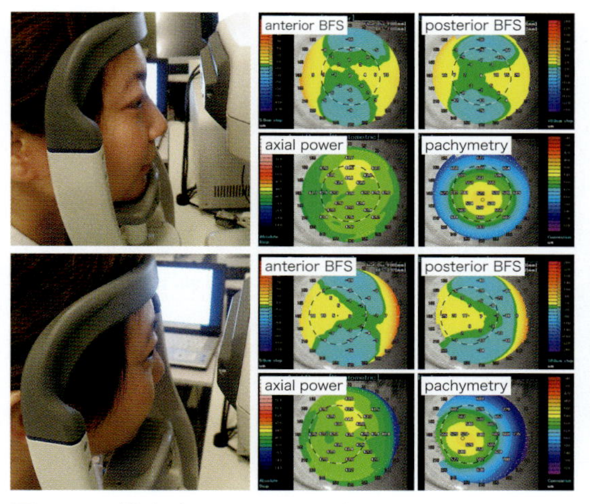

図 20-2　検査時のアライメント
上図は正しいアライメントで撮影された角膜形状解析結果である．下図は間違ったアライメントで撮影され，基準点が角膜頂点とずれた結果，角膜中央が偏心している．

4 検査時における注意点

OCT は非接触式検査で，測定時間が短く，測定光は近赤外線なので検査時のまぶしさが少なく，小児から高齢者まで幅広い年代に検査が可能である．正しい検査を行うには，前眼部 OCT は角膜の断層像がアーチ状に取得されるが，緑内障や網膜疾患の OCT と異なり視神経や黄斑などの指標がなく，必ずしも前回撮影時と同部位が検査できているとは限らないので，基準点が角膜頂点にあるか否かを確認するアライメントチェック（図 20-2），複数回の検査によるデータの再現性のチェック，開瞼状態のチェックが大変重要である．開瞼が不十分だと縦方向の画像所得が不十分になるが，過度に開瞼しようとして眼球を圧迫してしまうと角膜の形状が変化してしまうため，開瞼の仕方にも注意を払う（図 20-3）．また，OCT は暗室に設置されている場合が多く，角膜移植後などの検査時は，眼球がヘッドレストや顎台に衝突しないようガイドして外傷に注意する．

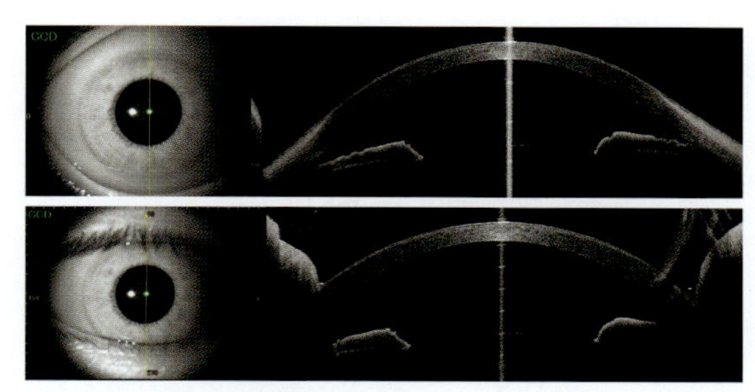

図 20-3　開瞼状態のチェック
上図は十分な開瞼が得られており，隅角まで撮影できているが，下図では開瞼が不十分なため隅角が見えない．検査時には，CCD 画像を参照しながら行うとよい．

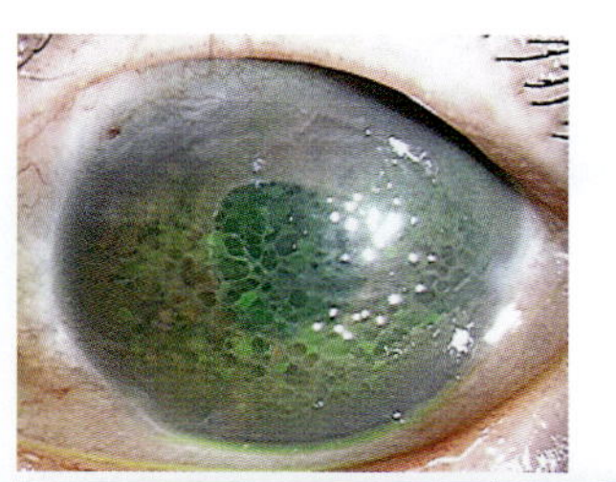

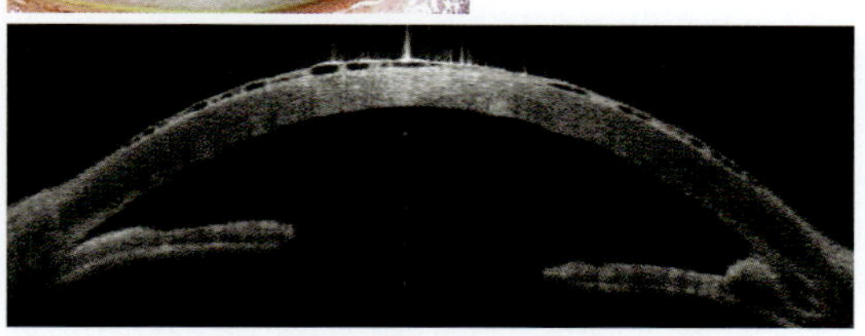

図 20-4　水疱性角膜症の SS-OCT による断面像
角膜上皮と角膜実質の境界が観察でき，上皮下水疱，Descemet 膜皺襞，下方には周辺虹彩前癒着がみられる．

5 検査方法

a. 角膜疾患

OCT で角膜疾患を観察すると，病変の菲薄化や浮腫，虹彩癒着の有無などを角膜混濁部位であっても可視化できる．また，高倍率で観察すると上皮と実質を分離して観察でき（図 20-4），病

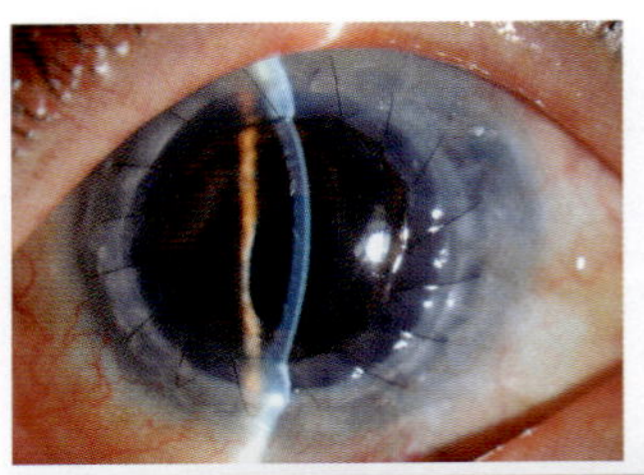

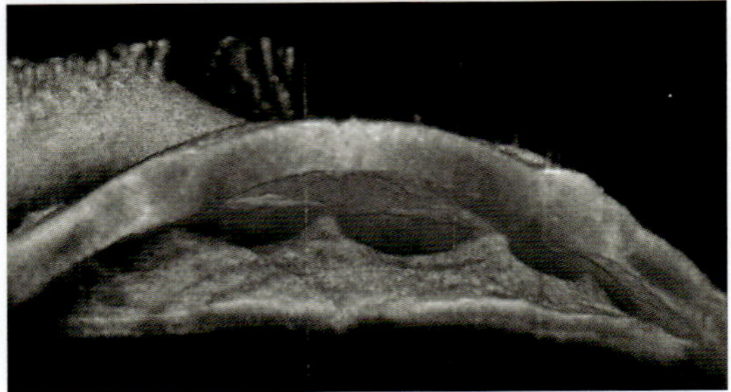

図 20-5 全層角膜移植後のSS-OCTによる3D-Gonioscopic view

症例は全層角膜移植後で，移植片は透明だが母角膜の周辺部の混濁があり細隙灯顕微鏡では虹彩前癒着の有無がわかりにくいが，OCTで3次元立体構築すると隅角鏡検査様の所見が取得でき，周辺虹彩前癒着がみられ，動画としても表示できる．

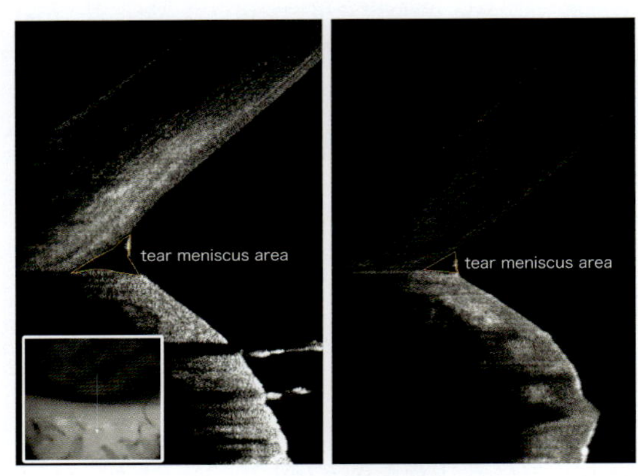

図 20-6 SD-OCTによる下眼瞼中央で撮影した涙液メニスカス所見

tear meniscus areaを比較すると，正常眼は0.05 mm^2（左図）であるのに対して，ドライアイ症例は0.01 mm^2（右図）に低下している．

態の理解に役立つ．角膜厚，実質境界面の計測は，円錐角膜の診断[3]，深層層状角膜移植術[4]，角膜内皮移植術[5]，エキシマレーザー治療的角膜切除術[6]で利用されている．深層層状角膜移植や角膜内皮移植などの角膜パーツ移植では，移植片と母角膜のDescemet膜や残存実質との関係，角膜内皮移植術での移植片の形状や位置[7]の観察が

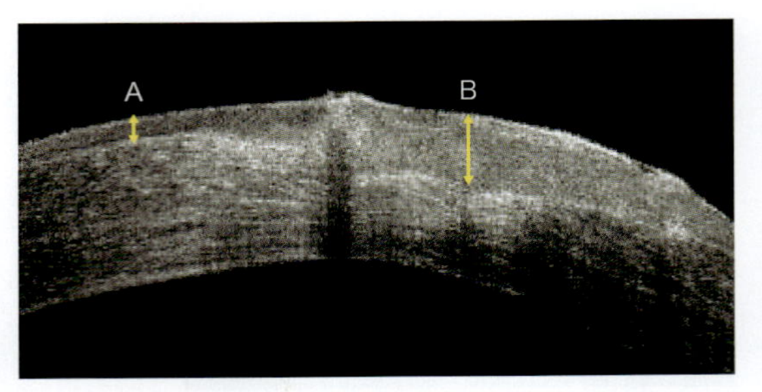

図 20-7 続発性角膜アミロイドーシスにおけるSD-OCT所見

正常の上皮（A）と比較し病変（B）は，高輝度で菲薄化した実質の上に観察され，Bowman膜は破壊され実質との境界が明瞭である．沈着病変の最深度は150 μmで，正常角膜上皮50 μm（A）の約3枚分の深さであることが見て取れる．切除する際は，OCT所見をガイドとして使用することで容易かつ安全に行える．

行われている．また全層角膜移植では，母角膜移植片の接合部の状態や虹彩前癒着，隅角の評価（図 20-5）に使用される．涙液メニスカスの観察[8]（図 20-6）や角膜上皮と上皮下組織の層構造を詳細に評価できるため，続発性角膜アミロイドーシス（図 20-7）や角膜ジストロフィでは，術前に前眼部OCTで評価しておくと沈着の局在や切除量の検討ができ，前眼部OCTを手術ガイドとして利用することで安全かつ比較的容易に行える．

b. 緑内障

緑内障でOCTを使用するメリットは，隅角の評価が隅角鏡に比較し非接触で，定量化できる点である．基本の検査は隅角鏡であるが，慣れを要し，開大度の評価は主観的である．SS-OCTでは，3次元解析が可能なため閉塞隅角の程度や隅角検査に類似した画像が取得でき，手術前後の定量的評価（図 20-8）や全層角膜移植後早期で隅角鏡検査をためらう場合に有用である．また，緑内障手術術後に濾過胞の内部構造の評価や機能の推定も可能である[9]（図 20-9）．欠点は，隅角鏡と比較し，隅角色素の評価や圧迫検査ができないこと，超音波生体顕微鏡と比較し毛様体裏面の描出ができないことである．

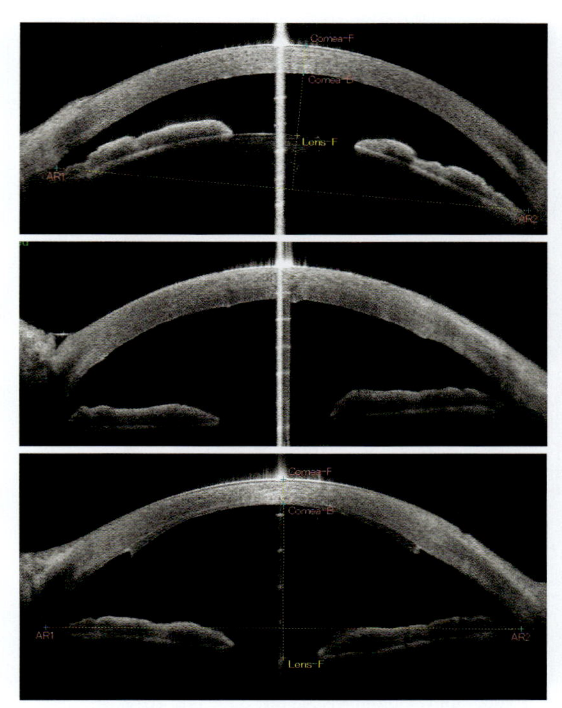

図 20-8 閉塞隅角緑内障に水疱性角膜症を合併した症例に対する白内障手術前後の SS-OCT による断層像

手術前(上段図)は水晶体厚が増加し虹彩が前方に弯曲し，Descemet 膜皺襞も見られた．前房深度は 1.5 mm だったが，水晶体再建手術を行い虹彩の前方弯曲が改善し前房深度は 3.7 mm に拡大し(中段図)，最終的に角膜内皮移植を行った(下段図)．

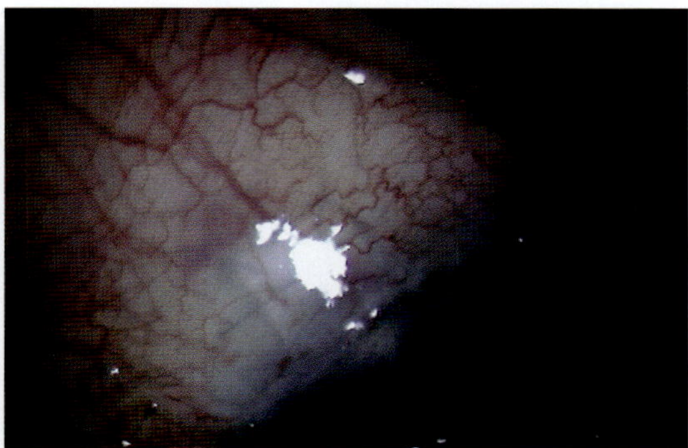

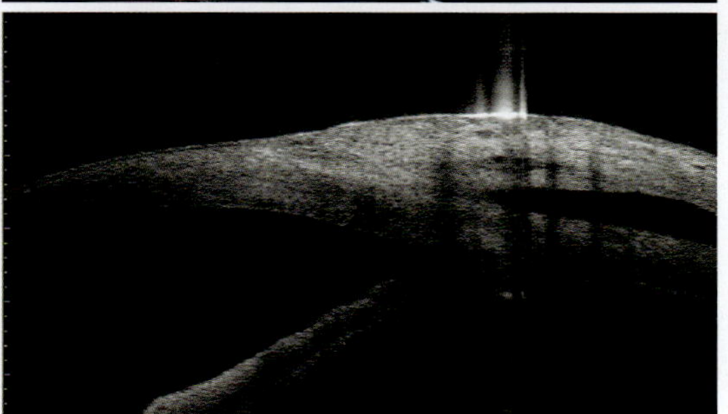

図 20-9 線維柱帯切除後の SS-OCT 所見

濾過胞の厚みや内部構造が観察できる．

c. 白内障

CASIA2 では，角膜前面から水晶体前，後面，前部硝子体まで一度に撮影できる．手術前後で切開創の断層像と角膜厚を比較すれば，自己閉鎖創の客観的評価と定量化が行える．また眼内レンズ挿入後の偏心や傾斜なども計測できるため眼内レンズの光学的特性をより詳細に解析できる可能性がある(図 20-10)．

検査のポイント

- ☑ OCT は，短時間に多くの情報を得ることができ，前眼部疾患の診断，手術計画や手術後評価に有用な装置である．
- ☑ 非接触で操作性がよくコメディカルでも検査が行えるが，検査結果が治療方針に直結しており，事前に検査目的や撮影部位を診察医と視能訓練士の間で確認することが重要である．
- ☑ すべての画像診断にいえることであるが，個々の検査時に自身で結果の再現性と信頼性を確認することを怠ってはならない．

▶文献

1) Izatt JA, Hee MR, Swanson EA, et al: Micrometer-scale resolution imaging of the anterior eye in vivo with optical coherence tomography. Arch Ophthalmol 112: 1584-1589, 1994
2) Maeda N: Optical coherence tomography for corneal diseases. Eye Contact Lens 36: 254-259, 2010
3) Li Y, Meisler DM, Tang M, et al: Keratoconus diagnosis with optical coherence tomography pachymetry mapping. Ophthalmology 115: 2159-2166, 2008
4) Lim LS, Aung HT, Aung T, et al: Corneal imaging with anterior segment optical coherence tomography for lamellar keratoplasty procedures. Am J Ophthalmol 145: 81-90, 2008
5) Kymionis GD, Suh LH, Dubovy SR, et al: Diagnosis of residual Descemet's membrane after Descemet's stripping endothelial keratoplasty with anterior segment optical coherence tomography. J Cataract Refract Surg 33: 1322-1324, 2007
6) Miura M, Mori H, Watanabe Y, et al: Three-dimensional optical coherence tomography of granular corneal dys-

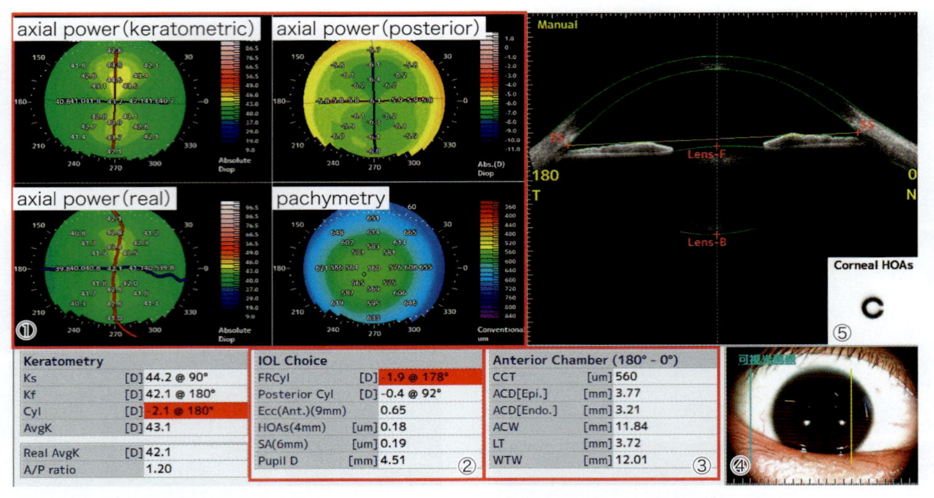

図20-10 CASIA2 advanceにおけるCASIA IOL Cataract Surgery：CICSアプリケーション

CASIA2 advanceはOCT断層像が高画質に，前眼部写真が可視光によりカラー表示となった．術前検査アプリケーション"Pre-op Cataract"は，①角膜トモグラフィ，②角膜前後面乱視，角膜球面収差，角膜全高次収差，瞳孔径，③前房深度，水晶体厚，④前眼部カラー写真，⑤Landolt環シミュレーションなど，IOL選択に必要な情報を一度に表示する．

trophy. Cornea 26: 373-374, 2007
7) Higashiura R, Maeda N, Nakagawa T, et al: Corneal topographic analysis by 3-dimensional anterior segment optical coherence tomography after endothelial keratoplasty. Invest Ophthalmol Vis Sci 53: 3286-3295, 2012
8) Czajkowski G, Kaluzny BJ, Laudencka A, et al: Tear meniscus measurement by spectral optical coherence tomography. Optom Vis Sci 89: 336-342, 2012
9) Kawana K, kiuchi T, Yasuno Y, et al: Evaluation of trabeculectomy blebs using 3-dimensional cornea and anterior segment optical coherence tomography. Ophthalmology 116: 848-855, 2009

（戸田良太郎）

II 網膜

A. OCT

1 OCT検査の概要

目的 網膜の断層画像を撮影する検査．

原理 近赤外線を測定光として用いて光干渉現象で断層像が得られる．

適応 網膜疾患，特に黄斑疾患．

機器 光干渉断層計(OCT)．

2 OCTを使用した網膜検査の意義

OCTの断層像から網膜浮腫，出血の範囲や深さ，網膜層構造の変化など正確に把握することができ，病気の発見，治療方針の決定，治療効果の判定が的確に行うことができるようになった．

3 OCTで見える網膜の層構造

a. 正常網膜

黄斑部では中心窩が最も薄く，OCTイメージでは陥凹している(図20-11)．硝子体未剝離眼では，黄斑部の前方に硝子体液化腔(後部硝子体皮質前ポケット)が存在し，ポケットの後壁は薄い硝子体皮質からなる．OCTでは硝子体ポケットは周囲の硝子体ゲルより低反射を示す．網膜は光学顕微鏡所見から10層に区分される(図20-12)．網膜に到達した光は，第1ニューロンである視細胞で電気信号に変換されたのち，第2ニューロン(双極細胞)，第3ニューロン(神経節細胞)を介してその情報が中枢に伝達される．

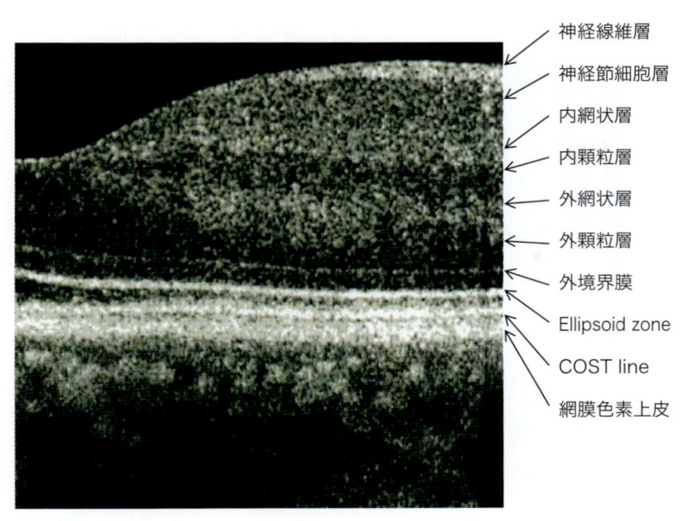

図 20-12 SD-OCT イメージ
左側が中心窩.

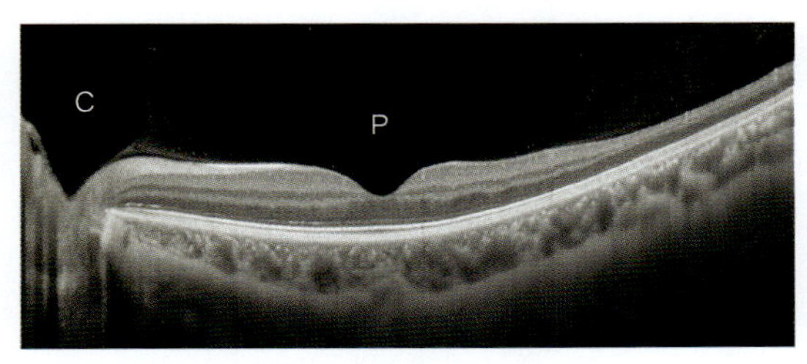

図 20-11 Swept source OCT イメージ
C は Cloquet's canal，P は後部硝子体皮質前ポケット.

OCT イメージは光学顕微鏡で観察した組織切片に類似しているが，あくまでも光波によるエコー情報をもとに構成された像であり，実際の組織切片とは同一ではない．OCT イメージでは核のある層は低輝度で暗く，神経線維層，内網状層，外網状層など線維からなる層が高輝度になっている．すなわち細胞層は低反射，神経突起では高反射ということになる．以下，網膜の各層構造について述べていく．

b. 神経線維層，神経節細胞層，内網状層

神経線維層(nerve fiber layer：NFL)は高反射を呈し，OCT では高輝度になる．黄斑部の NFL＋網膜神経節細胞(ganglion cell layer：GCL)＋内網状層(inner plexiform layer：IPL)，あるいは GCL＋IPL の厚みを評価することで，緑内障の初期の状態を把握することができるようになった[1)].

c. 内顆粒層

内顆粒層(inner nuclear layer：INL)は細胞体からなるため，OCT で低反射層になる．中心窩には内顆粒層は存在しないため，内顆粒層の低反射は中心窩で途切れる．OCT イメージを見たとき，断面が中心窩を通っているかどうかそれで判定できる．

d. 外顆粒層

外顆粒層(outer nuclear layer)も細胞体からなるため，OCT で低反射層になる．中心窩では最も厚く，ほぼ網膜全体を占める．中心窩では外顆粒層はごく薄い Henle 線維層を介して硝子体に接しており，その断面が中心窩を通っているか判定できる．

e. 外境界膜

外境界膜(external limiting membrane)は視細胞内節の付け根と Müller 細胞の接合部に相当する．すなわち外境界膜は真の膜ではなく，Müller 細胞と視細胞の接合部が光学顕微鏡で膜

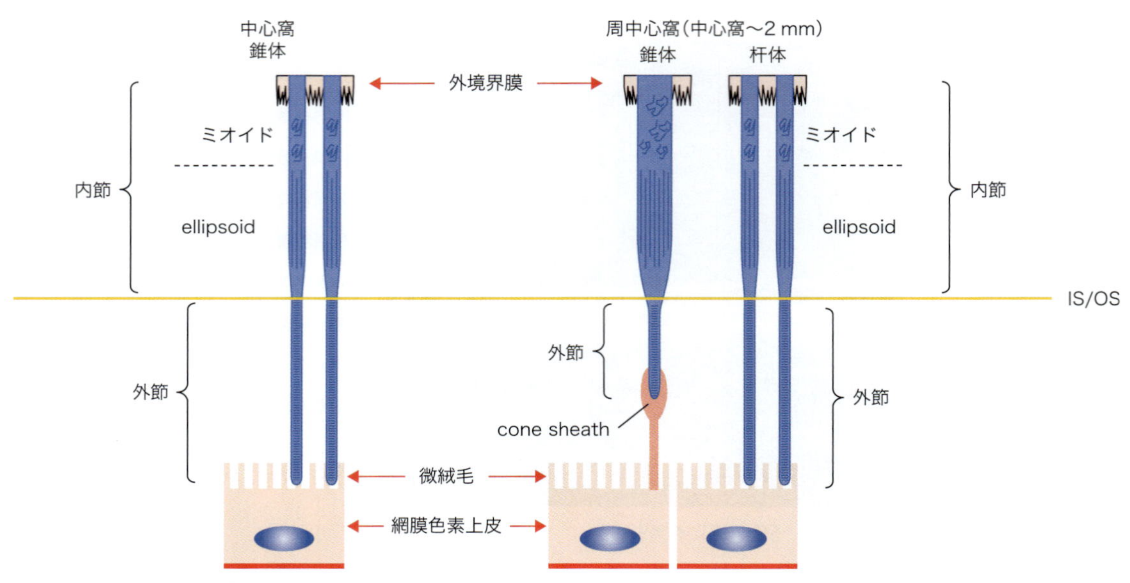

図 20-13　錐体と杆体の形態
(大谷倫裕：身につく OCT の撮り方と所見の読み方．p6，金原出版，2013 より一部改変)

様に観察されるもので，OCT ではこの接合部は連続した高反射ラインとしてみえる．

f. ellipsoid zone〔視細胞内節外節接合部(IS/OS)〕

視細胞の内節はミトコンドリアが集積する ellipsoid と粗面小胞体に富む myoid からなり，外節は細胞膜が幾重にも折りたたまれ，円板を重ねたような形態をとっている．従来，内節と外節の接合部を表す高輝度ラインとして，視細胞内節外節接合部(IS/OS) ラインと呼ばれていたが，Drexler らは補償光学超高解像 SD-OCT を用いて，内節外端 ellipsoid が高反射を示し，これが IS/OS ラインに相当するのではないかと報告している[2]．2014 年に IN.OCT Panel によって，従来の IS/OS ラインは ellipsoid zone と表記するよう統一された[3]が，いずれにしても同ラインの保存状態(integrity)は視機能に強く相関していることがわかっている(図 20-13)[4,5]．

g. cone outer segment tip line (COST line)

Ultrahigh resolution OCT を用いて Fujimoto らは錐体外節の終末端と結論付けている[6]．中心窩～2 mm の錐体は紡錘形であり，外節の長さは内節の半分程度で外節の先端は網膜色素上皮(retinal pigment epithelium：RPE)にとどかず，RPE から伸びた微絨毛がさやのように外節先端部を覆っている(cone sheath)(図 20-13)．

h. 網膜色素上皮

RPE を層構造として認識可能になったことで，特に加齢黄斑変性(AMD)の診断で大きな威力を発揮するようになった．

4 検査方法

専用の顎台に顎をのせ，機械内部にある固視灯を見つめてもらうだけである．検査は片眼ずつ行う．散瞳していなくても撮影は可能で，解析時間を含めても 10 分ほどで検査を終えることができる．

検査のポイント

☑ 得られた画像のシグナル強度に注意する必要がある．シグナル強度が弱くなる理由として，撮影時の瞬目や眼球運動，白内障をはじめとする角膜から中間透光体の混濁が挙げられる．シグナル強度不足により，各種解析において正確性を欠いてしまう．

5 正常値

Ooto らは日本人正常眼の黄斑網膜の各層の厚みについて男女差や加齢による変化を詳細に報告している[7]．日本人男性の平均中心窩厚は 226 μm で女性の 218 μm よりも有意に厚い．日本人正常眼の中心窩下外網状層＋外顆粒層厚，内節厚，外節厚はそれぞれ，77.6，26.9，39.8 μm である．

B. OCT angiography（OCTA）

1 OCTA 検査の概要

目的 網膜血流画像を撮影する検査．

原理 Structural OCT を機能的に拡張したもので，B スキャンを繰り返し行うことで動きのコントラストを検出し，血流を可視化する．

適応 網膜疾患，特に網膜血管疾患．

機器 光干渉断層計（OCT）．

2 OCTA を使用した網膜血流検査の意義

OCTA は従来の眼科で網膜血流を評価するために行っていたフルオレセイン蛍光眼底造影検査とは異なり，造影剤を使用しないため造影剤によるアレルギーやショックなどの重大な合併症が生じることがなく，非侵襲的に簡便に網膜血流を評価することができる．そのほかにも，網膜疾患，特に糖尿病網膜症や網膜動静脈閉塞症などの網膜血管疾患や加齢黄斑変性の所見を容易に発見すること，OCTA の画像から無血管領域や新生血管，網膜内微小血管異常，脈絡膜新生血管，血管閉塞などの所見を確認すること，病気の発見，治療方針の決定，治療効果の判定を随時的確に行うことなどが可能となった．また，OCTA は蛍光眼底造影検査とは異なり，血流を網膜各層の深さで表示することができる．

3 OCTA で見える網膜血管の構造

a. 正常網膜血管構造

黄斑部には最大で 4 つの網膜血管網がある．表層血管叢(superficial vascular plexus：SVP)は，網膜中心動脈から供給され，主に GCL に存在する動脈血管，細動脈，毛細血管，細静脈，および静脈血管で構成される．INL の上下には，「中間：intermediate」および「深層：deep」毛細血管叢(capillary plexuses)(ICP および DCP)と呼ばれる 2 つの深い毛細血管網があり，それぞれ SVP から垂直方向に吻合して供給される．第 4 のネットワークは，radial peripapillary capillary plexus(RPCP)と呼ばれる領域層である．RPCP は，NFL の軸索と平行に走っているため，解剖学的にユニークな構造をしており，DCP が小葉状になっているのとは対照的である．RPCP は，NFL への血流供給の役割を担っている．OCTA 内蔵の解析ソフトでは，既定のスラブを選択することで，網膜全層および網膜表層，網膜深層の網膜血流画像が表示される．OCTA の網膜表層解析は RPCP と SVP を合わせた superficial vascular complex(SVC)の血流を表しており，網膜深層解析は ICP と DCP を合わせた deep vascular complex(DVC)の血流を表している[8]（図 20-14）．

機種により撮影できる網膜の範囲が異なるが，黄斑を中心として 3 mm，6 mm，12 mm 四方の範囲を撮影でき，最近ではより広角な 23 mm×20 mm の範囲が撮影可能となった．

4 検査方法

基本的な検査方法は OCT と同様であるが，撮影範囲が広角になるにつれて，撮像時間も長くなる．

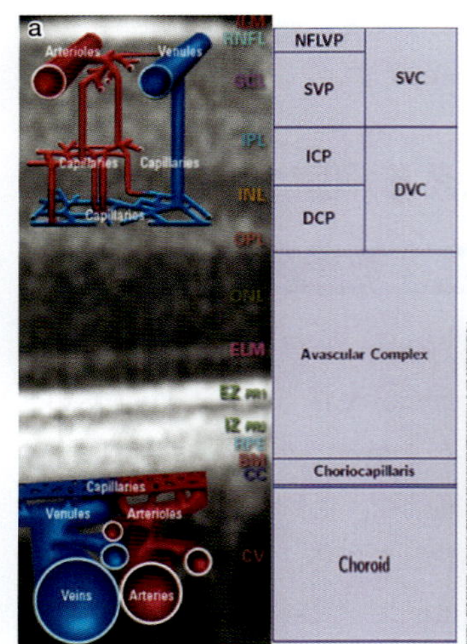

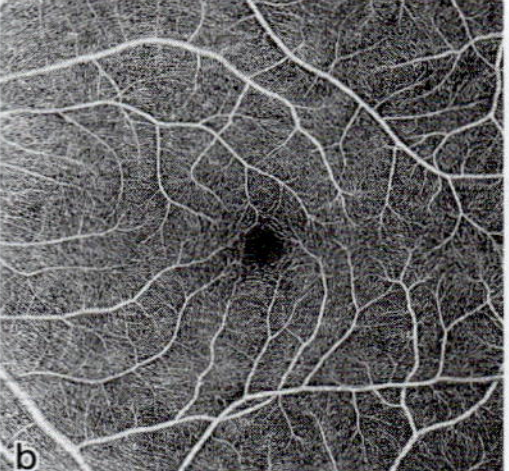

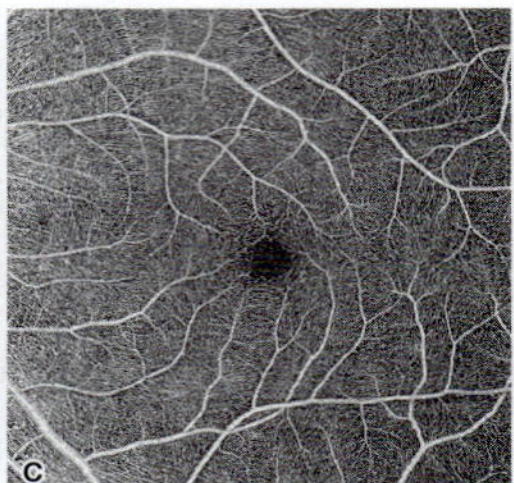

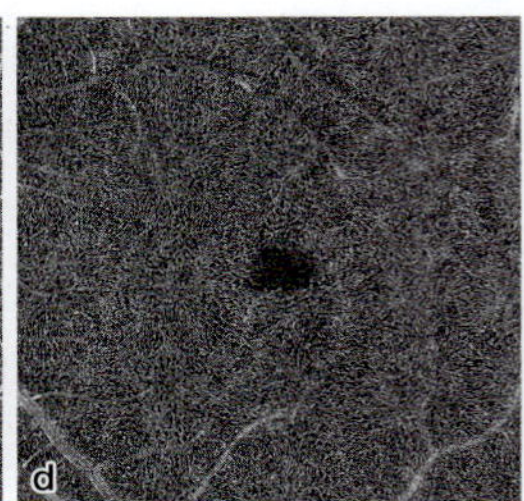

図 20-14　OCTA でみえる網膜血管網

a. 黄斑部 OCT 画像による網膜構造と網膜血管構造の位置関係（https://academy.heidelbergengineering.com/course/view.php?id=464&he_locale=en&he_country=JP&he_site=int からの画像を一部改変）.
b-d. Cirrus HD-OCT6000（Zeiss）で撮影された正常眼の網膜全層（b），表層（c），深層（d）の OCTA 画像（6 mm×6 mm）.

検査のポイント

☑ 得られた画像のアーチファクトに注意する必要がある．特に重要なものとして，プロジェクションアーチファクトとセグメンテーションエラーに注意する必要がある．プロジェクションアーチファクトは上層の血管がスクリーン（網膜色素上皮や強膜）に投射された形で画像化される．現行すべての OCTA 機器にはプロジェクションアーチファクトを除去する機能がついている．現在の OCTA 機器には，網膜各層の境界を自動的に検出する機能がついており，それにより注目する層の OCTA 画像を生成している．セグメンテーション処理が失敗することに起因して注目する層の OCTA 信号を表示できないアーチファクトをセグメンテーションエラーという．セグメンテーションエラーは正常眼で生じることは少ないが，網膜内浮腫や出血，硬性白斑，増殖膜，網膜剥離などにより網膜構造が乱れた場合に生じることが多い[9]．

5 代表的な検査機器

- Cirrus HD-OCT6000（Zeiss）
- Spectralis OCT（Heidelberg）
- RS-3000 advance 2（ニデック）
- DRI OCT Triton（トプコン）
- Xephilio OCT-S1（Canon）：23×20 mm の超広角 OCTA 撮影が可能

6 網膜疾患でみられる代表的な OCTA 所見

a. 無血流領域

糖尿病網膜症や網膜静脈閉塞症などの疾患でみられる．血流低下が生じている毛細血管網が OCTA で検出されない（図 20-15）.

b. 網膜新生血管

増殖性糖尿病網膜症などで検出されることがある．新生血管は網膜上にあり，一部硝子体へ進展している（図 20-15）.

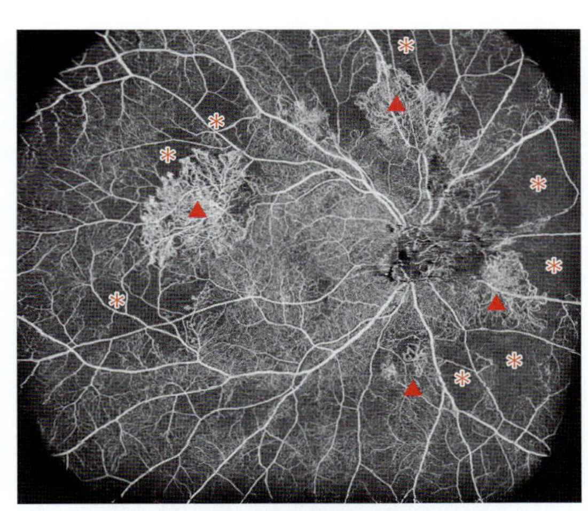

図 20-15 増殖性糖尿病網膜症の OCTA 画像
Xephilio OCT-S1（Canon）による 23×20mm の超広角 OCTA 画像．多発する無血流領域（＊NPA：area of non-perfusion），旺盛な網膜神経血管（▲ NV：neovascularizations）が検出される．

c. 網膜毛細血管瘤

蛍光眼底造影検査で検出される網膜毛細血管瘤のなかで，一部の毛細血管瘤は OCTA でも検出可能である．検出できない網膜毛細血管瘤は，内部で赤血球の動きがないものと考えられている．

d. 脈絡膜新生血管

加齢黄斑変性などで検出される．網膜と網膜色素上皮の間に検出される新生血管で，一部は網膜へ進展するものもある．

▶文献

1) Mwanza JC, Durbin MK, Budenz DL, et al: Profile and predictors of normal ganglion cell-inner plexiform layer thickness measured with frequency-domain optical coherence tomography. Invest Ophthalmol Vis Sci 52: 7872-7879, 2011
2) Fernández EJ, Hermann B, Povazay B, et al: Ultrahigh resolution optical coherence tomography and pancorrection for cellular imaging of the living human retina. Opt Express 16: 11083-11094, 2008
3) Staurenghi G, Sadda S, Chakravarthy U, et al: Proposed lexicon for anatomic landmarks in normal posterior segment spectral-domain optical coherence tomography. Ophthalmology 121: 1572-1578, 2014
4) Oishi A, Otani A, Sasahara M, et al: Photoreceptor integrity and visual acuity in cystoid macular oedema associated with retinitis pigmentosa. Eye (Lond) 23: 1411-1416, 2009
5) Ota M, Tsujikawa A, Kita M, et al: Integrity of foveal photoreceptor layer in central retinal vein occlusion. Retina 28: 1502-1508, 2008
6) Srinivasan VJ, Monson BK, Wojtkowski M, et al: Characterization of outer retinal morphology with high-speed, ultrahigh-resolution optical coherence tomography. Invest Ophthalmol Vis Sci 49: 1571-1579, 2008
7) Ooto S, Hangai M, Yoshimura N: Effects of sex and age on the normal retinal and choroidal structures on optical coherence tomography. Curr Eye Res 40: 213-225, 2015
8) Rocholz R, Corvi F, Weichsel J, et al: OCT angiography (OCTA) in retinal diagnostics. pp135-160, Springer International Publishing, 2019
9) Kadomoto S: All about OCT angiography: Principles and features. Nippon Laser Igakkaishi 42: 56-63, 2021

（秋山英雄，齊藤千真）

III 脈絡膜，強膜

1 検査の概要

目的 脈絡膜や強膜の断層画像を撮影する．

原理 光干渉現象で断層像が得られる．

適応 脈絡膜が一次病変と考えられる網膜疾患・黄斑疾患や強度近視眼などが対象となる．

機器 光干渉断層計（OCT）．850 nm 帯の光源を用いた SD-OCT と 1,050 nm 帯の長波長の光源を用いる SS-OCT の 2 種類が用いられる．

2 脈絡膜，強膜 OCT 検査の意義

全眼球血流の約 8 割を占め，視細胞を含む網膜外層の栄養を担っている脈絡膜を観察することは，病態を理解するうえで非常に重要なことである．従来，脈絡膜の評価方法はインドシアニングリーン蛍光眼底造影のみであり，その評価は二次元的なものであった．

2008 年に Spaide らによって市販の SD-OCT で脈絡膜を簡単に観察する方法（enhanced depth imaging OCT：EDI-OCT）[1]が報告され，一気に

脈絡膜観察の理解が進んだ．OCTによって深さ方向の情報を得ることが可能となり，脈絡膜が厚いか，薄いかを数値化して客観的な評価を行うことができるようになった．また最近では，1,050 nmの長波長光源を用いたSS-OCTでも脈絡膜観察が可能になっている．さらにOCTの高速化・高解像度化によって広範囲を連続撮影するボリュームスキャンが可能となり，得られたデータからen face画像を構築することで脈絡膜血管の走行や血管径を評価することができるようになりpachychoroid関連疾患の病態理解が進んでいる．

一方，脈絡膜が非常に菲薄化している強度近視眼では，多くの症例で脈絡膜のさらに後方にある強膜まで観察することが可能である．

3 検査方法

検査機器の顎台に顎をのせ，機器内部にある固視灯を見つめてもらい，画像を撮影する．SD-OCTでは脈絡膜モード(EDIモード)のボタンを押し，脈絡膜に焦点があった画像を撮影する．SS-OCTでは特別な操作なしで脈絡膜も撮影可能である．脈絡膜が薄い強度近視眼などでは強膜まで撮影可能である．鮮明な断層画像を得るために，眼内にできるだけ多くの測定光を入れ，眼底からきれいな反射を得ることを意識しながら撮影することが重要である．

4 検査機器

a. EDI-OCT

840〜880 nm帯の光源を用いたSD-OCTを使用し，EDIモードで脈絡膜を観察する．通常のSD-OCTでは，光源の視的距離に近いほど高画質な画像が得られ，光源から遠ざかるほど低画質な画像となる．つまりSD-OCTの撮影時には上方に硝子体・網膜が，下方に脈絡膜が表示されるために網膜側で高画質な画像，脈絡膜側で低画質な画像が得られることになる．この特性を考慮して，OCT装置を通常撮影より被検眼にさらに近接させると，上下逆転した画像，つまり上方に脈絡膜，下方に硝子体・網膜が表示されるようになり，脈絡膜が通常撮影よりも鮮明に映し出される(EDI-OCT)(図20-16)．現在ではモニタ上にEDIボタンがあり，マウスでクリックするだけで脈絡膜に焦点があった画像が取得できるようになっている．代表的な機器を示す．

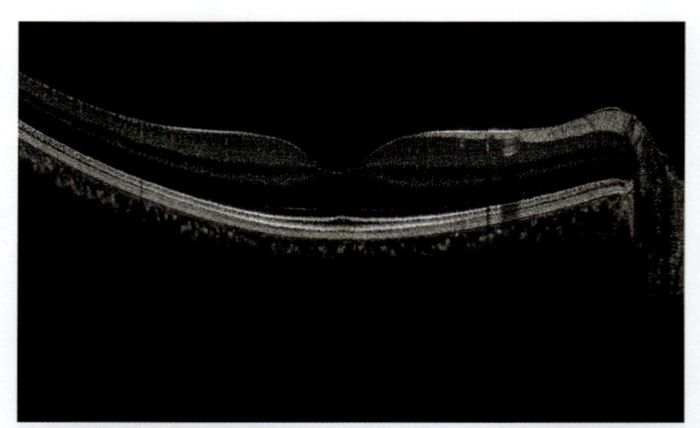

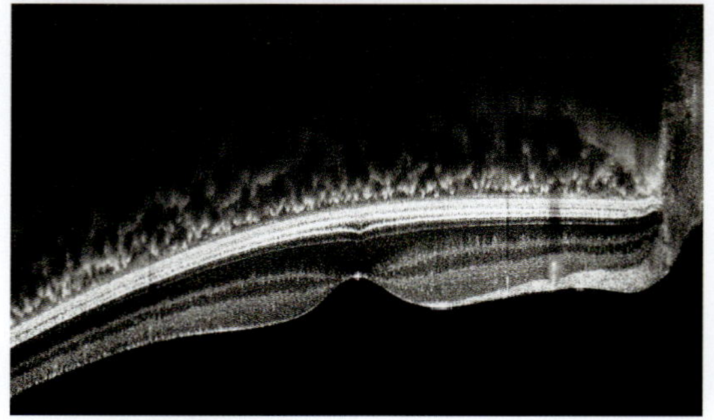

図20-16 EDI-OCT
OCT装置を被検眼に近接させ上下逆転した画像を撮影すると，脈絡膜が通常よりも鮮明に映し出される．現在は，EDIモードを選択すると，脈絡膜に焦点があった画像が撮影できる．

- Spectralis OCT(Heidelberg)
- Cirrus HD-OCT(Zeiss)
- RS-3000(ニデック)
- 3D OCT(トプコン)
- RTVue(Optovue)

b. SS-OCT

SS-OCTは波長掃引光源を用いて光源の波長を順次変化させて発振するため，SD-OCTのように後で分光する必要がない．そのためにSD-OCTよりもスキャン時間が短くて済む．SS-OCTのもう1つの特徴は，光源に1,050 nmという長波長を用いていることである．長波長光源によって組織内での散乱が減少し，測定光の深達

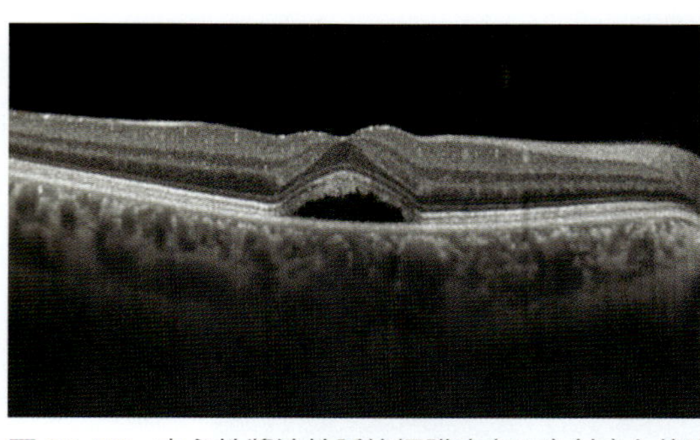
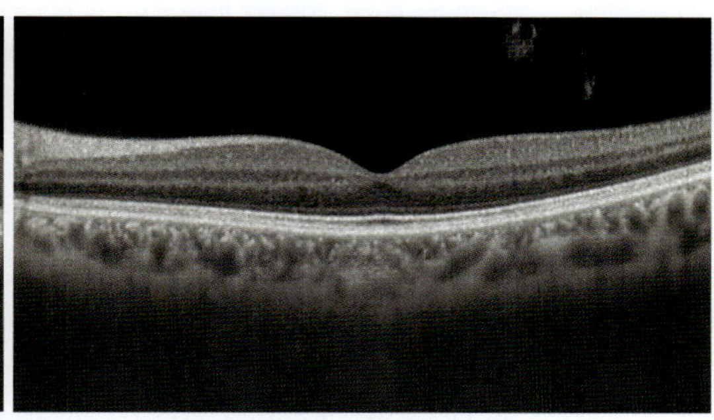

図 20-17 中心性漿液性脈絡網膜症（CSC）（左）と僚眼（右）
CSC 眼は，僚眼に比べて脈絡膜厚が厚くなっている．

性がよくなり，脈絡膜・強膜の描出力が格段に向上した．代表的な機器を示す．

- DRI OCT（トプコン）
- Xephilio OCT-S1（Canon）
- PLEX Elite（Zeiss）

5 正常値

正常眼の脈絡膜は，中心窩で最も厚く，鼻側より耳側が，下方より上方の脈絡膜のほうが厚いとされている．また脈絡膜厚は，加齢により菲薄化することや眼軸が長ければ長いほど，屈折度が近視側に傾くほど薄くなることが知られている．組織標本で正常脈絡膜厚は 220 μm とする報告があり，OCT では，Margolis ら[2]が 287 μm，Maruko ら[3]が 250 μm と報告している．

強膜については，正常眼の剖検眼で厚さが 660 μm と報告されている．OCT では，強度近視眼の強膜厚は 228 μm[4]と報告され，著明に菲薄化していることがわかる．

6 代表的疾患

a. 中心性漿液性脈絡網膜症

中心性漿液性脈絡網膜症（central serous chorioretinopathy：CSC）は 30〜40 代で働き盛りの中年男性に多くみられ，中心窩を含む黄斑部に漿液性網膜剥離が生じる疾患である．インドシアニングリーン蛍光眼底造影では脈絡膜の静脈拡張，充盈遅延，造影中〜後期の異常組織染などの所見が指摘されている．脈絡膜異常組織染は脈絡膜血管透過性亢進を反映する所見であり，CSC の一次的原因と考えられている．

OCT 検査では脈絡膜厚が 400〜500 μm と肥厚していることが報告されている[5]（図 20-17）．脈絡膜 en face 画像では，正常眼の多くは黄斑と視神経乳頭を結ぶ分水嶺を挟んで Haller 層の血管走行に対称性を認めるが，CSC では脈絡膜血管の拡張と血管走行の上下非対称性がみられることが多い（図 20-18）．

b. pachychoroid 関連疾患

①脈絡膜の肥厚，②Haller 層の脈絡膜血管拡張（pachyvessel）と同部位の脈絡膜毛細血管板の圧排，③インドシアニングリーン蛍光眼底造影検査での脈絡膜血管透過性亢進所見，④網膜色素上皮異常を示唆する眼底自発蛍光異常，⑤ドルーゼンが少ない，などの特徴を有する疾患群は pachychoroid 関連疾患と呼ばれ，近年注目を集めている．Pachychoroid 関連疾患には，CSC やポリープ状脈絡膜血管症のほかに，網膜下液などの既往がなく網膜色素上皮異常のみを示す pachychoroid pigment epitheliopathy（PPE），CSC や PPE から続発する脈絡膜新生血管をもつ pachychoroid neovasculopathy などが含まれる．脈絡膜血管拡張（pachyvessel）による局所的脈絡膜毛細血管板の圧排によって，その直上の網膜色素上皮障害（CSC や PPE）や脈絡膜新生血管（pachychoroid neovasculopathy やポリープ状

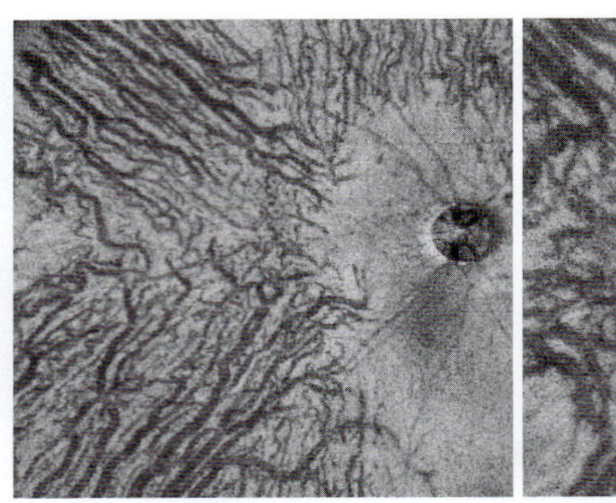
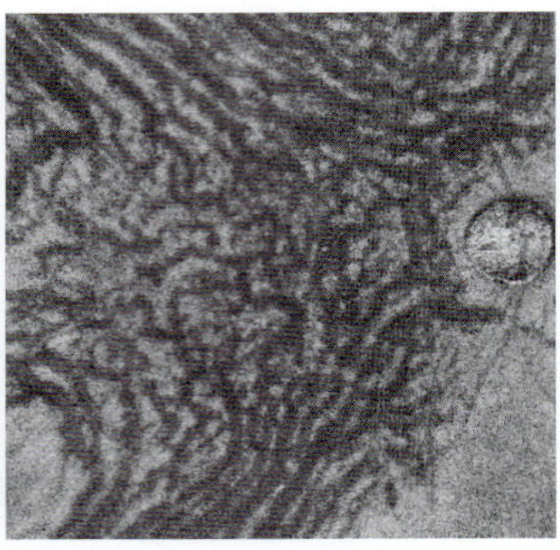

図 20-18 正常眼と CSC の脈絡膜 en face OCT 像
正常眼(左)では Haller 層の血管走行に上下の対称性を認めるが, CSC(右)では脈絡膜血管の拡張と水平の分水嶺を跨ぐように血管吻合がみられる

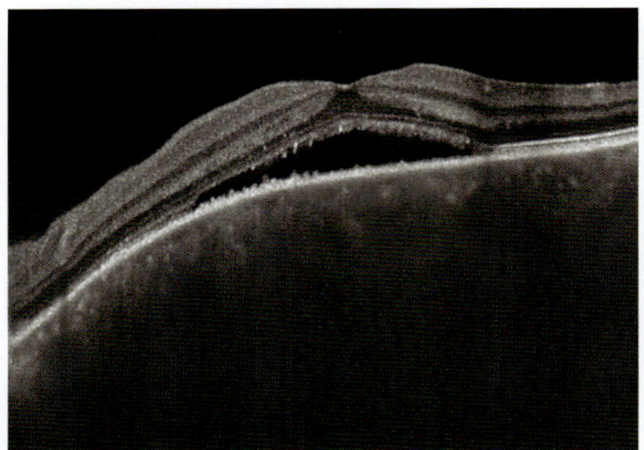
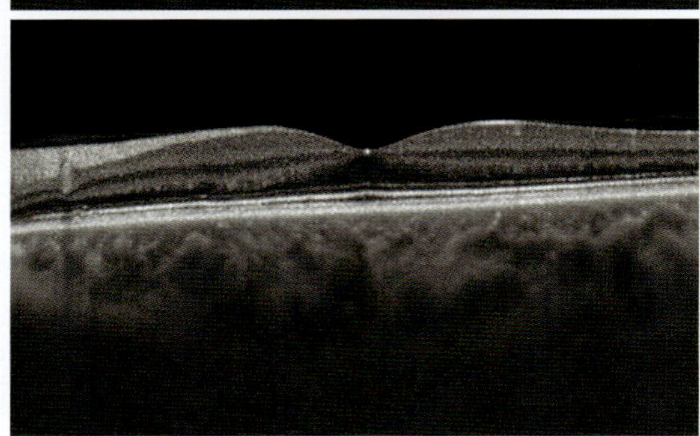

図 20-19 Vogt-小柳-原田病
治療前(上)は脈絡膜厚が測定できないほど, 著明に肥厚している. 治療後(下), 脈絡膜の肥厚は軽快している.

脈絡膜血管症)が生じると考えられている.

c. Vogt-小柳-原田病

わが国における3大ぶどう膜炎の一つであり, その原因は脈絡膜にあるメラノサイトに対する自己免疫異常とされている. 病理所見では脈絡膜に

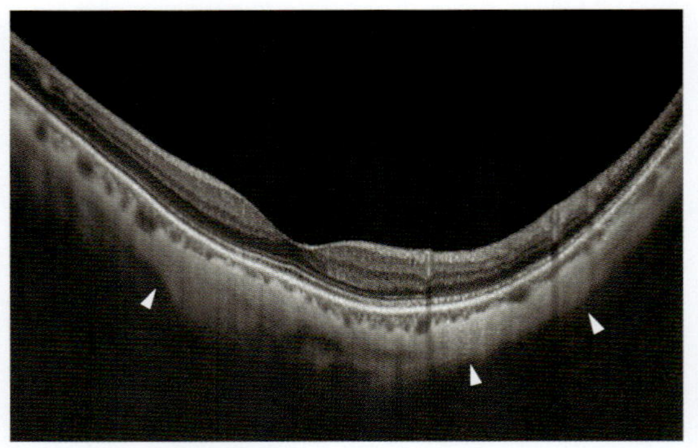

図 20-20 強度近視
菲薄化した脈絡膜の後方に強膜が描出される.

多数のリンパ球が浸潤した所見がみられ, 脈絡膜が著明に肥厚していることが示されている. OCTでも, 急性期には脈絡膜が著明に肥厚しており, ステロイドにより炎症を抑制することで急速に脈絡膜が薄くなっていくことが示されている[6](図 20-19).

d. 強度近視

強度近視眼では脈絡膜が薄くなっており, OCTでは中心窩脈絡膜厚が50〜100 μmであったと報告されている(図 20-20)[7]. またOCTでの観察によって, 後部ぶどう腫を伴う強度近視眼のなかには, 黄斑部がドーム状に硝子体側に突出した形態(dome-shaped macula)を示す症例が存在することが明らかになった(図 20-21). ぶどう

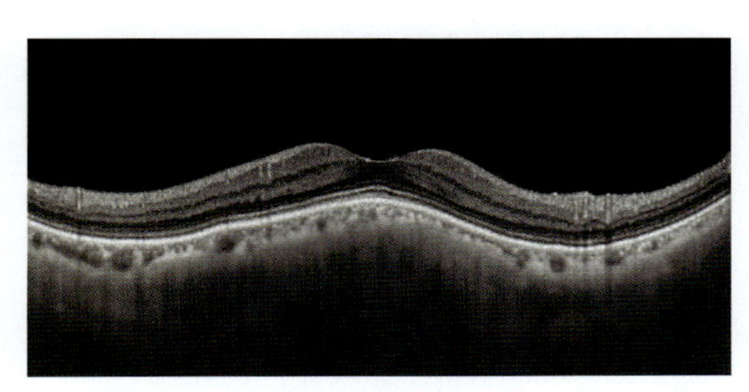

図 20-21 Dome-shaped macula
中心窩下の強膜だけがあまり菲薄化していない．

腫内の強膜は正常眼に比べ著しく菲薄化しているが，ドーム状に突出している中心窩下だけは強膜があまり薄くなっていない．これは自然の黄斑バックルのように網膜が病的に引き延ばされることに対して protective に作用しているのではないかと考えられている．

検査のポイント

- OCT によって脈絡膜や強膜まで観察することが可能となり，その厚さを数値化し客観的な評価を行うことが可能となった．また広範囲を連続撮影して得られる en face 画像によって脈絡膜血管の走行パターンや血管径を評価することできるようになった．これによって，脈絡膜が正常よりも厚いのか，治療経過によって変化しているかなどの情報を得ることができるようになったが，脈絡膜や強膜は加齢，眼軸長の影響を受けることに加え，正常眼でも個体差があるため，その他の所見と組み合わせて病態を考えていくことが重要である．

▶文献
1) Spaide RF, Koizumi H, Pozzoni MC: Enhanced depth imaging spectral-domain optical coherence tomography. Am J Ophthalmol 146: 496-500, 2008
2) Margolis R, Spaide RF: A pilot study of enhanced depth imaging optical coherence tomography of the choroid in normal eyes. Am J Ophthalmol 147: 811-815, 2009
3) Maruko I, Iida T, Sugano Y, et al: Subfoveal choroidal thickness in fellow eyes of patients with central serous chorioretinopathy. Retina 31: 1603-1608, 2011
4) Ohno-Matsui K, Akiba M, Modegi T, et al: Association between shape of sclera and myopic retinochoroidal lesions in patients with pathologic myopia. Invest Ophthalmol Vis Sci 53: 6046-6061, 2012
5) Imamura Y, Fujiwara T, Margolis R, et al: Enhanced depth imaging optical coherence tomography of the choroid in central serous chorioretinopathy. Retina 29: 1469-1473, 2009
6) Maruko I, Iida T, Sugano Y, et al: Subfoveal choroidal thickness after treatment of Vogt-Koyanagi-Harada disease. Retina 31: 510-517, 2011
7) Maruko I, Iida T, Sugano Y, et al: Morphologic analysis in pathologic myopia using high-penetration optical coherence tomography. Invest Ophthalmol Vis Sci 53: 3834-3838, 2012

(長谷川泰司，飯田知弘)

第21章 眼球突出検査

1 検査の概要

目的 眼球の突出度を測定する.

原理 眼窩外縁から角膜頂点までの垂直距離を眼球突出度とし，測定する.

適応 甲状腺眼症，眼窩腫瘍，内頸動脈海綿静脈洞瘻，副鼻腔疾患，眼窩底骨折.

機器 Hertel 眼球突出度計，三田式万能計測器.

2 原理

眼球突出検査では，眼窩外縁から角膜頂点までの垂直距離を眼球突出度として測定する．視診や機器を用いて測定するが，画像検査で計測することもできる.

3 検査機器

眼球突出度の検査機器には，Hertel 眼球突出度計，三田式万能計測器，Luedde 眼球突出度計，Dual Luedde 眼球突出度計，Naugle 眼球突出度計などがある[1]．MRI，CT などの画像検査から眼球突出を計測する方法もある．一般的には，Hertel 眼球突出度計が用いられることが多い.

4 検査方法

まず，視診で被検者の頭上から眼球突出の有無を確認する.

Hertel 眼球突出度計では，検者は被検者と対面し測定する．眼窩外縁に突起を当て，側面の鏡を用いて眼窩外縁と角膜頂点の垂直距離を測定する(図 21-1)．赤いラインの重なる位置がちょうど正面となり，その位置で角膜頂点の目盛を測定する.

Naugle 眼球突出度計(図 21-2)は，眼窩上下縁に固定して Hertel 眼球突出度計と同様に側面の鏡を用いて正面から測定する.

三田式万能計測器(図 21-3)では，検者は被検者の側面から測定する．眼窩外縁に機器を固定し，観察孔から角膜頂点の目盛を測定する.

Luedde 眼球突出度計(図 21-4a)は，透明な定規のような形をしており，先端を眼窩外縁に固定

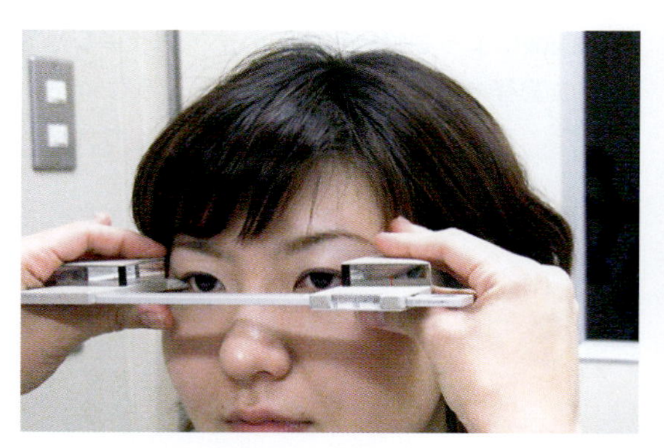

図 21-1　Hertel 眼球突出度計による測定
眼窩外縁に突起を当て，側面の鏡を用いて角膜頂点の目盛を測定する.

図 21-2　Naugle 眼球突出度計

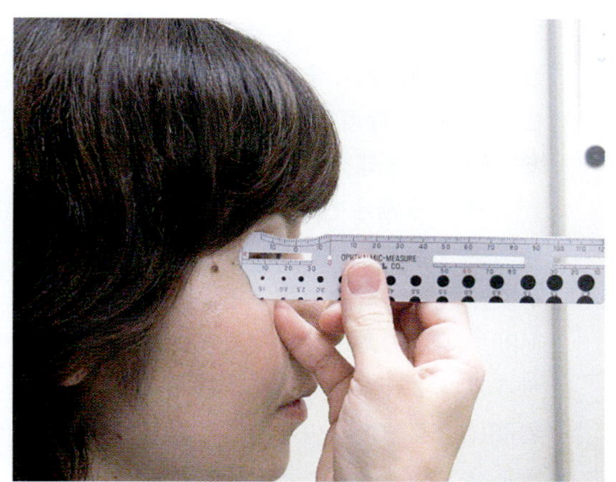

図 21-3　三田式万能計測器による測定
眼窩外縁に機器を固定し，観察孔から角膜頂点の目盛を測定する．

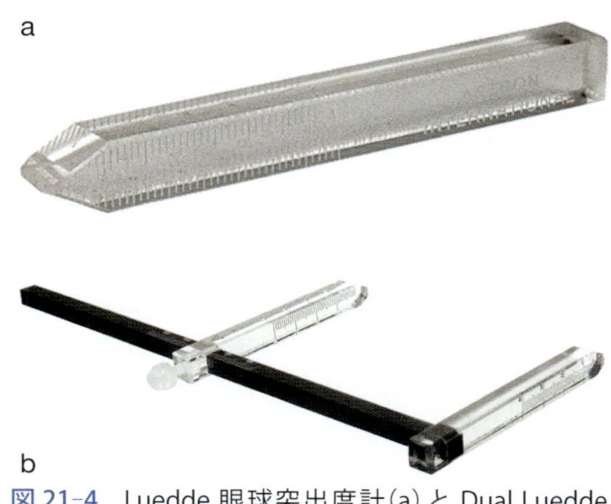

図 21-4　Luedde 眼球突出度計(a)と Dual Luedde 眼球突出度計(b)

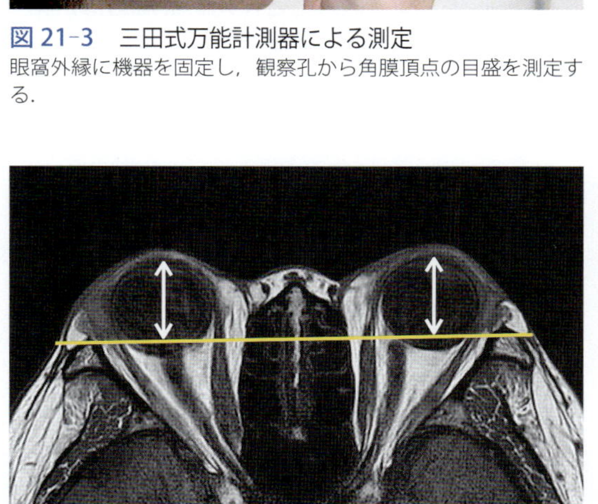

図 21-5　MRI による眼球突出度の計測法
水平断で両眼窩外縁(頬骨縁)を結ぶ線を引き，角膜頂点からこのラインへの垂線の長さを計測する．

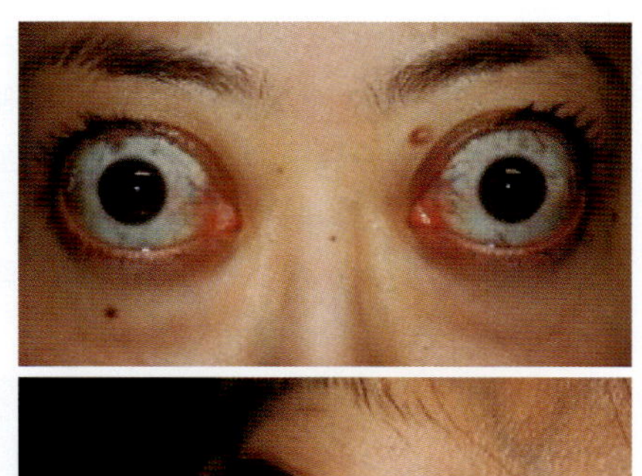

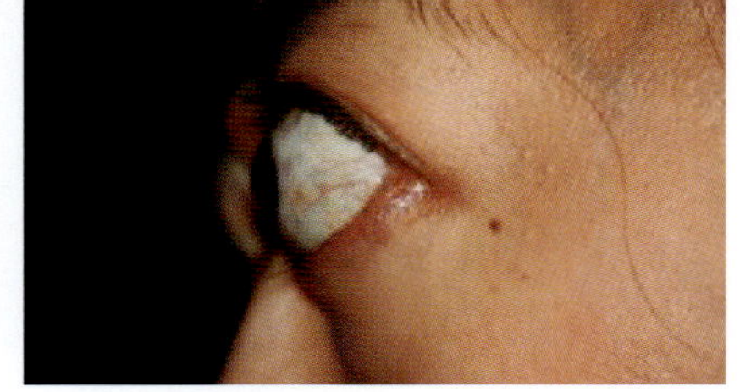

図 21-6　甲状腺眼症
27 歳女性．右 29 mm，左 30 mm の眼球突出を認める．

する．側方から観察し，角膜頂点の目盛を測定する．Dual Luedde 眼球突出度計(図 21-4b)はこれが両側に付いており，被検者に持たせて側方から測定する．

MRI，CT で眼球突出度を計測する場合，水平断で水晶体・視神経・内直筋・外直筋が最もよく描出されているスライスを使用する．両眼窩外縁(頬骨縁)を結ぶ線を引き，角膜頂点からこの線へ下ろした垂線の長さを眼球突出度としている(図 21-5)．

5 適応

眼球突出をきたす疾患として，甲状腺眼症(図 21-6)，眼窩炎症性疾患，眼窩腫瘍，内頸動脈海綿静脈洞瘻，外傷，血腫，気腫，先天性疾患，副鼻腔疾患などがある．

眼球陥凹をきたす疾患としては外傷，眼窩骨折などがある[2]．

6 正常値

眼球突出の正常値は，日本人では 10〜15 mm

程度だが個人差がある．20 mm 未満の眼球突出は目立たない場合が多い．左右差が 2 mm 以上ある場合は異常値で，片眼の眼球突出または眼球陥凹の可能性が高い．

検査のポイント

- ☑ 一般的に用いられる Hertel 眼球突出度計では，機器の突起を眼窩外縁に固定する際，押し付ける強さで容易に測定値が変わってくる．また，機器のメーカーや検者によって数値が変わることもあるため，可能なら同じメーカーの製品で同一検者による測定が望ましい．眼球突出検査は，経過観察や治療効果の判定にも用いられるため，検者が変わったときに同条件で測定できるよう，眼窩外縁間の距離は必ず測定し，記載する．瞼裂幅の測定や外眼部写真を併用することで補助診断となる．
- ☑ 眼球突出には個人差があり，もともと奥目の人や強度近視で目の大きい人もいる．また，人種間でも違いがある．眼球突出の左右差が 2 mm を超える場合は異常といえるが，正常値はあくまで目安であり，眼球突出が 20 mm 程度でも異常のない場合はある．逆に，眼球突出がなくても眼窩内病変が存在する場合もある．また，眼瞼異常，瞼裂開大などがある場合は，見かけ上の眼球突出となり鑑別を要する．
- ☑ MRI，CT での眼球突出度測定は，画像から骨を基準に計測するため，眼瞼の状態や検者間による誤差は少ない．しかし，特に治療前後の経過観察などに用いる場合は，常に同じ条件のスライスを使用する必要があり，異なった機種や施設間での比較は難しい．

▶文献

1) 野田実香：眼球突出検査．小口芳久，澤　充，大月　洋，他(編)：眼科検査法ハンドブック第 4 版．pp213-215，医学書院，2005
2) 細畠　淳：眼窩疾患の基本病型と診断．丸尾敏夫，本田孔士，臼井正彦(編)：眼科学．pp525-528，文光堂，2002

（井上吐州）

第22章 眼瞼検査

1 検査の概要

目的 眼瞼疾患の状況，原因解明，経過観察，治療効果の判定などを行う．

原理 局所の計測，視診による．運動負荷，物理的または薬理的刺激試験もある．

適応 眼瞼疾患(眼瞼下垂，眼瞼腫瘍など)，神経-筋疾患など．

機器 定規，カメラ，方眼紙．

2 眼瞼の計測

計測は座った状態で正面を向いてもらって行う．眼瞼に定規を当てると睫毛に当たって閉瞼してしまうので，耳側において測定するか，睫毛の少し前において測定する(図22-1)．

計測項目とその正常値を示す(図22-2，表22-1)．特に重要なのは，正面の瞼裂垂直径(瞼裂幅)，上眼瞼瞼縁中央-瞳孔角膜反射距離(marginal reflex distance：MRD)および眼瞼挙筋機能(指で眉毛のすぐ上を押さえて前頭筋の力を排除し，上方視時と下方視時における上眼瞼縁の動く範囲)(図22-3)である．上眼瞼縁と角膜反射の位置で眼瞼下垂の程度を分類する方法もある(図22-4)．

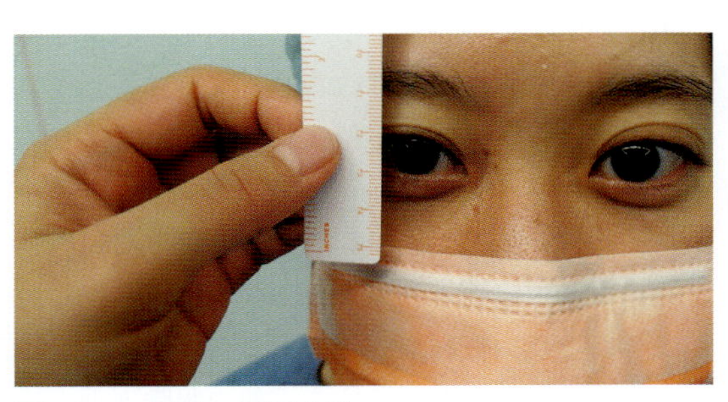

図22-1 眼瞼の計測方法
計測の際，睫毛に触れないようにする．

3 前眼部写真

眼瞼や眼球運動の状態，病変の性状などを記録する．特に手術前後の写真や外傷の写真は，裁判などのときに証拠として必要になる場合があるので確実に記録しておくことが望ましい．筆者が行っている前眼部写真で撮影する部位を示す(表22-2)．

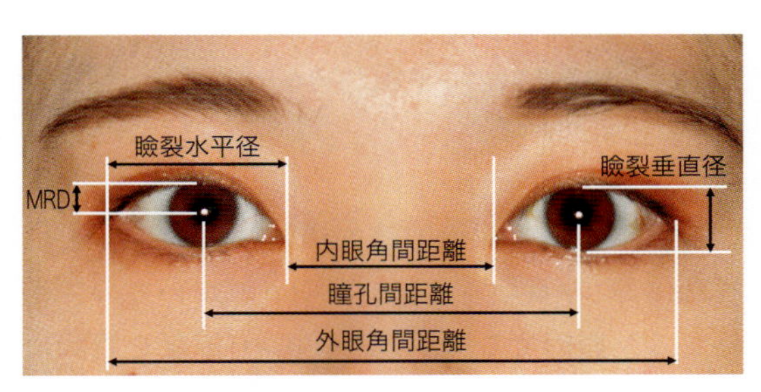

図22-2 眼瞼の計測項目

表22-1 計測項目と正常値

計測項目	正常値(成人)
瞼裂水平径	24～28 mm
内眼角間距離	30～35 mm
瞳孔間距離	54～66 mm
外眼角間距離	65～85 mm
上眼瞼瞼縁中央-瞳孔角膜反射距離(marginal reflex distance：MRD)	3～4 mm
瞼裂垂直径(瞼裂幅)	9～10 mm
眼瞼挙筋機能	>10 mm

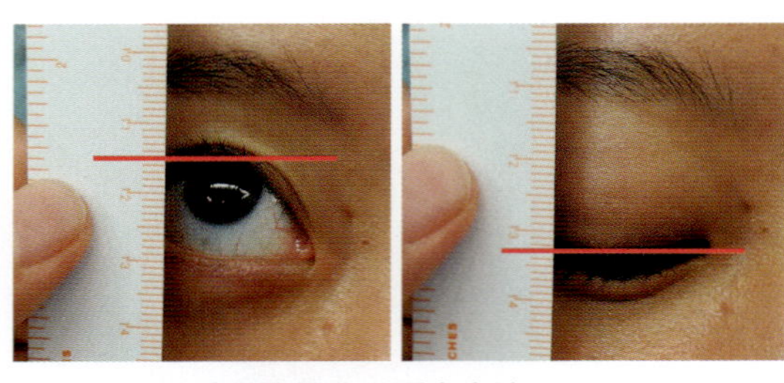

図 22-3　眼瞼挙筋機能の測定方法
指で眉毛のすぐ上を押さえて前頭筋の力を排除し，上方視時と下方視時における上眼瞼縁の動く範囲を計測する．はじめに下方視をさせた後，上方視をさせる．
本例の場合，上方視時に 11.5 cm，下方視時に 13.2 cm なので挙筋力は 1.7 cm となる．

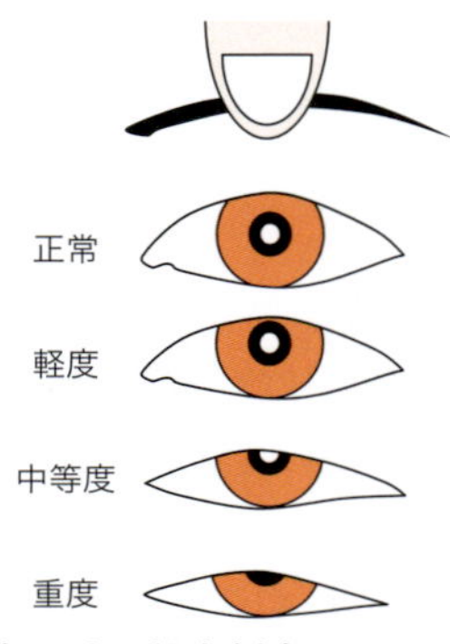

図 22-4　眼瞼下垂の程度判定
物差しを怖がる小児で用いられる．上眼瞼瞼縁と角膜反射の位置関係に注目する．坐位で眉毛挙上や顎上げ代償のない正面視の状態で，上眼瞼瞼縁が瞳孔領より上にあり反射が丸く見えるものを軽度，瞳孔領の上半分にかかっており反射が欠けているものを中等度，瞳孔領の下半分以下となり反射がないものを重度，と判定する．

表 22-2　前眼部写真での撮影部位

眼瞼下垂	両眼の正面像（上方視，正面視，下方視，閉瞼時）
眼瞼内反	両眼の正面像（上方視，正面視，下方視） 側方からの上方視，正面視，下方視
眼瞼外反	両眼の正面像（上方視，正面視，下方視，閉瞼時） 片眼の正面視での拡大写真
眼瞼腫瘍	両眼の正面像（正面視） 片眼の正面視での拡大写真 腫瘍部の拡大写真
外傷・炎症	両眼の正面像（上方視，正面視，下方視，閉瞼時） 顔面全体の写真 片眼の正面視での拡大写真

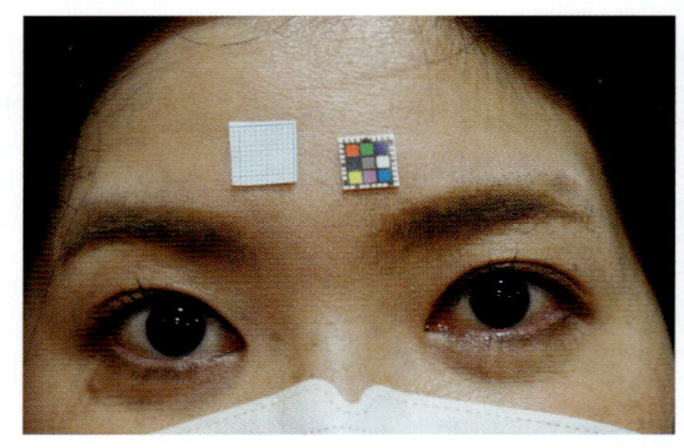

図 22-5　前眼部撮影の様子
測定用の方眼紙（左），Casmatch（ベアーメディック）を額につけて写真を撮影することで，カメラの倍率に関係なく測定できる．

前眼部写真の撮影方法や機材については別項（第 23 章「写真検査」）にて説明されているので省略する．撮影する際，1 cm 角の方眼紙を眉間に貼ると，あとで長さの計測が容易になる（図 22-5）．

4 物理的・薬理的刺激検査

眼瞼下垂を示す疾患の中には，反復運動や冷却，薬物などの刺激により特有な反応を示すものがある．検査前後を写真記録する．

a. 眼瞼の易疲労性検査（上方注視試験）

上方視を 30 秒から 1 分程度持続させる．これにより眼瞼下垂が出現もしくは増悪すれば陽性である．重症筋無力症で陽性になりやすいが，眼瞼けいれんでは上方視を保持できなかったり，はじめから上方視ができない場合もある．

b. アイスパックテスト

重症筋無力症の特性として，体温上昇時に下垂が悪化するが寒冷時には改善しやすい．これはコリンエステラーゼ活性が低温時には低下するためと考えられている．冷凍したアイスパック（保冷剤）をガーゼなどで包んで 2 分上眼瞼に押し当てて改善すれば陽性と判断する．検査による副作用がほとんどない優れた方法である．重症筋無力症の全身型で陽性になりやすく，他の眼瞼下垂で偽陽性になることが少ない．

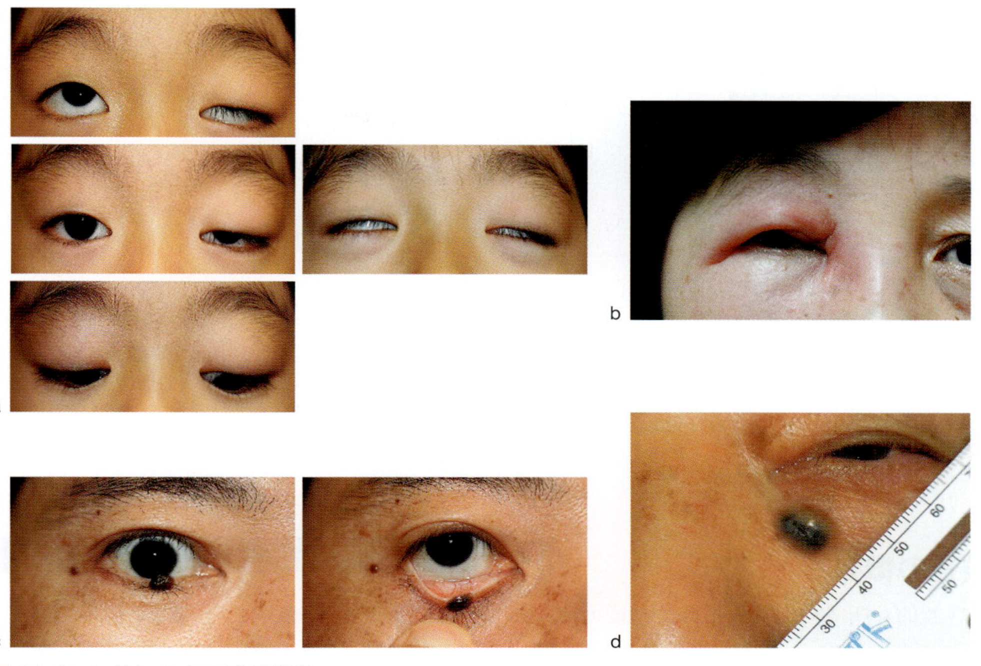

図 22-6　いろいろな写真撮影法
疾患の特性に合わせた撮影を行う．a．先天眼瞼下垂，b．眼瞼蜂窩織炎，c．眼瞼母斑，d．下眼瞼基底細胞癌．

c．エドロホニウム試験（テンシロン試験）

コリンエステラーゼ阻害薬であるエドロホニウム塩化物（テンシロン®，アンチレクス®）を静注し，眼瞼下垂や眼球運動が改善するかをみる検査である（図 22-6）．重症筋無力症で陽性になりやすく，偽陽性はほとんどない．ただし，副作用として悪心，嘔吐，失神を生じることがある．検査は，点滴ルートを確保したうえでアンチレクス®を 2.5 mg ずつ分けて 10 mg まで投与し，その都度症状が改善しているかを確認する．明らかな改善がみられた時点で試験を終了する．副作用発生時にはアトロピン硫酸塩を使用する．

d．フェニレフリン点眼試験（ネオシネジンテスト）

交感神経 α_1 刺激薬であるフェニレフリン塩酸塩（ネオシネジン®）を点眼し，5 分程度で Muller 筋が収縮して上眼瞼縁の位置が改善するかをみる検査である．Horner 症候群，コンタクトレンズ性眼瞼下垂，加齢性眼瞼下垂の初期などで陽性になる．

検査のポイント

- ☑ Horner 症候群とコンタクトレンズ性眼瞼下垂は，臨床所見やフェニレフリン点眼試験の結果が似ている．両者の鑑別は瞳孔不同の有無であるので，点眼検査前に瞳孔径の計測を行っておく．
- ☑ 検査の落とし穴
  忙しいと検査前後のどちらかの写真を撮るのを忘れることがある．同じ状況は必ずしも再現できないこともあるので，忘れないようにしたい．

▶文献

1）日本神経学会（監）：重症筋無力症/ランバート・イートン筋無力症候群診療ガイドライン 2022．p22，南江堂，2022

（金子博行）

第23章 写真検査

I 外眼部

1 検査の概要

目的 客観的な所見の記録．術前，術後の比較あるいは経過観察に用いる．

適応 斜視および眼筋麻痺，眼瞼疾患(眼瞼下垂，眼瞼腫瘍，眼瞼内反など)，眼窩疾患(眼窩腫瘍，炎症などによる眼球突出)，瞳孔異常(Horner症候群，Adie症候群など)，涙器疾患(涙嚢炎など)，顔面疾患(顔面神経麻痺，顔面外傷など)．

機器 デジタル一眼レフ，リングストロボ(光が正面から入るものを選ぶ)，マクロレンズ．

2 撮影時の注意点

手ぶれを防ぐためには，足を肩幅に開き，脇を締め，右手でカメラのグリップを握り，左手は下からレンズを支えるように持ち，被写体に傾きや片寄がないかを確認してから撮影する．三脚を使用し，リモコンを使うとさらにぶれが防止できる．

a. ピント

固定焦点レンズは倍率によって撮影距離が決まっているので，手動で行い，カメラを前後に動かしてピント合わせを行う．

眼位写真では角膜頂点にピントを合わせる．それ以外は最も変化を捉えたいものにピントを合わせる．

b. 露出

カメラに内蔵されている露出計が算出した露出値のことを「標準露出」という．画像が暗い場合はプラス側に露出補正を行うと明るい写真になる．露出オーバーの場合はマイナス側に露出補正を行う．撮影後に画像処理を行うと，コントラストが低くなったり，ノイズが目立ちやすくなるので，撮影時に画像を確認して露出補正を行うほうがよい．

c. 撮影画素，ファイル形式

デジタルカメラの一般的なファイル形式はJPEGである．この形式では低圧縮，高画質で記録するほうが，あとで加工する場合に困らない．あらかじめパソコンで画像処理を行うのであれば，RAW形式で記録するとよい．

d. 撮影倍率

撮影倍率は客観的な記録を目的とするので，撮影部位別に倍率を決めておくとよい．

顔面，頭位は1/8倍．眼位，眼球運動，眼瞼は1/4倍．片眼は1/2倍が一般的である．

9方向眼位を撮影する場合は，固定した固視目標と頭位の固定が必要である．図23-1のパネルには上下左右に15°と30°の位置にランプが付いており，撮影時に点灯したランプを固視して撮影

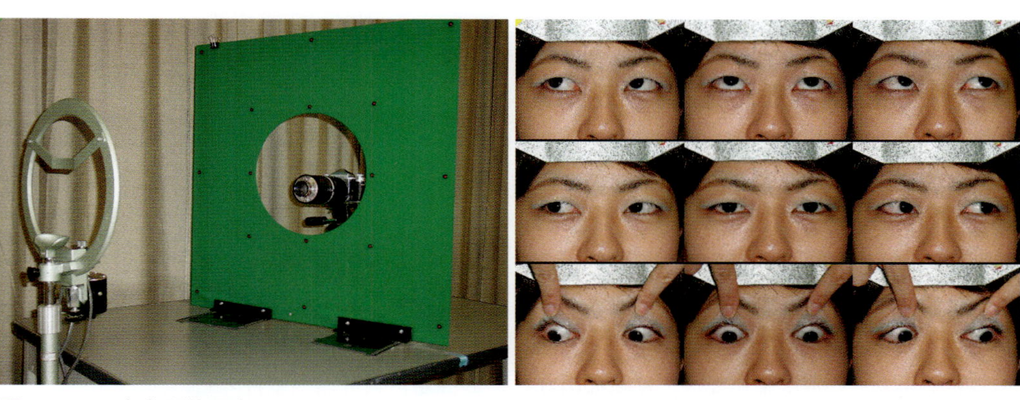

図 23-1 9 方向眼位写真
左：9 方向眼位を撮影するシステム，右：それを使用して撮影した正常者の 9 方向眼位．下方視を撮るときは瞳孔中央上の眼瞼を挙げる．

を行う．撮影の際は頭位の異常(頭の傾け，顔回し，顎の上下)がないことを確認して撮影する．このような装置[1)]がなければ，いつも同じ位置に座ってもらい，同じ位置の固視目標を見てもらえるように，壁やボードに一定の固視目標を作り，いつも同じ条件で撮影することが大切である．

図 23-2 は頭位異常を撮影したものであるが，比較できるようにいつも同じ背景で撮影するとよい．

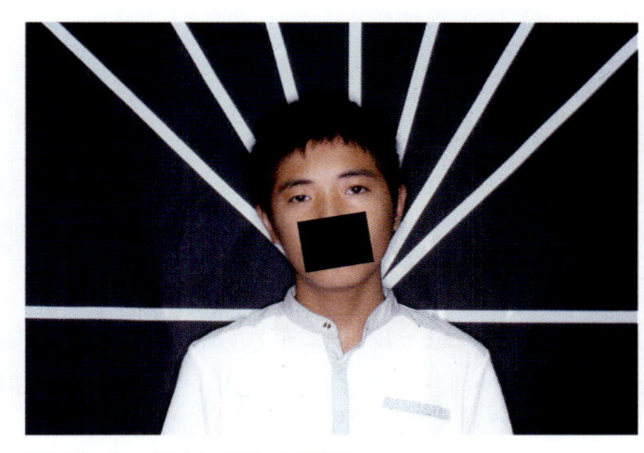

図 23-2 頭位異常の写真
頭位異常の記録写真．被写体の後ろに頭位の角度がわかるように放射状の線を描いた紙を用意するとよい．

3 疾患別の撮影ポイント

a. 斜視，眼筋麻痺

斜視の眼位写真では，共同性，非共同性どちらも第一眼位を固視眼を変えて撮影する．間欠性外斜視は外斜視のときと phoria のときの両方の眼位を撮影する．外斜視は輻湊も撮影する．非共同性，A-V 現象や下斜筋過動を伴う場合，眼筋麻痺の場合はさらに 9 方向眼位を撮影する．下方視撮影時は眼位がわかるように上眼瞼の挙上を行う必要がある．外転神経麻痺，水平の第二眼位の方向差のみの場合は，水平 3 方向眼位の撮影だけでもよい．

上斜筋麻痺では，Bielschowsky 頭部傾斜試験，片眼性上転障害では，鑑別診断のため Bell 現象や人形の眼現象の撮影も行うとよい．

調節性内斜視で眼鏡を装用している場合ではフラッシュ光が眼鏡のレンズに反射して眼位が見にくくなることがある．そのときは，鼻眼鏡にならないように眼鏡のテンプルの耳側を少し上げ，レンズ面に傾斜をつけるとよい[2)]．

b. 眼瞼下垂

眼瞼下垂のみで眼球運動障害がない場合は，上下 3 方向と，閉瞼時を撮影する．眼瞼挙筋の状態，下方視での瞼裂幅の逆転，術後の兎眼などの記録のためである．眼球運動障害もある場合は，9 方向眼位も撮影する．

c. 眼球突出

眼球突出は，両眼を正面から撮影し，上方からと左右の側面から撮影すると，眼球突出の程度と左右差がわかりやすい．

d. 眼瞼内反症，睫毛内反症

両眼1/4倍と片眼1/2倍を撮影する．睫毛が接触している角膜にピントを合わせる．片眼撮影時，各耳側から撮影すると，角膜と睫毛の接触の状況がわかりやすい．カメラの絞りを絞り，焦点深度を深くして全体にピントが合った写真を撮影する．加齢性眼瞼内反症は，下眼瞼を指で押し下げて内反が消失した状態も撮影する．瘢痕性内反症では，フォトスリットカメラで眼瞼結膜も撮影する．

e. 瞳孔異常

瞳孔異常では明室と暗室の状態，近見反射による縮瞳などを撮影する．フラッシュは使用しない．明室では通常の条件で，暗室では高感度で瞳孔の状態がわかるように撮影し，後で画像加工をすると，綺麗に記録できる．点眼試験では一定の時間後に再度撮影を行う．

II 細隙灯顕微鏡写真(スリット写真)

1 検査の概要

目的 基本的な前眼部所見の記録．三面鏡，90 Dレンズなどの前置レンズの併用により，隅角，眼底，後部硝子体の記録も可能である．

対象 前眼部疾患・前眼部先天異常・前眼部外傷など(例えば角膜疾患，結膜疾患，白内障，虹彩所見など)．

機器 フォトスリットランプ(細隙灯顕微鏡にカメラが付いたもの)．

2 撮影前の準備

細隙灯顕微鏡は双眼で立体的に観察できるが，写真は片方の目で見たものしか撮影されない．つまり，撮影光路は右眼の接眼レンズか，左眼の接眼レンズなのかを確認する必要がある．

視度調節を視度棒や接眼レンズ内の視標(十字線など)で行う．プリズムボックスを持ち，接眼レンズを両眼で覗き，両眼の像が単一視でき，かつ立体的に見えるように眼幅を調整する．

観察野と撮影野の違いを確認しておく．通常，観察野のほうが広く，撮影野はやや狭い．光路側の接眼レンズを覗くと撮影野が四角い線で示されていることが多いが，わからない場合はあらかじめ確認しておくことが必要である．最後に対象や撮影方法に合わせて撮影光量を設定する．

3 撮影方法[2, 3]

結膜を撮影するとき以外は，基本的には被検者の耳側からスリット光を入れる．ただし，結膜を撮影する場合は，反射を避けるために被検者の鼻側からスリット光を入れることもある．カメラのついた双眼部を正面にしてスリット光を動かして撮影することが多いが，必ずしも双眼部が正面とは限らない．例えば，円錐角膜では，正面からスリット光を当て，真横から撮影することもある(図23-3)．

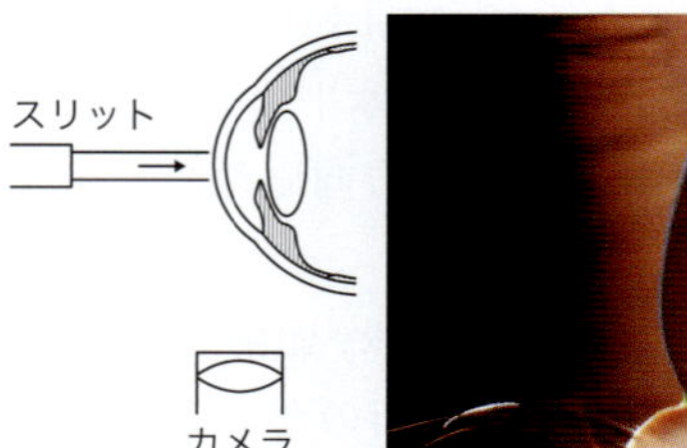

図23-3 カメラの位置(円錐角膜)
光束を正面から当てて真横から撮影した写真．

4 基本的な6つの照明法

a. 拡散照明法，広汎照明法 (diffuse illumination)

1) 対象

病変の全体像を撮影したいときに行う．比較的低倍率(16倍以下)で使用することが多い．眼瞼，睫毛，結膜，角膜，虹彩，コンタクトレンズの状態など．

2) 方法

背景照明は閉める．スリットを縦も横も全開にし，拡散レンズ(diffuse lens)を反射ミラーレンズの前に立て，撮影したい対象物に焦点を合わせる．もし，露出を変えても明るくなりすぎるようであれば，スリット幅を少し狭める．

角膜上皮障害の部位や程度を記録するには，この状態にブルーフィルタを入れ，フルオレセイン色素で染色するとわかりやすい(図23-4)．

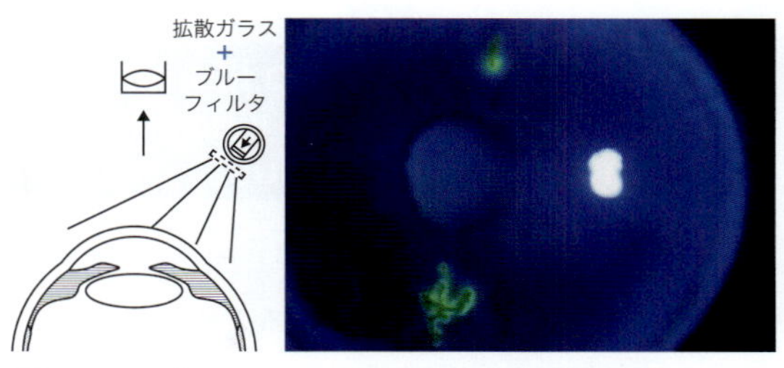

図23-4　ブルーフィルタを用いた拡散照明法
角膜ヘルペス．フルオレセインで染色後，拡散レンズとブルーフィルタを入れて撮影．

b. 直接照明法 (direct focal illumination)

1) 対象

角膜，水晶体，水晶体に近い後部硝子体などの透明組織の断面など．

2) 方法

細隙灯顕微鏡での観察および撮影で最も使用される方法である．スリット幅を狭くし，斜めから照射してできた光学切片を撮影する．角膜や水晶体では，照明系と観察系の角度を大きくすると厚い光学切片が得られ，表層から深層まで所見の深さが記録できる(図23-5)．所見だけ浮き上がらせたいときは背景照明を消し(図23-5上)，病変とほかの組織との関係を撮影したいときは背景照明を中間にするとよい(図23-5下)．

直接照明法のバリエーションとして，スリット幅を中間から広めの照明にして，真横から行う接線照明法(tangential illumination)がある．虹彩や角膜などの凹凸を表すのに適した撮影方法である(図23-6)．

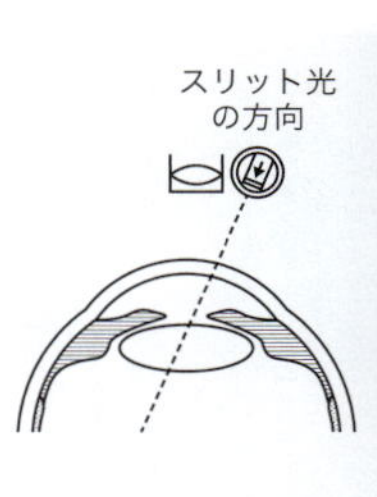

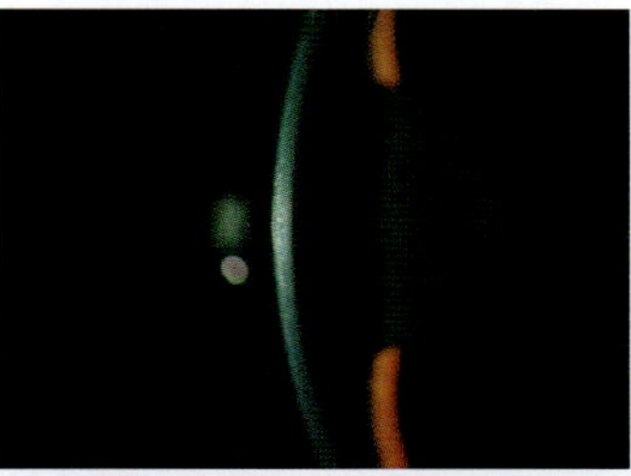

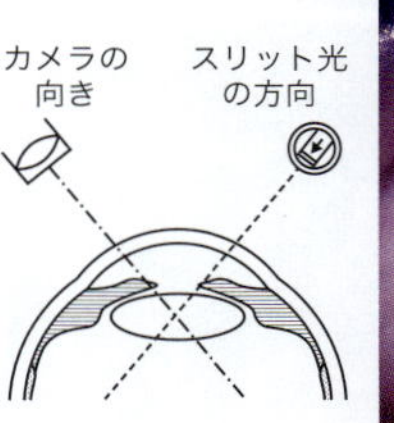

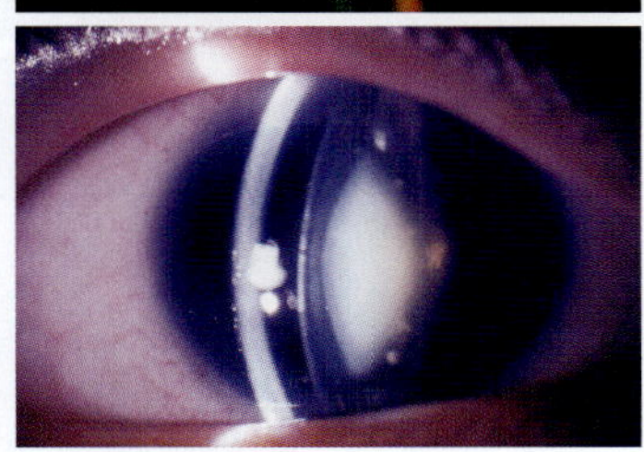

図23-5　直接照明法
上：正常角膜．左側よりスリット光をカメラに近い位置にして背景照明を消したもの．下：先天性無虹彩，先天性白内障の症例．背景照明ありで照明系と観察系の角度を大きくすることで白内障の状態が把握できる．また背景照明をつけることで無虹彩であることもわかる．

ほかにもスリット幅を狭く，スリット長も短くして小さな円状にし，高倍率に変えて，前房を横切るように照明すれば，チンダル照明法(aqueous flare Tyndall's phenomenon)になる．

c. 間接照明法 (indirect focal illumination)

スリット光を目的部位に直接照明しないで，その傍の所見を浮き上がらせる照明法である．

d. 反帰光線照明法（retro illumination），徹照法（retro illumination from the fundus）

1）対象

水晶体の混濁，人工水晶体の挿入位置，焦点照明ではわかりにくい角膜後面の沈着物，角膜移植の状態など．

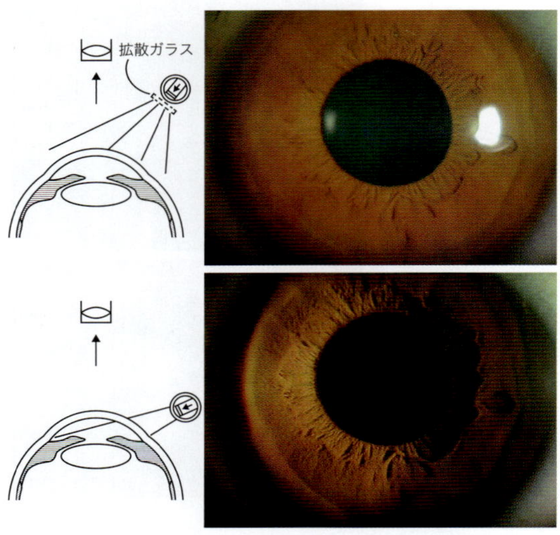

図 23-6 拡散照明法と接線照明法の比較（正常な虹彩）
上：拡散照明法で撮影した虹彩，下：直後に接線照明法で撮影した同じ虹彩．上側に比べて，陰影により凹凸を鮮明に表すことができる．

2）方法

点眼薬で散瞳した瞳孔縁から中等度の幅のスリット光を眼底に照射して，眼底から戻ってくる反帰光を利用した方法である．水晶体などの濁りが黒い影となって浮き出てくる．このとき，レンズと照明を同軸（図 23-7a）にしたうえで，眼底からの反射が最大となるように乳頭に照射できるように，被検者の固視を誘導する．その後，スリット光を瞳孔縁までシフトさせ（図 23-7b），スリット長を 3〜5 mm 程度に短くする（図 23-7c）．背景照明をつければ瞳孔との関係がわかり，背景照明を消せば，より鮮明に所見がわかる（図 23-7）．

e. 鏡面反射法（specular reflection）

1）対象

角膜内皮，人工水晶体表面など．

2）方法

光の正反射の原理を応用した撮影方法である．中等度のスリット幅の光束とカメラの光軸は反対方向に同じ角度になるように設定する（図 23-8）．この方法で透明な被写体の境面の変化を捉えることができる．撮影には 25 倍以上の倍率が必要である．

スペキュラマイクロスコープはこの方法を応用したものである．

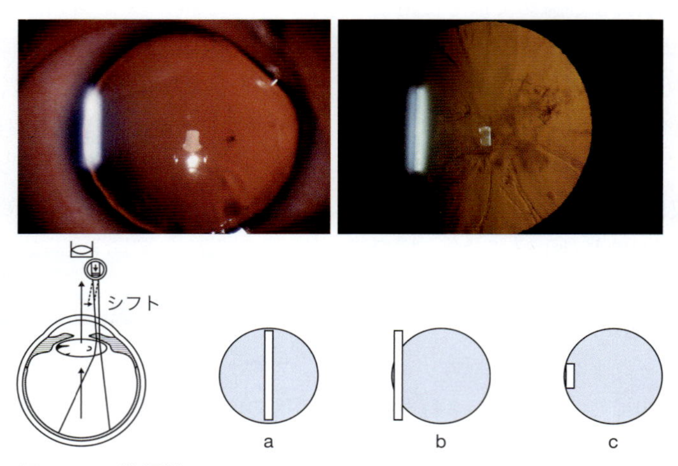

図 23-7 徹照法
左：先天性無虹彩を背景照明ありの徹照法で撮影したもの．先天性無虹彩と水晶体の状態がわかる．右：老人性白内障を背景なしの徹照法で撮影したもの．

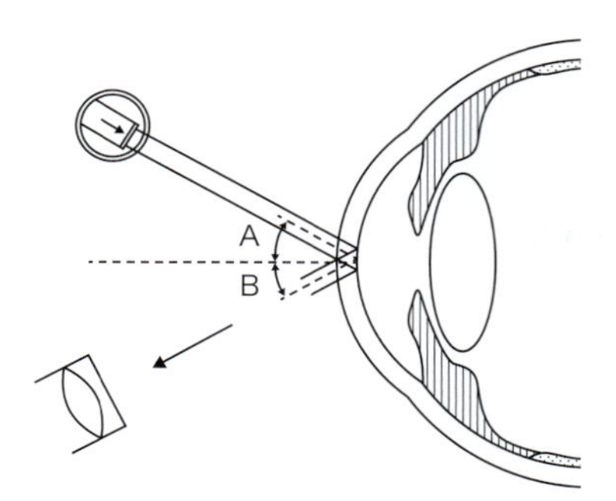

図 23-8 鏡面反射法
鏡面反射法の原理．A と B の角度が同じになるようにカメラとスリット光束を設定する．

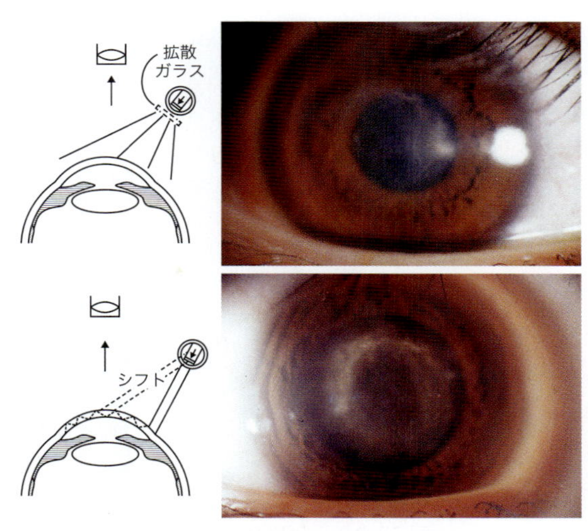

図 23-9 拡散照明法と強膜散乱法の比較
円盤状角膜炎．上：拡散照明法で撮影した画像，下：強膜散乱法で撮影した画像．

f. 強膜散乱法(scleral scattering)

1) 対象

境界不鮮明な角膜混濁．

2) 方法

拡散照明法や直接照明法などで捉えにくい境界不鮮明な角膜混濁病変を撮影するのに適している(図 23-9)．スリット光を角膜中央に当て，その光を角膜輪部までシフトさせると光が角膜組織で散乱して所見を浮かび上がらせる．所見を観察しながらシフトの位置とスリット幅を調節する．

III 眼底写真

1 検査の概要

目的 検査眼の眼底の客観的な記録．診断および経過観察の記録．

対象 すべての眼底．散瞳が良好であれば眼底周辺(赤道部付近)まで撮影可能．

機器 卓上型眼底カメラ，手持ち眼底カメラ，超広角眼底撮影の Optos 社のものは一度に 200° まで撮影できる．ニデック社の Mirante(163°)，ZEISS 社の CLARUS(133°)など．

2 使用機器と画像

図 23-10 に Optos 社の超広角走査型レーザー検眼鏡 California® を示す．Virtual Point(Optos 社特許)により，瞳孔径が 2 mm 以上あれば撮影可能であり，この方法を採用しているため 1 度に眼底全体のほぼ 80% の範囲を得られる．赤色レーザー光と緑色レーザー光で取得した疑似カラー画像であるため，通常のカラー眼底写真と色調が異なる．しかし，一度の撮影で単色光撮影，自発蛍光撮影の画像が得られ，周辺の血管まで観察が容易である．フルオレセイン蛍光眼底造影(⇒270 頁参照)，インドシアニングリーン蛍光眼底造影(⇒274 頁参照)も撮影できる．

手持ち眼底カメラは生産中止で，代わりになるものとしてキーラー・アンド・ワイナー社の手持ち無散瞳眼底カメラ AURORA®(オーロラ)(図 23-11)がある．起坐位が不可能な寝たきりの患者や小児の対応，遠隔での検査に利用できる．画角 50°×40° のため，乳頭と黄斑を同時に撮影でき，無散瞳で撮影できるため便利である．また内部固視灯で，卓上型無散瞳カメラのパノラマ写真に類似した範囲が撮影可能である．フォーカス範囲は −20 D〜＋20 D で，カラー画像以外にも

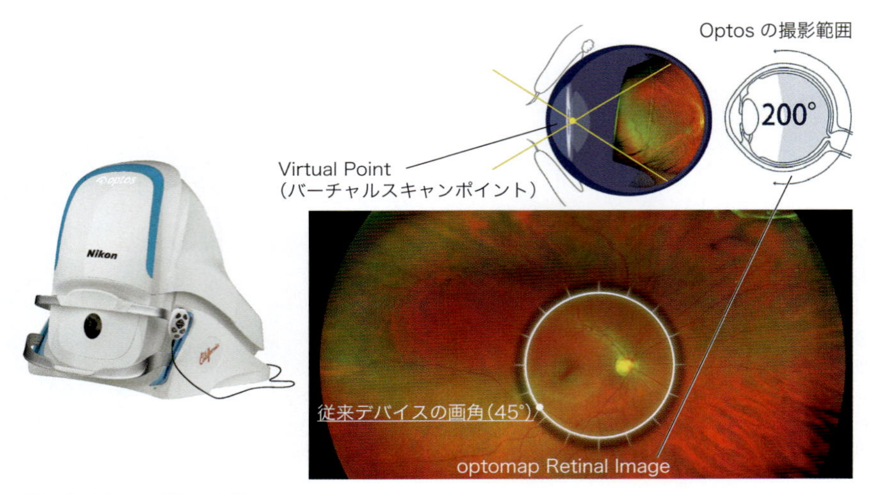

図 23-10 California®
左：Optos 社 California® の外観．右上：Virtual Point(バーチャルスキャンポイント)の位置とそれによる撮影画角の図．右下：従来の眼底カメラとの撮影野の比較(株式会社ニコンソリューションズのご厚意による)

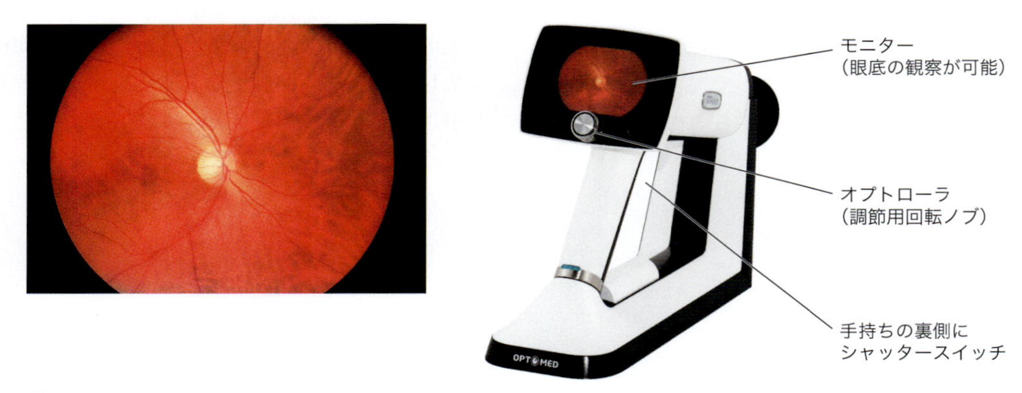

図 23-11 AURORA®
左：撮影した眼底写真．画角 50°×40° で坐位でも仰臥位でも撮影可能．右：本体(株式会社キーラー・アンド・ワイナー社のご厚意による)

レッドフリー，赤外光でも撮影できる．乳児，未熟児の眼底撮影には RetCam®(Natus 社)のほうが適している．

3 撮影前の準備

a. 動作確認と対物レンズの清掃

撮影前には，カメラの動作と対物レンズの汚れを確認する．検査室を暗くし，観察光量を最大限にし，対物レンズの斜め前からレンズの汚れを確認する．清掃方法は埃を吹き飛ばした後，カメラレンズ専用のペーパーで中央から同心円状に周辺へと，汚れを取るように数回拭いていく．汚れの再付着や指の皮脂による汚れが付かないように，ペーパーの再利用はしない．レンズ専用洗浄クリーナを使用する場合は，少量とり，汚れの部分に叩き込むようにつけ，レンズ上の汚れを拡散し，最初と同様に専用のペーパーで拭く．それでも取れない場合は，メーカーに依頼するとよい．ティッシュペーパーを使用すると，原料のパルプの繊維がレンズのコーティングを傷め，眼鏡用シリコーン布も同様にコーティングを傷めるので使用不可である．

b. 視度調節

散瞳型であれば視度調節を行う．無散瞳型では不要である．視度調節は無調節位に合わせるのが基本である．しかし，眼底カメラのファインダーシステムは特殊なので，撮影者の一番安定した調節状態に視度位置を設定することが大切である．

c. 光量設定

標準設定光量で撮影し，それを基にモニタ画面で写真の状況を確認しながら補正して撮影を行うとよい．散瞳がやや悪い場合は，1～2段階光量を上げると，散瞳剤の追加や小瞳孔径モードを使用しなくても撮影できる．また，眼底周辺部を撮影する場合も，後極を撮影するより1～2段階上げるとパノラマ画像作成時に均一の画像となる．

d. 散瞳

卓上型の散瞳型国産眼底カメラは，通常瞳孔径8 mmに対して設計されている．そのため，撮影には5～6 mm程度の瞳孔が必要である．また，無散瞳眼底カメラ，Optos社の超広角走査型レーザー検眼鏡においても，散瞳するほうがより明瞭な眼底が撮影できる．

e. カルテの確認

撮影前に疾患名，撮影部位，屈折状態，視力の状態，検査の指示などを確認する．例えば，無水晶体眼，強度近視があれば，補助レンズを使用する．撮影の順番は患眼から撮影を行うほうがよい．また，眼底カメラはリング照明による前眼部からの反射が混入しないようにカメラの対物レンズの後ろに工夫が施されている．そのため，－12 D前後の強度近視を撮影する場合は，眼底写真の中央にその影が写ることがある[4]．その影が，乳頭や黄斑部，所見にかからないようにポジショニングを考えて撮影する必要がある．

4 撮影時の注意

a. 開瞼

開瞼は撮影者自身で行うのがよい．開瞼時に被検者が片眼をつぶると眼球が上転するので，被検者の片眼の視力が不良であっても，被検者に必ず両眼で固視灯もしくは対物レンズの中央を見るように指示する．上眼瞼を挙げるときは，額当てで中指を支え，親指を睫毛の根元に軽く当て，眼球に添うように挙げ，眼窩骨縁のところで指を固定する．下眼瞼も同時に開くときは，人差し指と親指で補助する．10秒に1回程度瞬目させる．左眼を撮影するときには，右手で被検者の左眼の開瞼を行う．

b. アライメント，ワーキングディスタンス，ピント合わせ[4]

鮮明な眼底写真を撮るのに必要な要素は，適切なアライメント，ワーキングディスタンス，およびピント合わせである．

1) アライメント

眼底カメラの光学系と眼球の光学系を一致させることである．瞳孔上に綺麗なリング照明が映り，ファインダーを覗いてフレアがみられないときが，適正なアライメントになっている状態である．白い三日月が右に見えれば，ジョイスティックを左に，上に見えれば下へと動かし，フレアが消えるところを探す(図23-12)．

2) ワーキングディスタンス

対物レンズと網膜面までの作動距離のことである．眼底カメラを前後左右に動かし，眼底カメラの対物レンズからの光がだいたい瞳孔上に写るように合わせる．ファインダーを覗いて画面の中央に瞳孔を確認したら，角膜反射を中央に保ちながら，ジョイスティックを前方に押し込んでいくと眼底が見えてくる．さらに左右，上下にフレアが入らないように押し込んでいくと，眼底全体が均一に照明されるところがある．この状態が適切なワーキングディスタンスである．ワーキングが遠

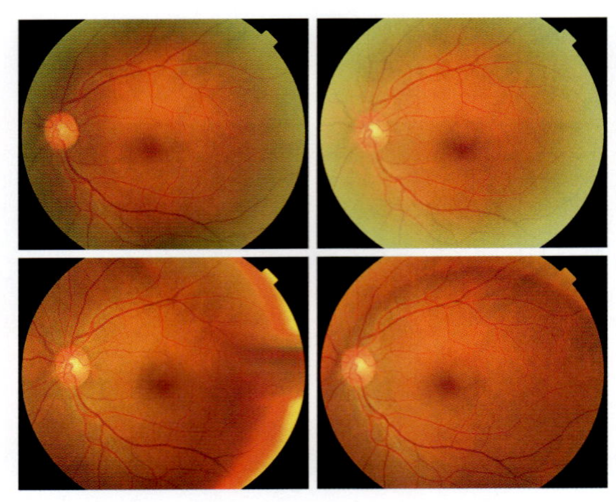

図 23-12 ワーキングディスタンスとアライメント
上段：ワーキングディスタンスが適正でないもの．左上：対物レンズが角膜から離れた状態，右上：対物レンズが角膜に近づきすぎた状態．下段：光軸がずれた状態．左下：光軸が右にずれた状態．改善方法はジョイスティックを左に動かす．右下：上にずれた状態ではジョイスティックを下に動かせばよい．

すぎると眼底周辺が暗くなり，近すぎると白っぽくなる(図 23-12)．

3) ピント合わせ

最後にピント合わせを行う．観察精度を落とさないために，眼底カメラではピントグラスが透明になっており，その上に共役面を示す二重十字線のみが引いてある．この二重十字線と眼底の両方がはっきり見えたところが，眼底カメラのピントが合ったところである．つまり，二重十字線の印を無視して，眼底だけに焦点を合わせて撮影してしまうとピントの合っていない写真となる．搭載されたフォーカスガイドは後極でのみ対応しているので周辺部の撮影では使用できない．

5 特殊な撮影

a. 前眼部撮影

眼底カメラには，前眼部撮影機能が搭載されている．搭載されていなければ＋の補助レンズを使用する．

1) 対象

前眼部所見，主に瞳孔癒着などによる散瞳不良や白内障や角膜疾患などで眼底が綺麗に撮影できないときに，その状態を記録するために行う．

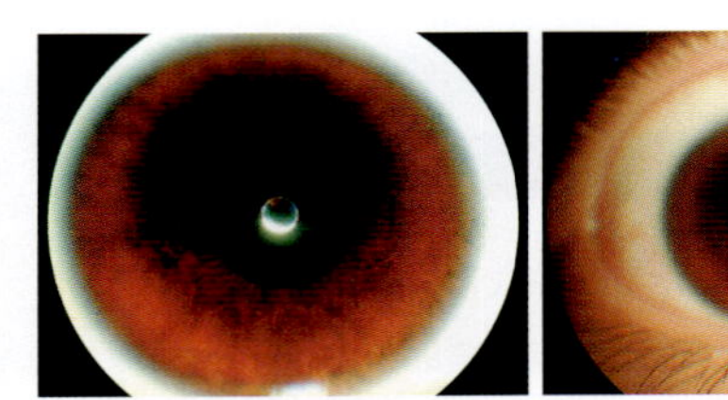

図 23-13 眼底カメラで撮影した前眼部
眼底カメラで撮影した前眼部写真，左は 25° で右は 50° で撮影したもの．

2) 方法

画角を変換(25～35°)し，前眼部用補助レンズ，もしくは＋の補助レンズを入れる．ピント合わせのノブを最もプラス(手前に)よりにし，ジョイスティックを前後に動かしてピントを合わせる．中心部に反射が入るので，所見にかからないように注意して撮影する．倍率を変えたい場合は画角を変える(図 23-13)．

b. 立体撮影法[5)]

立体写真は眼底疾患を 3 次元的解析することができ，疾患の性質を理解するのに有用である．1 枚の写真ではわかりにくい乳頭の陥凹，出血の深さ，浮腫や剝離の状態などが明瞭になる．

1) 同時立体撮影法

コーワの nonmyd™WX3D のような専用の眼底カメラが必要である．画角が狭いので広範囲の所見の撮影は難しい．しかし，いつも写真の視差を一定にできるため，乳頭の陥凹の記録としては優れている．

2) 平行移動法

従来の眼底カメラで撮影が可能である．そのため，広い範囲の出血や浮腫，剝離の撮影に適している．視差のある 2 枚一組の写真を撮影するので，被検者には，2 回の撮影が済むまで顔を動かさず，固視灯を見続けるように指示する．撮影時の視差をなるべく一定に保つために，眼底カメラに搭載されているワーキングドットを目安として利用する．まず，通常の眼底写真撮影と同様に眼底が鮮明に見える位置に眼底カメラを合わせる．眼底が見えたら，ジョイスティックを左右いずれかに傾ける．ジョイスティックを右側に傾けたら右側のワーキングドットが消え，左側のワーキングドットが画角の 1/3〜1/2 にきたときに 1 枚目を撮影する．今度は左側にジョイスティックを倒し，右側のワーキングドットが画角の 1/3〜1/2 にきたときに 2 枚目を撮影する．ジョイスティックを傾け過ぎるとフレアが出るので，フレアが出る手前で撮影する．

（田邊宗子）

Ⅳ　蛍光眼底写真

1 検査の概要

目的 網膜や脈絡膜の病態の把握．

適応 網膜脈絡膜疾患．

機器 眼底カメラ，HRA(Heidelberg Retina Angiograph，図 23-14)，Optos 社の超広角走査型レーザー検眼鏡(California®)，ニデック社の Mirante(図 23-15)など．

2 分類

蛍光眼底造影には使用する蛍光色素によってフルオレセイン蛍光眼底造影(fluorescein angiography：FA)とインドシアニングリーン蛍光眼底造影(indocyanine green angiography：IA)の 2 種類がある．FA は主に網膜血管，網膜色素上皮の情報を得ることができ，IA では，主に脈絡膜血管系の情報が得られる．

3 使用機器と画像

眼底カメラ型では，網膜全層と脈絡膜浅層から深層までのすべての蛍光像が重ねあわされた画像が得られる．それに対して，走査型レーザー検眼鏡(scanning laser ophthalmoscope：SLO)型では共焦点により乱反射を除去しているために，眼底カメラ型よりコントラストの高い，解像度のよい画像が得られる．しかし，焦点面前後の画像が制限されるため，ピントを合わせた面(網膜血管)より奥の蛍光が弱くなり，脈絡膜からの蛍光

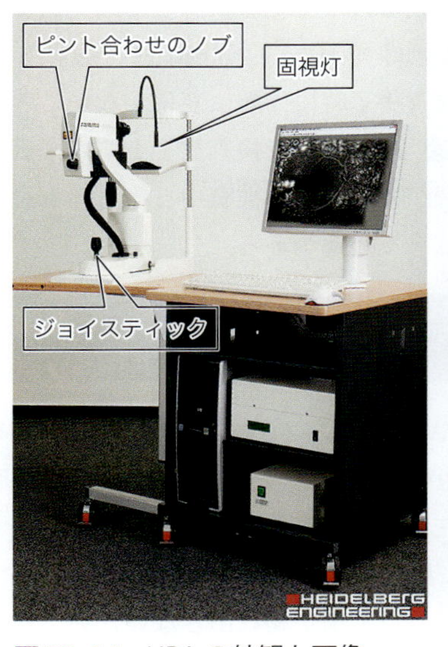

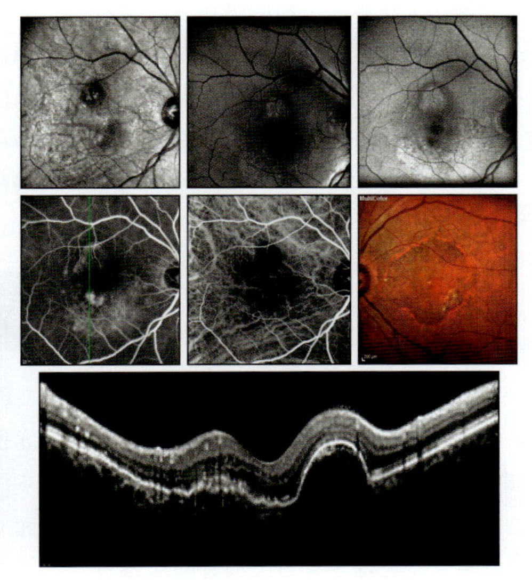

図 23-14　HRA の外観と画像
左：Heidelberg Retina Angiograph(HRA)の外観．右側上段：左から赤外光 IR，red-free，自発蛍光，中段：左から FA，IA，マルチカラー画像，下段：OCT 画像(JFC のご厚意による)．

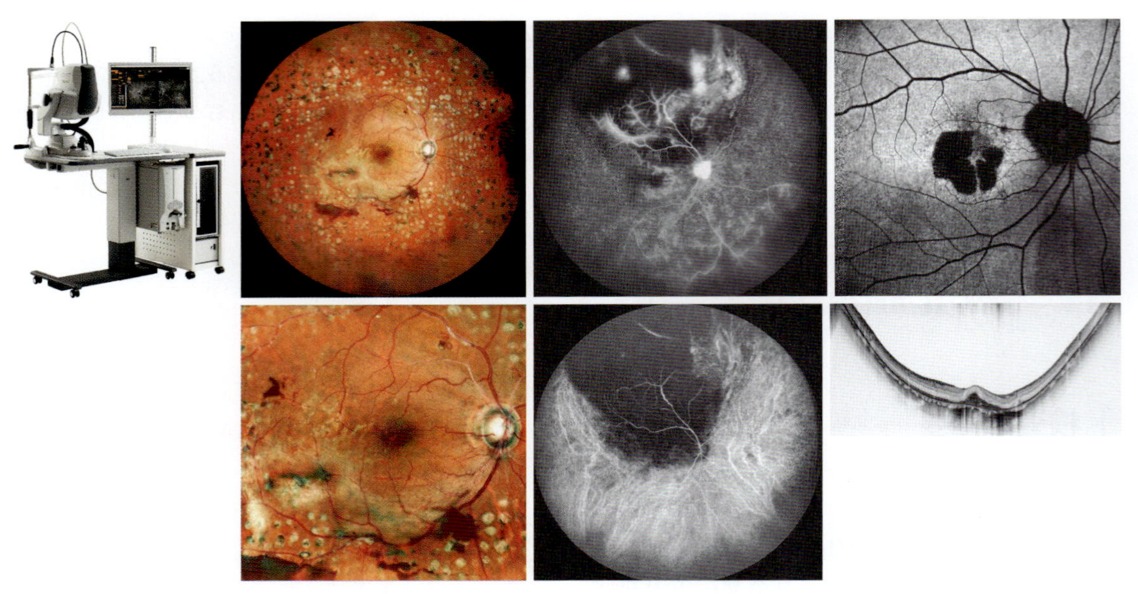

図 23-15 Mirante
左：ニデック社Miranteの外観，左上段：増殖糖尿病網膜症の広角カラー画像，左下：左上段の通常カラーSLOの画像，中央上段：悪性黒色腫のフルオレセイン蛍光眼底造影の画像，中央下段：中央上段のインドシアニングリーン蛍光眼底造影の画像，右上段：加齢黄斑変性，地図状萎縮の自発蛍光(FAF)の画像，右下段：強度近視による新生血管黄斑症のOCT画像(株式会社ニデック提供：京都大学 加登本 伸先生のご厚意による)

が検出されない場合がある．また，網膜表層に蛍光を遮断するものがあるとその下にある蛍光を捉えることが困難になるため，眼底カメラ型と所見が異なることがあるので，注意が必要である．検査時には，散瞳の悪い人はSLO型がよく，眩しがる人，固視の悪い人，小児，白内障など中間透光体に混濁がある場合は，眼底カメラ型が適している．早期の網膜循環状態を観察したい場合には，SLO型が優れている．

4 撮影手順

問診で検査の適応を確認後，腕に点滴で血管確保を行う．造影剤注入と同時にタイマーを押す．眼底に蛍光(choroidal flush)が現れたら，撮影を開始する．

FAの場合は約1秒ごとに網膜静脈の蛍光がみられる時期(網膜静脈相)まで撮影する．通常は病変部を含めた後極から撮影を始め，周辺部を撮影後，後期に再度後極部を撮影する．血管腫などの栄養血管の検出を目的としている場合には，栄養血管と思われる部分に焦点を合わせて造影早期を明瞭に撮影する．FAでは5〜10分程度まで撮影する．ただし，囊胞様黄斑浮腫を鮮明に撮影したければ10〜12分まで撮影を行う．ぶどう膜炎の所見は15分後頃から現れるものもあるため，疾患によって撮影時間を調整する．IAでは蛍光が脈絡膜に入ってくる状態を動画で撮影，その後は静止画像で10〜30分後頃まで撮影する．

検査終了時に体調に変化がないことを確認してから，点滴を抜き検査終了とする．副作用がでる場合があるので，検査中も検査後も患者の状態に注意する必要がある．

a. フルオレセイン蛍光眼底造影(fluorescein angiography：FA)[6〜8]

FAの造影剤として用いるフルオレセインは黄赤色の蛍光色素である．この造影剤を腕の静脈から注入し，色素が眼底に到達した時点で青色の励起で照射すると蛍光を発光する．正常では網膜血管外に造影剤が漏れ出さないため，血管内の造影剤だけが造影される．一方，正常でも脈絡膜血管からは造影剤は漏れるが，上方の網膜色素上皮の

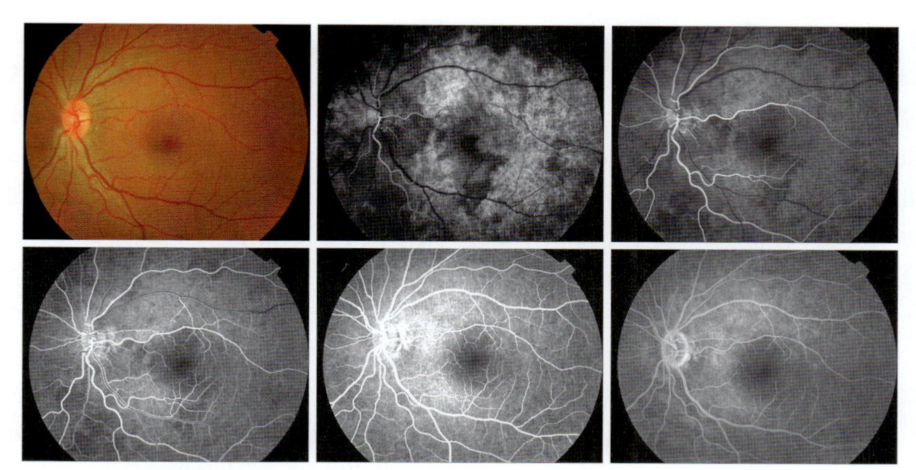

図 23-16　FA 画像(眼底カメラ型)
眼底カメラによる FA 画像．上段：左からカラー画像，早期脈絡膜蛍光(choroidal flush)，網膜動脈相，
下段：左から網膜静脈相早期，網膜静脈相後期，後期．

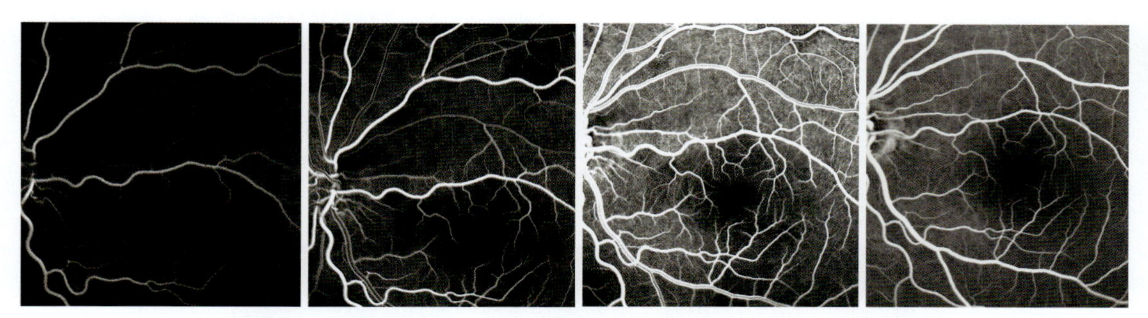

図 23-17　FA 画像(HRA)
HRA の FA 画像，左から網膜動脈相，網膜静脈相早期，網膜静脈相後期，後期．

バリア機能のため網膜には漏れてこない．つまり，網膜血管の内側血液網膜関門や網膜色素上皮層の外側血液網膜関門のバリア機能が破綻するとフルオレセインナトリウムが漏出して，異常所見として認められる．フルオレセインは肝臓，腎臓で代謝後，24〜36 時間で尿中に排出される．

1) 正常所見

a) 脈絡膜相(図 23-16)

脈絡膜は網膜造影より 1〜2 秒早く造影される．早期脈絡膜蛍光(choroidal flush)では，モザイク状に不規則な蛍光所見が観察される．

b) 網膜動脈相(図 23-16, 17)

蛍光色素を注入してから網膜中心動脈が造影されるまでの時間を腕-網膜循環時間という．正常では 10〜15 秒である．

c) 網膜毛細血管相

網膜細動脈血管が造影され，毛細血管が充盈される．

d) 網膜静脈相(図 23-16, 17)

早期(造影開始から約 15〜20 秒)の網膜静脈の造影では血管壁に沿って蛍光色素が染まる層流がみられる．後期には層流が消失して網膜静脈が均一な蛍光を示す．

e) 後期(図 23-16, 17)

造影開始から 10 分以降では網膜血管や脈絡膜中大血管から蛍光色素が消失するが，強膜，Bruch 膜，脈絡膜間質の組織染が認められ，脈絡膜中大血管は淡い陰影としてみられる．

2) 異常所見(図 23-18)

異常所見には低蛍光と過蛍光がある．

a) 低蛍光

正常ではみられる蛍光が認められない場合，あるいは正常よりも弱い場合をいう．低蛍光には蛍光遮断(blockage)，充盈遅延(filling delay)と充盈欠損(filling defect)がある．

蛍光遮断は出血，色素沈着，硬性白斑，結合組織などによってその下方に存在する通常の蛍光が認められない所見である(図23-19)．低蛍光の大きさ，形，場所に一致するような異常組織がカラー写真で認められなければ充盈遅延か充盈欠損である．充盈遅延を示す代表的な疾患として網膜動脈閉塞症が挙げられる．この充盈遅延は網膜動脈の狭窄または閉塞による(図23-20)．

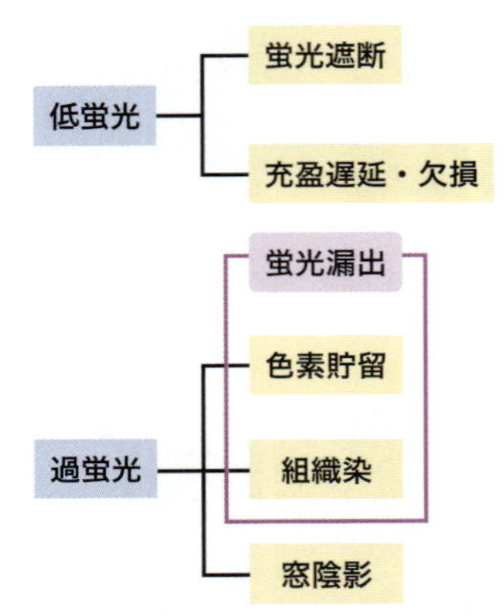

図23-18 FAにおける異常所見

b) 過蛍光

蛍光が正常よりも強く認められる場合いう．過蛍光には窓陰影(window defect)，色素貯留(pooling)，組織染(staining)とがあり，色素貯留と組織染を合わせて蛍光漏出(leakage)という．

window defectとは網膜色素上皮細胞の変性・萎縮や欠損により，網膜色素上皮細胞のメラニン色素が減少消失すると，色素によるフィルタ効果が減少消失して脈絡膜の蛍光が強く透けて見える状態である．網膜脈絡膜変性(図23-21)や陳旧性の黄斑円孔などでみられる．

血液網膜関門の異常によって網膜内，網膜下，網膜色素上皮下などの間隙に蛍光色素が貯留して

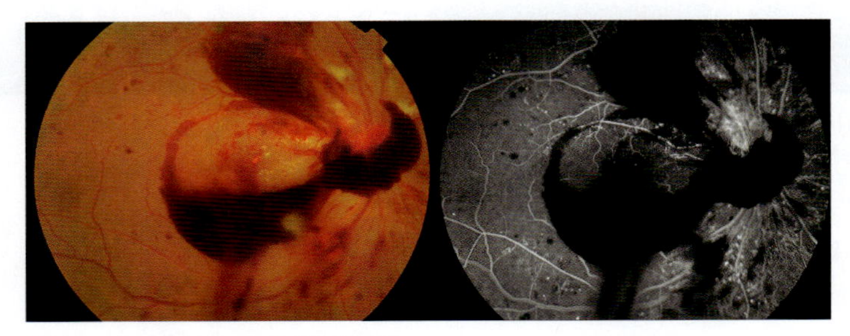

図23-19 出血による蛍光遮断

左：糖尿病性網膜症のカラー眼底写真，右：FA画像．カラー眼底写真の出血に当たる部分が黒くなっている．この状態の低蛍光を蛍光遮断(blockage)という．

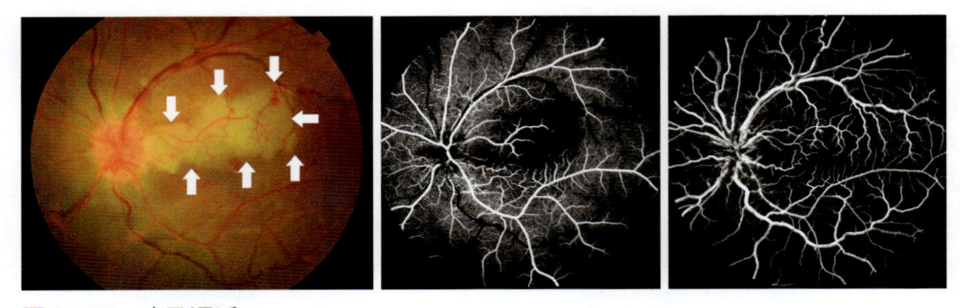

図23-20 充盈遅延

左：網膜動脈分枝閉塞症のカラー眼底，白い矢印で囲われている部分が閉塞領域．中央：FA19秒の画像．カラー画像の灰白色部分の灌流が遅れている．右：34秒の画像．閉塞領域は充盈されているので充盈遅延と判断できる．

いる状態を色素貯留という．Vogt-小柳-原田病や中心性漿液性網脈絡膜症の剝離網膜下の色素貯留，糖尿病網膜症や白内障術後黄斑浮腫(Irvine-Gass 症候群)(図 23-22)などでみられる網膜内浮腫を示唆する囊胞様黄斑浮腫が代表的なものである．

組織染とは，組織が蛍光色素で染まって過蛍光を示すものをいう．線維組織や網膜静脈分枝閉塞症の網膜静脈の壁染(図 23-23)，ベーチェット病(図 23-24)では周辺部の網膜毛細血管から蛍光漏

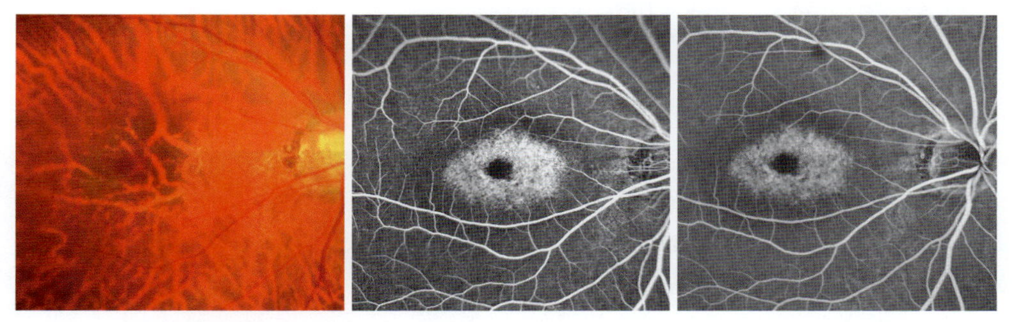

図 23-21 窓陰影(window defect)
左：黄斑ジストロフィのカラー眼底写真．黄斑に軽度の萎縮がみられる．中央：FA の早期．リング状に顆粒状の過蛍光を認める．右：FA の後期．過蛍光の大きさ形は変わらないが蛍光は弱くなっている(日本大学病院アイセンターのご厚意による)．

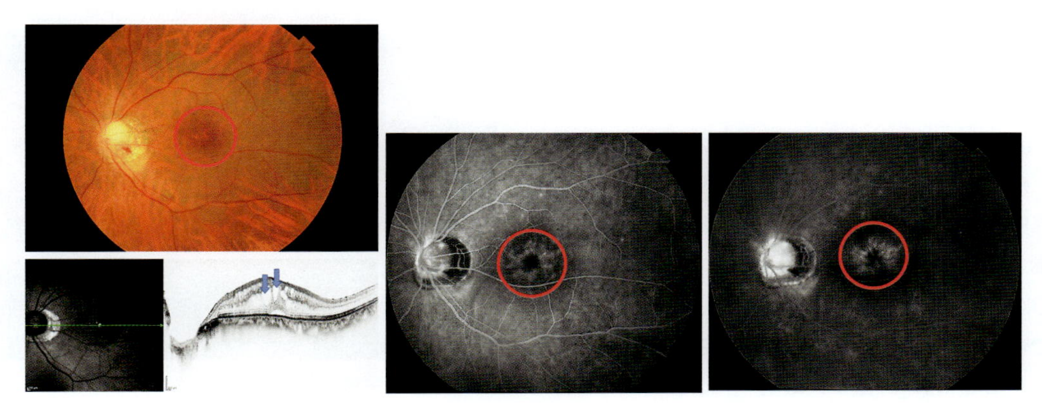

図 23-22 囊胞様黄斑浮腫
左上：白内障術後黄斑浮腫(Irvine-Gass 症候群)のカラー画像，左下：OCT の画像，矢印の部分が囊胞．中央は FA 早期，右は FA の後期，赤線で囲われた部分が囊胞で，黄斑部に花弁状に色素貯留がみられる．

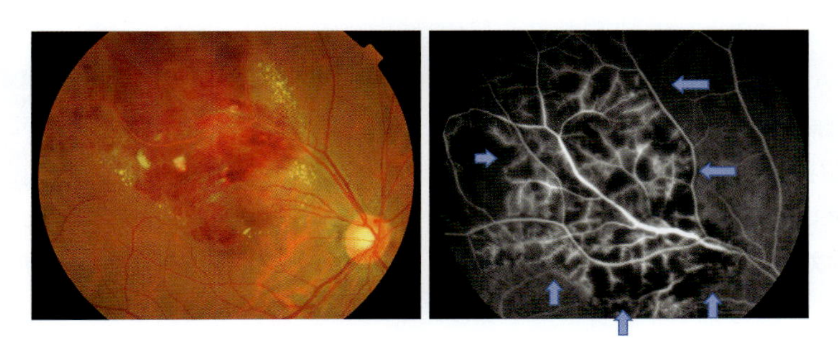

図 23-23 FA 組織染(網膜静脈分枝閉塞症)
閉塞領域を示す囲われた部分の血管に組織染がみられる(矢印)．

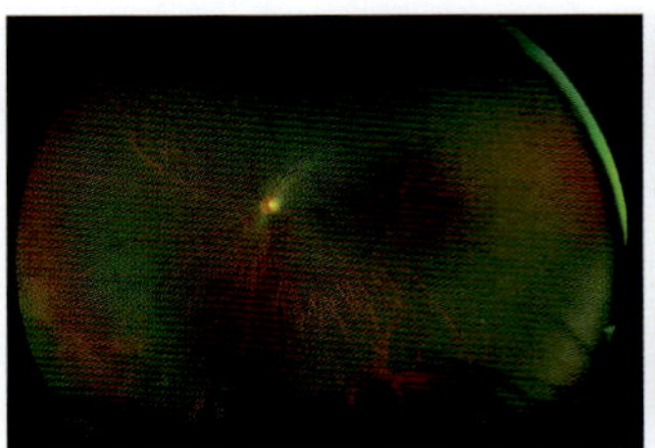
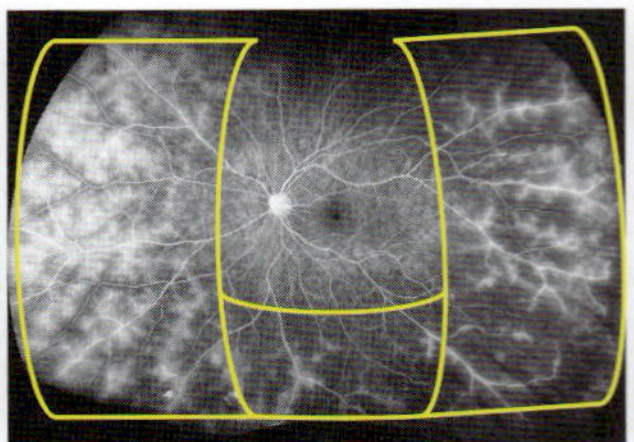
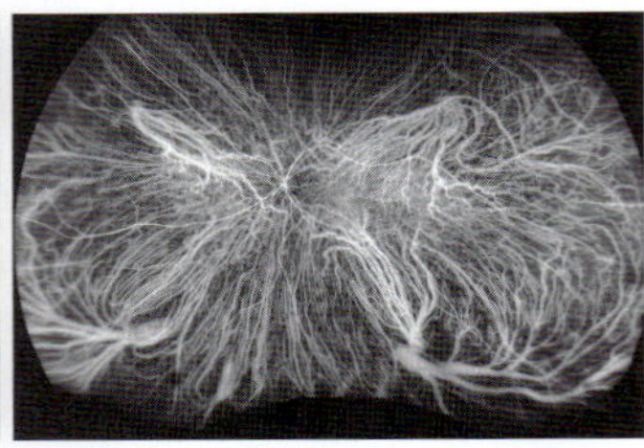

図 23-24 FA 組織染(ベーチェット病)
左：Optos 社の超広角走査型レーザー検眼鏡の疑似カラー画像．中央：FA の画像．周辺部の網膜血管からほうき状の組織の漏れ(黄色の枠)がよくわかる．右：IA の画像．網膜主幹血管に局限性の壁染がみられる(日本大学病院アイセンターのご厚意による)．

出がみられ，大血管からは蛍光漏出がみられないためシダの葉状に漏出がみられる．Optos 社の超広角走査型レーザー検眼鏡では 1 度に 200° の広範囲が撮影できるので周辺部網膜に及ぶ広い範囲の病変を 1 枚の画像で確認できる．また網膜血管増殖性腫瘍(図 23-25)などの栄養血管の検出にも優れている．

強い蛍光漏出を示すものに新生血管がある．新生血管は造影早期に漏出部の形状が明瞭に観察でき，経時的に過蛍光は増強拡大し旺盛な色素漏れを示す．加齢黄斑変性の脈絡膜新生血管(choroidal neovascularization：CNV)のうち，網膜色素上皮上に発育した脈絡膜新生血管は造影早期に境界鮮明な板状の過蛍光を示し，後期には旺盛な色素漏出を示すこの所見は classic CNV と呼ばれる(図 23-26)．増殖糖尿病網膜症の網膜新生血管では硝子体中に旺盛な漏れがみられ，コットンボールと呼ばれる(図 23-27)．

3) 副作用

FA のショックにはアナフィラキシーショックと痛みや緊張による神経性ショックの 2 種類がある．アナフィラキシーショックは軽いものも含めて 10% 程度にみられる．主な症状として悪心，嘔吐，瘙痒感，蕁麻疹，くしゃみなどがある．非常に稀ではあるが死亡例も報告されているので，検査前には薬物アレルギーの確認や，万一の場合に備えたショック対策が必要である．

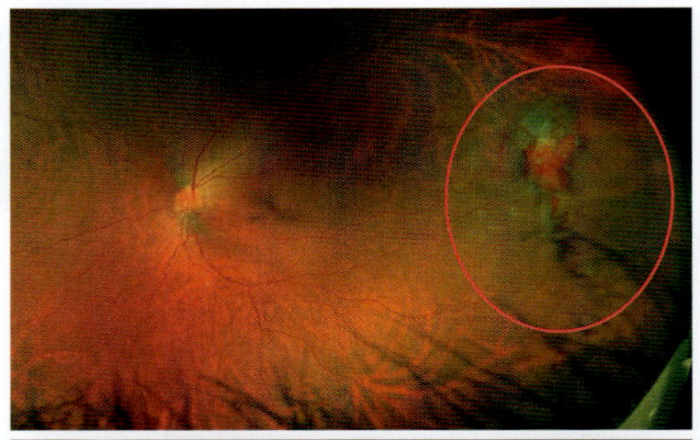
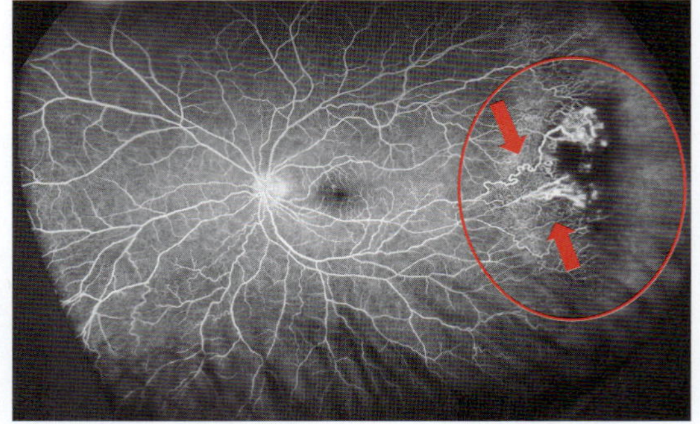

図 23-25 栄養血管の検出
網膜血管増殖性腫瘍．上：Optos 社の超広角走査型レーザー検眼鏡で撮影した疑似カラーの画像．下：FA の画像．蛇行した栄養血管(赤矢印)，多くの血管吻合，毛細血管の拡張がみられる．(日本大学病院アイセンターのご厚意による)．

b. インドシアニングリーン蛍光眼底造影(indocyanine green angiography：IA)[6,7,9]

IA の造影剤として用いられるのはトリカルボシアニン系の暗緑青色の蛍光色素〔インドシアニングリーン(ICG)〕である．FA 同様造影剤を腕の静脈から注入し行う．IA は血中から選択的に肝臓に摂取され，腸肝循環や腎臓からの排出もな

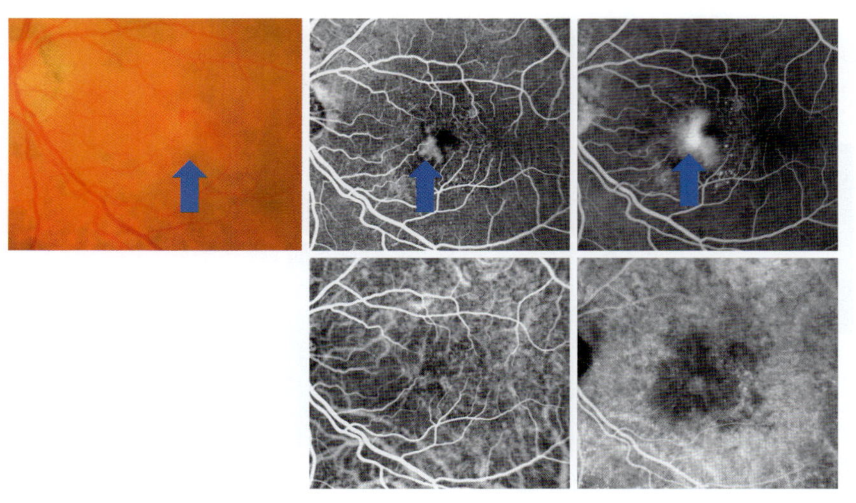

図 23-26 蛍光漏出
加齢黄斑変性．左：カラー画像．中心窩下鼻側に灰白色病巣がみられる（矢印）．中央上：FA の早期．境界鮮明な過蛍光がみられる（矢印）．右上：後期では旺盛な色素の漏れがみられ，いわゆる classic CNV の所見を示している（矢印）．中央下：IA の早期．右下：IA の後期．後期には旺盛な色素の漏れは見られない（日本大学病院アイセンターのご厚意による）．

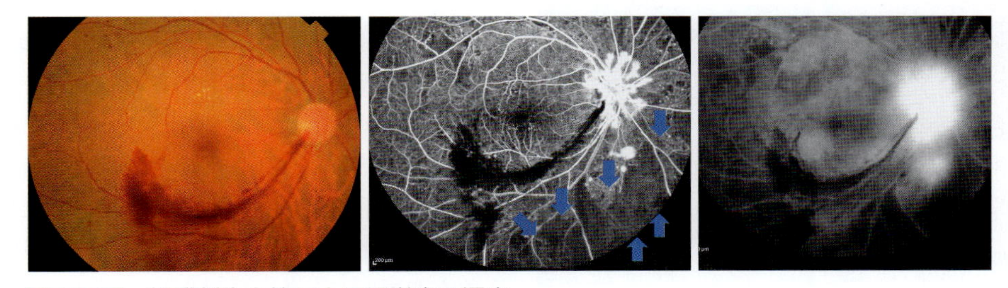

図 23-27 網膜新生血管による過蛍光の漏出
増殖型糖尿病網膜症．左：カラー眼底写真．中央：FA の早期．右：後期の画像．カラー写真の出血に当たる部分が出血のブロックにより低蛍光を示し，乳頭上および乳頭下方の多数の網膜新生血管から旺盛な色素の漏れがみられる．乳頭下方に nonperfusion area がみられる（矢印）（日本大学病院アイセンターのご厚意による）．

く，肝臓より遊離の形で胆汁中に効率よく速やかに排出されるため，尿中には排出されない．

1）正常所見

a）脈絡膜動脈相（図 23-28, 29）

後極部から周辺部に分枝する脈絡膜動脈が造影される時期である．

b）脈絡膜動静脈相（図 23-28, 29）

脈絡膜動脈造影開始後，すぐに脈絡膜静脈も造影される．脈絡膜蛍光が最も強くなる時期である（FA での choroidal flush に相当する）．

c）脈絡膜静脈相（図 23-28, 29）

脈絡膜動脈の蛍光が弱まっていき，脈絡膜静脈の蛍光が優位になってくる時期である．

d）脈絡膜消失相（図 23-28, 29）

ICG 静注後 15〜20 分経過すると脈絡膜血管内の ICG 色素はほとんど消失し，ほぼ均一なびまん性脈絡膜蛍光が認められる．視神経乳頭は低蛍光を示し，黄斑部は中心窩領域に存在するキサントフィルによる蛍光遮断で，軽度の低蛍光を示す．また，網膜血管や太い脈絡膜血管は黒く抜けたようにみえる．

2）異常所見

異常所見には低蛍光と過蛍光がある．

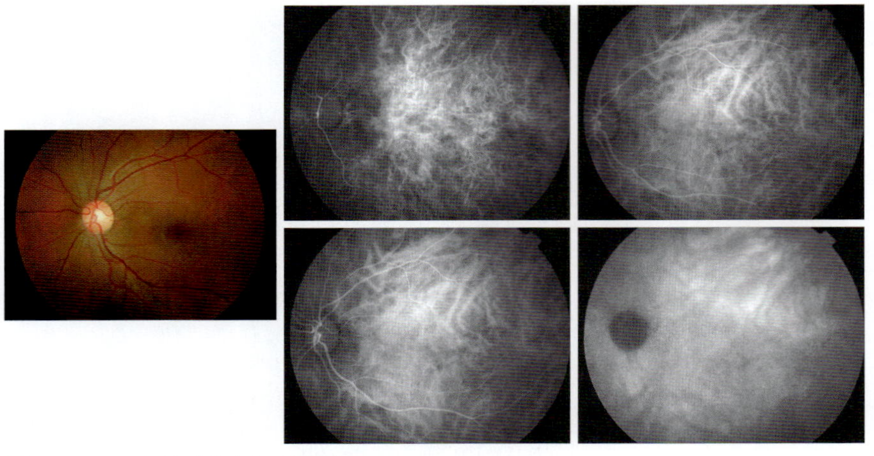

図 23-28 IA画像(眼底カメラ型)
眼底カメラ型のIA画像．左：カラー画像，中央上：脈絡膜動脈相(16秒)，右上：脈絡膜動静脈相(27秒)，中央下：脈絡膜静脈相(4分)，右下：脈絡膜消失相(25分)．

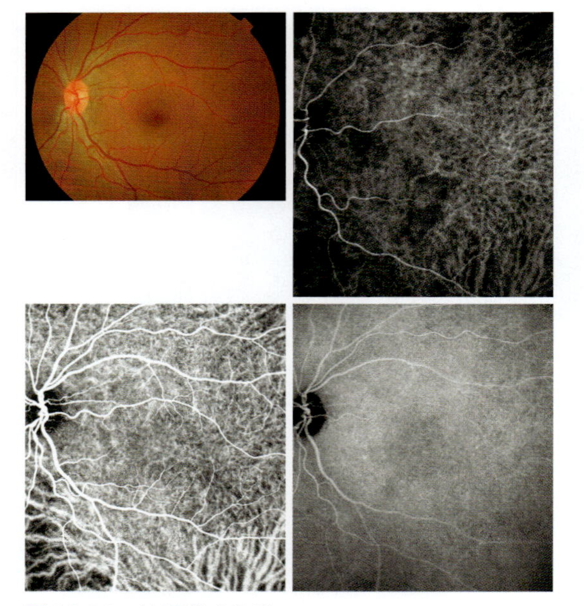

図 23-29 IA画像(HRA)
HRAのIA画像．左上：カラー画像，右上：脈絡膜動脈相(31秒)，左下：脈絡膜動静脈相(44秒)，右下：脈絡膜静脈相(15分)．

a) 低蛍光

低蛍光には蛍光遮断(blockage)と充盈遅延(filling delay)と充盈欠損(filling defect)がある．

蛍光遮断は背景蛍光がその前にある病変によって遮断された状態である．遮断の原因となるものは，出血，硬性白斑，軟性ドルーゼン，感覚網膜あるいは網膜色素上皮の下液，キサントフィル，多量のメラニンなどが挙げられる．どのレベルの遮断かは，カラー眼底写真，光干渉断層計(OCT)の所見とともに判断される．

充盈遅延は，通常よりも遅れて蛍光が確認できる状態である．主に脈絡膜の循環障害を判定できる．造影早期から後期まで低蛍光が持続したものを充盈欠損という．理論的には充盈欠損は血管の完全閉塞か，あるいは消失した状態を示す．しかし，ICGは蛍光が弱いためFAでは造影後期に過蛍光を示す充盈遅延がIAでは後期まで低蛍光を示すことが多い(図 23-30)．

b) 過蛍光

過蛍光には色素貯留(pooling)と組織染(staining)がある．ICGは長波長であり網膜色素上皮を透過するのでwindow defectは全くあるいは軽度にしかみられない．

色素貯留は血液網膜関門の異常によって，ICGが網膜下，網膜色素上皮下の組織間隙に漏出し，貯留した状態である．ICGはフルオレセインより分子量が大きいので漏れにくい図 23-26右下)．IAで漏れがみられる場合には，関門の障害が強いと考えられる．

組織染とはICG色素が組織を染色した状態である．線維化したCNV，血管炎を伴う網膜血管

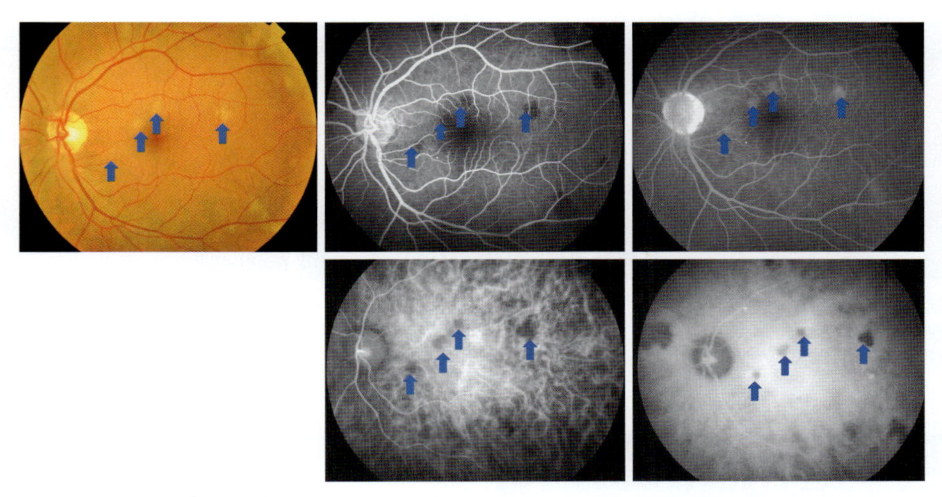

図 23-30　IA の充盈遅延
急性後部多発性斑状色素上皮症(acute posterior multifocal placoid pigment epitheliopathy：APMPPE).
左上：カラー眼底写真．後極部に約 1/3 乳頭系の白色斑状病巣が散在している(矢印).
中央上：FA の早期．灰白色病巣に一致して低蛍光を示す．右上：FA の後期．病巣は過蛍光になり，逆転現象がみられる．下段：IA の画像(左：早期．右：後期)．ともに病巣部に一致して低蛍光を示す．後期では低蛍光の範囲が小さくなる(日本大学病院アイセンターのご厚意による).

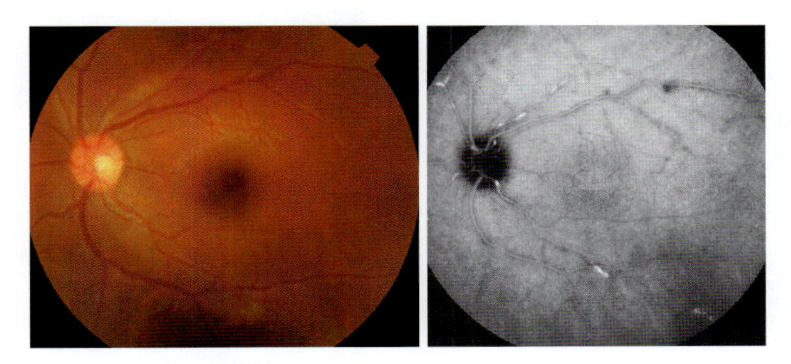

図 23-31　IA の組織染
ぶどう膜炎．左：カラー画像．右：IA 画像．網膜動脈に多数の壁染がみられる(日本大学病院アイセンターのご厚意による).

(図 23-31)，障害された網膜色素上皮や Bruch 膜，萎縮した網膜色素上皮や断裂した Bruch 膜は組織染を示す．

c) その他

通常 FA のほうが IA よりも網膜血管の形態を検出しやすいが，高度な出血が生じた網膜細動脈瘤(図 23-32)や網膜静脈分枝閉塞症などでは，IA のほうが網膜動脈上の瘤状病変や，静脈の循環状態を検出しやすい場合がある．一方，網膜の新生血管は IA では検出が困難である．しかし，滲出型加齢黄斑変性の特殊型に分類される網膜血管腫状増殖(retinal angiomatous proliferation：RAP)では網膜血管と吻合する脈絡膜新生血管は IA で明瞭に検出できる．

3) 副作用

副作用の種類は FA と同様であるが，頻度は FA に比べてアナフィラキシーショックを含め少ない．しかし，ICG はヨウ素を含むため，ヨード過敏症の既往のある患者には禁忌である．

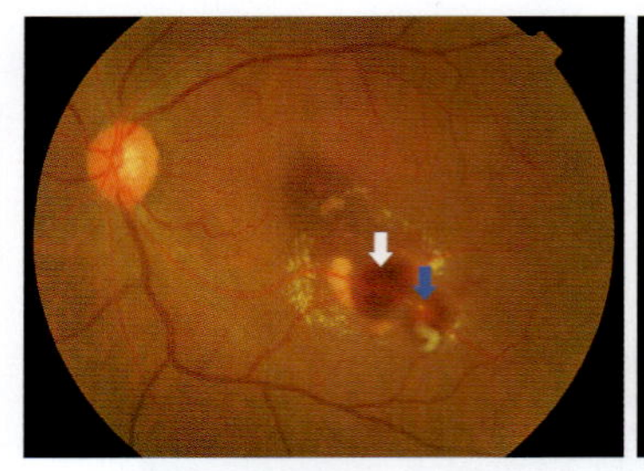
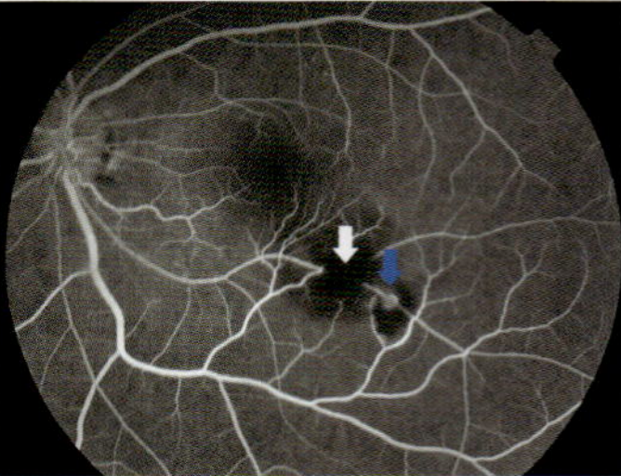
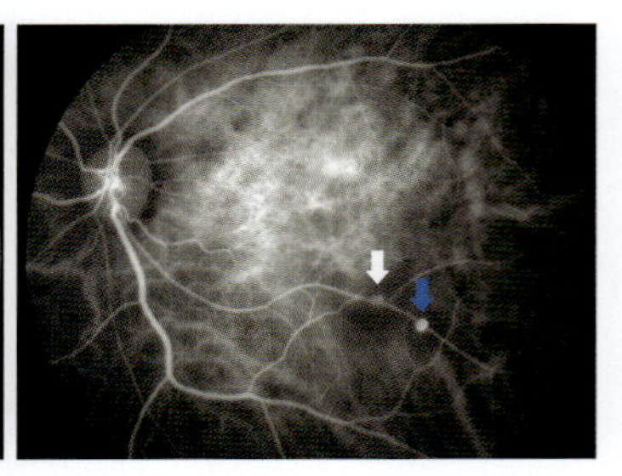

図 23-32 IA が有用な症例
左：網膜細動脈瘤のカラー画像，中央：FA 画像，動脈瘤は出血が高度なため確認できない（白矢印）．青矢印の動脈瘤は FA でも確認できる．右：ICG 画像，どちらの動脈瘤も確認できる．

c. 眼底自発蛍光（fundus autofluorescence：FAF）[10)]

FAF は眼底自体が発する蛍光を画像としたものである．自発蛍光には励起波長として短波長（青色〜青緑光）のものと長波長（近赤外光）のものがある．短波長では，主に網膜色素上皮細胞内のリポフスチンを，長波長では，網膜色素上皮および脈絡膜のメラニンの発する蛍光を捉えている．

使用機器は，FAF 撮影用の励起および濾過フィルタを搭載した眼底カメラとレーザーを搭載した SLO 型とがある．SLO 型のほうがコントラストの高い画像が得られる．しかし黄斑色素のブロックが強いので黄斑部病変の評価には眼底カメラのほうが優れている．また，低蛍光部と萎縮部の判別にも眼底カメラのほうが検出しやすい．

非接触，非侵襲で短時間に行える検査であり，短波長の FAF は網膜色素上皮の病巣の判定や経過観察に用いられる．

1) 正常黄斑の眼底自発蛍光

短波長の励起波長を用いた画像では，中心窩は黄斑色素であるキサントフィルによるブロック効果を受けるので，暗く描写され，周辺部にいくにつれて淡く蛍光輝度が増していく．網膜血管，視神経乳頭は暗く描写される（図 23-33 上段）．

長波長では，中心窩はメラニン色素が多いためやや過蛍光に描写される（図 23-33 右下）．

2) 異常所見

FAF の過蛍光は網膜色素上皮細胞内中のリポフスチンの増加を示すもので，網膜色素上皮の機能障害を示唆する．一方，低蛍光はリポフスチンの減少・消失を示すものでリポフスチンを産生できないほどの網膜色素上皮の減少・消失を示唆する．過蛍光を示す疾患は黄斑円孔（図 23-34），卵黄様黄斑ジストロフィ，ある一定期間網膜剝離が持続した中心性漿液性脈絡網膜症の網膜下沈着物，多発性消失性白点症候群（multiple evanescent white dot syndrome：MEWDS）（図 23-35）の炎症性疾患などである．低蛍光を示すものには網膜色素上皮の萎縮（図 23-36），欠損部がある．

長波長は画像上まだ解明されていないことが多い．

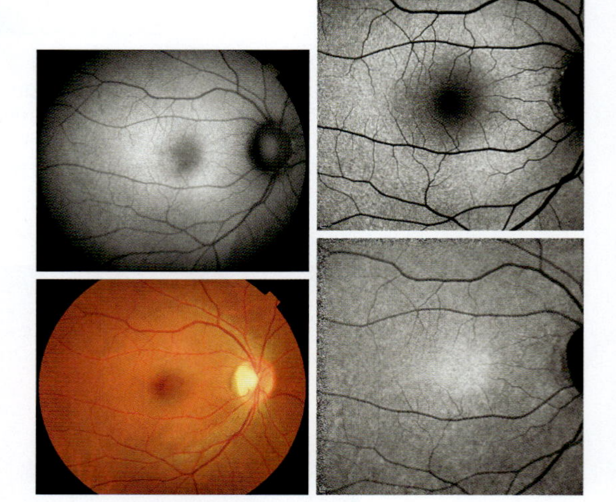

図 23-33 FAF の画像
左上：トプコン社の眼底カメラで撮影した FAF 短波長の画像，右上：HRA で撮影した同一眼 FAF の短波長の画像．右下：HRA で撮影した FAF の長波長の画像．左下：カラー画像．

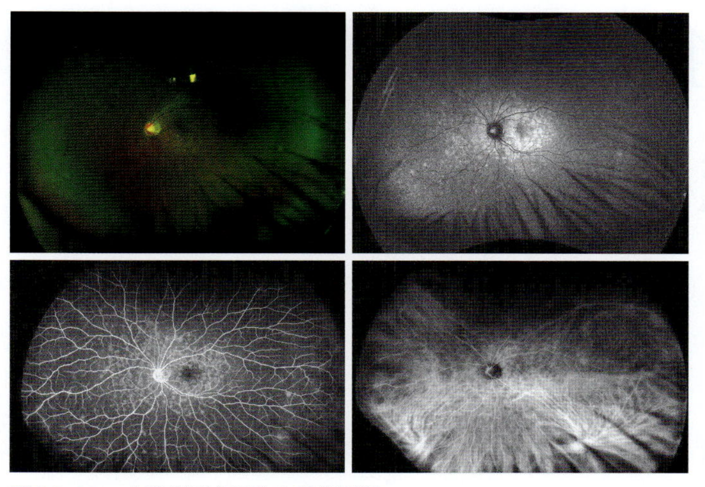

図 23-35 自発蛍光（FAF）の異常所見
多発消失性白点症候群（MEWDS）.
左上：Optos 社の超広角走査型レーザー検眼鏡の疑似カラー画像．眼底に白点が多発している．右上：自発蛍光．白点部は過蛍光がみられる．左下：FA の画像では無数の過蛍光斑がみられる．右下：IA．無数の低蛍光斑がみられる（日本大学病院アイセンターのご厚意による）.

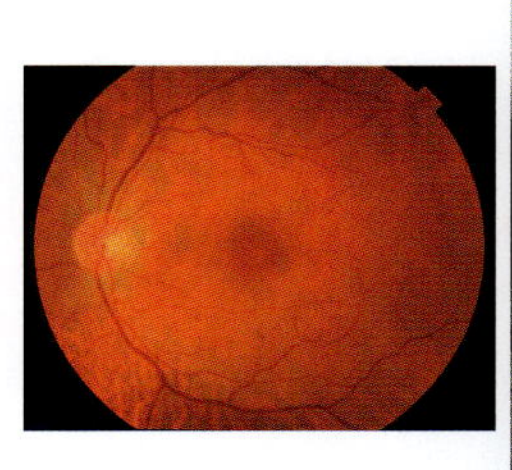

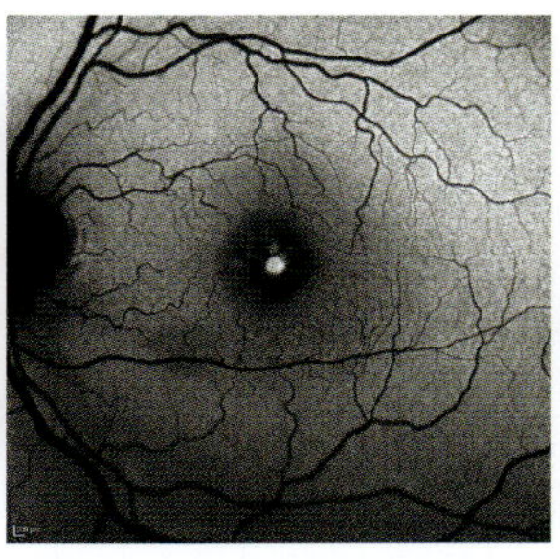

図 23-34 黄斑円孔（FAF 画像）
左：黄斑円孔のカラー画像，右：FAF 短波長の画像．円孔の部分は過蛍光.

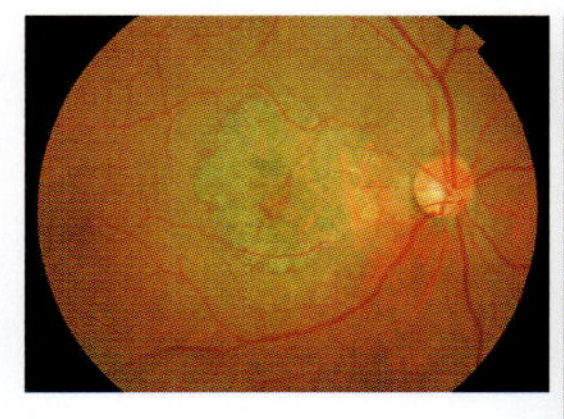

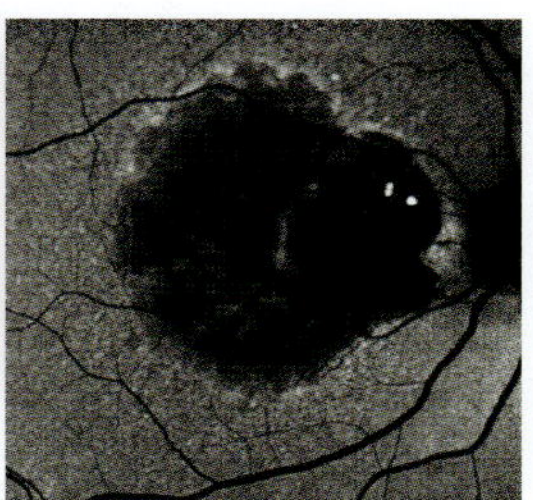

図 23-36 加齢黄斑変性（カラー・fundus autofluorescence）
左：加齢黄斑変性のカラー画像，右：FAF の短波長の画像．萎縮部分が黒く低蛍光を示す.

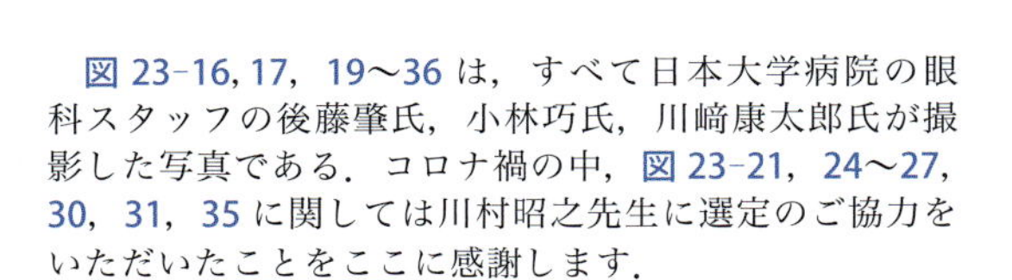

図 23-16, 17，19〜36 は，すべて日本大学病院の眼科スタッフの後藤肇氏，小林巧氏，川﨑康太郎氏が撮影した写真である．コロナ禍の中，図 23-21，24〜27，30，31，35 に関しては川村昭之先生に選定のご協力をいただいたことをここに感謝します.

▶文献

1) 相原いづみ，金上貞夫，山本裕子：9 方向眼位撮影の 1 方法．臨眼 79：1505-1507，1985
2) 田邉宗子：視能訓練士の実習教育カリキュラムとガイドラインの試案 The new proposal of a guideline and training curriculum for orthoptist 眼科写真学のカリキュラムとガイドライン The curriculum and guideline for ophthalmic photograph 修士論文
3) 小倉洋子：眼位写真撮影術．丸尾敏夫（監）：視能矯正マニュアル．pp94-114，メディカル葵出版，2002
4) Martonyi CL, Bahn CF, Meyer RF: Clinical Slit Lamp Biomicroscopy and Photo Slit Lamp Biomicrography. pp12-44, Time One Ink, Ltd. Michigan, 1985
5) 田邉宗子：特集，眼科写真記録と装置（良い写真を撮るための秘訣）眼底．眼科 44：1889-1896，2002
6) Saine PJ, Tyler ME: Ophthalmic Photography Retinal Photography, Angiography, and Electronic Imaging. pp105-136, Twin Chimney Publishing. Boston, 2002
7) 真鍋 歩：2 蛍光眼底造影．湯沢美都子（編）：黄斑疾患．pp35-65，日本医事新報社，2016
8) 高橋広行：蛍光眼底造影法．松井瑞夫（編）：Macular Diseases Elderly. pp15-23，南山堂，1997
9) 川村昭之：インドシアニングリーン蛍光眼底造影．松井瑞夫（編）：Macular Diseases Elderly. pp24-36，南山堂，1997
10) 篠島亜里，森 隆三郎：3 眼底自発蛍光（FAF）．湯沢美都子（編）：黄斑疾患．pp55-65，日本医事新報社，2016

（田邉宗子，湯澤美都子）

第24章
血流検査

1 検査の概要

目的 眼循環の評価.

原理 スペックルパターンの時間的変動から組織の血流速度を測定する.

適応 眼循環障害をきたすすべての疾患.

機器 レーザースペックルフローグラフィ.

2 眼血流測定法の種類

臨床的に用い得る眼血流測定法には, ① 色素希釈法(蛍光眼底造影法), ② レーザードップラ法, ③ 超音波カラードップラ法, ④ レーザースペックル法, ⑤ ドップラ OCT, ⑥ OCT アンギオグラフィ, ⑦ 補償光学を応用したイメージングなどがあるが, ここでは, 眼血流測定法として汎用されている④とその検査機器であるレーザースペックルフローグラフィ(laser speckle flowgraphy : LSFG)についてまとめる.

3 レーザースペックル法の原理

レーザー光を組織に照射すると, 組織中の赤血球により反射散乱された光が干渉し合ってランダムな斑点模様(スペックルパターン)を形成する. このパターンは赤血球の移動に伴って刻々と変化し, その変動の速さは赤血球の速度に相関するので, スペックルパターンの時間的変動(blurring)から組織の血流速度を測定することができる.

4 方法・現状

LSFG はわが国で開発され, 視神経乳頭, 網膜など眼底の二次元的な血流測定を可能にした[1,2]. 最新モデルの LSFG-NAVI™(図 24-1)は 2008 年に医療用機器として認証, 2009 年には保険適用を受け, 現在では汎用化されている[3]. 眼底カメラに半導体レーザー(波長 830 nm)発振装置を組み込み, スペックルの変動を CCD カメラで受像し, コンピュータで解析する. 最大画角 21°(視神経乳頭から黄斑部までに相当), 解像度 750×360 ピクセルである. 眼球の固視微動はソフト上で補正され追従できる. レーザーの深達度から測定深度は 1 mm 以上, 視神経乳頭では篩板前部から篩板後部に及ぶと考えられる.

測定パラメータ・MBR(mean blur rate)値は血流速度のみならず, 組織血流量をも反映することが動物実験で示されている. 視神経乳頭血流を部位別(上方・下方・鼻側・耳側)ならびに血管・組織領域に分けて解析することが可能である(図 24-2). さらに血流波形を解析することも可能である[3].

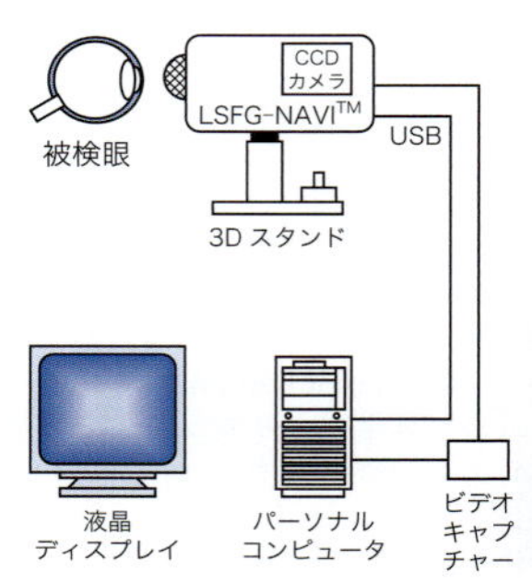

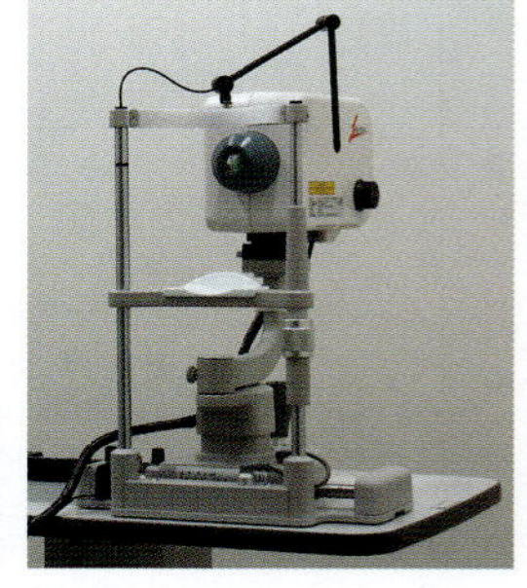

図 24-1　LSFG-NAVI™ の模式図と外観

5 適応

眼循環障害をきたすすべての疾患が対象となる．報告が多いのは緑内障と網脈絡膜疾患であるが，その他の視神経疾患にも適用できる．

まず，緑内障において眼循環障害の関与を示す報告が多数あり，LSFG を用いた研究でも示されている．例えば，視神経乳頭上方部分低形成と緑内障の鑑別や近視型乳頭における緑内障と非緑内障の鑑別に用いることが可能である[4,5]（図 24-3）．将来的には血流波形解析が緑内障診断に役立つ可能性もある．緑内障治療に関しては，特に薬物や手術などで眼圧下降が得られても進行する症例では眼圧以外の要因（眼循環障害を含む）が関与していると考えられる．そのような症例には血流改善治療の効果が期待され，その過程で血流の推移を調べることは重要である．緑内障点眼薬による正常眼圧緑内障・視神経乳頭血流変化の一例を図 24-4 に示す．

次に，網脈絡膜疾患には眼循環障害が関与すると考えられる疾患が多いが，特に網膜静脈閉塞症，糖尿病網膜症などに関して LSFG の報告がみられる[3]．自験例として，網膜中心静脈閉塞症で内服治療を行った症例における眼血流の推移を図 24-5，図 24-6 に示す．

さらに，視神経疾患については，虚血性視神経症と視神経炎の鑑別診断に役立つことが報告されている[3]．すなわち，視神経乳頭 MBR 値が（僚眼に比べ）前者では低く，後者では高い．治療上，発症早期に両疾患を鑑別することは重要である．

6 LSFG の正常値

MBR 値は元々相対値であり，正常値として確立したものは現時点ではほとんどない．一方，MBR 値のみならず，血流波形解析から求められる各パラメータも性や年齢によって差があることが報告されており[6,7]，今後はこの点にも配慮する必要がある．

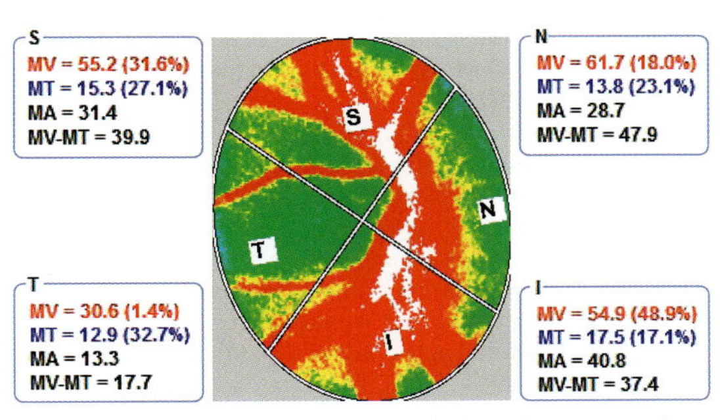

図 24-2　視神経乳頭 MBR 値を部位別（上，下，鼻・耳側）かつ血管領域（MV）・組織領域（MT）に分けて解析した例

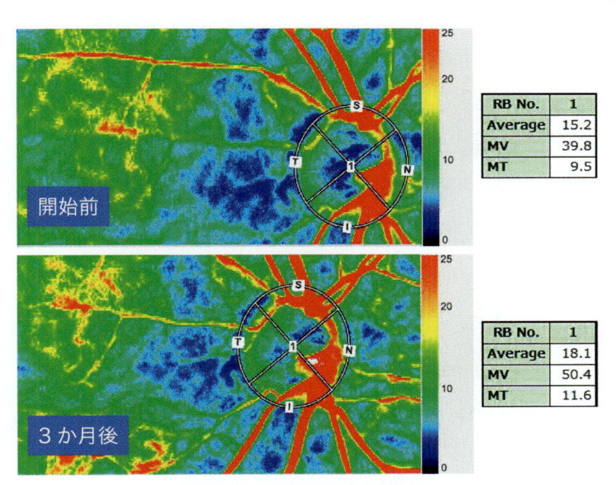

図 24-4　リパスジル（ROCK 阻害薬）点眼を開始した正常眼圧緑内障における血流変化の例
血管領域，組織領域ともに 20% 以上の血流増加がみられる．

Eye: Right

RB No.	1
Average	29.4
MV	49.4
MT	11.4

Eye: Left

RB No.	1
Average	17.8
MV	40.7
MT	8.8

図 24-3　視神経乳頭上方部分低形成（両眼）に緑内障（左眼）を合併した例の LSFG 測定結果
緑内障合併眼で視神経乳頭血流の著明な低下がみられる．

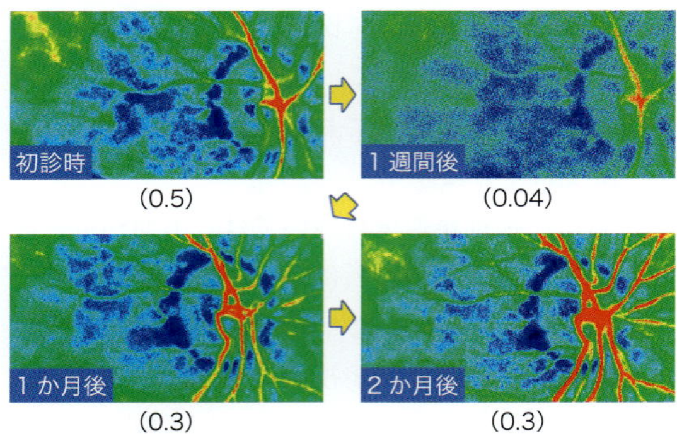

図 24-5 切迫型網膜中心静脈閉塞症における血流変化
括弧内は矯正視力を示す.

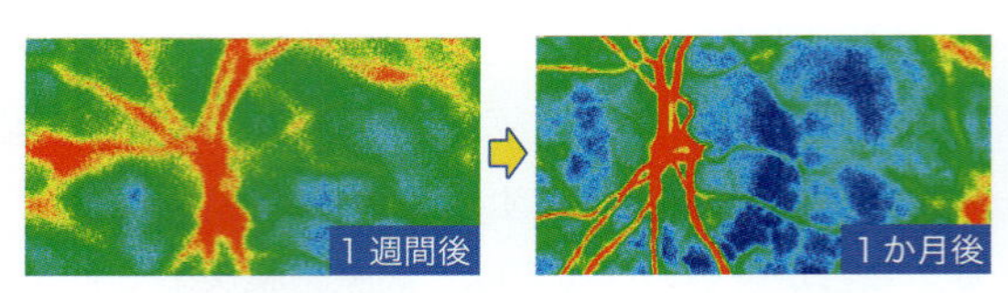

図 24-6 網膜中心静脈閉塞症における血流変化
1 週間後では血管走行が不明瞭であったが，1 か月後には明瞭化している.

検査のポイント

- LSFG によって得られる視神経乳頭 MBR 値は相対値であり，その定量性，すなわち異なる個体間で絶対値が比較できるか否かについては，動物眼での検討の結果，色調や形状に大きな差がなければ，ある程度の比較は可能であろうと考えられた[8)]．一方，多施設で行われた正常者多数例を対象とした検討から，視神経乳頭 MBR 値は血圧，年齢，眼軸長，乳頭面積，乳頭陥凹面積，乳頭周囲萎縮面積と有意な相関を示すことから，個人間で比較する際にはこれらの値によって調整する必要があるとされている[9)]．将来的には血流波形解析によって得られるパラメータや MBR 値の（短期）変動率などの応用も検討されるべきである．
- LSFG では網膜と脈絡膜の血流を分離して測定することができず，動物実験の結果から 90% 以上が脈絡膜血流を反映していると推察される[10)]．この数値は LSFG の旧型機での検討結果なので，新型機では多少異なる可能性もあるが，網脈絡膜疾患において留意すべきであろう．

文献

1) 新家 眞：レーザースペックル法による生体眼循環測定ー装置と眼科研究への応用．日眼会誌 103：871-909，1999
2) Sugiyama T, Araie M, Riva CE, et al: Use of laser speckle flowgraphy in ocular blood flow research. Acta Ophthalmol 88: 723-729, 2010
3) Sugiyama T: Basic technology and clinical applications of the updated model of laser speckle flowgraphy to ocular diseases. Photonics 1: 220-234, 2014
4) Aizawa N, Kunikata H, Omodaka K, et al: Optic disc microcirculation in superior segmental optic hypoplasia assessed with laser speckle flowgraphy. Clin Experiment Ophthalmol 42: 702-704, 2014
5) Sugiyama T, Nakamura H, Shimizu E, et al: Clinical usefulness of the measurement of optic nerve head blood flow in myopic normal-tension glaucoma. Int J Ophthalmic Res 1: 11-18, 2015
6) Yanagida K, Iwase T, Yamamoto K, et al: Sex-related differences in ocular blood flow of healthy subjects using laser speckle flowgraphy. Invest Ophthalmol Vis Sci 56: 4880-4890, 2015
7) Aizawa N, Kunikata H, Nitta F, et al: Age- and sex-dependency of laser speckle flowgraphy measurements of optic nerve vessel microcirculation. PLoS One 11: e0148812, 2016
8) Aizawa N, Nitta F, Kunikata H, et al: Laser speckle and hydrogen gas clearance measurements of optic nerve circulation in albino and pigmented rabbits with or without optic disc atrophy. Invest Ophthalmol Vis Sci 55: 7991-7996, 2014
9) Anraku A, Enomoto N, Tomita G, et al: Ocular and systemic factors affecting laser speckle flowgraphy measurements in the optic nerve head. Transl Vis Sci Technol 10: 13, 2021
10) Isono H, Kishi S, Kimura Y, et al: Observation of choroidal circulation using index of erythrocytic velocity. Arch Ophthalmol 121: 225-231, 2003

（杉山哲也）

第25章 超音波検査

I 超音波

超音波は，疎密波と呼ばれる縦波(例えばバネの伸び縮みのように，振動の方向と進行の方向が同じ)である(図 25-1)．波としての性質をもつため，波長，周波数，振幅により特性が定義されるが，われわれにとっては，横波(振動の方向と進行の方向が直交)の記載のほうが理解しやすい(図 25-2)．

波長とは波の 1 周期分の長さであり，山から山，谷から谷の長さを指す．周波数は 1 秒間に繰り返した波長の数であり，単位は Hz(ヘルツ)である(図 25-2)．つまり，周波数が大きくなるほど波長は小さくなり，分解能は向上するが減衰により診断距離が短くなるという性質をもつ．このことが，得られる画像の解像度と組織深達度に大きく影響するとされる理由である．また振幅は音の強度を表し，音の強度を音圧という．音圧を対数変換したものが音圧レベルであり(単位：デシベル，dB)，実際のエコー画面ではゲインとして表示される(図 25-3)．

「超」音波の何が音波を「超える」のかというと，周波数である．可聴周波は人間が聞き取ることができる上限を 20 kHz と定義しており，それを超

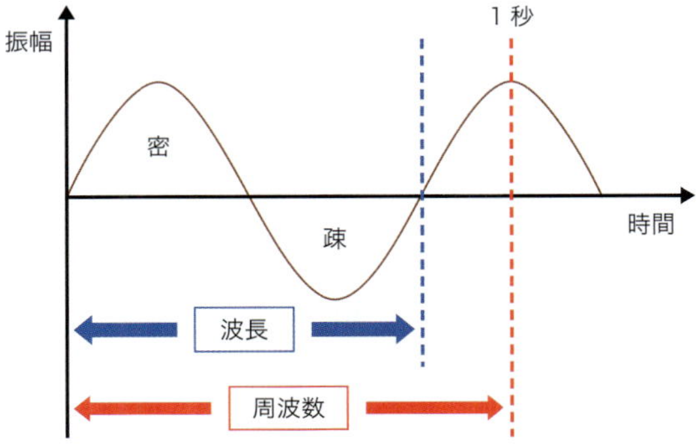

図 25-2 横波
振動の方向と進行方向が直交する．疎密波も横波で表現することも可能である．

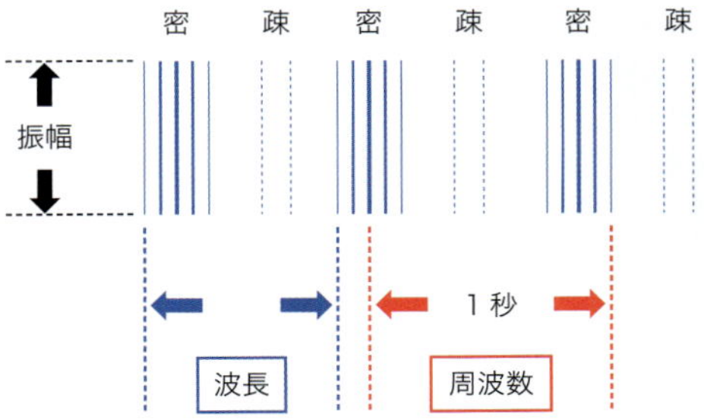

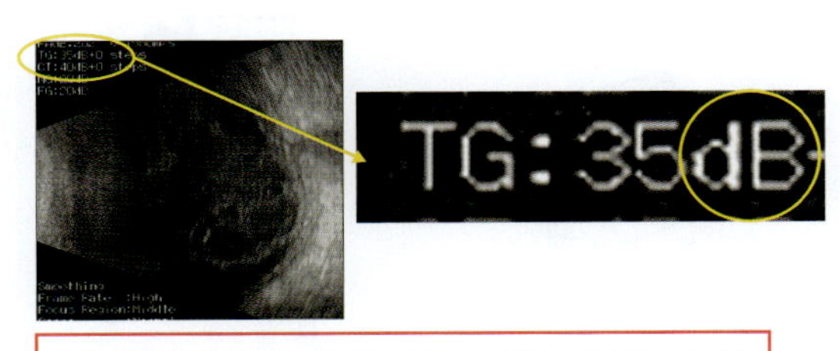

振幅(音の強度) ≒ 音圧レベル → 単位 dB(デシベル)

図 25-3 B モードエコー
エコー画面上では，振幅(音圧レベル)をトータルゲイン(TG)として表示している．B モードエコーでは輝度を反映する．

図 25-1 縦波
疎密波とも呼ばれ，波の進行方向と振動の方向が同じである．波長，周波数，振幅は図のように表される．

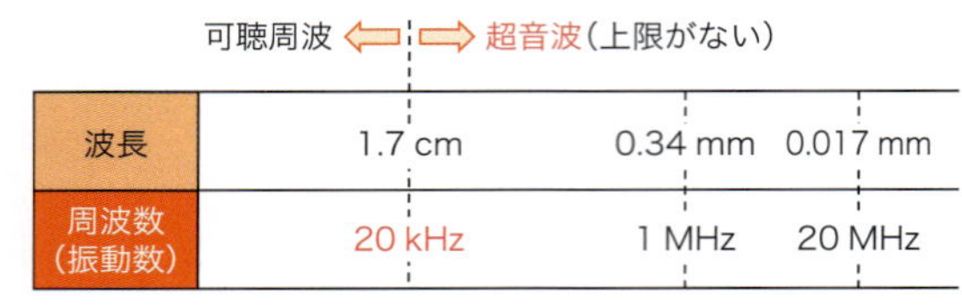

図 25-4 超音波と可聴周波

えるものが超音波であり上限はない[1](図 25-4).

ちなみに,「超音波」はパルス波として発振された波のことであり,「エコー」とは返ってきた反射波を指す.

本項では,A モード,B モードの方法と適応,ポイントと落とし穴,正常像などについて述べる.

II A モード

1 検査の概要

目的 主に眼軸長を測定する.現在,光学式で測定できない症例に対して選択されることが多い.

原理 プローブから発振された超音波と反射エコーの時間差を測定する.

適応 白内障手術の術前検査など,眼軸長測定を要する症例.

機器 A モード(図 25-5).

2 A モードとは

A モードは振幅(amplitude)を縦軸,距離を横軸にしたグラフであり,通常距離によって減衰するため,リニア増幅した画像として表示される.A モードの A は amplitude の A である.

また,A モードと似たものに,B モード撮影時に出てくる A モード(ベクター A モード)がある.B モードは輝度を画像に変換しているが,その輝度を振幅のように変換表示したもので,最大の特徴は生体組織の硬さを忠実に反映できることである.図 25-6 に星状硝子体症症例のベクター A モードと同一症例における通常の A モードの像を示す.硝子体腔のそれぞれの振幅の高さと,網膜の振幅の高さの比をみると,違いは明らかである.A モードでは振幅をリニア増幅するために網膜における振幅は高く描出されるため,ベクター A モードのほうが組織の硬さを忠実に反映している.

3 検査方法と適応

検査方法としては水浸法と接触法の 2 種類がある.水浸法は角膜を圧迫しないというメリットはあるもののアイカップの装着,仰臥位で測定しなければならないなど煩雑であり,おそらく接触

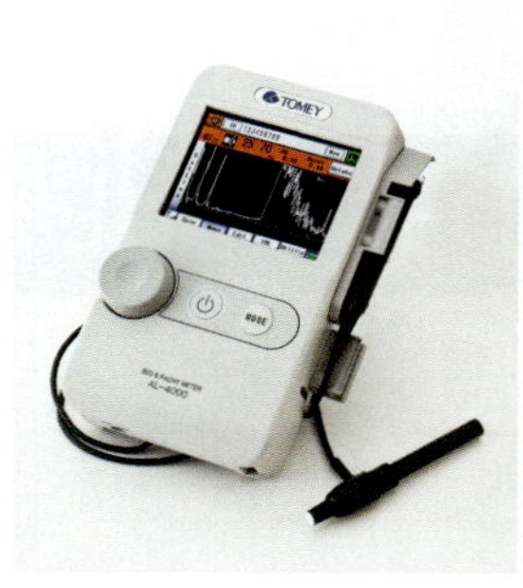

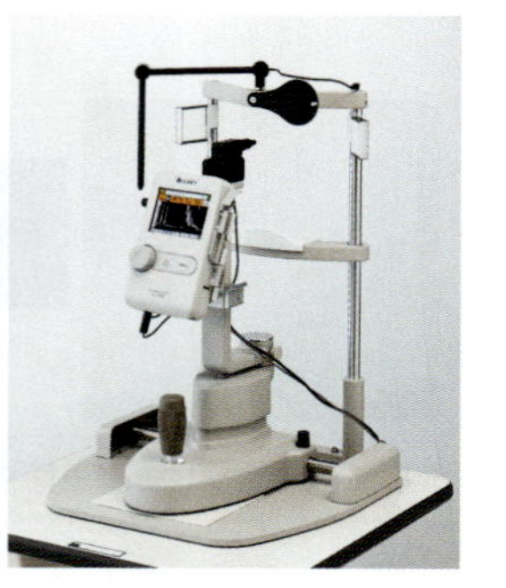

図 25-5 A モード装置
(TOMEY 社提供)

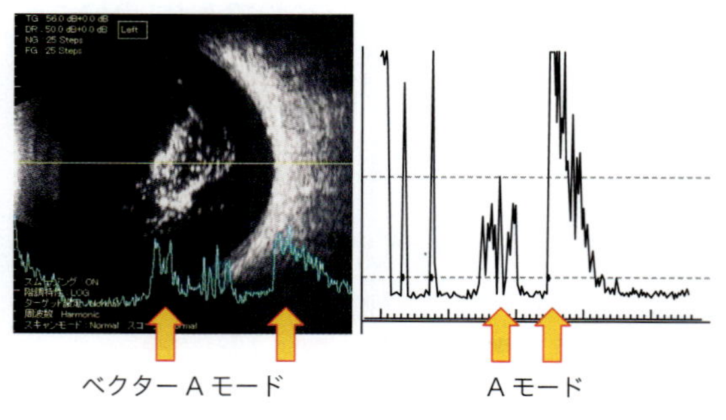

図 25-6 星状硝子体症のベクター A モードと通常の A モード

硝子体腔と網膜の振幅の高さの比が異なる.ベクター A モードのほうが組織の硬さを忠実に反映する.

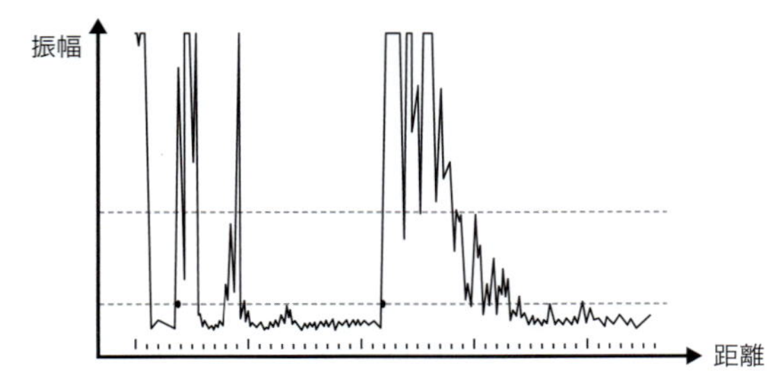

図 25-7 正常眼の A モード

法を用いる施設が大半を占めると思われる[2]．そこで接触法について記載する．

検査は散瞳下が望ましい．専用顎台にプローブを装着したのちに，測定モードを設定する．固視灯を注視するよう指示しながらプローブを角膜に接触させて測定する[3]．

具体的手順を示す．

(1) 両眼ともベノキシール® などで点眼麻酔を施行する．
(2) プローブ内の固視灯を凝視するよう指示し，プローブの先端を角膜に接触させる．ただし，白内障が強いなど，固視が困難な症例では僚眼で外部の固視灯を注視させて第 1 眼位を保つようにする．
(3) プローブが角膜を圧迫しすぎていないことを確認しながら，画面上の A モード波形を確認する．安定した数値が得られるまで数回繰り返すほうがよい．
(4) ばらつきが生じる場合や左右差が大きい場合には，機器の問題なのか，固視不良など患者側の要因によるのか，疾患そのものの問題によるのかを検討し，必要に応じて再測定する．
(5) 検査終了後，抗菌薬の点眼を行う．プローブの消毒には次亜塩素酸ナトリウム水溶液(0.5%)を用いて浸漬消毒し，精製水などで洗い流す(消毒用エタノールは消毒効果が低いため，あまり推奨されていない)．

適応は眼軸長測定を要する症例であり，多くは白内障手術前検査と思われる．

4 正常像

有水晶体眼の A モード像を示す(図 25-7)．角膜前面，水晶体の前面と後面，網膜表面(内境界膜)のエコーが描出されるが，リニア増幅しているため距離による減衰は示されない．

検査のポイント

- 測定のポイントは，測定軸は光学中心を結ぶ光軸であり，測定範囲は角膜表面から網膜表面(内境界膜)までであること，実際の測定では，A モードは，必ずしも中心窩では測定しておらず，中心窩付近をある程度の幅をもって測定していることである[4]．
- エコーの時間差と眼球内の音速から眼軸長が算出される．眼球内の音速は，水晶体と硝子体など組織によって少しずつ異なることはわかっているが有水晶体眼では 1,550 m/秒に設定されている．この音速と伝播時間によって眼軸長を算出している．気をつけなければならないのは，長眼軸眼や核白内障が進行した場合では測定誤差が生じやすくなることである．

Ⅲ Bモード

1 検査の概要

目的 硝子体腔，網膜，眼窩の状態を把握する．

原理 エコーの強弱をブラウン管上の明るさ(brightness)の強弱に変換(輝度変調)し，二次元の断層像として画面上に表示する．B モードの B は brightness の B である．

適応 硝子体出血など眼底を十分に観察できない症例や眼窩病変を疑う症例．

機器 B モード(図 25-8)．

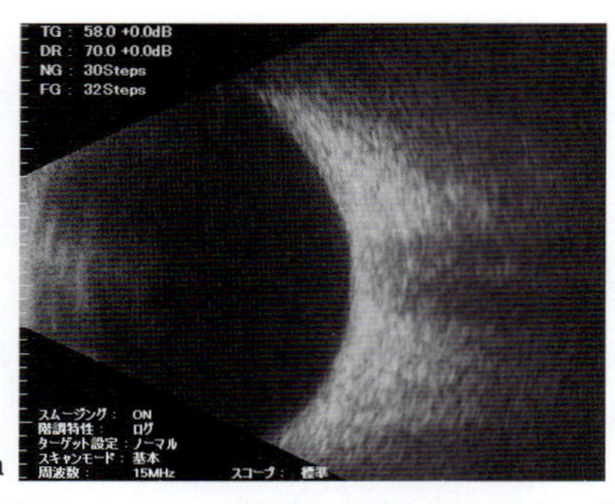

a		b
広い	DR	狭い
低下	コントラスト	強調
比較的わかりやすい	強膜後方	境界不明

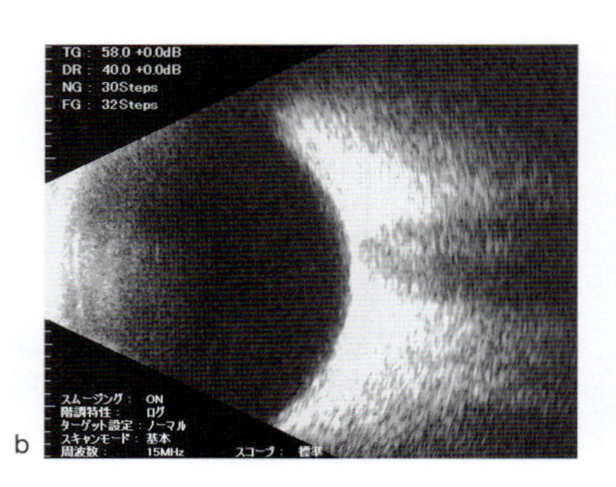

図 25-9　DR の設定による画像の違い(正常眼)

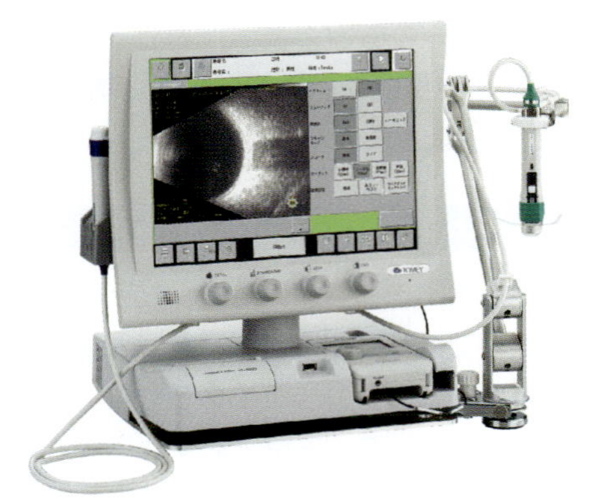

図 25-8　B モードエコー本体とプローブ(B モード，UBM)
(TOMEY 社提供)

表 25-1　B モードエコーの適応

直接観察がしづらい症例	透光体の混濁・小瞳孔など
光学的検査では後方が評価できない症例	眼内腫瘍・網膜剝離の丈の高さなど
眼窩病変の補助診断	眼内異物の補助診断など

※特に乳幼児では麻酔・鎮静せずに検査可能

2 検査方法と適応

眼球内の病変の診断には 15～20 MHz の周波数の振動子が用いられる．プローブの先端にスコピゾル® を塗布し，閉瞼した状態でプローブを当て，眼球運動を促しながら病変を検出する．簡便さが 1 つの特徴であるため，坐位でも十分に検査は可能である．理想的には，右利きの検者であればプローブを右手で持って，モニタを見ながら左手でゲインを変化させて一番見たいものを探すようにする．

エコー画像は，ダイナミックレンジ(DR)が画質を，ゲイン〔total gain(TG)，near gain(NG)，far gain(FG)〕が感度(＝像の拾いやすさ)をコントロールすることで構成される．DR は最も明るい部分から最も暗い部分の幅で，エコー画像では白から黒まで変化する間の灰色の輝度の階調であり，一般に DR を狭くする(実際は異なるが極端に表現するなら白，灰色，黒の 3 色だけで表現するイメージ)とコントラストが強い(白黒のメリハリははっきりするが微細な変化を捉えにくい)画像となる(図 25-9)．逆に DR を広く設定する(例えば白と黒の間に少しずつ明るさが違う灰色を 10 色用いる)と組織の変化を捉えやすくなるがコントラストが低下するため，メリハリのない画像となる．

適応となるものはそれほど多くはない(表 25-1)．透光体の混濁や小瞳孔など，直接観察がしづらい症例，眼内腫瘍や網膜・脈絡膜剝離などの丈の高さなど，光学的検査では後方を評価できない症例，眼窩病変の補助診断などが挙げられる．図 25-10 に乳頭細胞腫の眼底写真，エコー所見と光干渉断層計(OCT)を示すが，病変の全体像をよりきちんと捉えているのはエコーである．また，乳幼児など十分な診察が行えないケースでは，鎮静をかける必要もないためスクリーニングとしても有用である．

3 正常像

B モードの正常像(上→下断)を示す(図 25-11)．通常極端に白内障の進行した場合などを除

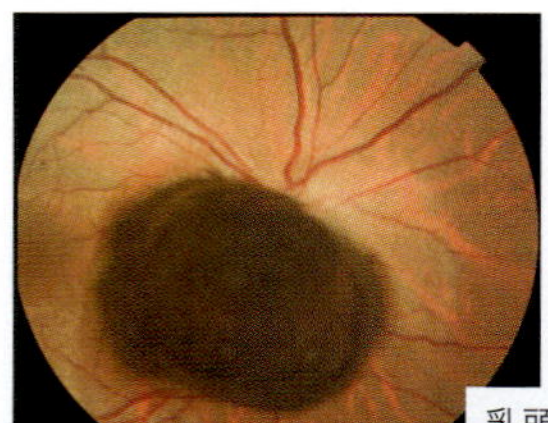

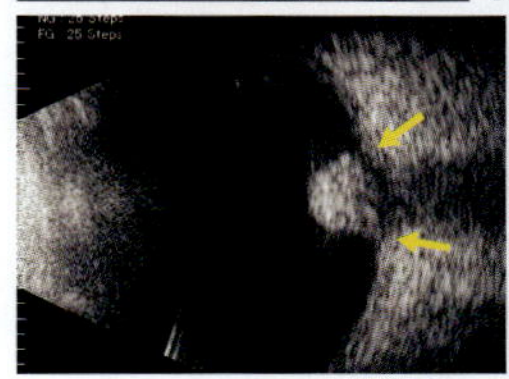

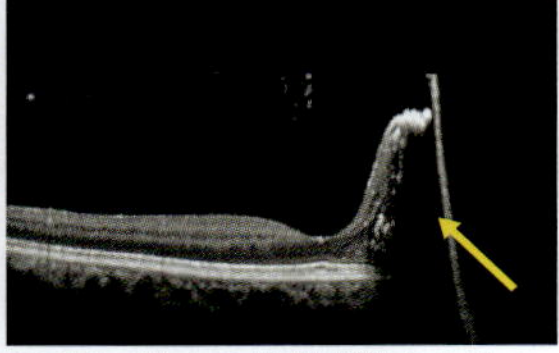

図 25-10　乳頭細胞腫の眼底写真，エコー所見と光干渉断層計(OCT)

眼底写真で確認できる病変の後方の境界が不明である．OCTでは眼底写真以上の情報を得ることができず，後方の境界はエコーにより明瞭となっている．

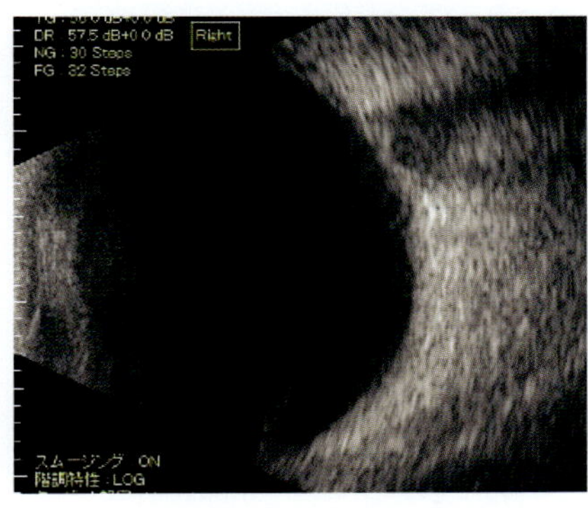

図 25-11　垂直断のエコー所見(正常像)

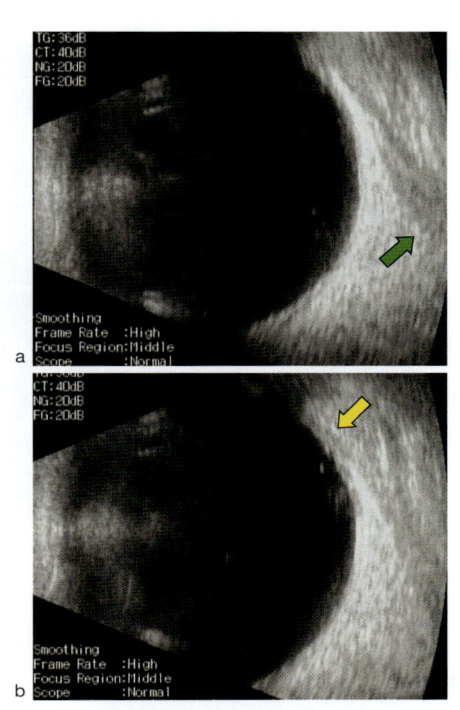

図 25-12　水平断のエコー所見

a．内直筋の筋腹(矢印)，b．内直筋の付着部(矢印)．
視神経乳頭だけではなく，外眼筋の筋腹と付着部に注目してオリエンテーションを決定する．

き水晶体は描出されにくい．硝子体腔は低反射となり，暗く抜けて見えるのが正常である．網膜，脈絡膜はエコーでは分離できないため 1 つの高反射のラインとして観察される．

検査のポイント

ポイントは大きく分けると 2 つある．

- ☑ 第 1 に，どこを撮影しているのかを把握できるように工夫した撮影を試みるということである．オリエンテーションをつけるうえで，わかりやすい指標は視神経乳頭と外眼筋である．例として図 25-12 に水平断のエコー像を示すが，眼球を水平方向に動かした際に，外眼筋の付着部と筋腹をそれぞれ確認することにより，得られた像が眼球後方なのか，あるいは基底部近辺なのかを決定できる．
- ☑ 第 2 に，超音波の性質を理解することである．特にアーチファクトには注意しなければならない．超音波の性質のうち，代表的なものを示す．
  - (1) 減衰：波長が短いことは，分解能が高いことと同時に，減衰のために診断距離が短くなることを意味する．すなわち，超音波のエネルギーは距離が長くなるほど小さくなる．例えば，15 MHz の周波数では，波長は 0.102 mm であるが，周波数を 60 MHz とすると波長は半分の 0.026 mm となり，すなわち診断距離が短くなる．図 25-13 に，15 MHz 水浸法と同一眼の 60 MHz のエ

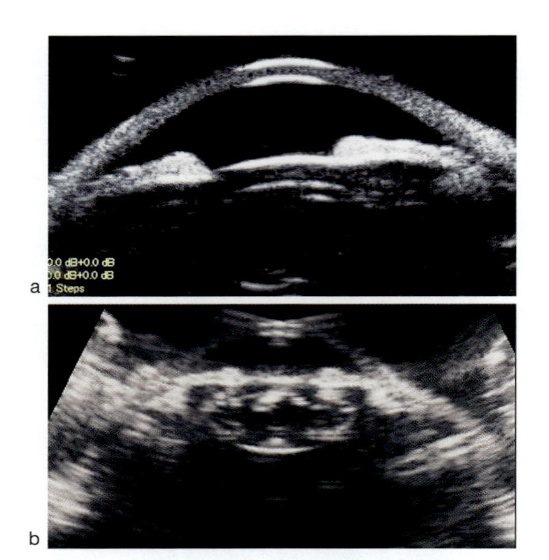

図 25-13　60 MHz B モードと 15 MHz 水浸法による前眼部エコー像

a. 60 MHz（後方は抽出できない），b. 15 MHz（水浸法）.

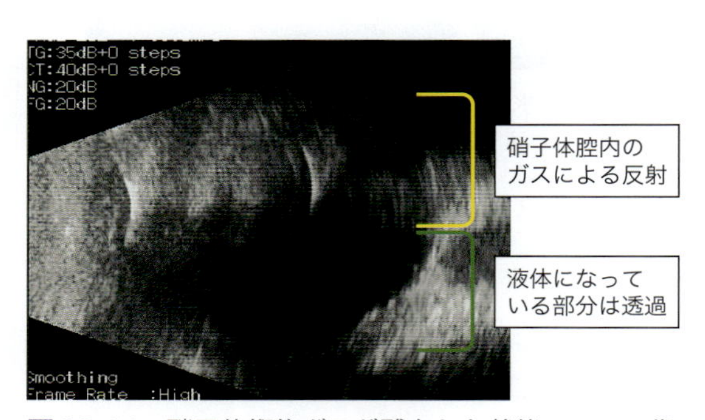

図 25-14　硝子体術後ガスが残存した状態のエコー像

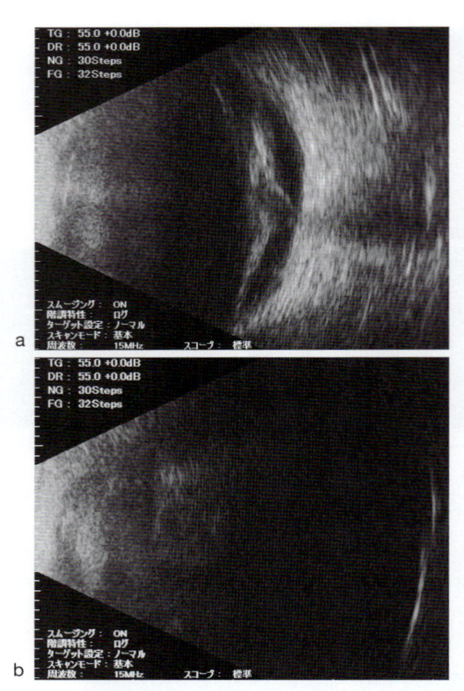

図 25-15　増殖硝子体網膜症症例のエコー像

a. 術前のエコー所見．網膜剝離が起こり，収縮し始めていることがわかる．

b. 同一症例の術後エコー所見．シリコーンオイルを注入したため，眼軸が伸びたエコー所見となる．

コー像を示すが，60 MHz では後眼部は描出できない．ただし，解像度は向上する．Fukiyama らはこの性質を利用して，通常 10 MHz の B モードでは描出できない周辺部網膜裂孔が，周波数を高くすることによりきれいに描出できることを報告している[5]．

(2) 反射と透過：反射と透過は臨床所見で最もよくみられる所見である．超音波は水中から空気中のような媒質が大きく変化する場合は反射する性質をもつ．図 25-14 に硝子体手術でガスを注入した症例のエコー像を示すが，上半分はガスによる反射のため像を構築していないが，下半分は液体のため，エコー像が構築される．特殊な例として，増殖硝子体網膜症に対して手術を施行し，シリコーンオイルを注入した症例の手術前後のエコー所見を示す（図 25-15）．図 25-15a は術前のエコー所見であり，剝離，収縮し始めている網膜所見が観察される，図 25-15b は同一症例の術後にシリコーンオイルが注入された状態のエコー所見である．眼軸が非常に長くなった画像が得られる．これは，シリコーンオイルを通過するときの音速が約 1,000 m/sec であり，硝子体を通過するときの音速（約 1,500 m/sec）の 3 分の 2 となることから，通過時間が 1.5 倍かかることにより，眼軸が伸びた像が構成されるためである．

(3) 方向を特定できる（指向性が高い）：す

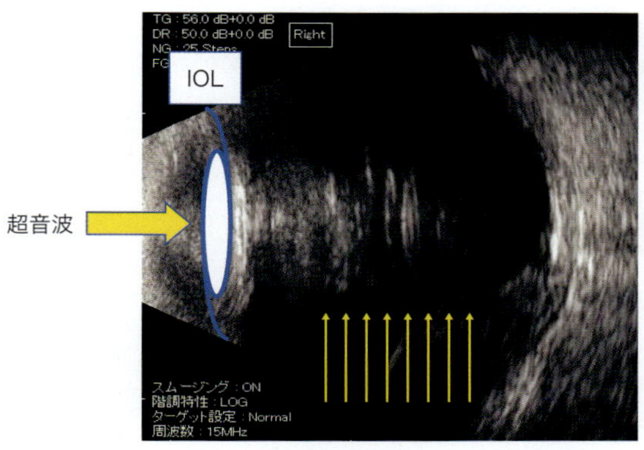

図 25-16　眼内レンズ眼のエコー像(正常所見)

べての方向に広がりをみせる音波と異なり，超音波はその周波数が大きいほど(＝波長が短いほど)特定の方向にエネルギーを集中できる．眼内ではおおよそ 1,500 m/秒と一定であるため，周波数を大きくしても，特定の方向にエネルギーを集中できることからより遠くまで届かせることが可能となる．

また，アーチファクトも多岐にわたるが，代表的なものを示す．

- 多重反射：図 25-16 に眼内レンズ眼に施行したBモードエコー像を示す．眼内レンズ眼でしばしば経験されるこの像は，超音波の進行方向に対して前面と後面が平行に並び，かつ媒質の差が房水と比べ大きい場合，反射体同士の間で何回も反射を繰り返すことによって起こる虚像である．
- 音響陰影：眼球内に例えば金属片などの強い反射源がある場合，ほとんどの超音波が反射を起こすために後方には像を形成しなくなる．この現象を音響陰影(アコースティックシャドウ)という．

▶文献

1)　谷腰欣司，谷村康行：トコトンやさしい超音波の本　第2版．pp12-15，日刊工業，2015
2)　福山　誠：超音波眼軸長測定．大鹿哲郎：眼科プラクティス 25 眼のバイオメトリー　眼を正確に測定する．pp202-206，文光堂，2009
3)　篠原　泉，田中　稔：超音波診断．大鹿哲郎，丸尾敏夫：眼科学第2版．pp961-972，文光堂，2011
4)　須藤史子：超音波眼軸長測定と光学式眼軸長測定の比較．大鹿哲郎：眼科プラクティス 25 眼のバイオメトリー　眼を正確に測定する．p217，文光堂，2009
5)　Fukiyama J, Nao-I N, Sawada A: Imaging of a peripheral retinal tear flap and the subsequent operculum by 30-MHz high-resolution ultrasonography. Retina 25: 652-655, 2005

(山切啓太)

第26章 光学式眼軸長検査

1 検査の概要

目的 生体眼の眼球構成組織の計測．主には眼内レンズ(intraocular lens：IOL)度数計算のための白内障術前検査．その他，軸性不同視の評価にも用いられる．

原理 光干渉法．

適応 白内障術前検査．IOL偏位や術後屈折誤差に対するIOLの入れ替えを必要とする症例および無水晶体眼．軸性の屈折異常．

機器 Fourier domain 装置5機種，Time domain 装置4機種(2022年1月現在)．

2 目的

光学式眼軸長測定は，主には水晶体再建術に用いられるIOLの度数計算のために行われる．白内障治療のための水晶体再建術は，裸眼視力の向上を目的とした屈折矯正手術としての側面をもち，精度の高い生体計測が要求される．2002年にIOLMaster®(Carl Zeiss Meditec)が発売され，従来の超音波Aモード法と比較し測定精度が飛躍的に向上した[1,2]．2014年3月にはswept source Fourier domain 方式のOA-2000(TOMEY)が世界に先駆けて日本で発売され，続いてfull length optical coherence tomography (OCT)をベースとするIOLMaster®700とARGOS®(santec，現在Alcon)が発売され，近年ANTERION®(Heidelberg Engineering)，EyeStar900(Haag Streit)が使用可能となり，測定率は向上し白内障術後の屈折誤差の低減に貢献している[3]．

3 原理

光干渉法により，視軸上の涙液表面から網膜色素上皮までの光路長を測定する．モデル眼により換算された組織の群屈折率で光路長を除した値が幾何学的眼軸長計測値として表示される．IOLMaster® では，網膜厚の補正として以下の式が用いられている(図26-1)．

補正眼軸長(AL_{ILM})＝1.0448×光学式眼軸長(AL_{RPE})－1.3617

また多くの装置では，角膜から網膜色素上皮の光路長に対し，各組織の平均的な構成率を用いて算出された等価屈折率で除した値を，区分音速超音波(immersion)法による測定値を校正値として補正した値が眼軸長として表示されているが，各組織の構成比率が補正式*と異なる場合，誤差が生じることは避けられない．

*$AL_{IOLMaster}$＝(optical path length/1.3549－1.3033)/0.9571

現在，光学式生体計測装置で，各組織の光路長をそれぞれの屈折率で除した長さの和として眼軸長(sum of segment axial length)を表示しているのは，ARGOS® のみである(図26-2)．

Time domain 方式は，参照ミラーを移動させ干渉計の光路長差を可変し，光軸に沿う1本の反射光強度分布を得るのに対し，Fourier domain 方式は，参照光と反射光の干渉信号をFourier変換して光軸に沿う反射光強度分布が得られ，swept source はチューナブルレーザー(波長

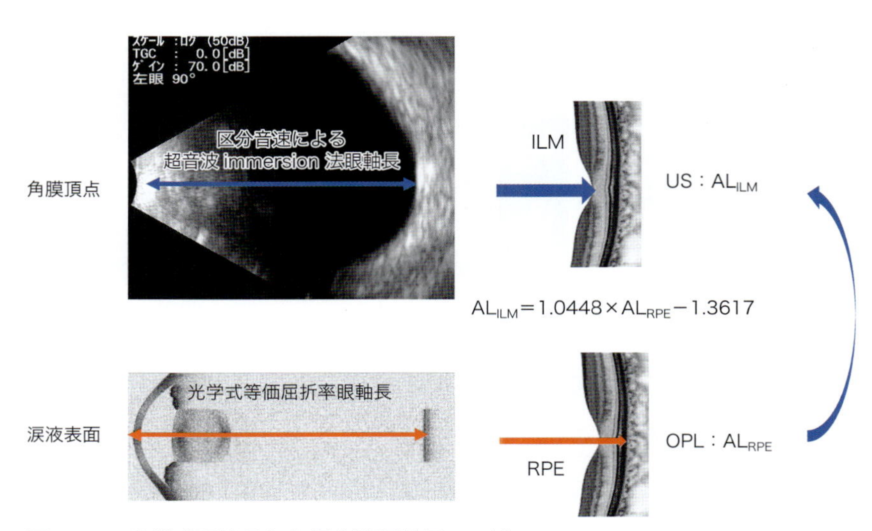

図 26-1　光学式眼軸長から超音波眼軸長への補正
光学式眼軸長は，従来の眼内レンズ度数計算式に用いるため，網膜厚の補正がされている.
(ILM：内境界膜，US：超音波，AL：眼軸長，RPE：網膜色素上皮，OPL：光路長)

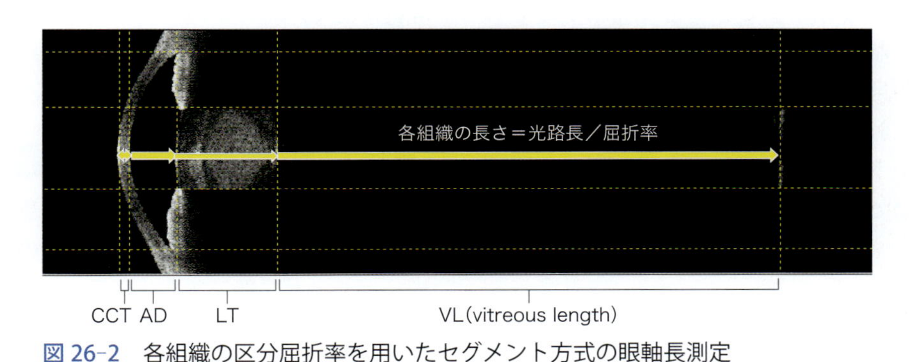

図 26-2　各組織の区分屈折率を用いたセグメント方式の眼軸長測定
ACD＝CCT＋AD，AL＝CCT＋AD＋LT＋VL
AL_{ARGOS}＝(角膜/1.374＋房水/1.336＋水晶体/1.41＋硝子体/1.336)－(網膜厚：300 μm)
AL_{ARGOS}：区分屈折率による ARGOS® の眼軸長，CCT：角膜厚，AD：房水深度，ACD：前房深度，LT：水晶体厚，VL：硝子体長.

掃引光源)の発信波長を高速に変化させることにより分光し，測定の高速化が可能で動きの影響を受けにくい．分光器の光検出ロスがなく高感度であることも利点として挙げられる[4~7]．Fourier domain 眼軸長測定は，time domain 方式に比べ測定率において高い優位性を示し，後嚢下白内障や核硬度の高い症例においてその差は顕著である(図 26-3)[3]．また，波形による信号強度のみで示されていた眼球の各組織間の距離を全眼球 OCT により画像化して計測可能となったことで，固視状態の確認や水晶体の形状や偏位も可視化され，測定状態の把握に役立っている(図 26-2)．

4 検査方法

坐位で非接触であり，点眼麻酔の必要がなく無散瞳で測定が可能である．測定時間が短く検者によるばらつきがなく，再現性がよいことも特徴である．眼振のある症例や小児でも測定可能で，オートトラッキング・オートショット機能があるものは，安定した固視が困難な症例や瞬目過多の症例，顎の不随意運動がある症例においても比較的測定が容易で，検者・被検者ともにストレスが少なく有用である．光学式眼内寸法測定装置は，角膜曲率半径計測や前房深度測定も同時に測定可

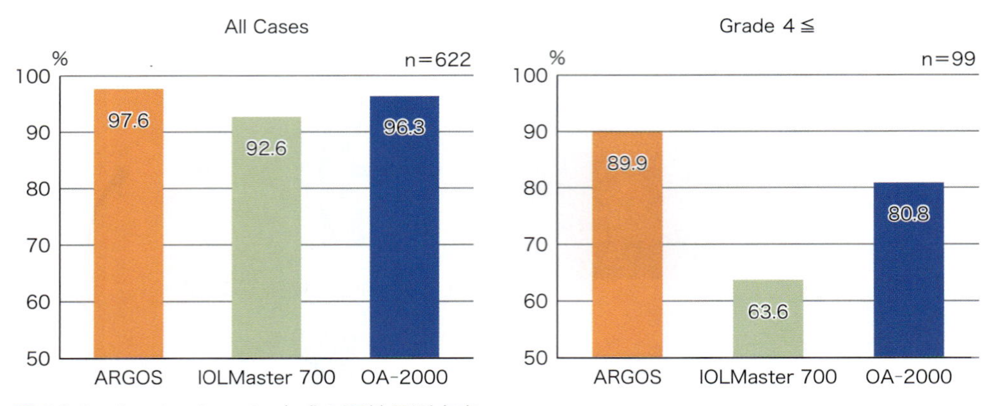

図 26-3 Fourier domain 方式の眼軸長測定率

Swept source の生体計測装置による眼軸長測定率．核硬度 4 以上を 16% 含む全症例群において 92% 以上の測定率を示し，核硬度 4 以上のサブセット群でも 2 つの装置では 80% 以上が測定可能であった．

(Tamaoki A, Kojima T, Ichikawa K, et al: Clinical evaluation of a new swept-source optical coherence biometer that uses individual refractive indices to measure axial length in cataract patients. Ophthalmic Res 62: 11-23, 2019)

能で，IOL 度数計算までを 1 台で完結するものが一般的となっている．まず被検者に装置内部の固視目標が見えることを確認し，固視を促す．角膜頂点の反射光がシャープで測定中心に来るようアライメントを調整し，取り込みを開始すれば，測定は自動で終了する．

5 適応

白内障術前検査，眼内レンズ偏位や術後屈折誤差に対する IOL の入れ替えを必要とする症例および無水晶体眼．軸性の屈折異常の評価にも有用である．

6 正常値

22.0 mm 未満を短眼軸長，22.0 mm 以上 24.5 mm 以下を標準眼軸長としていることが多いが，長眼軸長については，25.0 mm 以上もしくは 26.0 mm 以上としているものなど明確な基準はなく文献により様々である．

7 検査機器

現在国内で承認を受けている装置の仕様と特徴を表 26-1 に示す．Pentacam® AXL Wave (OCULUS) は，time domain 装置ではあるが，角膜後面を含む角膜の収差と眼球内部の収差を分離して解析可能で，ANTERION® など前眼部 OCT と生体計測および IOL 度数計算までが all in one となった装置も発売されている．

検査のポイント

- 被検者に装置内部の固視目標が見えることを確認し，固視を促して視軸上の測定を行うことが重要である．光干渉法による計測は，媒質の屈折率に依存するため，IOL 偏位や硝子体手術によりシリコーンオイルで置換されている症例に対しては，測定前に眼内のステータスを確認し測定モードを正しく入力しておく必要がある．
- Hill RBF など人工知能を用いたものや Barrett Universal II など新世代計算式の登場により，術後の予測屈折誤差は，低減している．本邦においては SRK/T 式が汎用されているが，計算式の特徴を考慮して採用することが重要で，角膜の屈折矯正手術後眼や，円錐角膜などの形状異常眼においては特に注意が必要である．定数の最適化を行うことは，術後屈折誤差の低減に有効であり，装置に最適化機能が搭載されていることも重要と考えられる．

表 26-1　国内で承認を受けている光学式眼内寸法測定装置(2022 年 1 月現在)

光学式生体計測装置	OA-2000	IOLMaster 700	ARGOS	ANTERION	EyeStar 900
メーカー	TOMEY	Carl Zeiss Meditec	Alcon	Heidelberg Engineering	HAAG-STREIT
光源 波長(nm)	swept source 1060	swept source 1055	swept source 1060	swept source 1300	swept source 1060
測定原理 特徴	フーリエドメイン光干渉法	フーリエドメイン光干渉法	フーリエドメイン光干渉法	フーリエドメイン光干渉法	フーリエドメイン光干渉法
眼軸長 角膜厚 前房深度 水晶体厚	水平 41 A Scan+V Scan 方式 optical low coherence reflectometry 3D auto tracking auto shot	2,000Ascan/s Full length OCT image	3,000Ascan/s Full length OCT image	50,000Ascan/s	30,000Ascan/s
角膜曲率半径測定	φ2.0 mm 平均 φ2.5 mm/3.0 mm リングコーン方式	φ2.5 mm テレセントリック ケラトメトリー	φ2.2 mm	φ3 mm リング SS-OCT	φ1.65 mm, 2.3 mm デュアルゾーン テレセントリック ケラトメトリー
角膜形状解析	5.5 mm 9 リング Axial Power Map Fourier analysis	φ1.5 mm, 2.5 mm, 3.5 mm 3 ゾーン テレセントリックケラトメトリーを用いた 約 4 mm Anterior Axial Power Map, OCT 画像による厚みを加味した Total Axial Power Map	—	8 mm 径(前面, 後面) Axial(Sagittal) curvature map, Tangential (Instantaneous) curvature map, Elevation map (BFS, BFT), Total corneal (refractive) power map, 角膜厚 Map, 角膜波面収差 Map (前面, トータル) 角膜後面/前面曲率半径比率マップ	7.5 mm 径(前面, 後面) Axial(Sagittal) curvature map, Tangential (Instantaneous) curvature map, Elevation map, Corneal thickness map
測定範囲 眼軸長	14〜40 mm	14〜38 mm	15〜38 mm	14〜32 mm	14〜38 mm
角膜厚	0.2〜1.2 mm	0.2〜1.2 mm	0.2〜0.8 mm	300〜1700μm	300〜800μm
前房深度	1.5〜7.0 mm	0.7〜8.0 mm	1.5〜5.0 mm	1.5〜4.8 mm	1.8〜6.3 mm
水晶体厚	0.5〜6.0 mm	0.13〜10 mm	0.5〜6.5 mm	2.4〜6.5 mm	0.5〜6.5 mm
角膜曲率半径	5〜11 mm	5〜11 mm	5.5〜10 mm	3.1〜56.3 mm	5〜10.5 mm
瞳孔径	1.5〜13 mm	1〜12 mm	2〜13 mm	0.2〜14.1 mm	2〜13 mm
角膜横径	7〜16 mm	8〜16 mm	7〜15 mm	9.4〜14.3 mm	7〜16 mm
表示分解能 眼軸長	0.01 mm	0.01 mm	0.01 mm	0.01 mm	0.01 mm
角膜厚		1 μm	1 μm	1 μm	1 μm
前房深度	0.01 mm	0.01 mm	0.01 mm	0.01 mm	0.01 mm
水晶体厚	0.01 mm	0.01 mm	0.01 mm	0.01 mm	0.01 mm
角膜曲率半径	0.01 mm	0.01 mm	0.01 mm	0.01 mm	0.01 mm
IOL 度数計算	SRK/T HofferQ, Holladay1 Haigis standard Haigis optimized Barrett Universal II Barrett True K Barrett Toric Shammas No-History Double K SRK/T OKULIX	SRK/T, HofferQ Holladay2 Haigis, Haigis-TK Haigis-Suite (Haigis-L, Haigis-Toric) Barrett Universal II, Barrett TK Universal II Barrett Suite (Barrett-True K, Barrett-Toric, Barrett-TK-True K, Barrett-TK-Toric)	SRK/T Holladay1, Hoffer Q Haigis Barrett Universal II Barrett Toric Barrett True K Shammas No-History	SRK/T Holladay1, HofferQ Haigis Barrett Suite -Barrett Universal II -Barrett True K -Barrett Toric -Barrett True K Toric OKULIX	Hill-RBF Hill-RBF/Abulafia-Koch for toric IOL Barrett Universal II Barrett Toric Barrett True K, Barrett True K Toric Olsen, Olsen Toric Haigis Holladay1, HofferQ SRK/T, SRK/T-WK, SRK II Masket, Modified Masket Shammas no-history
定数最適化機能	あり	外部ソフトウエア	Verion vision planner	—	—
外部ソフトウエア	CASIA2 と連携	CALLISTO (Toric プランニング), EQ Workplace (constant optimisation, IOL calculations)	Alcon Cataract Refractive Suite (ORA system)	—	Holladay IOL Consultant PhacoOptics OKULIX (上記データ転送可能)

(次ページへつづく)

表 26-1 (つづき)

光学式生体計測装置		IOLMaster Model 500	LENSTAR LS900	AL-Scan	Pentacam. AXL/AXL Wave
メーカー		Carl Zeiss Meditec	HAAG-STREIT	ニデック	OCULUS
光源 波長(nm)		半導体レーザー 780	SLD 820	SLD 830	赤外 SLD 880
測定原理 特徴		タイムドメイン光干渉法	タイムドメイン光干渉法	タイムドメイン光干渉法	タイムドメイン光干渉法
	眼軸長	partial coherence interferometry(PCI)	optical low coherence reflectometry 1scan/shot, 16回加算 Dens Cataract Mode： 最低48回の加算処理による合成	optical low coherence reflectometry 3D auto tracking auto shot	PCI 1scan/shot 6回測定し，最も信頼性の高い値を採用
	角膜厚	—		Scheimpflug	波長475nmの青色LED光源による25枚の前眼部スリット画像から幾何学的計測および解析を行う
	前房深度	Slit Scan			
	水晶体厚	—		—	—
角膜曲率半径測定		φ2.5 mm テレセントリック ケラトメトリー	φ1.6 mm/2.3 mm デュアルゾーンケラトメトリー	φ2.4 mm/3.3 mm ダブルリング ケラトメトリー	約3 mm Scheimpflug
角膜形状解析		—	6.0 mm 11リング	—	AXL WaveではTCRPによる角膜の収差とHartmann-Shackセンサによる全眼球の収差解析が可能
測定範囲	眼軸長	14〜38 mm	14〜32 mm	14〜40 mm	14〜40 mm
	角膜厚	—	0.3〜0.8 mm	0.25〜1.3 mm	0.2〜1.2 mm
	前房深度	1.5〜6.5 mm	1.5〜5.5 mm	1.5〜6.5 mm	0.7〜8.0 mm
	水晶体厚	—	0.5〜6.5 mm	—	〜4 mm(瞳孔径による)
	角膜曲率半径	5〜10 mm	5〜10.5 mm	5〜13 mm	3〜12 mm
	瞳孔径	—	2〜13 mm	1〜10 mm	1.0〜8.0 mm
	角膜横径	8〜16 mm	7〜16 mm	7〜14 mm	8.5〜15.0 mm
表示 分解能	眼軸長	0.01 mm	0.01 mm	0.01 mm	0.001 mm
	角膜厚	—	1 μm	1 μm	1 μm
	前房深度	0.01 mm	0.01 mm	0.01 mm	0.01 mm
	水晶体厚	—	0.01 mm	—	0.01 mm
	角膜曲率半径	0.01 mm	0.01 mm	0.01 mm	0.01 mm
IOL度数計算		SRK/T, SRK II HofferQ, Holladay1 Holladay2 Haigis Haigis-L	SRK/T, SRK II Haigis, HofferQ Holladay1, Olsen Masket, Modified Masket Shammas No-History Barrett Universal II, Barrett True-K Barrett Toric	SRK, SRK/T, SRK II Binkhorst, HofferQ Haigis Holladay1 Camellin Calossi Shammas No-History	SRK/T Holladay1, HofferQ, Haigis Barrett Universal II Olsen Raytracing Savini Toric, Barret Toric Olsen Raytracing 《Post Ref. Surg》 double K；SRK/T, Holladay1, Hoffer Q Hill Potvin Shammas Barret True-K
定数最適化機能		あり	外部ソフトウエア	あり	あり
外部ソフトウエア		EQ Workplace (constant optimisation, IOL calculations)	Holladay2, Holladay toric PhacoOptics OKULIX	IOL Station	PhacoOptics OKULIX True Vision BESSt II Ferrara Rings

▶文献

1) Norrby S: Sources of error in intraocular lens power calculation. J Cataract Refract Surg 34: 368-376, 2008
2) Haigis W, Lege B, Miller N, et al: Comparison of immersion ultrasound biometry and partial coherence interferometry for intraocular lens calculation according to Haigis. Graefes Arch Clin Exp Ophthalmol 238: 765-773, 2000
3) Tamaoki A, Kojima T, Ichikawa K, et al: Clinical evaluation of a new swept-source optical coherence biometer that uses individual refractive indices to measure axial length in cataract patients. Ophthalmic Res 62: 11-23, 2019
4) Yasuno Y, Madjarova VD, Makita S, et al: Three-dimensional and high speed swept-source optical coherence tomography for *in vivo* investigation of human anterior eye segments. Opt Express 13: 10652-10664, 2005
5) 前田直之：光干渉断層計・開発の歴史と今後．あたらしい眼科 30：3-7，2013
6) Grulkowski I, Liu JJ, Zhanf JY, et al: Reproducibility of a long-range swept-source optical coherence tomography ocular biometry system and comparison with clinical biometers. Ophthalmology 120: 2184-2190, 2013
7) 板谷正紀：光干渉断層計・最近の進歩(総論)．あたらしい眼科 31：1741-1746，2014

(玉置明野)

第27章 画像診断検査

I CT

1 原理

CT(computed tomography，コンピュータ断層撮影)は，原理はX線単純撮影と同じである．胸部X線撮影検査で正面像を撮影する場合，背側のX線管(X ray-tube)からX線が照射され，胸側の探知機(detector)が胸部の組織をしたX線を捉える．肺胞の空気はX線をほぼそのまま透過するが，心臓や骨などの組織はX線を吸収する．組織ごとに吸収量が異なるため(これを吸収係数と呼ぶ)，組織にコントラストがついて画像化することができる．こうして胸部X線撮影像が得られる．

CTではドームを中心に対になって配置されたtubeとdetectorが回転するようになっている．ドームの中心部分に撮影対象が検査台によって設置され，空間的なX線吸収係数から断面像を計算する．

図27-1に頭部における放射線吸収係数と対象組織を示す．組織や病態によって吸収係数が異なるために画像としてコントラストをつけることができる．軟部組織と比較して吸収係数の高い骨，石灰化病変など描出に優れるのが特徴である．画像再構成のときに，対象組織に応じて係数のスケーリングを調整することでコントラストをつけている(後述)．

2 撮影装置と方法

図27-2に臨床用CT検査装置を示す(東京都保健医療公社荏原病院放射線科 井田正博部長のご厚意による)．図27-2左は，装置の全体像である．テーブルに被検者を乗せ，対象部位を矢印にそってドーム内へ移動させるようになっている．図27-2右にドームの拡大像と矢印にtubeとdetectorが回転する部分を示す．テーブルが，関心領域(眼科領域であれば眼窩，脳など)をこの部位に正確に移動させることにより断層像を連続的に

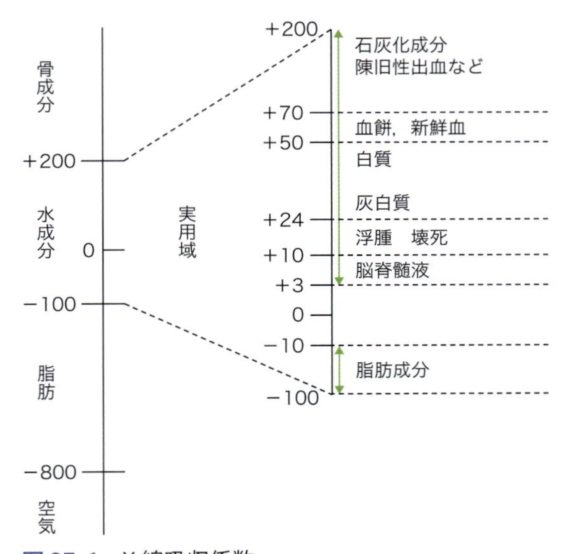

図27-1　X線吸収係数
〔Cabanis EA, Bourgeois H, Iba-Zizen MT(Eds): L' imagerie en ophtalmologie. p223, Masson, Paris, 1996より一部改変〕

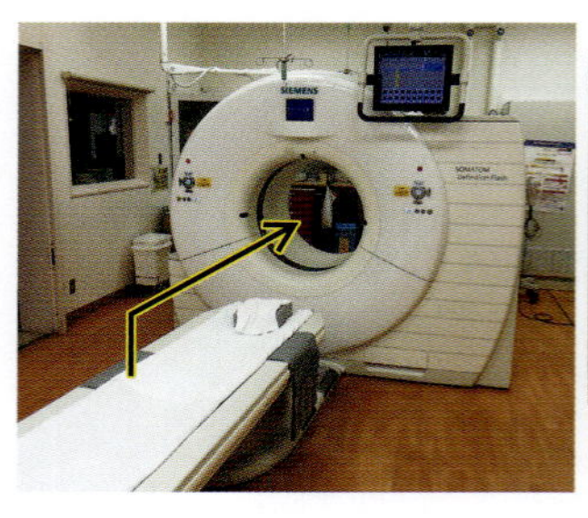
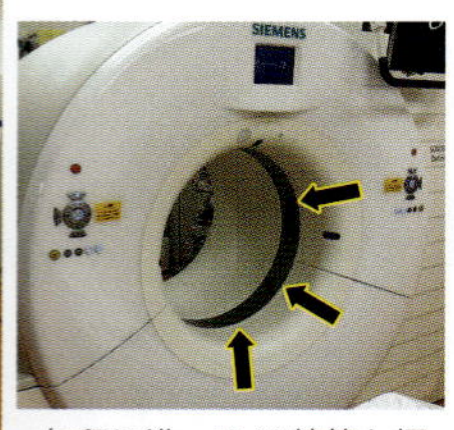

矢印に沿って X 線管と探知機が対になり回転する

図 27-2 CT 装置

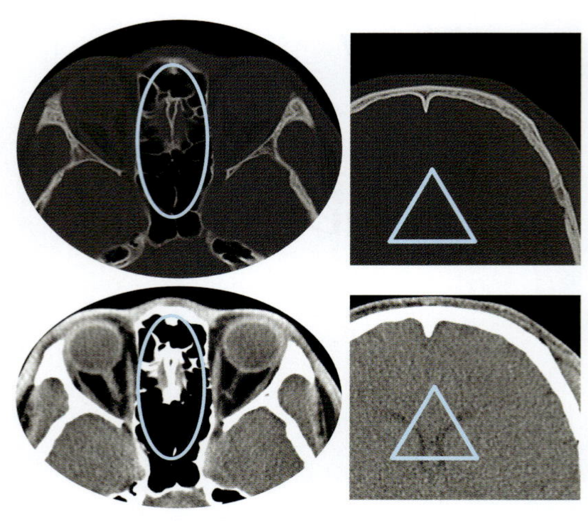

図 27-3 CT の撮影条件
上段：骨条件，下段：軟部組織条件.

得ることができる．ドームの撮影系の回転方向とテーブルの移動方向は直交しているため，断層の原画像は常に水平断となる．CT の検査時間は非常に短く数分で終了可能である．

3 正常像

a. 骨条件と軟部組織条件

CT 画像のコントラストは前述のごとく組織の放射線吸収係数によって決定される．一方，対象とする組織に対して，吸収係数のスケーリング調整(図 27-1 に示したような等間隔で表示するのではなく対象組織の吸収係数近辺をズーミングする)が行われる．代表的なものが骨条件と軟部組織条件表示である．図 27-3 に眼窩水平断の骨条件と軟部組織条件を示す．骨条件は骨皮質の辺縁を強調し骨の連続性から骨折の有無や，線維性骨異形成症などの骨における硬化性変化の把握に適した表示法である．図 27-3 の篩骨洞から蝶形骨洞のある○印の内部を両条件で比較すると，骨条件のほうが篩骨蜂巣を詳細に描出しているのがわかる．一方，脳実質内においた△印の内部を両条件で比較すると，軟部組織条件のほうが脳実質の信号が高く描出されていることがわかる．

b. 3 次元再構成

古典的に，CT では体軸方向に垂直な断層像(水平断)が得られる．現在は高解像度化が進み，3 次元的に再構成可能とするため，面内解像度とスライス厚を等しく設定できるため撮影後に任意のスライス面で切り出すことができる．図 27-4a に原画像水平断と，そのデータを元に再構成して切り出した冠状断と矢状断画像を示す．図 27-4b に原画像から再構成した 3 次元像の例を示す．上眼窩裂，下眼窩裂の構造が観察される．図 27-5 に臨床例として，左眼窩吹き抜け骨折(Blow out fracture)の CT 冠状断，骨条件(左)，軟部組織条件(右)を示す．眼窩下壁が骨折し，下直筋を含む軟部組織が上顎洞へ落ち込んでいるのがわかる．

c. 造影画像

造影剤の使用目的は，非造影の画像に新たなコントラストを加えることである．CT では X 線吸収係数の高いヨード造影剤を用いる．

ヨード造影剤は濃度依存的に CT に高信号をもたらす．静脈注射後早期(注入後 15～30 秒)の撮影を行えば血管の動脈相から高信号に描出される．動脈瘤の有無を検討する CT アンギオグラフィはこの手法である．後期では組織の毛細血管に移行し血流の豊富な部位を高信号として描出する．腫瘍病変の描出に用いられる．血管の評価と組織実質の評価には注入後の撮影タイミングによる調整が行われる．

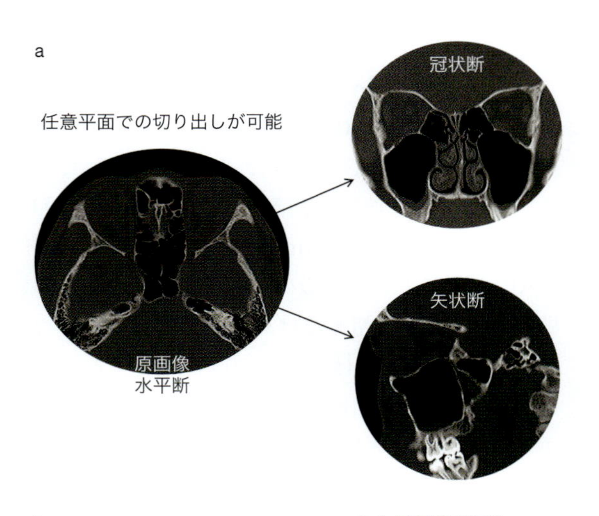

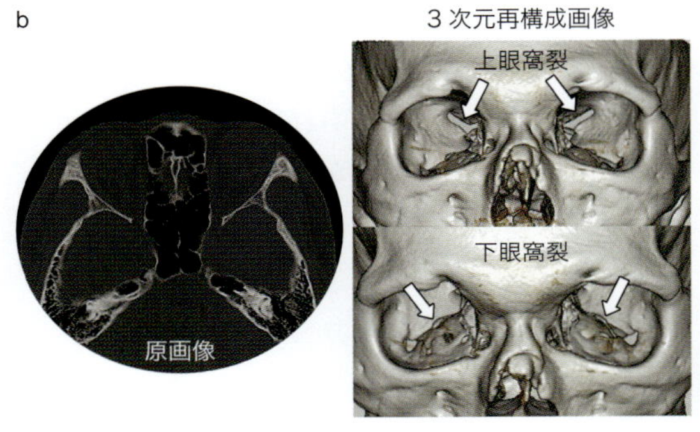

図 27-4 3D 撮影

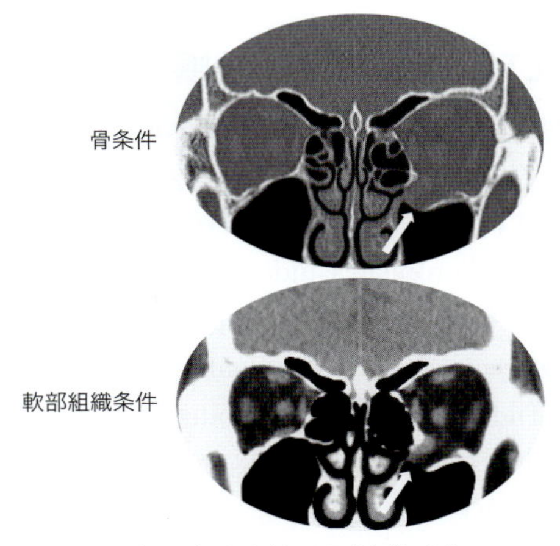

図 27-5 左眼窩吹き抜け骨折(矢印)

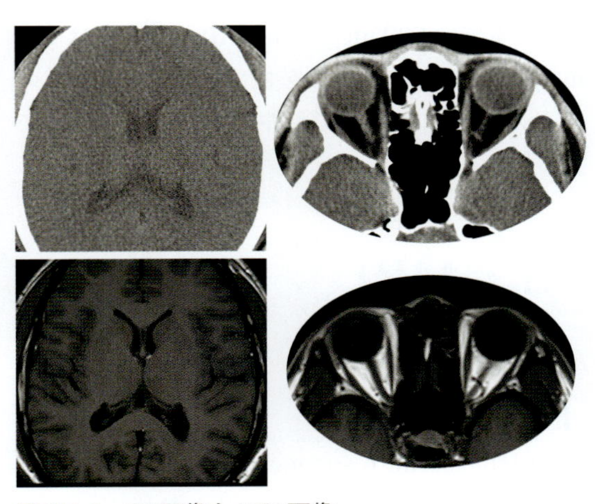

図 27-6 CT 画像と MRI 画像
上段：CT(軟部組織条件)，下段：MRI(T1 強調像).

4 適応と検査のポイント

CT は X 線吸収係数の差異から画像にコントラストをつける．軟部組織と比較して骨は吸収係数が非常に高いため，CT は骨と軟部組織のコントラスト描出に優れた画像検査法である．軟部組織自体のコントラストは MRI に劣る．図 27-6 に CT の軟部組織条件と MRI の T1 強調像を示す．軟部組織のコントラストは MRI が優れていることがわかる．一方で，CT は撮影時間が短く，小児や高齢者などに対しても制限が少ない．造影剤を用いる場合に，ヨードアレルギーに対しての制限があるのみで，禁忌事項が少ない(X 線被曝に関しては後述)ことから汎用性が高いことが特徴である．

よい適応としては，骨と軟部組織の良好なコントラスト，禁忌の少なさから，

(1) 外傷時の眼窩内異物の検討，眼窩底骨折など骨病変の評価
(2) 腫瘍性病変に伴う骨浸潤の評価

相対的な適応としては，撮影時間の短さから

(3) 小児・高齢者などの頭蓋内病変の評価

が挙げられる．

CT 検査は，臨床科の検査オーダーにより放射線科が施行する．オーダーのポイントは，臨床所見から“どこの部位にどのような病態を確認ないしは否定したいか”を事前に放射線科へ伝えることである．事前のオーダーが具体的かつ詳細であればあるほど適切な撮影と画像再構成と読影が施行される．

5 CT 検査における被曝

現在は，管球容量の増大，detector の多列化が進み，撮影時間の短縮と空間分解能の向上がもたらされた反面，検査時の被曝も増大傾向となっている．European Guidelines on Quality Criteria for Computed Tomography によって診断参考被曝量(reference dose value)が定められており，DLP 値(dose length product：スライスあたりの照射に撮影範囲長を乗じたもので検査全体の被曝量の指標となる)が示されている．頭部 CT の診断参考被曝量は DLP で 1,050 mGy・cm(成人)となっている(1 歳未満では 300 mGy・cm，5 歳以下では 600 mGy・cm，10 歳以下では 750 mGy・cm)．最近の CT 装置では撮影条件ごとの DLP が表示され，撮影条件の変更が検討可能である．

通常の検査では，この値を大きく上回るようなことはなく，装置や撮影条件によって差があるものの，およそ 3〜10 mGy 程度(日本放射線科専門医会 脳血管障害ガイドライン)といわれている．一方，国際放射線防護委員会(International Commission on Radiological Protection：ICRP)が示している組織に対する確定的な影響の閾値(この線量を超えなければ，障害は発生しない)は，一般組織では，年間 500 mGy，水晶体では急性照射として 2,000〜10,000 mGy，妊娠 7 週以内の奇形発症は 100 mGy とされている．頭部 CT の被曝量は，この確定的な影響の閾値に到達するにはかなりの回数を要することがわかる．これより CT 検査はたとえ小児であったとしても，診断目的に必要性があれば躊躇すべきものではないが，複数回の検査が想定されるときには注意が必要である．

II MRI

1 原理

MRI(magnetic resonance imaging，磁気共鳴画像)はドームの中に生じさせた静磁場のなかで，磁気共鳴現象を起こした主に水と脂肪組織の水素原子が対象となる．その水素原子に対して，特定の周波数のラジオ波(RF パルス)を照射するとそのエネルギーを吸収し励起状態となる．照射をやめれば水素原子は緩和と呼ばれるエネルギーの放出を行ってもとの平衡状態にもどる．この放出したエネルギーを受信して画像化するのが MRI である．脳内の組織は水を含んでいるが脳脊髄液，灰白質，白質の水に含まれる水素原子の緩和過程はそれぞれ異なるためこれらの組織にコントラストをつけることができる．また，緩和過程には 2 種類あるため(T1 時間と T2 時間)，コントラスト因子が単一の X 線吸収係数である CT と異なり，多因子による組織コントラストが生じる．そのため原理が CT と比較して複雑であるが，より詳細な軟部組織コントラストが得られる．一方，骨は水を含まないため MRI では描出できない．X 線を用いた CT 検査は“撮影”と呼ばれるのに対し，X 線を用いない MRI 検査は“撮像”と呼ばれる．

2 撮像装置と方法

図 27-7 に臨床用 MRI 検査装置を示す(東京都保健医療公社荏原病院放射線科 井田正博部長のご厚意による)．図 27-7 左は，装置の全体像である．被検者はテーブル上であらかじめ撮像した

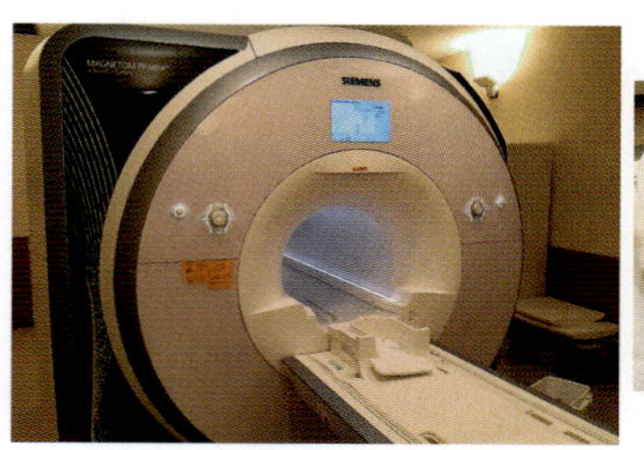

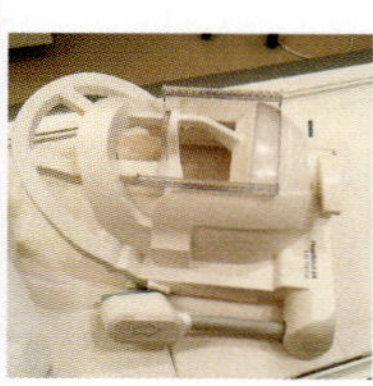

ヘッドコイル

図 27-7 MRI 装置

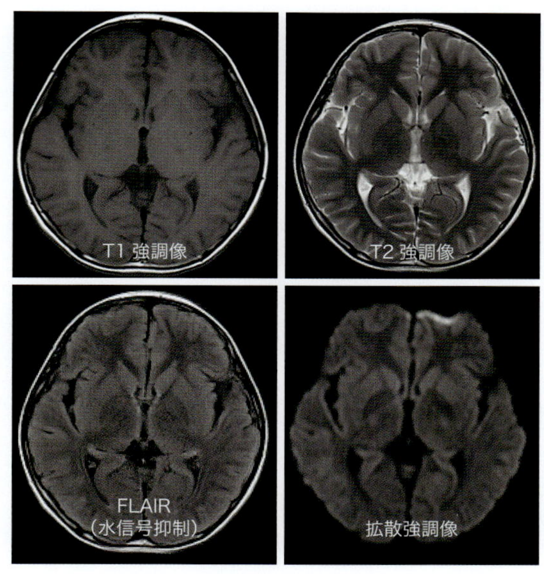

図 27-8 MRI の撮像条件

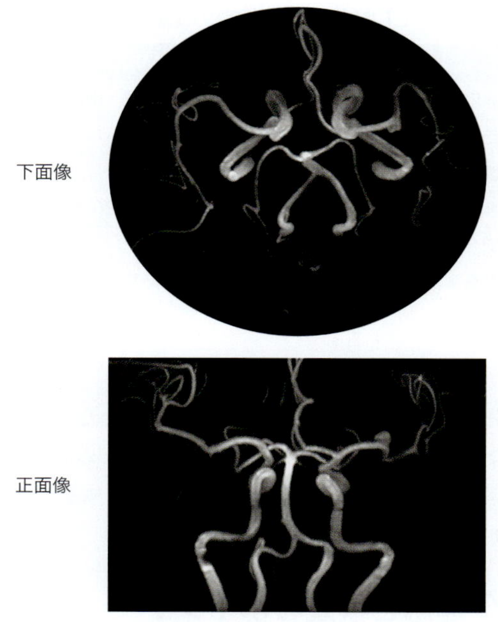

図 27-9 MRI の撮像条件（MRA）
非造影 MR 血管撮像.

い部位に対応した受信コイルを装着する．図 27-7 右は本装置の頭部用受信コイルである．頭頸部がすっぽり被われるようになっている．近年，受信コイルは多チャンネル構造になり，信号ノイズ比（S/N）の向上や高速撮像を可能にしている（本コイルは 64 チャンネルのコイルからなる）．受信コイルを装着した被検者は，ドーム内の静磁場（この場合は 3 テスラ）中心部までテーブルで移動する．CT と異なり検査時にベッドは移動せず，様々な撮像条件で数分単位の検査を繰り返していく．

3 正常像

MRI では，前述の 2 つの緩和過程を利用する以外に，静磁場の中に発生させる磁場勾配（傾斜磁場と呼ばれる）やラジオ波照射，コイルでの受診タイミングを様々に変化させることで CT と比較して非常に多くの異なるコントラスト画像を得ることができる．

図 27-8 に MRI の代表的な撮像例を示す．上段左：T1 強調像，上段右：T2 強調像である．前述の MRI における異なる 2 つの緩和時間による組織コントラストを主に反映した画像である．T1 強調像では水が低信号，T2 強調像では逆に水が高信号となる．下段左は FLAIR（fluid attenuated inversion recovery）画像であり，自由水の信号を抑制したものである．髄液が低信号になっているのがわかる．下段右が拡散強調像である．水の分子レベルでの拡散を捉えるもので，拡散制限を受けない自由水は低信号，細胞膜内の水分子は拡散制限を受けるので高信号となる．

図 27-9 は，造影剤を使用しないいわゆる MRA（MR angiography）である．一般臨床における頭部 MRI 検査では，ほぼルーチンに施行される．未破裂動脈瘤の検出に有用である．

MRI における造影剤はガドリニウムを用いる．ガドリニウム造影剤は T1 緩和時間の短縮をもたらすことで，T1 強調像において高信号となる．高濃度では T2 緩和時間短縮効果により T2 強調像で低信号となる．CT におけるヨード造影剤と異なり，単純に濃度依存性に高信号をもたらすわけではない．通常は T1 緩和時間の短縮効果を利用して頭蓋内腫瘍性病変に高いコントラストをつけることができ，MR 血管撮影においては，静脈にもコントラストをつけることができる．ヨード造影剤とガドリニウム造影剤を比較すると，副作

表27-1 CTおよびMRI検査の比較

	CT	MRI
適応部位	眼球，眼窩，頭蓋内	眼球，眼窩，頭蓋内
空間分解能	○	◎
鎮静の必要性	なし	あり
検査時間	数分	15～20分程度
安全性	良	優
禁忌事項	なし 造影時のヨードアレルギーのみ	あり

用の発生はガドリニウムが少ない．一方で，重篤なショックは一定の確率で生じうるため造影剤アレルギーの既往，腎機能の低下の有無を事前にチェックする必要がある．

4 適応と検査のポイント

MRI検査の適応は，CT検査との特徴を比較しながら考えると理解しやすい．表27-1に両検査の比較を示す．MRIはCTと比較し軟部組織コントラストに優れているものの，検査時間がやや長く，いくつかの禁忌事項が存在する．

MRIのガントリー内は高磁場であるため，金属類の持ち込みが禁忌である．代表的な禁忌事項は心臓ペースメーカー，人工内耳，その他の体内金属である．磁場により誤作動や装置の破損が起こりうるからである(近年はMRI対応の心臓ペースメーカーが開発されている)．また，外傷は体内金属の有無が事前に確認できず，体内金属がガントリー内磁場により組織損傷を起こしうるためこれも禁忌となる．

またMRIは検査時間がやや長く，検査中に動かないことが被検者にもとめられる．協力が困難な高齢者や小児では，検査が困難な場合がある．

以上より，眼科関連領域疾患で頭頸部の画像検査を行う場合には，禁忌事項がなく，検査協力が可能な症例にはまずMRIが適応であるといってよい．

MRI検査はCT検査と同様に，臨床所見から“どこの部位にどのような病態を確認ないしは否定したいか”を事前に放射線科へ伝えることが重要である．事前のオーダーが具体的かつ詳細であればあるほど適切な撮像シーケンスの選択と読影が施行される．

5 MRIの安全性の指標

MRI撮像は，高周波パルス(radiofrequency pulse：RFパルス)の照射が行われ，人体への影響は主に発熱作用である．SAR(specific absorption rate)は，人体に吸収される単位質量あたりの発熱量(W/kg)として定義される．頭部においては，米国食品医薬品局(Food and Drug Administration：FDA)では，3.2を上限とし，国際電気標準会議(International Electrotechnical Commission：IEC)では，24℃以下，湿度60%以下の条件で3.0を上限としている．

MRI装置は，撮像前に被検者の体重を入力するようになっており，SARが撮像シーケンスごとに加算されていき，トータルで上限を超えないようになっており，過剰な撮像は制限される．一方この上限は一回の検査あたりの制限であり，放射線のような年間あたりの制限はない．これより，安全性に関してMRIはCTと比較し，自由度が高いといえる．

6 臨床画像

MRIは，CTと異なり，複数の異なる撮像シーケンスから多角的な病態評価が可能である．以下に症例の実際を呈示する．

a. 外眼筋腫大

図27-10に外眼筋腫大の例を呈示する．左は健常例，右が外眼筋腫大症例のMRI冠状断である．両側の下直筋の腫大と脂肪抑制T2強調像で高信号が観察される(矢印)．この高信号は，筋の活動性炎症を反映し，ステロイドや放射線照射などの適応決定における重要な所見となる．

b. 眼窩腫瘍

図27-11に右眼窩腫瘍例を呈示する．右下直筋近傍に，T1，T2強調像でいずれも低信号を呈

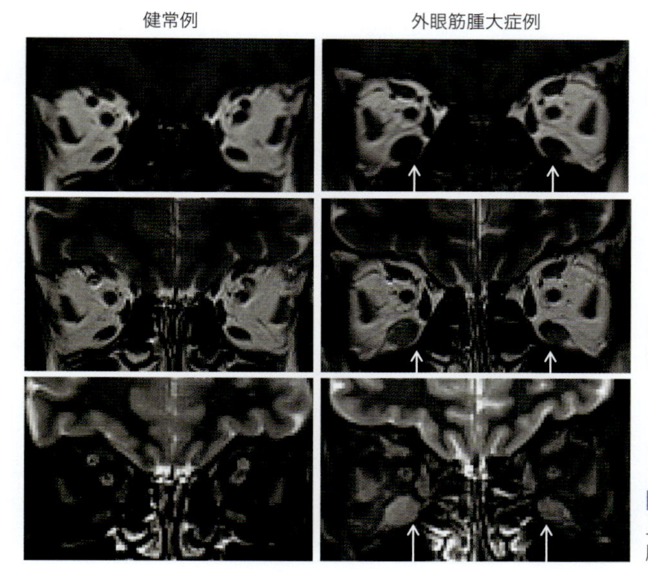

図 27-10　MRI の臨床画像(外眼筋腫大)
上段：T1 強調像，中断：T2 強調像，下段：脂肪抑制 T2 強調像(STIR).

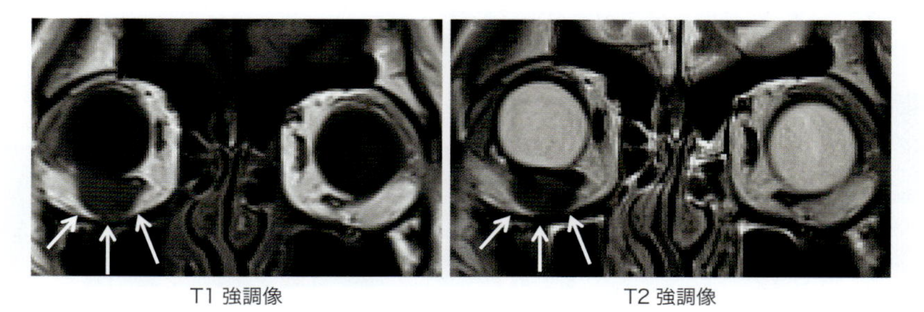

図 27-11　MRI の臨床画像(右眼窩腫瘍)

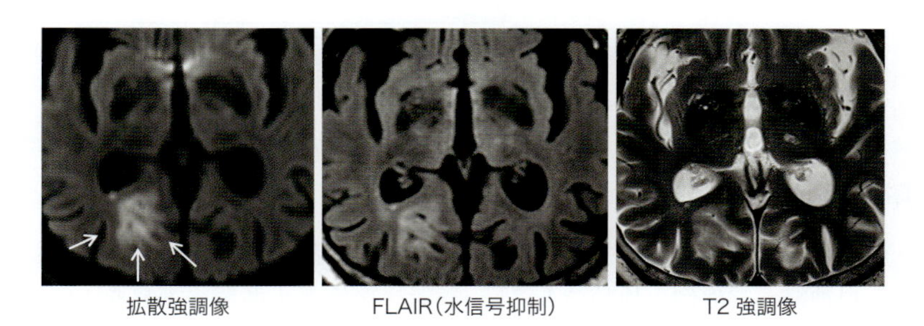

図 27-12　MRI の臨床画像(右後頭葉梗塞：左同名半盲)

する腫瘤病変(矢印)が観察される.

c. 後頭葉梗塞

図 27-12 は左同名半盲症例に対する頭部 MRI 水平断である．従来の T2 強調像では明瞭でない右後頭葉の高信号が，拡散強調像で明瞭に描出(矢印)され，急性期の右後頭葉梗塞であることがわかる.

d. 緑内障性視神経萎縮

図 27-13 は視交叉近傍の MRI 3D T1 強調像の冠状断(上)，視交叉に平行な水平断(下)による，

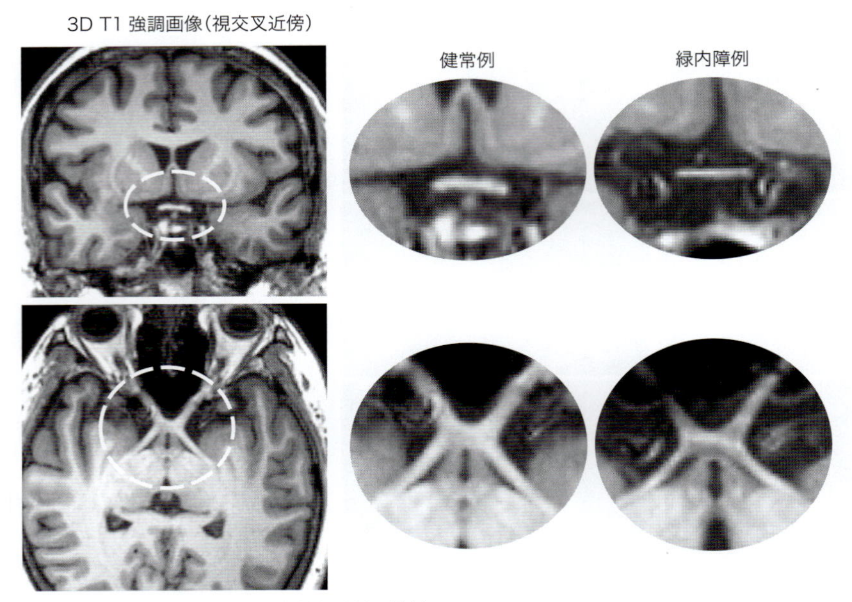

図 27-13 健常例と緑内障性視神経萎縮

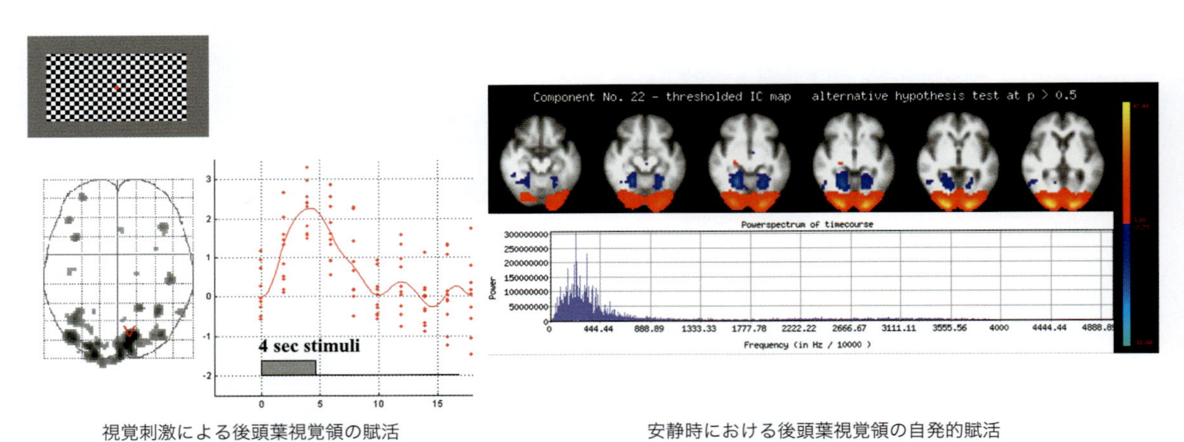

図 27-14 後頭葉視覚領の賦活を fMRI で捉えた画像

健常者と緑内障性視神経萎縮症例の比較である．緑内障では視神経萎縮による神経容積減少が描出されている．

e. 機能的磁気共鳴画像(fMRI)

図 27-14 は，後頭葉視覚領の賦活を機能的磁気共鳴画像(fMRI)で捉えたものである．神経賦活に伴う微小循環の上昇を BOLD 法と呼ばれる手法で MR 信号上昇として可視化できる．従来の視覚刺激によって賦活を捉える手法に加え(図左)，安静時においても自発的な賦活が観察される(図右)ことが解明され，様々な解析が加えられるようになっている．

(吉田正樹)

第 3 部

疾患別検査の進め方

略語一覧

＊「疾患別検査の進め方」では，下記の略語を用いて，フルスペルと日本語表記は省略した．

BUT　tear film breakup time：涙液層破壊時間
BV　binocular vision：両眼視力
CFF　critical flicker (fusion) frequency：限界フリッカ値
CL　contact lens：コンタクトレンズ
CT　cover test：遮閉試験
ERG　electroretinogram：網膜電図
ET　esotropia：内斜視
FA　fluorescein angiography：フルオレセイン蛍光造影
GP　Goldmann perimeter：ゴールドマン視野計
HCL　hard contact lens：ハードコンタクトレンズ
IA　indocyanine green angiography：インドシアニングリーン蛍光造影
LV　left vision：左眼視力
MRI　magnetic resonance imaging：磁気共鳴画像
n. c.　non corrigunt：矯正不能
NLV　near left vision：近見左眼視力
NRV　near right vision：近見右眼視力
OCT　optical coherence tomography：光干渉断層計
RV　right vision：右眼視力
SCL　soft contact lens：ソフトコンタクトレンズ
SFT　stereo fly test：ステレオフライテスト
VEP　visual evoked potential：視覚誘発電位

I　屈折・調節の異常

 弱視①：不同視弱視

症例：３歳　男児

主訴：左眼視力不良

現病歴：３歳児健診で左眼視力不良を指摘された.

家族歴・既往歴：特記すべきことなし

入力系

視力検査(絵視標)

RV＝1.0

LV＝0.2

BV＝1.0

▶それぞれの片眼視力が健常視力に達していない場合は両眼開放視力を測定すると片眼視力より良い視力が得られることが多い. 本症例のように視力の左右差がある場合は両眼視力で得られた視力は健眼視力と考える.

固視検査　＜両眼性固視検査＞

両眼)中心固視　固視交代可能

プリズム装用にて確認

▶眼位が正位のときはプリズムを装用して光学的に偏位をつくり, 両眼性固視検査を行う(「両眼性固視検査」の項を参照, ⇒68 頁).

調節麻痺薬点眼後の屈折検査

アトロピン硫酸塩点眼後

(AV ハンドル)

RV＝(1.0×S＋1.75 D)

LV＝(0.3×S＋6.50 D)

▶小児の屈折検査では調節麻痺薬を用いる必要がある(「調節麻痺薬を用いた屈折検査」の項を参照, ⇒99 頁).
眼鏡はアトロピン硫酸塩点眼後の屈折値をもとに処方する.

角膜曲率半径

R：	R1	8.32 mm	40.50 D	6°
	R2	8.19 mm	41.25 D	96°
	AVE	8.26 mm	40.75 D	
	CYL		−0.75 D	
L：	R1	8.39 mm	40.25 D	175°
	R2	8.25 mm	41.00 D	85°
	AVE	8.32 mm	40.50 D	
	CYL		−0.75 D	

＊R1：弱主経線, R2：強主経線

▶角膜曲率半径と眼軸長を測定し, 屈折の左右差の原因を検討する. 通常, 不同視弱視では眼軸長で左右差があるが, 角膜曲率半径の左右差はない.

眼軸長(A モード)

R：22.83 mm

L：21.15 mm

前眼部・眼底検査

異常なし

統合系

大型弱視鏡検査

右固視(眼鏡装用にて測定)

他覚的斜視角　0°

自覚的斜視角　0°

同時視(＋)

融像幅　－5°～＋17°(基点 0°)

SFT

Fly(＋)

Animals 3/3　100 sec

Circles 6/9　80 sec

眼位：正位

出力系

眼位検査　＜Hirschberg 試験＞

正位

▶不同視弱視の治療に際しては両眼視機能の発達に留意する必要があるため，視力検査とともに，適宜両眼視機能検査を行う.

▶角膜反射を用いて，眼位検査と固視検査を同時に行うことができる.
眼位検査は必ず CT を併用し，わずかな眼位ずれを見逃さないようにする.
alternative CT で斜位を検出するより，single CT でたとえ斜視角が小さくても顕性の斜視の有無を確認することが大切である.

B 弱視②：斜視弱視

症例：6 か月　女児
主訴：左眼内斜視
現病歴：生後 3 か月頃から左眼が内斜していることに気づく.
家族歴・既往歴：特記すべきことなし

入力系

固視検査　<両眼性固視検査>
R：中心固視　固視持続可能
L：中心固視不良
→右眼遮閉 10 分後も中心固視不良

▶視力検査ができない場合でも両眼性固視検査を行うことで，弱視の有無を確認できる．また，一眼のみの遮閉を嫌がる「嫌悪反射」がみられる場合は他眼の弱視が疑われる．
片眼の中心固視が不良である場合は健眼を 10 分ほど遮閉して，中心固視できるか否かを確認する．

調節麻痺薬点眼後の屈折検査
アトロピン硫酸塩点眼後
R：＋1.50 D
L：＋1.50 D

▶他覚的屈折検査は内斜視がある場合は必ずアトロピン硫酸塩による調節麻痺下で，乳児にも使用可能なハンディータイプのオートレフラクトメータを用いるか，検影法を行う．

前眼部・眼底検査
異常なし

Grating acuity test　<Lea gratings>
検査距離 1 m
R：0.115*
L：測定不可
＊小数視力に換算

▶grating acuity test では乳児や障がい児に対して他覚的に視力を評価することができる．検査距離と縞サイクル（cycle/deg）から視力に換算する（換算表は各検査機器に付属している）．
その他，視運動性眼振や視覚誘発電位で視力を評価する方法もある（第 4 章 Ⅲ C. 3「他覚的な視力の評価」の項を参照⇒66 頁）．

出力系

眼位検査　<Krimsky 試験>
R：50 Δ ET′
L：不可

▶眼位は定量するだけでなく斜視角に動揺がないか，交代性上斜位の合併がないかを注意して観察する．

眼球運動
眼球運動障害（－）

（中川真紀）

C 調節障害：老視

症例：45 歳　女性

主訴：眼精疲労．数年前から近業での眼精疲労が強くなった．眼鏡の使用経験はない．

現病歴・既往歴・家族歴：特記すべきことなし

他覚的屈折検査（オートレフラクトメータ）（図 1）

▶測定中の瞳孔の様子を観察する．オートレフラクトメータに内蔵されている雲霧機能を使用しても縮瞳するようであれば，力を抜いて視標を見るよう指示し散瞳してきたときに測定をする．

〈R〉	S	C	A	
	−0.25 D	−0.25 D	139	9
	+0.00 D	−0.25 D	137	9
	−0.25 D	−0.25 D	137	9
	〈−0.25 D	−0.25 D	137〉	
	mm	D	deg	
<R1	8.00	42.25	168	
<R2	7.83	43.00	78	
<AVE	7.92	42.50		
<CYL		−0.75	168	
〈L〉	S	C	A	
	+0.00 D	−0.25 D	143	9
	+0.00 D	−0.25 D	142	9
	+0.00 D	−0.25 D	142	9
	〈+0.00 D	−0.25 D	142〉	
	mm	D	deg	
<R1	7.99	42.25	13	
<R2	7.82	43.25	103	
<AVE	7.91	42.75		
<CYL		−1.00	13	

図 1　オートレフラクトメータ検査結果

自覚的屈折検査

遠見視力検査

RV＝1.2（0.7×S＋1.25 D）
（1.0×S＋1.00 D）
（1.5×S＋0.75 D）
（1.5×S＋0.50 D）

LV＝1.2（0.5×S＋1.25 D⊃C−0.50 D Ax 145°）
（0.6×S＋1.00 D⊃C−0.50 D Ax 145°）
（0.9×S＋0.75 D⊃C−0.50 D Ax 145°）
（1.2×S＋0.50 D⊃C−0.50 D Ax 145°）
（1.5×S＋0.25 D⊃C−0.50 D Ax 145°）
（1.5×　　C−0.50 D Ax 145°）

▶裸眼視力が良好で屈折異常も軽度であるが，眼精疲労を訴えていることから潜在的に遠視が疑われる．自覚的屈折検査では少し強めの凸レンズから検査を開始し徐々にレンズ度数を弱めて測定する．最高視力のでる最強度の凸レンズをもとめる．左眼も右眼同様に検査を進める．
答えが不安定になるようであれば，雲霧法を行う．また，凸レンズ交換は，交換レンズを検眼枠に重ねてから入っているレンズを抜き，抜いたレンズを検眼に重ねてから交換レンズを入れると調節の介入を防ぐことができる．

調節検査

近見視力検査

NRV＝0.6(0.7×S＋0.75 D)　遠見ベストレンズ
(0.9×S＋1.25 D)
(1.0×S＋1.75 D)
(1.2×S＋2.00 D)
(1.2×S＋2.25 D)

NLV＝0.6(0.7×S＋0.25 D⊃C−0.50 D Ax 145°)
遠見ベストレンズ
(0.8×S＋0.75 D⊃C−0.50 D Ax 145°)
(0.9×S＋1.25 D⊃C−0.50 D Ax 145°)
(1.2×S＋1.50 D⊃C−0.50 D Ax 145°)
(1.2×S＋1.75 D⊃C−0.50 D Ax 145°)

▶遠見の最高視力がでた屈折値で測定を始め徐々に凸レンズを付加し最弱度の凸レンズを検出する．年齢に応じた加入度で良好な近見視力が得られない場合は老視以外の調節障害を疑う．

▶本来は被検者のもつ調節力を最大限使って測定したいので，遠見ベストレンズから測定を開始するが，過去の研究より年齢による調節力がわかっているので，予想される調節不足分より少し弱めの度数を加入した値から検査することが多い．

加入度数の目安

年齢	加入度数
40 歳～	＋1.00 D～
50 歳～	＋1.50 D～
50 歳～	＋2.00 D～
55 歳～	＋2.50 D～
60 歳～	＋3.00 D～

調節力の年齢的標準値から予測した加入度数

▶近点と屈折力から調節の不足分を考えると，例えば調節力 3.50 D の正視の人が 30 cm の物を見る場合，3.30 D の調節が必要となる．理論上は調節力の範囲内となり不足分はないことになるが，実際は調節力に余力をもたせたほうが見やすく感じる．

石原式近点計

遠方完全矯正を装用する
3 回平均値(cm)
R：28.6 cm　調節力 3.50 D
L：28.3 cm　調節力 3.53 D

▶石原式近点計を用いずに外来で簡単に調節力を検査する方法として遠方完全矯正レンズを装用させ，固視目標をできるだけ遠くから近づける．
視標がボケ始める点から眼までの距離を n(cm)とし，調節力 D＝100/n(cm)を求める(「第 6 章 調節検査」の項を参照⇒104 頁)．
45 歳ではおおよそ 3.50 D 前後なので本症例は正常範囲である．左右差がある場合は，潜伏遠視がないか，遠見視力を再検査する．

眼位検査

＜眼位＞　正位
＜眼球運動＞　異常なし
＜輻湊＞　良好
＜交代プリズム遮閉試験＞
Far：no shift　Near：5 Δ XP′

▶眼精疲労を強く訴える症例では眼位異常に伴う筋性眼精疲労も疑い眼位検査を行う．本症例では筋性眼精疲労を疑う所見はなかった．

▶近用眼鏡は患者のニーズに合わせて，度やレンズの種類を決定する．

(和田直子)

II　眼瞼の異常

A 重症筋無力症

症例： 70 歳　男性

主訴： 右の瞼が下垂しやすい

現病歴： 4，5 か月前から右眼が開けにくくなる現象が出現．朝起床時は左右差なく開いているが，間もなく左右差が出てくるという．近医眼科受診したところ，何か基礎疾患があるかもしれないと内科外科医院に紹介された．そこで，脂質異常症，高尿酸血症の存在が明らかになり，頭部 MRI を撮影したが，軽度の動脈硬化性変化を認めるのみで，眼瞼下垂につながる病変は確認できなかったため，当院神経眼科を紹介受診となった．

既往歴： 帯状疱疹（昨年，右腰部）

視力検査

RV＝1.0（1.0×S＋0.75 D⊃C－1.00 D Ax 110°）

LV＝1.2（1.2×S＋0.50 D）

前眼部，中間透光体，眼底に異常なし

休息試験

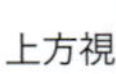
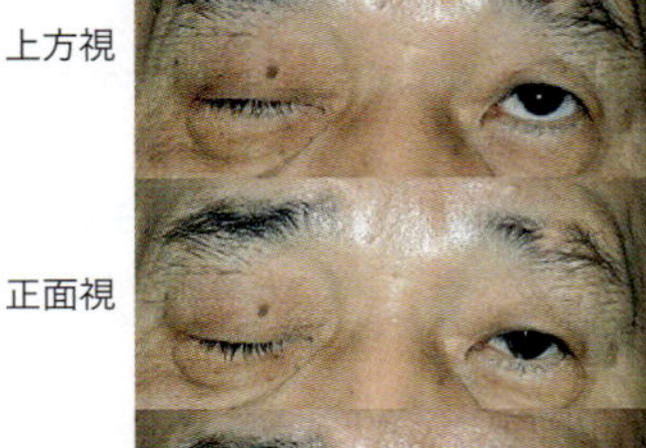
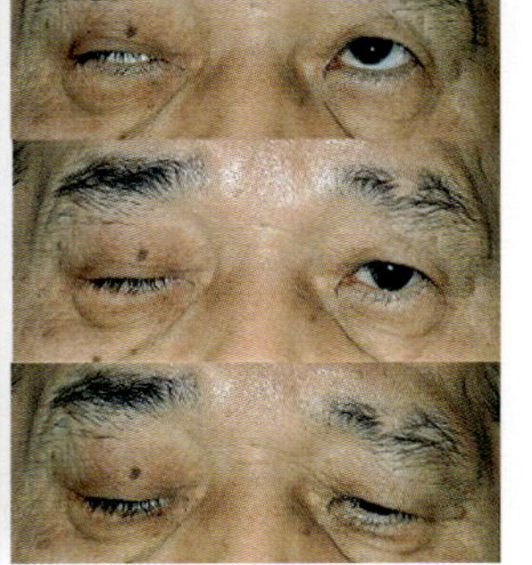

図 1　休息試験前後の眼瞼下垂所見の変化

a．受診時（午後）下方視は不十分

b．2 分間閉瞼後（休息）上方視でわずかに改善

テンシロンテスト

改善確認

交代プリズム遮閉試験

遠方視：10 Δ 外斜位

近方視：20 Δ 外斜位

▶本例では，朝起床時が良好という特徴から重症筋無力症（myasthenia gravis：MG）の存在が疑われた．まずは，侵襲の少ない休息試験（2 分以上閉瞼し，開瞼と同時に評価する，図 1），上方注視負荷試験（1 分以上上方を注視させ疲労による下垂の増強が生じないか観察する），アイスパックテスト（アイスパックを局所に 2 分間当て，瞼裂幅が 1～2 mm 以上開大すれば陽性）を行う．
いずれも，エドロホニウム（テンシロン）テストほど強力ではないが，発症が最近の症例や，未治療例では十分な診断的意義がある．ただし，微細な変化を見逃すことなく観察，記録することが大切で，例えば図 1a, b をみると，上方視させたときのみ，休息前後で右眼に明らかな差がみられている．

Hess 赤緑試験

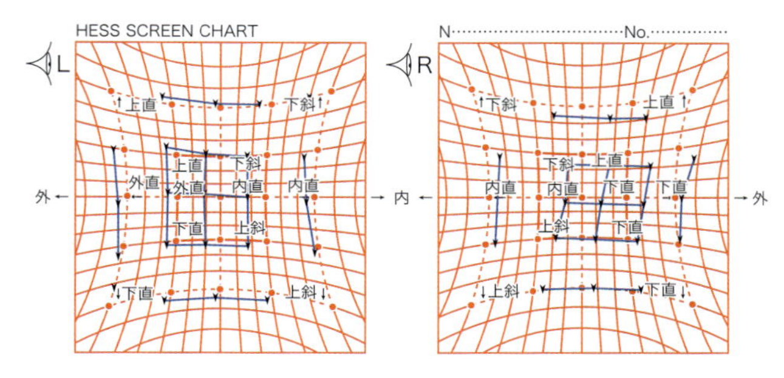

図 2　右上転制限と下斜視

▶ MG ではしばしば眼瞼下垂が片眼または両眼にみられ，また時によって下垂眼が変化しやすいことと，外眼筋の運動制限が併存している率が高いことが特徴である．図 2 は右の上転制限に相当する所見である．

全身の所見

- 立ち上がり反射，手挙げ，咀嚼，飲みこみ，呼吸，発声に異常なし．
- アセチルコリン受容体結合抗体 5.1 nmol/L（正常値 0.2 以下）
- 糖尿病　なし（家族歴もなし）

▶ 全身型か眼筋型か区別することも，治療方針を決めるうえで大切である．一見眼筋型にみえても，日常生活動作をよく聴取すると，全身型であることが判明することも少なくない．アセチルコリン受容体結合抗体陽性例は，眼筋型では 60～70% とするデータが多い．

解説

1. 眼瞼下垂とは

本来眼瞼下垂は，眼瞼挙上にかかわる筋の機能低下を示すものである．下垂の原因は，中枢神経系，動眼神経（上眼瞼鋸筋支配）や交感神経系（Müller 筋支配），神経筋接合部，筋性，および周辺組織の病変（例えば腫瘍，炎症）の二次的な影響によるものなど，様々であり鑑別が必要である．また，「先天性か後天性か」や，「見かけ上の瞼裂狭小や左右差ではないか」に注意を払うことも大切である．

2. 重症筋無力症の治療法

抗コリンエステラーゼ薬，副腎ステロイド（パルス療法，漸増療法，少量隔日療法など），免疫抑制薬（タクロリムス）を，年齢，罹病期間，重症度，全身状態など様々な因子により選択する．特に，視力，両眼視機能発達期の乳幼児では大半が眼筋型であり，薬物治療に加え，眼鏡矯正，プリズム治療，弱視治療，手術など，眼科が治療に積極的に加わることが大切である．近年は重症例や急激な悪化例に補体を抑制する分子標的薬（エクリズマブ）や血液浄化療法を用いる場合があるが，眼科で対応するケースはまずない．

B 眼瞼けいれん

症例：70 歳　女性

主訴：眼を開けにくい，眩しい

現病歴：10 年以上前から，ものを見ていると眼がしょぼしょぼして開けていられなくなる．光を眩しく感じテレビやスマホを長く見ていると，沁みるような感じが出てきて，気分が悪くなる．何か所かの眼科でドライアイの診断で点眼などの治療を受けたが，全く改善しない．眼科医も，それほどの異常は見当たらないといって，精神神経科を紹介されて薬を処方されたが改善しなかった．その後，不眠や不安のためにエチゾラムが処方され，不眠やいらいらは改善したが，眼の症状はむしろ段々ひどくなった．昨年，他院にて両眼の眼瞼下垂の手術を受けたが，眩しいのは変わらなかった．このため，同院から神経眼科を紹介されて受診した．

視力検査

RV＝0.8(1.0×S＋1.25 D)

LV＝0.7(1.2×S＋2.00 D⊃C－1.50 D Ax 110°)

前眼部検査

軽度白内障

眼底検査

異常なし

外眼部所見

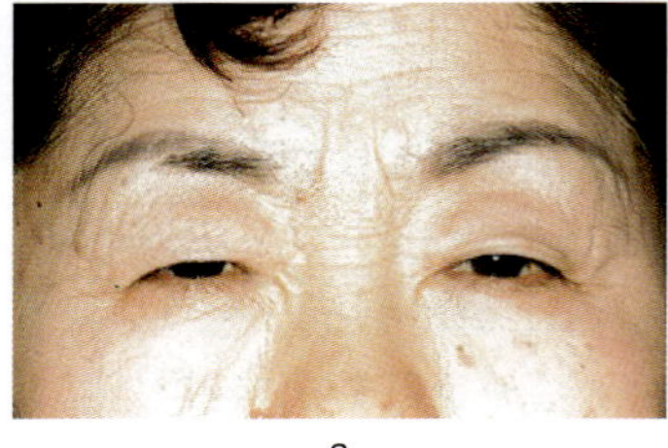
a

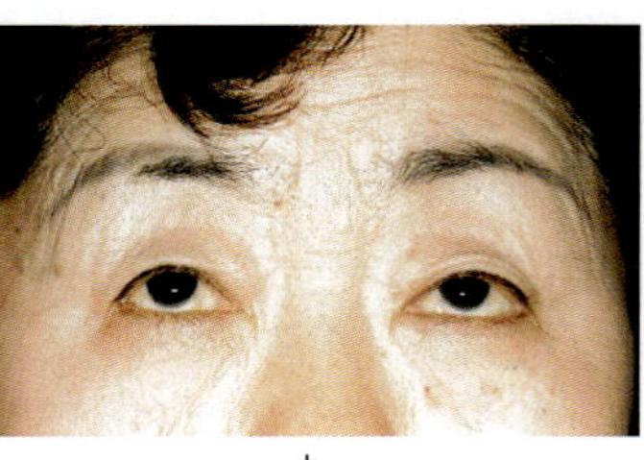
b

図 3　症例の顔貌

a. 眩しそうに正面視している．

b. 上方視時．開瞼は十分可能であるが，この状態を長くは持続できない．

▶図 3a のような顔貌で診察室に入室．半暗室として落ちついたところで上方視させた表情が図 3b．上方視(図 3b)や開瞼努力をさせると開瞼は可能で挙筋機能も正常範囲であった．

瞬目負荷試験

軽瞬：余分な瞬目が混入

速瞬：途中で瞬目継続ができなくなった．また強瞬をしようとすると，いったん閉瞼すると開瞼に時間がかかる場合が多発した(表 1)．

表 1　瞬目負荷試験の方法と評価

	A　眉毛部分を動かさないで，軽い，歯切れのよいまばたきをゆっくりしてみる（軽瞬）	B　できるだけ速くて軽いまばたきを 10 秒間してみる（速瞬）	C　強く目を閉じ，すばやく目を開ける動作を 10 回してみる（強瞬）
0 点	できた	10 秒間に 30 回以上のまばたきが，ほぼリズムよくできた	できた
1 点	眉毛部分が動く，強いまばたきしかできない	途中でつかえたりして 30 回以上はできないが，大体できた	すばやく開けられないことが，1，2 回あった
2 点	ゆっくりしたまばたきはできず，細かく速くなってしまう（不随意瞬目の混入）	リズムが乱れたり，強いまばたきが混入した	開ける動作がゆっくりしかできなかった
3 点	まばたきそのものがうまくできず，目をつぶってしまう	速く軽いまばたきそのものができない	開けること自体に著しい困難があるか，10 回連続できなかった
合計	A＋B＋C＝合計点数		

合計点数．0 点：眼瞼けいれんでないか，ごく軽症例．1〜2 点：軽症眼瞼けいれん．3〜5 点：中等症眼瞼けいれん．6〜9 点：重症眼瞼けいれん．
（若倉雅登：本態性眼瞼痙攣臨床評価のための自覚，他覚検査．神経眼科 18：157-163，2001 より一部改変）

Schirmer 試験

R：17 mm

L：15 mm

BUT は両眼とも 5 秒以上であった．

▶本症例の背景

この症例は，「眼瞼けいれん」という疾患概念が眼科医の間で十分定着していないために，単なるドライアイと診断された．しょぼしょぼする，眩しいなどの訴えから一般眼科ではドライアイを疑うことになるが，Schirmer 試験，BUT はドライアイを示唆しない．

また瞼裂が細いことを加齢性眼瞼下垂と解釈されて，手術が行われたようである．

特に当初は，眼球に自覚症状に対応する所見がなく，精神科に紹介されてしまい，眼瞼けいれんの診断が遅れた．さらに，正確な診断なしに，眼瞼下垂としての手術が行われた．しかし，図 3 のように努力開瞼は十分にあり，加齢性眼瞼下垂はあてはまらない．瞬目負荷試験では軽瞬 2 点，速瞬 3 点，強瞬 3 点の計 8 点で瞬目の値が悪く，結局重症な眼瞼けいれんと診断できた．

解説

眼瞼けいれんは，ドライアイのようなあたかも眼表面異常を連想させるような愁訴をもつことが多いが，実際には以下の 3 つの要素からなる．

(1) 眼瞼の運動障害：瞬目過多，瞬目異常，眼瞼不随意運動，開瞼困難，閉瞼固守など

(2) 眼球，眼瞼の感覚過敏：羞明，眼痛，眼部不快感，眼異物感，霧視など

(3) 精神神経症状：不安，抑うつ，焦燥，不眠など

(1)〜(3) のどれが前面に出るか，症例ごとに大きなバリエーションが存在する．例えば，薬物性でも，ベンゾジアゼピン系薬物やその類似薬によるものは (2) が主体で，一見眼瞼運動障害はみられないことが多い．本態性や抗精神病薬の連用によるものでは，(1) が前面に出やすい．(3) が主体の場合には，本例のように，精神神経科の疾患と誤って，不適切な治療が行われる可能性がある．特に，エチゾラム（デパス®）のように本症の原因薬として知られているベンゾジアゼピン系関連薬が治療のために投与されてしまうこともある．

こうしたなかで，(2) が主体で，一見眼瞼運動に異常がみられないものでは，表 1 のごとき随意瞬目試験が非常に参考になる．

本症は脳の基底核を中心とする神経回路の伝達異常が背景にあり，根治治療は困難であり，あくまで対症治療であることを，医療側も患者も理解すべきである．

（若倉雅登）

III 結膜疾患

A 翼状片

症例：56 歳　女性

現病歴：数年前より両眼の角膜混濁を自覚，増悪傾向を認め，当科受診した．

家族歴・既往歴：特記すべきことなし

視力検査

RV＝(0.4×S＋9.00 D⊃C−7.00 D Ax 175°)

LV＝(1.2×S＋4.25 D⊃C−1.50 D Ax 20°)

RV＝0.6

前眼部検査

前眼部所見：両眼の翼状片を認めた．

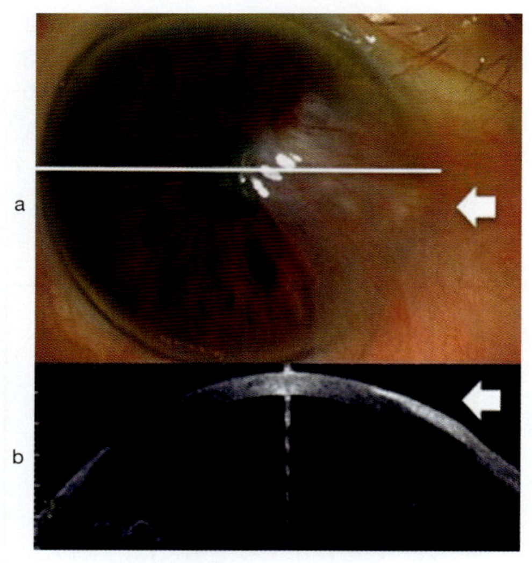

図 1　右眼前眼部所見

白矢印は翼状片の位置を示す．

a．前眼部写真．右眼は鼻側から進展する翼状片を認め，輪部より 4 mm，瞳孔領にかかっている．

b．前眼部 OCT 像（A の白線部分で撮影）．Bowman 膜を越えて実質に高輝度の翼状片組織を認めるが，角膜厚の菲薄化は認めない．

▶ SS-1000 CASIA の場合，角膜乱視などの形状異常は corneal map，深達度および翼状片後面の菲薄化や偽翼状片の鑑別に anterior segment，2 つの測定方法を使用する（図 1b, 2）．翼状片は主に鼻側，まれに耳側から侵入するため，直乱視を生じさせる．偽翼状片では角膜後面の菲薄化を伴うことがあり，術式が表層角膜移植と異なるため鑑別を要する．図 3 に偽翼状片の症例を示す．

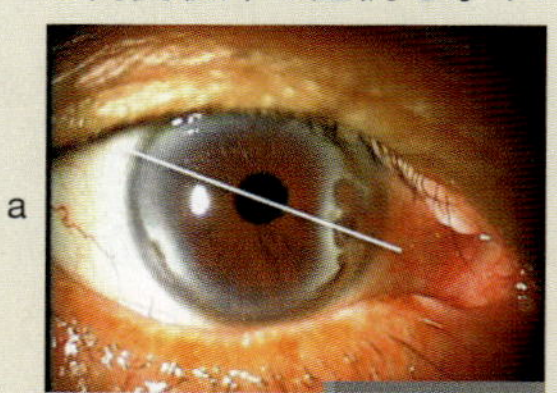

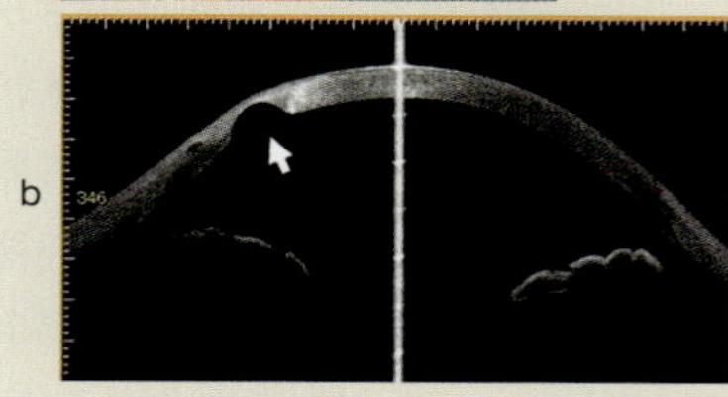

図 3　偽翼状片症例

a．前眼部写真．鼻側に混濁病変があり，結膜から血管侵入を認めた．

b．a の白線部分の前眼部 OCT（anterior segment 像）．後面の菲薄化を認める（矢印）．

角膜形状解析

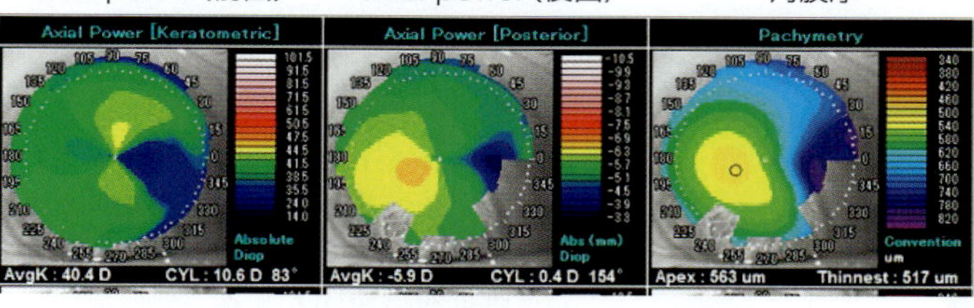

図2 右眼 corneal map（TOMEY，SS-1000 CASIA）
左右非対称であり，前面（左）および後面（中）の axial power map で蝶ネクタイ型の直乱視があり，鼻側は平坦化している．角膜厚は翼状片部分の肥厚が生じる．

▶その他の検査

① ケラトメータ
鼻側の平坦化によって直乱視となる．

② 眼球運動検査（赤緑試験）
鼻側に主に発生するため，内直筋の運動制限を認めることがある．特に再発症例では，前回手術の炎症により拘縮を起こし，再手術後の増悪によって複視を訴える可能性があるため，術前に確認をする必要がある．

解説

翼状片の疾患概念

翼状片は身近な眼科疾患であり，外来手術で治療ができることから，軽視されやすい疾患である．しかし，① 有病率の高さ，② 切除後の角膜混濁および乱視の高さ，③ 再発率の高さ，④ 難治再発症例の存在，などから難しい疾患である．また，角膜炎，化学腐食，熱傷後に結膜組織が侵入する偽翼状片との鑑別を要する．

翼状片は血管豊富な結膜増殖組織が，角膜の主に鼻側に侵入する．発生原因として紫外線，埃，熱風，乾燥などの環境的な因子や刺激する煙，蒸気，化学的物質などが挙げられている．赤道を挟んで北緯，南緯 40 度以内の住人に翼状片の発生率が高いと報告されている[1,2]．農業，漁業など屋外で働く，溶接に従事する人に多く発症するため，紫外線が深く関与していると推測されている[3,4]．

発生機序としては不明な点が多いが，角膜輪部の上皮細胞，実質の線維芽細胞に異常が生じ，輪部の幹細胞バリアを越えて角膜内に侵入，実質に侵入した血管に支えられて角膜中央に向かって侵入していくものと思われる．そのため，組織像は角膜上皮層の基底膜と Bowman 膜の間にマスト細胞などの遊走細胞と線維芽細胞が浸潤し，基底膜の菲薄化や断裂，消失と Bowman 膜は破壊され，先端部に elastic fiber が蓄積されている[5]．

B 輪部デルモイド

症例：33 歳　男性

現病歴：幼少時にデルモイドを指摘されていたが，弱視もなく経過観察されていた．美容上の問題から手術を希望し，当科受診した．

家族歴・既往歴：特記すべきことなし

レフラクトメータ・ケラトメータ

S：−7.25 D，C：−0.50 D，Ax：160°

D1 42.75 mm Ax 10°，D2 43.50 mm Ax 100°

視力検査

RV＝(1.2×S−7.25 D⊃C−1.00 D Ax 8°)

LV＝(0.9×S−7.25 D⊃C−0.50 D Ax 160°)

前眼部検査

前眼部所見：左眼にデルモイドを認めた．

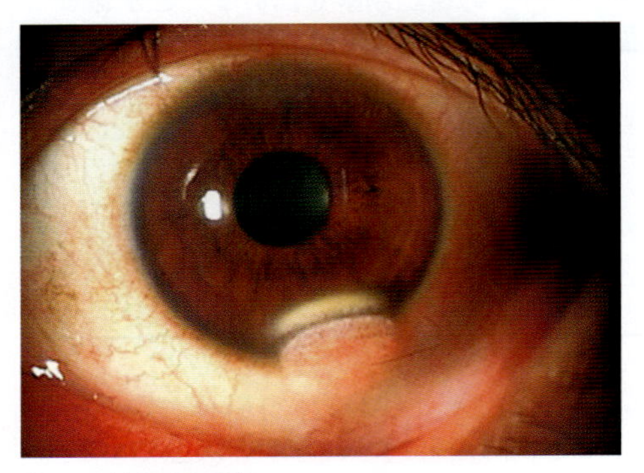

図4　前眼部写真

左眼の下方角膜輪部に脂肪変性を伴う白色の半球状腫瘤，毛髪が表面に付着している．

▶デルモイドは下耳側に発生するため，直乱視を認める．サイズが大きいと乱視が強くなるため，屈折性弱視の原因となる．
本症例はデルモイドが視軸に影響しなかったため，成人まで手術をしなかったまれなケースである．一般的には小児期に手術を施行することが多く，術後乱視による屈折性弱視が大きな問題となる．

角膜形状検査

axial power（前面）　axial power（後面）　角膜厚

AvgK : 43.2 D　CYL : 1.3 D 90°　AvgK : -6.2 D　CYL : 0.6 D 8°　Apex : 602 um　Thinnest : 599 um

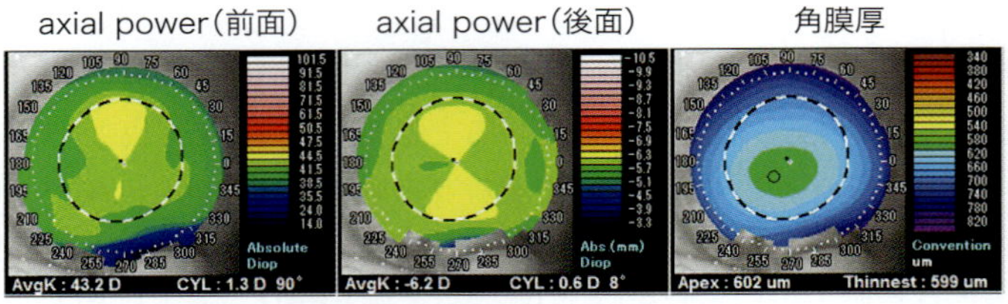

図5　corneal map（TOMEY　SS-1000 CASIA）

▶前面の axial power map で下方角膜が平坦化しており，その周辺部にデルモイドの突出を認める．

解説

輪部デルモイドの疾患概念

輪部デルモイドは発生異常による先天性の良性腫瘍である．分離腫の1つで，下耳側の角膜輪部に白色の半球状腫瘤である．組織学的には皮膚組織が角結膜に異所性に分化し，角化した扁平上皮の下に膠原線維で充たされ，皮脂腺，毛嚢，汗腺などの構造がみられる．Goldenhar 症候群はデルモイドに外耳奇形を伴う．

治療は表層角膜移植により良好な成績を得られる[6]．

▶文献

1) Poncet F: Du pterygion. Arch Ophthalmol (Paris) 1: 21-44, 1881
2) Cameron ME: Ultra-violet radiation. Pterygium throughout the world. pp41-54, Charles C Thomas, Spring-field. IL, 1965
3) Nemesure B, Wu SY, Hennis A, et al: Nine-year incidence and risk factors for pterygium in the Barbados Eye Studies. Ophthalmology 115: 2153-2158, 2008
4) Karai I, Horiguchi S: Pterygium in welders. Br J Ophthalmol 68: 347-349, 1984
5) 沖坂重邦，工藤正人，船橋正員：翼状片の発生機転．眼科 27：633-642，1985
6) 山口達夫，大城道雄，金井　淳，他：小児角膜移植の術後成績．眼科 19：509-515，1977

（山口昌大，海老原伸行）

IV　涙器疾患

 鼻涙管閉塞

症例：70 歳　女性

主訴：右眼の流涙

現病歴：数年前から季節・場所を問わず持続する流涙・眼脂を認めていた．近医より処方された抗菌点眼をすると一時的に眼脂は軽快するも，中止により増悪を繰り返していた．最近になり内眼角部下方の圧迫にて淡黄色の分泌物を認めるようになり紹介受診となった．

家族歴・既往歴：特記すべきことなし

細隙灯顕微鏡検査

角膜・中間透光体：特記すべきことなし

前眼部：tear meniscus（涙三角）（フルオレセイン染色，ブルーフィルタ写真，図 1）．結膜弛緩なし

球結膜・瞼結膜：充血なし

アレルギー所見なし

眼瞼下垂なし

睫毛乱生なし

涙点の発赤・腫脹なし

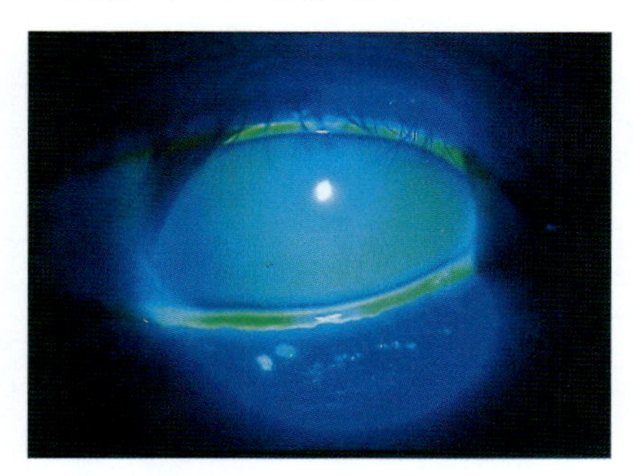

図 1　メニスカス

▶細隙灯検査所見にて，ドライアイや結膜弛緩症，結膜炎症や角膜上皮障害がなく眼瞼下垂や睫毛乱生を認めない．涙点発赤なども認めないが tear meniscus（涙三角）に高いメニスカスを上下に認める（結膜弛緩症による異所性メニスカスの鑑別に注意）．

通水検査

通水不可（通水すると対側の涙点から膿を伴った逆流を認める）．

▶片側の涙点から通水針（1 段曲針）を入れ生理食塩液（生食）を注入し，それが咽頭あるいは鼻腔に流れてきたことの自覚を確認．いずれの部分でも涙道に閉塞があれば生食の通過障害を認める．このとき，対側の涙点から生食の逆流を認め，その内容物に透明あるいは淡～黄色の粘性の分泌物を含んでいれば鼻涙管閉塞と診断できる．

解説

1. 検査(鑑別診断に必要な検査)

① 涙液メニスカスの観察：メニスカスの高さが高いほど涙道上流の閉塞.

② 通水検査(図2)：通過障害を認める. 通水検査の所見のみで内視鏡を挿入せずとも涙道のどの部分に閉塞を認めているかを診断できる.

鼻涙管閉塞では一方の涙点から通水して対側の涙点からの逆流を認める. またその逆流液に膿・粘性分泌物が含まれている. 血液が混じれば悪性腫瘍か結石を疑う. なお注意すべきはやはり中高年の女性に多い放線菌による涙小管炎で, 涙点からの多量の眼脂で涙嚢炎と鑑別が必要となるが, 涙道通過障害がないのが特徴である.

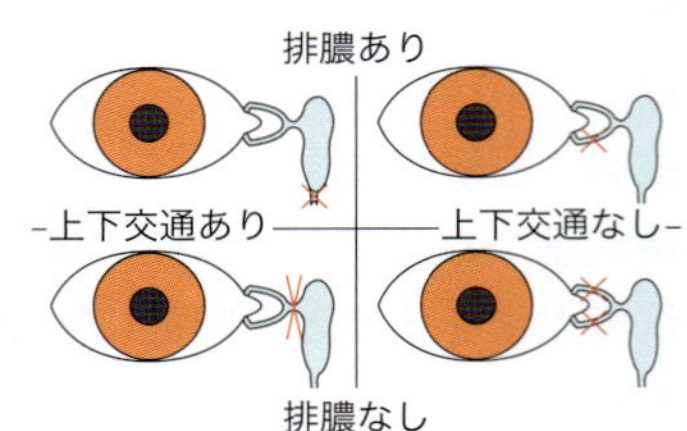

図2 通水所見と閉塞部位

③ 涙道内視鏡：診断的治療のために使用. 内視鏡所見にて閉塞部を認めたらそのまま直接内視鏡穿破を行い, 涙管チューブを挿入することが可能.

④ 涙道造影：造影剤を注入し, 造影剤が途切れ貯留した部分に閉塞を確認できる. 涙道の形態, 閉塞部位の確認, 鼻腔との位置関係を把握できるが涙道内視鏡や鼻内視鏡による観察で比較的容易に閉塞部位が観察できるようになったため実際に行う頻度は低くなった. ※重篤な甲状腺疾患やヨード造影剤過敏症に対しては禁忌.

⑤ CT・MRI：既往歴に応じて必要なら副鼻腔炎やその術後, 鼻腔内・眼窩内腫瘍を確認する. 悪性疑いは造影剤を併用する.

⑥ 涙道シンチグラフィー：悪性腫瘍を確認.

2. 鼻涙管閉塞

涙道とは涙液が上眼瞼耳側にある涙腺から分泌され眼表面を潤し, 鼻腔内に排出されるまでの導涙経路の総称である(図3).

そのなかでも涙嚢～鼻涙管に移行する部分での閉塞により涙嚢内に涙液および粘液が停滞した状態を「鼻涙管閉塞」といい, さらに細菌感染が加わった状態が「涙嚢炎」である(混同注意).

原因は不明のことが多いが感染・炎症のほか鼻腔内疾患(腫瘍・炎症)や外傷(顔面骨折・吹き抜け骨折)・医原性(プロービング・放射線治療), 副鼻腔疾患やその手術・アレルギー疾患, 抗癌剤の副作用など特定できる症例もある.

成人では中高年の女性に多い. 薬物では根治できず, 外科的治療を要する.

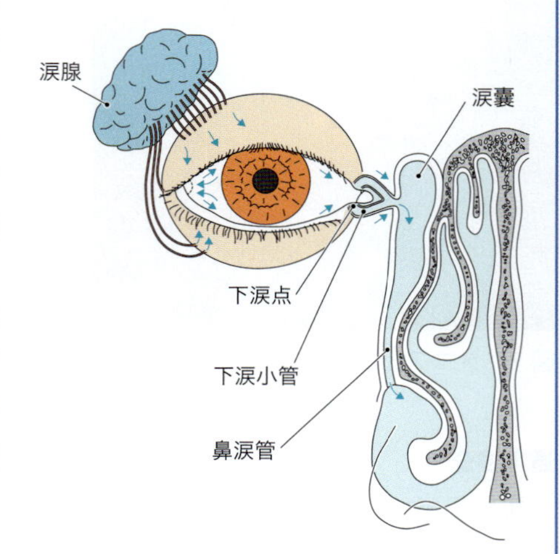

図3 涙道

(大江雅子)

B ドライアイ

症例 1：30 歳　男性

主訴：仕事中に両眼がゴロゴロして乾く．眼が疲れる．

現病歴：かなり以前から異物感を自覚しているが，夏場エアコンをつける時期になり症状が増悪．

既往歴・家族歴：特記すべきことなし

矯正視力

RV＝(1.0)，LV＝(1.0)

▶羞明を訴えているが，視力低下は認めない．

Schirmer テスト I 法

R：10 mm，L：11 mm

▶乾燥感の訴えのため，本検査により涙液量を測定する．5 分値で，10 mm 以上であるため，本症例の涙液の反射性分泌と基礎分泌を合わせた量は正常レベルである．

前眼部検査

角膜透明，結膜充血なし

アレルギー性瞼結膜乳頭なし

前房炎症なし，水晶体清明

フルオレセイン染色，ブルーフリーフィルタ写真(図 4)

▶結膜に炎症性所見がないことを確認．角膜・前房・水晶体透明性にも問題なし．

▶眼表面の涙液の状態と角結膜上皮障害の有無を確認するため，必ずフルオレセイン染色にて前眼部観察を行う．

▶眼瞼縁と角結膜表面と涙液で形成される三角形である tear meniscus の高さは 0.2 mm 程度で正常．

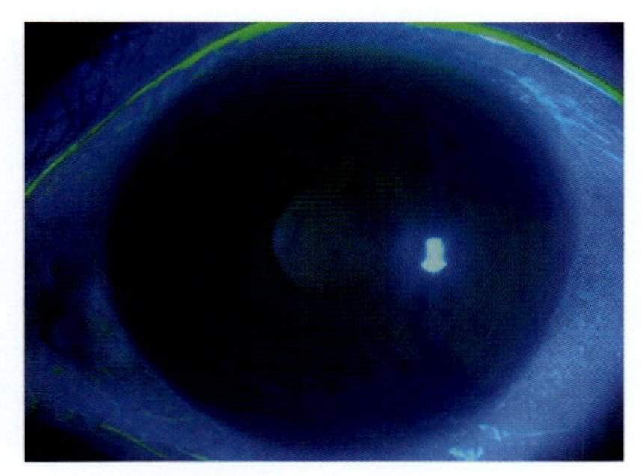

図 4　前眼部写真

BUT

R：2 秒，L：3 秒

▶角膜上の涙液層が破壊するまでの時間にて涙液の安定性を評価する BUT は 5 秒以下で，涙液層の安定性が低下したことによる BUT 短縮型ドライアイである．写真にても涙液蒸発による涙液層の破壊が認められる．

眼底検査

異常なし

▶治療には，人工涙液点眼，ヒアルロン酸点眼，ジクアホソルナトリウム点眼やレバミピド懸濁点眼液を用いる．仕事中の瞬目の減少や空調による乾燥が増悪因子になりうるので，しっかりと瞬きをするよう，また環境にも留意するよう指導する．

症例 2：78 歳　女性
主訴：両眼が痛い．眼鏡をかけてもみえなくなってきた．
現病歴：以前より乾き目といわれて眼科受診し，人工涙液などの点眼を続けているが症状が悪化してきている．
既往歴・家族歴：内科にて Sjögren 症候群と診断され，フォローを受けている．

矯正視力

RV＝(0.7)，LV＝(0.8)
眼圧異常なし

▶矯正視力が低下している．

Schirmer テスト I 法

R：1 mm，L：1 mm

▶涙液量は著明に減少している．

前眼部検査

角膜透明，結膜充血あり，アレルギー乳頭なし
前房炎症なし，眼内レンズ挿入眼，後発白内障なし
フルオレセイン染色，ブルーフリーフィルタ写真(図 5)

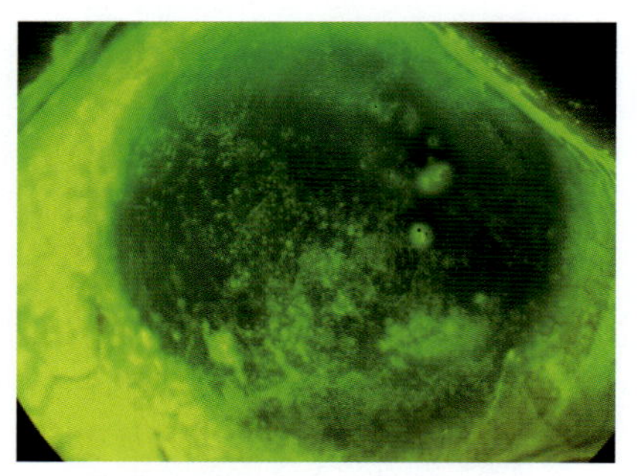

図 5　前眼部写真

BUT

R：1 秒，L：1 秒

眼底検査

異常なし

▶ tear meniscus の低下．BUT の短縮．広範な角結膜上皮障害を認める．瞳孔領に及んでいるため，視力低下をきたしていると考えられる．

▶治療は，まず前述のドライアイ治療点眼薬を用いる．効果が不十分な場合は，涙点プラグの挿入や外科的涙点閉鎖を行う．

(井上智之)

V 角膜疾患

 角膜ヘルペス

症例：74 歳　男性
主訴：右眼の異物感，視力低下
現病歴：3 日前から右眼の異物感と充血が生じ，霞んだ感じがする．
既往歴：71 歳時，右眼白内障手術．72 歳時に右眼の角膜炎にて近医で加療されたことがある．

視力検査

RV＝0.5(0.9X＋0.50 D⊃C－1.75 D Ax 80°)
LV＝0.5(1.0X＋1.25 D⊃C－2.00 D Ax 100°)

眼圧検査

R：15 mmHg
L：13 mmHg

細隙灯顕微鏡検査

右眼(図 1 参照)．左眼初発白内障．

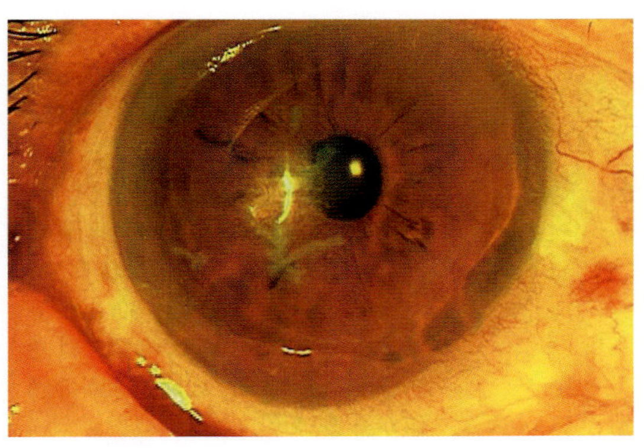

図 1　右眼の前眼部写真
角膜中央から下方にかけて角膜上皮に樹枝状の浸潤病変が観察される．

生体染色検査

右眼(図 2 参照)．左眼異常なし．

▶前眼部病変の検査は細隙灯顕微鏡検査が基本である．樹枝状角膜炎では，角膜上皮に浸潤と浮腫を伴った枝分かれした線状病変が観察される(図 1)．より詳細な観察にはフルオレセインを用いた生体染色を用いる(図 2)．フルオレセインは青色光で励起すると緑色の蛍光を発する色素であり，角膜上皮が欠損しているか，角膜上皮のバリア機能が損なわれている部分を染色する．微細な角結膜病変の観察に有用であり，ドライアイや細菌性角膜炎など前眼部疾患の診断には必須の手段となっている．涙液を染色して可視化する効果もあり，BUT や涙液メニスカス高の評価に用いられる．

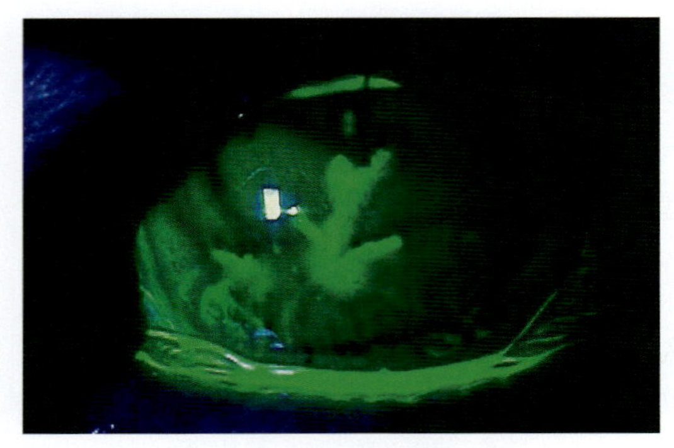

図 2　図 1 のフルオレセイン染色所見
樹枝状病変が明瞭に描出される．

Schirmer 試験

R：4 mm
L：9 mm

角膜知覚検査

R：30 mm
L：60 mm

▶ Schirmer 試験は涙液分泌量を測定する検査である．点眼麻酔を行うかどうか，開瞼状態で自然瞬目させるか閉瞼状態で行うかなど各種の変法がある．筆者は基礎分泌量を測定する目的で，点眼麻酔を行わずに閉瞼状態で検査を行っている．先端を折った濾紙を下眼瞼の結膜嚢にはさみこみ，5 分後に取り出して，涙液でぬれた濾紙の長さを計測する．Schirmer 値が 5 mm 以下には涙液分泌減少があると判断される．角膜ヘルペスの場合には知覚神経麻痺のために涙液分泌低下がみられることが多い．Schirmer 値が正常範囲であっても，左右差がみられることがある．

▶ 角膜は三叉神経の分枝が分布し，知覚が鋭敏な組織である．角膜知覚は角膜ヘルペス以外に，三叉神経麻痺，糖尿病などで低下する．検査には Cochet-Bonnet 角膜知覚計が用いられる．正常値は 50 mm 以上で多くの場合 60 mm である．角膜ヘルペスの場合には左右差がみられるため補助診断の価値がある．

▶ 角膜ヘルペスの確定診断には，病変部から HSV を分離同定する必要がある．ただし，ウイルス分離は一般に行い得る検査ではないので，免疫クロマトグラフィによるウイルス抗原の検出が用いられる．検出キットは診察室で簡便に使用することができ，15 分で結果を判定できる．感度がやや低いが，特異度が高いので，陽性であれば角膜ヘルペスと診断できる．

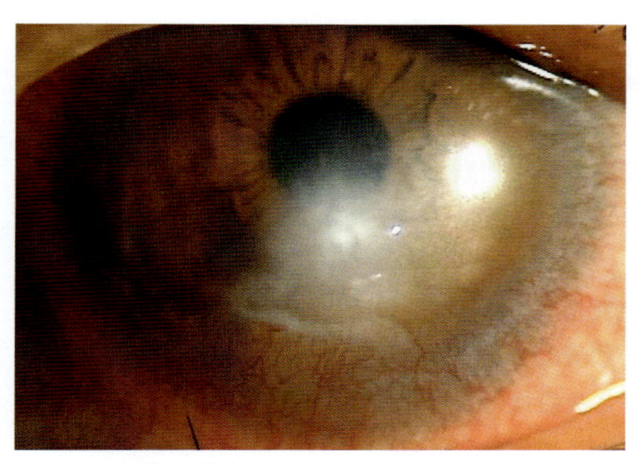

図3 円板状角膜炎
実質型角膜ヘルペスの代表的病型である.

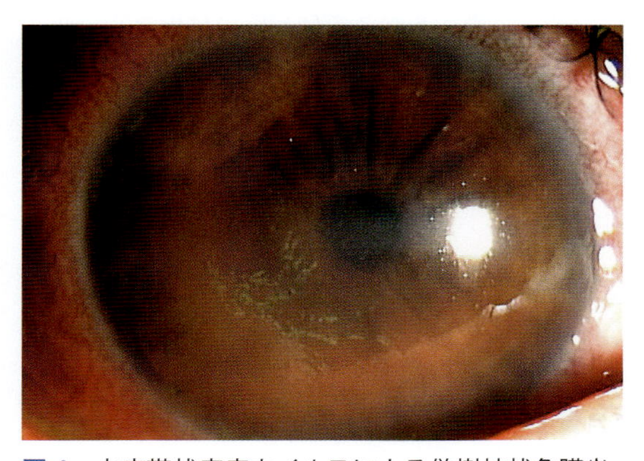

図4 水痘帯状疱疹ウイルスによる偽樹枝状角膜炎

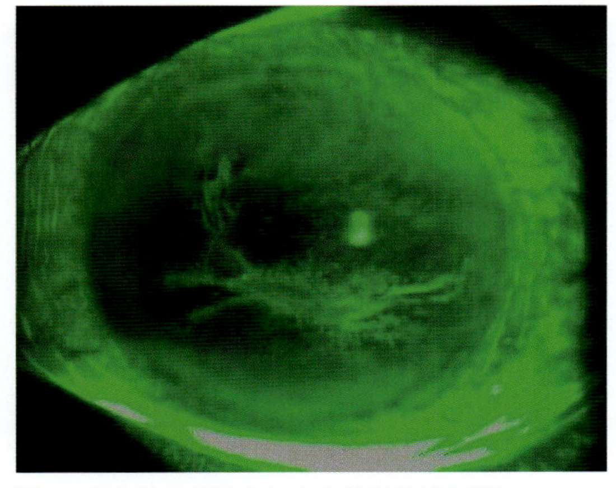

図5 薬剤性角膜障害による偽樹枝状角膜炎

▶樹枝状角膜炎と並ぶ角膜ヘルペスの代表的な病型は円板状角膜炎である(図3). 類円形の実質浮腫と混濁がみられるもので, 豚脂様角膜後面沈着物を伴い, 眼圧上昇がみられることもある. 病態の主体は免疫反応であり, 治療にはステロイド薬が用いられるが, ステロイドによって上皮型ヘルペスが誘発されることもある. 同じ症例に異なる病型で再発するのが角膜ヘルペスの特徴であり, 円板状角膜炎を繰り返すうちに不可逆的な角膜混濁に至る症例も少なくない.

▶樹枝状角膜炎は角膜ヘルペスに特徴的な病変であるが, ほかの角膜疾患で類似した所見がみられることがあり, 偽樹枝状角膜炎と呼ばれる. 帯状疱疹に伴う角膜病変, 薬剤性角膜障害, CL による角膜合併症, アカントアメーバ角膜炎の初期, 再発性上皮びらんなどが該当する.

▶単純ヘルペスウイルスによる樹枝状角膜炎は病変周囲に上皮浮腫と浸潤を伴っていること, 先端が少し太くなっていること(terminal bulb)が特徴である. 水痘帯状疱疹ウイルスによる偽樹枝状角膜炎は枝の太さが細く, terminal bulb がみられない(図4). 点眼薬の連用で生じる薬剤性角膜障害でも偽樹枝状角膜炎を呈することがあるが, やはり先端は先細りしており, terminal bulb を呈さない(図5). 臨床的には角膜ヘルペスと鑑別が困難な偽樹枝状角膜炎も少なくない.

解説

角膜ヘルペスは単純ヘルペスウイルス(herpes simplex virus：HSV)による角膜炎である．HSVには1型と2型があるが，主にHSV1型が原因となる．初感染はまれで，三叉神経節に潜伏感染しているウイルスが再活性化されて角膜炎を生じる．発熱や寒冷刺激，ステロイド薬の点眼などが再発のきっかけになるとされる．ほとんどが片眼性であり，両眼に生じる場合にはアトピー性皮膚炎や免疫不全状態など特殊な患者背景を疑う．

角膜ヘルペスは多彩な病型を呈するが，上皮型と実質型が主な病型となる．上皮型ヘルペスでは樹枝状角膜炎と地図状潰瘍，実質型では円板状角膜炎が代表的である．上皮型ヘルペスはウイルスの増殖による感染，実質型ヘルペスはウイルス抗原に対する免疫反応が病態の基本である．治療法も異なり，前者では抗ウイルス薬が，後者ではステロイド薬が主に用いられる．

細隙灯顕微鏡所見や免疫クロマトグラフィ以外の診断検査としてPCR(polymerase chain reaction)法によるウイルスDNAの証明がある．ただしHSVは潜伏感染しており角膜炎を発症していない時期でも涙液中にDNAが放出されていることがあり，偽陽性が問題となる．ウイルスのコピー数を測定できるreal time PCR法は病勢の判定に用いられる．角膜ヘルペスでは初感染は少なく，血清抗体価は感染の既往を示すに過ぎない．血清抗体価の診断的価値は高くないが，ペア血清(急性期と回復期の抗体価の比較)で抗体価の上昇がみられることがある．

B Fuchs 角膜内皮ジストロフィ

症例：74歳　男性

主訴：右眼の視力低下

現病歴：半年くらい前から両眼の視力低下，霧視を自覚するようになった．右眼は起床時に異物感を感じることもあり，午前中は霧視が強い．

既往歴・家族歴：特記すべきことなし．

視力検査

RV＝0.4(0.7X＋2.50 D⊃C−2.00 D Ax 100°)
LV＝0.5(1.2X＋4.75 D⊃C−1.50 D Ax 80°)

眼圧検査

R：12 mmHg
L：14 mmHg

▶角膜ジストロフィは遺伝性，両眼性，進行性に角膜混濁を呈する疾患の総称である．上皮，実質，内皮の各々に様々なタイプのジストロフィが存在するが，内皮のジストロフィの代表はFuchs角膜内皮ジストロフィ(以下，Fuchs)である．

細隙灯顕微鏡検査

両眼とも浮腫による角膜実質肥厚が軽度にみられ，角膜後面にはきらきらとした灰白色の粒状病変(guttata)が観察される(図 6).

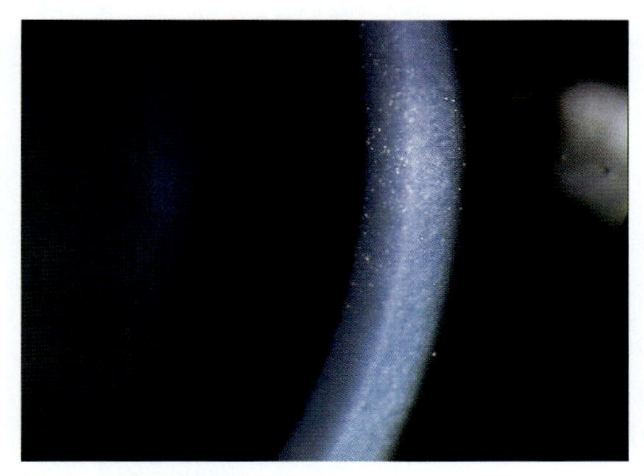

図 6　細隙灯顕微鏡所見
guttata が観察される.

スペキュラマイクロスコープ

内皮を撮影すると円形で黒く抜けた領域(dark area)がみられた(図 7). 内皮細胞の配列の乱れや大小不同が目立つ.

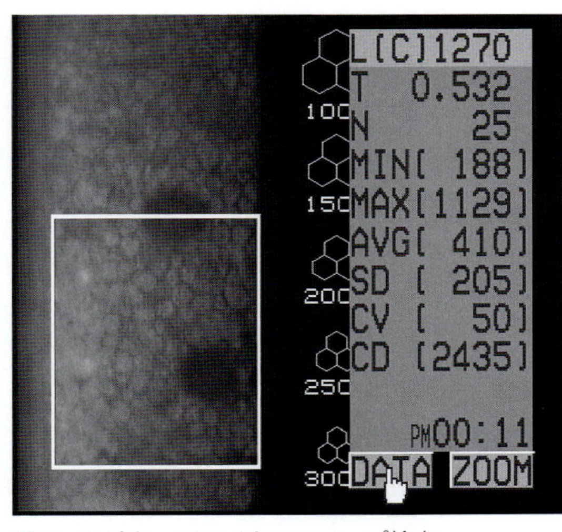

図 7　スペキュラマイクロスコープ検査

▶角膜内皮細胞は生後は増殖せず，加齢とともに減少していくが，Fuchs では内皮減少速度が通常より速いと考えられている．白色人種に多く日本人ではまれと考えられてきたが，平均寿命の延長もあって本邦でも増加している．初期には角膜後面に褐色から灰白色の粒状病変がみられ，guttata と呼ぶ(図 6)．進行すると角膜内皮機能不全によって角膜実質浮腫を生じ，角膜厚が増大する．進行例では角膜上皮に水疱が形成され，水疱性角膜症となる．角膜内皮機能不全は Fuchs 以外では，狭隅角緑内障，偽落屑症候群，白内障などの内眼手術後に生じる．本邦では水疱性角膜症の原因として Fuchs よりも狭隅角緑内障(レーザー虹彩切開術の既往がある場合)が多い．

▶スペキュラマイクロスコープは角膜内皮の検査法として頻用される．最近の機種はほとんどが自動解析機能で内皮細胞密度，変動係数(CV 値)，六角形細胞出現率を算出し，角膜厚も計測できる．内皮細胞密度は加齢によって減少するが正常値は 2,500～3,000 cells/mm^2 で，2,000 以下は異常で，400～500 以下では水疱性角膜症を発症するとされる．
内皮細胞は数だけでなく，形態も重要であり，変動係数(CV 値)や六角形細胞出現率が用いられる．変動係数は内皮細胞の大きさのばらつき(大小不同)の指標であり，正常値は 0.20～0.30 で，0.35 以上を異常と判定する．六角形細胞出現率は形の指標であり，正常値は 60～70% 程度で，50% 以下を異常とする．

▶呈示した画像(図 7)では変動係数(CV 値)は異常値だが，内皮細胞密度は 2,435 cells/mm^2 と一見悪くない．しかし，実際に撮影された画像には dark area が散在しており，Fuchs に特徴的な所見として診断的価値がある．また，自動解析情報をチェックすると自動解析に使用された細胞数は 25 個と少ないことがわかる．画像解析で信頼性のある結果を得るには最低 50 個，できれば 100 個の細胞数が統計学的に必要である．実際の画像を目でチェックし，解析が信頼できる条件でなされているか確認することが重要である．

前眼部 OCT

断層像では角膜実質厚の増大が観察され，中央部の後面は不整であり，内皮面の数か所にいぼ状の突出がみられる（図 8）．

前眼部 OCT の形状解析結果を図 9, 10 に示す．角膜屈折力マップでは大きな異常はみられない．角膜厚マップでは角膜厚は中央部で 694 μm，周辺部では 700 μm を超えている．

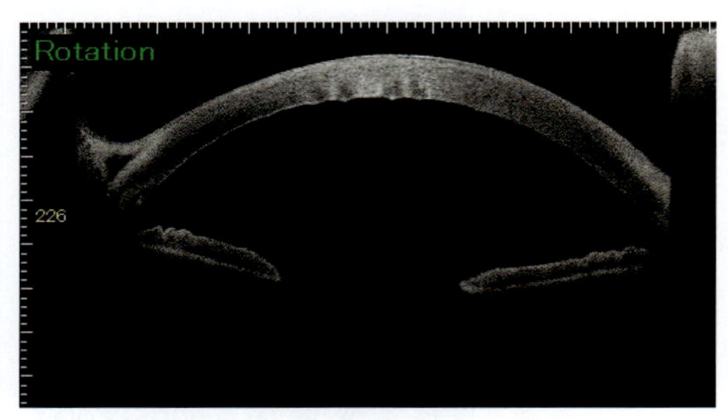

図 8　前眼部 OCT の断層像

▶前眼部 OCT（光干渉断層計）は赤外光を用いて生体組織をスキャンし，画像を得る検査である．前眼部 OCT では涙液，角膜，隅角，虹彩，水晶体や眼内レンズが観察対象となる．断層像を解析して角膜前面と後面の形状をマップ表示したり，前眼部や隅角を 3 次元表示したりできる．

▶図 8 は症例の前眼部断層像であり，角膜表面から虹彩後面まで明瞭に描出されている．赤外光を用いているために角膜混濁の影響を受けにくいが，濃い混濁では深部の画像が不明瞭になることがある．精巧な画像が得られるため画像解析を行いやすく，角膜混濁の深さや位置，涙液メニスカスの高さ，隅角の形状などが計測できる．

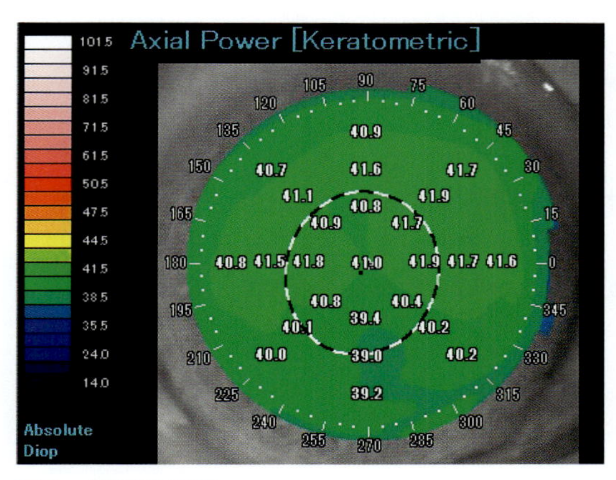

図 9　前眼部 OCT
角膜屈折力マップ.

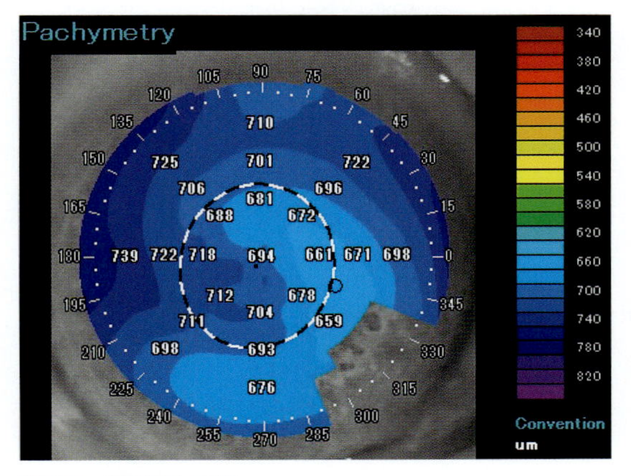

図 10　前眼部 OCT
角膜厚マップ.

（山田昌和）

▶角膜形状解析は角膜の屈折力をマップ表示するものである．ケラトメーターと異なり広い領域の多数のポイントの情報が得られるので円錐角膜や不正乱視の診断に有用である．角膜前面の形状解析にはマイヤー像を用いた解析装置（ビデオケラトグラフィ）が用いられてきたが，スリットスキャン式や Scheimpflug カメラを用いた装置では角膜前面と後面の形状解析が可能である．前眼部 OCT でも断層像を解析することで角膜前面と後面の形状解析が可能であり，角膜屈折力の分布がマップ表示される（図 9）．一般に屈折力が大きい部分は暖色系で，小さい部分は寒色系で表示される．
呈示した症例では角膜浮腫は実質が中心で，上皮には不整がみられないこともあり，角膜形状には大きな異常はみられない．

▶角膜厚は原理が異なる様々な方法で測定することができる．細隙灯顕微鏡の観察では定性的な判定となるが，アタッチメントを付けることで定量が可能となる（Mishima-Hedbys 法）．超音波の A モードを用いた測定法やスペキュラマイクロスコープを用いた方法もある．これらは 1 点の角膜厚の測定となる．
これに対してスリットスキャン式や Scheimpflug カメラを用いた角膜形状装置や前眼部 OCT では広い領域の角膜厚をマップ表示することができる（図 10）．角膜厚が厚い部分は寒色系で，薄い部分は暖色系で表示されている．
角膜厚の正常値は測定方法により多少異なるが，中央部で 520 μm（490～550 μm）で，周辺部では厚くなり 700 μm 程度とされる．眼圧測定値は角膜厚の影響を受けるために，角膜厚測定は角膜疾患だけでなく，緑内障でも重要である．
図 10 の Fuchs の症例では角膜中央部の厚みは 694 μm と増大しており，びまん性に実質浮腫が存在していることがわかる．

C 円錐角膜

症例：39 歳　女性

主訴：両眼の視力低下

現病歴：15 年前に眼科で近視と乱視があるといわれて眼鏡を処方してもらったことがあるが，屈折値の左右差が大きくバランスが悪かったので，ほとんど使用しなかった．その後にソフトコンタクトレンズ（SCL）を処方してもらったが，良好な視力が得られなかったので，使用しなかった．現在は裸眼のままである．

既往歴・家族歴：特記すべきことなし

他覚的屈折検査（オートレフラクトメータ）

R：S－1.00 D⊃C－1.75 D Ax 9°

L：S－5.75 D⊃C－3.75 D Ax 172°

自覚的屈折検査，視力検査

RV＝0.9（1.2×S－0.50 D⊃C－1.00 D Ax 10°）

LV＝0.08（1.0×S－6.00 D⊃C－2.00 D Ax 170°）

角膜曲率半径測定検査

R：弱主経線　7.26 mm　強主経線　7.07 mm
　角膜乱視　－1.25 D　26°

L：弱主経線　6.33 mm　強主経線　5.98 mm
　角膜乱視　－3.25 D　165°

細隙灯顕微鏡検査

両眼の角膜中央部やや下方に前方突出を認め，左眼の同領域には菲薄化を伴う．

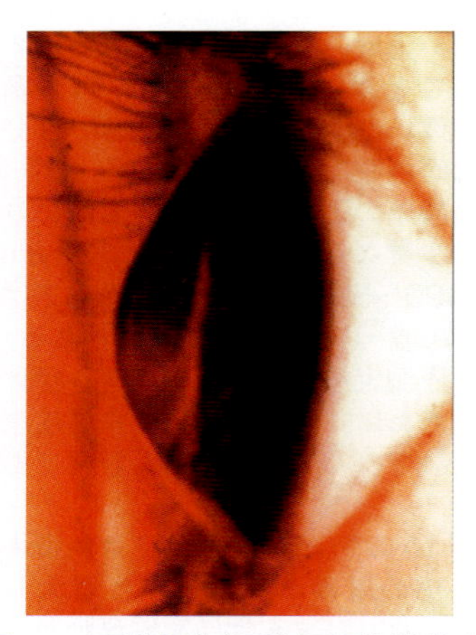

図 11　円錐角膜（細隙灯顕微鏡検査）

▶角膜不正乱視の代表例である円錐角膜は程度の差はあるが，多くは両眼性で進行性である．細隙灯顕微鏡検査では，角膜中央部やや下方の円錐角膜の前方突出と菲薄化を認めれば円錐角膜と診断される（図 11）．進行例では円錐の底部に褐色の Fleischer 輪と呼ばれる色素沈着が観察される．検影法を行うと角膜および中間透光体の混濁がないにもかかわらず，徹照が不均一な場合は角膜不正乱視が疑われる．

円錐角膜は屈折矯正手術の禁忌であり，軽度の円錐角膜を検出することは重要である．急に近視が進んだ，乱視が出てきた，眼鏡店に行ったら視力が十分に出なかったなどの訴えがあった場合は，詳しい問診をとる．円錐角膜の場合，思春期の頃から発症した，左右差がある，アトピーや小児喘息などのアレルギー疾患を合併しており，目をよくこする癖があるなどの情報が得られることが多い．

角膜形状測定検査

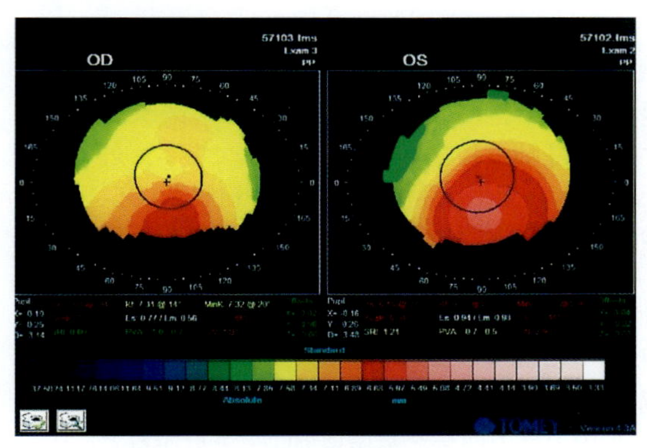

図 12　円錐角膜（角膜形状測定検査）

球面 HCL の処方

R：サイズ 8.8 mm，ベースカーブ 7.40 mm，度数±0 D
L：サイズ 8.8 mm，ベースカーブ 7.10 mm，度数－1.50 D

視力検査

RV＝(1.0×球面 HCL)，LV＝(1.0×球面 HCL)

HCL のフィッティング

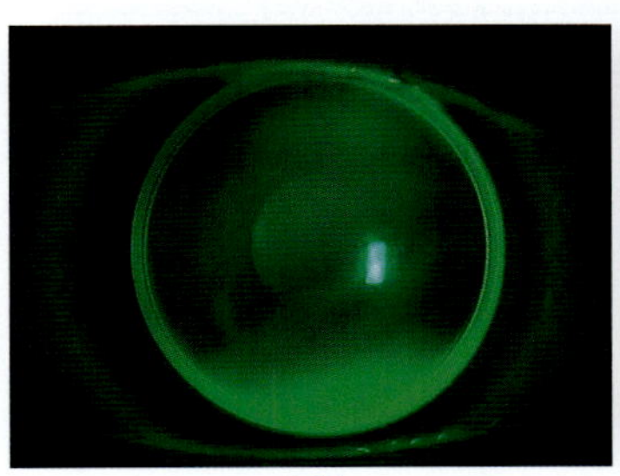

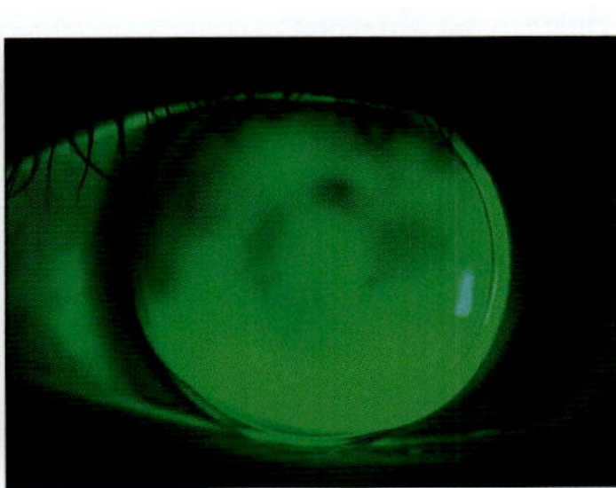

右眼　　左眼

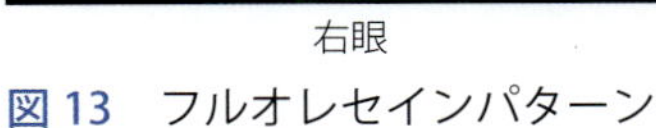

図 13　フルオレセインパターン

▶円錐角膜では他覚的屈折検査（オートレフラクトメータ）での屈折値が，強度近視，強度乱視，斜乱視を認め左右差がある．角膜曲率半径の測定で，弱主経線値と強主経線値の差が大きく，2.00 D 以上の角膜乱視，それも斜乱視であることが多い．円錐角膜が進行すると，自覚的屈折検査では検眼レンズで矯正しても良好な視力が得られない．
屈折検査で上記所見が認められた場合は，円錐角膜を疑い角膜形状測定検査（角膜トポグラフィー）を行う．角膜トポグラフィーのカラーコードマップでは円錐角膜の突出部が高屈折領域として表示される（図 12）ので，円錐角膜の診断は容易である．

▶円錐角膜における屈折矯正は HCL が第一選択である．トライアル HCL の上からオートレフラクトメータ測定（オーバーレフ）すると，HCL による角膜不正乱視の矯正効果が評価できる．オーバーレフの乱視度数が 0.50 D～1.00 D 程度の倒乱視（主として水晶体乱視が顕在化）であれば，角膜不正乱視が適正に矯正されたことになる．HCL のフィッティングはフルオレセインパターンで確認するが，HCL のセンタリングが適切であればオーバーレフの値は安定しており，上記の 0.50 D～1.00 D 程度の倒乱視が得られる（図 13）．

解説

円錐角膜に対する CL の選択

CL には HCL と SCL があるが，軽度の円錐角膜であれば SCL で矯正できる．やや厚めの SCL のほうが乱視の矯正効果が高い．球面 SCL で十分な矯正視力が得られない場合はトーリック SCL の処方を考えるが，円錐角膜は斜乱視が多いため，対応する円柱軸があるかの確認が必要である．近年高度乱視，角膜不正乱視対応の SCL も発売されており，HCL の装用が困難なケースに検討される．

軽度でも円錐角膜の診断が付いた場合は，HCL の処方が優先される．HCL による角膜不正乱視の矯正効果だけでなく，オルソケラトロジー効果による円錐角膜の進行抑制のためにも HCL が有効である．軽度の円錐角膜には通常の球面 HCL を使用する．

通常，角膜形状は中心部から周辺部に向かうにつれ徐々にフラットになるが，円錐角膜ではその変化の割合が大きく，適切なサイズ，ベースカーブ(以下，BC)，周辺デザインを決定するのが難しい．球面 HCL は正常角膜を対象に設計されているため角膜中央部の曲率を基準に BC を選択すると，円錐角膜では角膜周辺部はスティープな処方になる．周辺部特に上方の角膜形状に適合するように球面 HCL を処方することが重要である．

HCL の支点を垂直方向で考えた場合，軽度の円錐角膜では角膜中央部(円錐頂点部)と上方および下方の角膜周辺部で HCL は接触する．これを 3 点接触法という．進行して角膜の上下の非対称性が強くなると，下方の角膜周辺部では HCL は浮き上がってしまい角膜中央部と上方の角膜周辺部で HCL は接触する．これを 2 点接触法という．いずれも上方の角膜周辺部でなるべく HCL を支えるように処方する(図 14, 15)．

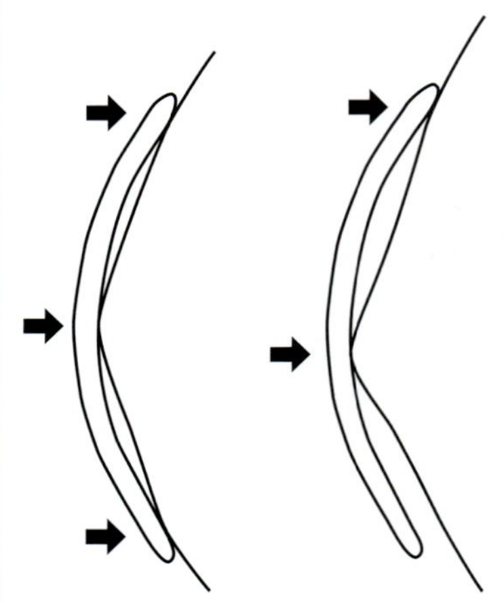

図 14　円錐角膜に対する球面 HCL のフィッティング
左：3 点接触法　右：2 点接触法
〔植田喜一：CL バトルロイヤルセカンドステージ　第 5 回「円錐角膜に対する処方」. 日コレ誌 46：9-25, 2004 より〕

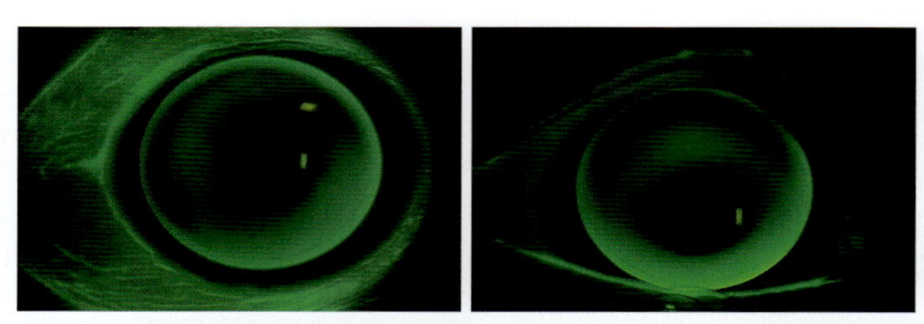

図 15　円錐角膜に対する球面 HCL のフルオレセインパターン(細隙灯顕微鏡検査)
左：3 点接触法　右：2 点接触法
〔植田喜一：CL バトルロイヤルセカンドステージ　第 5 回「円錐角膜に対する処方」. 日コレ誌 46：9-25, 2004 より〕

円錐角膜が進行し球面 HCL で対応できない場合は，トーリック HCL，多段階カーブ HCL，非球面 HCL を考える．多段階カーブ HCL，非球面 HCL は，角膜中央部と周辺部の曲率の差が非常に大きい円錐角膜の形状変化に，HCL の内面カーブを合わせようという発想の下に開発されたレンズである．これらの HCL で対応できず，異物感のために長時間装用できない場合，角膜障害を生じやすい場合は，SCL の上に HCL を重ねるピギーバック法を検討する．これら 2 種類の CL を装用するため酸素不足に伴う角膜障害を生じやすいこと，2 種類の CL の装用・装脱・ケアが面倒なこと，経済面での負担も増えるが，装用感の改善から満足される症例も多い．

(植田喜一，河野清美)

VI　水晶体の異常・白内障

A 加齢性白内障

症例：57 歳　女性

主訴：視力低下

現病歴：2 年前ごろより右眼視力低下を自覚し，白内障（図 1）を指摘され手術予定となった．

既往歴：高血圧

家族歴：特記すべきことなし

細隙灯顕微鏡検査

図 1　細隙灯顕微鏡写真
Emery-Little 分類 Grade2 の核白内障を認めた．

術前視力検査（オートレフケラトメータ）

RV＝0.02（0.9×S−9.50 D⊃C−2.00 D Ax 5°）

レフ値			
〈R〉	S	C	A
1	−11.25	−1.00	176
2	−11.00	−1.25	5
3	−11.00	−1.00	1
<	−11.00	−1.00	1
ケラト値			
〈R〉	mm	D	deg
R1	8.06	41.75	172
R2	7.67	44.00	82
AVG	7.87	43.00	
CYL		−2.25	172

図 2　術前視力検査（オートレフケラトメータ）

▶オートレフラクトメータの測定値（図 2）を参考に，術前の自覚屈折値，視力の測定をする．白内障の進行に伴い水晶体乱視が検出される例もある．また，一般に 40 歳代以降は加齢とともに遠視化することが知られているが，水晶体の核硬化が進むと近視化する[1)]．本症例では白内障以外の異常所見を認めず，視機能の低下は白内障に伴うものと診断され，手術予定となった．また，患者は多焦点 IOL 使用の希望があり，以下は多焦点 IOL 挿入を伴う白内障手術を前提とした術前検査について述べる．

角膜形状解析

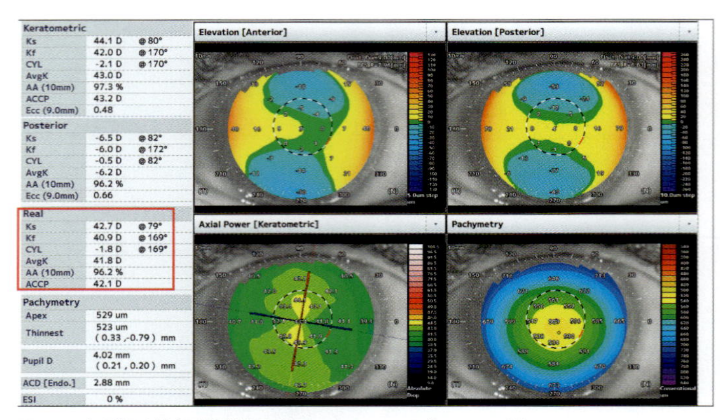

図 3　角膜形状解析〔前眼部 3 次元 OCT(TOMEY)〕

Real Power：角膜前後面の屈折力の和に角膜厚み補正を加えて算出される値(赤枠部分：Ks 42.7 D@79°，Kf 40.9 D@169°，CYL −1.8 D).

光学的眼軸長測定

	OD 右眼 有水晶体	OS 左眼 有水晶体
AL 眼軸長	27.80 mm	27.50 mm
CCT 角膜厚	(!) 528μm	512μm
AD 房水深度	2.92 mm	2.89 mm
ACD 前房深度	3.45 mm	3.40 mm
LT 水晶体厚	4.36 mm	4.44 mm
PS 瞳孔径	3.11 mm	3.12 mm
CD 角膜径	13.16 mm	13.15 mm
K_1 R_1 弱主経線	41.95 D 8.05 mm @ 171°	42.26 D 7.99 mm @ 1°
K_2 R_2 強主経線	44.00 D 7.67 mm @ 81°	44.29 D 7.62 mm @ 91°
K_{AV} R_{AV} 平均曲率半径	42.95 D 7.86 mm	43.25 D 7.80 mm
-AST 乱視軸	-2.05 D @ 171°	-2.03 D @ 1°

主記：角膜屈折率 (n) = 1.3375
網膜厚 (固定) = 300μm
K_{AV} ＝ 弱主経線と強主経線の平均

患者注記/コメント：

以下の眼内屈折率を使用：

	OD	OS
角膜	1.375	1.375
房水	1.336	1.336
水晶体	1.410	1.410
硝子体	1.336	1.336

凡例：
左右の測定値差が大きく異なる
ERV測定
手動調整実施
* 直接入力値
** 眼内屈折率値を変更
(!) SD閾値外

図 4　光学的眼軸長測定

▶ケラトメータが角膜の中心から半径 3〜4 mm の円上の角膜曲率半径を測定するのに対して，角膜形状解析装置では，角膜中央部から周辺部まで広い範囲に測定ポイント(ポイント数は機種により異なる)があり，より多くの情報を得ることができる．トーリック IOL や多焦点 IOL といった付加価値のある IOL の適応の有無を判断する際は，角膜形状解析で不正乱視の有無を確認することが望ましい．また，最近では角膜後面乱視も術前検査で評価し，後面乱視を考慮した手術計画(乱視矯正)を行うことが望ましいとされている．当院では，トーリック IOL の適応の有無を判断するための角膜乱視測定法として，主に前眼部 3 次元 OCT(optical coherence tomography：光干渉断層計)(TOMEY)の Real Power(図 3)を用いてトーリック IOL 使用の有無を決定している．本症例は，1.2 D 以上の直乱視を認め，トーリック IOL の適応とした．

▶光学的眼軸長測定装置による眼軸長測定(図 4)は，視軸に沿った理想的な計測が可能で，超音波 A モードによる眼軸長測定に比べて測定誤差が少なく再現性に優れているが，白内障進行例や角膜混濁例など，視軸上に強い混濁のある症例では測定できないため，結果の信頼性を確認する必要がある．本症例の，光学的眼軸長測定装置のうち IOLMaster® 700(Carl Zeiss)と ARGOS®(santec)の測定例を示す．どちらの機種も，フーリエドメイン方式の swept source optical coherence tomography(SS OCT)光源を搭載しており，従来型のタイムドメイン方式に比べ測定不能例は減少したことが報告されている[2]．光学的眼軸長測定装置で測定できない症例

スペキュラマイクロスコープ

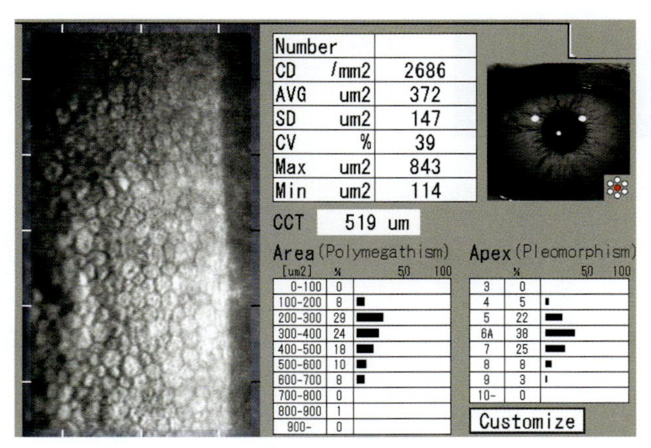

図 5　角膜内皮細胞密度の測定結果

本症例では，角膜内皮細胞密度は 2,686/mm^2，変動係数（coefficient of variation：CV 値）は 0.39（正常値 0.26〜0.40）と正常範囲内であった．

に対しては，超音波 A モードにて眼軸長を測定するが，角膜の圧迫や光軸からのずれによる測定誤差を生じやすいため，患者には度数ずれが生じやすいことをあらかじめ説明しておく．

▶日本角膜学会による角膜内皮障害の重症度分類[3)]によれば，角膜内皮細胞密度は 2,000 cells/mm^2 以上で正常であり（図 5），角膜内皮細胞密度 1,000 cells/mm^2 以上 2,000 cells/mm^2 未満で，正常の角膜における生理機能を逸脱しつつある状態（Grade 1），角膜内皮細胞密度 500 cells/mm^2 以上 1,000 cells/mm^2 未満は角膜の透明性を維持するうえで危険な状態で，わずかな侵襲が引き金となって水疱性角膜症に至る可能性がある（Grade 2）．さらに角膜内皮細胞密度がおよそ 500 cells/mm^2 以下となると水疱性角膜症を生じる可能性がある（Grade 3, 4）とされる．白内障手術後の水疱性角膜症は重篤な合併症であり，白内障術前検査において角膜内皮細胞密度が 2,000 cells/mm^2 以下の症例では特に注意が必要であるため，将来の角膜移植の可能性についても十分説明しておく．また，角膜の撮影部位により値が異なることもあるため注意が必要である．

波面収差解析

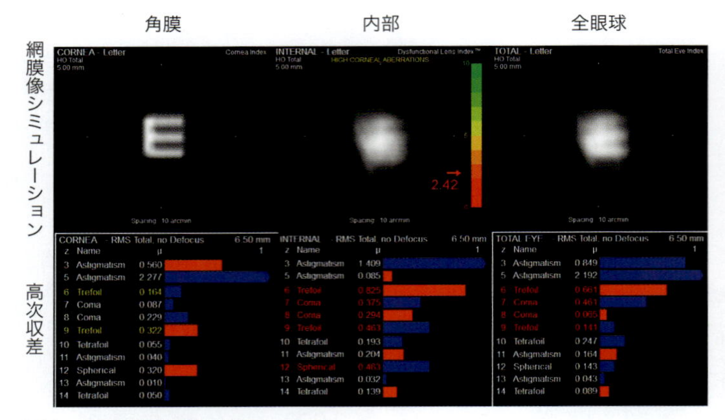

図 6　波面収差解析結果(術前)

波面収差解析装置のうち，iTrace (Tracey Technologies) による角膜(前面)，眼内，全眼球の Zernike 係数の RMS(root mean square：二乗平均平方根)値の棒グラフと，それぞれの視標のシミュレーション像を示す．水晶体もしくは眼内レンズによる収差や混濁による光学機能低下を良好(＝10)から不良(＝0)の間の数値として数値化して示す，Dysfunctional Lens Index という独自の評価機能があり(上段中央の右側)，本症例では 2.42 である．主に白内障による内部収差のため視機能低下があることが推察される．

▶通常の視力測定ではわからない微妙な視機能低下を判断するために，自覚的にはコントラスト感度測定が一般に行われているが，波面収差を測定することにより眼球光学系の機能低下の一部を高次収差として他覚的に測定することが可能となる(図 6)．

術後視力検査(オートレフケラトメータ)

RV＝1.2(1.5×S＋0.25 D⊃C−0.50 D Ax 45°)，
60 cm 視力 NRV＝1.0，30 cm 視力 NRV＝1.0

レフ値			
〈R〉	S	C	A
1	−0.25	−0.50	55
2	−0.25	−0.50	52
3	−0.25	−0.50	48
<	−0.25	−0.50	52>
ケラト値			
〈R〉	mm	D	deg
R1	8.09	41.75	171
R2	7.68	44.00	81
AVG	7.89	42.75	
CYL		−2.25	171

図 7　術後視力検査(オートレフケラトメータ)

▶連続焦点型多焦点 IOL(乱視矯正あり)を用いて PEA＋IOL(超音波乳化吸引術＋眼内レンズ挿入術)を施行した．遠方，中間(60 cm)，近方(30 cm)いずれも良好な裸眼視力を得られた(図 7)．

コントラスト感度検査

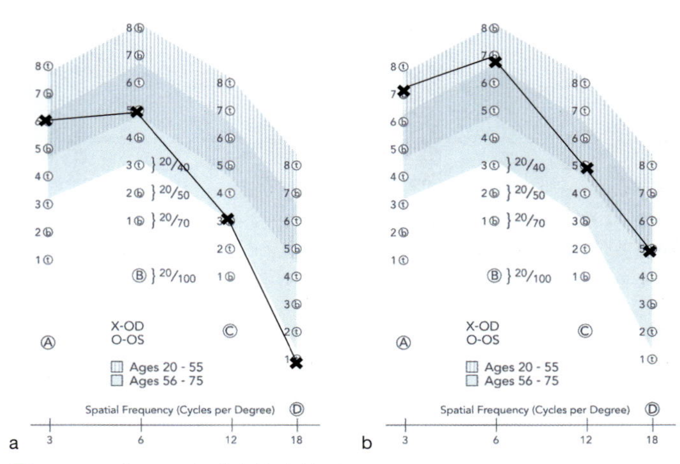

図 8 コントラスト感度検査結果

a. 術前．高周波数領域（18 cycles/ deg）において正常下限未満である．

b. 術後．全周波数領域において正常範囲であり，術前より改善を認めた．

▶軽度の白内障では，高周波数領域でコントラスト感度が低下することが知られている[4)]（図 8）．多焦点 IOL 挿入眼の中には視力が良好だが白っぽく見えることや，何となく見えづらいと訴える不満症例があり，コントラスト感度検査が参考になることがある．一般的には多焦点 IOL のコントラスト感度では，高周波数領域が単焦点 IOL より低下するも正常範囲であると報告されている[5)]．

解説

その他の検査としては，OCT 撮影により眼底検査のみでは検出できない程度の網膜浮腫の有無や緑内障性変化など，白内障以外の視力低下の原因となる疾患の有無を調べることができる．また，成熟白内障など，眼底透見不能の症例では，超音波 B モード，ERG の施行により，網膜機能を評価し白内障手術による視力改善が望めるかを判断する．

▶文献

1) Rabbetts RB: Clinical Visual Optics. pp275-300, Elsevier, Edinburgh, 1998
2) Hirnschall N, Varsits R, Doeller B, et al: Enhanced penetration for axial length measurement of eyes with dense cataracts using swept source optical coherence tomography: a consecutive observational study. Ophthalmol Ther 7: 119-124, 2018
3) 木下 茂，天野史郎，井上幸次，他：角膜内皮障害の重症度分類．日眼会誌 118：81-83，2014
4) Elliott DB, Gilchrist J, Whitaker D: Contrast sensitivity and glare sensitivity changes with three types of cataract morphology: are these techniques necessary in a clinical evaluation of cataract. Ophthalmic Physiol Opt 9: 25-30, 1989
5) Rosen E, Alió JL, Dick HB, et al: Efficacy and safety of multifocal intraocular lenses following cataract and refractive lens exchange: metaanalysis of peer-reviewed publications. J Cataract Refract Surg 42: 310-328, 2016

（西 恭代，根岸一乃）

Ⅶ ぶどう膜・強膜の疾患

A 原田病

症例：56 歳　男性
主訴：両眼視力不良，変視
現病歴：2 週間前感冒様症状．数日前から視力低下．
家族歴・既往歴：特記すべきことなし

視力検査

RV＝0.6(1.0×S＋1.75 D)
LV＝0.5(1.0×S＋1.75 D)

眼圧検査

R：24 mmHg
L：28 mmHg

CFF 検査

R：28 Hz
L：31 Hz

▶原田病の正式名称は Vogt-Koyanagi-Harada 病といい，メラニン色素を産生するメラノサイトに対する自己免疫疾患である．多くの場合前駆症状として頭痛や耳鳴りといった感冒様症状を認める．

細隙灯顕微鏡検査

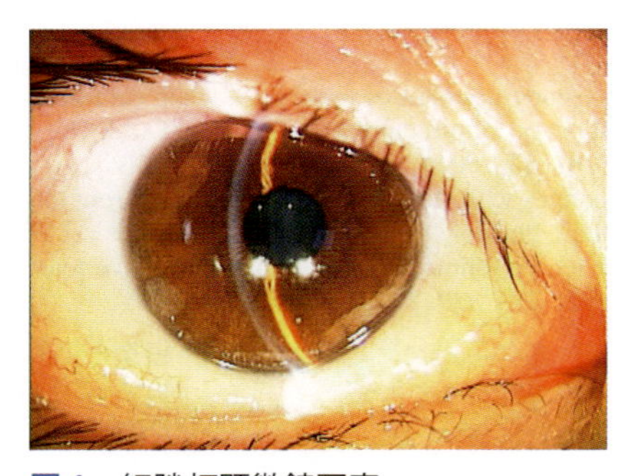

図 1　細隙灯顕微鏡写真
炎症により前房が浅くなっている．

▶細隙灯顕微鏡検査(図 1)では，前房炎症細胞を認めることが多く，また毛様体浮腫により前房が浅くなり眼圧上昇をきたすことも多い．ただし，病初期には前房炎症がほとんど観察されないこともあるので注意が必要である．

眼底検査

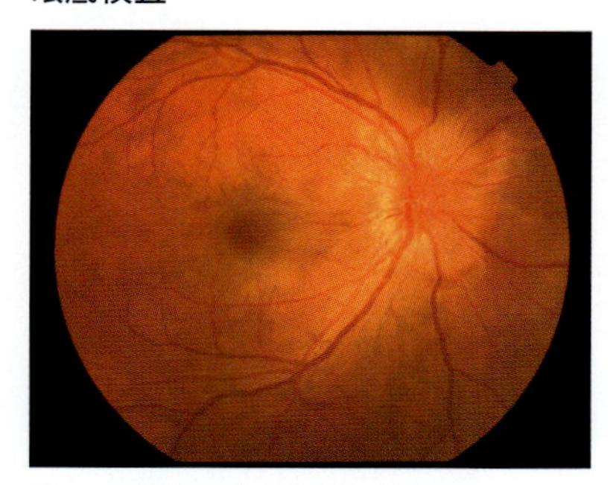

図 2　眼底写真(発症初期)
視神経乳頭浮腫と黄斑部周囲の網膜下液貯留.

▶眼底検査(図 2)では, 視神経乳頭浮腫や漿液性網膜剝離を認める. 眼底写真や OCT にてこれらの所見を確認することができる.

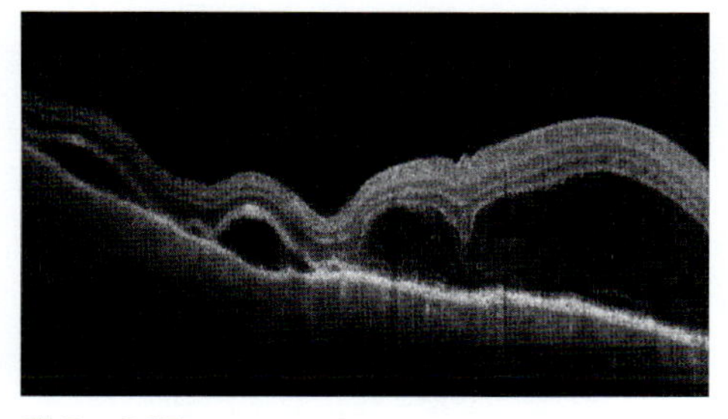

図 3　OCT
隔壁形成を伴った網膜下液を認める.
(Carl Zeiss Cirrus HD-OCT HD 5 Line Raster にて撮影)

▶ OCT 所見(図 3)は, 隔壁形成を伴った漿液性剝離が特徴とされている. 脈絡膜まで観察できる機種では, 脈絡膜の肥厚が観察される. 黄斑部でこのような強い浮腫が生じるため, 患者は変視や中心視野異常を自覚することが多く, Amsler チャートにてこれを確認することができる.

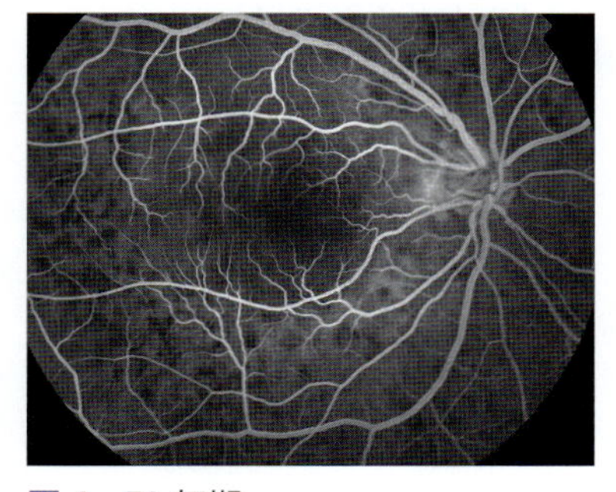

図 4　FA 初期
点状の蛍光色素漏出点が多数認められる.

▶ FA(図 4, 5)では初期に点状の蛍光色素漏出をびまん性に認め, 後期では蛍光色素の漏出が拡大していき色素の貯留が認められる.

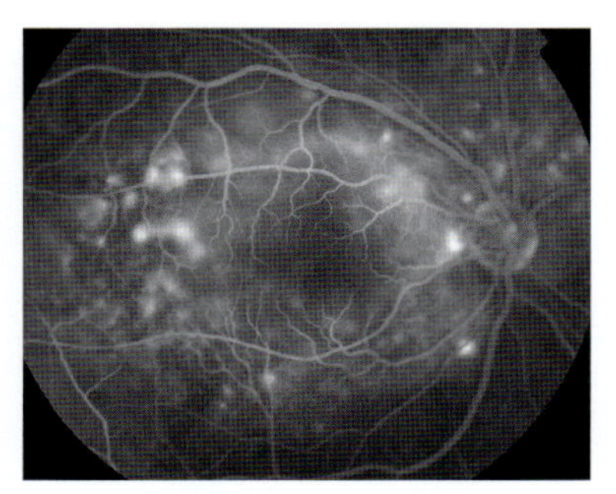

図 5　FA 後期
時間とともに漏出点から蛍光色素が漏出し, 網膜下に色素が貯留している像が認められる.

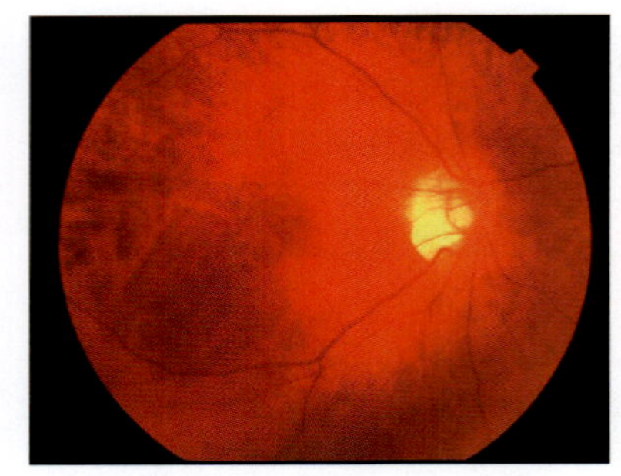

図6　夕焼け状眼底
発症から数か月経過すると脱色素が生じて眼底の色調が赤みがかってくる.

▶発症後数か月経過すると脱色素が生じて夕焼け状眼底を呈するようになる(図6). 脱色素は全身でも生じ, 白髪や皮膚の白斑として認めることもある.

視野検査

0.01(0.03×S−2.50 D)

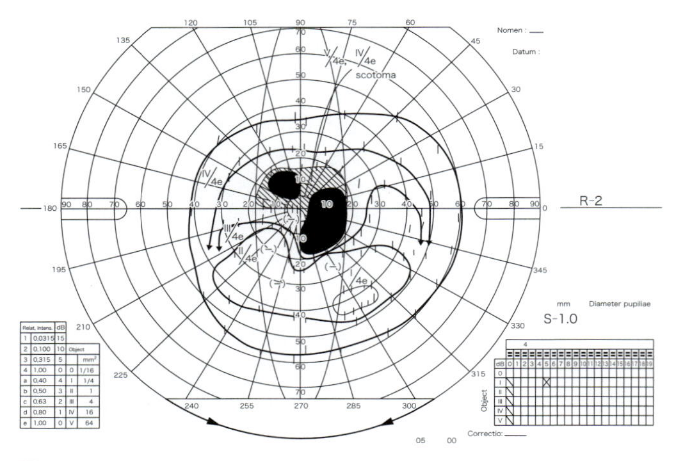

図7　GP
前部虚血性視神経症を合併した症例. 水平半盲様の中心視野障害が生じている.

▶視神経乳頭浮腫が生じても中心CFFはあまり低下せず, 低下したとしても20 Hz程度までである. 視神経炎のような著しい低下を認めることは通常ない. また前部虚血性視神経症を合併することが報告されており, その場合GPで水平半盲様の中心視野異常をきたすことがある(図7).

▶治療はステロイドの大量全身投与が必要で, 早期に治療しないと慢性化しやすいといわれている.

B Behçet 病

症例： 23 歳　男性

主訴： 右眼視力低下

現病歴： 以前よりときどき眼が霞むことがあったが，数日でよくなっていた．昨日より急に右眼が見えなくなった．

家族歴・既往歴： 口内炎をよく起こす

視力検査

RV＝0.1（n. c.）

LV＝1.0

▶ Behçet 病は主として青年期に発症するぶどう膜炎で，男性に多い傾向がある．眼炎症は発作と呼ばれる急性炎症が特徴である．炎症自体は自然に治癒するが，寛解と増悪を繰り返し徐々に視力低下をきたす．

細隙灯顕微鏡検査

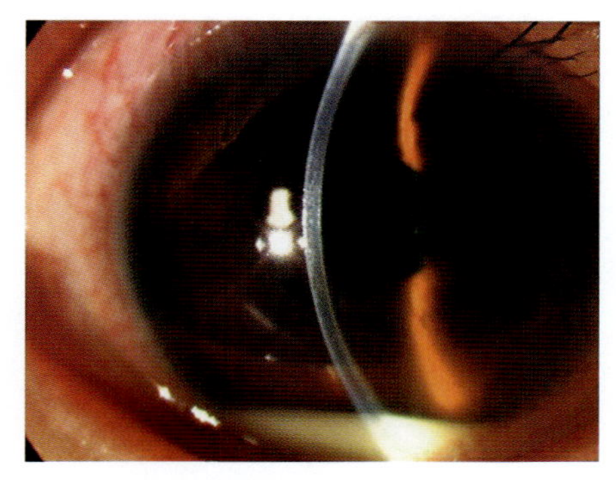

図 8　細隙灯顕微鏡写真
前房蓄膿発作．

▶ 前眼部炎症では前房蓄膿を伴った強い炎症が特徴である．この蓄膿は好中球の集積で，ほかのぶどう膜炎の蓄膿に比較して可動性に富み，頭位変換により容易に移動する．

眼底検査

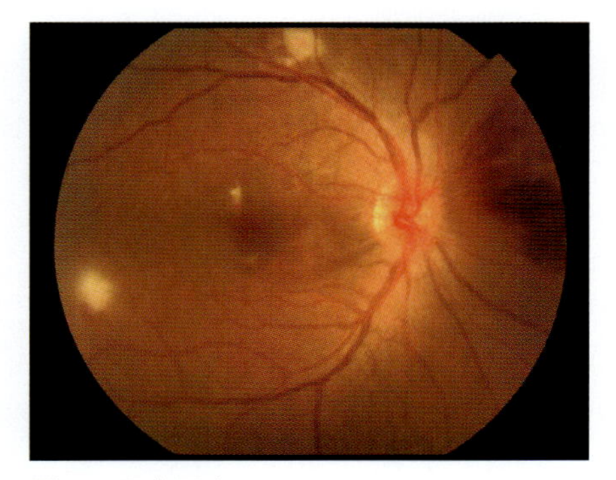

図 9　眼底写真
眼底に認められた発作．

▶ 眼底の炎症では網膜に小さな白色の病巣が散在することが多い．また閉塞性血管炎を併発していることもあり，しばしば眼底出血を伴う．炎症が周辺部網膜に留まっている限り重篤な視機能の低下には至らないが，黄斑部に炎症が波及すると視力低下につながり，治療によっても視力の改善が得られないことが多い．

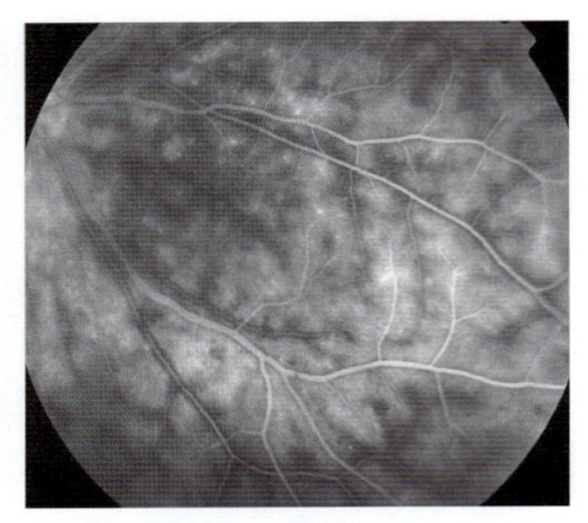

図 10　FA
羊歯状蛍光色素の漏出.

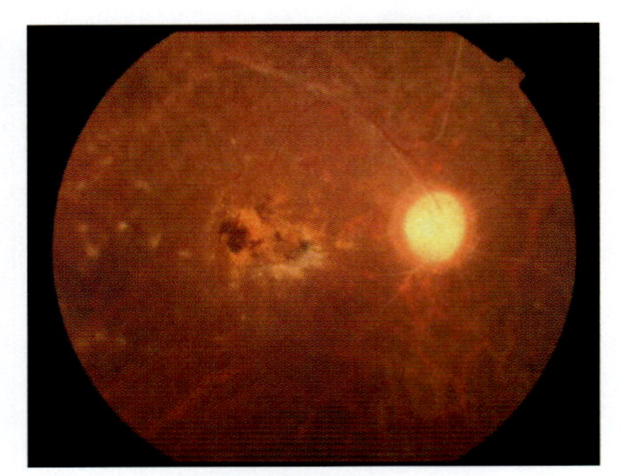

図 11　末期像の眼底
視神経萎縮と網膜変性が認められる.

ERG

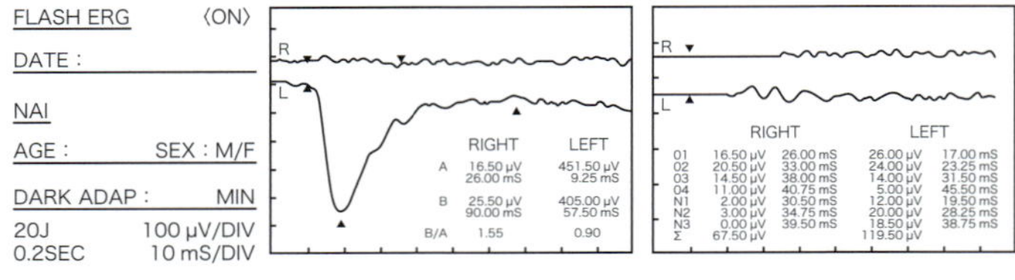

図 12　平坦化した ERG

▶FA では，大きな血管ではなく毛細血管から旺盛な蛍光色素の漏出が生じるのが特徴であり，羊歯状蛍光色素漏出と呼ばれる．Behçet 病ではこの羊歯状漏出が眼底の 4 象限において認められる．

▶治療はコルヒチン内服が第一選択であるが，これが奏効しない場合，シクロスポリン内服やインフリキシマブ点滴治療を導入する．インフリキシマブが登場してから Behçet 病ぶどう膜炎の視力予後はかなり改善した．最近では，インフリキシマブと同じ抗 TNF α 抗体製剤であるアダリムマブも使えるようになっている．アダリムマブは皮下注射であり，在宅で自己注射可能であるので，患者のライフスタイルに合わせて選択する．

▶発作を繰り返し視神経や網膜が萎縮してしまうと回復の見込みはない．ここまで進行してしまうと ERG も平坦となってしまい，GP でも中心視野が消失して周辺視野のみとなる．また，色覚も失われてしまうことが多い．これらの変化は Behçet 病に特有というわけではなく，ぶどう膜炎の末期では全般に認められることである．

C 強膜炎

症例：46 歳　女性
主訴：左眼疼痛と視力低下
現病歴：数日前から左眼の充血と痛みがあったが，昨日から視力低下も自覚している．
家族歴・既往歴：特記すべきことなし

視力検査

RV＝0.6(1.0×S−1.75 D)
LV＝0.1(0.3×S＋2.50 D)

眼圧検査

R：14 mmHg
L：28 mmHg

細隙灯顕微鏡検査

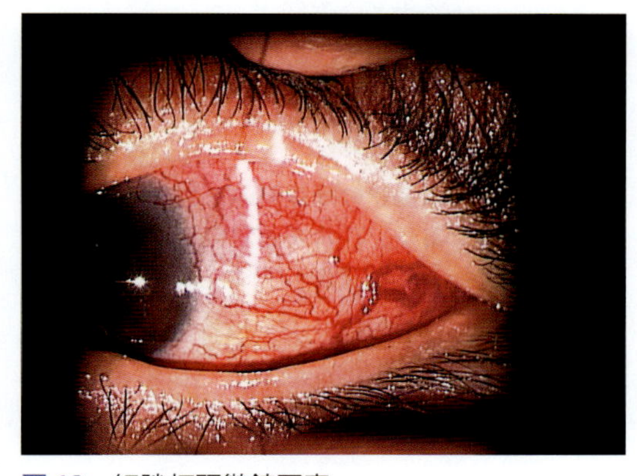

図 13　細隙灯顕微鏡写真
結膜血管の強い拡張と充血が顕著である．

▶強膜炎は眼球の前部で生じる場合と後部で生じる場合(両方合併する場合)があり，単に強膜炎という場合には前部強膜炎を指すことが多い(後部の場合は後部強膜炎，両方合併した場合には全強膜炎と呼ぶことが多い)．強膜炎はリウマチなど全身の免疫疾患を伴っていることがしばしばあるので，免疫内科で精密検査を受けたほうがよい．

▶強膜炎における血管拡張は結膜深部にまで及んでいるので，散瞳薬点眼後も充血が残っているのが特徴である(結膜表層の血管は散瞳薬点眼で収縮するので，表層性充血は散瞳後消失する)．また強い痛みを伴っていることも強膜炎の特徴で，この痛みは眼球運動により増強する．また，強膜炎では原田病と同様に毛様体浮腫により浅前房を呈していることがあり，しばしば眼圧上昇を伴う．

眼底検査

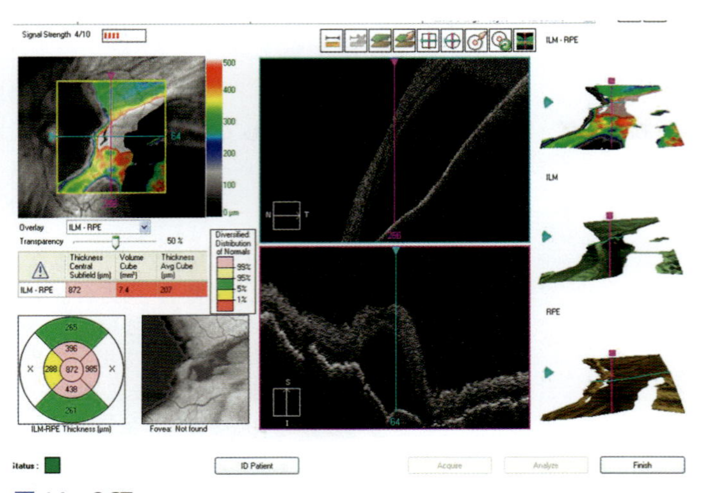

図 14　OCT
網膜色素上皮細胞層の波状の乱れと著明な網膜下液が観察できる．

超音波検査

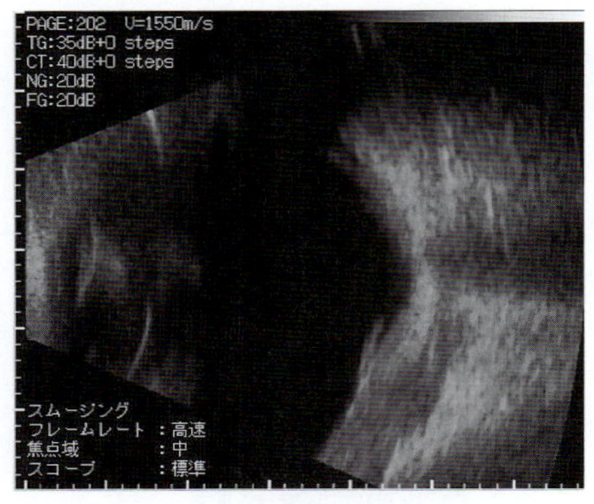

図 15　B-モード　治療前
眼球後壁の高度の肥厚が認められる．

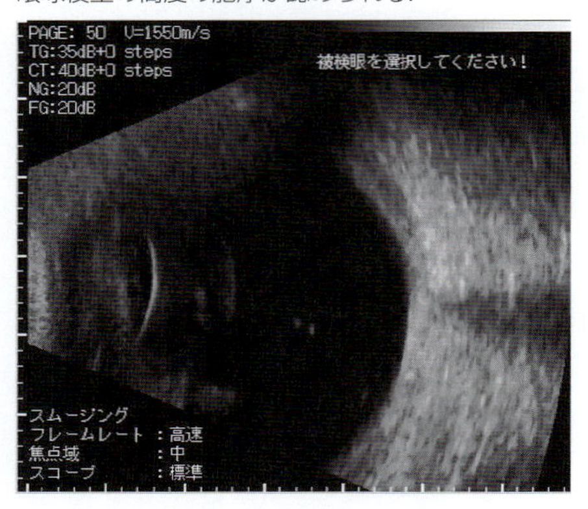

図 16　B-モード　治療後
眼球後壁の肥厚が治療により改善している．

（大黒伸行）

▶後部強膜炎では，眼球後壁の肥厚が生じておりB-モード検査をするとそれがよくわかる．また，漿液性網膜剝離を伴っていることも多く，OCT検査をするとそれがよくわかる．高度の後部強膜炎では胞状の網膜剝離を生じることがあり，これを通常の裂孔原性網膜剝離と見誤ってはいけない．

▶治療はステロイド内服が基本であるが，関節リウマチに準じてメトトレキサートなどの免疫抑制薬を併用することもしばしばある．炎症が鎮静化した後では強膜が菲薄化し角膜周囲が灰色の色調を呈する．

VIII 網膜・脈絡膜疾患

 加齢黄斑変性

症例：80歳　男性

主訴：右眼視力低下

現病歴：数か月前から右眼の視力低下，歪視を自覚.

既往歴：20年前から高血圧

視力検査

RV＝(0.2)

LV＝(1.0)

眼底検査

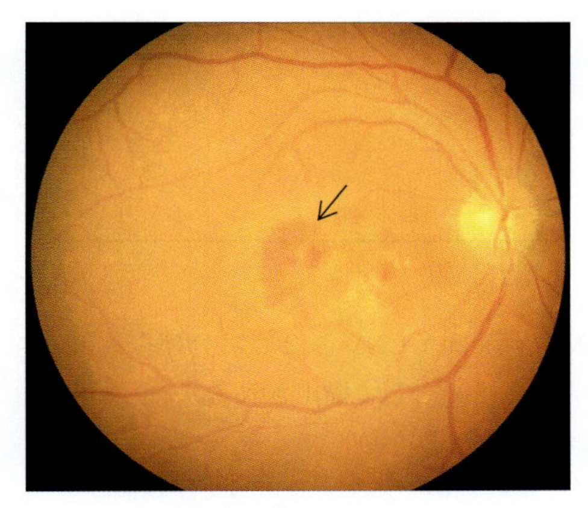

図1　カラー眼底写真

▶カラー眼底写真(図1)では，黄斑に網膜下出血がみられる．加齢黄斑変性は脈絡膜新生血管から出血が生じるので，通常は網膜下出血がみられる.

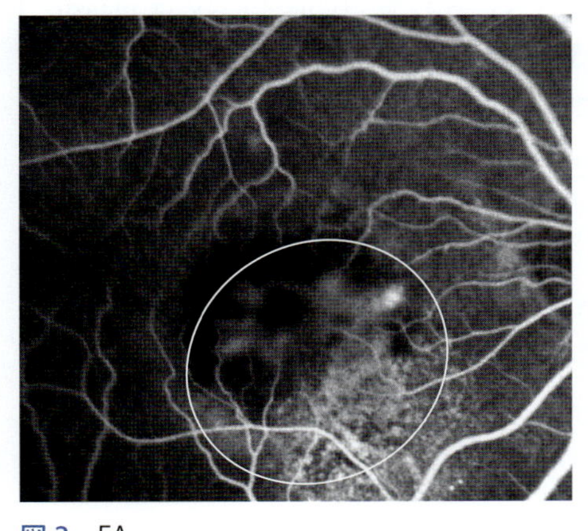

図2　FA

▶ FA(図2)では，中心窩から下鼻側にかけて蛍光漏出がみられる．FA早期で明瞭な輪郭をもつclassic CNVと考えられる.

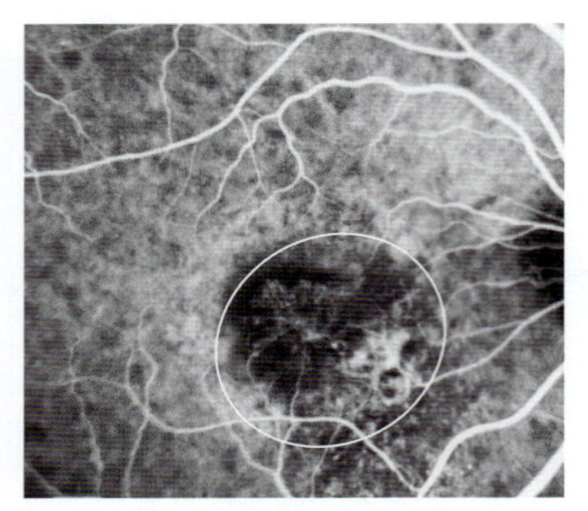

図 3　IA

▶ IA（図 3）では中心窩下に脈絡膜新生血管が鮮明に描出される．

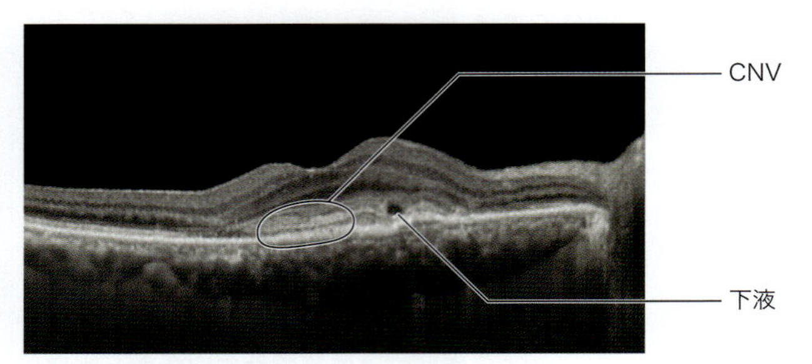

図 4　OCT 水平断

▶ OCT（図 4）では網膜色素上皮上に脈絡膜新生血管（choroidal neovascularization：CNV）が存在しており，type 2 CNV であると判断できる．網膜下液も存在している．

解説

加齢黄斑変性は検査方法によって分類が異なる．

FA による分類では，滲出型 AMD の CNV は classic CNV と occult CNV の 2 つに分けられる．classic CNV は FA 早期で網目状の過蛍光や明瞭な輪郭をもつ過蛍光として描出される．一方，occult CNV は早期でははっきりした蛍光漏出がなく，後期にかけて漏出が増強してくる．

病理学的分類では網膜色素上皮下にとどまる type 1 CNV と網膜色素上皮を突き破って感覚網膜下まで進展した type 2 CNV とに分けるが，現在は OCT 所見を解釈するときに用いられる場合が多い．

2 つの分類の関係をまとめると，type 1 CNV は occult CNV として，type 2 CNV は classic CNV として読影されることが多いが，同義ではない点に注意が必要である．

B 加齢黄斑変性（ポリープ状脈絡膜血管症）

症例：63 歳　男性
主訴：左眼視力低下
現病歴：左眼の視力低下，歪視を自覚.
既往歴：特記すべき事項なし

視力検査

RV＝(1.0)
LV＝(0.9)

眼底検査

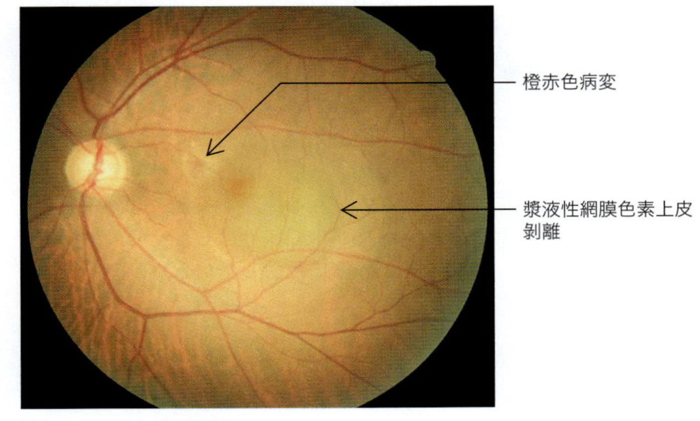

図 5　カラー眼底写真

▶カラー眼底写真（図 5）では黄斑に拡がった漿液性網膜色素上皮剝離とその鼻側に橙赤色病変がみられる.

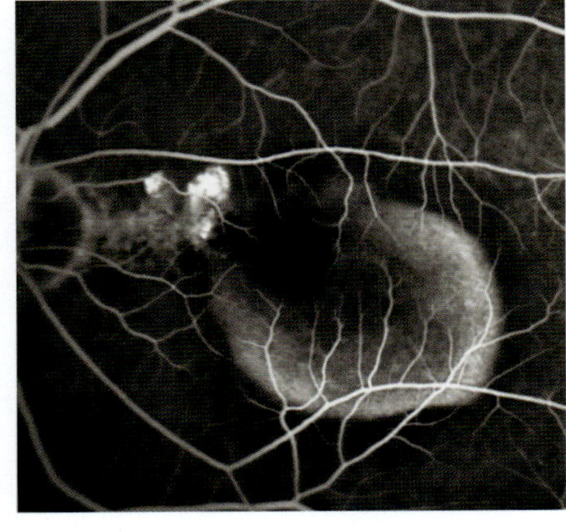

図 6　FA

▶ FA（図 6）では漿液性網膜色素上皮剝離に一致した過蛍光とその鼻側にはさらに強い過蛍光がみられる.

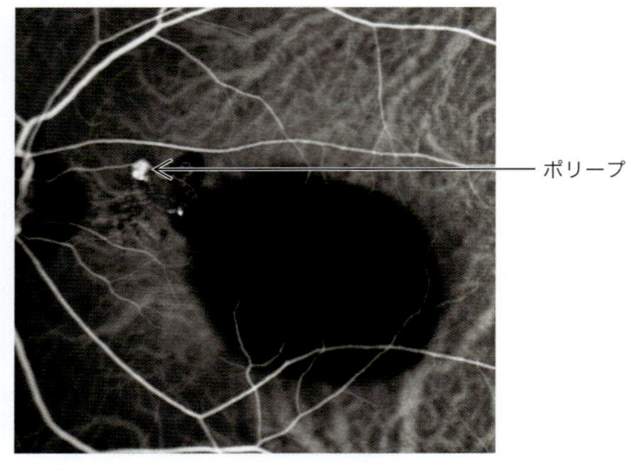

図7　IA

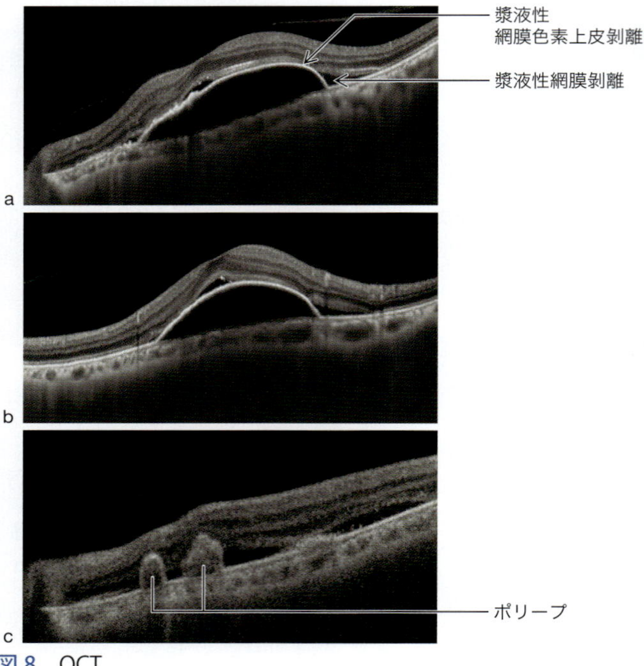

図8　OCT
a. 水平断，b. 垂直断，c. 病変部の水平断

▶ IA（図7）では漿液性網膜色素上皮剝離の部位は低蛍光となり，その鼻側にはポリープがみられ，ポリープ状脈絡膜血管症であることがわかる．

▶ OCT（図8）の中心窩を通る水平断や垂直断では漿液性網膜色素上皮剝離と漿液性網膜剝離のみがみられる．
眼底所見や蛍光眼底造影検査の結果をもとに中心窩よりやや上方の水平断を撮影すると，網膜色素上皮が急峻に隆起し，その内部が中等度に反射しているポリープがみられる．

▶ 中心窩を通る水平断や垂直断だけでなく，ほかの検査結果を参考にして病変部がきちんと映るように撮影範囲を移動させる必要がある．

解説

滲出型AMDは「狭義AMD」「ポリープ状脈絡膜血管症（polypoidal choroidal vasculopathy：PCV）」「網膜血管腫状増殖（retinal angiomatous proliferation：RAP）」の3つに大別して診断・治療を行うことが一般的である．日本におけるタイプ別頻度ではPCVが半数を占め，狭義AMDが約1/3，RAPは約5％と報告されている．しかし，ドルーゼンなどの加齢性変化を基盤として発症すると考えられてきた従来の滲出型AMDとは異なり，近年pachychoroidという概念が注目され，滲出型AMDの一定数がpachychoroid関連疾患に含まれると考えられている．従来の滲出型AMDにpachychoroidという概念を加えて，それぞれの疾患を再定義しようという試みが現在行われている．

C 糖尿病網膜症

症例：54 歳　男性

主訴：両眼視力低下

現病歴：数年前に汎網膜光凝固術を受けたが，その後は眼科通院が途絶えていた．最近，両眼の視力低下を自覚．

既往歴：20 年前から糖尿病

視力検査

RV＝(0.3)

LV＝(0.4)

眼底検査

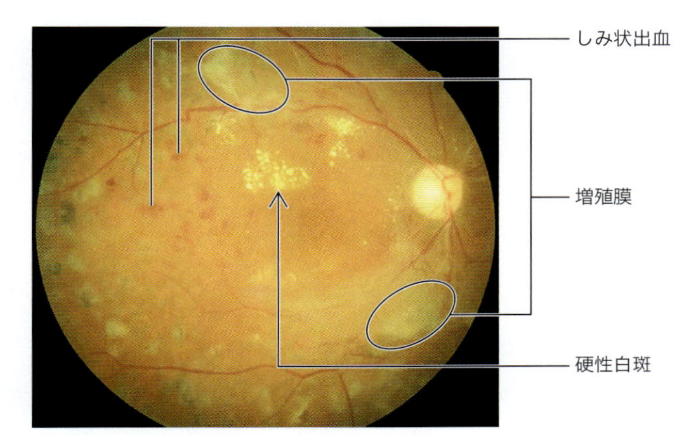

図 9　カラー眼底写真

▶ カラー眼底写真(図 9)では中心窩上方に硬性白斑や網膜しみ状出血がみられ，上下耳側アーケード血管に沿って増殖膜がみられる．

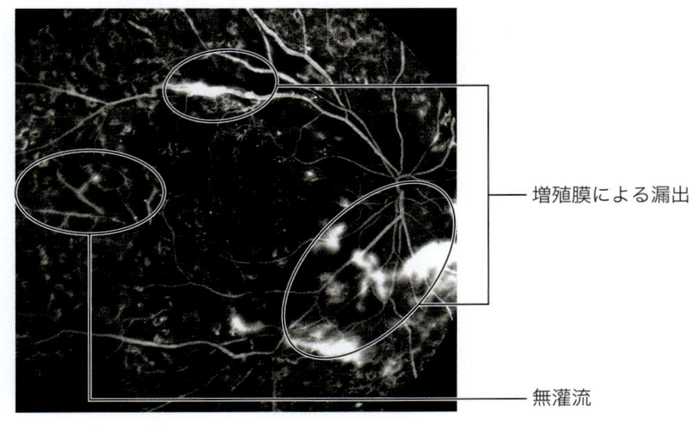

図 10　FA

▶ FA(図 10)では増殖膜に一致した部位から旺盛な蛍光漏出がみられる．また中心窩耳側には無灌流領域がみられる．

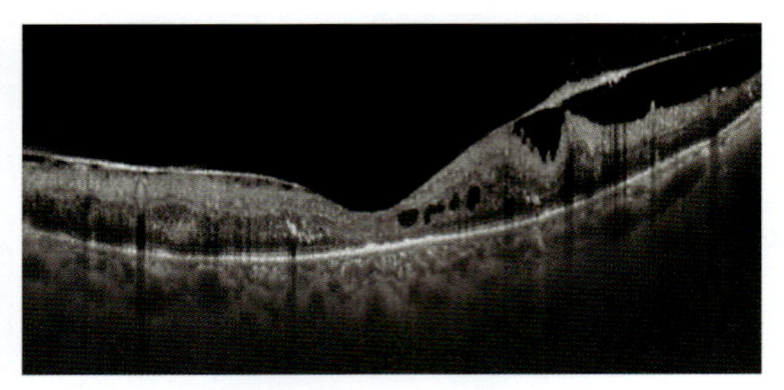

図 11　OCT：垂直断

▶ OCT（図 11）では後部硝子体皮質が網膜表面に強く接着している．

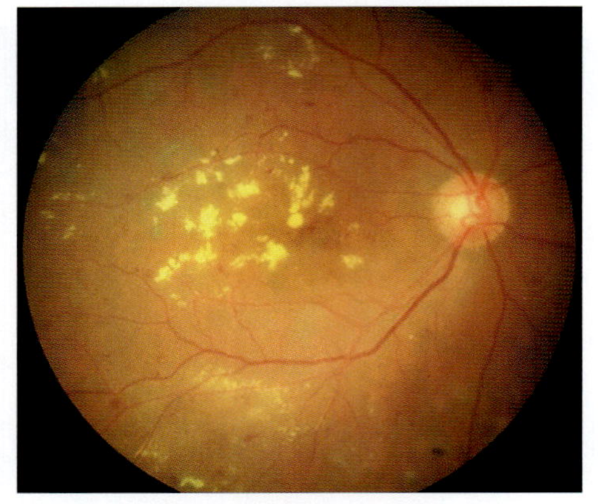

図 12　軽症糖尿病網膜症のカラー眼底写真

▶ カラー眼底写真（図 12）では中心窩耳側に硬性白斑が沈着し，毛細血管瘤が散在している．

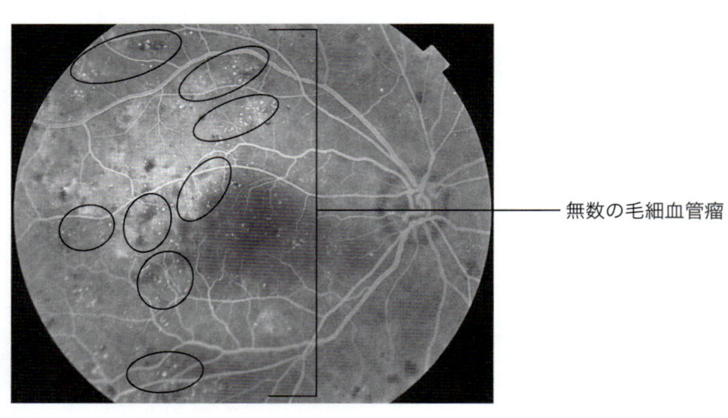

図 13　図 12 の FA

▶ FA（図 13）では毛細血管瘤はシャープな輪郭をもつ円形の過蛍光点として認められ，検眼鏡やカラー写真では確認することができない小さなものまで描出される．毛細血管瘤は糖尿病網膜症以外の網膜疾患でも観察されるが，糖尿病網膜症の初期変化として比較的特徴的な所見である．

解説

網膜・視神経乳頭状に新生血管が発生すると，それが原因で硝子体出血や網膜前出血を生じる．このような状態を増殖網膜症という．

表 糖尿病網膜症の重症度分類

重症度分類	眼底所見
明らかな網膜症なし	異常所見なし
軽症・非増殖網膜症	毛細血管瘤のみ認める
中等症・非増殖網膜症	毛細血管瘤以外の所見も認めるが，重症・非増殖網膜症より軽い
重症・非増殖網膜症	以下のいずれかを認める ・4 象限のすべてで 20 個以上の網膜内出血 ・2 象限以上で明らかな網膜の数珠状拡張 ・1 象限以上で顕著な網膜内細小血管異常（IRMA）
増殖網膜症	以下のいずれかを認める ・新生血管 ・硝子体出血 and/or 網膜前出血

（Wilkinson CP, Ferris FL 3rd, Klein RE, et al: Proposed international clinical diabetic retinopathy and diabetic macular edema disease severity scales. Ophthalmology 110: 1677-1682, 2003 より）

D 網膜静脈分枝閉塞症

症例：56 歳　男性

主訴：特になし

現病歴：最近左眼の視力低下，霧視を自覚し，当科を受診．

既往歴：高血圧

視力検査

RV＝(1.0)

LV＝(0.2)

眼底検査

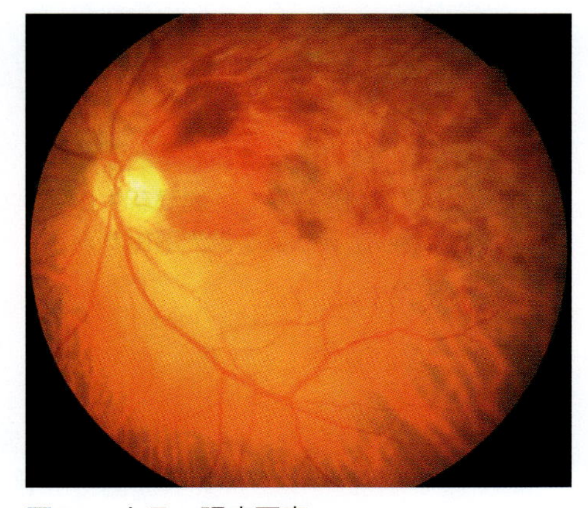

図 14　カラー眼底写真

▶カラー眼底写真（図 14）では上耳側アーケード血管に沿って，刷毛状の網膜表層出血がみられる．上耳側網膜静脈が視神経乳頭付近で網膜動脈と交叉している部位で閉塞したと考えられる．

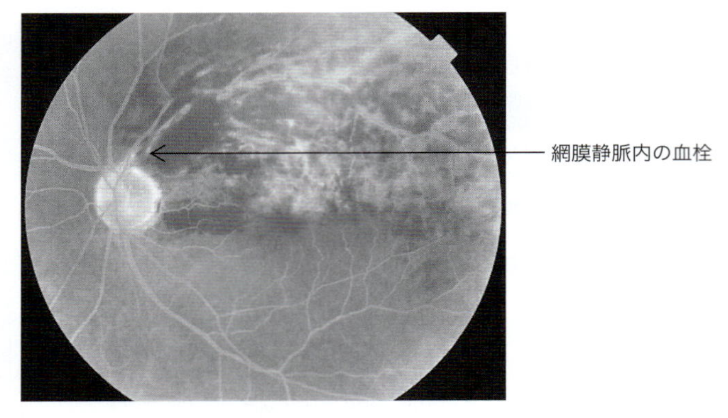

図 15　FA

▶ FA（図 15）では視神経乳頭付近の動静脈交叉部位に過蛍光点があり，網膜静脈内の血栓の組織染と考えられる．静脈閉塞領域全体からの旺盛な蛍光漏出がみられる．

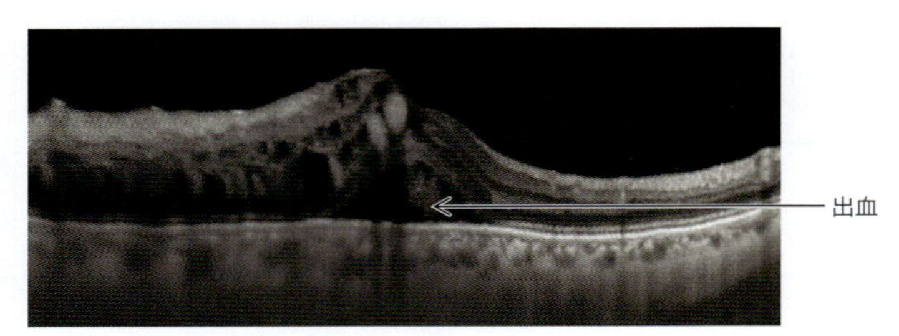

図 16　OCT：垂直断

▶ OCT（図 16）では囊胞様黄斑浮腫と漿液性網膜剝離がみられる．中心窩付近の囊胞内は出血で満たされている．

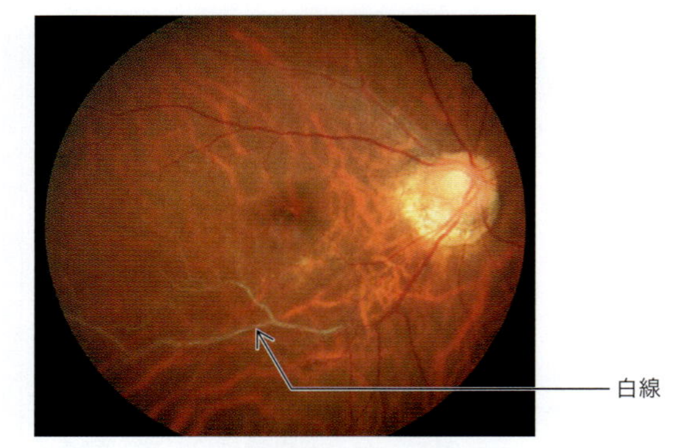

図 17　広範な無灌流領域のカラー眼底写真

▶ 広範な無灌流領域を示す症例のカラー眼底写真（図 17）では下耳側に白線化した網膜静脈がみられる．

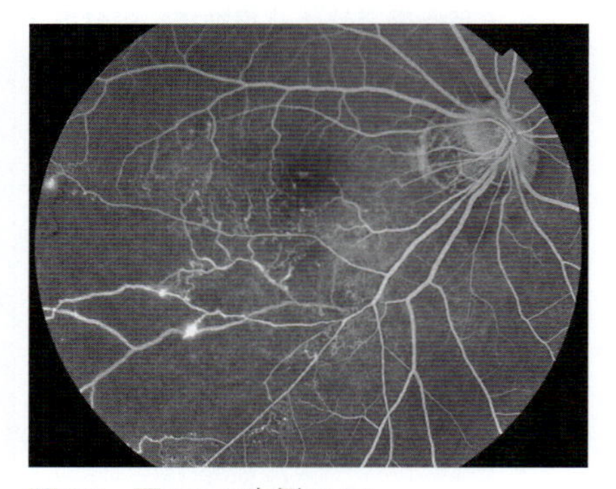

図 18　図 17 の症例の FA

▶ FA（図 18）では広範な毛細血管無灌流領域が存在し，網膜新生血管を示唆する旺盛な蛍光漏出がみられる．

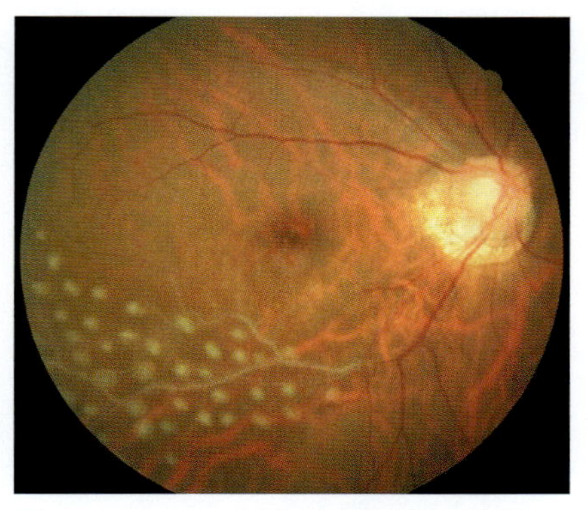
図 19 図 17 の症例の網膜光凝固術後

▶網膜新生血管からの硝子体出血予防のために，毛細血管無灌流領域に対して網膜光凝固が行われている（図 19）．

解説

網膜静脈分枝閉塞症（branch retinal vein occlusion：BRVO）は，網膜動静脈交叉部で動脈による静脈圧排によって乱流が生じ血栓が形成されることで網膜静脈の分枝が閉塞すると考えられる．典型例では刷毛状の網膜表層出血がみられ，軟性白斑がみられる症例も多い．高血圧，動脈硬化などの生活習慣病患者に多くみられる疾患である．BRVO による合併症には ① 黄斑浮腫と ② 毛細血管無灌流領域の形成，の 2 つがあり，OCT や FA で評価する必要がある．

E pachychoroid 関連疾患

症例：55 歳 男性
主訴：右眼の歪み
現病歴：最近，右眼の歪視を自覚．
既往歴：20 年前に（右）中心性漿液性脈絡網膜症（CSC）

視力検査

RV＝(1.2)
LV＝(1.2)

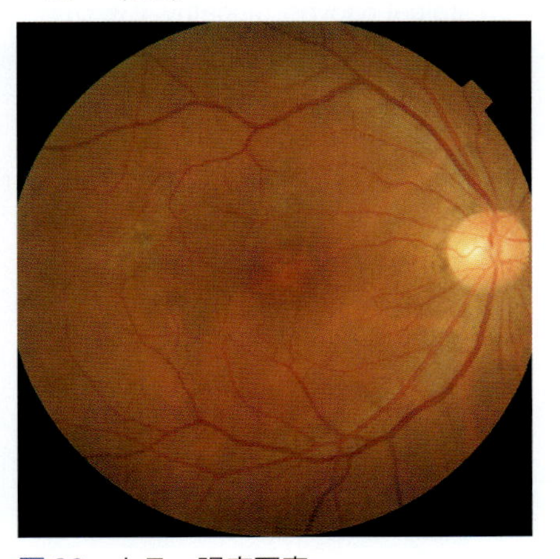
図 20 カラー眼底写真

▶カラー眼底写真（図 20）ではドルーゼンや網膜色素上皮の色素沈着や脱色はみられない．

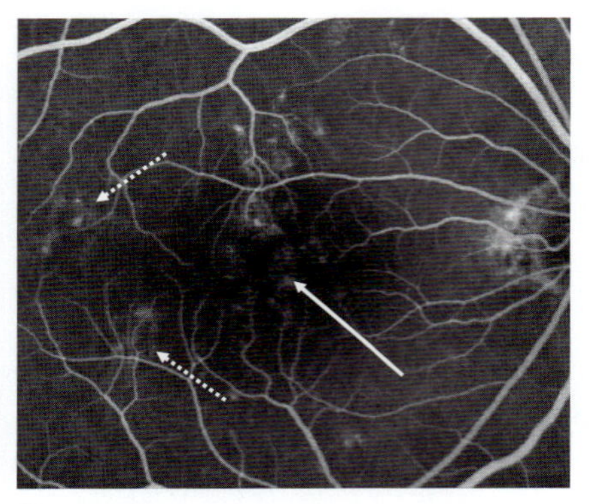

図 21　FA

▶FA（図 21）では黄斑とその耳側 2 か所に過蛍光がみられる．他の眼底所見と併せて考えると，黄斑の過蛍光は脈絡膜新生血管による過蛍光，耳側 2 か所の過蛍光は網膜色素上皮障害による window defect であると考えられる．

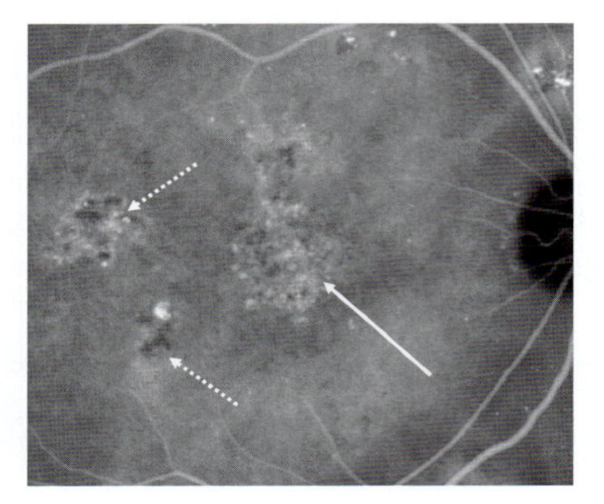

図 22　IA

▶IA（図 22）では黄斑とその耳側 2 か所に過蛍光がみられ，脈絡膜血管透過性亢進を表している．IA 所見だけでは脈絡膜新生血管の存在を確認することはできない．

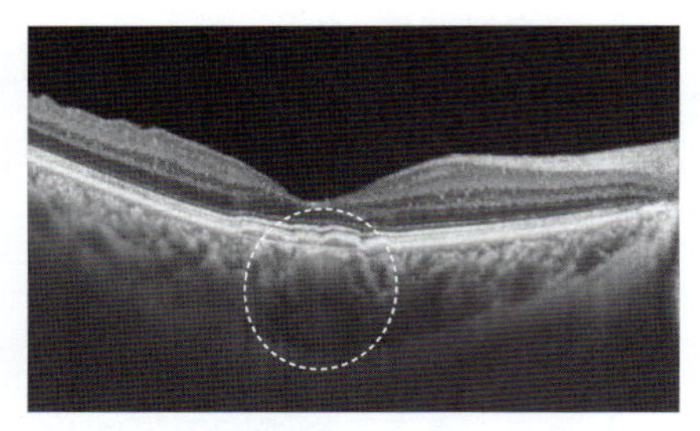

図 23　OCT 水平断

▶OCT（図 23）では脈絡膜血管の拡張（pachyvessel）がみられ，その直上の脈絡膜毛細血管板が圧排されている．その上には網膜色素上皮の扁平な隆起が広がっており，type 1 CNV がみられる．CSC の既往，眼底所見から pachychoroidal neovasculopathy である．

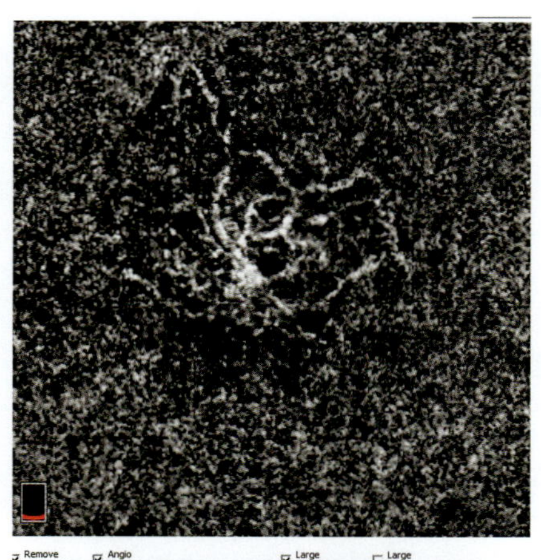

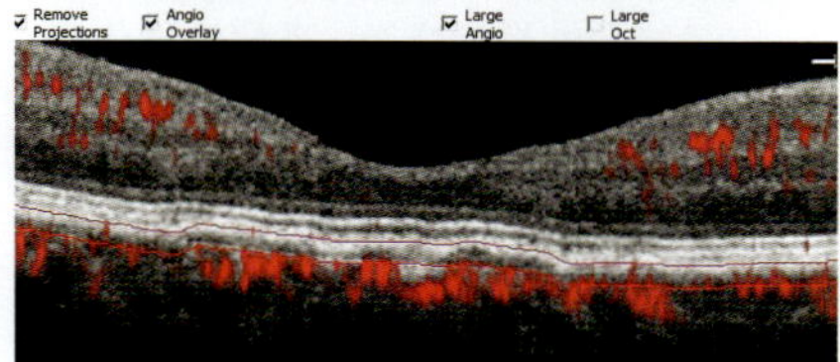

図 24　OCT angiography（脈絡膜毛細血管板層）

▶ OCT angiography（図 24）ではOCT断面像での網膜色素上皮の扁平な隆起部位に一致して脈絡膜新生血管が広がっている．

解説

CSCの既往がある症例では脈絡膜新生血管が発生しやすいこと，日本人の加齢黄斑変性はドルーゼンが少なく滲出型の約半数がポリープ状脈絡膜血管症であり欧米の加齢黄斑変性と表現型が異なること，が以前から知られていたが，その理由を十分に説明することができなかった．しかし，pachychoroidという概念が登場したことで，従来のドルーゼンなどの加齢性変化を基盤として萎縮型および滲出型加齢黄斑変性が発症すると考えられていた病態メカニズムとは異なる脈絡膜血管拡張に続発する病態メカニズムも存在することが提唱され，これまで複雑であった各疾患の関係性が整理されることとなった．

（長谷川泰司，飯田知弘）

IX 視神経疾患

A 抗アクアポリン 4 抗体陽性視神経炎

症例：67 歳　女性

主訴：右眼視力低下

現病歴：5 日前から眼を動かすと右眼の奥に痛みがあり，右眼が下方から見えにくくなってきた．

家族歴・既往歴：特記すべきことなし

視力検査

RV＝(0.4×S−0.50 D)

LV＝(1.0×S−0.75 D⊃C−0.50 D Ax 80°)

中心フリッカー値検査

R：19 Hz

L：48 Hz

視野検査

R：下半盲

L：異常なし

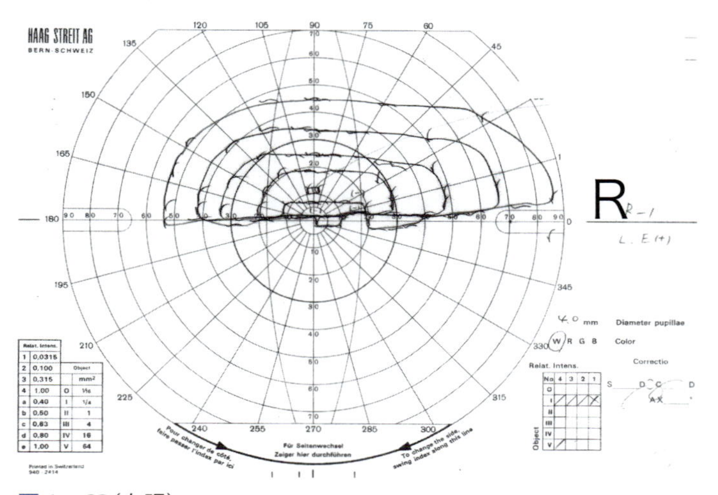

図 1　GP(右眼)

▶狭義の「視神経炎」には，原因不明の特発性視神経炎，多発性硬化症の視神経炎，そして近年話題の抗アクアポリン(aquaporin：AQP) 4 抗体陽性視神経炎，抗 myelin oligodendrocyte glycoprotein (MOG) 抗体陽性視神経炎がある．抗 AQP4 抗体陽性視神経炎は視神経脊髄炎スペクトラム障害(neuromyelitis optica spectrum disorder：NMOSD)の視神経炎とも呼称される．
問診では他の視神経疾患との鑑別のために，家族歴(Leber 病や常染色体優性視神経萎縮)，使用薬剤(エタンブトール，抗がん剤など)，合併神経症状，全身疾患の合併や既往の有無を確認しておく．

▶視神経炎の症状と所見(表 11-2⇒169 頁参照)は上記 4 つの視神経炎で共通であるが，特に重要なのは中心フリッカー値の低下と瞳孔対光反射の障害である．眼球後部に眼球運動時痛を訴えることがある．

▶視神経炎の視野異常は主に中心暗点であるが，抗 AQP4 抗体陽性視神経炎では水平半盲(図 1)や両耳側半盲がみられる．

瞳孔検査

R：対光反射障害(swinging flash light test 陽性)

L：異常なし

前眼部・中間透光体検査

異常なし(両眼)

眼底検査

右視神経乳頭に異常所見なし．

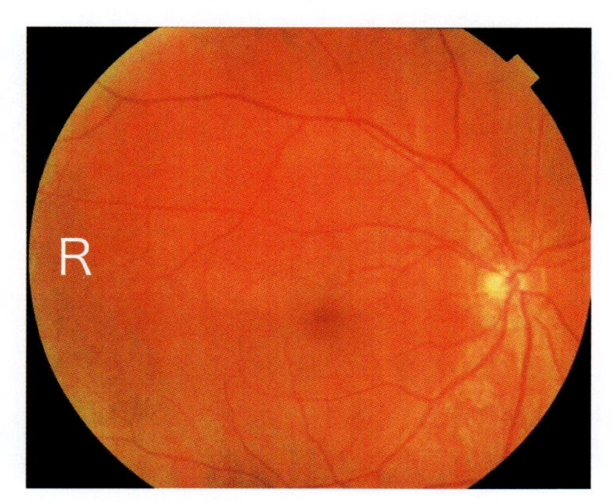

図2 右眼の眼底写真

MRI 検査

T1 強調画像の脂肪抑制・造影法で右頭蓋内視神経に造影剤増強効果(活動性炎症病変の存在)がある．

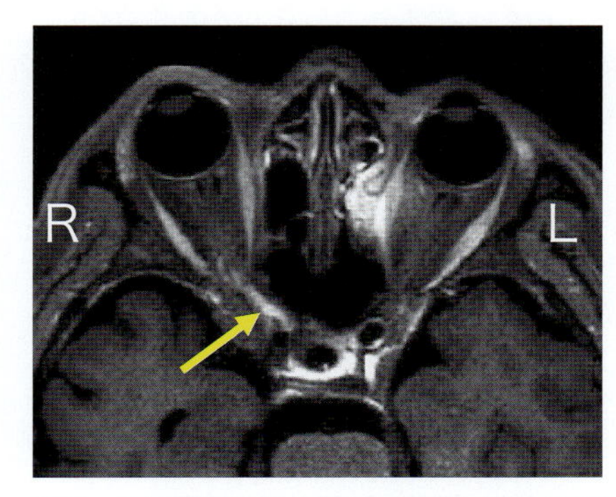

図3 T1 強調画像の脂肪抑制造影法の画像

▶視神経炎の瞳孔対光反射障害には，swinging flash light test 陽性・relative afferent pupillary defect(RAPD)陽性・Marcus Gunn 瞳孔陽性がある．視神経疾患に特有な他覚的な異常所見であり，診断するうえで信頼性が高い．

▶視神経炎の眼底所見(図 2)では，視神経乳頭に異常のないいわゆる“球後視神経炎型”または“異常なし型”がある．この型は多発性硬化症や抗 AQP 4 抗体陽性視神経炎に多くみられる．

▶視神経炎の OCT 所見は，初発の“球後視神経炎型”では異常はない．障害が重篤な場合，経過中に早期から黄斑の網膜神経線維複合体(ganglion cell complex：GCC)に菲薄化が発生し，後遺障害の程度に応じた乳頭周囲の網膜神経線維層(circumpapillary retinal nerve fiber layer：cpRNFL)も菲薄化する．

▶視神経炎が疑われる場合には，MRI の画像検査を行う．Short TI inversion recovery(STIR)法では眼窩内の視神経の炎症病変が高信号に描出される．一方，頭蓋内視神経の病変は髄液の影響を避けるため，T1 強調画像の脂肪抑制造影法を行い，増強効果がみられれば活動性炎症ありと判定する(図 3)．抗 AQP 4 抗体陽性視神経炎では眼窩内だけでなく，頭蓋内視神経や視交叉にも炎症病変が存在するため，撮像法の選択と組み合わせには留意する．

抗アクアポリン4抗体検査

陽性

▶すべての視神経炎例で初診時に血清中の抗 AQP 4 抗体を検査する．抗体が陽性の視神経炎は中高年の女性に多く発症し，通常のステロイドパルス治療だけでは無効で重篤な視力低下の視神経萎縮になりやすい．早期から血漿交換や大量免疫グロブリン静注の治療を要する．重症の脊髄炎や脳内病変を合併するので脳神経内科にも診察を依頼する．再発予防治療も必要である．

B 抗 MOG 抗体陽性視神経炎

症例：29 歳　男性

主訴：右眼視力低下

現病歴：3 日前から眼を動かすと右眼の奥に痛みがあり，右眼の中心部分が見えにくくなった．今は左眼もかすむ感じがある．2 週間前に風邪症状があり，発熱（37.5℃）もあった．

家族歴・既往歴：特記すべきことなし

視力検査

RV＝0.02（n.c）

LV＝（0.8×S－0.50 D⊃C－0.50 D Ax 120°）

中心フリッカー値検査

R：10 Hz

L：32 Hz

視野検査

R：中心暗点

L：中心部沈下

瞳孔検査

R：対光反射障害あり

L：対光反射障害あり（わずかに）

▶左眼の視力と視野の軽度異常以外にも，中心フリッカー値も 32 Hz と低下し，瞳孔対光反射もわずかながら障害がある．両側の視神経炎を発症している所見である．

前眼部・中間透光体検査

異常なし(両眼)

眼底検査

R：視神経乳頭の浮腫

L：視神経乳頭の辺縁不明瞭

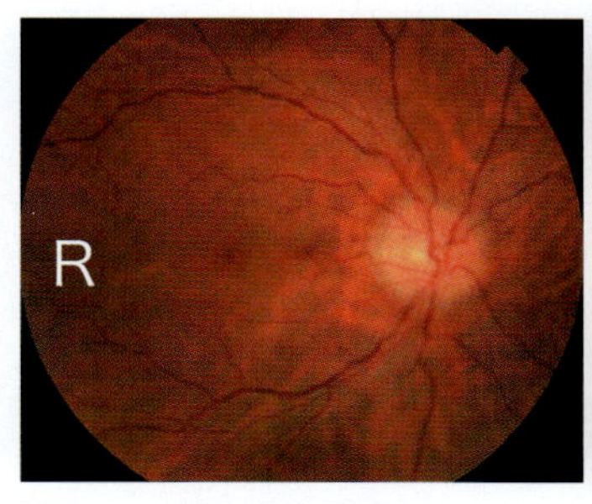

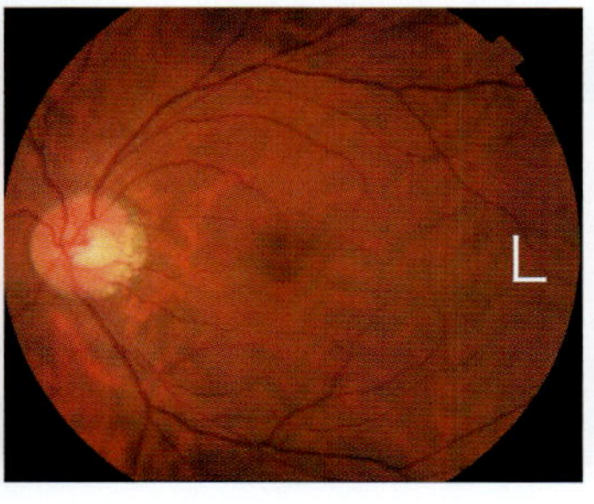

図4 両眼の眼底写真

OCT

右眼発症時の乳頭周囲網膜神経線維層(cpRNFL)は肥厚(腫大)を示す．左眼も一部に肥厚がある．

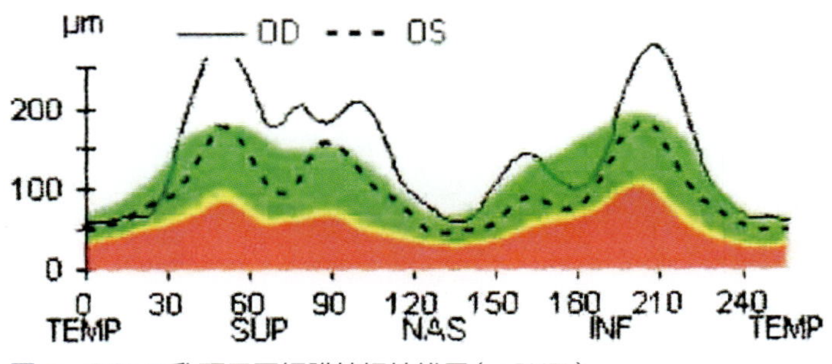

図5 OCTの乳頭周囲網膜神経線維層(cpRNFL)

▶視神経炎の眼底の乳頭所見として2種類の“乳頭浮腫型”がある(図4)．1つは炎症病変が視神経前方に限局するいわゆる“乳頭炎”と，もう1つは視神経前方から後方まで全長が炎症病変のものである．抗MOG抗体陽性視神経炎では“乳頭浮腫型”を両側視神経にみることが多い．

▶“乳頭浮腫型”では乳頭周囲の網膜神経線維層(cpRNFL)に明らかな肥厚(腫大)がみられる．治療による改善後に黄斑網膜神経線維複合体(GCC)から菲薄化が発生する．

MRI 検査

Short TI inversion recovery（STIR 法）で眼窩内視神経の全長に及ぶ腫大と高信号がある（両：右>左）.

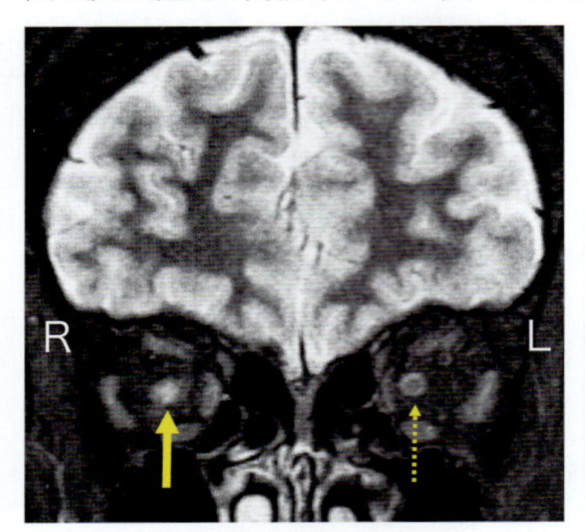

図 6　STIR 法画像の冠状断面

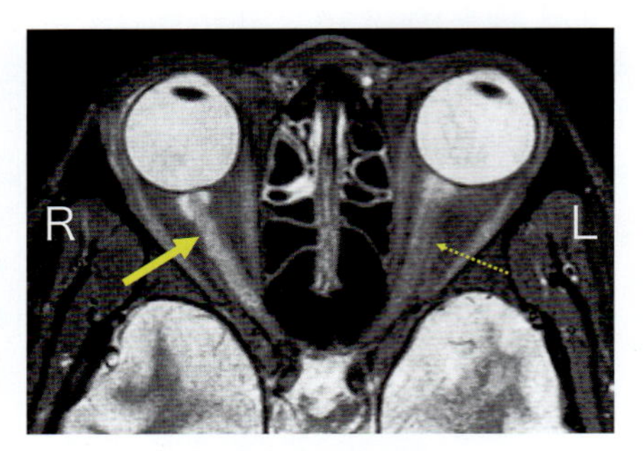

図 7　STIR 法画像の軸位断面

抗 MOG 抗体検査

陽性

（中尾雄三）

▶抗 MOG 抗体陽性視神経炎では MRI の STIR 法で，眼窩内視神経の全長に及ぶ腫大と高信号を両側にみることが多い．造影剤で視神経周囲（鞘）の増強効果をみることがある．
脳内に急性散在性脳脊髄炎（acute disseminated encephalomyelitis：ADEM）に類似の大きな炎症病変をみることがある．

▶抗 MOG 抗体が陽性の視神経炎は全年齢に，男女の性差なく発症がみられる．小児の視神経炎では抗 MOG 抗体が陽性であることが多い．上気道感染，ウイルス感染，ワクチン接種後，ADEM との関連も推測されている．最近では COVID-19 感染後や COVID-19 ワクチン接種後に発症した症例の報告もある．
両側視神経の乳頭浮腫型で，眼球後部の痛みを訴えることが多い．一般にステロイドパルス治療が効果的で，視機能の改善も良好である．再発する例もあり，この場合は再発予防治療を要する．

X 緑内障

A 開放隅角緑内障

症例：50歳　男性
主訴：高眼圧
現病歴：健診にて高眼圧を指摘され，当院受診.
家族歴・既往歴：特記すべきことなし

視力検査

RV＝1.0(1.5×S＋1.00 D⊂C－0.50 D Ax 90°)
LV＝1.0(1.5×S＋0.50 D⊂C－1.00 D Ax 90°)

眼圧検査

R：19 mmHg
L：24 mmHg

細隙灯顕微鏡検査

前眼部，中間透光体には異常所見を認めない.

隅角検査

Shaffer 分類(表 1)Grade 4 の正常開放隅角.

▶隅角検査(図 1)は，全周で毛様体まで見える正常開放隅角を認める.

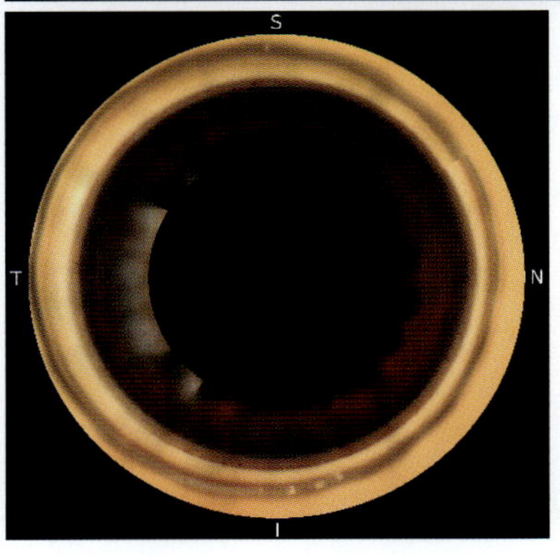

図 1　隅角所見
〔上：隅角写真　下：360° 隅角カラー撮影(ゴニオスコープ GS-1)〕

表 1　Shaffer 分類

Grade 0	隅角閉塞が生じている（隅角の角度：0°）
Grade 1	隅角閉塞がおそらく起こる（隅角の角度：10°）
Grade 2	隅角閉塞は起こる可能性がある（隅角の角度：20°）
Grade 3〜4	隅角閉塞は起こり得ない（隅角の角度：20〜45°）

眼底検査

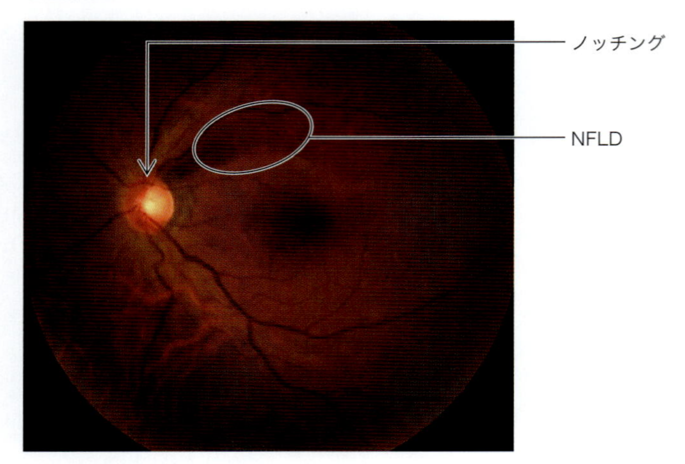

図 2　眼底写真

▶陥凹乳頭径比（C/D 比）は 0.7 あり，乳頭上極にはリムの菲薄化に伴いノッチングがみられ，同じ方向の上耳側に網膜神経線維層欠損（nerve fiber layer defect：NFLD）を認める（図 2）．

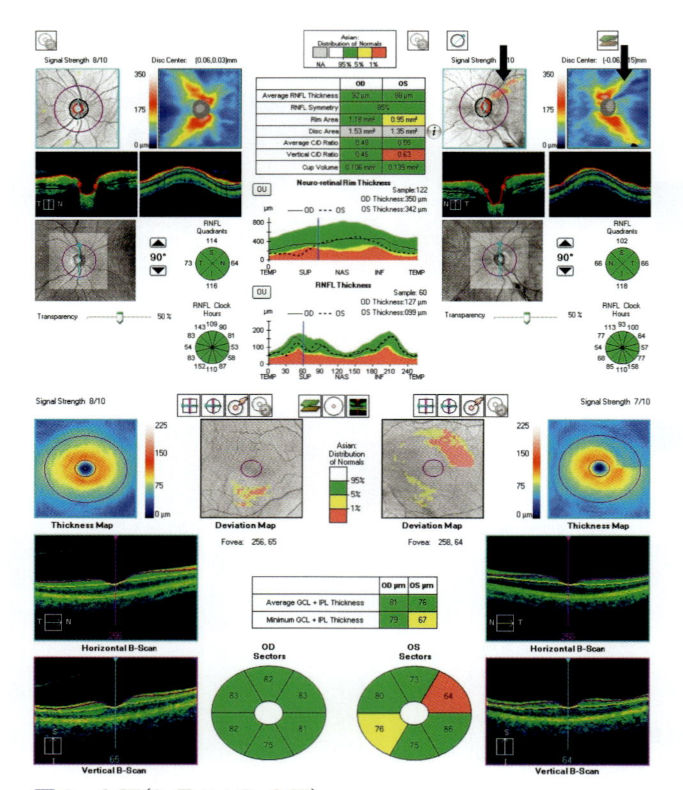

図 3　OCT（シラス HD-OCT）
〔上：RNFL Thickness 解析　下：Ganglion Cell Analysis（GCA）〕

▶ OCT において，左眼の上耳側に一致した網膜神経線維層の菲薄化がみられる（図 3 矢印）．黄斑部網膜内層検査（ganglion cell analysis：GCA）は眼底写真で認められた NFLD とよく相関しており，temporal raphe sign[1] を認める．

視野検査

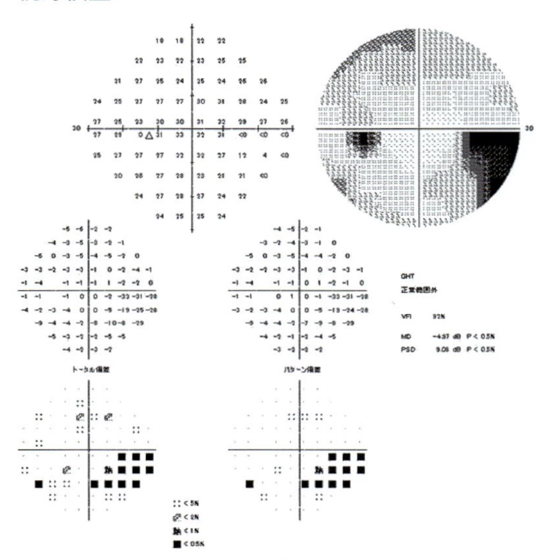

図 4　Humphrey 視野検査(30-2 SITA Standard)

眼圧の日内変動

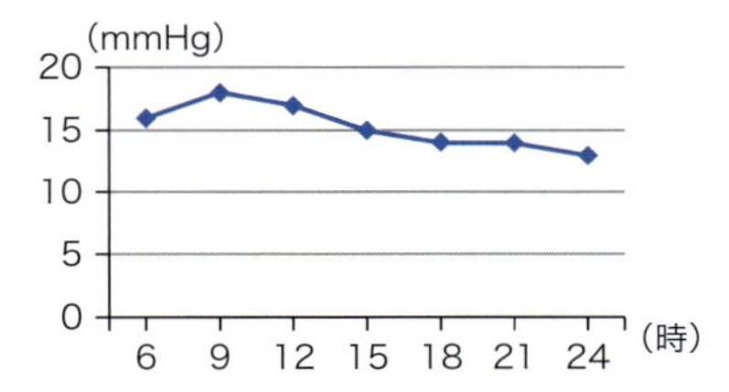

図 5　眼圧日内変動(Goldmann眼圧計)
午前中に高い傾向がある．特に眼圧が低いにもかかわらず，視野進行が速い症例では，時間を変えて眼圧測定を行うことも大切である．

▶ Humphrey 視野検査(図 4)において，網膜神経線維層欠損部に対応した下方視野に視野欠損があり，鼻側階段を呈している．

▶緑内障を診断する際は，問診をはじめとするさまざまな検査が必要となる．最終的に眼圧検査，隅角検査，眼底検査，視野検査などを総合的に評価して病型・病期を決定する．本症例では眼圧値は 24 mmHg で眼底所見と視野所見の整合性があり，他疾患が除外されたことから(狭義の)原発開放隅角緑内障と診断した．その後，ベースライン眼圧を確認し，目標眼圧を設定して緑内障点眼薬による薬物治療を開始した．

▶広義原発開放隅角緑内障の 90% は眼圧が正常範囲の正常眼圧緑内障(2001 年多治見スタディ)であるが，眼圧には日内変動(図 5)があるため注意する必要がある．

解説

1. RNFL Thickness の解析

RNFL color map において，RNFL は正常では視神経乳頭の上下で厚く，青から白色で表示され，厚いほど暖色系となる．網膜神経線維層欠損があると赤色部分が減少する．視神経乳頭につながる神経線維層の走行に一致する異常がみられた場合は緑内障が疑われる．RNFL deviation map は正常データベースとの比較(無色：正常範囲　黄色：正常の 5% 未満　赤色：正常の 1% 未満)で表示される．

2. 黄斑部網膜内層の解析

黄斑部全層を撮影した画像から網膜内層厚を抽出して測定する．Thickness Map では網膜内層厚が厚いほど暖色系，非薄化は寒色系で示される．Deviation Map では正常群データベース(正常母集団の 1% 未満では赤色，5% 未満では黄色)との比較で表示される．本項で呈示したシラス HD-OCT は，黄斑部網膜内層厚を GCA として表示し，黄斑部の神経節細胞層(GCL)＋内網状層(IPL)の厚みを測定している．

B 閉塞隅角緑内障

症例：85 歳　女性

主訴：左眼の視力低下

現病歴：半年前から左眼の視力低下を自覚.

家族歴・既往歴：特記すべきことなし

視力検査

RV＝0.7（0.9×S＋3.00 D⊃C−0.50 D Ax 80°）

LV＝0.5（0.7×S＋3.50 D⊃C−1.00 D Ax 90°）

眼圧検査

R：20 mmHg

L：23 mmHg

細隙灯顕微鏡検査

図 6　細隙灯顕微鏡写真

▶前眼部の所見では細隙灯顕微鏡検査において van Herick 法[2)]（⇒364 頁）で Grade 1 の浅前房と白内障（Emery-Little 分類 3）を認める（図 6）. その他，中間透光体に異常は認めなかった.

隅角検査

Shaffer 分類 Grade 1 の隅角閉塞を疑う.

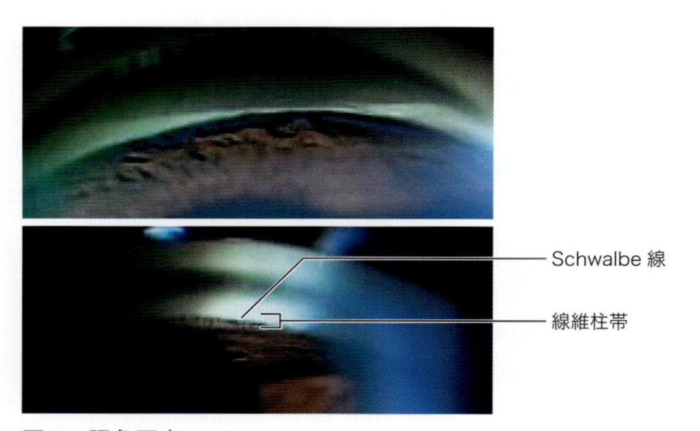

図 7　隅角写真
上図は圧迫なし，下図は圧迫あり.

▶隅角検査（図 7）で圧迫なしで Schwalbe 線が見えなかったが，圧迫することで線維柱帯まで確認できた.

OCT 検査

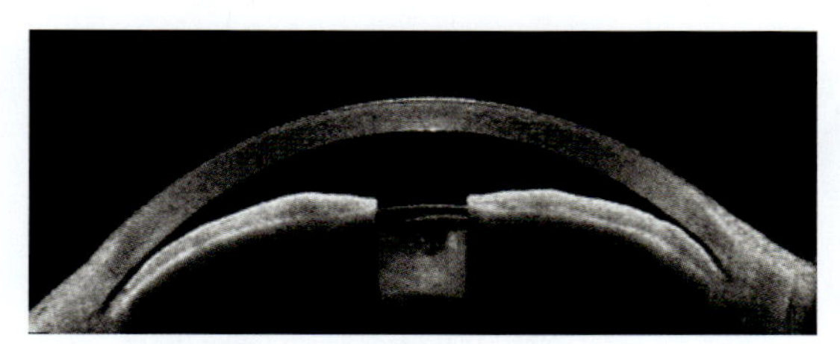

図 8　前眼部 OCT（CASIA2）

▶前眼部 OCT（図 8）では水晶体が膨隆し，前房深度が 1.4 mm と浅前房である．周辺虹彩の前方偏移に伴う狭隅角を認める．

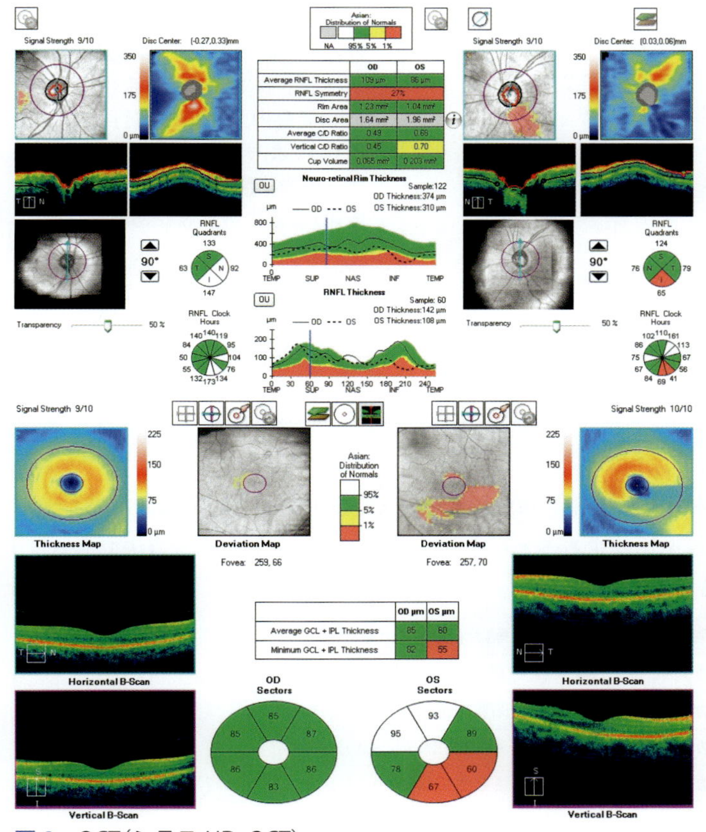

図 9　OCT（シラス HD-OCT）
上：RNFL Thickness 解析
下：Ganglion Cell Analysis（GCA）

▶左眼の下耳側に一致した網膜神経線維層の菲薄化がみられる（図 9）．同部位に対応して GCA の菲薄化と temporal raphe sign も認める．

視野検査

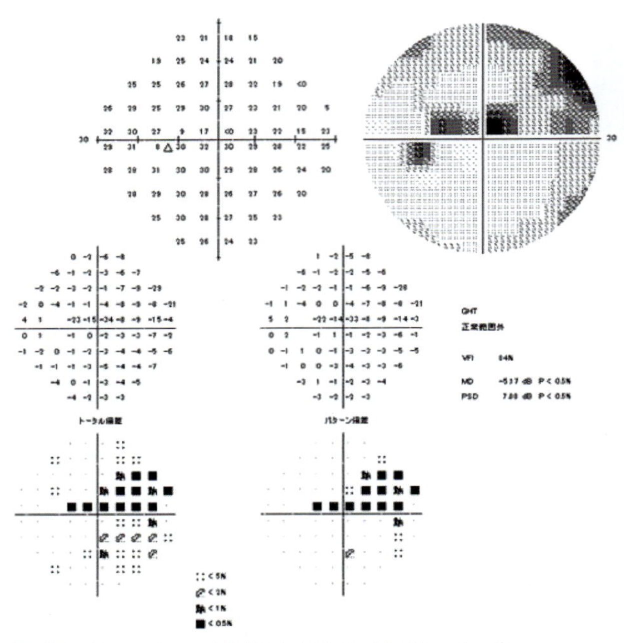

図 10　Humphrey 視野検査（30-2 SITA Standard）

▶ Humphrey 視野検査（図 10）において，網膜神経線維層欠損部に対応した上方視野に視野欠損があり，鼻側階段を呈している．

▶本症例は加齢により水晶体が膨隆し，徐々に隅角の閉塞を生じた原発閉塞隅角緑内障と思われた．閉塞隅角による眼圧上昇の機序としては，相対的瞳孔ブロック，虹彩の形成異常であるプラトー虹彩，本症例のような水晶体因子，uveal effusion などの毛様体因子などが指摘されている．本症例は治療として白内障手術を施行したが，症例によりレーザー治療（レーザー虹彩切開術，レーザー隅角形成術）などの選択肢がある．

解説

van Herick 法

細隙灯顕微鏡のスリット光束と観察系との角度を 60° として，スリット光束を角膜輪部に対して垂直に当て，周辺部前房深度と角膜厚を比較することにより，隅角の広さを推測する方法である．Grade 2 以下が隅角閉塞を生じている可能性が高くなる．

Grade	所見
Grade 0	角膜と虹彩が接触している．（隅角は閉塞している）
Grade 1	前房深度が角膜厚の 1/4 未満．（隅角閉塞を生じやすい）
Grade 2	前房深度が角膜厚の 1/4．（隅角閉塞を生じる可能性がある）
Grade 3	前房深度が角膜厚の 1/4～1/2．（隅角閉塞しにくい）
Grade 4	前房深度が角膜厚以上．（隅角閉塞を生じない）

▶文献

1) Lee J, Kim YK, Ha A, et al：Temporal raphe sign for discrimination of glaucoma from optic neuropathy in eyes with macular ganglion cell-inner plexiform layer thinning. Ophthalmology 126：1131-1139, 2019
2) 日本緑内障学会：緑内障診療ガイドライン 第 5 版．日眼会誌 126：85-177，2021

（渡邉友之，中野　匡）

XI 眼窩疾患

 甲状腺眼症

症例：54 歳　女性

現病歴：1 年前から右眼球突出，4 か月前から複視が出現.

既往歴：甲状腺機能亢進症

眼位検査

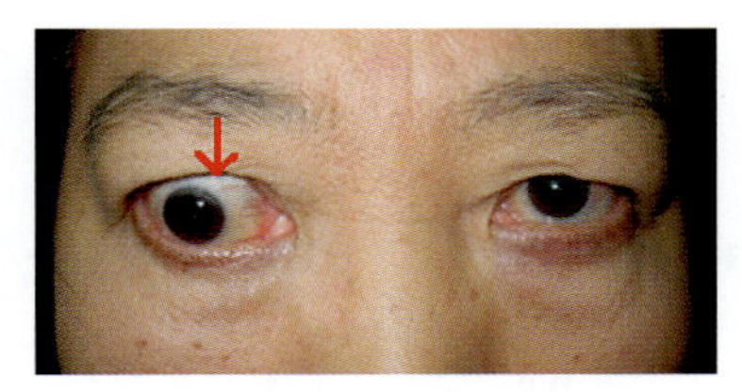

図 1　上部輪部の露出(Dalrymple 徴候)

▶上眼瞼挙上による瞼裂開大・第一眼位での上部輪部の露出(Dalrymple 徴候，図 1)，下方視時の上眼瞼下降不全(Graefe 徴候)を呈する.

眼球突出所見

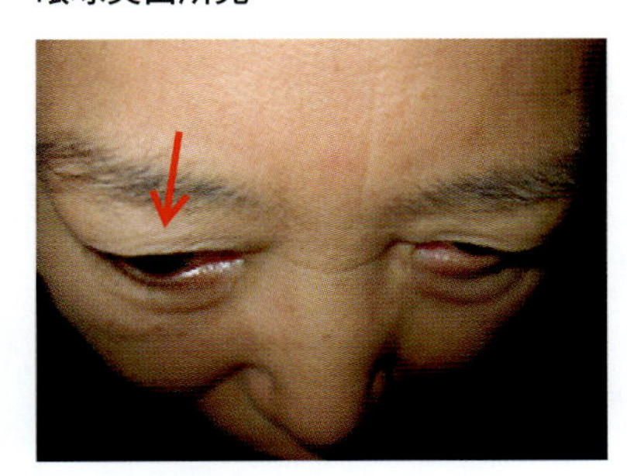

図 2　眼球突出
右眼眼球突出を認める.

▶眼窩内部組織の炎症による眼窩脂肪織と外眼筋の容積増大による眼球突出を呈する(図 2).

Hess 赤緑試験

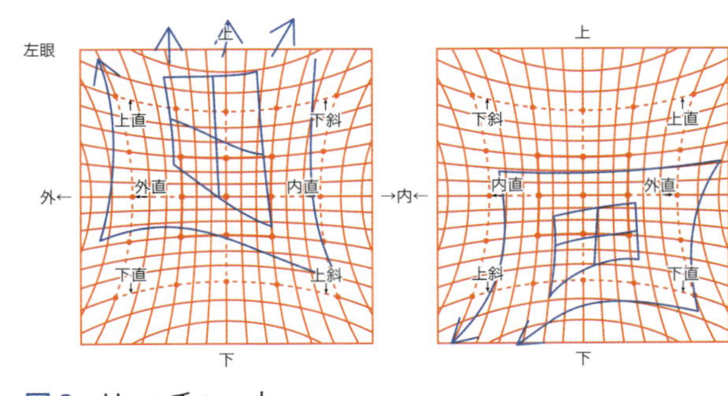

図 3　Hess チャート
右眼上転制限を認める.

▶片眼性あるいは両眼性に外眼筋の肥大と伸展障害による眼球運動障害が生じ，複視を訴える．下直筋の伸展障害による上転制限が最も多い(図 3).

画像検査

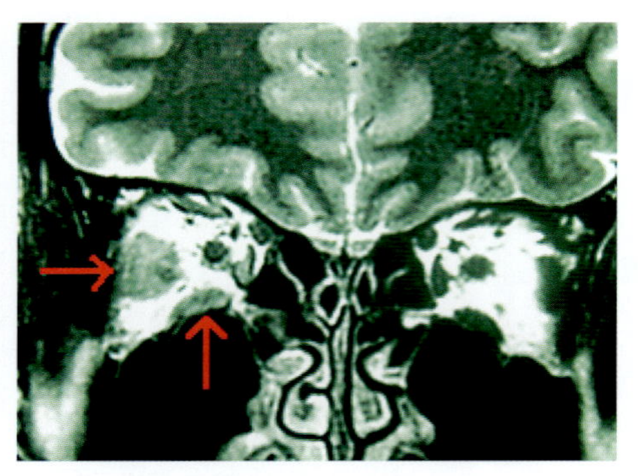

図 4　MRI
右外直筋・下直筋の肥厚を認める.

▶ MRI 撮像は眼球突出度，外眼筋肥大度，外眼筋炎症の活動性の評価に有用である(図 4).

Hertel 眼球突出計

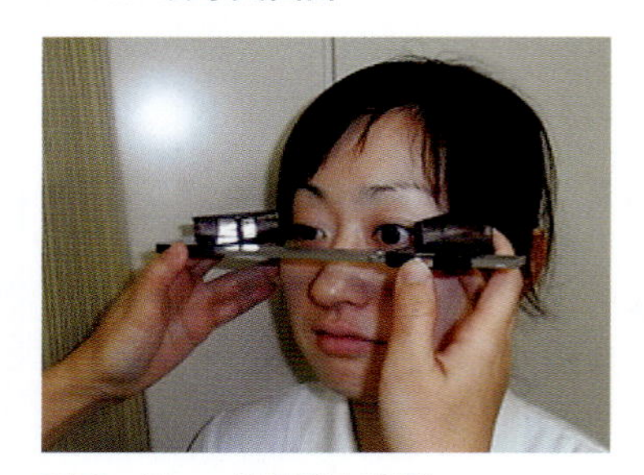

図 5　Hertel 眼球突出計

▶眼窩外側縁の骨と眼球の頂点との高さの差を計測．日本人の平均値は 13 mm である．これは少なからず個人差があるため，時間を経て変化しているか，左右差(2 mm 以上)はないかを確認する(図 5).

解説

甲状腺機能亢進症とは，甲状腺内組織の活動が活発になることにより，甲状腺ホルモンの分泌量が過剰になる疾患である．原因として多いのは Basedow 病であり，甲状腺刺激ホルモン受容体に対する抗体によって起こる自己免疫疾患である．

血液検査にて T3，T4，TSH，抗 TSH 受容体刺激抗体(TSAb)，自己抗体を評価することが診断の補助となる．TSAb は眼症の重症度・活動性に相関がみられ，最も重要な検査項目である．

B 眼窩腫瘍

症例：63 歳　男性

主訴：顔貌の変化，上眼瞼腫脹.

経過：半年前から家族に上記を指摘された.

画像検査

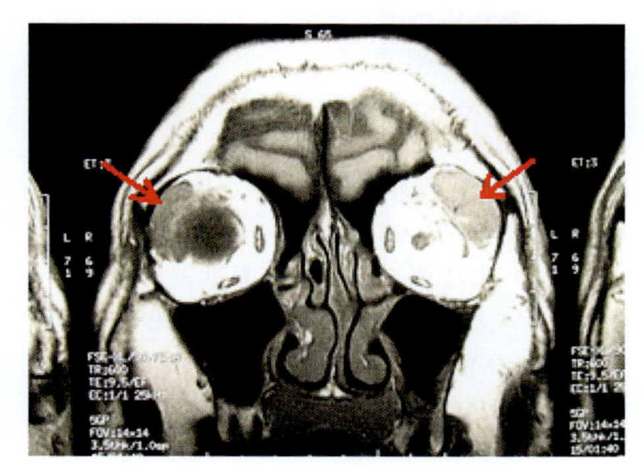

図 6　MRI
両涙腺腫大を認める.

肉眼所見

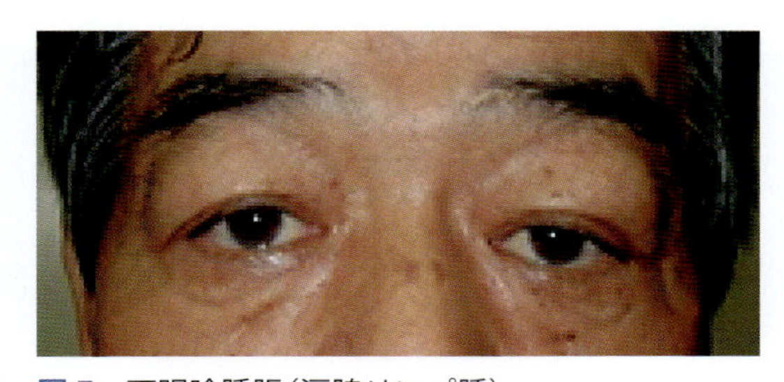

図 7　両眼瞼腫脹(涙腺リンパ腫)

▶眼窩および頭部 CT/MRI(図 6)，眼窩の病変に関して見当がつかない場合，CT 撮影を第一選択で施行する．眼窩腫瘍では，腫瘍の局在，骨破壊像，腫瘍内の石灰化を確認することができる．手術を検討している場合には MRI のみでは不十分であり，必ず CT を撮像しておく．骨条件で撮像すると，骨構造の中の濃淡が明らかになり，骨髄や骨折線がよく観察できるようになる.

MRI は体の中を進む条件に優れ，固体・気体には適さない．経時的に撮像できるため，シネモード MRI で対象の動きを観察することもできる.

▶超音波検査：プローブにジェルを塗布し，眼瞼皮膚にプローブを当てて観察する．この際プローブの向きを必ず記録する．画像より形態的異常を検出する．異物，石灰化がある場合 acoustic halo が生じる．悪性黒色腫では特徴的な減衰を示す.

疾患別検査の進め方

解説

眼窩腫瘍のうち，本邦において最も多いのはリンパ増殖性疾患(図 6, 7)であり，全体の 40% 近くを占める．これには悪性リンパ腫，反応性リンパ組織過形成および特発性眼窩炎症が含まれる．次いで涙腺多形腺腫，嚢腫様病変，海綿状血管腫および毛細血管腫の順に多い．悪性腫瘍(腺様嚢胞癌など)や転移性眼窩腫瘍も時にみられる.

また，血液中の免疫ブログリンのうち IgG4 が上昇し，全身の臓器に形質細胞が浸潤して腫脹する IgG4 関連疾患も近年注目されている．涙腺に浸潤する Mikulicz 病は無痛性・左右対称の涙腺腫大を呈する.

小児では良性腫瘍としては皮様嚢腫，神経線維腫，毛細血管腫，悪性腫瘍としては横紋筋肉腫と緑色腫(骨髄性白血病)が代表的である.

C 内頸動脈海綿静脈洞瘻

症例：65 歳

主訴：2 か月前からの充血

現病歴：充血に対し近医で点眼薬を投与されるも改善なし．眼球突出の自覚なし．

既往歴：なし

画像検査（MRI）

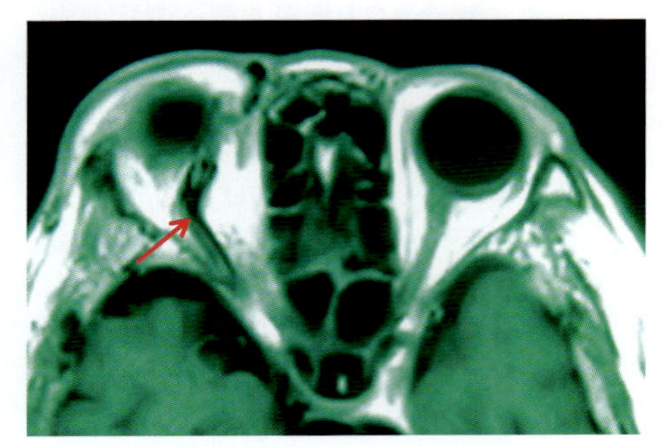

図 8　外眼筋の腫大

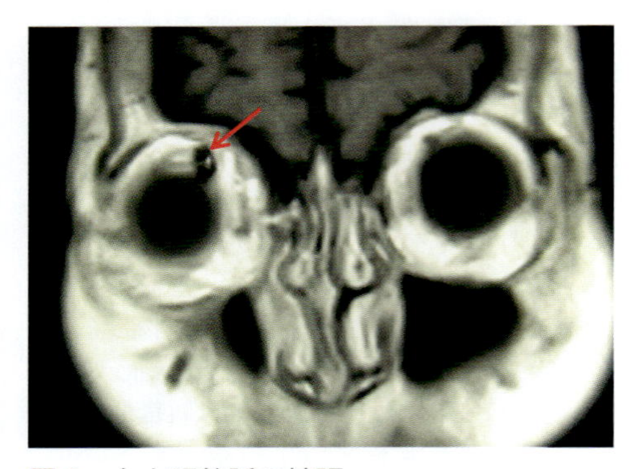

図 9　右上眼静脈の拡張

肉眼所見

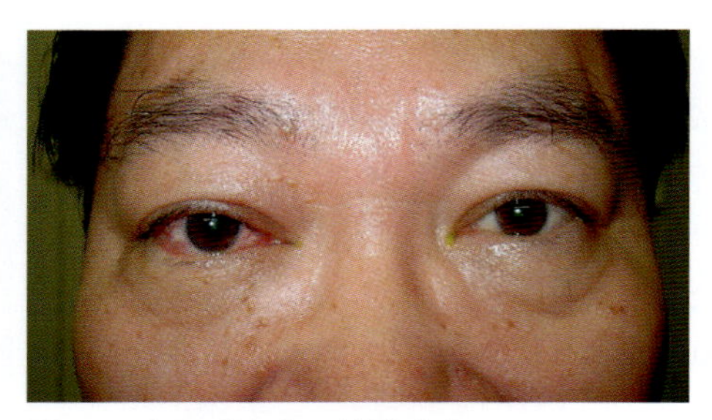

図 10　右眼球突出，結膜充血

▶特に重要な検査

- 眼圧測定
- Hertel 眼球突出計：眼球突出を評価
- CT・MRI（図 8, 9）：患側海綿静脈洞の幅の拡大，および上眼静脈の拡張を認める．長期罹患例では上眼窩裂の拡大もみられる．MRA では異常血管像や動静脈吻合部が血管の塊として描出される．

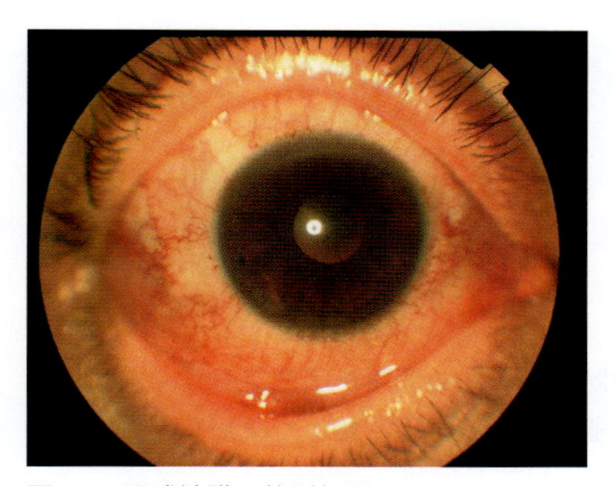

図 11　眼球結膜の静脈怒張

解説

内頸動脈海綿静脈洞瘻(carotid artery cavernous sinus fistula：CCF)とは，内頸動脈またはその枝が破綻して周囲の海綿静脈洞と短絡した瘻孔を形成するものである．海綿静脈洞内に動脈血が直接流入するため，洞内の圧が著しく上昇し眼静脈への逆流が起こる．原因により外傷性と特発性に分類される．

眼球突出(図 10)，眼球結膜の静脈怒張あるいは浮腫(図 11)，血管性雑音(bruit)が 3 主徴であり，海綿静脈洞部の静脈圧の上昇によって生じる．その他，眼圧上昇，眼瞼腫脹，眼球拍動，浅前房を認める．MRI では上眼窩裂を走行する拡張した上眼静脈を認める(図 9)．

(大本美紀，野田実香)

XII 外傷

A 眼窩吹き抜け骨折

症例：50 歳　男性

主訴：上方視時の複視，左眼球運動時痛，左眼球陥凹

現病歴：2 週間前に転倒して左眼部を打撲．受傷後は眼瞼腫脹のため開瞼が困難であり，左眼球運動時痛を自覚していたものの複視の自覚はなかった．眼瞼腫脹が消退し始めた頃から上方視時の複視と左眼球陥凹が気になるようになってきたため，精査目的で受診．

既往歴・家族歴：特記すべきことなし

矯正視力検査・屈折検査

RV＝0.4(1.2×S－1.75 D○C－1.5 D Ax 100°)
LV＝0.6(1.5×S－1.50 D○C－0.75 D Ax 130°)

眼圧検査

R：19 mmHg　L：19 mmHg

細隙灯顕微鏡検査・眼底検査

異常なし

眼球運動検査

① むき眼位の確認

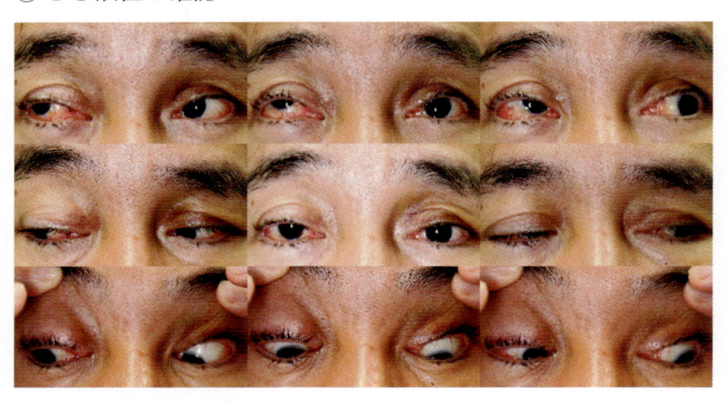

図 1　9 方向むき眼位
主に上転，内上転，外上転時に左眼のむき眼位の異常を認める．

▶眼窩吹き抜け骨折では，眼内出血，網膜剥離，外傷性黄斑円孔，眼球破裂などの眼球外傷を合併することも少なくない．眼窩吹き抜け骨折の治療よりも優先すべき眼球外傷がないか，以下の眼科検査に先立って評価しておく．

② Hess 赤緑試験・両眼単一視野検査

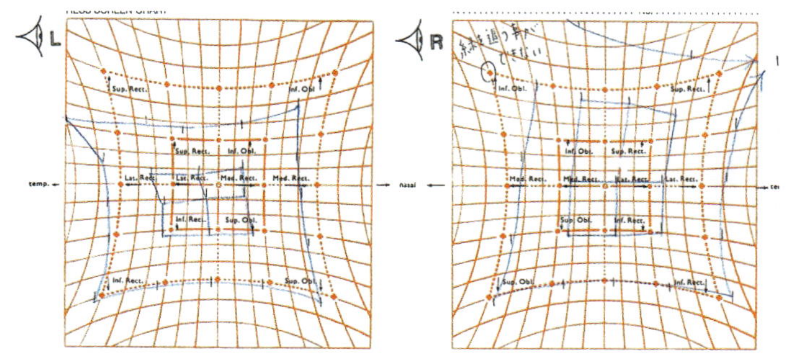

図 2　Hess 赤緑試験
左眼の上転制限を認める.

▶眼球運動制限の程度は，Hess 赤緑試験および両眼単一視野検査を用いて評価する．Hess 赤緑試験は中心 30° 以内の眼球運動の状態を正確に評価できるが，周辺視時（中心 30° よりも外）における眼球運動制限の有無は検知できない．一方，両眼単一視野検査は全視野での眼球運動の状態を評価できるが，検査の特性上，検査における誤差は Hess 赤緑試験よりも大きくなる．そのため，全視野での眼球運動制限の程度を適切に評価するためには，Hess 赤緑試験だけでなく両眼単一視野検査を併せて行う必要がある．

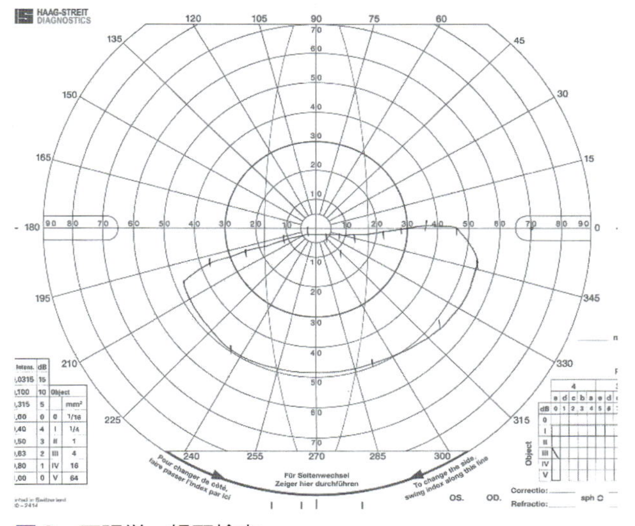

図 3　両眼単一視野検査

▶左眼の上転制限により，中心よりも上方の両眼単一視野が消失している．両眼単一視野の日本人の正常域は，おおよそ上方 40°，側方 50°，下方 60° 程度と報告されている[1]．

眼位（斜視）検査

本症例では施行なし．

▶眼窩吹き抜け骨折は鈍的外傷に伴って発症するため，眼筋麻痺を合併することも少なくない．眼球運動検査の結果から眼筋麻痺の合併が疑われる場合には，眼位検査を併せて行っておく．

眼球突出度の測定

右 17 mm，左 13 mm (Base 105 mm)

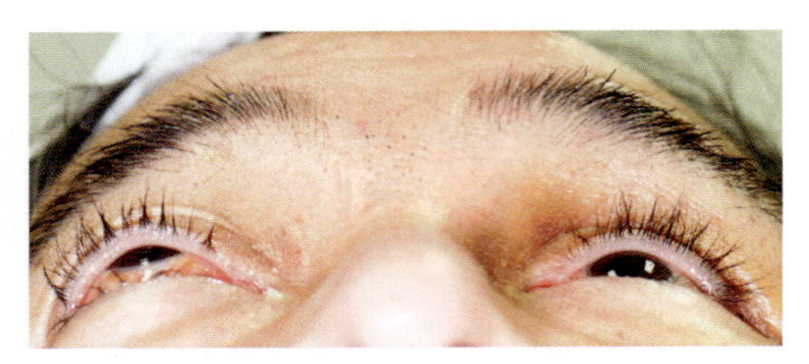

図 4　左眼球陥凹の様子

▶眼球陥凹の程度は，Hertel 眼球突出度計を用いて測定する．通常，3 mm 以上の眼球陥凹を生じている場合は手術を考慮する必要がある[2)]．

CT (コンピュータ断層撮影)

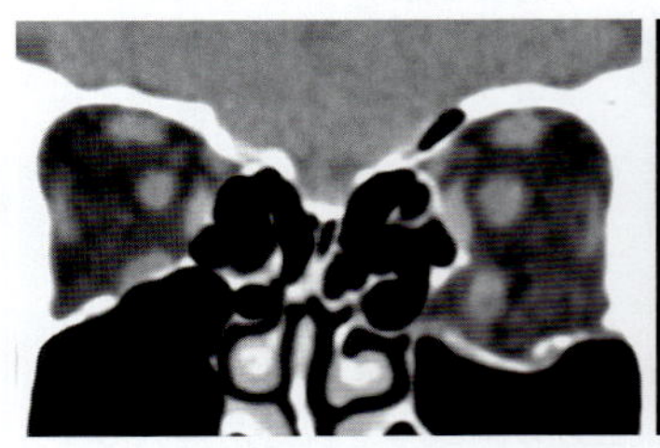

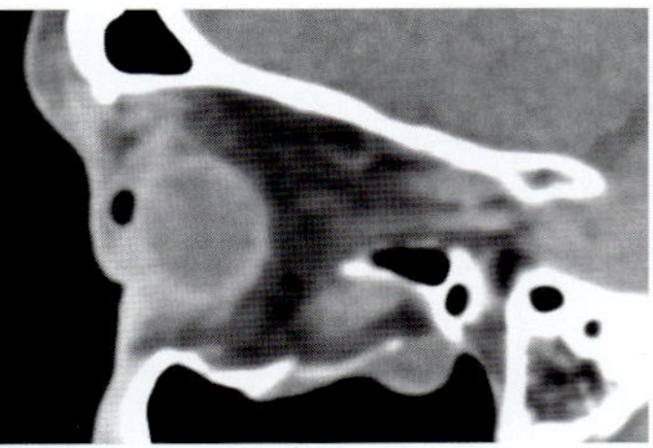

図 5　CT 冠状断 (左) と矢状断 (右)

▶眼窩下壁が隣接する副鼻腔へ向かって吹き抜けるように骨折し，それに伴い眼窩内組織 (眼窩脂肪と外眼筋) が副鼻腔へ脱出している．眼窩内組織が副鼻腔へ脱出することで，眼球運動制限や眼球陥凹などの症状をきたす．

解説

眼窩吹き抜け骨折の手術の要否は，眼球運動制限の程度，眼球陥凹の程度，年齢，および手術希望の有無などを考慮して総合的に判断する．骨折の状態を評価するためには，Hess 赤緑試験，両眼単一視野検査，眼球突出度の測定，および CT 撮影が必須の検査となる．

▶文献

1) Kakizaki H, Umezawa N, Takahashi Y, et al: Binocular single vision field. Ophthalmology 116: 364, 2009
2) Joseph JM, Glavas IP: Orbital fractures: a review. Clin Ophthalmol 12: 95-100, 2011

(今川幸宏)

 心因性疾患

A 心因性視覚障害

症例：９歳　女児
主訴：視力低下
現病歴：学校検診にて視力低下を指摘された.
家族歴・既往歴：特記すべきことなし

視力検査（5 m）

RV＝0.2（n. c.）
LV＝0.2（n. c.）
BV＝0.2（n. c.）

視力検査（2.5 m）

RV＝0.3（n. c.）
LV＝0.3（n. c.）

調節麻痺薬点眼後の屈折検査

<シクロペントラート塩酸塩>
R：S−0.25 D
L：S−0.25 D

▶両眼開放視力，近見視力を測定すると片眼視力よりよい視力が得られることもある．検査距離 5 m にこだわらず 2.5 m に距離を変えてもよい．レンズ交換のときには「さっきより見えるよね」などと声をかけながら測定する．ただし，過度な声かけは逆効果となるので気をつける．
オートレフラクトメータ測定時，瞳孔の状態，測定値が安定しているか確認する．値が不安定なときはプリントアウトして再度測定する．測定時に強い近視，値が不安定な調節緊張様の症状，縮瞳や瞳孔径の動揺がみられ，正確な屈折値が評価できない時は調節麻痺薬を用いて，屈折検査をする．併せてトロピカミドも点眼し，眼底検査を実施する．

打ち消し法による視力検査

RV＝（0.2×S＋0.25 D）
（0.3×S 0 D）
（0.5×S−0.25 D）
（0.8×S−0.25 D⊂S＋0.25 D）
（1.2×S−0.50 D⊂S＋0.25 D）
LV＝（0.4×S＋0.25 D）
（0.7×S 0 D）
（1.2×S−0.25 D）

▶打ち消し法はレンズの合計が調節麻痺薬点眼後の屈折値になるよう行う．視力は右眼が出ると左眼はスムーズに出ることもある．
▶検査データから，打ち消し法にて正常視力が証明されたということにより，心因性視覚障害と診断できる．

SFT

Fly（＋） 3 cm
Animals 3/3 100 sec
Circles 5/9 100 sec
眼位 正位

▶視力検査に固執せず，立体視検査など正常な視力を証明する方法の併用も望ましい．

Goldmann 視野計による視野検査

らせん状視野
再検査にて正常視野
「小児の心因性視覚障害に対する視力検査」参照⇒76 頁

▶ GP にてらせん状視野を呈した場合，ランダムに視標呈示して正常視野の測定も試みる．視認可能な最小の視標からV-4 のイソプタへと通常と逆の順番に測定する方法もある．視標を切り替える際に，被検者に視標が見やすくなることを伝える．

CFF 検査

R：53 Hz 52 Hz 50 Hz
L：51 Hz 49 Hz 50 Hz

▶中心 CFF は，60 Hz 以上と正常値より高値で，一定の値を示さないことがある．

電気生理学的検査

ERG：波形の異常みられず
VEP：潜時の延長みられず

前眼部・眼底検査

異常なし

▶典型的な検査所見がそろわないとき，CT，MRI などの画像診断やVEP，ERG などの電気生理学的検査を行い，頭蓋内疾患，視神経疾患，網膜疾患の器質的疾患の除外を行う必要がある．最近では網膜疾患の器質的疾患の除外のためOCT を用いることがある．また，両眼のことが多いが，片眼のみ発症することもある．

解説

応答に時間を要し，見えないときにただ黙っているという無反応な症例もいる．このような症例は，検査中に雑談などをしてもうち解けてくれず，暗示にも反応しにくいことが多く，対応に苦慮する．診断結果を急ぐあまり，検査時間が長くなったり，検査回数が頻回であったり，検査自体が本人の精神的・身体的負担となってしまわないよう注意する．初回に良好な視力が得られなくても，後日改めて検査すると通常の視力測定方法でスムーズに視力が得られることもある．1 回の検査で心因性視覚障害の典型的な検査所見を出そうとはせず，症例に対して寛容な姿勢で検査に臨むよう心がけたい．それでもなお視力の向上がみられない場合は，検者の交代，付添い者と意識的に離れて検査をするのも一考である．

最後に心因性視覚障害様の所見がみられても，器質的疾患が潜んでいることもあるため，検査データを見逃さないようにする．

（渡部 維）

付録：主な眼科機器の感染対策一覧

	機器名	メーカー名	クラス分類*	消毒が必要な機器部位	使用する消毒薬	使用不可の薬剤	消毒時の注意点
第5章 屈折検査	KR-800A	トプコン	I	額当て，本体カバー，顎受け，顎受け紙固定ピン，タッチパネル部	消毒用エタノール(工業用77%エタノール)または次亜塩素酸水(商品名：ジアクリア)	左記以外の溶剤	使用する消毒薬を布に湿らせて使用
	レチノマックス K-プラス3	ライト製作所	I	額当て	消毒用アルコール(市販品)，次亜塩素酸ナトリウム(濃度0.05%)，中性洗剤	左記以外の強溶剤(メチルアルコールなど)	該当消毒剤を柔らかい布に軽く湿らせて使用．中性洗剤以外の薬品を使用する場合，対象箇所に長時間浸すような行為を行わないこと
	TMS-5	TOMEY	II	顎受け，額当て，コーンの外側	消毒用エタノール	次亜塩素酸ナトリウム水溶液	消毒用エタノールを湿らせた布でこすらないよう拭く
	CASIA2			顎受け，額当て			
	Pentacam HR	ニコンソリューションズ(OCULUS)	II	顎台，額当て	消毒剤	—	消毒剤は直接装置に吹き付けず，布に吹き付けて行う
第6章 調節検査	AA-2000	ニデック	I	顎台，額当て	消毒用アルコール	シンナー，アルコールなどの有機溶剤を使用しない	〔外層部品〕 装置のカバー，パネルの汚れは，柔らかい布で拭き取る．汚れがひどいときは，水で薄めた中性洗剤を浸した布をよく絞ってから拭き取り，乾いた柔らかい布で拭き上げる 〔対物レンズ〕 対物に付着したほこりをブロアーで吹き，取り除く．箸のような細い棒状のものにレンズクリーニングペーパーを巻き付け(または綿棒を使用)，アルコールを少量染み込ませたもので，対物レンズを拭く．細い棒は金属製などの硬いものは避け，ガラスに傷を付けないものを使用する．拭き上げは，対物レンズの中心から外へ円を描くように力を入れず軽く拭く
	アコモレフ2	ライト製作所	I	額当て，顎受け	消毒用アルコール(市販品)，次亜塩素酸ナトリウム(濃度0.05%)，中性洗剤	左記以外の強溶剤(メチルアルコールなど)	・該当消毒剤を柔らかい布に軽く湿らせて使用．中性洗剤以外の薬品を使用する場合，対象箇所に長時間浸すような行為を行わないこと ・顎受けに関しては，顎受け紙もある(オプション品)
第7章 コントラスト検査/第8章 グレア検査	CAT-CP	ナイツ	I	顎受け，額当て，方向回答バー	クリーニングには消毒用エタノールを使用	シンナー，熱湯	柔らかい布に軽く湿らせて使用
	CGT-2000	タカギセイコー	I	顎台，額当て，ブザー	次亜塩素酸水(濃度100ppm)	アセトン・アルコール系などの強溶剤	次亜塩素酸水を柔らかい布に軽く湿らせて拭いた後，柔らかい布で乾拭きする
	OPTEC 6500	ジャパンフォーカス(Stereo Optical)	I	額当て	70%イソプロピルアルコール	アセトン，メチルアルコールなどの強溶剤	柔らかい布を使用し，消毒液を直接吹き付けずに表面をやさしく拭き取る
	C-Quant	ニコンソリューションズ(OCULUS)	I	アイピース(レンズを除く)，応答ボタン，ハンドレスト	アルコール	—	—

（つづき）

	機器名	メーカー名	クラス分類*	消毒が必要な機器部位	使用する消毒薬	使用不可の薬剤	消毒時の注意点
第10章 視野検査	Goldmann視野計	ジャパンフォーカス(HAAG—STREIT)	I	顎台，額当て，ブザー	70% イソプロピルアルコール	アセトン，メチルアルコールなどの強溶剤	消毒液で湿らせた糸くずの出ない布を使用し，表面をやさしく拭き取る
		タカギセイコー	I	顎台，額当て，ブザー	次亜塩素酸水(濃度100ppm)	アセトン・アルコール系などの強溶剤	次亜塩素酸水を柔らかい布に軽く湿らせて拭いた後，柔らかい布で乾拭きする
		イナミ	I	顎台，額当て，ブザー	イソプロピルアルコール	アセトン・メチルアルコールなどの強溶剤	弱性消毒剤を柔らかい布に軽く湿らせて使用
	Octopus視野計	アールイーメディカル	I	顎台，ヘッドレスト，応答ボタン，矯正レンズ，他患者が触れる箇所	イソプロピルアルコール(70%)，エタノール(70%)	アセトン・メチルアルコールなどの強溶剤，着色料や香料，その他成分が入っているものはデバイスを傷つける可能性がある	直接噴霧しない，デバイスを濡らさない，柔らかい布にイソプロピルアルコールを浸み込ませて使用する
	ハンフリー視野計	Carl Zeiss Meditec	I	顎台，額当て，応答ボタン，レンズホルダー，トライアルレンズ，ドーム内	イソプロピルアルコール(IPA，消毒用アルコール)	工業用IPA・アセトン・メチルアルコールなどの強溶剤	弱性消毒剤を柔らかい布に軽く湿らせて使用．ドーム内は70% IPA溶液を噴霧．トライアルレンズホルダーとドーム内上部の視標投影ユニットを紙などで覆い，適度な噴霧範囲を得るためにスプレー式の容器を使用
	FDT視野計(Matrix)		I	顎台，額当て，応答ボタン			弱性消毒剤を柔らかい布に軽く湿らせて使用
	imo	クリュートメディカルシステムズ	I	顎台，額当て	イソプロピルアルコール	アセトン・メチルアルコールなどの強溶剤	弱性消毒剤を柔らかい布に軽く湿らせて使用
	コーワ視野計	コーワ	I	顎載せ，額当て，応答スイッチ，ヘッドバンド	エチルアルコール	エチルアルコール以外の溶剤	・「コーワ AP-7000/7700」使用上の注意事項を参照 ・ドームの清掃は必ず当該メーカーまたはその関連会社に依頼する(ドーム表面の変色や変質などで視標の反射率が変わるなど，正しい検査ができなくなるおそれがあるため，消毒剤や紫外線殺菌などは，ドーム表面の変色や変質などが発生するため使用不可)
	MP-3	ニデック	I	顎台，額当て，応答ボタン，タッチペン	〔外層部品〕水で薄めた中性洗剤	シンナー，アルコールなどの有機溶剤を使用しない	「AA-2000」の項を参照(⇒375頁)
第11章 臨界融合頻度検査	近大式中心フリッカー値(CFF)測定器	アールイーメディカル	I	接眼筒の先端(目当てゴム)，液晶画面，点滅回数調整ダイヤル，電源スイッチ	イソプロピルアルコール ※目当てゴムは薄めた中性洗剤	アセトン・メチルアルコールなどの強溶剤	弱性消毒剤および中性洗剤を柔らかい布に軽く浸み込ませて使用
	フリッカーテスト器	はんだや	I	接眼部	アルコール(消毒用エタノール)	塩素系/ヨード系/アルカリ系	ガーゼなどの柔らかい布に少量を付けて軽く拭く
第12章 瞳孔検査	Haab瞳孔計，三田式万能計測器	はんだや	I	本体	アルコール(消毒用エタノール)	塩素系/ヨード系/アルカリ系	ガーゼなどの柔らかい布に少量を付けて軽く拭く
第14章 色覚検査	Panel D-15	ジャパンフォーカス	I	患者が触れるキャップ部分(色の表示面の消毒不可)，容器箱	過酸化水素水0.5%	アセトン，メチルアルコールなどの強溶剤	消毒液で湿らせた糸くずの出ない布を使用し，表面をやさしく拭き取る．ただし色表示部分は絶対に消毒しない(色が変化し正しく検査できなくなるため)

（つづき）

	機器名	メーカー名	クラス分類*	消毒が必要な機器部位	使用する消毒薬	使用不可の薬剤	消毒時の注意点
第14章 色覚検査	アノマロスコープ OT—II	ナイツ	I	接眼部，調整ノブ	クリーニングには消毒用エタノールを使用	シンナー，熱湯	柔らかい布に軽く湿らせて使用，接眼レンズにエタノールが付着しないよう注意
	HMC アノマロスコープ	ニコンソリューションズ（OCULUS）	I	アイピースの外枠，測定ヘッド	消毒液	—	消毒液を直接装置に吹き付けない
第15章 眼圧検査	細隙灯顕微鏡	Carl Zeiss Meditec	I	顎台，額当て	イソプロピルアルコール（IPA，消毒用アルコール）	工業用 IPA・アセトン・メチルアルコールなどの強溶剤	弱性消毒剤を柔らかい布に軽く湿らせて使用．光学部品は消毒しない
		レクザム	I	額当て，顎受け	消毒用エタノール	アルコール	消毒用エタノールは，15℃でエタノール（C_2H_6O）76.9～81.4容量%を含む（比重による）こと
		ジャパンフォーカス	I	顎台，額当て，グリップ．光学系は特に不可	70% エタノール	アセトン，メチルアルコールなどの強溶剤	消毒液で湿らせた糸くずの出ない布を使用し，表面をやさしく拭き取ること
		ライト製作所	I	額当て，顎受け，ホールディングバー	消毒用アルコール（市販品），次亜塩素酸ナトリウム（濃度 0.05%），中性洗剤	左記以外の強溶剤（メチルアルコールなど）	・該当消毒剤を柔らかい布に軽く湿らせて使用．中性洗剤以外の薬品を使用する場合，対象箇所に長時間浸すような行為を行わないこと ・顎受けに関しては，顎受け紙もある（オプション品）
		タカギセイコー	I	顎台，額当て，ハンドレスト	次亜塩素酸水（濃度 100ppm）	アセトン・アルコール系などの強溶剤	次亜塩素酸水を柔らかい布に軽く湿らせて拭いた後，柔らかい布で乾拭きする
		ニコンソリューションズ	I	額当て	消毒液	—	—
		イナミ	I	顎台，額当て	イソプロピルアルコール	アセトン・メチルアルコールなどの強溶剤	弱性消毒剤を柔らかい布に軽く湿らせて使用
		ニデック	I	患者に接触する部分（顎台，額当て，グリップ）	〔外層部品〕水で薄めた中性洗剤	シンナー，アルコールなどの有機溶剤を使用しない	「AA-2000」の項を参照（⇒375頁）
	TONO-PEN AVIA	アールイーメディカル	II	本体，チップ部分	イソプロピルアルコール（70%）	エチルアルコール，アンモニアベースの洗浄剤（LCD）	柔らかい布またはペーパータオルにアルコールを軽く浸み込ませて拭く．本体をアルコールに浸漬しないこと．オートクレーブおよび高温滅菌は使用不可
	AccuPen	ホワイトメディカル（ACCUTOM）	II	先端メタル部	イソプロピルアルコール	アセトン・メチルアルコールなどの強溶剤	先端の最初の 1/4（メタル部分）のみをイソプロピルアルコールに 2～3 分間漬け，軽く先端を揺らしながら洗浄する
	icare, icare PRO	エムイーテクニカ	II	額当て	イソプロピルアルコール	アセトン・メチルアルコールなどの強溶剤，第4級アンモニア化合物	・患者ごとに清掃する ・眼圧計本体の清掃の際は以下に注意する ①眼圧計の電源を切る，②消毒液を含ませた柔らかい布で清拭する，③残った消毒液を，柔らかい布で拭き取る

（つづき）

	機器名	メーカー名	クラス分類*	消毒が必要な機器部位	使用する消毒薬	使用不可の薬剤	消毒時の注意点
第15章 眼圧検査	Dynamic Contour Tonometer（DCT）	アールイーメディカル	II	本体，チップ部分	イソプロピルアルコール（70%）	アルコール（チップ部分）	・本体はアルコールを浸み込ませたペーパータオルで拭く ・センサーチップは水で洗浄し，汚れがひどい場合は中性洗剤を薄めた洗浄液を使用する．センサーチップにアルコールは使用しない ・センサーチップの基盤に水が触れないようにする ・液体に浸さない．滅菌できない
	TONOREF II/TONOREF III Plus, NT-530P/NT-1p	ニデック	II	顎台，額当て	〔外層部品〕水で薄めた中性洗剤	シンナー，アルコールなどの有機溶剤を使用しない	「AA-2000」の項を参照（⇒375頁）
	CT-800A	トプコン	I	測定窓，ノズル，内部ガラス，ストッパーノブ，顎受けハンドル部	消毒用エタノール（工業用77%エタノール）または次亜塩素酸水（商品名：ジアクリア）	—	使用する消毒薬を布に湿らせて使用
	Schiötz 眼圧計	アールイーメディカル	II	本体支持部，目盛り，可動桿	イソプロピルアルコール（70%）	特になし	70% アルコール綿で拭くか，70% アルコールに浸漬する．その後液を十分に洗浄し 5〜10 分乾燥させること
	トリガーフィッシュ	シード	II	なし	—	—	—
	トリガーフィッシュセンサー		III				
第16章 電気生理学検査	RETeval	メイヨー	II	アイカップ（患者に接触する黒いゴムの部分）	エタノール，イソプロピルアルコール	左記以外の薬剤	左記推奨する消毒薬を柔らかい布などに軽く湿らせて使用
	VERIS, LE-4100			顎台，額当て			
	LE-4000	TOMEY	II	電気生理検査用皿電極	消毒用エタノール	左記以外の薬品	消毒用エタノールを浸した脱脂綿で拭く
第17章 角膜内皮検査・角膜知覚検査・角膜厚測定	CEM-530 PARA-CENTRAL	ニデック	I	顎台，額当て	〔外層部品〕水で薄めた中性洗剤	シンナー，アルコールなどの有機溶剤を使用しない	「AA-2000」の項を参照（⇒375頁）
	HRT III	ジャパンフォーカス（Heidelberg）	II	非光学系	70% エタノール	アセトン，メチルアルコールなどの強溶剤	消毒液で湿らせた糸くずの出ない布を使用し，表面をやさしく拭き取ること
第18章 フレア検査	レーザーフレアメーター	コーワ	II	顎載せ，額当て	エチルアルコール	エチルアルコール以外の溶剤	額当ては被検者が変わるたびに必ず消毒用アルコールで拭く．顎紙を使用しないときは顎載せを消毒用アルコールで拭く
第20章 OCT検査	CASIA2	TOMEY	II	顎受け，額当て	消毒用エタノール	次亜塩素酸ナトリウム水溶液	消毒用エタノールを湿らせた布でこすらないよう拭く
	Cirrus HD-OCT	Carl Zeiss Meditec	II	顎台，額当て	イソプロピルアルコール（IPA，消毒用アルコール）	工業用IPA・アセトン・メチルアルコールなどの強溶剤	弱性消毒剤を柔らかい布に軽く湿らせて使用．レンズや光学機器の表面を清掃する際は，アルコール製剤ワイプを使用しない

（つづき）

	機器名	メーカー名	クラス分類*	消毒が必要な機器部位	使用する消毒薬	使用不可の薬剤	消毒時の注意点
第20章 OCT 検査	3D OCT-1 Maestro2	トプコン	I	額当て，本体カバー，顎受け，顎受け紙固定ピン，タッチパネル部	消毒用エタノール（工業用77%エタノール）または次亜塩素酸水（商品名：ジアクリア）	左記以外の溶剤	使用する消毒薬を布に湿らせて使用
	RS-3000 Advance2, Retina Scan Duo2	ニデック	II	顎台，額当て	〔外層部品〕水で薄めた中性洗剤	シンナー，アルコールなどの有機溶剤を使用しない	〔外層部品〕装置のカバー，パネルの汚れは，柔らかい布で拭き取る．汚れがひどいときは，水で薄めた中性洗剤を浸した布をよく絞ってから拭き取り，乾いた柔らかい布で拭き上げる〔対物レンズ，前眼部アダプター〕対物に付着したほこりをブロアーで吹き，取り除く．箸のような細い棒状のものにレンズクリーニングペーパーを巻き付け（または綿棒を使用），アルコールを少量染み込ませたもので，対物レンズを拭く．細い棒は金属製などの硬いものは避け，ガラスに傷を付けないものを使用する．拭き上げは，対物レンズの中心から外へ円を描くように力を入れず軽く拭く
	Spectralis OCT	ジャパンフォーカス（Heidelberg）	II	非光学系	70% エタノール	アセトン，メチルアルコールなどの強溶剤	消毒液で湿らせた糸くずの出ない布を使用し，表面をやさしく拭き取る
	DRI OCT Triton/Triton plus	トプコン	I	額当て，本体カバー，顎受け，顎受け紙固定ピン，タッチパネル部	消毒用エタノール（工業用77%エタノール）または次亜塩素酸水（商品名：ジアクリア）	左記以外の溶剤	使用する消毒薬を布に湿らせて使用
第21章 眼球突出検査	Hertel 眼球突出度計	イナミ	I	こめかみ当て	イソプロピルアルコール	アセトン・メチルアルコールなどの強溶剤	弱性消毒剤を柔らかい布に軽く湿らせて使用
第23章 写真検査	Daytona	ニコンソリューションズ（Optos）	II	顔当て，アイピース，ハンドグリップ	70% イソプロピルアルコールシート	—	—
	VersaCam α	ニデック	II	アイカップ	〔外層部品〕水で薄めた中性洗剤	シンナー，アルコールなどの有機溶剤を使用しない	〔外層部品〕装置のカバー，パネルの汚れは，柔らかい布で拭き取る．汚れがひどいときは，水で薄めた中性洗剤を浸した布をよく絞ってから拭き取り，乾いた柔らかい布で拭き上げる〔対物レンズ，コントロールユニットの受光素子〕汚れが付着した場合は，清潔な綿棒にごく少量のアルコールを含ませ，力をいれず軽く拭くこと．レンズ・受光素子の中心位から周辺へ，渦を巻くように軽く拭く

（つづき）

	機器名	メーカー名	クラス分類*	消毒が必要な機器部位	使用する消毒薬	使用不可の薬剤	消毒時の注意点
第23章 写真検査	AFC-330		II				〔外層部品〕 VersaCam αと同様 〔対物レンズ〕 対物に付着したほこりをブロアーで吹き，取り除く．箸のような細い棒状のものにレンズクリーニングペーパーを巻き付け（または綿棒を使用），アルコールを少量染み込ませたもので，対物レンズを拭く．細い棒は金属製などの硬いものは避け，ガラスに傷を付けないものを使用する．拭き上げは，対物レンズの中心から外へ円を描くように力を入れず軽く拭く
	共焦点走査型ダイオードレーザー検眼鏡（F-10）	ニデック	I	顎台，額当て	〔外層部品〕 水で薄めた中性洗剤	シンナー，アルコールなどの有機溶剤を使用しない	〔外層部品〕 VersaCam αと同様 〔保護ガラス，広角アダプターのガラス部〕 汚れが付着した場合は，清潔な綿棒にごく少量のアルコール（エーテル60%，エタノール40%）を含ませて，力を入れずガラスの中心位から周辺へ渦を巻くように軽く拭く．拭き上げは，対物レンズの中心から外へ円を描くように力を入れず軽く拭く
第24章 血流検査	LSFG-NAVI		I				〔外層部品〕 VersaCam αと同様 〔対物レンズ〕 対物に付着したほこりをブロアーで吹き，取り除く．箸のような細い棒状のものにレンズクリーニングペーパーを巻き付け（または綿棒を使用），アルコールを少量染み込ませたもので，対物レンズを拭く．細い棒は金属製などの硬いものは避け，ガラスに傷を付けないものを使用する．拭き上げは，対物レンズの中心から外へ円を描くように力を入れず軽く拭く
第25章 超音波検査	AL-4000	TOMEY	II	超音波プローブ（眼軸長，パキ）	接眼部：消毒用エタノールまたは次亜塩素酸ナトリウム水溶液 プローブ本体：消毒用エタノール	左記以外の薬品	・接眼部：患者ごとに，薬剤に浸漬して消毒し，消毒後は薬剤が残らないように精製水などで十分に洗い流す ・プローブ本体：消毒用エタノールを浸した脱脂綿で拭く
	UD-800，UD-8000AB			超音波プローブ（Bモード，眼軸長，パキ）			
	US-500，US-4000	ニデック	II	プローブ	グルタラール製剤，次亜塩素酸ナトリウム，消毒用エタノール	シンナー，アルコールなどの有機溶剤を使用しない	・消毒剤に浸漬したもの同士をぶつけたりして，お互いに傷付けないようにする ・薬液消毒後には，プローブ先端のすすぎを十分に行う ・消毒剤は，メーカの取扱説明書にしたがって使用する

（つづき）

	機器名	メーカー名	クラス分類*	消毒が必要な機器部位	使用する消毒薬	使用不可の薬剤	消毒時の注意点
第 26 章 光学式眼軸長検査	OA-2000	TOMEY	II	顎受け，額当て，コーンの外側	消毒用エタノール	左記以外の薬品	消毒用エタノールを湿らせた布でこすらないよう拭く
	IOLMaster 700，IOL Master500	Carl Zeiss Meditec	II	顎台，額当て	イソプロピルアルコール（IPA，消毒用アルコール）	工業用 IPA・アセトン・メチルアルコールなどの強溶剤	弱性消毒剤を柔らかい布に軽く湿らせて使用．光学部品は消毒しないよう注意
	SS-OCT バイオメータ ARGOS	santec (Alcon)	II	顎台，額当て	最大 70% のエタノール	アセトンなどの強溶剤	最大 70% のエタノールを柔らかい布に軽く湿らせて使用
	LENSTAR LS900	ジャパンフォーカス（HAAG–STREIT）	I	顎台，額当て，グリップ．光学系は特に不可	70% エタノール	アセトン，メチルアルコールなどの強溶剤	消毒液で湿らせた糸くずの出ない布を使用し，表面をやさしく拭き取る
	AL-Scan	ニデック	II	プローブ	グルタラール製剤，次亜塩素酸ナトリウム，消毒用エタノール	シンナー，アルコールなどの有機溶剤を使用しない	・消毒剤に浸漬したもの同士をぶつけたりして，お互いに傷付けないようにする ・薬液消毒後には，プローブ先端のすすぎを十分に行う ・消毒剤は，メーカーの取扱説明書にしたがって使用する

＊クラス分類：厚生労働省は医療機器の分類として，日米欧豪加の 5 地域が参加する「医療機器規制国際整合化会合（GHTF）」において平成 15 年 12 月に合意された医療機器のリスクに応じた 4 つのクラス分類の考え方を薬事法に取り入れている．それにより日本の医療機器は，「一般医療機器（クラスⅠ：不具合が生じた場合でも人体へのリスクが極めて低いと考えられるもの），管理医療機器（クラスⅡ：不具合が生じた場合でも人体へのリスクが比較的低いと考えられるもの），高度管理医療機器（クラスⅢ：不具合が生じた場合，人体へのリスクが比較的高いと考えられるもの）・（クラスⅣ：患者への侵襲性が高く，不具合が生じた場合，生命の危険に直結する恐れがあるもの）」の 4 つにクラス分類される．

（作成協力：一般社団法人日本眼科医療機器協会）

索引

＊主要な説明のある箇所を**太字**で示す.

和文索引

き

く

け

ち

つ

て

と

な

数字・欧文索引

B

C

D

E

F

G

Z